HARDPRESS.NET
HOME OF HARD-TO-FIND BOOKS

Mittheilungen
by Historischer Verein Für Steiermark

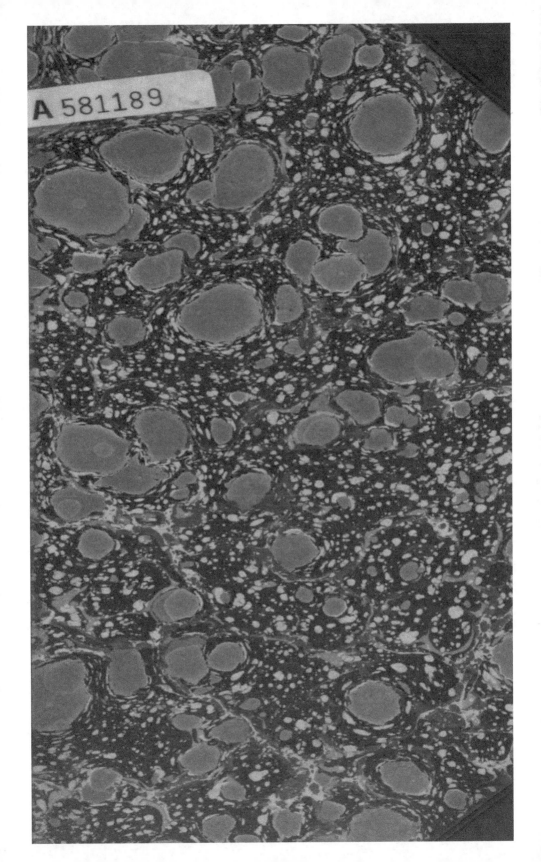

MITTHEILUNGEN

DES

HISTORISCHEN VEREINES

FÜR

STEIERMARK.

Herausgegeben

von dessen Ausschusse.

XXI. HEFT.

Graz, 1873.

Im Selbstverlage.

In Commission der k. k. Universitäts-Buchhandlung

Leuschner & Lubensky.

Inhalt.

Register

Vereins - Angelegenheiten.

Abhandlungen.

Kleinere Aufsätze und Mittheilungen.

Gedenkbuch.

(Fortsetzung aus dem XIV., XV. und XX. Hefte der „Mittheilungen".)

*

Register.

(Die Abkürzung Gdb. bezeichnet: Gedenkbuch.)

Zur Nachricht.

Zufolge der Vereinsausschuss-Beschlüsse vom 11. April, 29. Mai und 30. December 1872 sollte mit dem vorliegenden Hefte ein Inhaltsverzeichniss über sämmtliche bisher erschienene Vereinschriften der älteren, wie der neueren Periode und für die letztere, d. i. für die bisher veröffentlichten 20 Hefte der „Mittheilungen“, ein Orts-, Personen- und Sachregister zur Herausgabe gelangen.

Durch dieses Inhaltsverzeichniss und Register wird somit ein Abschluss der früheren Publikationen gebildet und es beginnt mit dem gegenwärtigen 21. Hefte eine neue Serie der Mittheilungen.

Der Vereinsausschuss ist aber nicht in der Lage, derzeit mehr als das Inhaltsverzeichniss zu liefern, indem sich der Herausgabe des Registers unvorhergesehene und nicht rasch zu bewältigende Hindernisse entgegenstellten. Eines derselben und zwar nicht das geringste besteht darin, dass sich bei der Prüfung der eingelangten Vorarbeiten ergab, man müsse dieselben vorerst einer eingehenden und gründlichen Revision unterziehen, bevor sie als Material für die eigentliche Arbeit dienen könnten.

Eine solche Revision liess sich um so weniger rasch durchführen, da die hiezu geeignetsten literarischen Kräfte ohnehin mit der Ueberarbeitung und Schlussredaktion des eben im Drucke befindlichen Registers zu den acht Bänden von Dr. Muchar's Geschichte vollauf beschäftigt sind und ein so grosses Opfer an Zeit und Mühe bringen, dass es unstatthaft erscheint, eine noch weiter gehende Zumuthung an dieselben zu stellen.

Der Ausschuss wird jedoch bestrebt sein, die Drucklegung des gedachten Registers im nächsten Jahre zu bewerkstelligen.

Dadurch, dass in dem vorliegenden Hefte die bei wissenschaftlichen Publicationen in neuerer Zeit beliebt gewordenen Antiqua-Drucklettern in Anwendung kamen, wurde einem mehrseitig geäusserten Wunsche Rechnung getragen.

Der administrative Bericht über das Vereinsjahr 1873 fiel diesmal aus. Dies findet in dem Umstande seine Erklärung, dass vermöge der in der XXIV. Jahresversammlung am 24. Juli 1872 beschlossenen Statutenänderung nunmehr das Vereinsjahr mit dem Kalenderjahre zusammenfällt, daher auch der diesbezügliche Bericht erst nach Ende dieses Jahres seinen Abschluss erhalten kann, während das vorliegende Heft noch im Laufe desselben hinausgegeben wird.

Da jedoch die Bekanntgabe der gegenwärtigen Zusammensetzung des Vereinsausschusses unaufschieblich erscheint, so wird derselben an dieser Stelle Raum gegeben.

Dem Ausschusse gehören nach den Wahlen vom 3. Februar 1873 an:

Vorstand: Dr. Richard Peinlich, k. k. Schulrath und Director des k. k. I. Staats-Gymnasiums in Graz.

Vorstand-Stellvertreter: Dr. Hermann Ign. Bidermann, k. k. Universitäts-Professor in Graz;

Schriftführer: Leopold Beckh-Widmanstetter, k. k. Oberlieutenant und Lehrer an der Cadetenschule Graz;

Cassier: Ernst Fürst, diplom. Apotheker in Graz;

Ausschüsse ohne besondere Function: Dr. Ferdinand Bischoff, k. k. Universitäts-Professor in Graz; Johann Graus, Kaplan in St. Veit ob Graz und k. k. Conservator für Steiermark; Dr. Arnold Ritter Luschin von Ebengreuth, k. k. Universitäts-Professor und Heinrich Noë, Director der k. k. Staatsoberrealschule in Graz.

Graz, im Dezember 1873.

Statuten

des historischen Vereines für Steiermark.

Zweck.

§. 1. Der Verein hat für Belebung des Interesses an der heimatlichen Geschichte und für Erweiterung der Kenntniss derselben zu sorgen.

Mittel.

§. 2. Als Mittel zur Erreichung dieser Ziele haben zu gelten:

a) systematische Forschung nach den Quellen und Denkmalen der Geschichte des Landes;

b) Erwerbung solcher in Originalen oder guten Copien;

c) Einflussnahme auf Erhaltung jener, die der Verein nicht erwerben kann;

d) Veröffentlichung aus einzelnen Gebieten der Landesgeschichte;

e) mündliche Besprechungen und Vorträge in regelmässigen Versammlungen;

f) Beförderung und Unterstützung der Herausgabe einschlägiger Schriften;

g) Aussetzung von Preisen für Arbeiten im Interesse der Landesgeschichte;

h) Verbindung mit auswärtigen Gesellschaften verwandter Richtung, und

i) Ueberlassung der Erwerbungen des Vereines an die betreffenden heimischen Landessammlungen (§. 11).

Sitz.

§. 3. Sitz des Vereines ist die Landeshauptstadt Graz.
Hier werden auch dessen regelmässige Versammlungen abgehalten, unbeschadet etwa künftig in anderen Städten des Landes abzuhaltender Versammlungen.

Mitglieder.

§. 4 Der Verein besteht aus ordentlichen, korrespondirenden und Ehrenmitgliedern.

Als ordentliche Mitglieder können Gebildete aller Stände beitreten, die mündlich oder schriftlich oder durch ein Vereinsmitglied ihren Beitritt und die Uebernahme der damit verbundenen Verpflichtungen (§. 5) dem Ausschusse anmelden, welcher allein betreffs der Aufnahme entscheidet (§. 8 lit. c).

Zu korrespondirenden Mitgliedern können nur Auswärtige (ausserhalb Steiermark Wohnende) ernannt werden, welche die Vereinszwecke bereits in anerkannter Weise förderten.

Zu Ehrenmitgliedern ernennt der Verein nur Solche, welche entweder um die Geschichtswissenschaft im Allgemeinen oder um den Verein im Besonderen hervorragende Verdienste sich erwarben, dieselben mögen nun bereits Mitglieder des Vereines sein oder nicht.

Der Vorschlag zur Ernennung der korrespondirenden und Ehrenmitglieder kann durch den Ausschuss oder ein Vereinsmitglied, muss aber stets mit entsprechender Begründung in der Jahresversammlung gemacht werden, die allein und zwar mit absoluter Stimmenmehrheit darüber entscheidet (§. 6 lit. b).

Pflichten und Rechte der Mitglieder.

§: 5. Jedes ordentliche Mitglied des Vereines verpflichtet sich:

a) zur Zahlung eines jährlichen Beitrages von mindestens 3 fl., welcher während des laufenden Jahres zu erlegen ist;

b) zur Unterstützung der Vereinszwecke durch Mittheilung entsprechender Nachrichten, und

c) zur Förderung der wissenschaftlichen Ziele der vom Vereine entsendeten Bevollmächtigten.

Jedes Mitglied hat das Recht auf den unentgeltlichen Bezug der regelmässigen Vereinschriften, auf die Benützung der Vereinssammlungen und auf Sitz und Stimme in allen Versammlungen des Vereines.

Bezüglich der Wahlen können Mitglieder, welche der Versammlung beizuwohnen nicht vermögen, ihre Stimmen durch Zuschrift an den Vereins-Ausschuss oder durch, dem Ausschusse schriftlich bekannt gegebene Bevollmächtigte abgeben. Schriftlich eingebrachte Anträge abwesender Mitglieder können nur dann zur Verhandlung gebracht werden, wenn ein anwesendes Mitglied sie aufnimmt.

Wer vom Vereine ein Diplom, das seine Mitgliedschaft bekundet, zu erhalten wünscht, hat im Anbetrachte der künstlerischen Ausstattung der nunmehr eingeführten Diplome den Betrag von 2 fl. dafür zu entrichten. Wer dagegen bei seiner Aufnahme in den Verein den Bezug eines solchen Diplomes ablehnt, erhält an dessen statt eine einfache Bescheinigung und hat gleich jedem Mitgliede blos die darauf gelegte Stempelgebühr dem Vereine zu vergüten.

Der Austritt steht jederzeit frei, ist aber dem Ausschusse oder der Vereinsversammlung schriftlich anzuzeigen. Als stillschweigend ausgetreten sind jene Mitglieder zu betrachten, welche ungeachtet erfolgter Mahnung mit einem dreijährigen Beitrage aushaften.

Oeffentliche Versammlungen.

§. 6. Alle Beschlüsse in Vereins-Angelegenheiten stehen den öffentlichen Vereinsversammlungen zu, deren — unbeschadet dem Rechte, ihre Zahl nach Massgabe des Bedürfnisses zu mehren — in jedem Jahre mindestens vier stattfinden, und zwar:

a) die Jahresversammlung im Monate Jänner, mit welchem das Vereinsjahr beginnt;

b) die Vierteljahrs - Versammlungen in den Monaten April, Juli (erste Hälfte) und Oktober, welche auch als Wander-Versammlungen abgehalten werden können (§. 3).

Uebrigens hat der Ausschuss nach Bedürfniss oder über Verlangen von 20 Mitgliedern auch ausserordentliche Versammlungen einzuberufen (§. 8 lit. 9).

Die Vierteljahrs-Versammlungen beschäftigen sich mit den laufenden Angelegenheiten des Vereines und können selbstständige Beschlüsse in allen jenen Fragen fassen, deren Ausführung den Kostenbetrag von 50 fl. nicht übersteigt. Es wird Sache des Ausschusses sein, bei diesen Versammlungen wissenschaftliche Gegenstände aus dem Bereiche der Geschichte zur Erörterung zu bringen und die Abhaltung solcher Vorträge einzuleiten.

Die Leitung und der Vorsitz in den Versammlungen des Vereines steht dem Vorstand oder bei dessen Verhinderung dem Vorstand-Stellvertreter zu.

Der Jahresversammlung ist vorbehalten:

a) Die Wahl des Ehren-Präsidenten, des Ausschusses und zweier Revidenten für die Rechnungen des folgenden Jahres;

b) die Ernennung zu korrespondirenden und Ehrenmitgliedern;

c) die Genehmigung der richtiggestellten Jahresrechnungslegungen und die Feststellung der Jahresvoranschläge;

d) jene Beschlüsse, deren Ausführung den Kostenbetrag von 50 fl. übersteigt;

e) die Abänderung der Statuten und

f) die Beschlussfassung über allfällige Auflösung des Vereines.

In der Regel ist jede rechtzeitig einberufene Versammlung beschlussfähig und zur Giltigkeit der Beschlüsse der öffentlichen Versammlungen absolute Stimmenmehrheit nöthig. Ausnahmen hievon bestimmen die §§. 13 und 14.

Ehren-Präsident.

§. 7. Der Verein wählt sich einen Ehren-Präsidenten auf Lebenszeit.

Vereins-Ausschuss.

§. 8. Die Vertretung des Vereines nach Aussen und die Leitung seiner innern Angelegenheiten obliegt dem Vereins-Ausschuss. Dieser besteht aus acht Mitgliedern, nämlich aus einem Vorstande,

    „   Vorstands-Stellvertreter,

    „   Schriftführer,

    „   Kassier und

vier Ausschuss-Mitgliedern.

Die Wahlen in die Vereinsleitung geschehen durch Stimmzettel und ist für den Ausschlag die absolute Stimmenmehrheit erforderlich. Alle Ausschuss-Mitglieder werden auf zwei Jahre gewählt; eine Wiederwahl für die nächste Wahlperiode ist nur bei dem Schriftführer und Kassier, bei den übrigen Ausschuss-Mitgliedern erst nach Ablauf eines Vereinsjahres zulässig.

Scheidet ein Ausschussmitglied während der Amtszeit aus, so findet bei der nächsten Jahresversammlung eine Ersatzwahl statt.

Dem Ausschusse sind zugewiesen:

a) Die Bestellung der Vereinsbediensteten (Kanzelist und Diener);

b) die Vorbereitung der Geschäftsstücke behufs erschöpfender Behandlung in den Versammlungen;

c) die Wahl von Sonder-Ausschüssen für denselben Zweck;

d) die Verfügung in dringenden Geldangelegenheiten bis zu 30 fl.;

e) Entscheidung über Aufnahme von ordentlichen Mitgliedern;

f) desgleichen jene über Aufnahme schriftlicher Arbeiten in die Publikationen des Vereines;

g) die Berufung der ordentlichen und ausserordentlichen Versammlungen und die Ausführung ihrer Beschlüsse;

h) die Berichterstattung und Rechnungslegung bei denselben, und

i) die Ausfertigungen und Bekanntmachungen des Vereines, zu deren Giltigkeit die Unterschriften eines Vorstandes und des Schriftführers erforderlich sind. Aufnahmsdiplome fertigt der Präsident, der Vorstand und der Schriftführer.

Der Ausschuss fasst seine Beschlüsse mit absoluter Stimmenmehrheit; bei Stimmengleichheit entscheidet der Vorsitzende. Zur Beschlussfähigkeit des Ausschusses ist die Anwesenheit von wenigstens fünf Mitgliedern erforderlich.

**

Bezirks-Korrespondenten und Sonder-Ausschüsse.

§. 9. Dem Ausschusse sind zur Förderung der Vereinszwecke und leichteren Besorgung der Geschäfte nach Thunlichkeit und Bedürfniss Bezirks-Korrespondenten und Sonder-
Ausschüsse an die Seite zu stellen.

Die Wahlen zu Bezirks-Korrespondenten stehen über begründeten Vorschlag des Ausschusses nur den Versammlungen
zu. Dieselben werden bezüglich ihrer Rechte den ordentlichen
Mitgliedern gleichgestellt, übernehmen jedoch nur die Verpflichtung, dem Vereins-Ausschusse nach ihren Kräften von allen
jenen Gegenständen und Ereignissen Kenntniss zu geben, welche,
dem Gebiete der Vereinsbestrebungen angehörig, zu ihrer Wissenschaft gelangen, so wie die Zerstörung geschichtlicher Denkmale thunlichst hindanzuhalten.

Die Sonder-Ausschüsse werden nach Erforderniss vom
Ausschusse oder den Versammlungen zur Behandlung gewisser
ihnen vorzulegender Fragen und Geschäftsstücke gewählt.

Von ihrem und der Bezirks-Korrespondenten Verhältnisse
zum Ausschusse handelt die Geschäftsordnung.

Vereins-Vermögen.

§. 10. Das Vereins-Vermögen besteht aus den Beiträgen
der Mitglieder, den Erträgnissen aus dem Verkaufe der Vereinsschriften und sonstigen Zuwendungen aus öffentlichen oder
privaten Mitteln und aus dem Vereine sonst eigenthümlich gehörigen Werthgegenständen.

Es darf nur zu Vereinszwecken verwendet werden und
steht unter Verwaltung des Ausschusses.

Vereins-Sammlungen.

§. 11. Der Verein legt keine selbstständigen Sammlungen
aus seinen Jahr für Jahr erworbenen wissenschaftlichen Gegenständen an, sondern tritt dieselben dem Landesarchive (Abtheilung: Joanneumsarchiv), dem Münz- und Antikenkabinete
und der Bibliothek am st. l. Joanneum unter Vorbehalt des
Eigenthumsrechtes und der Benützung nach ihren Statuten,

oder in zweiter Reihe anderen Anstalten im Lande ab, welche davon ihrer Natur nach am ehesten Gebrauch machen würden.

Schiedsgericht.

§. 12. Streitigkeiten aus dem Vereinsverhältnisse zwischen Mitgliedern unter einander oder zwischen solchen und dem Vereine entscheidet mit Ausschluss jeder Berufung ein Schiedsgericht, für welches jede Partei einen Schiedsrichter bestellt, die zusammen einen Obmann wählen.

Abänderung der Statuten.

§. 13. Abänderungen der Statuten können nur durch die Jahresversammlung beschlossen werden und ist dazu die Stimmenmehrheit von zwei Drittheilen der anwesenden Mitglieder erforderlich. Anträge in dieser Richtung sind dem Ausschusse mindestens vierzehn Tage vor der Jahresversammlung zur entsprechenden Begutachtung einzubringen.

Auflösung des Vereines.

§. 14. Die Berufung der Jahresversammlung, welche über die Auflösung des Vereines entscheiden soll, hat nur in Folge eines von mindestens zwanzig ordentlichen Mitgliedern beim Ausschuss schriftlich eingebrachten Antrages, mindestens vier Wochen vor dem Tage ihrer Abhaltung und mit ausdrücklicher Bekanntgebung jenes Antrages zu geschehen.

Zur Beschlussfähigkeit dieser Versammlung ist die Anwesenheit von wenigstens Dreifünftel der ordentlichen Mitglieder, zum Auflösungsbeschluss aber eine Mehrheit von wenigstens Zweidrittel der giltig abgegebenen Stimmen erforderlich.

Könnte die ordentlich einberufene Jahresversammlung wegen Mangel der erforderlichen Anzahl dabei Anwesender über die Auflösung des Vereines nicht beschliessen, so wäre hiezu unter den gleichen Bestimmungen wie jene die nächste Vierteljahresversammlung berechtigt.

Sollte auch diese nicht beschlussfähig sein, so hätte die nächste Vierteljahresversammlung bei jeder Anzahl anwesender

Mitglieder mit einer Mehrheit von Zweidrittel der Stimmen über die Auflösung zu beschliessen.

Dieselbe Versammlung, welche die Auflösung des Vereines beschloss, verfügt in gleicher Weise auch über die Verwendung der Geldmittel und sonstigen Werthgegenstände des Vereines. Die wissenschaftlichen Sammlungen aber gehen in das Eigenthum jener Anstalten über, welchen sie vorläufig abgetreten worden und die Akten des Vereines werden im Landesarchive hinterlegt.

(Bescheinigt mit dem Erlasse der h. k. k. Statthalterei, ddo. Graz 2. März 1873, Z. 2784.)

Abhandlungen.

I.
Die römischen Altendorfer Antiquitäten
der Pfarre St. Johann am Draufelde.

Von

Dr. Richard Knabl,

kaiserl. Rath und Mitglied des histor. Vereines für Steiermark.

In den Nummern 77—79 des heurigen Jahrganges der Grazer Tagespost hat Herr Alfons Müllner, Professor an der Lehrer-Bildungsanstalt zu Marburg, die Altendorfer Antiquitäten einer eingehenden Untersuchung unterzogen, welche um so verdienstlicher erscheint, als bisher kein geschriebener Bericht über diesen Gegenstand in die Oeffentlichkeit gelangt. Irrig ist jedoch die ausgesprochene Ansicht, als habe sich der historische Verein dieser Alterthümer bisher noch gar nicht angenommen, da ich über dessen Auftrag schon vor 28 Jahren Erforschungen an Ort und Stelle gepflogen habe, wie der nachfolgende Aufsatz zeigen wird. Wesshalb dieselben bisher noch nicht veröffentlicht wurden, ist leicht erklärlich, wenn ich bemerke, dass man abwarten wollte, ob nicht eine allfällige Veränderung im Wasserstande oder Laufe der Drau günstigere Ergebnisse ermöglichen würde. Da indessen diese Voraussetzung während der Zwischenzeit nicht eingetreten ist, auch der Status quo nach den Mittheilungen Prof. Müllner's noch fortdauert, so steht der Veröffentlichung meiner ersten im September 1845 angestellten Untersuchung nichts im Wege.

Meine und Prof. Müllner's Untersuchungen dürften sich übrigens theils ergänzen', theils berichtigen. Ergänzen hinsichtlich der Vertheilung dieser Alterthümer durch die Behörden und den Zeitpunkt, wo diese statt hatte; berichtigen, weil meines Wissens nicht mehr als 7 Denkmale an die Alter-

1 *

thumsfreunde in Pettau abgeführt wurden, und es billige Zweifel erregen muss, wenn jetzt, nach 28 — 30 Jahren, von den Bewohnern jener Stadt eine grössere Anzahl von Denkmälern als von s. Johann abstammend angegeben wird, als seiner Zeit. So ist beispielsweise das dem Deus Sol gewidmete Votiv-Denkmal mit der Legende SOLI SA ¨ C· DOM·HERM | V·S·L. M nicht von Altendorf nach Pettau gekommen, sondern in letzt gedachter Stadt selbst im Jahre 1817 ausgegraben und gleich darauf an jener Stelle eingefriedet worden, wo es sich noch jetzt befindet.

Eine ungenaue Mittheilung des Fundortes kann trotzdem Herrn Müllner nicht zur Last gelegt werden. Ein Forscher muss sich über Ereignisse, die lange vor ihm stattfanden, mit dem bescheiden, was noch lebende Gewährsmänner ihm vorbringen, und diese waren eben ungenau.

Graz, im April 1873. —

Zwischen St. Johann am Draufelde und dem Schlosse Wurmberg fliesst die Drau in mehreren Armen, welche nie dieselbe Richtung einhält, sondern nach Massgabe eines höheren oder niederen Wasserstandes stets ihren Lauf und ihre Richtung verändert.

Von der Veränderung des Flussbettes der Drau ist der Boden um Marburg der sprechendste Zeuge. Man unterscheidet noch jetzt ganz deutlich, welchen Gang der Fluss vor vielen Jahrhunderten genommen hat. Gleich bei Gams, nordwestlich von der Stadt, sieht man noch die alten Flussläufe. Ingleichen hinter dem Dorfe Pobersch (Melling gegenüber) am jenseitigen Ufer des Flusses.

Es hat daher den Anschein, dass die Drau vor alter Zeit nördlich von der Stadt in der Richtung gegen Melling geflossen sei, von da ihren Lauf bei Pobersch und dessen Feldern bis zur Eisenbahn und von da aus in einigen Krümmungen so ziemlich durch die Mitte des Pettauer-Feldes, in der

Richtung gegen Haidin und St. Veit bei Ankenstein genommen habe. Wer von Pettau nach St. Johann am Draufelde reiset, wird beim Schmelzen des Schnee's die einstigen Drauufer gewahr werden.

Wann und in welcher Zeit die Drau ihren Lauf so veränderte, dass sie jetzt hart an der östlichen Hügelreihe des Draufeldes vorbeiströmt, ermangelt jedes historischen Nachweises; doch mag diese Katastrophe den Zeitraum vom 14. Jahrhundert an abwärts nicht überschreiten. Wenigstens haben wir noch eine schriftliche Nachricht, dass sie um die Mitte des 5. Jahrhunderts nicht ihren jetzigen Lauf gehabt habe und zwar bei Zosimos, Comes und Exadvokaten des Fiskus von Constantinopel, welcher seine Geschichte vom Kaiser Octavianus Augustus bis zum Jahre 410 v. Chr. schrieb. Als er nämlich [1]) den Marsch des gällischen Feldherrn Magnentius von Aquileja nach Pettau, bei dem es sich um den Besitz Illyricums handelte, beschreibt, sagt er: Magnentius in Pannoniam contendit; cumque pervenisset ad sitos ante Potecium [2]) campos, quos medios Dravus amnis intersecans, Noricos et Pannonios praeterlapsus in Istrum semet exonerat, in Pannonios milites ducit, quod prope Sirmium manum cum hoste conservere cogitaret.

Aus dieser Stelle geht hervor, dass zu Zosimos Zeiten die Stadt Pettau nicht mehr wie früher in Pannonien, sondern bereits in Noricum lag und daher letztere Provinz nordostwärts über Pettau hinaus bis an die Mur vorgerückt war; denn da die Drau von Pettau abwärts bei St. Veit eine nordöstliche Richtung annimmt, so muss das gegenüber am rechten Ufer gelegene Land eben so zur Provinz Pannonien gehört haben, als das am linken Ufer gelegene sammt der Stadt Pettau zur Provinz Noricum, weil Zosimos von den ad sitos ante Potecium campos aussagt: quos medios Dravus amnis Noricos et Pannonios praeterlapsus intersecat.

---

[1]) Lit. II. p. 695.
[2]) Offenbar verschrieben für Poetovium.

Diese siti ante Potecium campi reichten aber damals nicht bis zur heutigen Stadt P e t t a u, sondern nur bis St. M a r t i n bei H a i d i n, wo auch das illyrische Zollamt und der D r a u - f l u s s war, so zwar, dass die ganze jetzige Vorstadt R a n n sammt dem dermaligen Draulaufe unmittelbar vor der Stadt „fester" Boden war, wie dieses die hier sowohl in der Vor- stadt als im gegenwärtigen Draulaufe gefundenen Gebäude- reste und Alterthümer bezeugen. Darum waren die siti ante Potecium campi damals etwas weiter als jetzt von der Stadt entfernt.

Allein in den nächsten Jahrhunderten hatte die Drau wieder ihren Lauf verändert, indem sie sich nach Ueberfluthung der Ranner Vorstadt näher der heutigen Stadt zu ein Bett wühlte.

Einen neuerlichen Beweis von einer theilweisen Laufver- änderung der D r a u liefert uns das Auffinden der in den letzten 1830ger Jahren namentlich aber im Jahre 1840 zwischen S t. J o h a n n und W u r m b e r g entdeckten und eben in der Frage stehenden Alterthümer.

Seit vielen Jahrhunderten lagen sie unter der Erde und das Vieh der Gemeinde A l t e n d o r f weidete darauf, denn noch im Jahre 1838 war der Fundort „Gemeindeweide".

Im Jahre 1839 schwoll die D r a u mächtig an, trat aus ihrem bisherigen Ufer, schwemmte das Erdreich dieser Weide weg und grub sich hier einen neuen Gang.

Als nun zu Anfang des Jahres 1840 der Wasserstand abnahm, wurde man der Alterthümer gewahr. Das Recht auf den Besitz dieser Steinmassen sprach die Gemeinde A l t e n - d o r f an, weil sie dort gelagert wären, wo vor wenigen Monaten noch ihre Viehweide war. Allein die benachbarte Herrschaft W u r m b e r g, als Inhaberin des Fischwassers, sprach ihr An- recht ebenfalls aus, und als hiervon das k. k. Kreisamt M a r - b u r g Anzeige erhielt, wurde der Bezirks-Obrigkeit E b e n s - f e l d die Gub.-Verord. vom 1. April 1812, Z. 7509/394, nach welcher „Münzen und Alterthümer an das k. k. Münz- und Antikenkabinet abzuführen sind", und dann die spätere Gub.-

Verord. vom 12. August 1828, Z. 14715, in Erinnerung ge-
bracht, nach welcher „nicht leicht transportable Steindenkmäler,
besonders Inschriften zu der dem Fundorte nächstgelegenen
Kirche gebracht, in eine Aussenmauer eingemauert und der
Obhut eines jeweiligen Pfarrers anempfohlen werden sollen".
Nachdem nun in Folge eines wiederholten kreisämtlichen Auftrages vom 8. April 1840, Z. 3561, die Bezirksobrigkeit
E b e n s f e l d angegangen wurde, die theilweise begonnene
Herausschaffung der Denkmäler einverständlich mit der Grund-
Obrigkeit fortzusetzen, kam man darin überein, dass die Gemeinde A l t e n d o r f, die Herrschaft W u r m b e r g und eine
Gesellschaft von A l t e r t h u m s f r e u n d e n a u s P e t t a u gemeinschaftlich Hand anlegen sollten. Allein es konnte nur der
kleinste Theil der Steinmassen aus dem neuen Drau-Arme
herausgeschafft werden, denn während der Besitzstreit noch
in der Schwebe war und die ämtlichen Verhandlungen gepflogen wurden, stieg das Wasser und nur mit grosser Mühe
konnte man das herausbringen, was bisher an's Tageslicht gefördert ist. Unwillkürlich erinnert man sich dabei an einen
bekannten Vorgang in der alten Zeit: Roma deliberante Sa-
guntus periit!

Seitdem ist das Wasser nicht mehr gefallen und es dürfte
noch eine Reihe von Jahren vergehen, bis es soweit schwinden
wird, dass man den überflutheten Steinmassen beikommen wird
können.

Von den herausgeschafften Steintrümmern aber hat den
kleinsten Theil die Herrschaft W u r m b e r g, den grösseren
die Gemeinde A l t e n d o r f und 7 mit Plastik und Inschriften
versehene Stücke die Gesellschaft einiger A l t e r t h u m s -
F r e u n d e i n P e t t a u erhalten.

I.

Die nach dem Schlosse Wurmberg gebrachten Denkmäler
sind:

a) das Bruchstück eines Inschriftsteines, 2′ hoch, 9″ breit und
11″ tief, mit der Legende:

Es dürfte einen Votiv- oder auch einem Grabsteine angehört haben, denn auf beiden Gattungen finden sich die bekannten Siglen C V T P vor, welche Colonia Ulpia Trajana Poetovionensis bedeuten;

b) ein länglicher Stein, 2' 3" hoch, 1' 4" breit und 8 ½" tief mit dem Relief einer nackten Gestalt, von der man aber wegen Verwitterung das Geschlecht nicht mehr erkennen kann;

c) Steinplatte, 1' 7½" hoch, 2' 3" breit und 11" tief, auf welcher der untere Theil von 2 en relief gekleideten Gestalten zu sehen ist, von welcher die rechts befindliche weiblichen Geschlechtes zu sein scheint;

Die noch bei der herrschaftlichen Mühle vorhandenen Antiken sind:

d) Zwei Löwen, vielleicht wohl auch Sphinxe, wegen Verwitterung schwer bestimmbar, in liegender Stellung. Der eine ist 1 ½' hoch, 2' 6" breit und 10" tief; der andere 2' hoch, 2' breit und 11" tief. Sie scheinen nicht zusammengehört zu haben;

e) ein Fragment, worauf en relief ein kleiner Opferaltar und der untere Theil eines daneben stehenden gekleideten Mannes zu sehen ist;

f) endlich das Bruchstück, vor Vertheilung der 1840 entdeckten Alterthümer an der D r a u gefunden und in den Hof des Schlosses W u r m b e r g überbracht, wo ich es copirte; mit der Legende

Zufälliger Weise wird in beiden Fragmenten die Pettauer Colonie einfach wie hier mit COLonia POeTAVIonensis (togata) und in dem anderen als C. V. T. P. d. i. als Colonia Ulpia Trajana Poetovionensis (militaris) bezeichnet, folglich gehört ersteres Fragment der Zeit nach in das I. Jahrhundert, das andere aber in das II. Jahrhundert.

II.

Die von der Gemeinde Altendorf behaltenen und noch auf dem Kirchenplatze der Pfarre St. Johann liegenden Steintrümmer, sämmtlich aus weissem Marmor, sind 65 an der Zahl. Sie sind theilweise von mächtigem Gewichte, kein Stück unter 3—4 Zentner; aber nicht alle tragen Spuren römischer Schrift und Plastik, sondern scheinen, da sie behauen sind, zu Gebäuden und Grabmälern gedient zu haben. Die merkwürdigsten darunter sind:

1. Zwei Säulen, davon eine 6' hoch, 1 ¼' im Durchmesser breit ist. Die andere ohne Knauf ist daher etwas kürzer. Dürften zur Zierde einer Grabkapelle verwendet gewesen sein.

2. Das Fragment einer Grabschrift, 2' 9" hoch, 2' breit und 6" tief, auf welchem noch folgende Zeilen zu lesen sind:

```
L I O
R V F I
O V A E
C O
A C C I A
```

3. Ein kleines Bruchstück, auf dem bloss 6" hohe übereinander stehende Buchstaben:

erkennbar sind und Reste einer Aufschrift gewesen sein mochten.

4. Ein platter Stein 1′ 2″ hoch, 3′ 5″ breit und 8 ½ tief mit einem Dreieckfelde, in dessen oberen Theile eine Gestalt sichtbar ist. Mag zum Kopfe eines Grabmales gehört haben.

5. Steinbild en relief, mit einer wegen Verwitterung nicht mehr recht erkennbaren, wie es scheint, weiblichen Gestalt.

6. Die Ecke eines Karniesses, welches zu einem Gesimse ge-gehört haben dürfte.

7. Bruchstück mit dem Relief einer gekleideten Gestalt, von welcher der Kopf weggebrochen ist. Die an der Brust an-gebrachten Ornamente und das von beiden Achseln herab-hängende Oberkleid scheinen auf den priesterlichen Stand des Trägers hinzudeuten.

8. Steinplatte, 4′ 2″ hoch, 1′ 8″ breit und 9″ tief. Sie ist etwas ausgehöhlt, etwa auf 3 ½″. Hier scheint die andere Hälfte abzugehen, so dass die ganze ausgehöhlte Platte nahezu ein Viereck gebildet haben mag. Welcher ihr Zweck gewesen sein mochte, dürfte schwer zu entscheiden sein. Vielleicht ward sie beim Opferdienste verwendet und in eine Grube eingesenkt, um das Blut der Opferthiere auf-zufangen, welche den Θεοῖς καταχθονίοις gewidmet waren.

9. Ein Fragment, 2′ 8″ hoch und 4′ breit, mit einer nicht mehr lesbaren Inschrift. Es war eingerahmt.

10. Hieher gehört auch das Reliefbild einer nackten sitzenden Gestalt unter einem Dreieckfelde, welche, den linken Arm aufstützend, sich erheben zu wollen scheint, ähnlich der Darstellung, wie sie in dem Pettauer Prangerdenkmale der Opheus-Scene oder in jener zu St. Martin am Bacher vor-kömmt. Dieses und noch ein ähnliches, wiewohl beschädigtes Reliefbild blieb noch vor Vertheilung der Antiquitäten an seinem Platze.

Alle übrigen zu St. Johann am Draufelde der Ge-meinde Altendorf verbliebenen Denkmale, beiläufig noch 56 an der Zahl, sind zwar behauen, theils kubisch, theils plattenartig geformt, jedoch ohne Schrift und Plastik, und dürften, wie bereits bemerkt, zum Mauerwerke gedient haben.

III.

Die nach P e t t a u auf Flössen überführten Gegenstände sind folgende:

1. Eine zur Hälfte gebrochene Grabschrift, 3′ 2″ hoch, 2′ breit und 8″ tief, auf welcher noch folgende Zeilen zu lesen sind:

```
        M
    IVS·SVC·F
   I VS·AN·LXI
   NTO·FIERI
   P.SVADRAE·
   MERITAE
   AC CVR I
```

Es wäre vergebliche Mühe, diese Grabschrift ergänzen zu wollen. Bloss die 2. Sigel der 2. Zeile SVC mag mit Succesus, die 4. Zeile mit Testamento fieri, die 6. Zeile mit bene meritae und das Schlusswort der 7. Zeile mit curavit ergänzt werden. Daraus geht aber doch hervor, dass die Grabschrift der Keltin SVADRA ihrer Verdienstlichkeit wegen errichtet wurde, und dieser ihr Name ist durch sein Vorkommen im D r a u t h a l e S t e i e r m a r k's das Bedeutendste an dem ganzen Steine; denn er ist ein Familienname, der in S t e i e r m a r k und K ä r n t e n weit verbreitet war. Zu S e c k a u o b L e i b n i t z kömmt inschriftlich eine Turbonia Suadra, dann eine Augusta Suadra vor; zu T a n z e n b e r g in Kärnten nach Gruter pag. 83. 14 Suadra Severes und zu M i c h e l d o r f, 2 Stunden vor F r i e s a c h, eine Maximina Suadra.

2. Bruchstück einer Inschrift mit Uncial-Buchstaben, 1′ 3½″ hoch, 2′ 8″ breit und 11″ tief. Es hat noch folgende Sigel:

```
    LO
  ESSO
  RANO
  R
```

Hier dürfte die 2. und 3. Zeile mit sueccESSO veteRANO zu ergänzen sein.

3. Brustbild eines mit der Tunika bekleideten jungen Mannes, 2′ 11″ hoch, 3′ 2″ breit und 10 ½″ tief. Der Vorgestellte stützt die rechte Hand auf den Ellenbogen und neben der linken liegt eine Kugel, was als Sinnbild des Handels anzudeuten scheint, dass er dem Corpus Negotiantium angehört habe. Aus dem oberen Dreieckfelde blickt der Kopf eines Genius hervor.

4. Ein Fragment, worauf das Relief eines suchenden Hundes 9 ½″ hoch, 2′ 2″ breit und 11″ tief. Der Hund in dieser Stellung ist sonst auf alten Denkmalen das Sinnbild des Gefühlsinnes, womit er das, was er sucht, leicht findet. Wahrscheinlicher aber dürfte er als eine gewöhnliche Verzierung anzusehen sein.

5. Bruchstück mit dem Relief einer nackten weiblichen Gestalt, wovon nur mehr der Oberleib erkennbar ist, 2′ 2″ hoch. 1′ 2 ½″ breit und 7″ tief.

6. Ein Löwe in liegender Stellung mit erhobenem Kopfe, schon sehr verwittert, 2′ 2″ hoch, 3″ breit und 11″ tief; endlich

7. das Fragment eines Thieres in sitzender Stellung von dem der Brusttheil und ein Fuss noch übrig ist. Von der Brust bis zum Halse blickt das Antlitz eines alten bärtigen Mannes. Hätte der Thierfuss Adlerklauen, so könnte man geneigt sein, die Vorstellung für ein Symbol des Jupiter zu halten. Da er aber eine Löwen - Pranke hat, so wird die Deutung erschwert. An Herkules zu denken wäre gewagt, weil er auf allen Denkmalen nie mit greisem Gesichte dargestellt wird. Das Fragment ist 2′ 6″ hoch, 2′ breit und 11″ tief.

Obige 7 von St. Johann nach Pettau abgeführten Denkmäler sind (bei dem Umstande, dass sie durch so lange Zeit theils unter der Erde, theils unter Wasser gelegen sind) fast durchgehends ausgespült und ziemlich unkenntlich geworden. Sie befinden sich gegenwärtig (1845) zum Theile an der Westseite des Stadtthurmes angelehnt, theils auf der Südseite des alten Friedhofes neben der einstigen Todtenkammer gelagert, werden jedoch, wenn diese abgerissen würde, in die daneben angebaute auf den Florianiplatz führende Stiege durch die Vorsorge des Bürgermeisters Herrn Franz R a i s p an der Stiegenwand eingemauert und nebst den anderen Antiken untergebracht werden.

Aus dieser an Ort und Stelle im Monate September 1845 vorgenommenen Untersuchung stellt sich heraus: dass das anfangs von dem gemachten antiquarischen Funde entstandene Gerücht, welches sich im Jahre 1840 allenthalben im ganzen Lande verbreitet hatte, das Ergebniss des Fundes stark übertrieb. Hätte man freilich schon im Monate Dezember 1839 und anfangs Jänner 1840 mit vereinten Kräften Hand an das Werk gelegt, dann wäre das gewonnene Resultat zu dem entstandenen Gerüchte vielleicht in geradem Verhältnisse gestanden, weil die wahrgenommenen Steinmassen nach Aussage der noch lebenden Zeugen eine Strecke von mehr denn 150 Klaftern eingenommen hatten. So aber ward aus leidigen Gründen, die ich bereits besprochen habe, die Arbeit erst begonnen, als das Wasser schon bedeutend gestiegen war und nur ein verhältnissmässig geringes Resultat erreicht. Bevor nicht die D r a u in ihr voriges Bett zurückweicht, oder mindestens ihr Wasserstand bedeutend sinkt, wird es darum verlorene Mühe sein, mit Bestimmtheit angeben zu wollen, was da zu Zeiten der Römer einst gestanden habe. Was bisher an das Tageslicht gefördert ist, lässt bloss darauf schliessen:

a) dass da, wo jetzt bei dem Dorfe A l t e n d o r f der n e u e D r a u g a n g ist, einst fester Boden war, abgesehen davon, dass dieser noch vor Kurzem Gemeindeweide gewesen ist, indem es unannehmbar ist, dass so ausgedehnte und gewaltige Steinmassen anderswoher hatten hergeschwemmt werden können;

b) dass der Ort von Römern bewohnt war, was auch schon andere früher vorgefundene römische Denkmale beweisen;

c) dass hier vielleicht Tempel, Altäre und andere Gebäude, jedenfalls aber ansehnliche Grabmäler gestanden haben;

d) dass erst nachträglich gemachte Funde ein günstigeres Licht über das bisher Gewonnene verbreiten werden, und

e) dass sich auch ergeben dürfte, in welcher Beziehung der Pfarrort St. Johann am Draufelde zur benachbarten Colonialstadt Poetovio gestanden ist.

II.

Die Verfassungs-Krisis in Steiermark

zur Zeit der ersten französischen Revolution.

Von

Professor Dr. H. J. Bidermann.

Der Tod Kaiser Joseph's II. gilt für einen Wendepunkt der österreichischen Verfassungsgeschichte. Und er ist es auch. Doch in einem anderen Sinne, als in welchem man diese Bezeichnung hierauf anzuwenden pflegt.

Von ihm datirt allerdings das scheinbare Wiederaufleben der Provinzialstände, welche man sich unter Joseph II. ganz ausser Wirksamkeit gesetzt denkt. Der Thronfolger, Leopold II., geizte aber kaum nach dem Ruhme eines Restaurators und dennoch haben Geschichtschreiber des In- und Auslandes ihm diesen Titel bereitwilligst zuerkannt. Auch Viele unter seinen Zeitgenossen feierten ihn als solchen, so weit sie an seiner bezüglichen Wirksamkeit Gefallen fanden. Es ist richtig, dass derselbe, besonders beim Antritte seiner Regierung, sich das Ansehen gab, als huldigte er diesfalls Regierungsgrundsätzen, die denen seines Vorgängers diametral entgegengesetzt waren. Dennoch stimmte die Sinnesrichtung beider darin vollkommen überein, dass sie das Ständewesen, so wie es sich ihnen aufdrängte, nicht aufkommen zu lassen entschlossen waren und wenn Leopold II. Anfangs Miene machte, den bezüglichen Zumuthungen sich zu fügen, so geschah es doch nur, um hintendrein den Ständen als solchen mit einer Entschiedenheit, welche Joseph II. hierin nie an den Tag gelegt hatte, die Existenzberechtigung abzusprechen oder doch sie zu einer Art principieller Resig-

nation zu nöthigen, wie sie Joseph II. ihnen bei aller Schroff-
heit seines Gebarens nie auferlegt hatte.

Wenn man die Frage aufwirft, unter wessen Regierung
in Oesterreich die Axt an die Wurzeln des hiesigen Ständelebens gelegt ward? — so lautet die richtige Antwort: unter
Leopold II., nicht unter Joseph II.

Kein zweiter Regent hat in Oesterreich die das historische
Recht zur Bemäntelung selbstsüchtiger Begehren vorschützenden
Stände so scharf zurechtgewiesen, wie Leopold II., keiner die Nich-
tigkeit derartiger Prätensionen schonungsloser aufgedeckt, keiner
dem natürlichen Entwicklungsgange des politischen Lebens im
Voraus so viel Rechnung getragen, so behutsam Konflikten, die
jener Entwicklungsgang mit sich brachte, vorzubeugen gesucht.

Dabei wurde er durch die Zeitströmung, welche die Ideen
des 18. Jahrhunderts als Signatur trug, mächtig unterstützt.

Andererseits verstand er es, durch formelle Zugeständnisse
so wie durch Nachgiebigkeit in Dingen, welche einen persönlichen
Hintergrund hatten, auch die von ihm in meritorischer Beziehung
Enttäuschten mit der harten Wirklichkeit, als deren unbefangener Richter er mehr, denn als massgebender Faktor er da
auftrat —, zu versöhnen. Dieses kluge, auch Gegner gewinnende
Benehmen war es, das ihm den Titel eines Restaurators eintrug,
freilich nur in Kreisen, die oberflächlich zu urtheilen gewohnt
sind oder denen es verwehrt war, Leopold's Regierungsthätigkeit
zum Gegenstande gründlicher Quellenstudien zu machen.

Das eben Behauptete in Ansehung der Steiermark nachzuweisen, ist die Aufgabe, welche wir uns hier stellen. [1])

[1]) Die von uns benützten Sammlungen handschriftlicher Quellen sind:
das Archiv des k. k. Ministeriums des Innern, das
steiermärkische Landesarchiv und die Registratur
der k. k. Statthalterei für Steiermark. Durch die Libe-
ralität, womit ihm diese Quellensammlungen geöffnet wurden, fühlt
sich der Verfasser zu lebhaftem Danke Denjenigen gegenüber verpflichtet, welche da entweder das entscheidende Wort zu sprechen
hatten, oder sonst mit Rath und That ihm an die Hand gingen. Das
Wenige, was Druckwerken zu entnehmen war, ist durch Citate
ersichtlich gemacht. Dagegen konnten die einzelnen Aktenstücke schon

Dass die Stände der Steiermark noch am Schlusse der Regierungszeit Joseph's II., wenige Wochen vor seinem Tode, zu einem Landtage versammelt waren und dass sie diese ihre Zusammenkunft zu einer Kundgebung benützen durften, welche eine durchaus oppositionelle Bedeutung hat, — lehrt die Vorstellung, welche sie am 24. November 1789 „im Landtage" dem Kaiser zu überreichen beschlossen, um die Grundsteuer-Reform und Urbarialregulirung abzuwenden.

Diese Vorstellung [1]) ist von 46 Mitgliedern des steiermärkischen Adels und vom Prälaten des Stiftes Admont unterfertigt. Da nicht anzunehmen ist, dass alle Theilnehmer am Landtage damit einverstanden waren, so gestattet obige Zahl auf einen ziemlich starken Besuch der Versammlung zu schliessen; jedenfalls ist sie an sich ein Beleg für die Regsamkeit des Ständelebens zu einer Zeit, wo man sich dasselbe als hierzulande erstorben zu denken pflegt.

Kurz vorher hatte der Kaiser über Andringen eben dieser Stände dem Herzogthume Steiermark von der jährlichen Steuerschuldigkeit nahezu 100.000 Gulden nachgesehen, also einen Beweis, dass er auf ihre Bitten achtete, gegeben [2]).

---

darum nicht näher bezeichnet werden, weil deren Signatur nur ausnahmsweise mit wenigen Worten oder Zahlen sich ausdrücken liesse. Diese Weitläufigkeit wäre auch überflüssig, weil Jeder, der die bezügliche Quellensammlung aufsucht, bei dem Umstande, dass die Ordnung durchwegs eine chronologische ist, sich gleichwohl rasch daselbst zurecht finden wird. Die Akten des Ministerial-Archivs (M.-A.) gehören mit wenigen Ausnahmen, die wir durch besondere Zusätze markirten, der Abtheilung IV. H. 4. Inner-Oesterreich; die des Landes-Archivs (L.-A) sind sämmtlich im dortigen Faszikel A. I. Jahrg. 1782—1791 der Abtheilung II; die der Statthalterei - Registratur (St.-A.) im dortigen Faszikel 91, Jahrg. 1787—1792 enthalten.

[1]) (Christoph Freih. von Schwizen) Aktenstücke, die Wiedereinführung des alten Steuer- und Urbarialsystems in dem Herzogthume Steiermark betreffend. Graz 1791, S. 143—151.

[2]) Weitere, nicht zu unterschätzende Belege hiefür sind:
1. Das Hofdekret vom 21. Febr. 1788, wodurch die a. h. Verordnung vom 27. Mai 1786, welcher zufolge die Pröbste und Ordens-Komthure so wie die durch Abbés commendataires ersetzten Prä-

Auch bestand das Ausschuss - Kollegium der Stände in Steiermark ungeschmälert fort und unter dessen Obhut eine Menge landschaftlicher Bedienstungen.

Das bezügliche Namenverzeichniss füllt im Schematismus für das Jahr 1789 fünf Blätter. Wir finden da neben den Ausschussräthen einen landschaftlichen Generaleinnehmer, einen Hauptkassier, einen Kassier der Kreditskasse, 4 Kreiskassiere, andere mit Kassageschäften betraute Beamte, ferner an landschaftlichen Aemtern das ständische Archiv, eine Liquidatur, zwei Aufschlagsämter und eine Gebäude-Inspection, dann eine grosse Anzahl von Sanitätspersonen (darunter einen Accoucheur und einen Oculisten), 4 Exercizienmeister, u. s. w.

Allerdings war das Beamtenpersonal der steiermärkischen, Stände zuvor noch u m ein Merkliches grösser gewesen. Es hatte auch eine besondere landschaftliche Buchhaltung gegeben, die nun mit der „Gubernial-Buchhalterei“ vereiniget war, und manche Bedienstung war ganz eingegangen. Doch Niemand wird Angesichts obiger Aufzählung behaupten wollen, dass die Stände am Schlusse der Josephinischen Regierungsperiode wegen Mangel an Exekutivorganen zur Unthätigkeit verurtheilt waren.

Die sogenannte Verordnetenstelle dagegen war unterdrückt worden. Kaiser Joseph meinte, es werde dem Lande erspriesslicher sein, wenn er Einen aus den vier Verordneten, welche von den Ständen zuletzt gewählt worden waren, den Gubernialräthen mit Sitz und Stimme beigesellen würde. Und so amtirte denn auch zur Zeit, von der wir sprechen, G r a f F e r d i n a n d A t t e m s in dieser doppelten Eigenschaft, während die drei anderen Verordneten sich hatten in's Privatleben zurückziehen

---

laten der Stifter von der ständischen Versammlung fürderhin ausgeschlossen waren, in Ansehung Steiermarks a u s s e r K r a f t g e s e t z t w u r d e, u. z. auf Andringen der hiesigen Landstände (St.-A.);

2. das Hofdekret vom 22. Dezember 1788, wodurch das Dekret vom 1. Dezember des nämlichen Jahres, dem zufolge die Landschaft in corpore künftighin nur über besonderen a h. Auftrag mehr zu vernehmen war, als n i c h t auch den ständischen Ausschuss betreffend erklärt wurde. (St.-A.)

müssen. Gleiches war dem Landeshauptmanne **Grafen Leopold Herberstein** beschieden, welcher im Jahre 1782 anlässlich der Vereinigung seines Amtes mit dem des Gouverneurs der drei innerösterr. Herzogthümer ausser Aktivität gesetzt wurde. Das waren aber auch die **einzigen** Aenderungen von Belang, welche Joseph II. am Organismus der Stände vornahm.

Jener Graf Ferdinand Attems war nichts weniger als ein rückhältiger, charakterloser Mann. Er war vielmehr die Seele der ständischen Bestrebungen, welche Joseph's Reformpläne zu durchkreuzen suchten [1]). Und dennoch versah er unter ihm Jahre lang die Stelle eines Gubernialrathes.

Aus all' dem geht hervor, dass Joseph II., so geringschätzig er auch von den Ständen dachte, so unbequem sie ihm waren, doch **sie zu beseitigen** Anstand nahm. Weit schärfer war seine Mutter denselben entgegengetreten, indem sie ihnen viele Befugnisse entzog, welche der Sohn **ihnen nur nicht zurückgab**, und in einem Tone mit ihnen ver-

---

[1]) In einem Dankschreiben, welches der Landeschef und provisor. Präses der Landschaft, Franz Ant. Graf v. Stürghk, im Auftrage des Landtages unterm 11. Mai 1790 an den Grafen Ferdinand Attems richtete, wird derselbe mit folgenden Worten apostrophirt: „Sie, jener standhafte Mann, der in den letzten, stürmischen Zeiten der vorigen Regierung, wo das beste Herz des grossen, redlich gesinnten Kaisers durch falsche Rathgeber ganz irre geführt, ja schändlich getäuscht worden ist, — selbst auf Kosten seines und der Seinigen Glücks sich nie gescheuet hat, die Wahrheit öffentlich standhaft zu reden; Sie, der Urheber und Verfasser jener herrlichen Schriften, in welchen die hierländigen Stände zu ihrem unsterblichen Ruhme allen übrigen mit dem Beispiele der edelsten Freimüthigkeit vorgeleuchtet und die dem Lande und der Majestät gleich schreckbaren Folgen des nach Willkür verletzten Eigenthumsrechtes mit so lebhaften Farben, mit so vielem Nachdrucke geschildert haben; Sie, der redlichste Patriot, der erste steierische Biedermann, der auch nun in dem so sehr verwickelten Geschäfte der Zurückbringung des alten Steuerfusses und der vorigen Urbarial-Verfassung durch seine vieljährige erprobte Einsicht, Klugheit und Verwendung Alles erschöpft hat, um den Wunsch der gesammten Herren Stände so ganz vollkommen erfüllen zu machen u. s. w. (Konzept von der Hand des landschaftl. Sekretärs Mitscha im L.-A)

kehrte, welchen Joseph II. nie anschlug, auch wenn er durch
ständische Einstreuungen L i e b l i n g s p l ä n e gefährdet sah.

Dessenungeachtet trauerten an seinem Sarge die Stände
der Steiermark s o w e n i g, als die der übrigen österreichischen
Lande.

Sein Nachfolger, L e o p o l d II., hörte bei seiner Ankunft
in Oesterreich die Stände bitter über die Unbilden klagen,
welche ihnen seit Jahrzehnten zugefügt worden seien und als
deren v o r n e h m s t e Veranlassung ihm Joseph's Ungestüm
bezeichnet wurde. Derlei Klagen drangen zuerst bei der Herreise durch Tirol an sein Ohr; zu Bruck an der Mur vernahm er sie aus dem Munde einer Deputation, die sich ihm
am 11. März 1790 Namens der Stände der Steiermark vor-
stellte und um die Erlaubniss bat, dass d e r e n V e r t r a u e n s-
m ä n n e r ihm die bezüglichen Beschwerden nach seinem Eintreffen in Wien ausführlich darlegen dürfen. Dies wurde auch
gestattet. ') Bevor aber noch die bezügliche Denkschrift in
seine Hände gelangte, kam er dem dringendsten Wunsche der
steiermärkischen Stände durch d i e A u f h e b u n g d e r J o-
s e p h i n i s c h e n G r u n d s t e u e r- u n d U r b a r i a l-G e s e t z e
entgegen. Ein Präsidial-Schreiben des obersten Kanzlers vom
28. März 1790 verständigte davon den Landeschef, forderte
indessen auch die Stände des Landes auf, über die Modalitäten
der Aufhebung Anträge zu erstatten.

Dieser Aufforderung entsprachen dieselben bereits 4 Tage
später "). Was sie verlangten, zeugte von geringem Verständnisse der Sachlage und von sehr oberflächlicher Würdigung
der Zeitumstände. Graf Ferdinand Attems setzte dem Entwurfe des Majestätsgesuches noch die trotzigen Worte bei: die
Stände müssten sich für alle Zukunft, jede „was immer Namen
habende Rectification, Ausgleichung oder Perequation (der
Grundsteuer und der Urbarialleistungen nämlich) auf das Feier-
lichste verbitten".

') Die Stände dankten dafür in einer an den Kaiser gerichteten Adresse
vom 1. April 1790 (Konzept im L.-A.).
") Es geschah dies mittelst der vorzitirten Adresse.

Am Schlusse des Majestätsgesuches heisst es: „Wir haben noch viel zu bitten, aber auch nur Vater Leopold, unser huldreichster, gnädigster, reichester Landesfürst kann viel gewähren, denn sein Reichthum sind die Herzen seiner Unterthanen."

Mit dieser Anspielung auf Leopold's II. Wahlspruch glaubten der genannte ständische Verordnete und die sein Konzept gutheissenden Theilnehmer an einer Landtagssitzung, die am 30. März 1790 stattfand, den Monarchen für ihre weiteren Anliegen günstig zu stimmen.

Als nun gar durch ein a. h. Handschreiben von 29. April 1790 [1]) der oberste Hofkanzler Graf Kolowrat ermächtiget wurde, die Stände der Steiermark, gleich denen der übrigen österreichischen Erblande, aufzufordern, sie möchten nicht nur ihre Beschwerden genau formuliren, sondern auch über die Wiedereinführung der unter den vorhergehenden Regierungen geschmälerten ständischen Verfassung sich äussern, — da kannte die Freude oder, richtiger gesprochen, der Uebermuth der sogenannten Stände keine Grenzen mehr. Sie übersahen ganz, dass es in jenem Handschreiben hinsichtlich der ständischen Verfassung hiess: es sollten umständliche Vorschläge erstattet werden „auf was Art dieselbe mit Rücksicht auf die gegenwärtigen Umstände und ohne Bebürdung des Landes oder des Aerariums wieder hergestellt werden könne". Sie beachteten es kaum, dass jenes Handschreiben an erster Stelle den Ständen die Aufgabe zuerkannte, Vorkehrungen zu beantragen, „damit die wieder einzuführenden alten Steuern nicht in das Stocken gerathen, die innerliche Ruhe und Zufriedenheit aller Steuerpflichtigen erhalten und dem Unterthan nach Thunlichkeit durch das patriotische Benehmen der Stände und Grundherren Erleichterung verschafft werde,

---

[1]) Original im M.-A. IV H. 4. (5 ex Majo 1790, Nied.-Oesterreich). In Anbetracht der Wichtigkeit dieses Aktenstückes bringen wir den Wortlaut in der Beilage I zum Abdrucke, obschon dasselbe nicht bloss die Steiermark angeht.

wie auch so viel möglich und der Billigkeit gemäss die Reluirung der Roboten in Geld nach dem Verlangen der meisten
Unterthanen von den Obrigkeiten angetragen werden möge,
welches zur Befriedigung derselben sehr zu wünschen wäre."

Diese deutlichen, wohlgemeinten Winke blieben, wie gesagt,
unbeachtet.

Die Stände beeilten sich mit der Ausarbeitung ihrer Beschwerdeschrift. Da das gewöhnliche Konzeptspersonal weder
in die Kränkungen, über die nun Klage geführt werden sollte,
tief genug eingeweiht, noch im Stande war, innerhalb der
nächsten paar Monate alle einschlägigen Punkte zu Papier zu
bringen, theilten sich am 19. Mai 1790 neun Ausschussräthe
in die umfangreiche Arbeit ¹).

Das Zustandekommen der Denkschrift über die alte Landesverfassung wurde durch Berathungen unliebsamer Natur,
deren sich die Stände gleichwohl nicht entschlagen konnten,
verzögert.

Es handelte sich nämlich um die Beschwichtigung des
mit der Rückkehr zur alten Besteuerungsweise und zum alten
Unterthänigkeitsverhältnisse keineswegs einverstandenen Theiles
der Bevölkerung. Die Publikation des bezüglichen landesfürstlichen Patentes hatte sich bis zum Juni des Jahres 1790 verzögert, obschon dasselbe schon in den ersten Tagen des Mo-
nates Mai unter Mitwirkung des Grafen Ferdinand Attems
festgestellt worden war. Die Stände boten bei dieser Gelegenheit Alles auf, um sich hinter der unantastbaren Person des
Herrschers zu verschanzen und schoben, im eigentlichen Sinne
des Wortes, dieselbe vor. ²) Sie erwirkten auch, dass der Kaiser

---

¹) Akt von obigem Datum im L.-A.

²) Relation der ständischen Deputirten vom 11. Mai 1790 im L.-A.
Ausser dem Grafen Attems nahmen an der Deputation, die sich an's
kaiserliche Hoflager begab (und von dort den steiermärk. Her-
zogshut mit sich nach Graz zurückbrachte), der Fürst-
bischof von Seckau, ein Graf Johann Brandis und Dr. v. Griendl theil.
Der Landtag hatte sie bereits am 31. März 1790 erwählt und sie
waren es auch, die den Kaiser Leopold bei seiner Durchreise zu
Bruck an der Mur begrüssten. Dabei lief eine Täuschung unter,

sich herbeiliess, drei sogenannte Mutterabdrücke des Patentes in deutscher und drei in slovenischer Sprache mit seiner eigenhändigen Unterschrift versehen den Ständen, welche sie ihm vorlegten, zuzumitteln, damit solcher Gestalt von Letzteren dem Gerüchte, sie seien die Urheber der rückläufigen Massregel, mit unumstösslichen Belegen, dass der Kaiser sie verfüge, entgegengetreten werden könne.

Das Grazer Gubernium suchte, um des Kaisers Ansehen besorgt, der Sache eine andere Wendung zu geben, indem es die Stände einlud, sich bei der mündlichen Verlautbarung des Patentes seitens der Kreisämter durch Mitglieder des Herrenstandes (so hiess damals die höchste Adelsklasse) vertreten zu lassen. Graf Ferdinand Attems, der die Geschäfte der Landschaft damals leitete, lehnte jedoch die Einladung Namens der Stände am 6. Juni 1790 ab, indem er, unwillkürlich den Herrenstand und sich selber anklagend, bemerkte: eine solche Intervention könnte nur die schon herrschende Aufregung vermehren ʼ). Sie unterblieb also,

welche, obschon kaum beabsichtiget, dem an sich schon trügerischen Vorgange noch mehr das Gepräge einer Mystifikation aufdrückte. Wie aus einer Zuschrift des Oberst-Erbland-Marschalls Grafen Joh. Georg von Saurau an's steierm. Gubernium vom 28. Juli 1790 erhellt, war jener Graf Brandis gar kein Mitglied der Stände und erst seit 4 Jahren in Steiermark ansässig, daher nicht berechtiget, im Namen der hiesigen Landschaft als deren Repräsentant vor dem Throne zu erscheinen. Das Versehen wurde am 14. August 1790 dadurch gut gemacht, dass der damals versammelte Landtag in aller Eile dem Grafen das Indigenat verlieh. Die einschlägigen Akten verwahrt das L.-A.

ʼ) Akt im L.-A. Wie wenig die Stände sich über die Wirkung täuschten, welche die Wiedereinführung des Theresianischen Grundsteuersystems und die Vereitelung der von den Unterthanen ersehnten Urbarial-Regulirung haben mussten, wie bange ihnen vor den Folgen ihres selbstsüchtigen Vorgehens war, geht schon aus der Adresse vom 1. April 1790 hervor, in welcher sie den Kaiser baten, nicht nur das bezügliche Patent eigenhändig zu unterschreiben und es mit seinem Siegel zu bekräftigen, sondern auch dasselbe von allen Kanzeln aus dem Landvolke verkünden, ja „die gesammte Geistlichkeit dahin ermahnen zu lassen, dass sie jenen Kredit und jenes Ansehen, so sie was indessen nicht hinderte, dass im Cillier Kreise bald darauf Unruhen ausbrachen, die, wenn sie gleich mit der Grundsteuer und mit den eigentlichen Urbariallasten nichts zu schaffen hatten, doch der Besorgniss der Grundholden vor dem abermaligen Erstarken der grundherrlichen Gerechtsame und vor dem Missbrauche dieser durch herrschaftliche Beamte entsprangen [1]).

Während nun die Stände auf Befehl des Kaisers mit einem Projekte des G r a f e n C a j e t a n A u e r s p e r g, wie derartige Unruhen für die Folge vermieden werden könnten, sich beschäftigten und die Gültenbesitzer unter ihnen Angesichts der in dem Projekte ihnen angesonnenen Opfer sich wechselseitig ihre Noth klagten, r u h t e d i e s t a a t s r e c h t l i c h e A k t i o n.

Erst am 13. Juli 1790 brachte der damals versammelte Landtag die Verfassungsfrage, so viel an ihm lag, zu einem vorläufigen Abschlusse, indem er das vom Grafen Ferdinand Attems stylisirte Majestätsgesuch, womit die einstweilen vollendete Denkschrift über die alte Landesverfassung dem Kaiser überreicht werden sollte, guthiess.

vermöge ihres Amtes über ihre Pfarrgemeinden besitzen, dahin anwenden sollen, das Landvolk über diese lediglich auf Gerechtigkeit und Billigkeit sich gründende a. h. Verfügung zu belehren". Die Regierung entsprach diesem Wunsche durch ein Hofdekret vom 2. Mai 1790. Andererseits unterliess es allerdings auch die Landschaft nicht, sämmtliche Landstände und Gültenbesitzer der Steiermark zur Mässigung und Bescheidenheit bei Geltendmachung der herrschaftlichen Rechte zu ermahnen und darauf hinzuweisen, wie nöthig es sei, dass die herrschaftlichen Beamten die Unterthanen „mit Sanftmuth über die gerechtesten Gesinnungen des Landesfürsten belehren und in allweg mit Güte behandeln". Es geschah dies mittelst eines Cirkulares vom 11. Mai 1790, welches die Unterschrift des „Landtags-Kommissärs" Grafen Stürgkh und die des „ständischen Verordneten" Grafen Ferd. Attems trägt. Die bezüglichen Akten verwahrt das L.-A.

[1]) Wir behalten uns bevor, diesen wenig bekannten Volksaufstand, der sich auf die Umgegend von Cilli beschränkte, bei anderer Gelegenheit eingehend zu besprechen. Den nächsten Anlass dazu gab die Einhebung des seit 1774 von der Landschaft gepachteten Weinaufschlages bei den slovenischen Bergholden der unteren Steiermark. Die Landschaft betraute nämlich damit die Dominien und gestattete, dass diese unter dem Titel der Perzeptionskosten vom Startin Wein 9 kr. noch

In diesem Majestätsgesuche [1]) heisst es: „Nicht so viel um zierliche Einkleidung unserer Worte, als um richtige, auf Thatsachen sich fussende Darstellung des Wesentlichen besorgt, wird diese Schrift nur das Gepräge der aufrichtigsten, uneigennützigsten Absicht, das allgemeine Wohl unseres theuersten Vaterlandes zu befördern, an sich tragen (_führen"). Unser Augenmerk war einzig der aus dem Ursprung der bürgerlichen Gesellschaft hergeleitete Endzweck der ganzen Gesetzgebung, nämlich: Liebe zur Erhaltung und Ruhe."

Nachdem das Gesuch dem Kaiser noch in Aussicht gestellt, dass durch dessen Gewährung „der Nationalgeist verhältnissmässig werde gehoben werden", schliesst es mit folgender Apostrophe: „Von Dir, geliebtester Vater, Vater so vieler Nationen, dem Herzen nach Zahl der Millionen entgegenströmen, von Dir erwarten wir unser Glück."

Die mit dem Gesuche vorgetragenen Bitten betrafen:

1. Die Einsetzung eines vom Gouverneur verschiedenen Landeshauptmannes, der den Ständen treue Erfüllung seiner Amtspflichten, darunter die der Wahrung der Landesfreiheiten, zu geloben hätte.

2. Die Einsetzung eines Landes-Verwesers, dessen Aufgabe es wäre, dem Gerichte zu präsidiren, vor welchem die Mitglieder der Stände sammt ihren Angehörigen nur durch Ihresgleichen Recht zu empfangen hätten.

3. Die Zusammenstellung des Ausschuss-Kollegiums aus den beiden vorgenannten Würdenträgern, dem Seckauer Fürstbischofe, sämmtlichen Prälaten des Landes, sämmtlichen ständischen Verordneten (auch den ausgetretenen), 5 zu wählenden Mitgliedern des Herren- und gleichviel zu wählenden Mitgliedern des Ritterstandes.

4. Die Zusammensetzung der Verordnetenstelle aus einem Prälaten, 2 Mitgliedern des Herrenstandes und einem Ritter.

separat einhoben. Dazu kam, dass die Beamten dieser Grundobrigkeiten, wie wenigstens die Unterthanen behaupteten, nicht selten halbvolle Weinfässer für voll taxirt, ungegohrenen Wein der Besteuerung einbezogen und sich überhaupt verhasst gemacht hatten.

[*]) Konzept im L.-A.

5. Die Zulassung eines ständischen Repräsentanten am Hoflager, der daselbst allen Sitzungen der vereinigten Hofstelle beizuwohnen und mit dem Monarchen selbst jederzeit in unmittelbaren Verkehr zu treten befugt sein sollte.

6. Die Bestellung eines ständischen Generaleinnehmers aus dem Herrenstande.

7. Die Unterordnung der ständischen Buchhaltung unter die ständischen Kollegien mit Ausschluss jeder Staatskontrolle, die nicht das den Ständen bloss vom Staate übertragene Kreditwesen zum Gegenstande hat.

Daran reihten sich noch eine weitläufige Vorstellung wider den Bestand der Kreisämter und die in der Beschwerdeschrift entwickelten, zum Theile an's frühe Mittelalter gemahnenden Anliegen.

So nahmen z. B. die Stände das längst abgeschaffte, selbst den Kirchen und Klöstern entzogene Asylrecht für die landschaftlichen Gebäude in Anspruch, befürworteten sie die Wiedereinsetzung der Grundherrschaften in eine Menge von Bezugsrechten mittelalterlichen Ursprunges: in das Recht, Grundholden, welche mit ihren Giebigkeiten im Rückstande sind, abzustiften, d. h. von dem Gute, auf dem sie sitzen, wegzuweisen; in die Befugniss, das im Brucker und Judenburger Kreise einmal bestandene sogenannte Drittlgefäll, d. h. bei jeder Besitzveränderung 33 ¹/₃ Percent vom Werthe der Unterthans-Realität zu erheben u. s. w. Nicht einmal mit dem zarten Geschlechte hatten sie Erbarmen, sondern sie verlangten: es werde diesem gegenüber das seine Ausstattung und sein Erbrecht zu Gunsten der Brüder beschränkende Herkommen, wornach z. B. selbst eine Tochter vom Herrenstande von ihrem Vater höchstens 3000 fl. sollte erben und 1000 fl. zur Ausstattung erhalten können, wieder in Wirksamkeit gesetzt.

Die Stände würden sich bei diesen Kundgebungen ihrer Wünsche wahrscheinlich mehr Mässigung auferlegt haben, wenn sie nicht von der Voraussetzung ausgegangen wären: sie hätten darüber allein mit dem Monarchen zu verhandeln oder

es werde dieser höchstens ein paar ihrem Anliegen geneigte
Geheimräthe darüber vernehmen.

Auf ähnliche Weise hatte Leopold II. allerdings unmittelbar
nach seinem Eintreffen in Oesterreich die Klagen der Stände
über das Josephinische Steuer- und Urbarial-System untersuchen
lassen, indem er durch Handschreiben vom 27. März 1790
eine Kommission damit betraute, in die er den Obersthofmeister
Fürst Starhemberg als Vorsitzenden, ferner den Oberstkämmerer
Grafen Rosenberg, den Staatsraths-Präsidenten Grafen Hatz-
feld, den obersten Hofkanzler Grafen Kolowrat, den Grafen Carl
Zinzendorf, den Landrechtspräsidenten Baron Löhr, den geheimen Staatskanzleirath Baron Spielmann, endlich die Hofräthe
von Koller und Graf Odonel berief.

Diese noch am Tage ihrer Berufung zusammengetretene
Kommission erledigte die ihr zugewiesene Aufgabe mit einer
Hast, welche kein ruhiges Abwägen von Vernunftgründen zu-
liess und bestand auch zumeist aus notorischen Gegnern des
fraglichen Systems, so dass die Stände damals ihren Willen
rascher durchsetzten, als sie selber zu hoffen gewagt hatten ').

Seither aber war Leopold II. inne geworden, wie schlecht
man ihn damals berathen hatte. Gerade die in Steiermark ausgebrochenen Unruhen mahnten ihn zur Vorsicht.

Er empfing daher nicht nur nicht die Deputirten der steiermärkischen Stände, welche sich im Juli 1790 zur Reise nach
Wien rüsteten, um jenes Majestätsgesuch sammt den Beilagen
ihm persönlich zu übergeben, sondern ordnete vielmehr an,
dass diese Schriftstücke zunächst der vereinigten Hofstelle zur Vorprüfung übergeben werden sollen ").

Ferner befahl er, den Ständen zu bedeuten, dass er zwar
vor der Entscheidung über ihre Eingaben ihnen noch Gelegenheit geben wolle, diese durch Deputirte aus ihrer Mitte
zu rechtfertigen, dass jedoch zu diesem Ende von ihnen nicht
mehr als zwei Personen abgesendet werden dürften. ")

') Excerpt des Freiherrn C. von Hock aus den Staatsraths-Akten.
') Gubernial-Intimat vom 28. Juli 1790 im L.-A.
') Gubernial-Intimat vom 8. August 1790 im L.-A.

Und nachdem durch eine am 14. August vorgenommene Neuwahl die Grafen F e r d i n a n d A t t e m s und J o h a n n B r a n d i s hiezu erkoren worden, dauerte es noch b e i n a h e 7 M o n a t e, bis dieselben am Rathstische der Staatskonferenz zu Wort kamen.

Ich übergehe die Intriguen, welche damals gespielt wurden, um denselben dennoch den Zutritt beim Monarchen zu erwirken und wie in Folge dieser Schachzüge bald ihnen eine Audienz zugesagt, bald wieder verweigert wurde. Eine Reise. zu welcher sich der Kaiser entschloss und während welcher er vom 6. bis zum 8. September in Graz weilte, bot den Ständen eine erwünschte (vielleicht auch von ihnen oder von ihren Gönnern vorbereitete) Gelegenheit, ihre Anliegen schliesslich doch im Rücken der vereinigten Hofstelle dem Monarchen vorzutragen und an's Herz zu legen [1]. Dieser aber hütete sich, in Abwesenheit seiner Minister eine Entscheidung hierüber zu treffen.

Er übergab vielmehr sämmtliche Schriftstücke den kompetenten Hofstellen zur Berichterstattung. Um diese zu vereinfachen und die auftauchenden Meinungsverschiedenheiten zum Austrage zu bringen, ohne dass er selber sie alle zu vernehmen brauchte, ordnete er sogenannte Staats-Konferenzen an, in welchen die ihm vorzulegenden Schlussanträge formulirt werden sollten.

Dazu fanden sich, vom Kaiser berufen, auch die oben genannten Deputirten ein [2]. Sie reisten in den letzten Tagen des

---

[1] Es geschah dies wahrscheinlich am 8. September. Bei der an diesem Tage veranstalteten Stadtbeleuchtung prangte am Palais des Grafen Ferdinand Attems die durch Lampen construirte Inschrift: „Leopold, d e n b e s t e n H e r z o g, preiset ganz Steiermark." (Anhang zum Grazer Merkur Nr. 73 vom 11. September 1790.) Der Augustiner-Chorherr Raimund Ant. Müller brachte diese separatistische Anschauung noch nach dem Tode des Monarchen zum Ausdrucke, indem er 1792 zu Graz (bei Leykam) einen demselben gewidmeten Nachruf unter dem Titel „Rede auf Leopold den II., d e n s e c h s t e n H e r z o g d i e s e s N a m e n s v o n S t e i e r m a r k" drucken liess.

[2] Der Kaiser bediente sich zu deren Verständigung, dass nun die Zeit gekommen sei, wo sie an seinem Hoflager erscheinen dürften, des

Monats Januar 1791 — so lange hatte sich eben der Abschluss der von den Hofstellen gepflogenen Vorverhandlungen verzögert — nach Wien, stellten sich am Tage nach ihrer Ankunft dem Kaiser und am 1. Februar dem Kronprinzen (Erzherzog Franz) vor.

Gouverneurs von Innerösterreich, Grafen Khevenhiller, welcher dem gemäss unterm 24. Januar 1791 seinem Stellvertreter in Graz brieflich dies mittheilte. Die erste Bewilligung dieser Art hatte Leopold II. demselben Grafen Khevenhiller, wie wenigstens dieser behauptete, Mitte August 1790 mündlich ertheilt und ein Gubernial-Intimat vom 19. August setzte auch die steiermärkische Landschaft davon in Kenntniss. Allein schon 4 Tage später erhielt die Hofkanzlei in Folge einer Vorstellung, die sie sich auf die Kunde hievon erlaubt hatte, vom Kaiser die Ermächtigung, den Deputirten bedeuten zu lassen, dass sie bloss zur Ueberreichung des Verfassungsentwurfes und ihrer sonstigen Begehren bei Hof erscheinen dürften; unmittelbar darauf hätten sie sich wieder heim zu begeben. Graf Khevenhiller getraute sich nicht, dieses Dekret dem Landes-Ausschusse vorzuenthalten, fügte jedoch der Intimation (ddo. 30. August 1790) die Bemerkung bei: dass wenn der Ausschuss wünscht, die Abgeordneten möchten dennoch länger in Wien weilen, es ihm unbenommen sei, dieselben darüber „gehörig zu belehren und anzuweisen, was sie hiewegen unserem allergnädigsten Könige vorzutragen und um was sie ihn etwa ferners zu bitten hätten". (L.-A.) Nichtsdestoweniger blieb er noch 5 Monate lang Chef der steiermärkischen Landesstelle. Einige Tage, nachdem er endlich dieses Postens enthoben worden war, richtete er (am 6. Febr. 1791) von Wien aus an den ständischen Ausschuss ein Abschiedsschreiben, in welchem er sich als dessen „gehorsamster Diener" unterzeichnet und demselben für das durch 9 Jahre ihm geschenkte Vertrauen dankt. Der Ruf des Monarchen, heisst es darin, der ihn zum n. ö. Landmarschall ernannt habe, können in ihm nur diejenigen Gefühle wecken, deren „ein dankvolles, redliches Gemüth bei einem solchen Abzuge fähig ist". Er wünsche nur, den Ständen insgesammt oder Einzelnen unter ihnen noch ferner „seine Dienstbegierde" bezeigen zu können. Darauf antwortete der Ausschuss unterm 14. Febr. 1791 durch die Hand des Ausschussrathes v. Rosenthal: die 9 Jahre, während welcher Khevenhiller Chef der Stände gewesen, werden „für die ständischen Jahrbücher zu den glücklichen gehören". Insbesondere dankte ihm der Ausschuss für den Schutz, welchen er den Ständen „in der stürmenden Periode des Versuchs eines neuen Steuerfusses habe angedeihen lassen, um wieder die Rechte des Eigenthums in ihrem Vaterlande hergestellt zu sehen". (L.-A.)

Am 9. März 1791 fand die erste „Zusammentretung" der ständischen Abgeordneten mit den Repräsentanten der betheiligten Hofstellen statt, nachdem letztere am 5. März eine Vorbesprechung, welcher auch der Präsident des innerösterr. Guberniums Graf Stürgkh beiwohnte, gehabt hatten. Die Grafen Attems und Brandis brannten vor Ungeduld. Ihnen lag daran, das ständische Verfassungs-Operat aus den Händen des Kaisers mit dessen Genehmigung versehen zurückzuerhalten, oder wenigstens einige wesentliche Punkte, wie namentlich die Bewilligung eines vom Landeschef verschiedenen Landeshauptmannes beim Kaiser durchzusetzen, bevor noch die bezüglichen Konferenzen beginnen würden. Sie bestürmten desshalb den Monarchen, erlangten aber zunächst nichts, als die Zusage, dass eine Entscheidung nicht getroffen werden sollte, bevor sie in der Konferenz vernommen worden wären. Als nun am 5. März die oben erwähnte Vorbesprechung unter dem Vorsitze der Erzherzoge Franz und Ferdinand abgehalten wurde, ohne dass man sie zuzog, erbaten sie sich eine neue Audienz, in welcher sie dem Kaiser mit Berufung auf die sichtliche Ungeneigtheit der Hofstellen, sie zu erhören, abermals versicherten, wie so ganz in seine Einsicht allein sie ihr Vertrauen setzten. Der Kaiser antwortete ausweichend. Da wagten sie das Aeusserste. Von dessen bevorstehender Abreise Anlass nehmend, überschickten sie ihm am 7. März durch den dienstthuenden Kammerherrn ein Bittgesuch, worin sie auf Erledigung des ständischen Organisations-Planes in letzter Stunde drangen. Dies fruchtete. Der Monarch beschied bevor er abreiste noch den Grafen Attems zu sich und eröffnete demselben mündlich: er habe der Hofkanzlei bereits aufgetragen, die steiermärkischen Stände zu benachrichtigen, dass er ihnen einen besonderen Landeshauptmann und das Recht, ihm 12 Kandidaten dafür in Vorschlag zu bringen, zugestehe. Mit den übrigen Anliegen verwies er jedoch die Deputirten an die Konferenz, die dann auch erwähnter Massen am 9. März im Beisein derselben abgehalten wurde. Gross war die Verstimmung, welche sich der oftgenannten beiden Grafen bemächtigte,

als sie schliesslich doch in einer Versammlung der ausgezeichnetsten Staatsmänner, die Oesterreich damals besass, über
das, was sie ursprünglich ohne Ausnahme nur dem Monarchen
anzuvertrauen und zur Sanction gleichsam unterzuschieben gedachten, Rechenschaft zu geben sich gezwungen sahen.[1] Der
bezüglich der Landeshauptmannstelle erzielte Erfolg war nicht
zu verachten, doch er verschwand neben der Masse des noch
zu Erreichenden. Die Entrüstung der so bitter Enttäuschten
wuchs, als sie die Einwendungen vernahmen, auf deren Wider-
legung sie vor Allem bedacht sein mussten.

Opponenten gegenüber, wie die Grafen Kolowrat und
Edling, die Freiherren von Kresel und von Waidmannsdorf, der
Justizhofrath von Keess waren, hielt es schwer, Stand zu
halten.

Allerdings hatten die Grafen Attems und Brandis durch
die vom Kaiser bewilligte Nachwahl eines Deputirten aus dem
geistlichen und eines aus dem Ritterstande Succurs erhalten [2].
Der Prälat von Admont, Gotthard Kugelmayer, und ein Doktor
der Rechte aus Graz, Franz Xaver von Feldbacher, waren ihnen
demzufolge durch den Landtag adjungirt worden [3]. Doch fanden sich, gleichermassen vom Kaiser berufen, auch
noch zwei andere Steiermärker zur Debatte über die
Verfassungsangelegenheit in Wien ein, nämlich: der als Anwalt
des Ritterstandes sich gerirende Herrschafts-Besitzer von Mos-

---

[1] Relationen der vom Landtage gewählten Deputirten an das
Ausschuss-Kollegium vom 6. und 18. März 1791 im L.-A.

[2] Die bezügliche Bewilligung notifizirte der Gouverneur Graf Khevenhiller dem damals schon zu seinem Nachfolger ausersehenen Grafen
Stürgkh unterm 29. Januar 1791. (L.-A.) Die Geschichte dieses Zugeständnisses und seiner Verwirklichung geben wir in der Beilage II. Sie
charakterisirt das Verhalten des steierm. Herrenstandes
dem niederen Adel gegenüber.

[3] Die Wahl fand am 3. Februar statt. Zwei Tage später langten die
Gewählten bereits in Wien an. Am 6. Februar hatten sie zugleich
mit den früher schon eingetroffenen Deputirten Audienz beim Kaiser.
(Reiserelation vom 6. März 1791 im L.-A.)

millern und der Altbürgermeister der Stadt Leoben, Anton
Raspor, den die landesfürstlichen Städte und Märkte mit
Erlaubniss des Kaisers durch förmliche Wahl als ihren Vertauens-
mann bezeichnet hatten [1]).

Die Debatte drehte sich vornehmlich um zwei Punkte:

1. Ob den Ständen der Wirkungskreis, den sie beanspruchten,
   eingeräumt werden könne?
2. Ob ausser dem Adel und der Geistlichkeit auch das
   Bürgerthum und vielleicht selbst die Bauernschaft
   zur Mitwirkung bei den ständischen Geschäften heranzu-
   ziehen wäre?

Bis dahin war die Bauernschaft in Steiermark vom landschaftlichen Verbande ausgeschlossen, das Bürgerthum aber
hatte aus dem sechzehnten Jahrhunderte, wo es unbestritten
den vierten Landstand ausmachte, in die Neuzeit bloss den
Schatten seines vorigen Einflusses herübergerettet. Dieser
Schatten war der sogenannte Städte - Marschall, welcher die
mehr lächerliche als rühmliche Aufgabe hatte, 31 steiermärkische
Städte und Märkte im Landtage zu vertreten, d. h. in deren
Namen abzustimmen und, wenn Geistlichkeit und Adel es ihm
vergönnten, in deren Namen zu sprechen.

Diese traurige Rolle hatte das Bürgerthum satt bekommen.
Die nominell den vierten Stand bildenden Städte und Märkte
beanspruchten nun jede und jeder für sich das Recht,
den Landtag beschicken zu dürfen. Und da ihr bisheriger Vertreter weder im ständischen Verordneten-Kollegium (so lange
dieses noch bestanden hatte), noch im ständischen Ausschusse
sass, so drangen sie auf Zulassung ihrer Repräsentanten in
beiden Kollegien.

Sie stützten sich oder beriefen sich vielmehr dabei auf
Urkunden, welche ihre Begehren als in der alten Landesverfassung begründet erscheinen lassen sollten [2]), doch machten

---

[1]) Zuschrift des Dr. F. K. Winterl an's i. ö. Gubernium vom 12. Jan.
1791 im L.-A.

[2]) Der Leser findet die bezüglichen Allegate in der den Akten des

sie auch kein Hehl daraus, dass das Bewusstsein ihrer wachsenden politischen Bedeutung, das wieder erwachende Selbstgefühl
des Bürgers sie bestimmte, derartiges zu fordern.

Sie hatten auch schon, bevor sie den Anton Raspor nach
Wien abordneten, damit er den Sitzungen der Staatskonferenz
beiwohne, am Grazer Landtage durch ihren „Marschall", den
Grazer Advokaten Dr. Winterl (in dessen diminutivem Namen
schier ihre Zurücksetzung anklingt) — ihre Forderungen
geltend gemacht; waren jedoch hier auf wirklich verletzende
Weise zurückgewiesen worden [1]).

Die drei höheren Stände erklärten das Petitum der Bürgerschaft für eine Anmassung, die auf Unkenntniss des e c h t e n
historischen Rechtes oder auf Verdrehung desselben beruhe. Sie
widersetzten sich sogar den Versuchen der Bügerschaft, in Wien
Gehör zu finden. Nun liessen in der That die geschichtlichen
Kenntnisse der Wortführer der Städte und Märkte viel zu
wünschen übrig. Nichts beweist dies besser, als die naive Sieges-
zuversicht, womit ihre im August 1790 am kaiserlichen Hoflager
weilenden Deputirten am Tage, nachdem sie beim Kaiser Audienz
gehabt und diesem ein Promemoria behändigt hatten, ein neues
Majestätsgesuch überreichten [2]), um dem Monarchen die in ihren

---

M.-A. entnommenen Beilage IV angedeutet, welche ihn auch mit
den E i n w e n d u n g e n d e r o b e r e n S t ä n d e und mit dem Standpunkte, den diese einnahmen, genauer bekannt macht.

[1]) Majestätsgesuch der städtischen Deputirten ddo. Bruck a. d. M.
8. Augst. 1790 im M.-.A. Dasselbe trägt die Unterschriften des Leobner
Bürgers Ant. Raspor, des Grazer Bürgers Franz Haas und des Knittelfelder Bürgers Jos. Weninger „im Namen der landesfürstl. Städte
und Märkte Steiermarks". Die Mandate dieser drei Vertrauensmänner,
welche bald darauf die Reise nach Wien antraten, sind von Georg
Fidel Schmidt, als dem Gewaltträger der Städte und Märkte des
Marburger Kreises, von Frauz Haas, als dem der St. u. M. des Cillier
Kreises, von Franz Dirnböck, als dem der St. u. M. des Brucker
Kreises, von Jos. Fohr (Fohn?), Bürgermeister des Marktes Obdach,
als dem der St. u. M. des Judenburger Kreises und von Ant. Andreas
Pachler, als dem der St. u. M. des Grazer Kreises ausgestellt.

[2]) Dasselbe ist vom 14. August 1790 datirt, von Raspor, Haas und
Weninger unterzeichnet. (M.-A.)

Augen hochwichtige, bei einem Besuche der Hofbibliothek gemachte Entdeckung zu melden, dass in einem Exemplare der steirischen Landhandveste, das ihnen dort vorgewiesen worden war, unter den Unterfertigern des sogenannten Brucker Libells der Grazer Rathsbürger Schrott und der Leobner Stadtrichter Hynker aufgeführt seien.

So schwach aber auch die geschichtliche Begründung dessen, was die Bürgerschaft anstrebte, war, so wenig die von ihr damals Abgeordneten durch ihr persönliches Auftreten imponirten, so erfreuten diese sich doch in den Wiener Regierungskreisen einer zuvorkommenden Aufnahme. Denn die Ideen des 18. Jahrhunderts bahnten ihnen die Wege, geleiteten sie und verliehen ihnen einen Rückhalt, der stärker war, als die Beweiskraft des Brucker Libells vom Jahre 1519.

Man hatte eben in jenen Kreisen damals ein feines, bald nachher abhanden gekommenes Verständniss für die Vorboten der Stürme, welche zunächst in Frankreich losbrachen, weil man hier auf die warnenden Anzeichen zu wenig geachtet hatte.

Hierin übertrafen Leopold II. und die Mehrzahl seiner Räthe alle übrigen europäischen Regierungen der damaligen Zeit, selbst die preussische nicht ausgenommen.

An keinem anderen Hofe, der noch nicht, wie der französische, von der Revolution überfluthet war, bekannte man sich damals zu Grundsätzen, wie das von Leopold II. am 14. Oktober 1790 zu Frankfurt am Main unterzeichnete Manifest sie ausspricht. Darin verheisst nämlich der Kaiser den Belgiern: er wolle „allen Vereinen (Versammlungen), geistlichen und weltlichen Gemeinden und allen jenen Privatmännern, deren Vaterlandsliebe und Einsicht dem Staate nützen können, Zutritt zu den ständischen Versammlungen und Sitz daselbst gewähren." [1]) Die ungarischen Stände aber forderte er mittelst der Landtags-Proposition vom 10. November 1790 auf, industriereichen oder durch Handelsbetrieb hervorragenden Orten den Rang königlicher Freistädte zu verleihen, damit sie als solche der Landstandschaft theilhaft würden, sowie überhaupt die Her-

---

[1]) **Gratzer Mercur** von 1790, Nr. 94.

stelluug des Gleichgewichts zwischen den verschiedenen Ständen (aequilibrium inter diversos Status et Ordines stabiliri) sich angelegen sein zu lassen. ¹) Er bethätigte damit Regierungs-maximen, welche er in einem Schreiben vom 25. Januar 1790 an die Erzherzogin Marie Christine dieser anvertraut hatte und mit Rücksicht auf welche A d a m W o l f, dem wir die korrekte Veröffentlichung jenes Schreibens verdanken ²), den Ausspruch thut: Leopold sei „nach dem Ausdrucke unserer Zeit constitutionell" gesinnt gewesen.

Nicht minder gilt dies von einem Theile der höheren und höchsten Staatsbeamten, welche damals in Oesterreich an der Lösung von Verfassungsfragen mitzuarbeiten berufen waren. Zeuge dessen ist das Konferenz-Protokoll, welches über die am 5. und 9. März 1791 in Betreff der steiermärkischen Landes-Verfassung gepflogenen Berathungen aufgenommen wurde. ³)

Der Referent, F r e i h e r r v o n W a i d m a n n s d o r f,⁴)

---

¹) De L u c a, Geogr. Handbuch von dem österr. Staate, IV. Bd., S. 638 bis 641.

²) Leopold II. und Marie Christine, ihr Briefwechsel, Wien 1867, S. 80 bis 86. Rücksichtlich Belgiens sprach er schon am 12. Juni 1790 die Absicht aus: mit den Ständen über eine „représentation plus exacte et plus considerable et juste de la campagne et du plat pays" zu verhandeln.

³) Als G e g e n s t ü c k theilen wir in der Beilage V. aus den Akten des M.-A. die Aeusserung des i n n e r ö s t e r r e i c h i s c h e n G u b e r n i u m s vom 17. September 1790 mit, welches das ständische Gutachten vom 3. September 1790 (Beilage IV) „p l a t t e r d i n g s" u n t e r s t ü t z e n z u s o l l e n g l a u b t e. Da dieselbe wirkungslos verhallte, kommt sie eben nur als Gegenstück zu den Ansichten, welche bei den Wiener Hofstellen damals vorherrschten, in Betracht und ist sie als kultur-historisches Material im Anhange an ihrem Platze.

⁴) Bereits zum Gouverneur von Tirol designirt, war er erst seit Kurzem dennoch mit diesem Referate betraut, weil der Kaiser mit Handbillet vom 25. Jänner 1791 einen Wechsel sämmtlicher Referenten über die Länderanliegen dem obersten Hofkanzler zur Pflicht gemacht und dieser in der Eile einen geeigneteren Mann nicht zu ermitteln vermocht hatte. Auch die „Desiderien" von Görz und Gradiska waren ihm zur Antragstellung zugewiesen. (M.-A.)

3 *

äusserte die Meinung: es würde zum Besten des Landes vorzüglich beitragen, wenn den künftigen Deliberationen des ständischen Ausschusses wenigstens konsultando (mit berathender Stimme) auch e t w e l c h e V e r t r e t e r d e s B ü r g e r- u n d B a u e r n s t a n d e s in Gegenständen, welche beide betreffen, beigezogen werden wollten, was in Ansehung des Bürgerstandes um so weniger Anstoss erregen könnte, als es nicht verneint werden mag, dass die steirischen landesfürstlichen Städte und Märkte von jeher einen Mitstand ausmachten, und weil überhaupt feststehe, dass das Wohl des ganzen Landes, d a s d e r e c h t e W u n s c h d e r S t ä n d e s e i n m u s s, nicht gut besorgt werden könne, wenn man nicht auch zugleich für die Erhaltung des Bürgers im aufrechten Stande sorgt, als der das nothwendige Mittelding zwischen Herren und Unterthanen ist.

Die Beiziehung der Repräsentanten des unterthänigen Standes (der Bauern) dürfte zwar den Ständen anfänglich weniger einleuchten wollen, da diese als Gültenbesitzer die Vertretung ihrer Unterthanen sich selber zu vindiziren gewohnt wären; allein wenn man in reife Ueberlegung zieht, dass der Unterthan in dem heutigen Zeitlauf bei weitem nicht mehr — weder hinsichtlich seiner Denkungsart noch in Anbetracht seiner Besitzverhältnisse — derjenige sei, der er vorhin gewesen, dass er sich schwer eine Behandlung würde gefallen lassen, wie er sie ehemals erlitt, sondern dass er überhaupt nun m e h r und r i c h t i g e r denke, auch, seit mehreren Jahren schon mit verschiedenen Begünstigungen begabt, s e i n z w e i D r i t t h e i l e d e s L a n d e s u m f a s s e n d e s E i g e n t h u m ebenso zu schätzen wisse, wie jeder andere Eigenthümer das seinige, so erscheint es — meinte der Freiherrr von Waidmannsdorf — für die Stände selber rathsam, den Unterthan vor Entscheidungen über sein Schicksal durch seine voraussichtlich bescheidenen Vertreter zu vernehmen, statt es auf Zerwürfnisse ankommen zu lassen, die zum Widerrufe bereits gefasster Beschlüsse nöthigen könnten.

Der h i e r a u f bezügliche Antrag des Referenten blieb jedoch in der Minorität. Die Mehrzahl der Theilnehmer an der

Staats-Konferenz erblickte darin eine allzu radikale Umgestaltung der Landesverfassung und besorgte, „dass die Stimmung des Unterthans" sodann zu unerquicklichen Auftritten führen könnte.

Dem Bürgerthume dagegen gestand die Staats-Conferenz das Anrecht auf stärkere Betheiligung bei der ständischen Landesverwaltung rückhaltslos zu, obschon die 4 Deputirten des steiermärkischen Landtages, welche dieser, vom sogenannten Herrenstande beherrscht, aus seiner Mitte gewählt hatte, eine solche Nachgiebigkeit sehr übel vermerkten [1]). Namentlich setzte der oftgenannte Graf Attems auf diese Wahrnehmung hin alle Hebel in Bewegung, um die Anerkennung der Städte und Märkte als eines gleichberechtigten ständischen Faktors zu hintertreiben. Leopold II. widerstand dem Sturmlaufe. Am 17. Mai benachrichtigte die vereinigte Hofstelle den steiermärkischen Landeschef Grafen Stürgkh von der a. h. Entschliessung, kraft welcher im ständischen Verordneten-Kollegium fürderhin auch ein Deputirter der Städte und Märkte Platz nehmen sollte und diesen obendrein vergönnt war, nach Kreisen gruppirt, je 2 Vertreter in den Landtag zu senden [2]) so dass, da das Land damals in 5 Kreise zerfiel, das Bürgerthum nunmehr einschliesslich seines Repräsentanten im Verordneten-Kollegium, dort 11 Stimmen abzugeben hatte, statt sich mit der herkömmlichen einzigen begnügen zu müssen.

Der Herrenstand betrachtete diese a. h. Entschliessung nicht als feststehend. Er machte im Laufe des Sommers des Jahres 1791 und bis spät in den Winter hinein wiederholt Versuche, den Kaiser zur Zurücknahme derselben, sowie anderer, ihm, dem Herrenstande, missliebiger Bestimmungen zu bewegen. Graf Attems hielt sich zu diesem Ende fast ohne

---

[1]) S. die Konferenz-Protokolle vom 5. und 9. März 1791 im M.-A. Sie tragen die Unterschrift der beiden Hofkanzler Graf Kolowrat und Freiherr v. Kresel. Der Kaiser nahm ihren Inhalt zur Kenntniss, ohne sich sofort schon darüber zu äussern.

[2]) Haupt-Resolution auf Grund der Berathungsergebnisse vom 5., 9. und 16. März 1791 im M.-A.

Unterbrechung in Wien auf, nahm beim Kaiser so oft Audienz, als er nur vorgelassen zu werden hoffen durfte und überreichte bei solchen Anlässen nicht weniger als drei Majestätsgesuche [1]).

Jedesmal erlaubte er sich da, im Namen der steiermärkischen Stände zu sprechen, besass aber, seit (am 9. August 1791) deren Neubildung vor sich gegangen war, nur ein vom neuernannten Landeshauptmanne ausgestelltes Kreditiv [2]). Nichtsdestoweniger nahm der Monarch, der es für seine Pflicht hielt, jede Beschwerde seiner Unterthanen, mochten diese nun hochgestellte Leute oder niedrigen Ranges sein, huldvoll anzuhören. auch jene Gesuche entgegen und übergab sie den betreffenden Hofstellen zur Berichterstattung. Ja, er ordnete sogar, um über das letzte der Attems'schen Gesuche desto rascher ein in sich abgerundetes Gutachten zu erhalten, eine Staats-Konferenz an. welche am 30. November 1791 zusammentrat. Ihr wohnten unter dem Vorsitze des Erzherzogs Franz der oberste Hofkanzler Graf Kolowrat mit seinem Adlatus Baron Kresel, ferner die Staatsräthe Eger und Izdenczy, der Präsident der Hofrechenkammer, Graf Carl Zinzendorf. der Hofkammer-Präsident Graf Rudolf Chotek, die Hofräthe Graf Edling, Beckhen ¨), Keess

---

[1]) Sie befinden sich unter den einschlägigen Akten des M.-A. (26 ex Januar 1792 J. Oe.)

[2]) Einem Promemoria vom 13. November 1791 legte Graf Attems zur Bekräftigung seines Inhaltes ein Schreiben des Landeshauptmannes Grafen Breuner vom 5 November bei, worin dieser seinen Vorsatz, daferne die ständische Vorstellung an den Kaiser vom 9. August 1791 keinen Erfolg hätte, auf seinen Posten zu resigniren, ausspricht, da die Stände, namentlich aber der Herrenstand, durch Entziehung verschiedener Gerechtsame um ihr Ansehen gebracht würden. Graf Attems bat nun den Kaiser, diese Eingaben n i c h t m e h r „d u r c h d e n o r d e n t l i c h e n W e g, w i e b i s h e r o" erledigen zu lassen. Sonst würde die Resolution neuerdings abweislich lauten, „ohne dass die Stände überzeugt wären, sich unrecht beschwert oder unschiksam gebeten zu haben". Das beste Auskunftsmittel wäre, wenn der Kaiser eine e i g e n e Kommission von 2 oder 3 „unbefangenen" Männern einsetzen wollte, die Alles zu prüfen und sodann „g e r a d e a n E u r e M a j e s t ä t die Relation zu erstatten hätten".

[3]) Richtiger: B e c k h und der bekannten steiermärkischen Familie der

und Büschin bei. Auch Graf Attems war auf Befehl des Kaisers eingeladen worden, dabei zu erscheinen und erschien wirklich. Graf Edling referirte über dessen Gesuch. Das üblicher Weise an den Kaiser adressirte Protokoll der Konferenz ') beginnt mit den Worten: „Vor der Hand muss hier bemerkt werden, dass die heutige Konferenz bloss aus schuldigstem Gehorsam für höchst dero gnädigste Aufträge abgehalten wird; denn es lauft gerade wider die vom Jahre 1748 bestehende und von Eurer Majestät selbst genau bestimmte und öfters bestätigte Ordnung, ständische Schriften hier zu erledigen, die nicht von allen Klassen der Stände verfasst und von der vorgesetzten Landesstelle vorschriftsmässig beurtheilt und hieher einbegleitet werden."

Im Verlaufe des Referats wird dem Grafen Attems der Text gelesen, mitunter so derb, dass der Anwesende vor Beschämung knirschen musste. Er hatte aber auch die Hofstellen beim Monarchen geradezu verklagt, sie beschuldigt, den Monarchen hintergangen und gegen die Stände Partei genommen zu haben. Daran hatte er die Bitte geknüpft, die von ihm überreichten ständischen Anliegen nicht mehr „durch den ordentlichen Weg, wie bisher" der Erledigung zuzuführen, sowie er andererseits dem Kaiser das Bedenken, dass Alles schon eigentlich entschieden war, durch die Versicherung auszureden suchte: der Kaiser sei viel zu gerecht und gütig, um ein für allemal eine Bitte abzuschlagen. Und was er nicht selber zu sagen wagte, das liess er den greisen Landeshauptmann Grafen Breuner in einer dem Gesuche beigelegten Denkschrift sagen.

Da heisst es denn: die den Städten und Märkten eingeräumte Stellung sei eine beispiellose Kränkung der ständi-

---

Beckh-Widmanstetter verwandt. In dessen Biographie bei Winkler, biogr. u. litterar. Nachrichten, Grätz 1810, S. 18, ist dieser Verwandtschaft nicht gedacht; ich verdanke die bezügliche Notiz dem Schriftführer des histor. Vereines für Steiermark, Herrn k. k. Oberlieutenant L. Beckh-Widmanstetter.

') Original im M.-A.

schen Rechte; in Niederösterreich, wo der vierte Stand doch den fünften Theil der ganzen Landeskontribution trage, dürften dessen Vertreter den Landtagen bloss stehend beiwohnen und nur so lange, als die Verhandlung über das landesfürstliche Postulat dauert; in Steiermark dagegen, wo sie nicht einmal den 27. Theil der Landeskontribution leisten, sollten sie nicht nur eine Verordnetenstelle zu besetzen haben, sondern auch vielfaches Stimmrecht bei Verhandlungen, die sie nicht berühren. — Hiezu bemerkte nun der Referent Graf Edling, das sei offenbar ein Privatanliegen des Grafen Attems, der sich des Landeshauptmannes zu seiner Deckung bediene, und es sei um so verdächtiger, als die gemeinnützigsten Vorschläge bisher gerade von den Städten und Märkten ausgegangen wären. Graf Edling empfahl daher, durch den steiermärkischen Landeschef „allen vier Klassen der Stände einen wohlüberdachten Vorschlag abzufordern, wie mit Vermeidung aller Neckereien ihre wechselseitige Verbindung zum Wohle der guten Sache noch enger geknüpft werden könne?"

Graf Carl Zinzendorf bemerkte: „Gerechtigkeit ist die erste Pflicht des Landesfürsten; weil nun die Bürger ebenso, wie alle Klassen der Stände ein repräsentirender Körper sind, so ist es Pflicht des Landesfürsten, dass er einen Deputirten des Bürgerstandes dem Verordneten-Kollegium beiziehe. In der Dominikalkontribution stehen allerdings die Bürger dem Adel nach. Doch dieser steht mit dem, was er an Steuern zahlt, noch weit mehr hinter der Rustikalkontribution (der Steuerschuldigkeit der Bauern) zurück. Die Bürger sind die grössten Konsumenten; ihnen sich zu nähern, gebietet das eigene wohlverstandene Interesse aller Produzenten, somit auch des die Landwirthschaft betreibenden Adels. Gerade in Innerösterreich ragt der Bürgerstand durch seinen Reichthum hervor und verbreitet er nach allen Richtungen hin Wohlhabenheit. Das allein rechtfertigt seine Aufnahme in das Verordneten-Kollegium der Stände."

Hofrath v. Keess that die merkwürdige Aeusserung: Die Stände kämen dermalen nur als die Repräsentanten des Volkes in Betracht; das allgemeine Wohl sei der Zweck ihres Daseins; darüber aber habe der Bürger am ehesten mitzusprechen und den Bauer dürfe man auch nicht länger mehr bei Seite setzen. Wolle man von Ständen des L a n d e s reden und d i e s e n Einfluss auf's g a n z e Land gewähren, so müsse man Bürger und Bauern dazu gesellen. Die bisherigen Stände vertraten, im Grunde genommen, nur E i n Interesse, wenn sie gleich in drei Abtheilungen gespalten seien, nämlich das der Dominien (des herrschaftlichen Grossgrundbesitzes). Und dennoch sprächen sie im Namen des Volkes. Soll das keine unleidliche Anmassung sein, so müssen sämmtliche Klassen der Bevölkerung im Gremium der Stände sich das Gleichgewicht halten. Wünscht man Stände in d i e s e m Sinne, so geht es nun und nimmer an, den v i e r t e n Stand von den Ständen der Steiermark auszuschliessen [1]).

Vorstehende Bemerkungen gaben dem Grafen Rudolf C h o t e k Anlass, sein staatmännisches Talent durch die Prophezeiung zu erproben, dass, wenn man einmal dahin käme, sich auf den Standpunkt des Hofrathes v. Keess zu stellen, man

---

[1]) Bei einem anderen Anlasse, der jedoch nicht ausserhalb des Rahmens dieser Abhandlung liegt, kehrte wieder K e e s s mehr den Monarchisten hervor, der er in der That war, obschon ihn seine Feinde einen Jacobiner schalten. Als nämlich die Anliegen der steiermärkischen Stände bei der obersten Justizstelle einer strengen Kritik unterzogen wurden, stiess sich Keess an dem Begehren: d a s s i n Z u k u n f t k e i n G e s e t z e r l a s s e n u n d k e i n e V e r f a s s u n g s - E i n r i c h t u n g g e ä n d e r t w e r d e, o h n e d a s s d i e S t ä n d e i h r e E i n w i l l i g u n g g e b e n. Das — erklärte Keess — laufe der monarchischen Staatsverfassung zuwider, sei mit dem allgemeinen Wohle unvereinbar und klinge um so dreister, nachdem hierzulande weder der Bauern- noch der Bürgerstand vollberechtigtes Glied der Körperschaft, die sich derartige Majestätsrechte anmasse, ist. Freimüthig müsse er, wie unter der vorigen Regierung, bekennen, dass die Wünsche der Stände auf Einführung e i n e r v e r m i s c h t e n R e g i e r u n g s f o r m, wobei die A r i s t o k r a t i e Antheil hätte, abzuzielen scheinen. Diese wäre dermalen die b e d e n k l i c h s t e, da sie bei der sich vollziehenden Emancipation der Herrschafts-Unterthanen und der produzirenden Klasse überhaupt, die verhassteste sei. Bei aller Nachgiebigkeit des Landes-

auch unmöglich bei einer Interessenvertretung es bewenden lassen könnte, sondern sich bald gedrungen sehen würde, eine „der arithmetischen Volkszahl angemessene Repräsentationsart" zuzulassen, was mit der allmäligen Hintansetzung der privilegirten Klassen allerdings gleichbedeutend wäre. Und dann liesse sich kaum vermeiden, dass die „Repräsentanten aller Volksklassen" eines Tags das Recht, unaufgefordert zu reden, sich beimessen und ihre Bitten mit drohenden Geberden unterstützen würden, dass sogenannte preces armatae entständen.

Er persönlich, versicherte C h o t e k, missgönne dem Bürgerstande die fraglichen Befugnisse keineswegs; d o c h d i e F o l g e n d i e s e s S c h r i t t e s s e i e n u n ü b e r s e h b a r und jenes Zugeständniss involvire an sich schon einen Bruch mit dem historischen Rechte, das nur dadurch gewahrt und geschont werden könnte, dass man die altberechtigten Stände bestimmen würde, i n d i e N e u e r u n g z u w i l l i g e n ¹).

Diese Reden und Gegenreden wurden, wie gesagt, im November des Jahres 1791 am Tische der österreichischen Staats-Konferenz, in Gegenwart des nachmaligen Kaisers F r a n z geführt, der sich selbst zwar an der Debatte nicht betheiligte, doch, wie ein von ihm verfasster Vortrag an seinen Vater lehrt, damals der „demokratischen Partei" sich zuneigte, für deren Führer der desshalb viel verläumdete Hofrath von Keess galt.

Im Dezember 1790 hatte der Erzherzog bereits über

---

fürsten werde unter solchen Umständen doch k e i n e d a u e r h a f t e K o n s t i t u t i o n zu erreichen sein, sondern über kurz oder lang eine neue Revolution. Lieber sage er dies auf die Gefahr hin, abermaligen Gehässigkeiten zum Opfer zu fallen, als dass er schweigen möchte, wo es noch an der Zeit ist, zu reden. (Beilage zu den Konferenzprotokollen vom 5. und 9. März 1791 im M.-A.) Die betreffende Sitzung der obersten Justizstelle hatte am 22. Dezember 1790 statt.

¹) Siehe Beilage III. Chotek's Votum verdient es wohl in der von ihm selber redigirten Fassung seiner ganzen Ausdehnung nach abgedruckt zu werden. Eine Biographie dieses ausgezeichneten Staatsmannes lieferte Prof. A d a m W o l f in den Sitzungsberichten der philos.-hist. Classe der kais. Akad. d. Wissensch., Jahrgang 1852. (IX. Bd. S. 481 ff.)

selbstsüchtige Begehren der niederösterreichischen Stände seine Missbilligung mit Worten geäussert. die seine damalige Denkart kennzeichnen [1]). So wird er denn auch schwerlich von den Ausführungen des Grafen Attems angenehm berührt gewesen sein.

Auch die bei der Konferenz vom 16. März 1791 anwesenden Staatsräthe mischten sich nicht in den Gedankenaustausch, der da stattfand. Allein wir kennen ihre einschlägigen Ansichten aus den Gutachten, welche sie über das Ergebniss früherer Konferenzen abgaben [2]). E g e r rieth, den Bürger- u n d d e n B a u e r n s t a n d den übrigen Ständen auch in Ansehung des Rechtes, im ständischen Ausschusse vertreten zu sein, gleichzustellen. Wider den Beschluss der Konferenz, diesen Antrag abzulehnen, weil bei der dermaligen Volksstimmung es bedenklich wäre, darauf einzugehen, bemerkte er: in s e i n e n Augen wäre gerade dies das einzige und kräftigste Mittel, um der heutigen Volksstimmung jene glückliche Richtung zu geben, wodurch sie von anderen ausschweifenden Rettungsmitteln und Nachahmung der Laterngeschichte abgehalten würde. Den Städten und Märkten wollte er einen Vertreter im Verordneten-Kollegium zugestanden wissen.

---

[1]) „Die Stände — schrieb er -- scheinen ganz vergessen zu haben, dass es die Pflicht des Souveräns ist, nicht nur das blosse Dasein auch dem geringsten Unterthan zu gönnen, sondern diesem sowie dem grössten ein behagliches Dasein zu schaffen und wie weit es mit der Behaglichkeit des Unterthans gekommen, werden jene am besten einsehen, die einige Zeit des Jahres auf ihren Gütern zubringen. Auch sollten die Stände erkennen, d a s s d e r B a u e r bereits d i e R e c h t e e i n s i e h t, w e l c h e e r a l s M e n s c h fordern k a n n u n d d a s s e r v e r l a n g e n darf, a l s s o l c h e r b e h a n d e l t z u w e r d e n. Ihn durch Einführung der alten ständischen Rechte wiederum zum Lastthier herabwürdigen wollen, würde von den übelsten Folgen für die Stände selbst sein. Auch ist sehr auffallend, dass die Stände sich bestreben, den Einfluss des Souveräns durch seine Stellen auf das Wohl der übrigen Unterthanen so viel möglich zu beseitigen". Kaiser Leopold erledigte das fragliche Schriftstück ganz im Sinne seines Sohnes unterm 15. Januar 1791. (Excerpt des Freiherrn C a r l v. H o c k aus den Staatsraths-Akten.)

[2]) Excerpte des Freiherrn v. H o c k aus den Staatsraths-Akten.

Fürst Kaunitz und Izdenczy stimmten ihm bei. Nur Graf Reischach war gegen jede Konzession an den Bürgerstand und verlor über die Bauern schon gar kein Wort.

Wofür damals der Kaiser sich entschied, wurde bereits erzählt. Hatte er gleich inzwischen dem Grafen Attems mehr Aufmerksamkeit geschenkt, als dessen Auftreten verdiente, und dem Wunsche nach einem besonderen Landeshauptmanne gegenüber sich willfähriger gezeigt, als die meisten Theilnehmer an den Konferenzen erwarteten, so legte er sich doch vom 12. März d. i. von dem Tage an, wo er den Deputirten des steiermärkischen Landtages das eben erwähnte Zugeständniss als vollzogen ankündigte, eine gewisse Zurückhaltung auf; er hörte Vorstellungen auch jetzt geduldig an, versprach, sich darüber berichten zu lassen, war aber schliesslich froh, wenn der ihm darüber erstattete Vortrag keine Umkehr zur Pflicht machte.

Gewiss ist, dass Leopold II. durch derlei Behelligungen von dem in Ansehung des Bürgerstandes einmal Beschlossenen nicht abgebracht wurde.

Und was er diesfalls im Widerspruche mit den Verfechtern des historischen Rechtes verfügte, war auf 57 Jahre hinaus massgebend, bildete die Grundlage, auf welcher die Metamorphose des Ständewesens sich nachmals vollzog, ohne dass es hiezu noch einer neuen Grundlegung bedurft hätte.

Mit demselben Rechte, womit Leopold II. im Jahre 1791 die Stände der Steiermark modernisirte, sie durch die Beimengung bürgerlicher Elemente nach eigenem Ermessen auffrischte, schuf Kaiser Ferdinand sie ganz ab und fügte unser heutiger Monarch Bruchstücke davon dem Neubau der Landesverfassung ein.

Es würde zu weit führen, wollte ich hier auch die durchgreifenden Aenderungen schildern, welche der Wirkungskreis der steiermärkischen Stände unter Leopold II. erfahren hat und durch die gleichfalls auf die Dauer eines halben Jahrhunderts staatsrechtliche Grundsätze zur Geltung gebracht wurden, die den Keim der späteren Entwicklung schon in sich trugen.

Ich gestatte mir jedoch zum Schlusse, die mit den besprochenen Neuerungen in Kausalverwandtschaft stehenden Beschlüsse Leopold's II. anzuführen, durch welche die in Rede stehende Verfassungskrisis im Mai 1791 der Hauptsache nach ihren Abschluss fand,).

Die Stände erhielten einen b e s o n d e r e n L a n d e s - h a u p t m a n n als Oberhaupt (und es war das das einzige Zugeständniss, welches sie dem Kaiser im Rücken der Hofstellen entlockten, worauf hin eben Graf Attems auch Wichtigeres auf gleichem Wege zu erreichen sich vermass); doch dieser Landeshauptmann durfte n i c h t i h n e n, sondern musste ausschliesslich dem Monarchen den Gehorsamseid leisten.

Er that dies dem von Wien aus festgesetzten Zeremoniell gemäss nicht einmal vor den Augen der Stände, sondern im Rathsaale des Guberniums zu Handen des Landeschefs.

Die Stände durften ihn sich g e w i s s e r m a s s e n selber wählen; allein nur durch Bezeichnung von 12 Kandidaten, unter welchen der Monarch beliebig wählte.

Die Stände durften ferner nach alter Sitte wieder V e r - o r d n e t e als ständige Geschäftsführer wählen; allein jeder Stand hatte aus seiner Mitte den ihm bewilligten Verordneten zu wählen und nicht, wie ehedem, der ganze Landtag diese Wahl vorzunehmen. Ausserdem war die Bestätigung der Gewählten dem Monarchen vorbehalten, der sie über Antrag der vereinigten Hofstelle gab oder verweigerte.

Die gleiche Bewandtniss hatte es mit den A u s s c h u s s - r ä t h e n, d i e n u n s ä m m t l i c h g e w ä h l t w e r d e n m u s s t e n und deren Wahl nicht der Herrenstand allein vornahm, wie dieser in einem späteren Verhandlungsstadium es als der Landesverfassung gemäss beansprucht hatte, son- dern j e d e m d e r d r e i o b e r e n S t ä n d e g l e i c h m ä s s i g

---

¹) Es ist nicht bloss die sogenannte Hauptresolution Leopolds II., der ich die nachstehenden Punkte entnehme, sondern ich lege dieser Darstellung auch die Akten des St.-A. zu Grunde, welche wichtige Erläuterungen darbieten.

zu fiel. Dem Ritterstande war es eben gelungen, diesfalls beim Monarchen die Anerkennung seiner Ebenbürtigkeit durchzusetzen, was, prinzipiell genommen, keine geringere Verletzung des Herkommens war, als die hinsichtlich der Verordnetenwahl dem Bürgerstande gemachte Konzession.

Der Posten eines ständischen General-Einnehmers, den Josef II. bereits gestrichen hatte, lebte wieder auf; doch nicht mehr zum ausschliesslichen Vortheile des Herrenstandes, der diese Sinekur Jahrhunderte lang als sein Vorrecht ausgebeutet hatte, sondern unter der Bedingung, dass bei deren Besetzung der Herren- und der Ritterstand abwechslungsweise bedacht werden sollten.

Die Sitzungsprotokolle und Rechnungsausweise der Landschaft unterlagen fortan einer strengen Untersuchung durch die Staatsbehörden, was so gut gegen das historische Recht war, wie die Bemessung des Gehaltes der ständischen Funktionäre und Diener durch die Regierung.

Die Stände durften nun überhaupt ohne Vorwissen der Regierung keine noch so kleine Ausgabe mehr machen, wenn nicht Pauschalsummen dafür ausgeworfen waren.

Mit dem Antrage, sich am Hoflager durch einen eigenen, wohldotirten Repräsentanten vertreten lassen zu dürfen, wurden sie rundweg abgewiesen. Höchstens die Aufstellung eines Hofagenten aus der Zahl der dazu autorisirten Wiener Advokaten sollte ihnen gestattet sein.

Ebensowenig ging Leopold II. auf die von den Ständen gewünschte Umgestaltung der Gerichtsverfassung im Sinne der Judicia parium ein; vielmehr behielt er sich für alle Zukunft die beliebige Besetzung der Richterstellen bevor und bedeutete er ihnen, er werde dabei stets ohne Rücksicht auf Stand und Geburt vorgehen, „da eine reine, untadelhafte Justizpflege die erste Pflicht eines Monarchen" sei. Uebrigens — setzte er nicht ohne bittere Ironie bei — werde es ihm „sehr angenehm sein, wenn er die erforderlichen Eigenschaften vorzüglich bei den um derlei Rathsstellen kompetirenden ständischen Mitgliedern antreffen würde".

Dieser den steiermärkischen Ständen ertheilte Bescheid ist um so wichtiger, als der Monarch ihn seiner ganzen, drei Folioseiten füllenden Ausdehnung nach e i g e n h ä n d i g zu Papier brachte und damit auch ein Normativ zur Regelung der ständischen Verhältnisse in K ä r n t e n und K r a i n gegeben war, auf das noch Jahrzehnte später zurückgegriffen wurde, um jede Ausschreitung der Stände hintanzuhalten.

Trostloser noch lautete — für die Stände — eine unterm 7. Oktober 1791 dem Grazer Gubernium bekannt gemachte a. h. Entschliessung, welche in Erledigung der mittlerweile eingebrachten Rekurse den Inhalt der vorangeführten Entscheidung mit einer e i n z i g e n, später zu erwähnenden Ausnahme v o n P u n k t z u P u n k t b e s t ä t i g t e und in Gestalt sonstiger abschlägiger Antworten ebenso viele n e u e Belege für die Missachtung des historischen Rechtes enthielt.

Es war aber freilich a u c h g e g e n das historische Recht, dass die Landschaft sich ihre Einkünfte, wie es schon unter Leopold I. geschah, durch die Regierung garantiren liess, dass sie ihr Besteuerungsrecht auf's ganze Land ausdehnte, dass sie in Alles und Jedes sich mischte, dabei in echt rationalistischer Weise den „Ursprung der menschlichen Gesellschaft" zum Ausgangspunkte nahm und dass ihre Mitglieder in der Rolle von V ä t e r n d e s V a t e r l a n d e s, die nichts destoweniger auf dessen Kosten fette Pfründen genossen, sich gefielen.

Die Landschaft ging demnach aus der Verfassungskrisis, die ich zum Gegenstande meines Vortrages gemacht habe, bei Weitem nicht so glorreich und nicht so mächtig hervor, wie der hohe Adel es sich gedacht hatte.

Sie glich der alten, geschichtlich g e w o r d e n e n Landschaft nur mehr äusserlich; ihrem nunmehrigen Wesensbestande nach war sie ein von der Regierung beliebig gemodelter, dieser zu Diensten stehender, ziemlich morscher Verwaltungs-Apparat.

Der als Antiquität ehrwürdige, doch kein Pfropfreis, wie das aufstrebende Bürgerthum war, vertragende Baum verwelkte, seit die Axt an seinen Wurzeln lag, seit die Reformhiebe tief und tiefer in sein Mark drangen. Nur die Rinde hielt, obschon auch zerklüftet und zerrissen, ihn noch aufrecht.

Und wenn ihn die Regierung eines Tages ganz zu Fall brachte, so erlitt das historische Recht dadurch keine grössere Verletzung mehr, als d i e war, welche Leopold II. ihm zugefügt hatte, indem e r es systematisch zu untergraben begann.

Hätte indessen schon d i e s e r Monarch, statt die Stände, deren pergamentne Gerechtsame er doch kaum eines Blickes würdigte, mit einem zwitterhaften Scheinleben abzufinden, es vorgezogen, sie mit bündigen Worten f ü r e r l o s c h e n z u e r k l ä r e n (was sie e i g e n t l i c h doch schon unter ihm waren), hätte er einem Bonifazius gleich und dann auch dieses Namens ebenso würdig, als der Heidenbekehrer zu Fulda — mit der Axt, welche ihm die Vorsehung in die Hand drückte, zu einem wuchtigeren Streiche ausgeholt, so wären der Monarchie, wären dem engeren Vaterlande die Erschütterungen des Jahres 1848 und spätere Existenzproben sicher erspart geblieben.

Denn jene Bewegung hub genau wieder mit dem Rufe nach Grundentlastung, nach politischer Gleichberechtigung, kurz: nach Realisirung dessen an, was Leopold II. zu vollbringen sich anschickte, auch g r u n d s ä t z l i c h verfügte und nur nicht in allen Einzelnheiten durchführte.

Der Entsetzen erregende Verlauf der französischen Revolution — Ende Juni 1791 machte bekanntlich Ludwig XVI. seinen verunglückten Fluchtversuch —, die davon beeinflussten Vorgänge in Belgien, beunruhigende Wahrnehmungen im Bereiche der eigenen Residenz, wo wenigstens die Polizeibehörde auf Jakobiner fahndete, hatten den Kaiser offenbar zurückgehalten, ihm Misstrauen wider das eigene Werk, Furcht vor dem Rückschlage einer vom Throne ausgehenden Nivellirung der Gesellschaft eingeflösst.

Um diese Scheu zu überwinden, lebte er zu kurz. Und wie schüchterte nicht das tolle Treiben der Republikaner selbst noch den Thronfolger ein!

So erklärt es sich auch, warum die im Mai 1791 als viergliederiges Kollegium bewilligte Verordnetenstelle nicht lange darnach (unterm 6. August und 7. Oktober 1791) u m z w e i

Glieder zu Gunsten des Adels vermehrt und so
die Gleichheit der Stände, welche sich ursprünglich darin kund-
gab, von der Regierung wieder desavouirt wurde. Diese hoffte
eben, dadurch für den schlimmsten Fall den Adel sich
zu verpflichten und wähnte, durch eine solche Auszeichnung
dessen sinkendes Ansehen zu wahren, davon aber selbst wieder
in der Stunde der Gefahr Nutzen zu ziehen. Im Uebrigen waren
das ziemlich irrelevante Korrekturen; zumal die nachträglich bewilligte Doppelbesetzung von keiner Gehaltsanweisung begleitet war.

Werfen wir nun noch einen flüchtigen Blick auf ein paar
Persönlichkeiten, deren Namen in die geschilderte Verfassungskrisis verflochten sind, so gebührt vor Allem dem Grafen
Ferdinand Attems das Zeugniss, dass er den Kampf um
vermeintliche Besitzrechte, welchen die Stände unter seiner
Führung kämpften, mit seltener Ausdauer, wie sie eben nur
das, wenn auch irrthümliche Bewusstsein, eine gerechte
Sache zu verfechten, verleiht, leitete und Niemandem kann
entgehen, dass die engherzigen Anschauungen, als deren Verkörperung er sich uns darstellt, nicht ihm zur Last fallen,
sondern der Atmosphäre, in der er aufwuchs, die ihn umgab.

Zwar erschien noch im Jahre 1803 ein Pamphlet, das,
aus amtlichen Quellen schöpfend, ihm alle erdenklichen Schlechtigkeiten vorwarf. Der Titel der Schmähschrift: „Kampf der
Wahrheit und des Rechtes mit der Lüge und dem Betruge,
ein Volkslied für Steiermark, in Noten gesetzt von einem Freunde
der kritischen Tonkunst" —: er allein genügt, zu zeigen, dass man
damals so gut, wie heutzutage, mit Schlagworten zu agitiren
verstand [1]). Und es fehlte auch nicht an Huldigungen, die dem
mit Beginn des laufenden Jahrhunderts zum Landeshauptmann
ernannten Grafen dargebracht wurden. Ich nenne beispielsweise
ein gedrucktes Gedicht Kalchberg's, das im Namen der
Stände der Steiermark seine Tugenden preist.

---

[1]) Dieses Pamphlet ist übrigens schon desshalb beachtenswerth, weil es
auf S. 24—57 Auszüge aus dem Konferenz-Protokolle vom 30. November 1791 enthält. Ein Exemplar davon befindet sich im steiermärk. Landesarchive.

Raspor dagegen, der sich in den Jahren 1790—92 so wacker des Bürgerthums und selbst der Bauern angenommen hatte, verfiel, nachdem seine Mitbürger ihn aus Dankbarkeit zur Würde eines ständischen Verordneten erhoben hatten, auf die einfältige Prätension: es möge Jedem seiner Standesgenossen, der diese Würde bekleidet, die Mauthfreiheit an der Weinzettelbrücke und das Jagdrecht, wie der land-tagsmässige Adel es übte, zum Zeichen landschaftlicher Gleich-berechtigung zugestanden werden. Er überwarf sich sogar dess-halb mit seinen Wählern, die von ihm Gedeihlicheres erwarteten, ohne übrigens selber durchweg der dünkelhaft-spiessbürger-lichen Versuchung, welcher Raspor erlag, mannhaft zu wider-stehen [1]). —

Diese Dinge kamen auf dem Landtage zur Sprache, wel-cher am 31. Mai 1793 in Graz sich versammelte, um einer a. h. Willensmeinung gemäss zu berathen, „wie der vierte Stand mit den übrigen Klassen der Stände in eine mit Vermeidung aller Neckereien wechselseitige nähere Verbindung zum allgemeinen Wohle zu setzen sein dürfte".

Kaiser Leopold hatte den Wunsch, einen „gemeinschaftli-chen" Vorschlag hierüber von den Ständen zu erhalten, in Er-ledigung des Konferenz-Protokolles vom 30. November geäus-sert. Die Hofkanzlei, welcher diese Erledigung am 29. Dezember 1791 zukam, verständigte davon das steiermärkische Gubernium unterm 7. Januar des folgenden Jahres mit dem Beisatze: so-bald der Vorschlag der Stände einlauft, darüber die Kreisämter zu vernehmen und dann erst die Akten ihr vorzulegen. Der ständische Ausschuss aber, dem das Gubernium die weiteren Veranstaltungen auftrug, forderte vor Allem die landesfürst-lichen Städte und Märkte auf, kreisweise, d. h. nach dem für

---

[1]) Der bis hieher reichende Text entspricht, abgesehen von ein paar Zusätzen, welche eingeschaltet wurden, dem von mir in der letzten Jahresversammlung des historischen Vereines für Steiermark gehal-tenen Vortrage. Der Rest der Abhandlung beruht durchweg auf Akten im M.-A.

die Beschickung des Landtages nun massgebenden Gruppensysteme zur Berathung des Gegenstandes zusammenzutreten. Das Ergebniss dieser Vorberathungen sollte das Substrat des von den Ständen „gemeinschaftlich" zu erstattenden Vorschlages bilden.

Am frühesten, nämlich schon am 3. Mai 1792, kamen die Städte und Märkte des B r u c k e r K r e i s e s diesem Auftrage nach. Die Magistrate und Bürgerausschüsse der Städte Leoben und Bruck, dann der Märkte Eisenerz, Vordernberg, Kindberg und Mürzzuschlag versammelten sich in der erstgenannten Stadt. Sie reklamirten die „ursprünglichen Rechte" des Bürgerstandes, schalten die drei oberen Stände engherzig und riefen denselben die Schutzrechte, welche der Landesfürst über diese Orte ausübte, ins Gedächtniss. Sie wünschten, dass der Bürgerstand auch im ständischen Ausschusse (nicht blos im Verordneten-Kollegium) eine angemessene Vertretung erhalte, wie dies Raspor schon unterm 11. Februar bei den Ständen befürwortet hatte; nur genügte ihnen für diesen Fall nicht die Anzahl von 3 Stimmen, sondern sie nahmen ihrer 5 in Anspruch. Die Landtags-Deputirten, Franz de Paula Dirnböck (Bürgermeister der Stadt Leoben) und Josef Anton Medl (Magistratsrath von Eisenerz), welche die Kreisversammlung einberufen hatten, beförderten die gefassten Beschlüsse an das Ausschusskollegium der Stände.

Am 24. Mai wurden die Städte und Märkte des J u d e n b u r g e r K r e i s e s.[1]) schlüssig. Sie versammelten sich in Knittelfeld, zumeist durch die Gemeindevorstehungen vertreten, und überreichten ihre, wie sie sagten, „in der Natur des Staates gegründeten Wünsche" dem ständischen Ausschusse unterm 3. Juni schriftlich durch die von ihnen gewählten Landtags-Deputirten: Josef Weniger, Bürgermeister von Knittelfeld, und Josef Paul Hauser, Bürgermeisteramts-Verwalter zu Judenburg.

Die Einleitung dazu ist merkwürdig wegen der darin sich spiegelnden Gedankenrichtung.

---

[1]) Judenburg, Knittelfeld, Rottenmann, Weisskirchen, Obdach, Neumarkt, Oberzeiring, Aussee und Schladming.

„Wir wissen" — heisst es da — „dass ursprünglich das Menschengeschlecht, blos durch die
Gesetze der Natur geleitet, diesen Erdpol be-
wohnte." Die Zunahme der Bevölkerung habe die Menschen bewogen, unter sich Verträge zur Sicherung von Gütern,
Leben und Freiheit zu schliessen. Dabei waren noch alle
Paktirenden einander gleich. Spät erst sei dem Bürgerstande
die Zurücksetzung widerfahren, über welche er sich noch jetzt
zu beklagen hat. Nun aber soll das frühere Gleichgewicht
aller Stände wieder hergestellt werden. Die Versammelten
begehren daher: Antheilnahme des Bürgerstandes an sämmtlichen ständischen Verrichtungen, insbesondere ebenmässige
Vertretung desselben im ständischen Ausschusse, Einführung der Kurialstimmen bei Beschlussfassungen
im Landtage und Vorbehalt des Rechtes, dass ein sodann
überstimmter Stand seine abweichende Meinung „in anstän-
diger Form" zu Protokoll geben darf.

Die Städte und Märkte des Grazer Kreises scheinen
zu keiner Berathung des fraglichen Gegenstandes zusammen-
getreten zu sein. In ihrem Namen äusserte sich zuerst, am
1. Juni 1792, der schon mehrmals genannte Grazer Bürger
Franz Haas und 5 Tage später dessen „Codeputirter" Johann
Georg Fellinger, Marktrichter zu Frohnleiten, welcher offenbar den von Ersterem entwickelten Anschauungen beizupflichten
Anstand nahm. Haas stellte den Grundsatz „der vollen Freiheit der Stände" an¨die Spitze seiner Deduction. „Die zufäl-
ligen Vorzüge des Adels" — bemerkt derselbe — „werden
der Stimme eines anderen Standes kein grösseres Gewicht
beilegen, als ihr die Gründe geben, von denen sie begleitet
ist." Auf die von Raspor beanspruchten „Personal-Vorzüge"
glaubt er verzichten zu sollen. Weit lieber wäre ihm, wenn
auch der Bauernstand bei den ständischen Berathungen
mitzureden hätte. Darin läge die relativ beste Garantie für
die bezügliche Wirksamkeit des Bürgerstandes, der ja sonst
noch immer den drei oberen Ständen auf Gnade und Ungnade
sich preisgegeben wüsste. In der Folge werde es freilich auch

hiebei nicht sein Bewenden haben können, sondern werden die Bürger den Kaiser bitten müssen, „sie von den drei oberen Ständen **ganz abgesondert zu lassen**, ihren Versammlungen mit **Zuziehung des Bauernstandes eine eigene Organisirung zu geben** und nichts für die Stimme der gesammten Landstände des Herzogthums Steiermark anzusehen, was nicht, **nachdem es die drei oberen Stände passirt hat**, auch in der Versammlung **dieses** organisirten Körpers vorgetragen und anerkannt worden ist. Widrigenfalls müssen die Bürger bitten, den dermaligen organisirten Körper der Stände ausser aller Wirksamkeit zu setzen". [1]

Haas gibt entschieden einem erleuchteten Absolutismus den Vorzug vor der Herrschaft der „oberen" Stände und legt überhaupt eine streng monarchische Gesinnung an den Tag. „Das wahre Wohl des Ganzen, aller Menschenklassen in einer Provinz und aller Provinzen zusammen zu befördern hat nur der **Monarch**, nur der a. h. Landesfürst die nöthige Einsicht, den besten Willen und die hinreichende Gewalt: —

---

[1] Der hier anklingende Grundgedanke des **Zweikammer-Systems** überrascht als Bestandtheil des politischen Glaubensbekenntnisses eines Grazer Bürgers vom Jahre 1792. So weit ging in **formeller Beziehung** nicht einmal der Justizhofrath v. **Keess,** der doch sonst zu den vorgeschrittensten Freidenkern der damaligen Zeit zählte. Seiner Meinung nach (die im Konferenz-Protokolle vom 30. November 1791 niedergelegt ist) sollte die „wahre Repräsentation des Volkes" in folgende drei Abtheilungen, die er aber sich offenbar als Kurien einer **einzigen** Versammlung dachte, zerfallen: *a)* die Dominien, an die sich der Adel, allenfalls die Geistlichkeit, anschliessen mag; *b)* die Bürger, an die sich die Handelschaft anschliesst; *c)* die Bauern, das ist: die Rustikalgüter besitzen. — Von einer solchen Repräsentation durch **drey corpora**, die eben das Volk ausmachen, liesse sich — führt Keess fort — sagen, dass das Volk repräsentirt werde. **Da würden die Stimmen nach allen Verhältnissen und Combinirungen abgegeben** und wenn **ein** Stand mit dem **anderen** in Kontrast fiele, **durch den dritten** das Uebergewicht gegeben." **Sachlich** genommen, ist freilich dieser Vorschlag noch radikaler, als der des Bürgers Haas und die Annahme, dass der Hofrath Keess dabei **drei gesonderte Kammern** vor Augen hatte, ist

welche souverainen Eigenschaften durch eine einseitige Berathung eher irre geleitet oder gehemmt, als unterstützt würden."

Am Schlusse seines Gutachtens beantragt er, dem kürzlich erst (am 1. März 1792) verstorbenen Kaiser Leopold im Berathungssaale der steiermärkischen Stände ein Denkmal zu setzen.

Fellinger sprach sich dagegen mit trockenen Worten für die Aufnahme von 5 Bürgern in den ständischen Ausschuss, für die Ausarbeitung des näheren Details darüber durch „gesammte vier Stände", gegen die Ausgeburten der Eitelkeit Raspor's und gegen eine in Rezessform zu bewerkstelligende Auseinandersetzung zwischen dem vierten Stande und den drei oberen (wozu letztere sich erboten hatten) aus.

Ebensowenig wollten die Städte und Märkte des Cillier Kreises, welche ihr Votum am 21. Juli 1792 durch eigens hiezu gewählte Vollmachtträger abgaben, von einem derartigen „Rezesse" etwas wissen. Zu einem solchen die Hand bieten, hiesse das alte Recht der Städte und Märkte verkennen oder ignoriren, es als zweifelhaft hinstellen, während es doch klar und präcis sei. In keinem Falle dürfe durch einen Rezess den drei oberen Ständen eine Art Vormundschaft über die Städte und Märkte eingeräumt und an dem bezüglichen Eigenthumsrechte des Landesfürsten, zu dessen Kammergut zu gehören der Stolz jener Gemeinden sei, gerüttelt werden. Also keine Unterjochung seitens des Adels und der Geistlichkeit, keine Munizipalisirung. Raspor's Anträge, so wie sie in einer vom 11. Februar 1792 datirten Fassung vorliegen, seien mit Ausnahme dessen, was er als ständischer Verordneter für sich verlangt, wohlbegründet. Weniger als 5 Mitglieder aus dem Bürgerstande dürfe der ständische Ausschuss nimmermehr aufzuweisen haben [1]).

Am spätesten lief das Votum der Städte und Märkte des

durch die Art, wie er sich ausdrückt, nicht geradezu. ausgeschlossen obschon ich ihm diese Deutung nicht abzugewinnen vermag.

[1]) Die Namen der Vollmachtträger, welche sich zu Cilli über die vorstehenden Punkte einigten, sind: für die Stadt Cilli: Severin Pergtolt und Johann Felix Herbst; für die Stadt Windisch-Feistritz

Marburger Kreises ein. Es ist vom 20. Juli 1792 datirt und enthält blos eine Aeusserung der Stadt Marburg, auf welche die übrigen Orte schlechthin compromittirten. Es stimmt in **Allem und Jedem** (also auch was die vom Eigendünkel eingegebenen Punkte betrifft) den Anträgen Raspor's bei, verlangt aber gleichfalls für den Bürgerstand 5 Ausschussstellen und ist für deren zeitliche (nicht lebenslängliche) Besetzung.

Es währte nun noch volle zehn Monate, bis eine von den Ständen dazu erwählte Kommission dazu kam, diese Gutachten zu prüfen [1]).

Das Referat hatte **Raspor** übernommen.

In einer am 8. Mai 1793 gehaltenen Sitzung erstattete er seinen Bericht dahin: dass es nicht länger angehe, die „Gültenbesitzer" bei Besorgung der Landesangelegenheiten zu bevorzugen; auch die **Bürger** und nicht minder die **Bauern** hätten Anspruch auf Theilnahme daran und zwar in ausgedehnterem Masse, als bisher, wo im Verordneten-Kollegium unter 5 Mitgliedern nur 1 Bürger und im Ausschusse unter 20 Ausschussräthen abermals nur 1 Bürger (noch dazu der nämliche, welcher dem Verordneten-Kollegium angehört) sitze, im Landtage aber gar nur 11 bürgerliche Votanten einer Unzahl adeliger und geistlicher Stimmführer gegenüber stehen. Zwar sei es noch keine ausgemachte Sache, dass jene 11 Votanten blos 11

Anton Kaiser und Franz X. Hässl; für die Stadt **Rann:** J. G. Feiglmilner; für **Rohitsch:** Ant. Skubitz und Joh. Perner; für **Tüffer:** Jakob Hörmann und Leopold Spitzer; für **Hohenegg:** Jak. Remschagg und Ant. Moray; für **Sachsenfeld:** A. F. Fischer und J. Gasser; für **Saldenhofen:** Joh. Dumhard.

[1]) Die Verschleppung der Sache rührte vornehmlich davon her, dass die Hofkanzlei sich mit einer Aeusserung, welche der ständische Ausschuss unterm 22. Juni 1792 darüber abgab, nicht zufrieden stellte, vielmehr mit Dekret vom 11. August 1792 nicht nur eine Vorprüfung der eingelaufenen Gutachten durch eine „aus allen vier Ständen zusammengesetzte" Kommission verlangte, sondern auch befahl, das Vorgehen dieser Kommission durch eine besondere Vorschrift zu regeln, welche Kaiser Franz zu genehmigen sich vorbehielt. Diese Genehmigung gelangte erst durch Gubernial-Intimat vom 3. Oktober 1792 in die Hände des Landeshauptmannes.

Stimmen abzugeben haben. Denn Jeder unter ihnen vertrete mehrere Orte, deren jeder doch mindestens e i n e m „Landmanne" gleich zu achten sei. Allein die geltende Praxis lasse nur 11 bürgerliche Stimmen zu und diese seien unfähig, irgend einen dem Bürgerstande nachtheiligen Beschluss zu hintertreiben.

Er formulirte dann die ihm gerecht dünkenden Anliegen des Bürgerstandes, wie folgt:

1. man gestehe demselben mindestens 5 Ausschussstellen zu;
2. man schliesse den Verordneten des Bürgerstandes von keinerlei Berichterstattung aus;
3. man stimme in den ständischen Versammlungen und Kollegien kurienweise ab, wobei innerhalb jeder Kurie die Majorität entscheiden soll;
4. man dehne die ständischen Personalgerechtsame, namentlich die Freiheit vom Brückengelde zu Gösting und das zur „Ausheiterung" dienende Jagdrecht auf a l l e bürgerlichen Mitglieder ständischer Rathskollegien aus;
5. man weise den Vertretern des Bürgerstandes bei ständischen Versammlungen und Funktionen einen geziemenden Platz an und wäre es auch der letzte;
6. man gewähre ihnen Einsicht in alle ständischen Amtshandlungen und Akten;
7. man verleihe ständische Bedienstungen, die nicht ausdrücklich den „Landmännern" (d. h. dem immatrikulirten Adel) vorbehalten sind, auch Kompetenten bürgerlicher Abkunft;
8. man betheile mit ständischem Almosen, soweit nicht die Stiftungsbriefe entgegenstehen, auch bürgerliche Arme.

Dieser Bericht unterschied sich in einigen Stücken von demjenigen, welchen Raspor, vom ständischen Ausschusse dazu aufgefordert, unterm 11. Februar 1792 erstattet hatte und dessen bereits Erwähnung geschah.

Entschlug sich gleich Raspor auch jetzt nicht der Marotte, dass die bürgerlichen Mitglieder ständischer Rathskollegien sich mit den adeligen und geistlichen in den Genuss gewisser, veralteter Privilegien zu theilen hätten, so liess er doch andere Sonderbarkeiten, für die er früher eingetreten war, wie z. B. die Frage, welche Gestalt das Siegel des bürgerlichen Verordneten haben solle und ob nicht demselben für die Dauer seines Amtes jeweilen die Würde eines steiermärkischen Landmannes unentgeltlich verliehen werden sollte? — nun bei Seite. Er bestand auch nicht länger darauf, dass der ständische Ausschuss um den jeweiligen Grazer Bürgermeister und 2 andere Grazer Bürger, welche von sämmtlichen landesfürstl. Städten und Märkten des Landes zu wählen wären, vermehrt werde. Andererseits verzichtete er aber nunmehr — Angesichts des Stillschweigens, welches die in Frage stehenden Gutachten darüber beobachteten — auf die Beiziehung des bürgerlichen Verordneten zur Ausstellung ständischer Schuldscheine und auf die Benachrichtigung der Städte und Märkte von den Berathungsgegenständen, welche einen bevorstehenden Landtag zu beschäftigen hätten.

In der Kommission, welche dieses Referat entgegennahm, sass ausser Raspor n u r n o c h e i n „B ü r g e r": der Grazer Bürgermeister Edler v. Heillinger. Herr von M o s m i l l e r n, der ursprünglich hinein gewählt worden war, h i e l t s i c h i h r f e r n e; der zur Nachgiebigkeit gestimmte Abt Schulz war kürzlich Gubernialrath geworden; der bejahrte Kreishauptmann Freiherr von Hohenrain war durch Krankheit am Erscheinen verhindert [1]). Den Vorsitz führte der bekannte Graf J o h a n n B r a n d i s. Die übrigen Mitglieder der Kommission waren (ausser den genannten beiden „Bürgern"): der Prälat von Rein, Gerhard Schobinger (den der Landeshauptmann an des Abten Schulz Stelle einberufen hatte), Franz Graf Wildenstein (statt des Freih. v. Hohenrain), ein Freih. v. Jauerburg,

---

[1]) An der Wahl der Kommission scheint jeder Stand f ü r s i c h theilgenommen zu haben. Sonst wäre es kaum zu begreifen, wie ein dem Herrenstande so wenig genehmer Mann, als Herr v. Mosmillern war, in die Kommission gelangte und dass jeder Stand darin gleichmässig durch je 2 Mitglieder vertreten war. Raspor erwähnt bereits in seinem Berichte vom 11. Februar 1792, dass die Stände sich zur k u r i e n w e i s e n Abstimmung verstanden hätten, als es sich um die Ausarbeitung einer Amtsinstruktion durch ein besonderes Comité handelte, welches am 29. Dezember 1791 von ihnen eingesetzt wurde.

ein Edler von Lendenfeld (statt des Herrn v. Mosmillern) und ein Edler von Schickh.

Diese Herren mäkelten nicht nur an den von Raspor formulirten Begehren, sondern verwarfen schlechtweg die wichtigsten. So namentlich das Ansinnen, dass der ständische Ausschuss durch bürgerliche Beisitzer verstärkt werden möge. Um es als unbegründet hinzustellen, wagten sie einen Vergleich, der auf eine herbe Selbstkritik und auf eine geradezu vernichtende Verurtheilung des Ständewesens hinauslief. Sie verglichen nämlich die ständische Körperschaft mit einer Aktiengesellschaft und weigerten sich darauf hin, in den Verwaltungsrath dieser Gesellschaft Leute aufzunehmen, welche an der „Bestimmung und Repartition der Steuerlast" bei weitem nicht so stark interessirt seien, wie sie, beziehungsweise die durch sie repräsentirten drei oberen Stände.

In diesem Lichte also erschien damals Letzteren das Ständewesen. Sie äusserten auch die theilnehmende Besorgniss, dass der Bürgerstand Dringenderes zu thun haben werde, als die ständischen Interessen in solcher Ausdehnung wahrzunehmen, wie es der Ausschuss zu thun berufen sei.

Heillinger dagegen stellte sich bei der Abstimmung hierüber auf Raspor's Seite.

Der dritte Punkt (die Gruppirung nach Kurien) stiess auf noch heftigeren Widerspruch. Zuerst nahm der Prälat von Rein das Wort, um zu erklären, dass er als Geistlicher eigentlich alle Ursache hätte, diesem Antrage sich anzuschliessen, weil ja die geistliche Bank durch die Aufhebung mehrerer Klöster ziemlich leer geworden; nichtsdestoweniger getraue er sich nicht, dafür zu stimmen, weil der Antrag wohlerworbene Rechte des Herren- und Ritterstandes bedrohe. Auch könnte der ständische Kredit darunter leiden, wenn „meist unbesessene (soll heissen: unangesessene) Stände" bei der Aufnahme von Darlehen den Ausschlag geben würden. Und wäre es nicht gegen den Anstand, die „Unterthanen" zu Richtern über ihre Grundherren zu machen? Wozu endlich wäre dann der Schutz, welchen die Gesetze vor Bedrückungen den Grundholden gewähren? Ein in dieser Beziehung herschendes Misstrauen kehre seine Spitze wider den Landesfürsten, der den Vollzug der Gesetze überwacht.

Diesen Argumenten verschloss sich auch der G r a z e r B ü r g e r m e i s t e r nicht. Er liess da den Raspor im Stiche, beantragte jedoch, j e d e r landesfürstlichen Ortschaft im Landtage ein s p e z i e l l e s Stimmrecht einzuräumen, zu dessen Ausübung sich die Städte und Märkte einer beschränkten Anzahl von „Gewaltträgern" zu bedienen hätten.

Die Bekämpfung anderer Punkte liess Herr von S c h i c k h sich angelegen sein. Er erachtete namentlich die Aufnahme der v i e r l e t z t e n in's Protokoll für völlig überflüssig, weil ja ohnehin Niemand daran denke, dem Bürgerstande in diesem Betreff nahe zu treten. Allein die Mehrheit der Kommission sprach sich gleichwohl für die ausdrückliche Hervorhebung der bezeichneten Punkte aus.

Am 16. Juli 1793 kam das Kommissions-Operat vor den Landtag, an welchem ausser Raspor 8 Deputirte des Bürgerstandes theilnahmen.

Und nun wiederholte sich der Kampf der Meinungen, der schon im Schosse der Kommission getobt hatte. Als Hauptredner trat den Anliegen des Bürgerstandes Graf O t t o W o l f g a n g v o n S c h r o t t e n b a c h entgegen, der Letzte seines Geschlechts in Steiermark und somit vor Anderen berufen, eine gleichfalls im Niedergange begriffene Anschauungsweise zur Geltung zu bringen).

Er warf zunächst einen Rückblick auf die Bemühungen des Bürgerstandes, seine angeblichen historischen Rechte in Bezug auf die Landstandschaft wieder aufleben zu machen. Er erinnerte an dessen erstes Gesuch in dieser Richtung vom 8. Juli 1790, welches an die Stände adressirt war. Er er-

---

¹) Auch die Reihen der übrigen Adelsgeschlechter, deren Repräsentanten in der Landtagssitzung vom 16. Juli 1793 Schrottenbach's Ansichten theilten, sind seither stark durch das Aussterben gelichtet worden.

wähnte den darüber vom Landtage unterm 13. Juli an's Gubernium erstatteten Bericht, die Erneuerung des Ansuchens in Form eines Majestätsgesuches vom 3. August 1790 und den Bescheid, welchen der Bürgerstand durch a. h. Entschliessung vom 17. Mai 1791 hierauf erhielt. ¹) Er citirte ferner einen am 9. August 1791 Angesichts der bezüglichen Zugeständnisse gefassten Landtagsschluss, worin es heisst: „Sollten aber politische, denen Ständen bis jetzt unbekannte Ursachen Euere Majestät bewegen, die Städte und Märkte mit denen 3 oberen Ständen zu verbinden, so bitten sie Euere Majestät, selbe anzuweisen, einen förmlichen, dauerhaften R e z e s s (mit den oberen Ständen) anzustossen. Dieser müsste zum Zwecke haben, das beiderseitige Interesse zu verbinden. Er müsste die Stände in eine Wirksamkeit (soll wohl heissen : in den Stand) setzen, die Städte und Märkte aufrecht zu erhalten; es müssten die Gegenstände der städtischen und Innungs-Privilegien, jene der magistratischen Wahlen, der städtischen Rechnungen, der Subrepartition ihres Pauschquanti, ihrer Gewerbsteuer, des Quartier-Fonds, die Beschwerden über Militär - Einquartirungen, mit einem Worte alle Gegenstände, woraus den Städten und Märkten ein Nutzen oder Schaden zugehen kann, bei den ständischen Versammlungen, an welchen sie ebenfalls Antheil hätten, vorkommen."

Hieran anknüpfend, deduzirte Graf Schrottenbach des Weiteren, wie schwer es halten werde, die Interessn des Bürgerstandes mit denen der drei oberen Stände in Einklang zu bringen, welche Opfer dies beide Theile kosten würde, wie gross im Grunde genommen die Abneigung hievor, wie s t a a t s - g e f ä h r l i c h jedes derartige Experiment sei und dass es daher eigentlich für alle Betheiligten das Beste wäre, A l l e s beim Alten zu lassen. ²)

---

¹) Siehe oben S. 37.

²) Aus seinem Vortrage verdient namentlich folgende Stelle hervorgehoben zu werden: „Sobald . . . von dem eintretenden Theile aller Nutzen einseitig gesucht wird . . ., dann vermag keine Verbindung vor sich zu gehen; sonst entstünde ein contractus leoninus oder das Recht des

Auf dieses Ergebniss war jener Landtagsbeschluss vom 9. August 1791 berechnet, da die oberen Stände voraussetzten, dass der Bürgerstand, wenn er nur zwischen ihrer Einmischung in seine inneren Angelegenheiten, beziehungsweise einem diese Einmischung regelnden Rezesse und dem Verzichte auf stärkeres Vertretensein am Landtage zu wählen hätte, sicher diesem Verzichte den Vorzug gäbe.

Allein die Berechnung schlug dennoch theilweise fehl.

Der Bürgerstand behauptete sich im Besitze dessen, was die a. h. Entschliessung vom 17. Mai

---

Stärkeren. Dann hört jede, auch schon erreichte Verbindung von selbst auf; hieraus entspringt Verwirrung, alle Bande werden schlaff, zuletzt mit Gewalt zerrissen; jeder will sich über den anderen erheben, mit Schaden des anderen seinen Nutzen, sein Ansehen erweitern, bis dass endlich Uebermacht und Unordnung, auf das höchste gespannt, aus einem so leicht zu errichten gewesenen Gebäude der Glückseligkeit allgemeines Verderben, die Zerstörung der Gesellschaft und zuletzt der Umsturz des Staatskörpers hervorgebracht wird. Davon liefert uns die Geschichte unzählige Beispiele. Ich will deren von neueren Zeiten hier nur zwei anführen. Das erste wird uns eine leichtsinnige Nation vorstellen, welche die betrübten Folgen einer übel verstandenen Verbindung nicht richtig zu berechnen wusste, sowie das zweite uns eine reif nachdenkende Nation zeigen wird, welche erkennt, wie sehr die Umschmelzung einer Verbindung einer ernstlichen Ueberlegung bedarf. In Frankreich war eine äusserst übel verstandene Verbindung aller zusammenberufenen Stände, eine mit erkünstelter List erzwungene, gleiche Stimmrechts-Vertheilung unter alle Klassen, dann die dem Tiers-état auf Neckers Einschreiten zugestandene Zahl so vieler Deputirten (damit selber eben so viele Stimmen, als der geistliche Stand und der Adel mitsammen haben, überkommen möge) der erste Ursprung aller nachhin ausgebrochenen und in Gewaltthätigkeiten ausgearteten Uneinigkeiten. . . . . Dagegen in England, wo es sich allein um eine bessere Vertheilung der Stimmen in dem Unterhause durch Bestimmung einer jedem Orte nach seiner jetzigen Bevölkerung angemessenen Zahl seiner Repräsentanten handelt, wird über diesen Punkt schon viele Jahre gestritten, alle Augenblicke eine nöthig sein sollende Parlamentsreform in Vorschlag gebracht und demungeachtet ist bis zur Stunde noch nichts entschieden. So gewiss ist es, dass nie genugsame Vorsicht und Behutsamkeit angewendet werden kann, welch' immer alte Verfassung auch nur in ihren mindesten Theilen abzuändern."

1791 ihm einräumte und erreichte nur nicht die Aufnahme in den ständischen Ausschuss, so wie die gesammten Erörterungen, von welchen hier die Rede ist, überhaupt resultatlos blieben, ohne dass der Bürgerstand Ursache gehabt hätte, sich darüber sonderlich zu grämen.

Was den Verlauf der Landtagssitzung anbelangt, nach welcher dieses Schicksal der weiter reichenden Wünsche des Bürgerstandes sich bereits vorhersehen liess, so ist aus dem Protokolle derselben zu ersehen, dass Raspor, der nun wieder seine frühere Spannkraft gewonnen hatte, auch nachträglich noch seiner Standesgenossen mit grossem Eifer sich annahm. Die anwesenden Deputirten der Märkte und Städte zollten ihm laut ihren Beifall. Graf Schrottenbach ergriff nun zur Erwiderung neuerdings das Wort, ungeachtet, wie das Protokoll besagt, die „weiters aufgerufenen Herren Landstände" (worunter die Bürger nicht begriffen sind) schon unmittelbar nach seinem Vortrage „ihre Meinung mit der seinigen vereinbart hatten". Er kehrte sich vornehmlich gegen die Behauptung Raspor's, dass die Stände bloss die Verwalter des Landes-Eigenthums seien. Er meinte, damit wolle den „Landleuten", d. h. den Mitgliedern der oberen Stände das Eigenthumsrecht an ihren Besitzungen (!) bestritten werden. So sehr fehlte ihm alles Verständniss für die moderne staatsrechtliche Auffassung der Dinge. Andererseits konnte er die Bemerkung nicht unterdrücken, dass, wenn auch der Staat in Steiermark Güter habe, deren Besteuerung den Ständen nicht zukommt, dies doch nur von Konfiskationen herrühre, welche der Staat insbesondere der katholischen Kirche gegenüber sich erlaubt habe, und er verband mit diesem Ausfalle den Wunsch, es möchten diese Güter wieder ihren „rechtmässigen" Eigenthümern erstattet werden.

Als es aber am Schlusse der ziemlich langen Debatte bestimmte Vorschläge zu Protokoll zu geben galt, hiess es doch wieder gleich obenan: Alles ist lediglich der höchsten Entscheidung des Monarchen anheimzugeben, „der die Gerechtigkeit ehrt, das Eigenthum schützt". Daran reihte sich die Entschuldigung, dass man ständischer Seits der a. h. Willensmeinung nicht besser zu entsprechen im Stande sei; die Stände seien eben mit den „bürgerlichen Beschäftigungs-Gegenständen" viel zu wenig bekannt, um überhaupt einen Vereinigungs-Vorschlag machen zu können und weder der Verordnete noch die sonstigen Vertreter des Bürgerstandes am Landtage trügen Verlangen nach einer e c h t e n Vereinigung.

Das war auch der Wahrheit gemäss, insoferne die Bürger durchaus keine Lust hatten, unter das Joch des ihnen von den oberen Ständen zugemutheten R e z e s s e s sich zu beugen.

So weit erreichte also die Taktik, welche Graf Schrottenbach ziemlich unumwunden darlegte, ihren Zweck.

Es erübrigte nun noch die von der Hofkanzlei angeordnete E i n v e r n e h m u n g d e r K r e i s h a u p t l e u t e.

Von diesen sprachen sich d r e i — J o s e p h B u r e s c h v. G r e y f f e n b a c h zu Bruck, J o h. v. A i c h e r a u zu Judenburg und C a r l S c h m i d v. E h r e n b e r g zu Cilli — entschieden z u G u n s t e n d e s B ü r g e r s t a n d e s aus; ja sie redeten mehr oder minder selbst einer Vertretung des B a u e r n s t a n d e s das Wort, obschon dies gar nicht Gegenstand der Anfrage war. Einer, C h r i s t o f Freiherr von S c h w i z e n zu Graz, billigte nur einzelne Wünsche des Bürgerstandes, wogegen er über andere den Stab brach, ohne jedoch leidenschaftliche Eingenommenheit wider den Bürger- und Bauernstand zu verrathen. Der Fünfte endlich, F. von B r a n d e n a u zu Marburg, legte grosse Aversion gegen diese beiden Stände an den Tag. In s e i n e m Gutachten drückt sich die ganze Geringschätzung aus, womit damals ein Theil des Adels, auch wenn er Staatsdienste bekleidete, noch auf die Bürger und Bauern blickte. Er sieht in den Anliegen der Städte und Märkte nichts, als Eingebungen ungebührlicher Eitelkeit. Der Staat, meint er, müsste zu Grunde gehen, wenn Derartiges ungeahndet bliebe. Besonders „ahndungswürdig" erscheint ihm das Gutachten des Grazer Bürgers Haas, sowohl der Form als dem Inhalte nach. Er findet es indessen bei dem Mangel an Bildung, der unter der Bürgerschaft des Cillier und Marburger Kreises wahrzunehmen sei, vollkommen begreiflich, dass Leute vom Schlage des Haas, durch ihr unreifes Geschwätz sich Vollmachten erwirken, die denselben Gewicht zu verleihen bestimmt sind.

Ihm bangt für die Aufbringung der erforderlichen Rekruten, daferne der Bürgerstand einmal förmlicher Landstand und dadurch verleitet werden würde, die Vorrechte des Adels auf sich anzuwenden. Gleiches besorgt er in Ansehung der Militär - Bequartirung. Auf ihn macht die ganze Bewegung, welche den Bürgerstand ergriffen hat, den Eindruck einer revolutionären Auflehnung. „Ueberhaupt — klagt er — verspüret man in allen politischen Gegenständen nicht mehr jene Folgsamkeit des bürgerlichen Standes und eine hohe Landesstelle wird es selbst hoch einsehen, was für üble Folgen hieraus entspringen könnten. Man ist ja selbst von einer hohen Stelle mehrmal befehliget worden, auf alle derlei Gegenstände, die eine Aehnlichkeit oder Anspielung auf die f r a n z ö s i s c h e n Auftritte haben können, aufmerksam zu sein." Aehnliches liege da vor und „wie Jene, so mit einer mehreren Leichtigkeit für eine solche Vereinigung (der 4 Stände) sich geäussert haben, s i c h v e r d ä c h t i g g e m a c h t, wird eine hohe Landesstelle selbst einsehen." Das Gutachten des Herrn von Brandenau schliesst mit dem Rathe: die Bürger mit ihrem ganzen Gesuche „ab- und an i h r e P f l i c h t e n als rechtschaffen sein wollende Männer des Staates e r n s t g e m e s s e n s t anzuweisen".

Den geraden Gegensatz zu dieser Expektoration, deren schwerfällig-schnaubender Stil dem Leser die grämliche Amtsmiene, womit sie niedergeschrieben ward, vergegenwärtiget, — bildet das vom Kreiskommissär Carl A m b l i n g mitunterzeichnete Gutachten des C i l l i e r K r e i s h a u p t m a n n e s ddo. 1. Februar 1794, also aus einer Zeit, wo der Polizei-Minister Graf Pergen bereits auf Leute, die sich zu den darin geoffenbarten Gesinnungen bekannten, fahndete und die von

ihm organisirte „geheime Polizei" emsig Anzeigen in dieser
Richtung erstattete [1]). Carl Schmid von Ehrenberg stellt an
die Spitze seines Gutachtens den Satz: der Staat habe
kein anderes Ziel als das allgemeine Wohl und der Werth-
messer für den einzelnen Stand im Staate sei lediglich das,
was der Stand hiezu beiträgt. Darnach bewerthet er den
B a u e r n s t a n d am höchsten. In ihm erblickte er die Grund-
veste des Landes. Alle hieraus gezogenen Folgerungen und
daran geknüpften Betrachtungen lassen den Physiokraten
erkennen, welcher die bezügliche volkswirthschaftliche Theorie
auf Verfassungsfragen anwendet und so einen ideellen Zusammenhang bloslegt, der bisher noch wenig gewürdiget worden.
Uebrigens meint Schmid, der Bauernstand s e i s c h o n d u r c h
d i e B e h ö r d e n g e s c h ü t z t u n d v e r t r e t e n genug.
Höchstens könnte an seiner statt ein Beamter der Fiskalpro-
kuratur als Unterthansadvokat den ständischen Berathungen
beigezogen werden. Dem B ü r g e r s t a n d e rühmt er nach,
dass durch ihn „die Nahrungswege erweitert und der Geld-
umlauf beförd ert werden". Das geringste Zugeständniss, welches
einem so bedeutsamen Stande gemacht werden könne, sei dessen
Anerkennung als ständische Kurie, zumal der Kaiser doch anerkannter Massen das Gleichgewicht der Stände wolle. Ein-
gebildete Vorrechte und eitle Vorurtheile müssten da zurückstehen. Doch kann S c h m i d mit der Erweiterung des Wirkungskreises der Stände sich nicht befreunden. Wozu, fragt er,
wären denn sonst die landesfürstlichen Aemter vorhanden?

Aehnlich lautet das Gutachten des K r e i s h a u p t m a n n e s
von B r u c k. Auch er stellt den bisher gering geschätzten

---

[1]) Das Resultat davon war der Vortrag des Grafen Pergen an den Kaiser
vom 28. Juni 1794, worin nachzuweisen gesucht wird, dass den drohenden Gefahren unmöglich begegnet werden könne, „wenn Polizeifälle
blos nach Gerichtsordnung und mit allen rechtlichen Formalitäten behandelt werden sollen". Dieser Vortrag ist nebst der Vorstellung
welche die Oberste Justizstelle gegen die beantragten Ausnahms-
massregeln erhob, in der Zeitschrift „D e r M o r g e n b o t e", welche
1809 in Wien erschien, 1. Heft, S. 192—211 abgedruckt. Letzteres
Aktenstück trägt die Unterschrift des Hofraths von K e e s s.

„vierten Stand" als die „umgestaltende" und „produzirende Klasse" den „Verzehrern", wozu er die drei „oberen" Stände rechnet, gegenüber. Die Dreitheilung dieser sei rein Sache des Zufalls. Wenn der Gültenbesitzer wohlhabend sei und sich als Herrn fühle, so verdanke er das blos der Arbeit seiner Grundholden und wenn er diese nicht aufkommen lassen will, so verrathe dies sein schlechtes, vor etwaiger Vergeltung zitterndes Gewissen. Insbesondere verdiene der vierte Stand eine „gleich wichtige Stimme" in den ständischen Versammlungen; durch ihn werde auch der Bauernstand eine Vertretung finden, wenigstens das mit dem der Bürger identische Interesse desselben. Das fordere das allgemeine Wohl und diesem gegenüber seien alle Privilegien wirkungslos. Die bisherige „Publizität" der ständischen Geschäftsführung könne länger nicht genügen. Ob der Bürger Zeit findet, mit diesen Geschäften sich zu befassen, hat er allein zu beurtheilen. Leute, welche den grössten Theil ihres Lebens ohne bestimmte Geschäfte, oft in gänzlicher Unthätigkeit zubringen, hätten freilich keine Ahnung von dem, was ein thätiger, an Arbeit gewöhnter Mann zu leisten im Stande ist. Es gebe viele durch Vorzüge des Geistes wie des Herzens ausgezeichnete Bürger, deren Erfahrungen man nicht unbenützt lassen soll. — Dennoch ist B u r e s c h nicht für die Abstimmung nach Kurien, weil der Bürgerstand auch da noch überstimmt werden kann und diese Neuerung, ohne ihm einen reellen Gewinn einzutragen, nur die drei oberen Stände wider ihn aufbrächte

Der K r e i s h a u p t m a n n von J u d e n b u r g wendet sich in seinem Berichte zunächst gegen die Befürchtungen, welche Graf Schrottenbach aus der f r a n z ö s i s c h e n R e v o l u t i o n abgeleitet hatte. Er meint: derselbe verwechsle da die Wirkung mit der Ursache. Wenn in Frankreich das unterdrückte Volk sich erhob, so reagirte es eben nur gegen einen Druck, welcher also die Veranlassung der Revolution sei. A i c h e r a u nimmt sich warm des B a u e r n s t a n d e s an. Zwar findet auch er bäuerliche Wahlversammlungen bedenklich; doch möge den Bauern immerhin gestattet werden, a u s j e d e m K r e i s e des Landes zwei Deputirte zum Landtag zu entsenden, welche Zeugen der daigen Vorgänge sein, übrigens aber dem jederzeit beizuziehenden Prokuraturs-Beamten die Führung der bäuerlichen Stimme überlassen sollten. Schon dass die Bauern weitaus die „stärksten" Steuerzahler seien, ist in seinen Augen ein Grund, wesshalb man sie unter die Stände aufnehmen müsse.

Der Grazer Kreishauptmann widersprach letzterer Behauptung; ja er trug vor einer Emancipation der Bauern solche Scheu, dass er aus Furcht, es möchten sonst auch diese Zulass zu den ständischen Berathungen begehren, nicht einmal den Forderungen des Bürgerstandes sich geneigt zeigte. Wie nahe läge es nicht, dass der Bauernstand, der doch jährlich 875.067 fl. an Steuern zahle, während der Bürgerstand blos 40.000 fl. beiträgt [1]), diesem mindestens gleichgestellt sein will, sobald er hört, dass dieser auf eine verhältnissmässig so geringe Leistung hin schon die Anerkennung als Landstand erreicht habe! Darin aber, dass durch Einführung der Kurialstimmen dem Bürgerstande wenig gedient wäre, stimmte der Freiherr von Schwizen mit Herrn von Aicherau überein.

Als um die Mitte des Jahres 1794 das Gubernium die genannten Kreishauptleute zu einer Sitzung einberief, in welcher über die sich widersprechenden Gutachten verhandelt und ein definitiver Beschluss gefasst werden sollte, zog Aicherau sein dem Bauernstande günstiges Votum zurück und sprach er sogar dem Bürgerstande die Berechtigung irgend eine Neuerung herbeizuführen, ab. Er entschuldigte seinen Meinungswechsel damit, dass er erst nachträglich von einer „höchsten Verordnung" ddo. 11. August 1792 Kenntniss erhalten habe, welche den Bauernstand von allen Verfassungsreformen ausschliesst. Wenn die Regierung hierin unerbittlich sei, habe es auch keinen Sinn, für den Bürgerstand in die Schranken zu treten. Schwizen und Hohenrain brüsteten sich mit der Correctheit ihrer schon ursprünglich ge-

---

[1]) Die 3 oberen Stände zahlten zusammen jährlich 229.552 fl.

äusserten Ansichten. Der „geistliche" Gubernialrath S c h u l z aber verwies auf die Vortrefflichkeit der im Lande unter der Enns bestehenden ständischen Verfassung und meinte: die Anwendung dieser auf Steiermark empfehle sich schon dess- halb, weil es für das allgemeine Wohl stets zuträglich sei, wenn unter den Bewohnern d e s s e l b e n Staates „E i n f ö r- m i g k e i t i n V e r t h e i l u n g d e r G e r e c h t s a m e u n d V e r b i n d l i c h k e i t e n" herrscht.

Was das Gubernium hierüber an die Hofkanzlei berich- tete, o b ü b e r h a u p t n o c h das inzwischen missliebig ge- wordene Thema w e i t e r erörtert ward und welche formelle Erledigung den ständischen Anträgen zu Theil wurde, — er- hellt aus den Akten, die mir zu Gebote standen, nicht.

Offenbar lähmte der oben angedeutete Umschwung den Vollzug des Auftrages, um welchen es sich da handelte, und gerieth dieser selber darüber in Vergessenheit.

Es vollzog sich aber dieser Umschwung nicht blos in den Kreisen der Regierung und nicht blos durch die Triebkraft der Sorgen, denen Graf Schrottenbach im steiermärkischen Landtage Ausdruck gab, indem er auf die Schreckensherrschaft in Frankreich verwies. Vielmehr wich allenthalben in Oester- reich die Begeisterung für Freiheitsideen einer jene Sorgen Lügen strafenden Ernüchterung, seit, mit H e i n r i c h von S y b e l [1]) zu reden, „Frankreich unter dem Drucke der or- ganisirten Pöbelmasse lag, welche ihre Theile bis in die klein- sten Dörfer des Landes verbreitete, ein allmächtiges Regiment über Leib und Leben der Bürger handhabte, ihre Opfer nach Tausenden, ihre Beute nach Millionen zählte und bald gegen die eigenen Genossen mit gleicher Grausamkeit wie gegen die übrige Bevölkerung wüthete".

Das war ein weit triftigerer Grund, dem Bürger- und Bauernstande politische Wünsche, mit welchen sich die Stimm- führer in Beider Mitte trugen, zu versagen, als die Angst vor Ueberhebung dieser Stände für den Fall, dass ihnen jene Wünsche rückhaltlos gewährt worden wären. Denn traute

---

[1]) Geschichte der Revolutionszeit von 1789—1795, IX. Buch, 1. Kapitel.

man ihnen schon für diesen Fall nicht genug Selbstbeherr-
schung zu, so stand ja noch weit Aergeres zu befürchten,
wenn man hochgespannte Erwartungen unerfüllt liess.
Die Sehnsucht hatte eben nachgelassen [1]) und desshalb
konnte auch der in Frage stehende Antrag auf Gleichstellung
der vier Stände unbedenklich der Vergessenheit überliefert
werden.

Uebrigens hat es den Anschein, als hätte die Berücksichtigung des Bauernstandes, in welcher mehrere Staats-
beamte auch nach dem Tode Leopold's II. noch wetteiferten,
eine Zeit lang allerdings an der Stimmung der Landbevölkerung selber auch in Steiermark einen Rückhalt gehabt.

Der tirolische Stände-Deputirte Andreas Dipauli
brachte Einschlägiges in Erfahrung, als er im September 1791
auf der Reise nach Wien die Stadt Knittelfeld passirte.
Laut dem Tagebuche, das er führte [2]), war es der hiesige Bürgermeister, welcher ihm mittheilte, die Bauern der Umgebung
bewürben sich jetzt gleichfalls um Sitz und Stimme im Landtage uud hätten bereits Bevollmächtigte aus ihrer Mitte hiezu
erwählt. Oder missverstand etwa Dipauli die ihm gemachte
Mittheilung, indem er den „vierten" Stand, von dem der Bürgermeister gesprochen haben dürfte, nach tirolischer Anschauung
für den Bauernstand hielt, während in Steiermark der Bürgerstand damit gemeint war?

Ein minder zweifelhaftes Zeugniss für die dermalige Regsamkeit des politischen Sinnes unter dem steiermärkischen
Landvolke ist das in's Jahr 1785 zurückreichende Erscheinen
einer eigenen „Bauern-Zeitung" zu Graz (bei Michael Ambros),
deren Tendenz indessen nie eine sich überstürzende war und

---

[1]) Hierauf hat schon Dr. Pipitz in seiner Schrift „Die Jakobiner in Wien"
Zürich 1842 und neuestens Anton Springer in seiner „Geschichte
Oesterreichs seit dem Wiener Frieden" 1. Th., S. 49 hingewiesen.
Eine quellenmässige Darstellung der damaligen Reaktion (wor-
unter man keineswegs ein blosses Zurückdrängen berechtigter Volks-
wünsche verstehen darf) existirt noch nicht.

[2]) Handschrift Nr. 1242 der Bibliotheca Tirolensis im Ferdinandeum
zu Innsbruck.

die im Jahre 1792 bereits den „unteren“ Ständen begreiflich zu machen suchte, dass die „Ungleichheit der Stände“ eigentlich ein Glück für sie sei, nachdem ihre niedrige sociale Stellung bei Bedrängnissen, welche sie erleiden, ihnen Beweise der Barmherzigkeit eintrage, auf die sie nimmer rechnen könnten, wenn die Kluft, die sie von ihren bisherigen Wohlthätern trennt, einmal überbrückt wäre [1]).

Anhang.

Beilage I.

Handschreiben Kaiser Leopold's II. vom 29. April 1790 an den obersten Hofkanzler Grafen Kolowrat in Betreff der Wiederbelebung der Stände.

„Lieber Graf Kollowrat! Da es nöthig ist, dass die ebenso manigfaltigen als wichtigen Gegenstände, welche Ich durch die Stände Meiner Erblande Mir vortragen zu lassen entschlossen bin und worüber Ich schon zum Theil Meine Gesinnungen zu erkennen gegeben habe, in einer bestimmten Ordnung von denselben in Berathung gezogen und das ständische Gutachten in eben dieser Ordnung nach und nach eingesendet oder durch eigene Deputirte hieher gebracht werde, so wird die böhmische und österreichische Kanzlei unverzüglich an Böhmen, Mähren, Schlesien, Oesterreich ob der Enns, Steiermark, Kärnthen, Krain, Görz, Tyrol und Vorder-Oesterreich in Meinem Namen den Befehl erlassen, dass die Stände in der in jedem Lande bestehenden gesetzmässigen Gestalt sich in einem Landtag versammeln und von denselben die nachstehenden Punkte, jeder abgesondert, und mit einziger Rücksicht auf das allgemeine Beste des Staates, genau erörtert und gutächtlich erlediget werden sollen:

---

[1]) Siehe z. B. den Bericht über einen Brand zu Bruck an der Mur in der Nummer 49 vom 20. September 1792.

1. „Nach der schon befohlenen Aufhebung des neuen Steuer-
und Urbarien-Systems, damit die wieder einzuführende alte Steuern
nicht in das Stocken gerathen, die innerliche Ruhe und Zufriedenheit aller Steuerpflichtigen erhalten und dem Unterthan nach Thunlichkeit durch das patriotische Benehmen der
Stände und Grundherren so viel Erleichterung verschafft werde,
wie auch so viel möglich und der Billigkeit gemäss die Reluirung der Roboten in Geld, gemäss dem Verlangen der
meisten Unterthanen, von den Obrigkeiten angetragen werden
möge, welches zur Befriedigung derselben sehr zu wünschen
wäre. Dieser erste Punkt ist jedoch in dem Reskript nach
Tyrol und den Vorlanden, wo das neue Steuersystem nicht
eingeführet wurde, nicht einzuschalten."

2. „Die Wiedereinführung der ständischen Verfassung
und ihrer Wirksamkeit, Wobey die Historische Darstellung
derselben, wie solche vormals und hernach sowohl während
als nach der Regierung der Kaiserinn Königinn höchstseligen
Gedächtnisses war, vorauszugehen und dann die umständliche
Vorschläge, auf was Art dieselbe mit Rücksicht auf die gegenwärtigen Umstände und ohne Bebürdung des Landes oder
des Aerariums auf die zweckmässigste Art wieder hergestellt
werden könne, zu folgen haben werden."

3. „Die Darstellung aller ständischen und übrigen Beschwerden, gravamina und Wünsche derselben sowohl in Rücksicht auf die Civil- und Strafgesetze, als in Beziehung auf die
politischen und Cameral-Verfügungen, wobey Ich Mich ohnehin versehe, dass Meine getreuen Stände nichts verlangen
werden, was die Grenzen der Billigkeit überschreiten oder der
Beförderung des allgemeinen Wohls hinderlich seyn könnte."

„Die Kanzley wird also in dieser Gemässheit unverzüglich ein Circular-Reskript entwerfen und diesen Aufsatz zu
Meiner Genehmigung Mir ungesäumt vorlegen."

Wien, den 29. April 1790.

Leopold m. p.

Beilage II.

Der Konflikt zwischen dem Herren- und Ritterstande.

(Excurs des Verfassers der vorstehenden Abhandlung.)

Im November 1790 wendeten sich Mitglieder des steiermärkischen Ritterstandes an den Kaiser mit dem Gesuche:
es möge diesem Stande gestattet werden, sich bei den in Wien
über die ständischen Anliegen abzuhaltenden Konferenzen durch
einen besonderen Deputirten auf seine (des Ritterstandes)
Kosten vertreten zu lassen. Der Kaiser willfahrte dem unterm 23. November 1790 mit dem Beisatze, dass er es „billig"
finde.

In dem Gesuche führen die Petenten aus: sie hätten schon
im Juli 1790 Gelegenheit gehabt, sich von der Engherzigkeit
des Herrenstandes zu überzeugen, der sich damals geweigert habe, ins Verordneten-Kollegium einen zweiten Repräsentanten des Ritterstandes aufzunehmen. Ihr Antrag sei
damals vom Herrenstande mit dem Vorgeben abgewiesen worden, die ständische Cassa vertrage keine Mehrauslage, wie sie
durch die Besoldung zweier Verordneten aus dem Ritterstande
ihr erwachsen müsste. Desshalb wenden sie sich nunmehr,
wo es sich um die Wahrung ihrer bei den Konferenzen fest-
zustellenden Rechte handelt, direkt an den Kaiser.

Als die a. h. Entschliessung vom 23. November durch
ein Intimat des Grafen Stürkh an die „steirischen Herren Stände"
(ddo. 30. November) und durch eine Einladung an den Senior
des Ritterstandes, Hofrath Fr. Ernst v. Plöckner, die bezügliche Wahl zu leiten, in den Kreisen der Betheiligten bekannt
wurde, erregte die darin enthaltene Bestimmung, dass der
Ritterstand seinen Vertrauensmann selber, d. h. ohne Einflussnahme der übrigen Stände wählen solle, — keine geringe
Sensation.

Plöckner schrieb die Wahlversammlung auf den 2. Dezember aus. Unmittelbar nach ihrer Eröffnung ward er von

mehreren Seiten über den Hergang der Sache interpellirt. Da bekannte sich der Gutsbesitzer von Mosmillern zur Urheberschaft. Es scheint jedoch, als habe derselbe blos das Odium der Sache auf sich genommen, während das fragliche Gesuch in der That nicht blos von ihm verfasst und eingereicht wurde. Wenigstens pflichteten mehrere unter den Anwesenden Dem, was Mosmillern allein gethan haben wollte, bei und die Versammlung sprach ihm sogar per Majora ihre Anerkennung für die bewiesene patriotische Theilnahme aus. Doch erklärte die nämliche Mehrheit, mit der diesfälligen Absonderung der Ritterschaft vom geistlichen und Herrenstande nicht einverstanden zu sein; zumal ja daraus die Folgerung werde gezogen werden, dass der ritterschaftliche Deputirte keinen Anspruch auf Entschädigung aus der gemeinschaftlichen Domestical-Cassa habe.

„Die Stände Steiermarks" — hiess es ferner in dem wider Mosmillern's Einschreiten erhobenen Proteste — „bilden von jeher nur Einen Körper, der sich über das gemeinschaftliche Beste der Landschaft mit keinem Grunde entzweien kann, da alle Stände gleichmässig das Wohl der Provinz zum Endzweck ihres Daseyns haben." Hieran reihte sich der Wunsch: es möge der zu entsendende Ritterschafts-Deputirte in einer allgemeinen Versammlung aller Stände gewählt werden. Bei der Abstimmung hierüber äusserten sich 10 Stimmen bejahend, 4 verneinend. Mosmillern gab ein Separatvotum zu Protokoll.

Der Vorsitzende legte den an die Stelle des Wahlaktes getretenen Protest der zu diesem Akte Geladenen dem Gubernium mit der Bitte vor, den darin ausgedrückten Wunsch zu unterstützen. Er unterliess es auch nicht, zu versichern, dass er „in eine so unangenehme Anstössigkeit lieber nicht verflochten worden wäre", übrigens aber mit dem gefassten Beschlusse vollkommen einverstanden sei. Andererseits konnte er aber doch wieder nicht umhin, diese Zustimmung an die Voraussetzung zu knüpfen, dass vor allem im Landtage ausgemacht werde, wie viel ständische Aemter der Herrenstand dem Ritterstande vergönnt. Darauf hin möge der Landtag zur

fraglichen Wahl schreiten. Hielte das Gubernium diesen Weg
nicht für den richtigen, so lege es zum mindesten den steiermärkischen Ständen „die niederösterr. Landschafts-Einrichtung
pro Cinosura und zur Anpassung an die hierländischen Verhältnisse" vor.

Sobald der Herrenstand erfuhr, dass die versammelte
Ritterschaft im entscheidenden Augenblicke doch wieder eingelenkt hatte, griff er den fallen gelassenen Antrag Mosmillern's auf, jedoch mit der von der Mehrheit der Ritter selber
gewünschten und nun im offenen Landtage unschwer durch-
gesetzten Modification, die demselben die Spitze abbrach. Der
Antrag lautete sonach: es möge gestattet werden, dass die
Stände statt 2 Deputirte 4, u. z. neben den beiden aus dem
Herrenstande je einen vom geistlichen und Ritter-Stande entsenden, „welche vom ganzen ständischen Gremio ohne Unterschied der Bänke gewählt und alle auf Kosten des ständischen
Domestici abgeordnet werden".

Der Kaiser stellte das Majestäts-Gesuch, welches dieses
Anliegen vorbrachte, mit Handbillet vom 16. Dezember 1790
der „vereinigten Hofstelle" (worunter die damals auch mit
einem grossen Theile der erbländischen Finanzgeschäfte betraute Hofkanzlei zu verstehen ist) zur Begutachtung zu. Diese
Stelle empfahl nun dem Kaiser, an der a. h. Entschliessung
vom 23. November festzuhalten. Sie ging von der nämlichen
Anschauung aus, welche auf dem Wahltage der Ritterschaft
gesiegt hatte, gelangte aber zu der entgegengesetzten Schluss-
folgerung, indem sie deduzirte, dass gerade desshalb, weil alle
vier Stände versichern, das gleiche Ziel vor Augen zu haben
und ihre Interessen dem gemäss nicht unter einander in Widerspruch gerathen können, es keinem Anstande unterliege,
„jede Bank für sich wälen zu lassen". Jedenfalls werde dadurch der „ohne Vergleich schwächeren geistlichen und Ritter-
Bank" eine Ursache benommen, „über jene der Herren zu
klagen." Dieses Gutachten erstattete die Hofkanzlei am 23. Dezember 1790. Wie es nun kam, dass Graf Khevenhiller am
29. Januar 1791 vom Kaiser ermächtigt wurde, den Grafen

Stürkh im entgegengesetzten Sinne anzuweisen und so dem Herrenstande zur abermaligen Bethätigung seines numerischen Uebergewichts im Landtage zu verhelfen, ob da vielleicht ein Missverständniss unterlief oder auf die Möglichkeit, ein solches vorzuschützen, gesündiget wurde: das ist unaufgeklärt. Auffallend ist die Raschheit, womit von Khevenhiller's Weisung Gebrauch gemacht wurde, so dass kaum 8 Tage später die ihr gemäss gewählten Deputirten in Wien eintrafen, somit eine Thatsache vorlag, welche sich nimmer rückgängig machen liess. Fast scheint es, als wäre ein Widerruf oder eine Berichtigung der Meldung Khevenhiller's befürchtet worden. Denn es vergingen von da an bis zur Einvernehmung der Deputirten noch 5 Wochen.

Inzwischen hatte auch Mosmillern die Hände nicht in den Schoss gelegt. Er hatte sich von seinen Anhängern das Mandat ertheilen lassen, welches die a. h. Entschliessung vom 23. November dem Ritterstande als solchem anheim gab und das an formeller Giltigkeit dadurch, dass nur ein paar Auftraggeber dahinter standen, nichts einbüsste, weil eben die Zahl der zu einer giltigen Wahl erforderlichen Wähler nicht feststand, ausserdem aber die Gegner der vom Kaiser durch jene Entschliessung vorgezeichneten Wahlart durch ihren Protest des Rechtes, darnach zu wählen, sich begeben, wo nicht dasselbe verwirkt hatten.

So erklärt es sich, dass neben dem vom Landtage gewählten Vertreter des Ritterstandes auch Mosmillern in gleicher Eigenschaft den Konferenzen beigezogen wurde, wo derselbe begreiflicher Weise den Deputirten des Landtags als heftiger Opponent gegenüberstand, insbesondere den Wunsch nach einem besonderen Landeshauptmanne anfocht und dadurch jene Deputirten dergestalt erbitterte, dass sie ihm in der Konferenz vom 9. März das Recht, im Namen des steiermärkischen Ritterstandes da zu sprechen, streitig machten. Der Gegendeputirte Dr. v. Feldbacher bemerkte, es sei ihm von einer Bevollmächtigung des Mosmillern nichts bekannt. Dieser erwiderte: der Ritterstand habe seine in der Wahlversammlung vom 2. Dezember kundgegebene Meinung seither wieder geändert, versage vielmehr dem Dr. v. Feldbacher die Anerkennung als Vertreter seiner Interessen und habe allerdings ihn (Mosmillern) ermächtiget, diese bei den Konferenzen zu vertreten. Am 12. März legte er einem Nachtrage zu den Separatvoten, die er auch schriftlich abgab, die von seinen Wählern erhaltene Instruction zum Beweise bei, dass er keineswegs unbefugt oder bloss nach eigenem Ermessen die Einwendungen erhebe, welche den Deputirten des Landtags so viel Aerger bereiteten.

Er und der Deputirte des Bürgerstandes setzten die erwähnte Opposition fort, entkräfteten dadurch die Argumente des Herrenstandes und bald verbreitete sich das Gerücht, in Mitte der steiermärkischen Stände seien Zerwürfnisse entstanden, welche das, was die Deputirten des Landtags vorbringen, nicht als den correcten Ausdruck der ständischen Begehren erscheinen lassen. Jene Deputirten gaben sich nun Mühe, dies zu widerlegen und beschuldigten Mosmillern in einer Eingabe an den Erzherzog Franz der Anmassung, drangen auch erneuert auf Beibringung einer förmlichen Vollmacht seitens desselben.

Am 23. März fand abermals eine Konferenz statt, zu welcher auch Mosmillern sich einstellte und zwar so wenig eingeschüchtert, dass er vielmehr über seine Hintansetzung seitens der Landtagsdeputirten Klage führte, ja sogar verlangte, dass alle nicht von ihm mitunterzeichneten Schriftstücke, welche von letzteren überreicht worden waren, für „illegal“ erklärt werden. Denn e r a l l e i n sei der wahre Repräsentant des Ritterstandes.

Im Verlauef der Verhandlungen kamen die Landtags-Deputirten nochmals auf die Vollmachtfrage zurück, indem sie geltend machten, Mosmillern habe mindestens zur Zeit der ersten Konferenz noch keine Vollmacht besitzen können, weil nachher noch einige Mitglieder des Ritterstandes sich an Schritten im Sinne der Landtagsmajorität betheiligten, und, wenn er auch mittlerweile eine solche erhalten hätte, so sei sie doch

ungiltig, weil dem Ritterstande nicht zukomme, a u s s e r h a l b
d e s L a n d t a g s u n d i m W i d e r s p r u c h e m i t d e s s e n
B e s c h l ü s s e n eine Vollmacht auszustellen.

In den Kreisen der Regierung aber machten diese An-
fechtungen nicht den geringsten Eindruck. Mosmillern stand
in fortwährendem offiziellen Verkehre mit den Hofstellen, trug
durch seine freisinnigen Erörterungen viel zur Klärung der
Situation bei, lieferte der Hofkanzlei Handhaben zur Abwehr
der Gelüste des steiermärkischen Herrenstandes und erfreute
sich dafür auch hoher Gunst.

Ein Hofdekret vom 15. April 1791 trug den steiermärkischen Ständen auf, ihm, der a u f a u s d r ü c k l i c h e n a. h.
B e f e h l als zweiter Deputirter der steirisch-ständischen Ritterschaft den Konferenzen beigezogen worden sei, a u c h d i e
T a g - u n d L i e f e r g e l d e r , w e l c h e d i e ü b r i g e n s t ä n -
d i s c h e n D e p u t i r t e n b e z o g e n h ä t t e n , f l ü s s i g z u
m a c h e n. Am 27. April intimirte der Vice-Präsident des Guberniums, Graf Wurmbrand, dem ständischen Ausschusse dieses
Dekret. Darüber ärgerte sich nun der Ausschuss nicht wenig.
Graf Ferdinand Attems bewirkte als Berichterstatter, dass in
der Sitzung des Ausschusses vom 15. Mai 1791 folgende Antwort an das Gubernium beschlossen wurde:

„Obschon den gesammten Ständen bekannt ist, dass der
von Mosmillern Anfangs bei Sr. Majestät, unserem a. g. Landesfürsten, die Einberufung eines Deputirten aus dem Ritterstande auf eigene Kosten angesucht und diese Bewilligung
solcher Gestalten erhalten, hernach aber auf Ansuchen des
Ritterstandes und auf die Vorstellung der gesammten Stände
ein im Landtage gewählter Deputirter des Ritterstandes gegen
Erhaltung der Diäten zugestanden, solcher auch in Person des
v. Feldbacher nach Wien abgesendet worden, so fügen sich
doch die treudevotesten Stände und weisen sie das Partikulare
mit 605 fl. 54 kr. bei der vereinigten Landesbuchhaltung an.
— Nur müssen sie Se. Majestät allerunterthänigst bitten, dass
Höchstdieselbe in Zukunft k e i n e n D e p u t i r t e n m e h r a n -
z u h ö r e n g e r u h e n m ö c h t e n , der nicht v o n g e s a m m t e n

Ständen im Landtage gewählt, folglich nicht mit der Vollmacht der gesammten Stände versehen ist. Diese a. u. Bitte gründet sich auf die Ordnungs-Verfassung der Stände und auf das Beste des Landes. Die Erhörung derselben wird allen Zwietracht und Widerspruch beseitigen und die ständischen Deputirten nicht mehr in die unangenehme Lage setzen, den Vorwurf anhören zu müssen, dass die Stände unter sich uneins seien; die Behandlungen mit den Ständen werden ohne Aufenthalt und in möglichst kürzester Zeit vollendet werden können und die ständischen Kassen von Kösten erübriget sein, die ganz leicht erspart werden können."

Damit erreichte der Konflikt sein Ende.

Beachtenswerth ist, dass derselbe Graf Ferdinand Attems, welcher als Berichterstatter im ständischen Ausschusse am 14. Mai 1791 den Entwurf zu obigem Antwortschreiben verlas und, nachdem dieser Entwurf vom Ausschusse gutgeheissen worden, das allerdings von anderer Hand geschriebene Concept mit dem „Scribatur" versah, also neuerdings guthiess, im Oktober und November 1791 am kaiserlichen Hoflager wiederholt als Vertreter der Landeswünsche sich benahm, ungeachtet er dazu nicht nur nicht „von gesammten Ständen im Landtage", sondern nicht einmal von einem der vier Stände bevollmächtiget worden war. Hätte damals der Kaiser der in obigem Antwortschreiben ausgesprochenen Bitte mit mehr Gedächtnisstreue, als dem Grafen Attems zu Gebote stand, sich erinnert, so würde dieser kein einziges Mal in der Eigenschaft eines Vertreters der Steiermark bei ihm Zutritt erhalten haben und zwar auf Grund seiner eigenen Worte.

Beilage III.

Votum des Hofkammer-Präsidenten Rudolf Grafen Chotek.
(Zu S. 27.)

„Graf Chotek wünschet so sehr als die vorhergegangenen Stimmen die Zuziehung des Bürgerstandes. Er findet die wechselseitige Verwebung der Interessen aller Klassen der Staatsbürger und ihren gemeinschaftlichen, wenn auch beschränkten Einfluss in den Verwaltungs - Geschäften des Landes von ungemeinem Nutzen und er hat als Privatmann hierüber seine Meinungen deutlich an den Tag gelegt. Er glaubt aber nicht, dass ein Machtspruch dasjenige Mittel sei, welches dem Endzwecke und den Rechten des dermalen bestehenden ständischen Körpers entspreche, von dem er übrigens hoffet, dass er, von den nützlichen Absichten besser belehrt, dem Verlangen 'der öffentlichen Verwaltung mit Willfährigkeit entgegen kommen wird, wenn er sich gleich jetzt gegen eine Neuerung sträubt, die er blos unter dem Gesichtspunkte eines Eingriffs in seine Verfassung betrachtet."

„Ueber dieses vielleicht unbedeutend scheinende Geschäft, welches aber äusserst fruchtbar an guten und bösen Folgen werden kann, ruft ihn seine Pflicht als Staatsbürger und als Diener Seiner Majestät auf, seine auf Erfahrung und innerliche Ueberzeugung gegründete Meinung hier umständlicher zu entwickeln. — Die Majora der Konferenz gehen aus dem Grundsatze aus,

a) dass die Stände die Repräsentanten des Volkes sind, und dass

b) der Landesfürst durch seine Machtvollkommenheit eine unvollkommene Repraesentationsart selbst allein verbessern könne.

Insoferne der erste Satz nicht zu bestreiten wäre, könnte man freilich auch der Zulässigkeit des Bürgerstandes und späterhin auch des Bauernstandes, da wo der nexus subditelae gehoben ist, als einer Forderung strengen Rechtes nichts entgegensetzen. Dass die Stände dieses aber nicht sind, nach ihrer bisherigen Verfassung nie sein konnten, dieses kann Niemandem, der auch nur die oberflächliche Kenntniss davon hat, zweifelhaft scheinen. Anstatt also zu sagen: die Stände sind Repräsentanten des Volkes, mithin gehören auch die Bürger dazu, sollte das Argument so lauten: die Stände sollten die Repräsentanten des Volkes sein, mithin sollten auch die Bürger dazu gehören. Dann aber liegt in dem Argument eine petitio principii, so lang die Vorfrage nicht als entschieden vorausgesetzt werden kann."

„Mit der Erörterung dieser letzteren sollte also die Berathschlagung eigentlich angefangen und das Problem aufgeworfen werden:

„Ob die dermalige ständische Verfassung, vermög welcher einer bestimmten Klasse von Menschen das Recht, in öffentliche Angelegenheiten einen mehr oder minder beschränkten Einfluss zu nehmen, eigen ist, in eine förmliche National- oder Volksrepräsentation umzusetzen sei?" — ein Problem, welches von so entscheidender Wichtigkeit ist, dass ich nicht zu viel zu sagen glaube, wenn ich behaupte, dass unter gegebenen Umständen und bei den jetzt herrschenden Lieblingsideen das Schicksal der Monarchie seiner Zeit davon abhängen kann; ein Problem, welches zwar hie und da als entschieden vorausgesetzt wird, niemals aber in unsern Dicasterien zur reiflichen Untersuchung gekommen ist."

„Diese Untersuchung gehört eigentlich auch nicht hieher, nachdem der Hofkammerpräsident weit entfernt ist, den Bürgerstand ausschliessen zu wollen, sondern nur den Satz, aus welchem einige Stimmen dessen Zulässigkeit als ein aus der Natur der ständischen Repräsentation fliessendes Recht folgern, bestreiten zu müssen glaubt; weil er ihn für den Landesfürsten als äusserst bedenklich ansieht, zumal bei den über Volks- und Monarchenrechte sich verbreitenden Meinungen."

„Die erste Folge dieses als richtig vorausgesetzten Satzes, nämlich die Zulassung des Bürgerstandes, wird zwar der öffentlichen Verwaltung willkommen sein; der zweite Schritt, der unausbleiblich darauf folgen muss, eine gleiche Forderung von Seite des Bauernstandes, wird gewiss auch und mit guten Gründen Vertheidiger finden."

„Wie wird es aber dann aussehen, wenn diejenigen, zu deren Vortheile man den Satz gelten lassen will, mit denjenigen Folgerungen, welche die öffentliche Verwaltung daraus zulassen will, seiner Zeit sich nicht zufrieden stellen werden? Wie, wenn sie auf dem Wege der nämlichen Theorie, andere dem Landesfürsten und dem Lande weniger gleichgiltige Wahrheiten gefunden zu haben glauben; wie, wenn sie, nachdem sie einmal von Rechtswegen, gegen den Willen des Adels und des Clerus, zugelassen und eingesetzet worden, auf eine der arithmetischen Volkszahl angemessenere Repräsentationsart dringen, die privilegirten Klassen nach und nach ganz verdrängen und eine wahre demokratische Repräsentation an die Stelle zu setzen begehren? wie, wenn sie nach einem zweiten glücklichen Versuch der Zudringlichkeit in der ständischen Versammlung die Frage aufwürfen, ob die Repräsentanten aller Volksklassen bloss dazu versammelt wären, um über das zu antworten, worüber man sie frägt, ohne das Recht zu haben, auch unaufgefordert zu reden; wie, wenn daraus preces armatae entstünden? Mit einem Worte: die Folgen, die aus dem Grundsatze der Repräsentation fliessen, scheinen unübersehbar und bei Nationen, die unaufgeklärt sind, doppelt gefährlich; wenigstens sind sie von dem Gewichte, dass sie eher erwogen zu werden verdienen, bevor die öffentliche Verwaltung eines monarchischen Staates den ihr selbst am meisten gefährlichen Satz: die Stände sind die wirklichen, die echten Repräsentanten der Nation, durch Zwangsmittel aufstellt."

„Der Hofkammerpräsident sieht also die Zuziehung des Bürgerstandes als eine sehr erwünschliche, jedoch aus der ständischen Verfassung nicht fliessende, mithin durch Befehle nicht zu erzwingende, sondern durch eine geschickte Behandlung mit den Ständen mittelst ihres freiwilligen Beitritts zu erzielende Anstalt an."

Chotek m. p.

6

Beilage IV.

Bericht der steiermärkischen Stände an das hochlöbl. k. i. ö. Gubernium vom 3. September 1790 über ein durch Gub.-Verordnung vom 21. August d. J. um Bericht zugefertigtes Gesuch dreier Bürger im Namen der landesfürstl. Städte und Märkte dieses Herzogthums, zu den allgemeinen Landtägen durch Ortschaftsdeputirte zugezogen zu werden [1]).

In der Anlage Nr. 1 brachten Anton Raspor, Bürger zu Leoben, Franz Haas, Bürger zu Gratz und Joseph Weninger, Bürger zu Knittelfeld, im Namen der landesfürstlichen Städte und Märkte Steiermarks bei Seiner Majestät unserem gnädigsten Landesfürsten an: die in A verzeichneten Städte und Märkte wären bei Gelegenheit, dass Seine Majestät den Landständen dieses Herzogthums aufgetragen, sich in einem Landtage zu versammeln und mit einziger Rücksicht auf das allgemeine Beste des Staats ihre Beschwerden und Bitten vorzulegen, zu diesem Landtag durch Deputirte zugereiset, aber von den drei obern Ständen zu den Berathschlagungen nur durch ihren Marschall (Repräsentanten) zugelassen worden.

Sie wären daher in die Nothwendigkeit versetzet worden, die ihres Orts nach Inhalt des Leitfadens B bearbeiteten Bitten und Wünsche durch den Marschall bei dem Landtage einlegen zu lassen und in C zu bitten, dass sie in ihre ursprüngliche Wirksamkeit, mithin in Sitz und einzelnweise Stimme mittels Ortschaftsdeputirte bei den Landtägen anwiederum rückeingeführt werden möchten.

---

[1]) Auf den Abdruck der Beilagen dieser Beilage verzichten wir, weil der Inhalt eines Theiles derselben ohnehin dem Texte eingeflochten ist und die dort nicht gewürdigten zwar für die Stände-Geschichte des XVI. Jahrhunderts von Belang sind, jedoch mit dem Gegenstande der vorliegenden Abhandlung wenig zu schaffen haben. Das Gleiche gilt von den Beilagen der Beilage V.

Sie wünschten zwar über sämentliche in B verzeichnete Gegenstände von Seiner Majestät selbst oder von einer gnädigst angeordneten Kommission vernommen zu werden; da sie aber die Hoffnung hätten, dass ihre Bitten ohnehin Seiner Majestät mit den übrigen Landtagsakten würden übergeben werden, so wollten sie ihre Bitte dermal nur auf obige in C einschränken, an deren Gewährung ihnen aber um so mehr gelegen sei, als die Ausschliessung von den allgemeinen Landtagen ihnen immer mehr und mehr Nachtheil brächte und sie sich von den drei obern Ständen kein günstiges Einrathen zu erwarten hätten.

Sie müssten daher Seiner Majestät vorstellen, dass zur nämlichen Zeit, als die ständische Verfassung beinahe zur Scheiterung gekommen, auch sie als der vierte Stand ihr Ansehen und Wichtigkeit verloren hätten, und da in den Landtagen wenig oder gar nichts Wichtiges vorgekommen, diese somit zu leeren Feierlichkeiten geworden, so hätten sie Städte und Märkte zur Ersparung der Unkösten für dienlich erachtet, lediglich durch einen Marschall zu Landtägen zu erscheinen

Dieses durch einhundert Jahre gemachte Benehmen der Städt und Märkte habe die drei obern Stände verleitet, das sub C gemachte Begehren zu verweigern und auch den städtischen Marschall vom ständischen Ausschusse auszuschliessen.

Die alte Verfassung in Rücksicht der Städte und Märkte bestehe in Steiermark eben also, wie in dem Lande Oesterreich ob d. Enns, nämlich, dass sie Städte und Märkte zum Landtage durch Ortschaftsdeputirte erscheinen dürften und dass auch aus ihnen zwei Individuen zum ständischen Ausschusse zu erscheinen hätten; dieses beweisten sie durch die Vorladung Erzherzogs Ferdinands v. J. 1525 zum Landtage in Bruck in D, durch jene von Ebendemselben zum Landtage in Gratz im Jahr 1527 in E, durch die Vorladung des Landeshauptmanns und Vicedoms zum Landtage in Gratz im Jahre 1528 in F, durch jene Erzherzogs Karls zum Landtage in Gratz im Jahre 1582 in G, durch die Vorladung Seiner

6 *

Majestät Kaiser Rudolph's zum Landtag in Gratz im Jahre 1590 in H und durch die Einberufung von Seite der Verordneten eines Individuums aus Leoben zum ständischen Ausschuss im Jahre 1584 in J.

Da nun die drei obern Stände die alte ständische Verfassung hergestellt wünschten, so wünschten auch sie landesfürstliche Städte und Märkte des allgemeinen Bestens wegen ihres in der Verfassung sich gründenden Begehrens gewähret zu werden und zwar aus Ursachen, weil die landesfürstl. Städte und Märkte vor dem Recess vom 15. September 1699 laut Ausweises sub K mit 6002 Pfd. 2 β. Herrengült beansagt gewesen und bald mit m. 48, bald mit m/24, mit m/31, mit m/50 und itzt noch mit m/40 f. ordin. Contribution beleget, folglich sowohl in Rücksicht der Gütter als der Volksmenge einen beträchtlichen Theil des gemeinen Wesen ausmachten; das allgemeine Beste bestehe aber in der Verbindung des Besten aller einzelnen Stände; ohne Verletzung des allgemeinen Besten könne demnach kein Stand ausgeschlossen werden; es geschehe aber dieses, wenn sie Städte und Märkte nur durch eine Stimme und zwar mit der letzten Stimme zugelassen würden; dieses verursache, dass, wenn sich die Interessen der verschiedenen Stände manchmal kreuzten, er Marschall nothwendiger Weise schon zum voraus die mehrern Stimmen wider sich und auch bei einer neuen Umfrage keiner Beistimmung sich zu vertrösten habe.

Der Marschall könne aber auch das Interesse der Städte und Märkte nicht jederzeit zum Besten vertreten, weil er sowohl wegen Entlegenheit der Städte und Märkte, als auch oft wegen Kürze der Zeit und aus Mangel der vorausgehenden Ueberlegung des Landtagsgegenstandes die genugsame Information nicht erhalten könne.

Aus diesem folge nun, dass das Beste der landesfürstl. Städte und Märkte nur durch Erscheinung zum Landtage durch Ortschaftsdeputirte und durch Zuziehung der aus ihnen gemeinschaftlich erwählten Individuen zum städtischen Ausschusse nach dem Beispiele der Städte und Märkte in Oesterreich ob der Enns erzielet, mithin das allgemeine Beste aller Stände nur durch diese Veranlassung festgesetzet werden könne.

Sie gesammte landesfürstliche Städte und Märkte müssten Seine Majestät demnach bitten, den drei obern Ständen dieses Herzogthums anzubefehlen, zu den allgemeinen Landtagsversammlungen von den Städten und Märkten Ortsdeputirte zuzulassen, ihnen einzelnweis Sitz und Stimme zuzugestehen und aus ihnen Individuen zum ständischen Ausschusse beizuziehen.

Endlich tragen Eingangs bemelte Bittsteller in der sub Nr. 5 beigelegten Schrift weiters nach: Es weise das brucker Libell vom Jahre 1519 aus, dass in diesem ein Bürger von Gratz und (einer) von Leoben unterfertiget sei, folglich die Städt und Märkte in Landtagen sowohl, als im ständischen Ausschuss und zwar im letzten mittels zweier Individuen aus ihrem Mittel Sitz und Stimme hätten.

Dieses ist der wesentliche Inhalt der sub Nr. 1 et 5 beiliegenden Bittschriften, worüber von den Ständen Steiermarks vermög Verordnung vom 21. August Bericht abgefordert worden.

Die drei obern Stände dieses Herzogthums erstatten diesen und bemerken vor allem, dass die in den Beilagen B und C enthaltenen Beschwerden und Bitten der landesfürstlichen Städt und Märkte durch die ständischen Deputirten mit den übrigen Landtagsakten Seiner Majestät unserm gnädigsten Landesfürsten werden überreichet werden.

Ueber den Inhalt der zwei oben angezogenen Bittschriften aber erklären die drei obern Stände hiemit: „dass sie niemalen d e r K o m m u n i t ä t der in A verzeichneten landesfürstl. Städte und Märkte widersprochen haben, der vierte Stand dieses Herzogthums zu sein; dieses erprobt die allzeit beschehene Einberufung des städtischen Marschalls zu den Landtagsversammlungen; eben so wenig wollen sie den Städten und Märkten das Recht benehmen, zum Erbhuldigungsakt durch Deputirte zu erscheinen.“

„Die Erscheinung zu Landtägen durch Ortschaftsdeputirte mit einzelner Sitz und Stimme, und die Zuziehung der von Städten und Märkten gewählten Individuen zum ständischen Ausschusse aber können die drei obern Stände den Städten und Märkten nicht eingestehen; dann die landesfürstl Städte und Märkte in particulari sind kein Landstand; ein Beweis dessen ist, dass die in der Kommunität nicht befindlichen 7 landesfürstlichen Städte und Märkte Pettau, Fridberg, Rann, Kimberg, Fehring, Hochenegg, Metnick weder Sitz noch Stimme haben; es ist also nur die Kommunität der 31 Städt und Märkte, die in A verzeichnet sind, nach ihrer Vereinigung als der vierte Stand angenommen worden, machen somit in Rücksicht der Stände ein Corpus aus, und können eben so wenig mehr Stimmen im Landtage haben, als eine geistliche Kommunität; ungeachtet diese auch mehrere landschaftl. Realitäten und in mehrern Kreisen besitzet."

„Seit undenkllchen Jahren haben die Städte und Märkte immer ihren Marschall gehabt, der ihr Bestes auf den Landtägen besorget und mit einer Stimme vertreten hat; dieses beweisen die im ständischen Archive vorfindigen Landtagsprotokolle vom Jahre 1565 an bis auf itzige Zeiten."

„Den vollkommsten und überzeugendsten Beweis aber liefern die sub Nr. 2., 3. und 4. beigezogene vidimirte Abschriften aus den Landtags-Handlungs-Protokollen vom Jahre 1567 und 1568, allwo aus dem Rathschlag sub Nr. 2 de dato 16. Dezember 1567 zu ersehen ist, dass die Städte und Märkte unter sich einen Ausschuss benennen, doch nur nach dem schon damals alten Herkommen auf die Landtäge durch eine erküste Person und mit einer Stimme ihre Meinung fürbringen könnten; weiters zeiget der in der Beilage sub Nr. 3 über diesfällige und über andere Gegenstände von Städt und Märkten geführten Beschwerden von ständischer Seite im folgenden Jahre erstattete Gegenbericht, dass sie durch den hiesigen Bürgermeister oder Richter, auch sonst einer andern hiezu erbettenen Person ihre Stimme nach dem alten Herkommen und Gewohnheit zu geben gehabt hatten, und dass, wenn auch Deputirte der Städte und Märkte erschienen, sie in oder ausser der Landstube ihre Berathschlagungen gehalten und zuletzt, wenn die Umfrage an sie gekommen ist, durch den Bürgermeister oder durch eine andere hiezu erbettene Person ihre Stimme abgegeben haben."

„Endlich beweist die Beilage Nr. 4, dass unterm 13. November 1568 die Städt und Märkte von ihrer vorigen Beschwerde und Begehren von selbsten abgegangen sind; wie dann auch bisanher diesfalls keine weitere Beschwerde, als gegenwärtig, mehr rege gemacht worden. Durch das angeführte ununterbrochene alte Herkommen, durch den von mehr als 200 Jahren erwiesenen Besitzstand und durch die angeführten Urkunden zerfallen die dem Rekurs beiliegende vermeintliche Beweise in D, E und G, da diese Einberufungen zum Landtage nach Beweis der oben angeführten Urkunden Nr. 2, 3 et 4 zu keinem andern Endzweck haben beschehen können, als um sich mit den andern Städten zu berathschlagen und um jemanden auszuwählen, der die Stimme der Städt und Märkte auf dem Landtage führe; die Beilage F zeiget nur an, dass die Städte und Märkte einen Ausschuss unter sich gewählet, worunter vorzüglich die Stadt Leoben begriffen war. Die Beilage H betrifft lediglich die Vorladung zum Erbhuldigungsakt, zu welchem durch Deputirte zu erscheinen, den Städt und Märkten nicht streitig gemacht wird; aus der Beilage G aber ist nur zu entnehmen, dass eben der Stadt Leoben zugeschrieben worden ist. zum nächsten kleinern Landtag oder Landtagsausschuss durch einen Deputirten im Namen aller Städte und Märkte zu erscheinen und bei dem immer bestehenden Ausschussrath auf einen aus dem Mittel der damaligen Verordneten zu kompromittiren. Hieraus folget nicht nur die Richtigkeit des oben angeführten Satzes, dass die Städte und Märkte auf dem Landtage niemal mehr als eine Stimme gehabt haben, sondern auch, dass niemal ihr Vertreter zum beständigen ständischen Ausschussrath zugezogen worden sey; dass aber zwischen einem wegen einem besondern Gegenstand vom Landtage gewählten Ausschuss und zwischen dem beständigen ständischen Ausschussrath, der die ständischen Angelegenheiten ausser den Landtägen zu besorgen hat, ein Unterschied sey, ist ganz offenbar und bedarf keiner weitern Erläuterung."

Dieses nun Angeführte beziehet sich auf die Rechtsbefugniss der drei obern Stände; nun wenden sie sich auf das weiters in der Rekursschrift Angebrachte, und zwar:

„Die Bittsteller wollen mit der Beilage K beweisen, dass, weil die Städt und Märkte einsmal mit 6002 Pfd. 2 β. Herrengült beansagt gewessen, und bald mit m/48, m/24, m/31, m/50, und dermal mit m/40 fl. beleget wurden, sie in Absicht auf Gütter einen beträchtlichen Theil des gemeinen Wesens ausmachen; allein, da die landschaftlichen Freisassen, die Pfarrer, Zechleute und andere kleine Gültensbesitzer viel mehr als 6000 Pfd. Herrengült zusammengenommen besitzen und doch keinen Sitz und Stimme auf dem Landtage haben, so zerfällt dieses angeführte Beweismittel von selbsten, wird aber noch mehr entkräftet, wenn man in Erwägung ziehet, dass selbst diese von Bittstellern angeführte 6002 Pfd. niemal in Gülten bestanden, sondern nur zu Formirung eines Anschlages angenommen worden; aber auch dieses Fictitium bestehet nicht mehr, da die Städt und Märkte seit undenklichen Jahren nicht mehr nach Pfunden versteuert werden, sondern nach Verträgen ein gewisses Kontingent entrichten; dass sie dieses Kontributionskontingent, welches dermalen 39.759 fl. 28 kr, beträgt, unter sich selbst, ohne Zuthun der drei obern Stände repartiren; dass dieses Quantum nicht einmal unter der postulatmässigen jährlichen ordinari Kontribuzion von 1,100.000 fl. begriffen ist, sondern nur den Ständen durch Rezess vom 26. Oktober 1748 § 2 als ein Adminikular-Fond zur Bedeckung der übernommenen Hofschulden übergeben worden und dass die drei obern Stände dieses städtische rezessual-Quantum nicht erhöhen und nicht vermindern können. Die Bittsteller haben also n i c h t e r w i e s e n, dass die Städt und Märkte einen beträchtlichen Theil in Rücksicht der Gütter, noch auch in Rücksicht des Kontribuzionsbetrags ausmachen, und das letzte um so weniger, als das einzige Stift Admont um m/20 fl. ordin. Kontrib. mehr zur Landschaft entrichtet, als alle in der Kommunität stehende Städte und Märkte."

„Unstreitig ist die wesentliche Grundlage der ständischen

Verfassung und (sind) die wichtigsten Gegenstände der ständischen Versammlungen die Richtigstellung und Vertheilung
der Kontribution, dann die Aufrechthaltung des öffentlichen
Landeskredits. Dass die Städt und Märkte der erste Gegenstand nicht betrifft, ist bereits erwiesen; dass sie aber auch
zum öffentlichen Kredit nichts beitragen können, ist ausser
allen Zweifel gesetzt, da sie sehr unbeträchtliche landschaftliche Realitäten besitzen und nur diese und nicht einzelner
Privatreichthum sind das Unterpfand des ständischen Kredits;
dieses ist auch die Ursache, dass der vierte Stand nicht, sondern nur die drei obern Stände in den öffentlichen landschaftlichen Schuldbriefen unterfertiget sind."

„Die wichtigsten Gegenstände, welche das Beste der Städt
und Märkte betreffen können und von welchen der städtische
Marschall immer genugsam informirt seyn kann und von Amtswegen seyn soll, sind: die Aufrechthaltung ihrer städtischen
und Innungsprivilegien; Selbstverwaltung ihres Gemeinvermögens
und ihrer Kassen; die Ausübung ihrer Gerichtsbarkeit; Beförderung des Handels und Wandels, des Gewerbbetriebs, der
Nahrungswege und Industrie; die Hindanhaltung der so lästigen Militär-Einquartierung und dergleichen mehr; dieses sind
Gegenstände, die die drei obern Stände unmittelbar niemal
betroffen haben, sondern nur mittelbar und im Allgemeinen;
hieraus folget, dass das gemeinschaftliche Interesse der obern
Stände mit jenen der Städt und Märkte und vice versa f a s t
i n   k e i n e r   Verbindung   s t e h e t , ihnen also zu keinem
Nachtheil gereichen kann, dass sie im Landtage nach dem
alten Herkommen und Landesverfassung n i c h t   m e h r , als
e i n e Stimme haben; ganz umgekehrt aber wäre der Fall der
obern Stände, wann die in der Kommunität stehende Städte und
Märkte mit 31 Stimmen, mit welchen sie fast immer die Majora
machen würden, im Landtage über Sachen entscheiden sollten,
welche sie Städte und Märkte fast gar nicht betreffen, für die
drei obern Stände aber von grösster Wichtigkeit seyn müssen.
Hätte aber auch dieser Fall jemals existirt, so würden die drei
obern Stände sich gewiss wider dieses ihnen so nachtheilige

Uebergewicht hiedurch geschützet haben, dass sie jedem Landstand so viele Stimmen als Jeder einzelne inkata-
strirte Gülten besessen hätte, eingeräumet, und die Abwesende
angehalten haben würden, durch Bevollmächtigte ex gremio
ihre Stimmen abzugeben."

„Wann die drei obern Stände nicht schon durch Urkunden
auf das Klärste bewiesen hätten, dass die Städte und Märkte
niemal mehr, als eine Stimme auf den Landtagen gehabt haben, so wäre die Richtigkeit dieses Satzes schon aus der gegründeten Vermuthung zu ziehen, weil es niemal möglich
gewesen wäre, dass sie sich mit 31 Stimmen aus ihrem
Besitzstand hätten verdrängen lassen."

„Ganz unrecht wird von Bittstellern angeführet, dass die
Städt und Märkte erst damals aufgehöret hätten, durch Ortsdeputirte zum Landtage zu erscheinen, als das Ansehen der
Stände zu scheitern angefangen und die Landtäge zu leeren
Feyerlichkeiten geworden wären; das unterm 8. Oktober 1731
von Wailand Kaiser Karl VI. eigenhändig unterfertigte Diplom
beweiset, dass bis dahin alle ständischen Privilegien unver-
letzt erhalten worden sind und wenn auch unter den letzten
zwei Regierungen die ständischen Freiheiten angegriffen worden sind, so zeigen doch die vielfältigen ständischen Akten und ist in Jedermann's Gedächtniss,
dass eben unter diesen letzten Regierungen die
wichtigsten Gegenstände in Landtagen vorgekommen, davon man nur vier der vorzüglichsten anführen
will, als: die (Steuer-) Rektifikazion vom Jahr 1752, die Herab-
setzung der täglichen Frohnen auf wochentliche 3 Tage vom
Jahre 1778, die angetragene Einführung der Tranksteuer vom
Jahre 1780 und endlich das neue Steuersystem vom Jahre
1789, bei welchen vier Gegenständen es um Einführung einer
neuen beträchtlichen Steuer, um merkliche Verminderung eines
alten Genusses, um Beseitignng einer dem ganzen Lande und
allen Insassen gehässigsten Regie, ja wohl gar, wie bei den
letzten, um Hab und Gut, um Sicherheit und um Eigenthum
selbst zu thun war."

„Sind wohl diese Landtage leere Feyerlichkeiten gewesen? uud sind wohl die Städte und Märkte bei diesen Landtägeu anderst, als durch ihren Marschall erschienen?"

„Was die Beschwerdeführer weiters von der Aehnlichkeit der oberösterreichischen Landesverfassung anführen, kann keinen Beweis für die Städte und Märkte machen, da jedes Land seine eigene Verfassung hat und von einer Landesverfassung auf die andere nicht gültig geschlossen werden kann."

„Ueber die Beilage L, worin dem Anton Raspor, dem Joseph Weninger und Franz Haas die Vollmacht zur Einlegung dieser Beschwerde im Namen der Städte und Märkte ertheilt ist, müssen die 3 obern Stände bemerken, dass solche nur eine unbeglaubte Abschrift ist und dass sich darin der Georg Fidel Schmid als Bevollmächtigter der Städt und Märkte des mahrburger Kreises, Franz Haas des zillier Kreises, Franz Dirnböck des brucker Kreises, Joseph Fohr des judenburger Kreises und Anton Andre Pächler des grazer Kreises unterfertigt haben, ohne selbst von den Städt und Märkten der angegebenen Kreisen eine Vollmacht aufzuweisen und dass sogar Franz Haas sich selbst die Vollmacht gegeben habe."

„Endlich muss über den in Nr. 5 hiemit rückfolgenden Nachtrag der Bittsteller angeführet werden, dass das angezogene brucker Libell vom Jahre 1519 keineswegs erprobe (wie die Bittsteller behaupten wollen), dass am Sonntage Oculi selben Jahrs zu Bruck an der Muhr ein steyrisch-ständischer Landtag oder ein Ausschussrath gehalten worden sey, sondern die Einsicht dieser Urkunde von Fol. 26 bis 31 nach der grazer Auflage im Jahre 1566 beweiset, dass es sich damals nur zwischen den Ländern Ober- und Niederösterreich, Steyermark, Kärnten, Krain und Tyroll nach Absterben Kaisers Maximilian des ersten um eine gemeinschaftliche Ländervertheidigung, um Absendung einer Bothschaft an König Karl nach Spanien und an Erzherzogen Ferdinand nach den Niederlanden und um Regulirung des Münzwesens gehandelt hatte. Es war also ein förmlicher Länderkongress, zu welchem die Stände abschicken konnten, wen sie wollten und in wen sie ihr Vertrauen setzten; wobei die Abgesandten nicht nach Stimmen oder ihrer eigenen Meinung, sondern nach der ihnen vom Lande gegebenen Instrukzion handeln mussten und in diesem Libell Fol. 31 findet sich die Klausel beigesetzt, dass diese Handlung allen und jeden Landschaften an ihren Freiheiten, altem Herkommen und Gebräuchen unschädlich seyn sollte."

„Da die drei obern Stände nun vollkommen erwiesen, dass sie in einem, schon vor 200 Jahren undenklich gewesenen Besitzstand stehen, in den Landtägen von den in der Kommunität stehenden landesfürstlichen Städt und Märkten nur e i n e S t i m m e durch ihren Vertretter zuzulassen; dass dieses durch die unwiderleglichen Urkunden Nr. 2, 3 und 4 bekräftiget und sogar dargethan wird, dass die Städt und Märkte schon vor 200 Jahren von einer ähnlichen Forderung v o n s e l b s t e n g e f a l l e n s i n d; auch zugleich durch angezogene Urkunden der Bittsteller vermeintliche Beweisstücke entkräftet sind; da die drei obern Stände endlich gezeiget haben, dass durch Beibehaltung der fortwährenden Verfassung den Städt und Märkten kein Nachtheil, durch die angesuchte Neuerung aber den drei obern Ständen in deme ein empfindlicher Schaden zugehen würde, weil durch den Zuwachs von mehrern Stimmen einer Kommunität das V e r h ä l t n i s s d e r S t ä n d e u n t e r s i c h v e r ä n d e r t und dadurch i h r e F r e i h e i t e n im wesentlichen verlezt würden: so bitten die drei obern Stände dieses Herzogthums eine hohe Länderstelle, in ihrem Berichte an die vereinigte Hofstelle dahin anzutragen, dass die Hofrekurrenten mit ihrem Gesuch um so mehr abgewiesen werden möchten, als sie mit demselben, in welchem es zwischen den drei obern Ständen gegen den vierten um eine R e c h t s b e f u g n i s s zu thun ist, auch i m W e g e R e c h t e n s niemals würden auslangen können."

Gratz am 3. September 1790.

Ferdinand Graf von Attems m. p.
der Steyrischen Stände Verordneter.

Beilage V.

Bericht d. i. ö. Guberniums an die k. vereinigte Hofkanzlei vom 17. September 1790 über die Bitte der
landesfürstl. Städte und Märkte Steiermarks, bei den
allgemeinen Landtagsversammlungen mittels eigener
Ortsdeputirten mit Sitz und Stimme zu erscheinen, und
über die von Seite der Herren Stände hierüber gemachte
Einwendung [1]).

Das gehorsamste Gubernium, dem mit hohem Dekret vom
18. und empfang. 21. August d. J. Nr. 1519 — 29 nach Einvernehmung der Herren Stände über die angebogene Bitte der
landesfürstl. Städte und Märkte Steiermarks, womit sie den
allgemeinen Landtags-Versammlungen nicht in der Person eines
alle vertretenden Marschalls oder Repräsentantens, sondern
mittels eigener Ortsdeputirten mit Sitz und Stimme beigezogen
und aus ihrem Mittel auch ein beständiger Ausschussrath gewählet werden möchte, Bericht und Gutachten zu erstatten
aufgetragen worden ist, glaubt der hohen Erwartung am sicher-
sten zu entsprechen, wenn es sich

a) das Recht, auf welches die Städte und Märkte ihre Bitte
   gründen, mit Entgegenhaltung der von den Herren Ständen
   gemachten Einwendungen, und dann auch

b) die Vortheile, welche allenfalls mit der Gewährung ihrer
   Bitte verbunden sein können, genauer zu untersuchen be-
   mühet.

Die Entscheidung der Vorfrage, ob nicht jede der in den
Beilagen verzeichneten 31 steierm. Städte und Märkte für ein
besonderes zum Sitz und Stimme geeignetes ständisches Mitglied gelten könne und ob es billig seie, dass sie alle zusammen, als Kommunität betrachtet, sich eben in eine einzige

---

[1]) Bezüglich der nicht zum Abdruck gebrachten Allegate verweisen wir
auf die Anmerkung zur Beilage IV.

Stimme vereinigen müssen? — trägt zur Beurtheilung der beiden, dem gehorsamsten Gutachten zum Grund gelegten Hauptabtheilungen sehr vieles bei.

Man muss aufrichtig bekennen, dass diese Behauptung von Seite der Herren Stände mit der von ihnen selbst anerkannten Wahrheit, dass die benannten Städte und Märkte den vierten und letzten Stand des Provinzialkörpers ausmachen, sich nicht allerdings vereinigen zu lassen scheine, und wenn man auch nie in Abrede stellen kann, dass der geistliche, der Herren- und der Ritterstand den leztern nach dem einem jeden anklebenden Interesse weit überwiegt, doch das Verhältniss gegen alle Billigkeit verletzet werde, indem man die Städte und Märkte auf eine einzige Stimme einschränket, wo inzwischen jeder der drei übrigen höheren Stände noch immer in der ungehinderten Befugniss erhalten wird, sich durch mehrere, und was den Herren- und Ritterstand betrifft, durch beinahe eben so viele Stimmen bei den Landtagsversammlungen zu erklären, als er Glieder zählet, aus denen er zusammengesetzt ist, obgleich viele derselben auch nicht eine Spanne Erde aufzuweisen haben. Hieraus, und aus dem weitern Satz, dass jeder, was er durch einen Bevollmächtigten zu thun befugt ist, auch durch sich selbst thun könne, und dass folglich die landesfürstlichen Städte und Märkte, nachdem sie auf den Landtagsversammlungen mittels eines Repräsentanten zu erscheinen befugt sind, auch eben sowohl selbst Sitz und Stimme zu nehmen befugt seien, hätte das gehorsamste Gubernium die in der Natur und Eigenschaft eines Standes liegende klare Schlussfolge leiten zu dürfen geglaubt, dass, wo es besondere Umstände erheischen, ihnen das blinde Einverständniss mit der Stimme eines einzigen nicht aufgedrungen, sondern freigelassen werden könnte, den Landtagsversammlungen durch eigenen Sitz und Stimme beizuwohnen.

Allein diese Freiheit ist ihnen, so weit es Urkunden giebt, welche die Sorgfalt älterer Zeiten den kommenden Enkeln zur Nachlese aufbewahret hat, nie eingestanden worden.

Was auch die Hofrekurrenten mit ihren aus dem 15. Jahrhunderte gezogenen Abschriften zu erweisen glauben, wird durch eben so rechtskräftige Gegenbeweise von dem nämlichen Zeitalter w i d e r l e g t. Die Vorladungen zu den abgehaltenen Landtagsberathschlagungen, auf welche sie sich berufen, mögen immer bei ihrem auch noch so guten Werthe gelassen werden, so verträgt er sich doch nach dem Sinn, den ihnen die Hofrekurrenten beizulegen suchen, mit den Auszügen aus den Landtags-Protokollen von dem nämlichen Jahrhunderte keineswegs, welche die Herren Stände zu ihrer Rechtfertigung beigebracht haben.

Aus den Urkunden der Hofrekurrenten vom Jahre 1519 bis 1590 ist nur ersehlich, dass die Städte Leoben und Marburg bei den Landtägen durch Bevollmächtigte zu erscheinen vorgefordert worden sind, und dass das Brucker Libell ein Leobner und ein Gratzer Bürger mit unterschrieben habe.

Die Urkunden der Herren Stände von den Jahren 1561 und 1568 hingegen zeigen, dass den Städten und Märkten zwar auch ihren Ausschuss zu benennen, jedoch, wie von Alters herkommen, auf die Landtags - Proposizion nur durch e i n e erkieste Person und durch e i n e Stimme ihre Meinung vorzubringen erlaubt worden. Sie zeigen ferner, dass die Städte und Märkte zuwider allem Herkommen und löbl. Gewohnheiten in den Landeszusammenkünften ein jeder Flecken für sich selbst seine Stimme zu haben zwar begehrt, dass sich aber dem ungeachtet der Brauch erhalten habe, dass ihnen alsbald Abschrift der Landtagsproposizion zugestellet und, wenn der Landmarschall die Landtagsproposizion zu berathschlagen vorgetragen hat, nach Anhörung der Landleutstimmen auch auf ein Ort im Landhaus, in oder ausser der Landstube, zusammenzutreten, untereinander Berathschlagungen zu halten, und zuletzt, wenn die Umfrage an sie gekommen, durch den Bürgermeister oder Richter allhier oder sonst einen andern dazu Erbetenen ihre Stimme auch zu geben gestattet worden. Endlich zeigen sie, dass sie diese Art, die Städte und Märkte zur Stimmung zuzulassen mit dem Zusatze an den allerhöchsten

Landesfürsten angezeigt haben, sie könnten aus diesem alten Herkommen und Gewohnheit gar nicht gehen und hofften Se. Erzherzogliche Durchlaucht würden gnädigst darob halten, dass sie weder in diesem noch anderm einige Neuerung nicht suchen wollen.

Soll man nun diese beiderseitigen Urkunden vergleichen (wie sie auch, um in Gegenständen, welche Landesverfassungen betreffen, keinen Widerspruch anzunehmen, nothwendig verglichen werden müssen): so hat man pro basi vorauszusetzen, dass, nachdem laut der ständischen Protokolle schon im Jahre 1561 und 1568 das Begehren der Städte und Märkte, den Landtags-Zusammenkünften nach der Zahl der Flecken mit Sitz und Stimme beizuwohnen, dem alten Herkommen und der Gewohnheit zuwiderlaufend befunden worden, sich auch aller Grund zur Vermuthung verliere, dass diese Gewohnheit jemals bestanden habe. Hat diese Gewohnheit aber schon vorher nie bestanden, so übersteigt es alle Möglichkeit, dass sie in dem nämlichen Jahrhunderte habe erwachen können, in welchem man ihrer Entstehuug das Muster einer von den Ansprüchen der Beschwerführer sehr unterschiedenen Beobachtung entgegengesetzet und geltend gemacht hat.

Dass alle den vierten Stand ausmachenden 31 Städte und Märkte ähnliche Vorladungen, wie sie von Marburg und Leoben beigebracht worden, erhalten haben, wird von den Hofrekurrenten nicht erwiesen, und kann ohne Zweifel nicht erwiesen werden, weil man im Widrigen alles, was man in diesen Bezug aufzufinden im Stand gewesen, beizubringen nicht unterlassen haben würde. Hieraus folgt also der Schluss, dass von den 31 Städten und Märkten nur die Städte Bruck und Leoben durch eigene Bevollmächtigte zu erscheinen vorgeladen, bei den übrigen aber dem alten Herkommen der Lauf gelassen, und ihnen nur der Gebrauch des gemeinschaftlichen hiesigen Repräsentanten vorbehalten worden. Wollte man aber auch zugeben, dass ähnliche Vorladungen oder Aufforderungen an alle ohne Ausnahme ergangen wären, so ist aus dem Inhalte derselben, ob unter der angesonnenen Erscheinung mittels eines

Bevollmächtigten eben die sonderheitliche Benennung und Absendung eines Bevollmächtigten von jedem Orte oder nur die Uebertragung der Vollmacht an einen gemeinschäftlichen Vertreter gemeinet worden, auf keine Weise deutlich abzunehmen, am allerwenigsten aber erweislich, dass sie darum, weil sie zu einer oder der andern Landtags-Zusammenkunft mittels einzelner Vertreter einberufen worden, auch einzelnweise Sitz und Stimme genommen und nicht vielmehr der oben angeführten Uebung, nach angehörter Proposizion und Stimmung der Landleute unter sich, und mit ihrem Marschall oder Repräsentar in eine abgesonderte Berathschlagung zu treten, gemäss sich gehalten haben. Endlich ist es zwar auch möglich, dass man nach der besondern Beschaffenheit der zur Landtagsberathschlagung gezogenen Gegenstände auch die Intervenirung eines zweiten oder dritten Repräsentanten, vorzüglich der bessern Städte wegen, sogar mit Sitz und Stimme für gut befunden habe; allein aus dem, was sich einer willkührlich gefallen lässt, erwächst dem dritten kein Recht zur Forderung und es bleibt noch immer eine unwiderlegliche Wahrheit, dass die Städte und Märkte nach altem ständischen Herkommen und Gewohnheit nicht mehr als eine Stimme zu geben befugt sind, wie es Nikolaus von Bekmann in seiner Idea juris statutarii et consuetudinarii Styriaci et austriaci in der Grazer Auflage vom Jahre 1688 auf der 452. Seite bemerket, wo er sagt: Die Städte und Märkte im Herzogthum Steier sind zweierlei Art. Diese Städte qua Landstände haben ihren eigenen Marschall, der earum nomine auf den Landtägen erscheinet und nebst andern Landesgliedern ein Votum in Landtagssachen hat.

Nachdem das gehorsamste Gubernium Eine Hochlöbl vereinigte Hofkanzlei mit den Gründen bekannt gemacht hat, aus welchen sich selbes überzeugt findet, dass die drei höhern Stände den lezten (Stand) nie anderst als mittelst einer einzigen Stimme ihren Versammlungen beizuziehen schuldig gewesen,

und ihn in eben so viel Stimmen, als er Städte und Märkte zählet,
beizuziehen n o c h nicht schuldig seien, so gehet es zur Untersuchung der Vortheile über, welche allenfalls mit der Gewährung ihrer Bitte verbunden sein könnten.

Wenn man in die Hauptursache dringet, warum mehrere
landesfürstliche Städte und Märkte mit den drei höhern Ständen als ein vierter Stand vereiniget worden sind, so dürfte
man nicht sehr irre gehen, wenn man behauptet, dass es n u r
d a r u m geschehen seie, weil sie theils selbst Gültenbesitzer,
theils Obrigkeiten und Vertreter unterthänige Gründe besitzen-
der bürgerlicher Kontribuenten sind, deren Interesse mit dem
Hauptinteresse der vereinigten Stände, von dieser Seite betrachtet, in dem genauesten Zusammenhange stehet. Die Herren
Stände sagen es in ihrem Berichte selbst, dass die Richtigstellung und Vertheilung der Kontribuzion, dann die Aufrechthaltung des öffentlichen Landeskredits, unstreitig die wesentliche Grundlage der ständischen Verfassung und die wichtigsten
Gegenstände der ständischen Versammlungen seien. Nun haben
aber die Städte und Märkte, die als äusserst üble
Wirthe von jeher bekannt und ungeachtet der Folgen
ihres gänzlichen Verfalls noch nicht klüger geworden
sind, zur Aufrechthaltung des öffentlichen Kredits nichts
beitragen können; man muss sie also lediglich wegen Richtigstellung und Vertheilung der Kontribuzion zum
Einfluss an den ständischen Berathschlagungen zugelassen haben.

Untersuchet man, was dieser Einfluss, wenn er ihnen
statt mit einer, mit 31 Stimmen gestattet würde, für besondere
Vortheile nach sich zöge, so entdecket sich, dass ihnen als
Gültenbesitzern keine mehreren zuwachsen können, als wofür
ihnen das Uebergewicht der drei höhern Stände ohnehin
schon Bürge ist; dass ihnen aber auch als Unterthanen
oder als Vertretern der Unterthansgründe besitzenden bürgerlichen Kontribuenten keine gewähret würden, nachdem der so
sehr grosse und äusserst wichtige Körper der Unterthanen
gar kein Stand ist, und bei den Landtagsversammlungen
mit keiner Stimme gehöret wird.

Dass es derlei Vortheile bei den gewöhnlichen, gewöhnliche Landtagsgegenstände behandelnden Versammlungen gar keine, oder doch keine besondern giebt, haben die alten Vorsteher der Städte und Märkte sehr wohl eingesehen; sie haben ihren Hoffnungen, den Wunsch, der Landtagssitzung mit eben so viel Stimmen als Ortschaften beizutreten, noch einst erfüllt zu sehen, freiwillig entsagt, haben den Aufwand, welchen Zureisen und Zehrung bei dem oft längern Aufenthalte verursachten, den Kräften ihrer Kasse und der Unwichtigkeit des Erfolgs entgegen gehalten und sich begnüget, die Rechte eines vierten Standes mittels eines Repräsentanten zu behaupten. Damit sollen sich auch ihre Nachfolger begnügen, sie sollen die Unwirksamkeit, oder doch die Entbehrlichkeit des sonderheitlichen Beitritts bei derlei gewöhnlichen Berathschlagungen überdenken; sie sollen den elenden Stand ihrer meist von Beiträgen armer städtischer Konsumenten zusammgebettelten Kasse untersuchen; sie sollen, wo sie in ihren bürgerlichen Gewerben, in Handel und Wandel und überhaupt in politischen Veranlassungen einiger Unterstützung, Erleichterung oder Abhülfe bedürftig zu sein erachten, ihren Beschwer oder Bittzug von den ihnen vorgesetzten Kreisämtern zu der Landesstelle nehmen und dann sich überzeugen, ob sie noch Ursache haben, die ortweise Sitzung und Stimmung zu wünschen, oder wohl gar die Wahl eines perpetuirlichen Ausschusses aus ihrem Mittel zu verlangen.

Was das gehorsamste Gubernium gegenwärtig von den wenigen Vortheilen gesagt hat, welche mit der Gewährung des Hofrekurses verbunden sind, glaubt man blos in Absicht auf jene gewöhnlichen, obgleich nicht minder allgemeinen, Versammlungen verstehen zu müssen, wo es sich um die wesentliche Grundlage der ständischen Verfassung, das ist: um die Richtigstellung und Vertheilung der Kontribuzion, dann um die Aufrechthaltung des öffentlichen Kredits handelt.

Es können sich aber ungewöhnliche, noch mehr als die Richtigstellung und Vertheilung der Kontribuzion zum

Gegenstande habende Berathschlagungen ergeben, wo f ü r d i e
S t ä d t e u n d M ä r k t e die Gewährung ihrer Bitte von der
ä u s s e r s t e n W i c h t i g k e i t s e i n w ü r d e.

Man will mit den Worten des ständischen Berichts annehmen, dass die Aufrechthaltung der ständischen und Innungs-
Privilegien, die Selbstverwaltung ihres Gemeinvermögens und
ihrer Kassen, die Ausübung der Gerichtsbarkeit, die Beförderung des Handels und Wandels, des Gewerbsbetriebs, der
Nahrungswege und Industrie, die Hindanhaltung der so lästigen
Militär-Einquartierung u. dgl. m. die wichtigsten Gegenstände
sind, welche das Beste der Städte und Märkte betreffen.

Man will nun weiter annehmen, dass derlei Gegenstände,
obgleich sie d i e d r e i o b e r n S t ä n d e unmittelbar n i e betroffen haben, doch der unmittelbare Stoff ausserordentlicher
allgemeiner Berathschlagungen werden können, so ist ja offenbar, dass den Städten und Märkten o h n e U n b i l l i g k e i t das
Mittel und die Gelegenheit n i c h t entzogen werden darf, aus
derlei Gegenständen den Stoff zur unmittelbaren Stimmung und
zur Gründung wesentlicher Vortheile zu sammeln.

Ohne in die Frage hineinzugehen, ob nicht die Herren
Stände den auf allerhöchste Bewilligung jüngst abgehaltenen
Landtagsberathschlagungen Bitten, Beschwerden und Vorstellungen unterzogen haben, welche mit der wesentlichen Grundlage ihrer Verfassung a u c h n i c h t i n e i n e r e n t f e r n t e n
V e r b i n d u n g s t e h e n, kann man doch gar nicht zweifeln,
dass unter 72 Punkten mehrere vorgekommen sein müssen,
welche dieselbe h ö c h s t e n s n u r m i t t e l b a r betroffen haben
u n d v o n d e m v i e r t e n S t a n d i n u n m i t t e l b a r e Ueberlegung hätten genommen werden können. Es hat sich dabei
um Wiederherstellung erloschener Freiheiten und Vorrechte,
um Abschaffung neuer Gesetze und Anstalten, um Einführung
eines erweiterten Wirkungskreises für die Herren Stände, um
Neuerungen in der Verfassung des gegenwärtigen Staatssistems,
mithin um Anträge, welche a u f d a s A l l g e m e i n e den genauesten Bezug nehmen, gehandelt. Da nun an dem Allgemeinen auch jeder Einzelne Theil zu nehmen nicht nur be-

rechtiget, sondern zu dem Wohl desselben beizutragen sogar auch schuldig ist, so wäre hier, wie bei andern ähnlichen Gelegenheiten (wobei sich vermuthen lässt, dass die drei höhern Stände, was zu ihrem moralischen und phisischen Vortheil, vielleicht auch ohne Rücksicht auf das Ganze beiträglich sein könnte, gewiss nicht vergessen haben werden) die Billigkeit eingetreten, den vierten Stand m i n d e r s t i e f b r ü d e r l i c h zu behandeln und ihn als einmal angenommenen, obgleich minder ansehnlichen, Mitstand seiner vollen Eigenschaft und aller damit verknüpften Vortheile geniessen zu lassen.

Aus allem diesen, was man bishero gesagt hat, zieht das gehorsamste Gubernium n o c h n i c h t d i e F o l g e, dass, sobald widergewöhnliche ausserordentliche Berathungen vorkommen, mit der Zulassung 31 städtischer Stimmen und mit der Besetzung eben so vieler Plätze die Absicht schon erreichet und nur durch die Vollzähligkeit derselben die Natur und Eigenschaft des vierten Standes, der zur Zeit, wo die Herren und Ritter nur einen gemeinschaftlichen Stand ausmachten, der dritte war, aufrecht erhalten werden würde.

Man hat zwar im Eingange bemerket, dass den Städten und Märkten nach der Natur und Eigenschaft eines Mitstandes freigelassen werden k ö n n t e, den Landtagsversammlungen in besondern Umständen durch e i g e n e n Sitz und Stimme beizuwohnen, weil sich diese Freiheit auf Billigkeit gründet und nicht nur allein in Oesterreich, sondern auch in dem Lande Krain und vielleicht auch in mehrern andern Provinzen (wo man von einem gemeinschaftlichen Repräsentanten nichts weiss) nicht verkannt wird. G l e i c h w i e a b e r, w a s b i l l i g i s t, n i c h t i m m e r a u c h v o n d e m R e c h t e u n t e r s t ü t z e t w i r d; gleichwie diess dem Einen nicht so obenhin abgesprocheu werden kann, um es dem Andern zuzulegen, und die höhern Stände das Recht haben, den letzten (Stand) mit keiner mehrern, als nur mit einer einzigen Stimme zuzulassen: s o g e d e n k e t m a n k e i n e s w e g s m i t e i n e m d i e s e r s t a t u - t e n m ä s s i g e n B e o b a c h t u n g z u w i d e r l a u f e n d e n G u t - a c h t e n a u f z u t r e t e n, s o n d e r n e r a c h t e t v i e l m e h r,

dass davon abzugehen mehr schädlich als vortheilhaft sein würde.

Den Städten und Märkten würde wenig geholfen sein,
wenn ihnen, jeder für sich, durch einen Bevollmächtigten bei
ausserordentlichen Berathschlagungen Sitz zu nehmen das Recht
eingeräumt würde. Der Inhalt derlei Zusammenkünfte ist kein
Gegenstand, der sich augenblicklich fassen, überlegen und bestimmen lässt; kein Gegenstand, dem das mehrere Ja oder
Nein den Ausschlag giebt; kein Gegenstand, der sich, wenn
er durch die Unvorsichtigkeit mehrerer Stimmen eine schiefe
Richtung erhielte, in das ächte Geleiss wieder zurückführen
liesse; kein Gegenstand endlich, für den es beinahe gleichgül-
tig ist, wohin oder wie er durch die Mehrheit der Stimmen
geleitet wird.

Ausserordentliche Berathschlagungen, weil sie meist vor
den Thron des Monarchen zu kommen haben und meist auf
eine längere Dauer abzielen, fordern eine vernünftige
Auswahl der Punkte, die zur Ueberlegung kommen sollten;
sie fordern Zeit und Klugheit in der Ueberlegung selbst; sie
fordern die genaueste Behutsamkeit in ihrer Bestimmung. Nun
heisst aber dies nicht mit Ueberlegung und Behutsamkeit vorgehen, wenn Jeder von 31 Stimmenden aus Eigen-
nutz, übel verstandenem Eifer, Mangel ächter Begriffe, Partheilichkeit oder wol gar aus Uebereilung und Ungefähr Etwas hinwirft, was weder mit
den Theilen, weder mit dem Ganzen in einer Verbindung stehet. Was dem einen Repräsentanten in Bezug auf
seine Stadt oder Markt auch mit guter Ueberlegung vortheilhaft scheinen könnte, läuft gegen das Interesse des andern.
Mehrere Köpfe haben auch immer mehrere Sinne und so würde
durch die Zulassung mehrerer ungeläuterter Sitz- und
Stimmnehmer das zu einem sichern, guten, dauerhaften Zweck
so unumgänglich nöthige, überlegte Einverständniss nie erreicht werden.

Um also die Billigkeit und die Vortheile ab (auf) Seite
der Städte und Märkte mit dem Rechte der höhern Stände

zu vereinigen, glaubet das gehorsamste Gubernium das Mittel selbst in dem von den Herren Ständen beobachteten Herkommen gefunden zu haben.

Nach dem alten Herkommen haben sich

a) alle Städte und Märkte oder vielmehr ihre Vertreter in dem Versammlungsorte eingefunden;

b) ist ihnen alsbald Abschrift der Landtags-Proposizion zugestellet worden;

c) haben sie nicht nur die von dem Landmarschall zur Berathschlagung vorgetragene Landtags-Proposizion, sondern auch die Stimmen der Landleute mit angehöret;

d) sind sie sodann in oder ausser der Landstube auf einem Ort im Landhaus zusamm und untereinander in Berathschlagungen getreten und

e) haben zuletzt, wenn die Umfrage an sie gekommen, durch den Bürgermeister oder Richter allhier oder sonst einen Erbetenen ihre Stimme gegeben.

In diesem Herkommen bemerket man vorzüglich:

1. dass der Gegenstand der Berathschlagung allen 31 Städten und Märkten oder ihren Vertretern vorläufig in Abschrift bekannt gemacht, und dass ihnen

2. zum Einverständniss und zur Berathschlagung Zeit gelassen worden. Man getraut sich hinzuzusetzen

3. dass e i n e e i n z i g e über das Resultat einer solchen einverständlichen Berathschlagung gegebene Stimme, oder selbst das Resultat der Berathschlagungen eines ganzen, obgleich lezten, Standes immer so viel Gewicht und Rücksicht verdienen müsse, um, mit dem Resultate und mit den Stimmen der übrigen Stände verglichen und im Falle des Nichtvergleichs der höhern Schlussfassung abgesondert unterzogen zu werden, wie dies die Herren Stände in Absicht auf die von dem vierten Stand jüngst eingelegten Beschwerden Bitten und Wünsche auch wirklich gethan haben.

Haben die höhern Stände diese Gewohnheit bisher unverrückt beibehalten und sind sie auch für die Zukunft bei derselben zu verbleiben Willens, d a n n h a b e n d i e S t ä d t e und Märkte den Entgang von 30 Sitzungsplätzen nicht zu bedauern, ihre durch eine vernünftige Berathschlagung in dem Mund oder in dem Vortrag eines Bevollmächtigten vereinigten 31 Stimmen erhalten in Bezug auf ihre Festigkeit und Wirksamkeit einen ungleich grössern Werth, als wenn sie getheilt gegeben würden, und es können bei minder wichtigen und einfachen Proposizionen, wenn sie auch ausserordentliche Gegenstände betreffen, sogar die kostspieligen Zureisen beseitiget werden, wenn jeder Stadt und Markt entweder unmittelbar durch die Herren Stände oder mittelbar durch den Marschall in einer umlaufenden Proposizions-Abschrift der Gegenstand der Berathschlagung bekannt gemacht, die Meinung auf der in der Gestalt eines Bothenregisters eingerichteten Kurrende notirt und solchergestalt der Repräsentant in die Kenntniss gesetzet würde, was er nach Maass der mehr übereinstimmenden klügern Meinungen für eine Stimme oder Vorschlag in der Versammlung zu geben habe.

Referent hat hieraus die nachstehende Sinopsis des gehorsamsten Gutachtens gezogen:

A) Die Städte und Märkte haben kein Recht, bei den Landtagsversammlungen in mehr als einem Sitz und Stimme zu erscheinen.

B) Sie haben aber das Recht, Abschriften von der Proposizion zu fordern, die Proposizion und die darüber ausfallenden Stimmen der Landleute in der Rathstube selbst mit anzuhören und über die Stimme, welche ihr Bevollmächtigter geben sollte, vorläufig untereinander zu berathschlagen.

C) Diese Stimme soll in ausserordentlichen Fällen, wo es sich um die Beförderung des ganz eigenen Interesse der Städte und Märkte handelt und wo sie mit den Stimmen und Anträgen der übrigen Stände in Widerspruch geräth, die Kraft haben, nicht platterdings verworfen, sondern höherer Entscheidung vorgelegt zu werden.

D) Nicht nur bei den gewöhnlichen strikte ständischen, sondern auch bei den ausserordentlichen, jedoch minder wichtigen und einfachen Proposizionen durch Ortsdeputirte zu erscheinen ist für die meistens armen Städte und Märkte überflüssig und kostspielig. Sie können daher nur auf den Weg des Bothenregisters und auf das Vertrauen in ihren gemeinschäftlichen Marschall angewiesen werden.

E) Kann und soll ihnen bei ausserordentlichen Proposizionen von solcher und ähnlicher Ausbreitung und Wichtigkeit, wie sie Allerhöchst Se. Majestät den Herren Landesständen bei dem Antritt Ihrer Regierung vor den Thron zu bringen allergnädigst gestattet hat, mittels eigener Ortsdeputirten nach dem Versammlungsorte zu reisen und sich durchgehends des alten Herkommens zu betragen nicht verwehrt sein.

Die Mehrheit der Stimmen des gehorsamsten Guberniums hingegen ist dem sub Lit. D. des Gutachtens angetragenen Gebrauch des Bothenregisters als unnothwendig und unausführbar nicht beigefallen, und bei der Anweisung der Städte und Märkte auf das Vertrauen in ihren Marschall stehen geblieben.

Sie hat den Gebrauch des Bothenregisters für unnothwendig erkannt, weil bei den berührten strikte ständischen oder zwar ausserordentlichen, jedoch minder wichtigen Proposizionen der Einfluss des vierten Standes zu unbedeutend ist, als dass ihm daran liegen könnte, den Gegenstand derselben zu wissen oder nicht zu wissen.

Für unausführbar, weil der Inhalt der Proposizion, zu deren Anhörung der Marschall ohnehin immer vorgeladen würde, nur erst am Tage der Versammlung eröffnet und meist an eben dem Tage auch das Conclusum darüber geschöpfet zu werden pflege und dem Umlauf des Bothenregisters kein Raum gelassen werden könnte.

Dahero dieses gehorsamste Gubernium auch platterdings das ständische Gutachten unterstüzet.

Graz am 17. Herbstmonats 1790.

III.

Graf Hermann II. von Cilli.

Eine geschichtliche Lebensskizze

von

Dr. Franz Krones.

Nicht jedem der mittelalterlichen Adelshäuser Innerösterreichs war es vergönnt, über die Landesgrenze hinaus Bedeutung und Namen zu gewinnen, in den Gang grosser Ereignisse selbstthätig einzugreifen. Zu den bevorzugten Günstlingen des Geschickes in dieser Richtung zählt das Geschlecht der Grafen von Cilli.

Schon als „Freie" von Sounek (Sunek) durch Güterbesitz, vornehmlich im Süden der Steiermark, im Santhale — und dessen Nachbarschaft — gleichwie durch Lehensverhältnisse und Verwandtschaften ausgezeichnet, — errangen sie mit der grossen Heunburger Erbschaft eine tonangebende Stellung, die reicheren Mittel zu grösseren Zwecken [1]. Ihr Name knüpft sich nun an den Hauptort der angeerbten Güter, an die alte Römerstadt Cilli, über welche wohl die Stürme der Zeiten zerstörend dahingegangen waren und nur kümmerliche Reste einstiger Herrlichkeit [2] übrig liessen.

---

[1] Vgl. die Abhandlungen K. Tangl's u. d. T. „Die Freien von Sunek, Ahnen der Grafen v. Cilli, im X., XI., XII. und XIII. Hefte der Mitth. des hist. V. f. Steiermark.

[2] Vgl. das Chronicon Joannis Victoriensis (Abtes von Viktring in Kärnten) h. v. Böhmer im I. Bde. der fontes rer. germ. I. B. cap. 1.—10, S. 418; 439—440. Aeneas Sylvius de s. Europae, A. v. Freher-Struve scrr. rer. germ II. Bd.; cap. XVII. „de Styria". (vgl. u. n. 3).

Das mittelalterliche Cilli, wie es an die Souneker fiel, war ein offener Ort geworden, halb Ruine, halb Wohnort, ein bescheidener Markt, der erst unter den letzten Cilliern durch Ummauerung [3]) städtisches Aeusseres gewann.

Den Namen „Grafen von Cilli" führen fortan, bis zum jähen Erlöschen des berühmten Hauses, 10 Souneker [4]), deren Geschichte etwas mehr als ein Jahrhundert ausfüllt. Die Hauptträger des Namens, oder die Altgrafen von Cilli, sechs an der Zahl, Friedrich I., Ulrich I., Hermann I., Hermann II., Friedrich II. und Ulrich II., der Letzte seines Mannsstammes — tragen auch zumeist ein gleichartiges Gepräge in ihrem Wollen und Handeln, einen ausgesprochenen Familiencharakter zur Schau. Es sind in der Regel unternehmende ehrgeizige Naturen, kluge Rechner zu Gunsten des eigenen Vortheiles, voll Erwerbsdrang, der beinahe den Tadel der Habsucht herausfordert, Verstandesmenschen von starkem Wollen, mächtiger, verzehrender Leidenschaften fähig, die allerdings deutlich nur bei den drei letzten Vertretern des Hauses in die Augen springen. Uebrigens hat da eine befangene, parteiische Gechicht-

---

[3]) Cillier Chronik A. v. Hahn Mon. hist. Collectio II. Bd. (1726) S. 710—712; A. v. J. A. Cäsar im III. Bde. der Ann. duc. Styr. S. 87—88. Vgl. die Urkde. im landsch. Arch. v. 1451, 11. April: Graf Friedrich von Cilli verleiht den Bürgern von Cilli jene s t ä d t i s c h e n R e c h t e, welche andere OO. im Lande besitzen (Copie). in der Einleitung der Cillier Chronik (bei Hahn a. a. O. S. 666; b. Cäsar S. 6) findet sich auch der Trümmer der alten Herrlichkeit von Cilli gedacht.

[4]) F r i e d r i c h I. † 1359, 10. Aug.; U l r i c h I. † 1368, 26. Juli; Hans † 1372, 29. April; H e r m a n n I. † 1385, 21. März; Wilhelm † 1392, 19. Sept.; Ludwig † 1417; Hermann (III.) † 1426; H e r m a n n II. † 1435, 18. Okt.; F r i e d r i c h II. † 1454, 9. Juni; Ulrich II. † 1456, 9. Nov. — Ueber das Genealogische und Chronologische hat der scharfsinnige und fleissige E. Fröhlich in seiner Genealogia Sounekiorum comitum Celeje ... Viennae 1755 kl. 4°, 116 SS. dankenswerthes geschrieben. Vgl. auch m. Abh. „Die zeitgenössischen Quellen zur Geschichte der Grafen von Cilli, mit Einschluss der sogen. Cillier Chronik" im 8. Jahrg. der Btr. z. K. steierm. G.-Quellen. 1871, Graz, 120 SS. und die n. 6 cit. Abth.

schreibung jener Zeiten vielfach schwarz in Schwarz gemält und statt Charakter-, Zerrbilder geschaffen.

Es ist etwas scharf Markirtes, etwas Typisches in diesem Geschlechte, gerade so wie dies ein interessanter Fund unserer Zeit auch in physischer Beziehung an den Todtenschädeln der Cillier nachwies. Bei der Mehrzahl ferner dürfen wir an hohe kräftige, hagere Gestalten denken, wie dies zeitgenössisch von den letzten Cilliern bekannt ist und dem ritterlichen Thatendrange so wie dem persönlichen Ansehen der Meisten entspricht; auch in dieser Beziehung lässt sich somit an einen entschiedenen Familientypus denken [5]).

Aber noch einer wichtigen Grundeigenschaft des Hauses der Cillier, einer Tugend im strengen Sinne des Wortes, sei gedacht, in welcher wir neben den glücklichen Fügungen des Geschickes, das Geheimniss des raschen und sicheren Gedeihens der Grafen von Cilli — zu suchen veranlasst werden; es ist der lebendige Sinn für Ordnung im Haushalte und Geschäftsleben, das ökonomische Talent und praktische Geschick des genannten Hauses. Die Cillier waren nicht blos Günstlinge des Glückes, sie verstanden es auch, seine reichen Gaben klug festzuhalten und zu mehren, zukünftige Vortheile rechtzeitig in's Auge zu fassen. Die Macht des Geldes und Kredites war ihnen bekannt und so hielten sie das Eine zusammen und das Andere aufrecht.

Der praktische Vortheil beseelt ihre trefflich angelegten Erbverträge und Heiratsverbindungen mit andern mächtigen und reichen Häusern; — ja selbst mit gekrönten Geschlechtern, mit berühmten Dynastieen, werden sie verschwägert.

---

[5]) Prof. Heschl hat in dieser Beziehung interessante Aufschlüsse geboten, da es ihm gelang, die in der Cillier Minoritenkirche aufbewahrten Todtenschädel der letzten Cillier einer kraniologischen Untersuchung zu unterziehen. Aeneas Sylvius sagt vom Grafen Friedrich II. († 1454) in der hist. Frider. (A. v. Böcler S. 54—55, A. v. Kollar 215) „Hermanno genitori corporis proceritate maiestateque pene par" ... und dessen Sohn, den letzten Cillier, Ulrich II. († 1456), bezeichnet er gleichfalls als hochgewachsenen Mann mit breiter Brust und hagerem Körper (hist. Frid. ed Kollar, S. 468 f. hist. Boh. cap. 66.).

Bei solchem rastlosen Streben nach Gewinn und äusserer Geltung findet sich wenig Raum für zarte Gefühlsregungen und behaglichen, reinen Genuss des Erworbenen. Die Cillier sind, mindestens die Letzten, Bedeutendsten dieses Hauses, ein fieberhaft thätiges, ein hartes Geschlecht und gerade das kostbarste Kleinod, Familienglück, war ihnen fremd. Der Mangel desselben zieht sich wie ein Fluch durch die Geschichte der drei letzten Grafen von Cilli; ein tragisches Geschick lässt den mächtigsten und berühmtesten von ihnen, kinderlos werden und — auf der Höhe der Lebenserfolge vom politischen Morde ereilt, das glänzende Haus schliessen.

Wenn nun der Verfasser dieser geschichtlichen Lebensskizze Hermann II. (1380—1435) aus der Reihe der Grafen von Cilli herausgriff, so that er dies, von dem Umstande bewogen, dass gerade in diesem Cillier die Grundeigenschaften seines Hauses kräftig und wirksam zur Geltung gelangen, dass dieser langlebige, güter- und ämterreiche Mann, der Schwäher eines Kaisers und Verwandte von Königen, — den eigentlichen Grund zur Machthöhe seines Hauses legte; — anderseits dass er jene Würdigung noch immer nicht fand, die er in ausgedehntestem Maasse verdient. Nur möge der freundliche Leser nicht vergessen, dass diese aus den Quellen [*]) geschöpfte Skizze eben nur Umrisse bietet, die mehr den Schwarzstift des Zeichners als den Farbenpinsel des Malers erkennen lassen. Die quellenmässigen Belege sollen diesen Umrissen ein festeres Gepräge verleihen.

Hermann II. war der Sohn des gleichnamigen Grafen, des jüngern Sprossen Friedrichs L., der die Reihe der Freien von Sounek schliesst und den Reigen der Cillier eröffnet. Sein Vater hatte die bosnische Fürstentochter Katharina zum Weibe genommen, während sein älterer Bruder Ulrich I., ein berühmter ritterlicher Kämpe seiner Zeit, eine aus dem ange-

---

[*]) Die Kritik der zeitgenössischen Quellen zur Geschichte Hermanns II. findet sich in meiner Note 4 citirten Abhandlung versucht. Ausführlicheres in meiner jüngst gedruckten Abh. im Arch. f. K. oe. Gesch. (1873) der Wiener Akad. d. W. hist. phil. Section.

sehenen Geschlechte der von Oettingen ehelichte [7]). Aus Hermanns I. Verbindung erwuchsen zwei Söhne, Hanns und Hermann II. Des Letzteren Geburt müssen wir um 1350 ansetzen, da er bereits 1372 als Gemahl einer Tochter des reichen Grafen von Schaunberg und bald darauf als Vater seines Erstgebornen, Friedrich II. anzusehen ist [8]).

Im genannten Jahre starb sein älterer Bruder Hanns, der eine Montfort - Pfannberg zur Frau genommen [9]). Vier Jahre früher war der Oheim, Graf Ulrich I., verschieden (1368, 26. Juli) und liess einen Sohn, Namens Wilhelm, zurück, der, jüngeren Alters als Hermann II., mit diesem das Geleite Hermann I., dem Altgrafen des Hauses, gab, als dieser im Gefolge Herzogs Albrecht III. von Oesterreich, 1377 die Ritterfahrt in's Preussenland antrat [10]). Es war der erste uns bekannte Schritt des Helden unserer Skizze in's grosse Leben. Von Breslau ging der Zug nach Thorn und Marienburg, an den Hauptsitz der deutschen Ordensherrschaft.

Die Fahrt des Ritterheeres an die Memel bot schon ernste Gefahren, die das Banner von „Steierlant", Altgraf Hermann II. und sein Gefolge, nicht scheute. Blutige Kämpfe kostete das Eindringen in „Sameit" oder Samogitien, dessen tapfere Bewohner den christlichen Eindringlingen die Wege

---

[7]) Cillier Chronik b. Hahn S. 675—678, b. Cäsar S. 26 —31. Ueber Ulrichs I. Ritterfahrten s. Peter Suchenwirts Gedichte A. v. Primisser, Wien 1827, S. 51 —53 „Von graff Ulreichen von Tzili" und die Anm. dazu S. 258—261.

[8]) Der Heiratspakt zwischen Hermann II. und Elisabeth, der Schaunbergerin, dat. v. 27. Jänner 1371 — Grazer Hofschatzgewölbbücher (Wien) — Index dazu von Apostelen 8, 173. Vgl. Stülz Regg, z. G. der Schaunberger im XII. Bde. der Denkschrr. der Wiener Ak. d. W. hist. ph. S.

[9]) Cillier Chr. b. Hahn S. 678—679, b. Cäsar 36—38. Graf Hanns † 1872, 29. April.

[10]) Ueber diese Preussenfahrt P. Suchenwirts Ged. u. a. O. S. 8 ff. Vgl. Hagens oe. Chr. h. v. Pez scrr. rer. austr. I. 115!. — Kurz G. Oe. u. Herzog Albrecht III. I. 143 — 4. Das Lied b. Suchenwirt führt den T. „von herczog Albrechts ritterschaft".

verlegten. Hier war es auch, wo der Altgraf von Cilli als der vornehmste Alterskämpe dem Habsburger Albrecht den Ritterschlag ertheilte. Am Rückwege, in „Russenia" — Rothrussland — bewirthete Herrmann II. den Herzog sammt 82 Rittern, wobei der feurige Saft der „Luttenberger" Rebe nicht geschont wurde. Die Heimreise ging über Kleinpolen, Schlesien und Mähren nach Oesterreich, von wo aus die Cillier den Rückweg in die Heimat einschlugen.

Fünf Jahre vor dieser Preussenfahrt, 1372 30. Sept., datirt der bekannte Gnadenbrief K. Karls II., der die Grafschaftsrechte der Cillier von Seiten des deutschen Reiches verbürgt; einige Wochen später (7. Nov.) geben die österreichischen Herzoge Albrecht III. und Leopold III. als Lehens- und Dienstherren ihren Willebrief zu dieser Erhöhung. In der bezüglichen Urkunde des Luxemburgers erscheinen Hermann (I.) und Wilhelm die „Gevetter" von Cilli [11]). Dies darf jedoch nicht zu dem Fehlschlusse verleiten, als wäre Graf Wilhelm der ältere der beiden Junggrafen gewesen. Hermann II. war laut unwiderlegbarer Urkundenzeugnisse [12]) der senior von Beiden, worauf

---

[11]) Die Urkunde Karl's IV. mit gleichem Datum (1372 30 Sept. Brünn), worin den Grafen Hermann I. und Wilhelm das ständige Vogteirecht über das Kloster Obernburg in Untersteier bestätigt wird, ist ein Pendant zu dem Privilegium, das, mit richtiger Datirung und richtigerem Texte, Fröblich in s. Geneal. Souniorum S. 65—70 abdruckte. S. Mitth. des hist. V. f. St. 6, 258 nr. 172. Das falsche Datum der Handveste für die Cillier 1362 findet sich auch in Lünig's Cod. Germ. II, 511. Die beiden Urkunden, Privileg und Willebrief der Habsburger v 7. Nov. Neuburg (vgl. Lichnowski 4, Regg. nro. 1092) im Anh. der Cill. Chr. b. Hahn S. 748 ff.; Cäsar 28 ff.

[12]) 1384 10. Febr. Cilli. Urkde. f. d. Kl. Studenitz (landsch. Arch. orig. nr. 3480) erscheinen die 3 Grafen in folgender Ordnung: Herrmann I. als senior, dann Hermann II. junior und Wilhelm — 1388 11. Okt. Cilli (ldsch Arch. Copie); Urkunde betreffend die Gurker Lehen der Pettauer. An erster Stelle findet sich Graf Hermann II., an zweiter Wilhelm. In dem Belehnungsbriefe des Patriarchen Johann v Aquileja v. 1389, 19. Febr. (s. Muchars Regg. im 2. Bde. des Arch f. K. v. G Nro. 41, S. 439—440) nimmt Wilhelm die Lehen ausdrücklich im Namen Hermanns II tamquam senioris

schon auch die Thatsache hinweist, dass er bedeutend früher als Wilhelm seinen häuslichen Herd bestellte.

Letzterer mochte eben nur als Sohn des verstorbenen Altgrafen Ulrich I., als Vertreter Einer Linie gewissermassen, neben seinem Ohme Hermann I., als Repräsentanten der Andern, — den Platz in der Urkunde gefunden haben.

Wilhelm's Heirat fällt in das Jahr 1382, mithin viel später als die Ehe Hermann's II.; fünf Jahre nach der besprochenen Preussenfahrt und nach dem wichtigen Vertrage zwischen den Häusern Cilli und O r t e n b u r g auf gegenseitige Beerbung [13]). — Seine Gattin wurde Anna, die polnische Prinzessin aus dem Königshause der Piasten, das 1370 im Mannesstamme erlosch und dem verwandten Könige Ungarns, dem Angiovinen Ludwig I. den Platz räumte. Ludwig war der Gönner Ulrichs I. von Cilli, der, unter dem Banner des Ungarnkönigs, wider Bulgaren, Servier und Türken bei Widdin, gegen die Venediger, vor Zara, ritterlich gestritten. Er vermittelte die Heirat, er verbürgte den bedeutenden Mahlschatz der Braut. War es persönliches Wohlwollen allein, oder war vielleicht dabei auch der politische Gesichtspunkt massgebend, die Hand der Piastin einem befreundeten Manne zu verschaffen, dessen Rangstellung keinen Rivalen für die polnische Herrschaft besorgen liesse? [14]) Anna gebar ihrem Gatten Wilhelm nur eine Tochter gleichen Namens, die das Geschick auf den polnischen Thron, in das Vaterland ihrer Mutter, führte. Doch kehren wir zu dem Helden unserer Skizze zurück.

---

[13]) Der Willebrief des Trienter Bischofes zum Ortenburg-Görzer Erbvertrage dat. v. 23. Nov. 1877. S. Apostelen's Index 8, 170 nr. 26.

[14]) Die Versicherungsurkunde K. Ludwigs von Ungarn dat. v. 27. März 1382. Die Mitgift von 20.000 Goldgulden soll bei kinderlosem Absterben Beider an Grafen Hermann II. und dessen Erben fallen. S. Apostelen's Index 8, 171. 1388, 20. Mai, Bozen — bezeugt H. Leopold III. v. Oesterreich, dass die Grafen von Cilli auf die vom Herzoge mit 19.200 fl. ihnen verschriebenen Sätze in der Metlik die Gräfin Anna von „Krakau" mit einem Theile ihres Heiratsgutes verwiesen haben

Es wurde schon oben angedeutet, dass Hermann II. bald nach 1372 als Vater eines Sohnes, des erstgebornen Friedrich, angesehen werden müsse. Letzterer, um 1373 geboren — Aeneas Sylvius bezeichnet ihn um 1447—54 als Mann in den Achtzigen [15]), — wurde bald, wie der Heiratspakt vom 30. Sept. 1388 ausweist, mit Elisabeth, einer Tochter des angesehenen kroatischdalmatinischen Grafenhauses Frangepani, der Herren von Veglia und Modrusch, — vermält und erhielt in der Folge einen besonderen Güterbesitz und Hofhalt, zu Gurkfeld, eingeräumt [16]).

Das Jahr 1385 war für die Lebensstellung Hermann's II. entscheidend; damals — den 21. März — starb sein Vater und räumte dem Sohne den Platz als Altgraf des Hauses [17]). Als solchen d. i. als „senior" bezeichnet diesen z. B. die Belehnungsurkunde des Patriarchen von Aquileja aus dem Jahre 1389 [18]). Doch müssen wir uns natürlich in jeder Angelegenheit des Hauses den Grafen Wilhelm als Mitregierer denken, wie dies wohl schon der alte Souneker Hausvertrag von 1262 vorschreiben mochte [19]). So finden wir z. B. die beiden Grafen, Hermann an erster, Wilhelm an zweiter Stelle, in der Urkunde vom 11. Oktober 1388 genannt, wo es sich um die Gurker Bisthumslehen, nach dem Abgange der Jungen von Pettau handelt [20]).

Das Jahr 1389 zeigt uns Hermann II. im Süden und Norden der österreichischen Ländergruppe mit Taidungsangelegenheiten vollauf beschäftigt, die sein Talent im Schlichten fremder Händel schulen und nähren halfen. So in Friaul, wo

---

[15]) In der hist Friderici (Böcler's A. S. 84) „supra octuagesimum annum vitam produxit" — und später dann, wo von seiner Romfahrt zur Zeit des Jubeljahres die Rede ist, wird er gar „nonagenarius" genannt. Letzteres ist offenbar irrig; Ersteres das Richtigere.

[16]) Der Heiratspakt — s Apostelen's Index 8, 232. Ueber den Gurkfelder Hofhalt. S. die Cillier Chr. bei Hahn S. 683, Cäsar 48.

[17]) Cill. Chr. Hahn 678 9, Cäsar 36—38.

[18]) S. o. n. 12.

[19]) Vgl. Tangl n. a. O. S. 89 des Sep. A. (X Heft der Mitth.)

[20]) S. o. n. 12.

der politische Mord, an dem hervorragenden Parteiführer Friedrich Savorgnano — zu Udine vollführt, die Einberufung eines Adels- und Patrizier-Parlamentes nothwendig machte und dieses den Grafen von Cilli, den Lehensträger des Hochstiftes Aquileja, als Schiedmann zu kommen einlud[11]). Im Juni des Jahres sehen wir Hermann II. in Oedenburg bemüht, als einer der Sendboten Herzogs Albrecht III. von Oesterreich, mit den Bevollmächtigten K. Sigmunds die schwebenden ungarisch-österreichischen Grenzstreite und Nachbarhändel zu begleichen[12]). Bald darauf um 1391 hören wir seinen Namen wieder in der Friauler Fehde zwischen Udine und Cividale genannt[13]).

Um 1390 scheint Hermann II. die Amtswürde eines Landeshauptmannes von Krain übernommen zu haben, mit welcher wir schon seinen Grossvater Friedrich I. betraut finden. Jedenfalls haben wir ihn 1390—1400 (1395) als Haupt der Krainer Landesverwaltung zu denken[14]).

Doch lagen noch entscheidendere Dinge im Schoosse der Zukunft. — Sein Vetter Wilhelm nahm an den Kämpfen Theil, in welche K. Sigmund von Ungarn, der Luxemburger, an der untern Donau immer mehr verstrickt wurde. Der Türkenkrieg — die wichtigste politische Frage für den Südosten des damaligen Europa's, meldet sich an. 1391 finden wir den Grafen von Cilli daselbst in Waffen. Auf der Rückreise von der Heeresfahrt starb der Graf zu Wien den 19. Sept. 1392[15]), Nun war Hermann II. nicht blos Altgraf, sondern auch Alleingebieter in den Cillier Landen. Dass er in Gesellschaft Wilhelms den Türkenzug mitgemacht habe, ist mehr als unwahrscheinlich.

Unter den Zeugen, welche die wichtige Holenburger Einigung, den Hausvertrag zwischen der albrechtinischen und leo-

---

[11]) Manzano: Annali del Friuli VI. Bd. S. 36.

[12]) Lichnowski IV. Regg. nro. 2170.

[13]) Manzano a. a. S. 69.

[14]) Klun's Arch. z. Gesch. Krains 2. 8. Aufs. v. Richter über Laibach S. 212—213. und 1, S. 20.

[15]) Cill. Chr. u. a. O. Anhang zu M. Hagen's österr. Chr. b. Pez. scrr. I. c. 1168.

poldinischen Linie des Hauses Habsburg (1395, 23. Nov.) feierlich bestätigten, — erscheint auch Hermann II. als einer der vornehmsten [26]). Nicht lange zuvor (1395, 7. Febr. Wien) war er als gewandter Vermittler in den Händeln der Herren von Liechtenstein neben Herzog Albrecht III. und Fritz, Grafen von Hohenzollern, bestellt worden [27]). — Doch der eigentliche Wendepunkt in seinem Lebensgange knüpft sich an das Jahr 1396. Das sollte ihm den Weg zur Fülle äusseren Glückes weisen.

König Sigmund rüstete zum grossen Kreuzzuge wider die Osmanen. Ganz Westeuropa gerieth in kriegerische Bewegung. Zu Pfingsten sammelten sich Ritterschaaren in Wien, um von da südwärts zu ziehen; am S. Johann des Täufers Tage trafen die Burgunder unter dem Sohne Philipps des Kühnen, Johann „ohne Furcht", ein; Franzosen hatten sich zahlreich auf den Weg gemacht. — Hermann II. war mit seinen Mannen erschienen, seinem Banner folgten Steiermärker und Oesterreicher [28]). So fand sich denn zur Herbstzeit im Bulgarenlande, um Nikopolis, Schiltau nannten es die Deutschen, ein grosses, buntes Kreuzheer zusammen, das vor Begierde brannte, sich mit den Moslems zu messen. Aber ihm stand eine blutige Enttäuschung bevor. Eine furchtbare Niederlage traf die Christenheit. K. Sigmund entkam mit Mühe dem Schlachtgewühle und floh südwärts, um in Byzanz am Hofe der Paläologen Halt zu machen. Unter den wenigen Begleitern, die im Kampfe treu an seiner Seite ausharrten und ihm auf der Flucht das Geleite gaben, erscheint der Graf von Cilli [29]).

Zu den Eigenschaften des Luxemburgers zählte vor Allem ein lebhaftes Dankgefühl und eine, oft bis in Verschwendung ausartende Freigebigkeit. Er verstand wahrhaft königlich zu lohnen und das erfuhr denn auch an sich das Haus der Cillier. —

---

[26]) Rauch scrr. rer. a. III. 411. Lichnowski 4, Regg. nro. 9. Hermann II. führt da den Titel: Hauptmann v. Krain.

[27]) Kurz Oe. u. Albrecht III. II. 311 Blge. 87.

[28]) S. Aschbach's Gesch. K. Sigmunds I. 98. s. Lichnowski S. 19.

[29]) Schiltberger's Reisebuch, neue A. v. Neumann 1859, München.

8 *

Die Urkunde des Königs vom 14. Aug. 1397 preist die Verdienste, welche sich die Cillier um Ungarns Krone schon seit den Tagen Ludwigs I. erwarben und legt den Schlusston auf die wackern Leistungen Hermann's II. [20]). Dafür erhält er Stadt und Gebiet von Warasdin, bald darauf die Burgherrschaften Vinice und Orbac in Zagorien und im Jahre 1399 [21]) die Grafschaft Zagorien selbst, den „Seger", wie die deutsche Namensform lautet. So schrieben sich denn auch alsbald die Cillier seit Hermann II. Grafen von Cilli und im Seger, wozu sich später durch Erbschaft der Besitztitel Ortenburg gesellte.

Bevor Graf Hermann in den Türkenkrieg gezogen war, sorgte er für die Abfassung seines letzten Willens [22]). Dieses Testament ist für uns von Belange. Wir erfahren daraus, dass die Mutter des Grafen, Katharina von Bosnien, noch lebte, seine Gattin hingegen bereits verstorben war.

Es ist darin der Verlobten seines Erstgebornen, Elisabeth, Grafentochter von Veglia-Modrusch, gedacht und schliesslich wird Friedrich, dem Grafen von Ortenburg, an's Herz gelegt, Hermann's II. Töchtern und der Muhme Anna, Tochter Wilhelm's, würdige Gatten ausfindig zu machen.

Verpflichtungen und wohlverstandenes Interesse knüpften den Grafen von Cilli an den luxemburgischen König. Ein Ereigniss von massgebender Bedeutung bot dem Cillier den Anlass zu einem hochwichtigen Dienste.

---

[20]) S. die Urk. d. 14. Aug. 1397, Ujhely, in Fejér's Cod. diplom. X, 2, 418—423. — Die Hauptstelle : . . signanter eodem Domino Hermanno Comite nostro lateri pro tuitione persone nostre fideliter et iugiter adhaerente, per Danubii et pelagi flumina in galeis remigando ad civitatem Constantinopolitanam pervenissemus . . . . Weiterhin wird dann seiner grossen Verdienste um Dalmatien und Croatien gedacht. · · Die Schenkung v. Zagorien d. v. 27. Jänner 1399. Fejér X, 2, 633—89.

[21]) 1397, 17. Aug. Ujhely. Fejér a. a. O. S. 423—429. Auch hier wird der Verdienste der Cillier gedacht.

[22]) S. das Wesentliche dieses Testamentes in Fröhlich's Genealogia S. 77—78.

Gegen Sigmund's ungarisches Königthum hatte sich eine starke Partei gebildet. Die Anhänger des neapolitanischen Prätendenten Ladislaus, Sohnes des, 1386, ermordeten Karl d. K., reichten den übrigen Aufständischen Ungarn's die Hand[33]). Im April des Jahrs 1401 kam es zu einer stürmischen Szene im ungarischen Landtage; zur offenen Anklage des Königs und schliesslich zu seiner Verhaftung. Der königliche Staatsgefangene wurde der Obhut der Söhne des vormaligen Palatins Gara anvertraut und auf Sikló's brachte er die Tage seiner Haft zu.

Insgeheim scheinen jedoch die Gara's dem Könige befreundet gewesen zu sein oder verstand es dieser, sie zu gewinnen.

Wie dem nun auch sein möge, ein wesentliches Verdienst um die Freilassung des Luxemburgers erwarb sich Graf Hermann von Cilli. Er unterhandelte mit den Gara's die Freilassung Sigmund's, bei welchem Anlasse auch die Verschwägerung der Häuser Cilli und Gara angebahnt wurde[34]). — Aber ein noch grösserer Vortheil erwuchs dem Grafen von Cilli. — König Sigmund, seit 1395 verwitwet, fasste den Entschluss, die jüngste Tochter des Cilliers, Barbara, zu ehelichen. Bald nach Sigmund's Befreiung soll die Verlobung stattgefunden haben; doch vergingen noch einige Jahre, ehe, bei der Jugend der Braut, an den Vollzug der Ehe gedacht werden konnte. Darauf dürfte sich die Angabe der Cillier Chronik zurückführen lassen, der Graf habe sich gegen die Verbindung seiner Tochter mit dem Könige gesträubt und sei dazu erst von den ungarischen Herren beredet worden[35]).

---

[33]) Vgl. darüber Aschbach's Gesch. K. Sigmunds I. (II.) Bd.

[34]) Die Quellen hierüber: Eberhard Windek b. Mencken scrr. I. cap. 4. (unrichtige Chronologie); Thuróczy Chron. Hung. pars IV. c 9. b. Schwandtner scrr. rer. H. I. Dlugosch hist. Pol. Z. b. Vgl. Katona hist. crit. H. XI. Bd. S. 489 ff. Aschbach a. a. O. 122 F. hat das Beste darüber. Die Hauptstelle der Cillier Chronik, b. Hahn 679—80; Cäsar 40—46.

[35]) So sagt die Cillier Chronik a. a. O. 1405 1. Aug. Siklós. Gräfin Anna v. Cilli, Gattin des Grossgrafen (Palatin) Niklas von Gara, verzichtet

Etwas früher als die Verlobung Barbara's war die schmeichelhafte Werbung des ersten jagellonischen Königs von Polen, Wladislaw, um die Hand der Tochter Wilhelms, des verstorbenen Vetters Hermann II., und der Piastin Anna, vor sich gegangen. Eine polnische Gesandtschaft hatte sich in Cilli eingefunden. 1400, im Nov. wurden die Verlobungspakten ausgefertigt, die Braut von ihrem Oheime dem Königsboten übergeben. In Krakau sollte sie zunächst die Sprache des Polenlandes sich aneignen. Doch fand sie sich damit wenig zurecht. Im Fasching des J. 1401 wurde das Beilager gefeiert, 1402, im März, die Krönung. Die Cillierin starb als polnische Königin still und freudenlos den 21. März 1416 [36]).

Wie nahe und immer näher nun der Cillier dem Könige Sigismund, seinem künftigen Schwiegersohne in all dessen vielseitigen Händeln und politischen Geschäften trat, lässt sich leicht ermessen.

Eine so rührige, kräftige Persönlichkeit, kriegerisch und dabei in den diplomatischen Künsten vollkommen geschult, war dem planreichen Luxemburger willkommen.

Als dieser, voll Begierde nach dem Throne Böhmen's, seinen leichtgläubigen und charakterschwachen Bruder Wenzel das zweitemal zum Gefangenen machte (1402) und nach Oesterreich schaffen liess, übernahm der Cillier, damals Vormund seines Schwagers Johann von Schaunberg, den hohen Gefangenen, der dann zur Haft nach Wien abgeführt wurde [37]). Es war dies allerdings ein sonderbares Gegenstück zu jenem am Anfange desselben Jahres in Küttemberg zwischen Wenzel

gegen Ausfertigung des Heiratsgutes von 6000 Goldgulden auf alles Erbrecht; ausgenommen der Fall, dass das Cillier Geschlecht im Mannesstamme ausstürbe. Apostelen's Ind. 8, 174, nr. 45.

[36]) Die Quellen über diese Angelegenheit: Andreas Ratisbon. Cronica abgdr. in Höfler's scrr. rer. hussit. fontes rer. austr. I. A. 6. Bd. S. 432—433; Dlugosch hist. Pol. I Bd S. 166 (X. Buch). Nach diesem Geschichtschreiber vergoss Hermann II. Freudenthränen, als die polnische Werbung eintraf.

[37]) Vgl darüber Aschbach a a. O. I. 175; Palacky Gesch. Böhmens 3, 2, 217 s. u. Fessler Gesch. d. U. bearb. v. Klein, 2. Bd. 1869, S. 127 s.

und Sigmund in erheuchelter Brüderlichkeit vereinbarten Ge-
waltbriefe für Hermann von Cilli: er möge, kraft dessen, mit
den ihm verschwägerten Grafen von Ortenburg und den von
Görz über die Durchzugsfreiheit der luxemburgischen Kriegs-
völker nach Italien („gen Lamparten") Unterhandlungen
pflegen [38]).

K. Sigmund war, wie oben erwähnt, dankbar und bis zur
Verschwendung freigebig; aber er litt auch an ewigen Finanz-
nöthen, denen durch Verpfändungen der Krongüter und königlichen Ländereien abgeholfen werden musste. Beide diese Momente waren dem Hause Cilli, das über grosses Baarvermögen
gebot, ungemein vortheilhaft. Sigmund verlieh seinem künftigen
Schwiegervater das Banat von Slavonien, worunter man in Bezug der geographischen Grenzen das heutige slavonisch-kroatische
Königreich verstehen muss [39]); er bestätigte ihm die früheren
Schenkungen und verlieh ihm endlich die ausgedehnte Mur-
Drauinsel, die Muraköz, mit dem Vororte Tschakathurn — als
erbliche Pfandschaft, um die gewiss nicht übergrosse, aber an
sich nicht für jedes Grafenhaus erschwingliche Summe von
48.000—100.000 Goldgulden [40]).

Hermann von Cilli galt seither als der erste und vornehmste unter den weltlichen Magnaten der ungarischen Krone.

---

[38]) Die Urkunde d. v. 1. Jänner 1401, Kuttemberg. Apostelen's Index,
1, 110, 119, 1400, 14. Aug. Prag — belehnte K. Wenzel den Grafen
Hermann von Cilli und dessen männliche Erben mit dem Reichslehen, Burgherrschaft Rohrau Apostelen — 1, 119, 113.

[39]) Seit 1403, 1406 lässt sich mit Sicherheit die Banalwürde des Cilliers
urkundlich verfolgen. Fejér X, 4, 811—813 hat eine Urkunde im
Bruchstück, angeblich z. J. 1403; doch wechselt überhaupt der Titel
dieser Würde und deren Inhaberschaft. Nachdem die Gegenpartei des
Königthums Sigmunds unterlegen, war es diesem wohl um verlässliche
Grenzhüter im Süden zu thun.

[40]) Die Verpfändungsurkunde dat. v. 14 Mai 1405 und findet sich auszugsweise in tört. tär der Pesther Ak. d. W. IX. H. 49, nr. 120;
(Apostelen 8, 175, 51, bietet eine Bestätigungsurkunde des Kapitels
von Chasma, worin von 100.000 Goldgulden die Rede ist). Vgl Katona XI, 109; Fejer X, 4, 470 .... Samabor's Verpfändung an die
Cillier wurde 1409 3. Sept. erneuert.

Die Zeugenstellung in den gleichzeitigen Urkunden bestätigt dies. — So erscheint in der Vollmacht K. Sigmund's Anfangs Oktober 1405 für die Abgesandten und Vertreter seiner Krone in den Unterhandlungen mit dem Polenreiche, Hermann's Name an erster Stelle, vor dem des Palatins Niklas Gara [1]).

Es war dies zu einer Zeit, wo der wüste Thronkampf in Ungarn ausgetobt, der neapolitanische Prätendent Ladislaus sein Spiel aufgegeben hatte und die starke Malcontentenpartei unter Bebek's und Debrö's Führung gedemüthigt worden war. Der Pole Stibor, Wojwode Siebenbürgens, die Gara's, die Frangepani von Veglia-Modrusch und die Cillier bildeten die vornehmsten Säulen der königlichen Partei.

Graf Hermann II. hat nicht wenig dazu beigetragen, dass der Thronkrieg von 1402—4 für den Luxemburger günstig ausschlug und mit dessen allgemeiner Anerkennung als Herrscher Ungarns endigte [2]). Zwischen 1406—1408 kam es zum Vollzuge der Ehe mit Barbara und die Stiftung des Drachenordens weihte gewissermassen diesen Bund ein, dem häusliches Glück fremd bleiben sollte. Unter den Rittern des Ordens, welcher die königlichen Getreuen zu Schutz und Trutz verband, steht der Cillier Hermann voran, als Erster der Magnaten [3]).

Zur Zeit, als Barbara, das schöne, üppige und freigeistige Weib, die Gattin des Luxemburger wurde, hatte ihre Schwester Anna bereits manches Ehejahr hinter sich, da sie schon 1405 den Palatin Niklas von Gara geheiratet [4]). Elisabeth war seit 1400 dem Grafen Heinrich IV. von Görz verlobt [5]). Bald darauf

[1]) S. tört tár 9. Bd. S. 49, nr. 118.
[2]) Vgl darüber Aschbach's Werk ü. K Sigmund.
[3]) Ueber diese Heirat und deren Zeitpunkt s. m. Abh. ü. die ztg. Q z. G. d. Gfn. v. Cilli a. a. O., Note 20. Seit 1406 nennt Sigmund den Grafen von Cilli regelmässig seinen Schwiegervater. Die Stiftungsurkunde des Drachenordens b. Fejér X, 4, 682—693. Zunächst erscheint Stephan, Despot von Rascien und gleich nach ihm Hermann II. comes Cilie et Zagorie und dessen Erstgeborner Friedrich II.
[4]) S. o. Note 35.
[5]) Vgl Fröhlich's Geneal., Coronini, Wassermann ....

erscheint urkundlich Elisabeth, aus dem reichen Hause von Abensberg, als Gemahlin des zweitgebornen Sohnes, Hermanns III. [46]). Viel früher muss, wie oben angedeutet, der Erstgeborne, Friedrich, seine Ehe mit der von Veglia-Modrusch vollzogen haben [47]).

Es fehlte dem Altgrafen von Cilli nie an Gelegenheit, seinem Schwiegersohne wichtige diplomatische Dienste zu leisten, und ihre Bedeutung musste in dem Maasse wachsen, je mehr Kronen und Geschäftslasten der Luxemburger Sigmund sich erwarb und aufbürdete. 1410 von einer Partei zum deutschen Könige gewählt, verstand sich Sigmund zu behaupten und das Glück verschaffte ihm 1411/1412 die Anerkennung als alleiniges Oberhaupt des deutschen Reiches. So war der Cillier Schwiegervater des Königs von Ungarn und Deutschland geworden und diesem stand, im Falle, dass sein kinderloser Bruder Wenzel starb, eine dritte Krone, die böhmische, in Aussicht.

Im Herbste des Jahres 1409, als die Händel in Friaul, die Streitigkeiten um das Patriarchat Aquileja in voller Heftigkeit beharrten, bevollmächtigte K. Sigmund den Cillier zu Unterhandlungen mit dem hervorragenden Parteimanne, Tristan Savorgnano [48]).

Als die Reibungen mit Polen um das Jahr 1410 wuchsen, der Heereszug A. 1411 schon eine beschlossene Sache schien — anderseits aber der Krieg mit Venedig vor der Thür stand und die ungetheilten finanziellen und militärischen Kräfte K. Sigmunds in Anspruch zu nehmen drohte, — kam es zu friedlichen Verständigungen des Luxemburgers mit dem Jagellonen Vladislav.

Die beiden Herrscher trafen im März 1412 zusammen; der ungarische König zeichnete seinen hohen Gast in prunk-

---

[46]) 1407, 13. Aug. erscheint urkundlich bereits Gräfin Elisabeth von Abensberg als Gräfin von Cilli. Stülz, Gesch. der Schaunberger, Regg. nro. 745.

[47]) S. o. den Text u. Note 16.

[48]) D. Urk. Auszug im tört. tár. X. S. 151, nr. 125, 1409, Ofen, 4. Sept. Vgl. Manzano, Ann. del Fr. VI. Bd. z. J. 1409.

vollster Weise aus. Ueberall war da unser Cillier dem Luxemburger zur Seite. In dem Lublauer Bundesbriefe beider Könige v. 15., 16. März 1412 steht sein Name der erste in der Reihe der weltlichen Zeugen und in der zweiten Urkunde erscheint er neben dem Primas von Gran und dem Palatin Ungarns als einer der drei Bürgen der Uebereinkunft[49]). Die beiden Könige zogen mit glänzendem Gefolge vom Fusse der Zipser Tatra nach Kaschau, von da in das Rebengelände der Hegyallya, nach der Königspfalz von Diosgyör bei Erlau; über Erlau sodann nach Ofen, wo glänzende Festlichkeiten einander drängten. Bald aber, nachdem der Polenkönig heimgekehrt war — im Hochsommer des gleichen Jahres — brach Sigmund mit 40.000 Mann zum Kampfe gegen Venedig auf und zog über Stuhlweissenburg, Agram, Laibach und Görz auf den Friauler Kriegsschauplatz, mit ihm der Cillier.

Im nächsten Frühjahre (1413) ward der König des Krieges müde, denn die Zähigkeit des Widerstandes der Signoria und anderweitige Sorgen kreuzten die Kriegslust des Luxemburgers.

Die Behebung des päpstlichen Schisma's, die Dringlichkeit der Kirchenverbesserung, die hussitischen Religionshändel — sämmtlich Dinge von weitgreifender Bedeutung, machten Unterhandlungen mit den drei Päpsten und die Einberufung eines allgemeinen Concils nothwendig. — So war denn auch wieder der vornehmste Vermittler der Waffenruhe mit den Venetianern, Graf Hermann von Cilli. Er begab sich Mitte April aus dem königlichen Lager unweit Udine nach Capodistria, um mit den Abgesandten der Signoria über die Präliminarien schlüssig zu werden. Die eigentliche Friedenshandlung sollte in Triest vor sich gehen[50]).

K. Sigmund, einer der vielgeschäftigsten und reiselustigsten Herrscher aller Zeiten, zog von Friaul nach Tirol, von da nach Graubündten und über Bellinzona den alten Reichsweg

---

[49]) Fejér X, 5, 279 –285. Dlugosch XI. Buch S. 325.
[50]) Manzano a. a. O. 252, 254.

in die Lombardei. Zu Lodi traf er mit dem Papste zusammen und hier ward das Concil nach Kostnitz, in die alte Reichsstadt am Bodensee, ausgeschrieben. Sodann begab sich der König im Sommer des J. 1414 aus Italien in die Schweiz, von da über Strassburg an den Rhein bis Aachen uud von da gegen Ende des Jahres zurück an den Oberrhein, in die Concilstadt Constanz, wo Sigmund mit glänzendem Gefolge den 24. Dezember, am Weihnachtstage, seinen Einzug hielt.

Wir wissen nicht, ob der Graf von Cilli seinem königlichen Schwiegersohne auf dessen weitwendigen Reisen das Geleite gab; so viel aber ist sicher, dass sich im Gefolge Sigmunds und seiner Gattin Barbara nach Constanz Graf Hermann II. und sein Erstgeborner, Friedrich II. befanden. Ihrer gedenken als vornehmer Gäste in der Concilstadt die gleichzeitigen Quellen und spätere wissen von dem Turniere zwischen dem Junggrafen von Cilli und Herzog Friedrich von Tirol zu erzählen, in welchem jener den Sieg davon getragen habe. Es war dies jenes Waffenspiel, woran sich die verhängnissvolle Flucht Papst Johannes XXIII. aus Constanz knüpfte (20. März 1415) [51]).

Viele Wochen weilten somit die Cillier am Gestade des Bodensees und noch im April bestätigen Urkunden ihre dortige Anwesenheit. Ob Altgraf Hermann II. erst Mitte Juli mit seinem k. Schwiegersohne Constanz verliess, bleibt fraglich.

Die nächsten Jahre brachten vielerlei Geschäfte, Erfolge und Kränkungen.

Wir hören im Spätherbste des J. 1417 von Rüstungen zu einem neuen Kriege, welche der Graf von Cilli und Pippo Solari, Graf von Ozora, Sigmunds Günstling und Feldherr im

---

[51]) S. z. B. das „Ticht von Konstenz" des glchz. Thomas Prischuch von Augsburg in Höfler's scrr. ser. huss. fontes VI. Bd. der I. A. S. 373 — 374 und Labbé Acta concil. XVI. Bd. S. 1407 ff. 1428, 1428. Das angebliche Turnier zwischen Friedrich von Cilli und dem Tiroler Herzoge s. in Fugger's Ehrensp. h. v. Birken S. 418 und Tschudi's Chronik II. 9. Buch 6 — 7; irriger Weise wird der Name Hermann statt Friedrich angeführt.

venetianischen Kriege, zu besorgen hatten. Es blieb aber bei diesen kriegerischen Gerüchten [52]). In diesem Jahre traf den Altgrafen ein herber Verlust, der Tod seines dritten Sohnes Ludwig, dem in erster Linie das Ortenburger Erbe in Aussicht stand [53]) und der war nicht so leicht zu verschmerzen, als dies bei der unliebsamen Kunde von dem ehelichen Zerwürfniss zwischen K. Sigmund und seiner Gattin, Hermann's Tochter, zwei genussüchtigen Naturen, der Fall sein mochte. Denn dies Zerwürfniss, das allerdings 1419—1420 eine längere Verbannung der Gattin und schuldlosen Tochter des Königs nach Ostungarn, unter den drückendsten Verhältnissen, zur Folge hatte, zeigt sich um 1421 wieder beglichen [54]). Es war dies zur Zeit, als die Verlobung und Heirat der Königstochter Elisabeth mit Herzog Albrecht V. von Oesterreich dem Abschlusse nahe war, wobei Hermann als Grossvater der Braut den hervorragendsten Unterhändler und Bürgen abgab [55]).

Aber gerade jetzt, wo wir den Länderbesitz des Hauses in fortwährendem Steigen erblicken, so vor allem durch das Aussterben der Ortenburger, womit ihr schönes Erbe in Kärnten und Krain, in letzterem besonders die Gotschee an ihre Verwandten die Cillier gedieh [56]), so dass sie sich fortan Grafen von Cilli, Ortenburg und im Seger schrieben, gerade jetzt, wo das Ansehen Hermann's II. und seines Hauses im Höhepunkte stand, brach über dasselbe eine Familientragödie herein, die den tiefsten Schatten auf all' diesen äusseren Glanz wirft.

---

[52]) S. Aschbach a. a. O. II. 445. Ueber den Friauler Krieg s. Manzano VI. 284.

[53]) Vgl. Frölich's Geneal. S. 100.

[54]) Vgl. darüber m. Abh. im 8. Jahrg. der Btr. z K. st. G. Note 22.

[55]) Vgl. Aschbach II. 393, 3. Jänner 1418.

[56]) Ueber das Aussterben der Ortenburger vgl. Hermann's Gesch. Kärntens I. 127 f. Apostelen hat eine Urkunde (I, 117) verzeichnet, wornach K Sigmund bereits 1420, Mittwoch nach Mathiä, also den 28 Februar, seinen Schwäher Hermann von Cilli mit der Grafschaft Ortenburg belehnte. Dies muss also eventuell geschehen sein, denn der letzte Ortenburger starb 29. März d. J. S. Cäsar Ann. duc. St. III. 403.

Friedrich, der Erstgeborne, hatte dem Wunsche des Vaters gemäss eine Tochter des reichen und mächtigen Grafen von Veglia-Modrusch, eine Frangepani, geehlicht.

Aus der Ehe war zu Anfang des 15. Jahrhundertes, jedenfalls vor 1406 ein Sohn, Ulrich II., der Letzte der Cillier, entsprossen [57]).

Ob die Ehe glücklich begann, ob sich anfänglich die Standesheirat mit aufrichtiger Neigung des Gatten knüpfte, wissen wir nicht, aber so viel ist gewiss, dass die zweite Hälfte des ehelichen Lebens höchst unglücklich schloss.

Graf Friedrich war eine leidenschaftlich und sinnlich angelegte Natur. Als er die Tochter eines ärmeren kroatischen Edelmannes, Veronika von Deschnice (Teschenitz) [58]) — wahrscheinlich unter den Dienstfräuleins seiner Gattin — kennen lernte, entzündete die Schönheit dieses Weibes die starken Begierden des Grafen. Wir wissen nichts Bestimmtes über die Reize der schönen Kroatin, nur die Ueberlieferung spricht von ihrem blonden Haare und so wäre denn schon darin ein Art Seitenstück zur unglücklichen Agnes Bernauer gefunden. Friedrich war kein Jüngling mehr, er hatte längst schon die Schwelle des reiferen Mannesalters überschritten, wir müssen ihn mindestens als hohen Vierziger denken. Aber gerade den reiferen Mann voll starker sinnlicher Triebe erfasst, wie die Erfahrung lehrt, eine solche Leidenschaft mächtiger, verzehrender, wie dies in Jugendjahren der Fall ist und es scheint, dass Veronika sich den Bewerbungen des Grafen nicht leichtfertig ergab und eben desshalb die Leidenschaft desselben verhängnissvoll erhöhte.

---

[57]) Aeneas Sylvius hist. Frid. ed. Kollar Annal. mon. II. 468, hist. Boh. 66. cap. nennt den letzten Cillier, als er ermordet wurde, einen Fünfziger, und das geschah 1456.

[58]) Eberh. Windeck 129. Cap. nennt sie nicht mit Namen, sondern spricht nur von ihr als einem „Sloffweibe" des Grafen Friedrich. Aeneas Sylvius: de situ Eur. cap. 17 kennt den Namen Veronika. Hauptquelle ist da die Cillier Chronik 10. 11. 12. Cap b. Hahn 681 - 686; Cäsar 47 61. Doch bietet Eberhard Windeck höchst wichtige Ergänzungen

Acht Jahre, sagt eine zeitgenössische Quelle, wenn wir ihr trauen dürfen [59]), habe sich unter solchen Verhältnissen das eheliche Zerwürfniss der beiden Gatten, Friedrich und Elisabeth, fortgeschleppt und der Cillier, der bereits vom Vater einen besonderen Hofhalt und Güterbesitz ausgewiesen erhalten — sein Weib vollständig gemieden, als die beiderseitige Verwandtschaft, um dem Aergerniss zu begegnen, eine Aussöhnung bewirkte. Es war ein Scheinvergleich, von dem die Herzen nichts wussten; die Gräfin soll ihre Todesahnung am Tage des Ausgleiches offen ausgesprochen haben [60]). Nächsten Morgens fand man sie todt im Bette und alle Welt sprach davon, der Graf sei zum Mörder seines Eheweibes geworden. Jedenfalls vermochte er nicht die Beschuldigung zu widerlegen [61]). Dieses grause, noch immer nicht aufgehellte und wohl auch nie vollständig aufklärbare Ereigniss war der Vorbote eines zweiten, der geheimen ehelichen Verbindung mit Veronika von Deschnic. Eberhard von Windek, der zeitgenössische Geschichtschreiber und Diener K. Sigmunds, kennt sie nur als „Slofweib" d. i. als Concubine des Grafen; die Cillier Chronik und das Geiracher Todtenbuch lassen aber die nachträgliche geheime Ehe nicht bezweifeln [62]).

Nach diesen Quellen hätten wir die Katastrophe um 1424 anzusetzen, was sachlich auch besser passt als das Jahr 1422 — in welchem, wie wir wissen, Altgraf Hermann II. seinen königlichen Schwiegersohn zum Congresse mit K. Vladislav von Polen nach Käsmark in der Zips begleitete [63]), wie das aus der Cillier Chronik hervorgeht.

[59]) Eberhard Windeck a. a. O.

[60]) Ebenda — „ich weis woll, das man mich morgens bei meinem hern tot vindet".

[61]) Die Cillier Chronik sagt: das allgemeine Gerücht habe den Grafen Friedrich als Mörder bezeichnet. Auch das Weitere spricht dafür.

[62]) Im Geiracher Todtenbuche, dipl Styrie I. S. 332 heisst es: 17. Okt. D. Veronica comitissa Ciliae.

[63]) Eberhards von Windeck Zeitangabe über die Anklage des Cilliers in Ofen durch den Vetter der Ermordeten ist zu genau, als dass sich daran, also an dem Jahre 1424, zweifeln liesse. Anderseits lässt sich

Der Altgraf hätte vielleicht dem Sohne den Mord seiner Gattin eher verziehen als die geheime Ehe, tief unter dem Range, nach Hermanns stolzen Begriffen; eine Ehe, der ein Verbrechen voranging. — Friedrich mochte wohl das Schlimmste, namentlich für Veronika, befahren, darum barg er sie vor dem Zorne des Altgrafen —— und entwich an den Hof seines königlichen Schwagers nach Ofen, bis der erste Sturm des väterlichen Zornes sich gemildert haben würde [64]). Hier aber trat ihn der Neffe der ermordeten Frau, Hans von Veglia-Modrusch, als öffentlicher Ankläger und Familienrächer entgegen und forderte ihn zum Zweikampfe, obschon, wie er sagte, der „Bettmörder" seines Eheweibes, eines solchen Kampfes eigentlich unwürdig sei [65]). Es gab eine für K. Sigmund und seine Gattin höchst peinliche Scene. Der Zweikampf wurde hintertrieben und der vornehmste Gast des Hoflagers, K. Erich von Dänemark sollte den bösen Handel richten [66]). Wir erfahren über diese Richtung nichts, wohl aber bekam das Weitere dem Junggrafen von Cilli übel. Er wurde von seinem königlichen Schwager als Verbrecher in eiserne Bande geschlagen an den zürnenden Vater ausgeliefert [67]). Dieser warf den Ungerathenen in festes Gewahrsam auf der Burg Ober-Cilli und war entschlossen dem Erstgebornen all seine Besitzungen und Rechte zu entziehen [68]). Um diese Zeit hatte der zweitgeborne Sohn Hermann III. nach dem Tode seiner Gattin aus dem Hause Abensberg eine zweite Ehe geschlossen, die den Wünschen des Altgrafen vollkommen entsprechen musste.

---

schwer annehmen, dass, wenn 1422 die Ermordung der Gräfin stattfand, zwei Jahre darüber verstreichen konnten. Ueber den Käsmarker Congress s. Aschbach III. S. 178.

[64]) Diese Combination liegt nahe, wenn man den chronologischen und pragmatischen Zusammenhang der Vorfälle im Auge behält.

[65]) S. E. Windeck a. a. O.

[66]) Sigmund kehrte von der neuen Hochzeitsfeier Wladislaws von Polen im Mai 1424, vom Dänenkönige Erich begleitet, nach Ofen heim.

[67]) Cill. Chr. Hahn 683—684, Cäsar 49.

[68]) Von 1424—1429 verschwindet Graf Friedrich aus den Cillier Urkunden. Erst s. 1429 wird er wieder genannt.

Er ehelichte nämlich die Tochter des Herzogs Ernst von Baiern, die Wittelsbacherin Beatrix [69]).

Was lag näher als der Gedanke, den Erstgebornen ganz auszuschliessen und Hermann III. die ganze Erbschaft zuzuwenden.

Aber bald traf den Altgrafen ein harter Schlag, der seine Entwürfe kreuzte.

Sein zweitgeborner Sohn Hermann III. starb eines plötzlichen gewaltsamen Todes. Unweit Radmannsdorf, im Krainer Lande, stürzte er vom Pferde und verschied alsbald (1426, 30. Juli), in der Vollkraft der Jahre [70]). Er hinterliess keinen Sohn, nur eine Tochter Margarethe, die um 1430 den Grafen von Montfort-Pfannberg ehelichte und als letzter weiblicher Sprössling des Hauses Cilli, zum zweitenmale, mit dem Herzoge von Glogau-Teschen, vermält und abermals Witwe geworden, starb [71]).

So stand denn die ganze Cillier Erbschaft auf vier Augen. Auf dem Erstgebornen, dem der Vater noch nicht verziehen und auf dem Enkel Ulrich, Sohne Friedrichs und der unglücklichen Elisabeth, ruhte die Zukunft des Cillier Hauses. Das mochte den eisernen Sinn des Altgrafen mürber machen, um so mehr, als mit dem Testamente Stefans Tvartko, des Königs von Bosnien (v. 2. Sept. 1427), eine neue bedeutsame Aussicht, ein Thron in den Süddonauländern, winkte. Dies Testament bestellte nämlich zu Erben des Reiches Hermann II. als Sohn einer bosnischen Prinzessin und dessen Nachkommenschaft [72]).

Aber nicht so rasch konnte der Altgraf die Schmach vergessen, die sein Sohn auf sich gehäuft hatte. Vielleicht gedachte er, mit Umgehung Friedrichs, dessen heranreifenden Sohn Ulrich, Hermann's II. Enkel, zum Erben zu bestellen.

---

[69]) Der Heiratspakt mit der Wittelsbacherin, Tochter H Ernst's, Pfalzgrafen, b. R. d. v. 4. Febr. 1424, Salzburg. Apostelen 8, 177.

[70]) Der Tod Hermann's III. vor 1427, also wohl 1426 steht fest. Vgl Frölichs Genealogia S. 97.

[71]) Der Erbschaftsverzichtbrief Margaretha's, T. Hermann's III. als Gattin des Montforters d. v. 5. März 1430. Apostelen 8, 178—479.

[72]) Vgl Aschbach III. S. 273.

Zählte doch Ulrich schon mindestens 17—18 Jahre und erscheint um 1428 urkundlich als Verleiher eines Dorfes an das Lieblingsstift des Grossvaters, Plettriach in Krain; Ausdrücklich wird diese Ortschaft als Erbe seiner Mutter bezeichnet und erwähnt, sein Vater Friedrich habe sie bereits dahin vergabt. So scheint es denn, als träte Ulrich II. an die Stelle seines Vaters[73]).

Doch die verwickelte Sachlage nahm einen andern Ausgang. — Je mehr die Sorge des Altgrafen um sein Haus wuchs, desto furchtbarer ward seine Erbitterung gegen Veronika von Deschnic. Ihr wurde alle Schuld des Unheils aufgelastet; der Altgraf ruhte nicht, bevor er dieses Opfer seines Grimmes in Händen hatte. Mit ergreifender, schlichter Lebendigkeit berichtet die Cillier Chronik den Schluss der Cillier Familientragödie[74]). Mit kleinem Dienergeleite irrt Veronika von einem Zufluchtsorte zum andern, um den Verfolgungen des Altgrafen zu entgehen; selbst in Wäldern sucht sie ein zeitweiliges Versteck. Doch die Späher des Altgrafen entdecken sie endlich und zerren sie aus dem letzten Zufluchtsorte bei Pettau hervor. Nun ist sie in der Hand des unversöhnlichsten Feindes. Sie soll den Tod finden, aber verurtheilt als Hexe, Zauberin, die mit unlauteren Künsten den Sinn des Junggrafen Friedrich berückt habe.

Der „Vorsprech" oder Sachwalter wusste jedoch das Nichtige solcher Anklage so klar zu machen, dass die Richter über die Angeklagte das Nichtschuldig sprachen. Es gehörte Herz und Mannesmuth zu solchem Urtheil, denn der allmächtige Grundherr wollte um jeden Preis die Verurtheilung des blind gehassten Weibes in dieser Form, um die Schmach von dem bezauberten Sohne auf die ränkevolle Zauberin zu wälzen. Als dieser Streich fehlschlug, gab es nur ein Mittel, die Rachelust des Altgrafen zu stillen, Veronika's Tod. Sie wurde zu

---

[73]) Graf Ulrich von Cilli widmet dem Kl. Pletriach das Dorf Wraslasdorf in der Metlik, wie es sein Vater Friedrich gewidmet. 1428 ... (Orig : landsch. Arch. 5175) Als Zeuge erscheint Altgraf Hermann.
[74]) Cill. Chr. b Hahn S 683—685 Cäsar c. 49—51.

9

Österwitz, auf der Cillier Veste des Santhales, im Bade ertränkt. Den 28. Oktober „starb Veronika die Gräfin von Cilli" heisst es wortkarg im Todtenbuche der einstigen Karthause von Geirach [75]) in Untersteier, wohin Graf Friedrich nachmals die Reste des heissgeliebten Weibes beisetzen liess. Das Jahr ist nur vermuthungsweise auf 1428 zu setzen. Wenigstens stimmt es am besten mit der Chronologie der anderweitigen Ereignisse.

Das war das Ende der steiermärkischen Agnes Bernauer. Sie büsste wohl fremde Schuld und als habe das Geschick dies Sühnopfer begehrt, um dann gesättigt einzulenken, — verwirklicht sich auch bald die Aussöhnung zwischen Vater und Sohn, dessen schwere Erkrankung in der Kerkerhaft — „vor Herzleid" sagt die Chronik — den Altgrafen auch milder stimmen musste. Es scheint, als habe der Einfluss K. Sigmunds, vielleicht Barbara's Fürsprache, dem Gefangenen die Kerkerthüre geöffnet, — wenn nicht der Ausspruch des Arztes, diese Haft würde tödtlich enden, das seinige gethan. Nach der Cillier Chronik habe K. Sigmund für den Schwager die Statthalterschaft im fernen Burzenlande Siebenbürgens ausersehen. Graf Friedrich sei jedoch zu spät bei dem Könige eingetroffen und die Würde bereits vergeben gewesen [76]). Urkundlich wissen wir, dass Graf Friedrich den 29. April 1429 zu Pressburg „wegen seiner vielen Verdienste um die Krone" das Schloss Krupa in Slavonien zu erblichen Besitz erhielt [77]). Er sei dann aus Ungarn heimgekehrt; der Vater jedoch nicht sogleich bereit gewesen, ihm die entzogenen Güter und Schlösser zurückzugeben. Zwei Jahre habe er in einer Art Verbannung in Radmannsdorf verlebt [78]) und sei dann entschlossen gewesen, eine Pilgerfahrt nach Rom zu unternehmen, offenbar zur Sühnung

---

[75]) S. o. Note 62.

[76]) Cill. Chr. — Hahn 685 - 6. Cäsar 51 - 52.

[77]) 1429, 29. April, Pressburg — K. Sigmund schenkt wegen s. vielen Verdienste (ob multiplicia ipsius merita) — dem Grafen Friedrich das castrum Cruppa. - - (Apost. 8, 179 nro. 65.)

[78]) Cill. Chr. a a. O.

schwerer Schuld. Aber auf der Fahrt gerieth er in die Gefangenschaft des Markgrafen von Ferrara und musste aus derselben von seinem Schwager, Grafen Heinrich von Görz, gelöst werden [79]).

Der Lebensabend Hermann's II. nach dem furchtbaren Gewitter, das sein Haus heimgesucht hatte, lässt sich in kurze Daten zusammenfassen. Es fehlte nicht an äusserem Glücke, aber der tiefe Missklang in der Familie liess wohl ein behagliches Zusammenleben nicht aufkommen. 1430 den ersten Mai erhob zu Pressburg K. Sigmund die drei Grafen von Cilli: Hermann II., Friedrich II. und Ulrich II. in den Stand der ungarischen Reichsbarone [80]). So treten die Cillier immer mehr in den Kreis der Interessen Ungarns und dahin neigt sich der Schwerpunkt ihrer politischen Bedeutung. Das slavonische Banat Hermann's II., die eigenthümlichen Befugnisse und Ansprüche, welche die Cillier fortan dem Agramer Bisthum gegenüber festhalten, ihr Streben, in dem slavonischen Gebiete die tonangebende Rolle zu spielen — findet seine Ergänzung in den Ansprüchen auf das bosnische Reichserbe und in der gewiss noch in Hermann's II. Tage fallenden Verbindung seines Enkels Ulrich II., des letzten Cilliers, mit Katharina, der Tochter des Fürsten Georg Brankovics von Serbien [81]). — So kommt es, dass ein vom Hause aus deutsches Adelsgeschlecht, das allerdings mit dem Hauptkerne seiner Besitzungen in der windischen Steiermark wurzelte, in die Geschicke der südlichen Slavenwelt verflochten erscheint, ohne dass jedoch seine nationalslavische Tendenzpolitik nur im geringsten erweislich wäre. Eine solche war damals an sich unmöglich, doppelt unmöglich bei den Cilliern, welche bis zu ihrem Erlöschen den Grundzug

---

[79]) Ebenda.

[80]) Urk. d. 1. Mai, 1430 Pressburg. Chmel's Mater. S. 16.

[81]) Dies scheint daraus ersichtlich, dass der Tod der beiden Söhne Ulrich's II., Georg's und Hermann's um 1444 – 1452, ja nach einer allerdings schlechten Variante, der Cillier Chronik i. J. 1423 — 1434 sich ereignete. Ueberdies zählte ja Ulrich II., als der Grossvater starb, mindestens 29 Jahre und die Cillier säumten mit der Ehe nicht.

deutschen Wesens nie verläugnen, es war eine rein territoriale Frage, die die Cillier im Süden der Donau zu lösen sich anschickten.

Aber diese Lösung fand auch bedeutende Gegner. In Slavonien war man auf die Banalgewalt Hermanns II. nicht gut zu sprechen. Mächtige Familien betrachteten den Machtaufschwung der Cillier nicht ohne Eifersucht, so z. B. die Blagaj, deren Fehden mit den Cilliern sich über die Zeiten Hermann's II. ausdehnten [82]); später das Haus der von Thallócz. Aber auch die verschwägerten Frangepani, die Herren von Veglia-Modrusch, waren solchen Regungen nicht ganz fremd. Einen kitzlichen Punkt bildete auch die Amtsgebahrung des Cilliers als Banus. Er scheint ein Freund strammen Regimentes gewesen zu sein. Jedenfalls ist eine Urkunde v. J. 1427 höchst bedeutsam. Darin erklärt K. Sigismund, Graf Hermann, sein Schwiegervater, führe Beschwerde über die Beschuldigung, dass er als Banus Gewaltmassregeln gegen Adelige und Nichtadelige sich habe zu Schulden kommen lassen, insbesondere wider die Blagaj und bitte für jeden Fall um den Schutz und Schirm des Königes, den dieser ihm auch gewährte. — Ueberdies grollten so manche ungarischen Reichsstände der ungemeinen Bevorzugung des Hauses der Cillier durch den König [83]). Die pfandweisen Vergabungen Warasdins und der Muraköz erschienen als parteiische Verschleuderungen auf der einen und unverdiente Bereicherungen auf der andern Seite. So grosses Glück musste auch eben so grosse Neider finden und mancher Vorwurf war da nicht unbegründet. Unter anderem erscheint auch das Verhältniss der Cillier zum Agramer Bisthume unklar und streitig [84]). K. Sigismund wusste jedoch, welche Stütze

---

[82]) 1427, 16. Febr. Taidungs- und Ausgleichsurkunde zwischen Niklas, Ladislaus u. Anton Gebrüdern von Blagaj, und Hermann von Cilli, Ban von Slavonien. (Apostelen 8, 327, 9).

[83]) Urk. d. 13. April, Földvár. Apostelen 8, 236, 66. tört. tár IX. S. 139—140; nr. 99.

[84]) Es war ein Vögtei-, Patronats- und Coadjuturs-Verhältniss. Vgl. u. Anderem die Urkunde v. 4. April 1425, wonach das Agramer Dom-

er an Hermann II. fand, er wusste, dass die Cillier durch das starke Band der Interessen an ihn gefesselt seien, darum begünstigte und schützte er sie auch. — An Streitigkeiten mit dem Hause Habsburg fehlte es auch nicht, ihr Keim war schon durch die oben angedeutete reichsgräfliche Sonderstellung der Cillier s. 1341—1372 gegeben. Die Habsburger gaben wohl 1372 ihren Willebrief dazu, aber in ihren Augen blieben die Cillier dennoch Lehens- und Dienstmannen Habsburgs in Steiermark, Kärnten und Krain und das waren sie denn auch wirklich. So mussten sich denn in diesem gemischten streitigen Verhältnisse Zwiste und Händel vorbereiten, wie solche zu Ende des 14. Jahrhunderts zwischen den mit Cilli verschwägerten Schaunbergern in Oberösterreich und den Habsburgern ausgefochten wurden. Spuren jener Streitigkeiten treten in der Epoche Herzog Ernst's des Eisernen (1406—1424) und in den Tagen Herzog Friedrichs IV. (1424—1436) uns vor Augen [85]). Schon die langwierigen Streitigkeiten mit dem Kloster St. Paul in Kärnten, mit dem Gurker Bisthum, dessen Lehensträger die Cillier waren, mit Bamberg, dem in Kärnten so reich begüterten Hochstifte — boten zugleich Anlässe zu Konflikten mit den Habsburgern [86]). Das Verhältniss der Cillier und Habs-

---

kapitel den Grafen Hermann v. Cilli zum „Bruder“ und „Genossen“ aufnimmt (Apostelen 8, 178, 62). Unter Grafen Friedrich II. kam es zu immer verwickelteren Streitpunkten in Hinsicht des Einflusses der Cillier auf das Bisthum.

[85]) Vgl. den belehrenden Abschnitt über die Cillier im I. Bde. der Gesch. K. Friedrichs IV. und Maximilian's von Chmel. —1425, 25. Febr. Wien. Compromiss zwischen Herzog Friedrich von Oesterreich und Albrecht V., ausgetragen in Hinsicht der Streitigkeiten Friedrichs mit dem Grafen Hermann v. Cilli und dessen Fehde mit Bamberg. 1430, 24. Febr 1432, 20. Juni, Cilli; 1433, 6. Jänner. 1438, 15. April Verträge zwischen Herzog Friedrich dem ältern, H. Friedrich dem Jüngern (V.) auf der einen und Hermann II. und seinem Hause auf der andern Seite, über frühere Streitigkeiten, Güter und Erbverhältnisse. (Apostelen 8, 237—38; nr. 70 -72 u. Chmel an. O. 1 S. 149 Bezüglich der Reibungen unter H. Ernst d. E. s. w. u. n. 86.)

[86]) Ueber die Streitigkeiten mit S. Paul — s. die Notizen zu den J. 1408, 1416, 1421 . . in den Stiftsannalen, veröff. auszugsweise v.

burger wird gewissermassen zu einer elektrischen Spannung, die sich dann nach Hermann's II. Tode der äussersten Grenze näherte und in stärkeren Schlägen entlud.

Im Jahre 1433 wurde sein Schwiegersohn, seit 1419 Erbkönig Böhmens — wenn gleich als solcher erst 1435 nach dem Austoben der Hussitenkriege allgemein anerkannt, — mit der Kaiserkrone geschmückt und sein Enkel Ulrich darf schon, wie gesagt, bei Lebzeiten des Grossvaters, als Gemal der serbischen Fürstentochter Katharina gelten, deren Schwester im Harem Sultans Murad eine bevorzugte Stellung einnahm [87]).

Immer höher mochten sich die Blicke des Altgrafen schwingen, wenn er die glänzenden Verwandtschaften seines Hauses und die Fülle von Gütern in der Steiermark, in Kärnten und Krain, in Ungarn, Slavonien, in Ober- und Nieder-Oesterreich überschaute [88]).

Er befand sich eben bei seinem kaiserlichen Eidame zu Pressburg, als ihn, den geistig rührigen und körperlich noch immer nicht gebrochenen Mann — der Tod — im hohen Greisenalter, den 13. Okt. 1435, ereilte [89]).

Ankershofen im 3. J. des Arch. f. G. Kärntens 1856. S. 22—23 . . 1408 bot Herzog Ernst den Landeshauptmann Welser gegen die Cillischen, unter dem Mautenberger Vogte, Ott Pergauer, auf. Von der Fehde mit Bamberg handelt die oben citirte Urkunde v 24. Febr. 1430; vgl. die v. 25. Febr. 1425 n 85.

[87]) Von der Verwandtschaft der Cillier mit dem Sultan Amurath handelt die Stelle der Cillier Chr. b. Hahn 710.

[88]) Diese Güter finden sich, allerdings für die Zeit des Aussterbens der Cillier, in der Cillier Chronik b. Hahn S. 746—747; Cäsar 142—143 verzeichnet. Die Hauptbestände waren bereits unter Hermann II. beisammen. 1394 z. B. erscheint auch als Besitzer von Mödling (Medlich) in N. Oe. Hermann II. (s. die Urk. in den fontes rer. a II. A 16. Bd S. 387—88) 1411—1412 Uebereinkünfte Hermann's II. als gewesenen Vormundes seines Schwagers, Hanns von Schaumberg, über eventuelle Erbanfälle; s. Stülz über die Schaunburger im XII Bde. der Denkschrr. hist. ph. S. Regg. z. den J. 1411—1412.

[89]) Cillier Chronik b. Hahn 686—688, Cäsar 52—54, nur ist das Jahr 1434 unrichtig statt 1435 angesetzt. Die Urkunde v. J. 1435 b Katona XII. 690.1 ist dafür entscheidend.

Die Leiche wurde in seiner Lieblingsstiftung, in der Karthause Neustift zu Pletriach, im Krainer Lande, beigesetzt.

Graf Hermann II. war kein karger Gönner der Kirche.
Dies beweisen seine frommen Stiftungen, die vor Allem dem
Karthäuser- und Minoritenorden sich zuwandten und es fehlte
auch nicht an Anerkennungen dieses kirchlichen Sinnes in so
mancher geistlichen Urkunde [90]).

Die Zeit, welche so viele Denkmale der Vergangenheit
zerstört, oder in unnahbaren Verstecken geborgen hält,
schonte doch einer historischen Quelle — bei allen Mängeln —
für uns von unschätzbarem Werthe; — es ist die Chronik
der Grafen von Cilli [91]). In ihrer ursprünglichen Fassung
unzweifelhaft noch dem 15. Jahrhunderte angehörig und —
nach Allem zu schliessen — nicht gar lange nach dem blutigen Ausgange des letzten Cilliers aufgezeichnet, — erscheint
sie als das Werk eines Mönches der Karthause von Pletriach
oder noch eher vielleicht des Minoritenklosters in Cilli. Was
ihr aber für unsern Zweck einen erhöhten Werth verleiht, ist
der Umstand, dass der unbekannte Verfasser in der Einleitung besagt, er habe seine Chronik „zu Eren und zu einer
Gedechtnus" des Grafen Hermann abgefasst, desselben Cilliers,
der seine Ruhestätte in Pletriach fand, den die Chronik als
scharfen Aechter der Juden preist und dessen bewegtes Leben

---

[90]) Ueber die Schenkungen Hermann's II. an die Klöster der genannten
Orden s. das Diplom. Styrie — f. die Stifter Geirach, Seiz. Doti-
rungen für Pletriach z. B. in den Urkk. v. 1429 22. Jänner, 28. März
(landsch. Arch. Copien); für die Pfarre S. Stephan z. h. Kreuz b.
Landstrass (Marian-Fiedlers Oe. Klerisei 7, 24 :—3) f. die Kirche zu
Pöltschach in Kärnten (1430, 22. Jänner, landsch. Arch Cop.) . . . .
1391, 2. Sept. Seiz. Prior Johann von Chartreuse gewährt den Grafen
Hermann und Wilhelm von Cilli für ihre Verdienste um den Karth-
äuserorden einen Jahrtag in den Klöstern Seiz, Geirach und Fränitz
in Krain. — 1422, 30. März, Padua (Apostelen 8, 92, 66) gewährt
der Minoriten - Ordensgeneral Franz Angeli von Siena dem Grafen
Hermann die Begünstigung, dass er immer zwei Minoriten als Ka-
pläne bei sich haben und einen der Ordenspriester zum Quardian
des Cillier Klosters bestellen könne.

[91]) Ueber diese wichtige Quelle vgl. die beiden Note 4 und 6 cit. Abh.

den Mittelpunkt ihrer Darstellung bildet Er gilt ihr als frommer Mann, als „rechter Süner und Friedmacher zwischen Armen und Reichen" [93]).

Und nicht mit Unrecht erscheint diese Chronik dem Andenken dieses Cilliers gewidmet.

Denn Hermann II. steht so recht da als der Hauptträger des Gedeihens, der wachsenden Machtfülle seines Hauses. Er gab ihm den Anstoss und die Mittel zur allgemeinern Geltung. Er pflanzte den Baum des Cillierglückes und durfte noch in dessen Schatten ruhen.

Mag uns die ehrgeizige harte Sinnesart dieses Mannes, dies rast- und rücksichtslose Ringen nach Ehre und Besitz, dies völlige Aufgehen in den Forderungen der Aussenwelt — ohne alle sichtliche Weihe zarterer Empfindung — wenig anmuthen, ja bis zur Abneigung verletzen; der Zug grosser beharrlicher Thatkraft, der hohe Schwung seiner Lebenspläne, das Gewaltige der ganzen Persönlichkeit zwingen doch anderseits zur Anerkennung seines bleibenden geschichtlichen Werthes.

---

[93]) Die betreffenden Stellen der Cillier Chronik b. Hahn. S. 666, 680, 686. — Das S. 680 über die Verbannung der Juden aus dem Gebiete der Cillier Gesagte wissen wir nicht näher festzustellen. - Den Nachruf fasst 686 die Cillier Chronik in die Worte zusammen: „Nach dem was grosse klag, dan Er was gar ein frommer Mann und ein rechter Süner und Friedmacher, wo er mocht, zwischen Armen und Reichen."

IV.

Ein Vehmgerichts-Process aus Steiermark.

Von

Dr. Ferdinand Bischoff.

Obgleich die westfälischen Vehmgerichte berechtigt waren, unter gewissen Beschränkungen über Klagen aus allen deutschen Ländern zu richten und von dieser Befugniss einen sehr ausgedehnten Gebrauch gemacht, ja sich nicht gescheut haben, selbst über Klagen ausserdeutscher Unterthanen zu entscheiden, fehlt es doch bisher fast gänzlich an Nachrichten über die vehmgerichtliche Wirksamkeit in den deutsch-österreichischen Erbländern [1]. Am meisten davon besitzen wir aus Tirol, obwohl längst erkannt worden, dass das s. g. Gericht der Wissenden, von welchem Wigulejus Hund in seinem bairischen Stammbuch (II. 410) Erwähnung thut, zu den Vehmgerichten in keiner Beziehung steht. Aus den interessanten Mittheilungen von J. Ladurner (Archiv f. Gesch. und Alt. Tirol's, V, 193 fg.) erfahren wir von Berufungen tirolischer

---

[1] Ein Zeugniss solcher Wirksamkeit in Wien s. bei Hormaier, Gesch. Wien's, Urkundenbuch Nr. 93 ; auch Koch, Chronol. Gesch. v. Oestr. J. 1441 ; Pfister, Gesch. d. Deutschen, III. 620. Was unter der „Feem des Fürstenthums u. d. Enns" (Koch, a. o. O. z. J. 1465) zu verstehen sei, wäre zu untersuchen ; keinesfalls bedeutet dies: westfäl. Vehmgerichte. — Die Argumentation Herman's, Gesch. v. Kärnten II. 842 für vehmgerichtliches Wirken in Kärnten scheint mir wenig überzeugend. — Auch der Umstand, dass im fürstbischöfl. Lavanter Archive ein Codex mit der Arnsberger Reformation sich befindet (s. Beiträge f. Kunde steir. Gesch.-Quellen IV, 143) beweist nichts.

Unterthanen durch westfälische Vehmgerichte in d. J. 1429 bis
1431, 1438, 1476 und 1482, wie auch vom Vorhandensein zahlreicher Vehmschöffen in Tirol, unter welchen sich der Bischof von
Brixen, der landesfürstliche Landrichter zu Gries, der herzog-
liche Pfleger auf Hocheppan u. s. w. befanden und erachten
es hienach für wahrscheinlich, dass Tirol zu jenen Ländern
gehört, welche zeitweilig recht arg von den Vehmgerichten
heimgesucht wurden. Dafür spricht auch die von Ladurner angeführte Bestellung des Albrecht v. Menkershusen zu Bornholt
durch den Herzog mit der Verpflichtung, dessen Unterthanen,
falls sie mit den Vehmgerichten zu schaffen haben, hilflich und
beiständig zu sein, und die von Ladurner übersehene Urkunde
K. Friedrich's III. v. 26. Juni 1475 (S c h r ö t t e r, Oester.
Staatsrecht, I. S. 214), in welcher der Kaiser ü b e r B e -
s c h w e r d e n d e s H e r z o g s S i g i s m u n d v o n T i r o l
Vorladungen österreichischer Unterthanen vor die w. f. Vehmgerichte verbietet — was übrigens nicht viel geholfen zu
haben scheint. So dürftig diese Nachrichten aus Tirol sind, so
sind sie doch — wenn ich nichts übersehen habe — reich-
haltig im Vergleiche mit den diesbezüglichen bekannten Nachrichten aus den übrigen deutsch-österreichischen Ländern.
Insbesondere aus Steiermark wusste man von einem Her-
eingreifen der Vehmgerichte bisher gar nichts. Auch das st.
Landesarchiv bot bis in die jüngste Zeit weder in seinen Urkunden, noch in seinen Handschriften irgend welche Auskunft
darüber. Erst durch die glückliche Entdeckung und archivalische Ausbeutung des Formelbuches des Ulrich Klenegker [1]),
welchem die steiermärkische Geschichtsforschung auch in anderen Beziehungen sehr werthvolle Bereicherung verdankt, gelangte das Landesarchiv in den Besitz von drei Urkunden,
welche bezeugen, dass auch die schöne Steiermark von dem
gefürchteten unheimlichen Walten der h. Vehme nicht ganz
verschont blieb. Sie sind die Grundlage der folgenden Mittheilungen, finden sich unter den Nummern 6758, 6764 u. 6789 a

---

[1]) Beiträge z. Kunde steierm. Gesch. Quellen I, 10.

des Joanneums-Archivs und werden von mir als Urk. I, II, III bezeichnet werden [1]).

Im Jahre 1459 wurden Hanns Ungnad, Leotold v. Stubenberg, Pankraz Rintscheid, Wolfgang Praun, Lienhart Angerer, die Pfannhauser, der Rath und die ganze Gemeinde Aussee von Sigmund Räntl (oder Reindl), den wir später etwas näher kennen lernen werden, vor dem Freistuhle des Wilhelm von der Zünger, Freigrafen in der „freien Krummen Grafschaft" zu Wickede [2]) schwer verklagt. Ueber jede vor den westfälischen Vehmgerichten eingebrachte Klage musste zuerst durch rechtes Urtheil erkannt werden, ob dieselbe zur Competenz des Gerichtes gehöre oder nicht und so geschah es auch hier; es ward zu Recht erkannt, dass die Klage eine solche sei, über welche zu richten einem Freistuhle wohl gebühre. Hierauf lud der Freigraf die oben genannten Beklagten in gewöhnlicher Weise zu Recht auf den Donnerstag nach dem h. Sakramentstag (31. Mai) desselben Jahres, vor ihm ihren Leib und ihre höchste Ehre zu verantworten (Urk. I. u. II). Da die erste Ladung in der Regel wenigstens sechs Wochen vor dem Verhandlungstage erlassen wurde, so dürfte obige Klage um die Mitte des April erhoben worden sein.

Eine Ladung vor die Vehmgerichte war damals noch keine gering zu achtende Sache, über welche man sich einfach hinwegsetzen konnte, obwohl diese Gerichte bereits in Folge massloser Ausschreitungen, Gewaltthaten und anderer Schlechtigkeiten vieler Freigrafen und Freischöffen an Ansehen sehr bedeutend eingebüsst hatten. Doch war es meistens, namentlich bei Nichtschöffen des Vehmgerichtes, weniger gefährlich, der Ladung keine Folge zu leisten, als derselben zu gehorchen; auch mochten die Beklagten die Ladung als unbegründet, als eine Verletzung ihrer Gerichtsstandesrechte und Privilegien betrachtet und sich so veranlasst gefunden haben, ihren Herrn

---

[1]) Eine Notiz über diese Urkunden gab Archivar Herschel im Anzeiger f. Kde. d. Vorzeit, Band VI, S. 215 u. 255.

[2]) Ueber die freie krumme Grafschaft s. Thiersch, der Hauptstuhl des westfäl. Femgerichtes S. 18. — Voigt, a. a. O. S. 63, Note 7.

und Landesfürsten um Abhilfe dagegen zu bitten, der nicht leicht dulden konnte, dass seine eigene Marktgemeinde und seine eigenen Amtleute vor das auswärtige Gericht geladen wurden. Aus den Urkunden I und II ersehen wir, dass die Beklagten der Ladung nicht gefolgt waren und dass K. Friedrich dem genannten Freigrafen befohlen hatte, vom gerichtlichen Verfahren bei sonstiger Strafe abzustehen, da die Beklagten vom Kläger Ehren oder Rechtens wegen niemals gefordert worden sind, ihm diese auch niemals verweigert hätten.

Diese kaiserliche Zuschrift (in welcher, wie nebenbei bemerkt werden mag, der Kaiser also selbst die subsidiäre Gerichtsbarkeit des Vehmgerichts auch bezüglich seiner Länder Unterthänen und Amtleute noch anerkannte) erwiderte Wilhelm von der Zünger mit einer „gütlichen Antwort", welche uns zwar ebensowenig als das angeführte Schreiben des Kaisers vorliegt, aber ihrem Inhalte nach, wie dieses, aus einem andern Schreiben des Freigrafen an den Kaiser (nämlich aus Urkunde I) bekannt wird. Darnach schrieb Wilhelm von der Zünger dem Kaiser, dass die fragliche Angelegenheit sich anders verhalte, als der Kaiser sie dargestellt habe. Der Kläger habe vor ihm ausgewiesen, dass er seine Klage mit Gerichtsurtheilbriefen bereits vor des Kaisers Gericht in Neustadt mit Recht gewonnen habe; er habe wohl dreizehn mit dem kaiserlichen Siegel versehene Briefe vorgezeigt, womit der Kaiser ihm und seinen Gegnern Rechtstage angesetzt hatte und obwohl er diesen kaiserlichen Ladungen und allen Rechtstagen folgsam gewesen sei, wäre ihm doch sein Recht nicht widerfahren, sondern durch die Beklagten verzogen worden [1].

Unter so bewandten Umständen hielt der Freigraf sich

---

[1] Ich schliesse mich hier und später bei der Mittheilung des Urkundeninhaltes dem Wortlaute der Urkunden thunlichst an. Die Urkunde I ist eine Vorstellung des Freigrafen W. v. d. Zünger gegen das kaiserl. Jnhibitorium; die Urk. II ein Bericht der Grafen W. v. d. Zünger u. Hermann v. d. Kehorne an den Kaiser über die Verhandlung mit der Bitte um Anhaltung der Beklagten zur Urtheilserfüllung; die Urk. III eine Vorstellung des H. v. d. K. gegen kaiserl. Verfügungen.

nicht verpflichtet, dem kaiserlichen Befehle nachzukommen, liess demselben aber doch insofern Berücksichtigung zu Theil werden, als er — wie dies von den Freigrafen in ähnlichen Fällen gewöhnlich geschah — den zur Verhandlung der Sache bestimmt gewesenen Rechtstag auf einen späteren Tag, nämlich auf den Montag nach S. Jakob (30. Juli) verlegte.

Die Beklagten folgten dieser Ladung ebensowenig wie der früheren. In ihrer Abwesenheit fand am festgesetzten Tage die gerichtliche Verhandlung statt, deren Ergebniss wir aus Urkunde II. ersehen. Weil die Beklagten die Ladung nicht geachtet haben, sind sie mit Urtheil und Recht dem h. Reich und freiem Gericht in Strafe und Brüchte verfallen und hat der Kläger sein Recht auf sie gewonnen nach Recht des Gerichtes. Darauf setzte der Freigraf denselben einen weiteren Rechtstag auf den Montag nach S. Johannis Enthauptung (3. Sept.), damit sie da dem Gericht und dem Kläger leisten, was sie von Ehren und Rechtswegen schuldig sind und auf sie gewonnen würde. Thäten sie dies nicht, so müsste er die letzte Sentenz und Vollgericht über ihrem Leib und Ehre geben, als der freien heimlichen Gerichte Recht ist.

Auch gegen diese Vorschritte des westfälischen Gerichtes haben die Beklagten vermuthlich des Kaisers Hilfe aufgerufen. Aus der Urkunde I erfahren wir nämlich weiter, dass der Kaiser dem genannten Freigrafen ein Schreiben gesendet hatte, worin ihm befohlen war, das Gericht und das ergangene Urtheil dem Kläger abzustellen und die Parteien vor ihn, den Kaiser zu weisen, widrigens aber persönlich oder durch seinen vollmächtigen Anwalt am fünf und vierzigsten Tage nach Empfang des Schreibens vor ihm zu erscheinen, wo dann über die Einsprachen des Freigrafen gerichtet werden sollte. Eine ähnliche Vorladung vor den Kaiser scheint auch dem Kläger zugesendet worden zu sein.

Auf diese k. Zuschrift, welche Wilhelm von der Zünger — wie er sich ausdrückt — „mit Würden" empfangen, schrieb er dem Kaiser am 29. August 1459, also kurz vor dem zur Rechtsverhandlung angesetzt gewesenen Tage, im Wesentlichen Folgendes: Ich bitte Euer kaiserl. Gnaden demüthig zu wissen, dass ich und alle Freigrafen von dem h. Kaiser Karl und Papst Leo begnadet und gefreit sind, über alle Klagen, die vor uns in des h. Reiches obersten freien Gerichten an einen freien Stuhl eingebracht und als vor diese Gerichte gehörig erkannt werden, um unserer Eide und Aemter wegen zu richten, es wäre denn, dass solche Klagen gemäss der Bestimmungen der „zu der Tunnde" ¹) und zu Arensberg verfassten und von dem K. Sigismund, der ein wissender Freischöffe und Kaiser war, bestättigten Reformation, aus den freien heimlichen Gerichten mit Gelöbniss von Freischöffen, oder mit Urtheil und Recht herausgezogen würden, wie es der freien Stühle Recht ist. Da demnach Euer k. Gnaden Ladung und Gebot gegen die Reformation und gegen E. k. Gn. selbst und das h. Reich ist, worüber ich jedoch E. k. Gn. nicht mehr schreiben darf noch mag, da E. k. Gn. in den obersten freien heimlichen Gerichten nicht wissender Freischöffe sind, so bitte ich demüthig, mir und dem Kläger diese ungebürliche und unbillige Ladung abzustellen und mich und alle Freigrafen und Stuhlherren bei unsern Privilegien und Freiheiten zu erhalten, wie Euer k. Gnaden dies dem h. Reiche schuldig sind ²). — Auch bitte ich, diese Unterweisung nicht ungnädig aufzunehmen, denn falls die Beklagten oder sonst Jemand meinte, dass ich mich in dieser Sache ungebührlich verhalten hätte, oder E. k. Gn. Ladung und Gebot Gehorsam schuldig wäre, wollte

---

¹) Von einer so bezeichneten Reformation fand ich nirgends eine Erwähnung. Die Urkunden in dem Dresdner Formelbuche sind vielfach entstellt und scheint auch obige Bezeichnung auf irgend einem Versehen zu beruhen.

²) Ueber den Sinn der im Urkundentexte nächstfolgenden Worte bin ich nicht ganz sicher, wesshalb ich dieselben hieher setze; „vnd somit vngepürlichen ladung vnd verpietung vernichtigen, auf das mein gn. herr herczog von Cleue vnd junckherrn von der Marckh ir gnaden freygrauen gericht vnd ander stuelherrn vnd freyngrauen nicht verchlagt werden wann wir freigrafen das von vnserr aide vnd ambtswegen vnd vnserr herrn von irr gnaden gerichten vnd freyhaiten wegen ob das nicht geschäch vnd das dabey lassen möchten . . .

ich gern vor meinem gn. Herrn oder Junker von Cleve und der Mark und vor andern Stuhlherren und Freigrafen im Lande von Westfalen, an den Stätten, wohin es mir und allen Freigrafen in Recht zu kommen zusteht, untersuchen und erkennen lassen, ob ich mich in der Sache gebürlich verhalten habe oder nicht und ob es zu gestatten sei, dass E. k. Gn. mir oder andern Freigrafen untersagen, vor die freien heimlichen Gerichte zu laden und nach deren Recht zu richten. Doch wie dem auch sei, habe ich E. k. Gnaden zu Ehren, Willen und Gefallen das Gericht gegen die oben genannten Beklagten verschoben und aufgestellt auf den Montag nach dem nächsten S. Dionisentag (15. Oct.) dem Gerichte und beiden Parteien ohne Nachtheil. Könnten und würden dann die Beklagten durch ihre Prokuratoren sich gegen die Klage verantworten und nach freien Stuhles Recht sich aus dem Gericht ziehen, wollte ich ihnen ein unbefangener Richter sein u. s. w.

Ueber den weitern Verlauf des Streites giebt das von Wilhelm von der Zünger und Hermann von dem Korne, beide Freigrafen in der freien krummen Grafschaft zu Wickede, am letztgenannten Verhandlungstag an den Kaiser gefertigte Schreiben (Urk. II) erwünschte Kunde, dessen Anfang übrigens schon bei der obigen Darstellung des Falles berücksichtigt und im Wesentlichen mitgetheilt wurde. In diesem Schreiben sagen die genannten Freigrafen dem Kaiser, dass an dem bestimmten Tage des Klägers vollmächtiger Prokurator vor sie zu Wickede in das Gericht gekommen sei und geklagt habe, wie die Beklagten nicht geleistet hätten, was sie ihm von Ehren und Rechtswegen und laut seines gewonnenen Urtheilbriefes zu leisten schuldig waren und dass er begehrt habe, es sollte nunmehr über der Beklagten Leib und Ehre Vollgericht und letzte Sentenz ertheilet werden. Die Erfüllung dieses Begehrens — heisst es dann weiter — hätte ich vorgenannter Wilhelm Freigraf kraft meines Amtes dem Prokuratur nach dem Inhalt des vom Kläger gewonnenen Urtheilsbriefes nicht verweigern können, wenn nicht Viele aus der Ritterschaft und den Umständern des Gerichts den vorgen. Prokurator bitten und bewegen geholfen hätten, dass er die begehrte letzte Sentenz E. k. Gnaden zu Ehren und Willen noch einige Zeit lang anstehen liess. Also, gnädigster liebster Herr! habe ich das letzte Recht, dem Gerichte und den Parteien ohne Schaden, verschoben bis auf Montag nach S. Antonstag (22. Jänner 1460) und jetzt bitten wir E. k. Gn. demüthig um des h. Reiches und E. k. Gn. obersten Freigerichtes wegen, die Verklagten zu ermahnen, dass sie dem h. Reich und Freigerichte um Brüchte und Strafe, dem Kläger aber um seine Ansprache und sein gewonnen Recht leisten, was sie von Ehre und Rechts wegen schuldig sind, damit wir beide oder einer von uns auf Anrufen des vorgen. Klägers oder seines Prokurators an dem festgesetzten Tage nicht die letzte schwere Sentenz und das Vollgericht über der Verklagten Leib und Ehre geben müssten, was wir lieber verhüthet sehen möchten. Und was wir E. k. Gn. hierinn zu Ehren Willen und Gefallen thun könnten sind wir schuldig u. s. w. [1]).

Auch diese Bemühungen der Freigrafen förderten die Sache nicht in der von ihnen gewünschten Weise. Auch de 22. Jänner verstrich, ohne dass Gericht und Kläger Befriedigung erlangt hätten, oder die letzte Sentenz gefällt worden wäre. Wie es scheint, hatte eine abermalige Fristerstreckung auf Montag nach dem Sonntag Quasimodo geniti (21. April) stattgefunden, inzwischen aber der Kaiser, vielleicht in Folge von Versuchen des Klägers nach Inhalt des gewonnenen Urtheilsbriefes zu dem Seinigen zu kommen, neuerdings gegen weiteres vehmrichterliches Verfahren kräftigen Widerspruch erhoben. An dem genannten Tage schrieb nämlich Hermann von dem Korne an den Kaiser „von Gerichtswegen"; er habe „mit gebürlicher Würdigkeit" des Kaisers Brief empfangen, worin ihm bei seinen Eiden und Pflichten gegen Kaiser, Reich und

---

[1]) Es ist bemerkenswerth, dass die Freigrafen dem Kaiser nicht nur nicht gehorchen, sondern demselben, als Obrigkeit der Beklagten, auch noch zumuthen, diese zur Erfüllung des vehmgerichtlichen Urtheils anzuhalten.

Freigrafenamt und mit kaiserlicher Machtvollkommenheit geboten wird, des Richtens in der in Rede stehenden Angelegenheit sich zu entschlagen. Aber er und alle Freigrafen haben
„mit schweren Huldigungen gelobt, Niemandem billiges und
gebürliches Recht zu verweigern. Nachdem der Kläger seinen
Urtheilsbrief mit rechtem Urtheil nach Freistuhlsrecht erlangt
hat und damit hinauf in seine Heimat gezogen sei, habe er
keine Macht, ihm sein gewonnenes Recht zu nehmen [1]); er sei
vielmehr gebunden, Jedermanns Recht zu stärken, und nicht
zu kränken, und seiner Eide und der Huldigung wegen, die
er der heimlichen Acht gethan habe, schuldig, das hochheilige
würdige Gericht der freien Stühle des h. Reiches in ganzer
Macht ·und Heiligkeit zu erhalten, nach allen seinen Kräften,
wie dies der h. Papst Leo und der h. grosse Kaiser Karl m.
G. geordnet und zu halten geboten hat, worüber er aber dem
der heimlichen Acht unwissenden Kaiser nicht mehr schreiben
darf. Doch zweifle er nicht an des Kaisers Willen, gleich seinen Vorfahren ein Mehrer des Reiches zu sein und das Reich
bei seiner Macht und Herrlichkeit zu erhalten und dulde der
k. Majestät zu Ehren, dass die letzte schwere Sentenz bis auf
den Eritag nach S: Jacob des Apostelstag (29. Juli) aufge-
schoben werde [2]). An diesem Tage werde er des Kaisers
Brief mit Würdigkeit in das Gericht bringen und was dann
darüber mit rechtem Urtheil erkannt werden wird, daran wolle
er, wie es sich gebühre, halten.“

Der vorstehenden, aus dem Zusammenhalten der bezeichneten drei Urkunden geschöpften Schilderung des Verlaufes
der fraglichen Rechtssache, mögen einige Erörterungen und
Erläuterungen, durch welche dieselbe in helleres Licht gestellt

---

[1]) Die offenbar verdorbene undeutliche Stelle lautet: Vnd wann dann
  der klager sein vrtailbrief gewunnen hat ... vnd damit hinauf an
  sein haymat gezogen Was er ewrn gn. schreibt an mich gekchömen
  des hab ich chain macht im sein gewunnen recht ze nemmen.

[2]) Die Stelle lautet: Auch ewr k. M. zu eren bis der lest swer sentencien
  dem klager nach eren wirdet ausgegeben ze leiden bis des nagsten
  ertags n. s. J.

wird, nachfolgen. Dabei kommt uns sehr zu Statten, dass der Abschreiber der Urkunden nicht, wie es bei der Aufnahme von Urkunden in Formelbücher häufig geschah, die Personen- und Ortsnamen und die Datirungen wegliess.

Als Kläger wird in den Urkunden Sigmund Ränntl genannt, in der einen mit dem Beisatz: der Veste, in der andern: der erbar und veste. In steiermärkischen Urkunden aus den Jahren 1454 u. 1455 (s. Göth, Regesten, in den Mittheil. des histor. Ver. f. Steiermark VIII, 495, 499, 501, 504) findet sich ein Sigmund Rainntl, auch Reindl, Pfleger, Markt- und Geurichter, Pfannhaus- und Gültenbesitzer in Aussee. Unzweifelhaft haben wir in ihm den Kläger zu erkennen.

Auch über die Beklagten fanden sich schätzbare Nachrichten. Leotold von Stubenberg war in der Zeit des Processes steiermärkischer Landeshauptmann; Hanns Ungnad wird in den drei Urkunden selbst als kaiserlicher Kammermeister bezeichnet. Beide gehörten dem steierm. Herrenstande an. Pankraz Rintscheit, dem Ritterstande angehörig, begegnen wir oft im Gefolge des Kaisers; in der Urkunde III wird er als kaiserlicher Rath bezeichnet; Wolfgang Praun kommt zuerst vor in einer Urkunde v. 21. Febr. 1435 (Göth, a. O. 414), laut welcher ihm der Herzog Friedrich der Jüngere zwei durch das Ableben seines Vaters Achaz Praun auf ihn gefallene Hallamtsantheile zu Aussee bestandweise innezuhaben und nach dem Herkommen zu verwesen verlieh. In Urkunden aus den J. 1450 u. 1455 (Göth 480, 502) erscheint er als Besitzer eines Dörrhauses und mehrerer Pfannhausstätten in Aussee. Auch Lienhart Angerer ist urkundlich bezeugt und zwar ebenfalls als Verweser des Salzsiedens zu Aussee (Göth, 480, 495, 504) in d. J. 1450, 1454, 1455 und als gewesener Hauseigenthümer 1462 (Göth, Mitth. IX. 556). Unter den „Pfannhausern“, welche vom Kläger neben den eben Angeführten und dem Rath und der ganzen Gemeinde des landesfürstlichen Marktes Aussee belangt wurden, sind Inhaber und Verweser der Salzpfannhäuser oder Stätten zu verstehen (s. F r a n z K u r z, die Salinen in Oester. ob d. E. in H o r m a i r's Archiv VII, 631 fg.)

Also den höchsten Beamten des Landes, daneben zwei gleichfalls durch Amt und Stand hervorragende, dem Kaiser und Landesherrn nahestehende, im ganzen Lande hochangesehene Männer, ferner zwei Verweser landesfürstlicher Aemter, alle Pfannhauser und die ganze Gemeinde eines landesfürstlichen Marktes fordert der Pfleger, Richter und Bürger desselben Marktes vor den Richterstuhl der in jener Zeit in allen deutschen Landen nicht minder gehassten als gefürchteten Vehme [1]). In der Praxis der Vehmgerichte war es freilich nichts Seltenes, dass ganze Stadträthe und Gemeinden und hohe Amtleute vorgeladen wurden; selbst Landesherren, ja sogar den Kaiser vorzuladen scheuten sich einzelne Freigrafen nicht (G a u p p, von Vehmgerichten 58 fg. W ä c h t e r, Beiträge z. d. Gesch. 38). In Steiermark aber mochte eine solche Ladung bis dahin unerhört gewesen sein.

Fragen wir um den A n l a s s, der den Kläger zur Ergreifung dieses ausserordentlichen Mittels trieb, so giebt die Urkunde I zur Antwort, der Kläger habe seine Zuflucht zu den westfälischen Gerichten genommen, weil er bei seinem ordentlichen Richter kein Recht erlangen konnte. Es war einer der gewöhnlichsten Fälle, dass wegen Ohnmacht oder Lässigkeit des ordentlichen Gerichtes, oder wegen Widersetzlichkeit der Beklagten, die Hilfe des Vehmgerichtes angerufen wurde. Rechtsverzögerung und selbst Justizverweigerung kamen im

---

[1]) Besonders drastisch und in einer die damalige Zeit charakterisirenden Weise äusserten diesen Hass gegen Vehmgerichte die Abgeordneten der Städte und des flachen Landes in Preussen, welche 1441 den Hochmeister um Abhilfe gegen das Vehmgericht gebeten hatten, aber zur Antwort erhielten, dass er leider keine erfolgreichen Mittel hiezu kenne. Darauf sagten die Bevollmächtigten: Können wir uns der Feme nicht anders entschlagen, so erlaubet uns nur, dass wir die aus der Feme nebst ihren Genossen und Beiliegern ebenfalls wieder henken dürfen; wir wollen zu Abentheuer der ihrigen so viele aufknüpfen und auf die Seite bringen, als sie der unsrigen. V o i g t, die westfäl. Femgerichte, S. 37.

Mittelalter in Deutschland allenthalben vor. Auch in der Steiermark war es nicht anders. Nur allzu oft, namentlich wenn eigene Interessen mit im Spiele waren, griff der Landesfürst selbst störend in die Rechtspflege ein, indem er das bereits vor dem ordentlichen Richter zu Ende geführte Verfahren für ungiltig erklärte und die Parteien vor sich forderte, oder dem ordentlichen Richter, über Bitte eines in seiner Gunst stehenden Beklagten gebot, mit dem weiteren Verfahren stille zu halten, oder den nächsten Rechtstag zu verschieben, oft um mehrere Monate oder gar um ein ganzes Jahr und darüber, unter dem Vorwande, dass er den Beklagten zu Diensten benöthige u. dgl. Auch abgesehen von solchen Eingriffen der Landesfürsten wurden die Richter, besonders in Zeiten des Krieges, der Pest oder anderer Landesnoth, oft genug an der Abhaltung der bestimmten Rechtstage gehindert; manchmal verzögerten sie selbst durch eigenes Verschulden den Rechtsgang. Aber auch von Seite der Parteien kamen Verschleppungen der Processe, wenngleich nicht in dem Masse, wie nach Einführung des schriftlichen römisch-canonischen Verfahrens, nicht selten vor. Unter dem Vorwand einer Krankheit oder eines anderen Hindernisses des Erscheinens vor Gericht, oder wegen Unmöglichkeit die zur Beweisführung nöthigen Zeugen oder Urkunden am bestimmten Tage vorzuführen, oder wegen Abgang eines Fürsprechers u. s. w. wurden Fristerstreckungen erwirkt. Häufig kam es zu Vergleichsverhandlungen, die aber zu keinem befriedigenden Ergebnisse führten und so nur die Beendigung des Streites verzögern halfen. — Welcher Art die Verschleppung der Sache Ränntl's gewesen sei, wissen wir nicht, dass sie aber eine sehr bedeutende gewesen sein müsse, ist aus der angeführten Bemerkung des Wilhelm v. d. Zünger zu entnehmen, laut welcher dreizehn kaiserlich gebotene Rechtstage die Befriedigung des Klägers nicht erzielten. So wird es begreiflich, warum S. Ränntl beim westfälischen Gerichte Hilfe suchte. Denn wo sonst noch hätte er sie finden können, nachdem die Sache bereits vor des Königs und Landesherrn eigenem Gerichte verhandelt worden war?

Ueber die weitere Frage, welche Rechte S. Ränntl vergeblich vor dem Gerichte zu Neustadt geltend zu machen bemüht war, geben die drei Urkunden der Freigrafen keine Auskunft. Nur so viel dürfte aus denselben entnommen werden, dass es sich nicht um Ansprüche aus einem Verbrechen handelte. Ist diese Annahme richtig, wogegen nicht in's Gewicht fällt, dass in der Urkunde I die Klage als eine schwere bezeichnet ist, da diese Bezeichnung von den Freigrafen ganz allgemein und häufig auch bei ganz geringfügigen Klagsforderungen gebraucht wurde [1]), so liegt es nahe, die Gründe der Ansprüche des Ränntl in seinen Eigenschaften als Bürger, Pfannhauser, Pfleger und Richter zu Aussee zu suchen und da neben dem Rath und der Gemeinde Aussee insbesondere noch die Pfannhauser, Pfannhausverweser und der k. Kammermeister beklagt wurden, so wird man kaum fehlgehen, wenn man vermuthet, S. Ränntl habe — vielleicht neben anderen Forderungen — Rechte verfolgt, welche zu seiner Eigenschaft als Pfandhausbesitzer in Beziehung standen. Diese Vermuthung wird durch den Inhalt zweier der oben angedeuteten Urkunden, in denen der Name des S. Ränntl vorkommt, unterstützt. In den Fünfziger-Jahren des XV. Jahrhunderts reorganisirte K. Friedrich das l. f. Salzwesen in Aussee und brachte zu diesem Zwecke die in fremden Besitz gekommenen Pfannhäuser u. dgl. wieder an sich (G ö t h, Regesten dieser Jahre a. a. O. S c h m u t z, Lexikon I. 83.). So kaufte er auch von Sigmund Ränntl im J. 1454 eine diesem und seinem Bruder Paul angehörige Pfannhausstatt zu Aussee um hundert Pfund Pfennige, und im Oktober des nächstfolgenden Jahres um achtundzwanzig Pfund Pfg. eine wöchentliche Gülte von 18 Denaren von einer andern Pfannhausstatt des Ränntel. In den darüber ausgefertigten Urkunden (Göth, Reg. 495 u. 504) bestätigte Ränntl zwar den Kaufpreis von l. f. Verwesern, worunter der Beklagte Lienhart Angerer angeführt ist, richtig erhalten zu haben;

---

[1]) S. z. B. U s e n e r, die Frei- u. heiml. Gerichte Westfalens, S. 39, 66 u. Urk. 63, S. 215. — Diese Bezeichnung ist insofern gerechtfertigt, als jede Klage zur Vervehmung führen konnte.

dies schliesst aber nicht aus. dass aus diesen Rechtsgeschäften. namentlich dem letzteren, ein Rechtsstreit sich entspinnen konnte. Auch stimmt zu dieser Annahme recht gut, dass der Process vor dem Hofgericht zu Neustadt verhandelt wurde. Wesshalb die Klage beim Vehmgericht auch gegen den ganzen Markt Ausee, gegen Hanns Ungnad, den Landeshauptmann und P. Rintscheid gerichtet wurde, lässt sich nicht mit Bestimmtheit beantworten, aber sehr leicht mit jener Annahme vereinigen. Möglich wäre auch, dass Ränntl, nachdem er — wie Urkunde I bestätigt — seine Klage vor dem königlichen Gerichte gewonnen hatte, das Marktgericht, bez. die Marktgemeinde und weiter den Landeshauptmann und den Kammermeister, in dessen Bereich das l. f. Salinenwesen zweifellos gehörte, um Urtheilsvollstreckung vergeblich aufgefordert hatte. Uebrigens genügte oft ein sehr unbedeutender Anlass, um vor das Vehmgericht geladen zu werden, und verfuhr dieses hiebei oft sehr leichtsinnig, wie es auch in unserem Falle die gesetzliche Form der Ladungen ganzer Gemeinden nicht befolgt hat.

Ränntl hat seine Klage — ob selbst oder durch einen Bevollmächtigten wissen wir leider nicht — vor Wilhelm von der Zünger, Freigraf in der freien krummen Grafschaft zu Wickede, eingebracht. Eine Freigrafschaft oder einen Freistuhl zu Wickede habe ich in den bezüglichen Schriften von Kindlinger, Kopp, Berck, Wigand, Tross, Usener. Voigt, Seibertz u. Tobien vergeblich gesucht. Das in S e n c k e n b e r g's Corpus iuris germ. I. pars 2, pag. 83 – 132 abgedruckte, vielleicht um die Mitte des XV. Jahrhunderts angelegte Rechtsbuch enthält in seinem unrichtig für die Arnsberger Reformation gehaltenen Theile (l. c. pag. 96) nachstehende auch von K o p p, üb. d. Verfassg. der heiml. Ger. in W. S. 123 und von B e r c k, Gesch. der westf. Ger. I. 195 mitgetheilte Stelle: „So hat der herzog von Cleuen das gericht in der Marck vnd in der herrschaft Willestan. — So hat der von Wickede in der Marck vnder dem herzogen von Cleuen acht stuel in der freyn grummen graufschaft". — In einer Urkunde v. J. 1442 [1]) erscheint

---

[1]) V o i g t, a. a. O. Urk. III ⁎. S. 190.

ein Dieterich von Wickede als Mitstuhlherr des Freistuhls zu
Brüninghausen in der freien krummen Grafschaft und war noch
im J. 1452 im Besitze dieses Freistuhls (Datt, de pace publ.
772). Da W. v. d. Zünger in seinen Briefen den Herzog von
Cleve und Junker von der Mark seine Herren nennt, so dürfte
der Freistuhl zu Wickede vielleicht einer von den achten in
der mitgetheilten Stelle sein. Derzeit fehlen mir die zur Lösung dieser Frage, welche übrigens bezüglich unseres Gegenstandes ohne Bedeutung ist, erforderlichen Hilfsmittel.

Genaueres vermag ich über W i l h e l m v. d. Z ü n g e r nachzuweisen. Ein Freigraf dieses Namens kommt ziemlich oft in den
von U s e n e r a. a. O. mitgetheilten Urkunden vor, z. B. Urk.
51, 54, 55, 56, 69, 81 und 82 und zweifellos ist er identisch
mit dem Aussteller der Urkunden I u. II. Usener sagt zwar
(S. 302 Anm.), derselbe sei um die Mitte des J. 1459 gestorben. Diese Angabe ist aber gewiss unrichtig und beruht
auf Missverständniss einer Urkunde (a. a. O. Urk. 69) und
auf Uebersehen des Umstandes, dass dieser Freigraf noch in
andern von Usener selbst a. a. O. veröffentlichten Urkunden
aus späterer Zeit vorkommt (Urk. 81, 82). Er war Freigraf zu
Dortmund, auf dem berühmtesten aller Freistühle, und zu
Vollmarstein 1453, zu Waltorp 1456, 1458, 1459, im letzten
Jahre und 1460 auf dem gleichfalls berühmten Freistuhl zu
Vilgist (Velgenstein) und, laut unseren Urkunden I u. II., zu
Wickede. Er scheint ein sehr rühriger und evocationsbegieriger
Freigraf gewesen zu sein, der dem Kaiser mancherlei Aergerniss bereitet hat und wie andere seiner Amtsgenossen, ungeachtet immer wiederholter Versicherungen seiner demüthigen
und dienstwilligen Gesinnungen, doch keinen Anstand nahm,
gestützt auf wirkliche und vorgebliche Rechte und Verpflichtungen der Freigrafen, den kaiserlichen Geboten den Gehorsam zu verweigern, ja selbst des Kaisers oberste Gerichtsbarkeit über sich und andere Freigrafen nicht anzuerkennen. Bei
Usener S. 89 findet sich ein Bericht eines Boten der Stadt
Frankfurt, der dem W. v. d. Zünger, Freigraf zu Velgenstein,
am 7. Dezember 1459 in seinem Hause zu Schwerte eine

Appellation der Stadt überreichte, von ihm aber sehr barsch abgefertigt wurde. Gegen Ende des J. 1460 wohnte er mit einer Tochter auf seiner ländlichen Besitzung im Dorf Hurde bei Dortmund (a. a. O. Urk. 81. S. 250).

Es war nichts Seltenes, dass vehmgerichtliche Verhandlungen vor mehreren [1]), manchmal selbst vor vielen Freigrafen stattfanden, so dass es nicht auffällig ist, dem W. v. d. Zünger noch einen andern Freigrafen, den H e r m a n n v o n d e m K o r n e, beigesellt zu sehen. Ueber diesen aber vermag ich keine nähere Auskunft zu geben. In dem Verzeichniss der Freigrafen bei Usener a. a. O. S. 293 wird ein Hermann von d. Borne als Freigraf zu Brüninghausen in der freien krummen Grafschaft in den J. 1460 und 1461 angeführt. Ob dieser mit H. v. d. Korne identisch und der letztere Name in unsern Urkunden unrichtig geschrieben sei, muss ich vorläufig dahin gestellt sein lassen.

Der V e r l a u f d e r V e r h a n d l u n g vor diesen beiden Freigrafen war kurz zusammengefasst folgender: Etwa um die Mitte des April 1459 wurde die Klage erhoben und erfolgte die Vorladung auf den 31. Mai; sodann über kaiserliches Einschreiten Fristerstreckung auf den 30. Juli; an diesem Tage Verurtheilung der Beklagten in contumaciam und Anordnung eines weiteren Tages zur Urtheilserfüllung auf den 3. September unter Androhung der letzten schweren Sentenz; weiters wieder in Folge kaiserlicher Zuschrift neuerliche Fristerstreckung auf den 15. Oktober, dann Aufschub der letzten Sentenz auf den 22. Jänner 1460, eine weitere Erstreckung vermuthlich auf den 21. April, endlich noch auf den 29. Juli. Ueber den weiteren Verlauf fehlen die Nachrichten. Also weit über ein Jahr war die Sache anhängig, ohne zum Abschluss gelangt zu sein, und inzwischen war ein Contumazurtheil gefällt worden, welches den Beklagten die Leistung von Bussen und Brüchten und des

---

[1]) S. z. B. U s e n e r, a. a. O. Urk. 21, 22, 51, 55 u. v. a. — T h i e r s c h, Vervehmung, Urk. 1. — S. auch B e r c k, Gesch. d. westfäl. Femger. II. 283.

gewonnenen klägerischen Rechts auferlegte, aber nichts von Vervehmung enthält. — Ein solches Verfahren entspricht sehr wenig der Vorstellung über die vehmgerichtliche Wirksamkeit, welche man sich nach den am meisten verbreiteten und gelesenen Darstellungen derselben, z. B. in den neuesten Lehrbüchern der deutschen Rechtsgeschichte, in den allgemeinen oder rechtswissenschaftlichen Encyklopädien und Wörterbüchern, in der deutschen Culturgeschichte von Joh. Scherr u. a., in Darstellungen der allgemeinen und der deutschen Geschichte gebildet hat. Denn nach diesen Schilderungen kommt man zu der Vorstellung, dass die Vehmgerichte sehr kurzen Process gemacht hatten, indem sie den vom gesetzten Rechtstag ungehorsam ausgebliebenen Beklagten sofort vervehmten und aufhängen liessen. Die meisten der oben angedeuteten Schriften beruhen auf der vor allen älteren Schriften über die Vehmgerichte ausgezeichneten Abhandlung über dieselben von C. G. v. Wächter (Beitr. z. d. Geschichte); aber auch nach dieser konnte man kaum anderer Meinung werden, als: der gewönliche Process bei den Vehmgerichten wäre gewesen, dass Unwissende nur einmal oder höchstens zwei- oder dreimal zu sechs Wochen citirt wurden, dass sie regelmässig nicht erschienen, weil sie fast sicher ihre Ueberweisung durch den wissenden Kläger zu erwarten hatten, dass sie sodann in contumaciam verurtheilt wurden, dass dieses Urtheil stets in der Vervehmung bestand und durch die hiezu eidlich verpflichteten Vehmschöffen früher oder später durch Aufknüpfen des Vervehmten auf den nächstbesten Baum vollstreckt wurde.

Obwohl jeder dieser Sätze in den Gesetzen und anderen Normen der Vehmgerichte begründet ist, geben alle zusammen doch nur eine unrichtige, mangelhafte, nicht erschöpfende Vorstellung von dem Verfahren und der thatsächlichen Wirksamkeit dieser Gerichte wenigstens während des grössten Theiles des XV. Jahrhunderts und in der späteren Zeit. Zweifellos befolgten die Vehmgerichte auch noch in dieser Zeit die oben angedeuteten Principien des Verfahrens; aber diese Grundsätze galten meist nur für das Verfahren im heimlichen Gerichte welchem jedoch gegen Nichtschöffen mehr oder weniger umfassende Vorverhandlungen vorhergingen, die häufig zur gänzlichen Beilegung der anhängigen Streitigkeiten oder Beschwerden führten, so dass es zum Verfahren im heimlichen Gerichte gar nicht kam.

Klagen über streitige Civilrechte gegen Solche, deren ordentliche Richter sie nicht waren, gehörten nicht vor die Vehmgerichte; jedoch war allgemein anerkannt, selbst von den Bündnissen der Landesherren und Städte gegen diese Gerichte, dass man diejenigen, welche kundlich meineidig, ehrlos und treulos handelten oder welche zu Ehren nicht antworten wollten an den Stätten, wo sich das gebührte, vor das Vehmgericht fordern darf. In Folge einer sehr weiten Auslegung dieser in die Arnsberger Reformation aufgenommenen Grundsätze und in Folge der Schwäche und sonstigen Mängel der königlichen und landesherrlichen Gerichte wurden unzählige Klagen vor die Vehmgerichte gebracht, deren eigentlicher Gegenstand civilrechtliche Ansprüche waren, oder welche wenigstens mittelbar auf Geltendmachung vermögensrechtlicher Interessen gerichtet waren, wie dies ja selbst bei den meisten Klagen wegen schweren Verbrechen der Fall war. Ich halte es für sehr wahrscheinlich, dass die Erledigung solcher Klagen im XV. Jahrhundert die Thätigkeit der Vehmgerichte mehr in Anspruch nahm, als die zunächst vor dieselben gehörigen Vehmwrogen. In solchen Fällen musste häufig, besonders bei geringfügigen Rechtsansprüchen, sowie wenn nicht aus Verschulden des Beklagten die Erledigung des Rechtsstreites vor dem ordentlichen Gerichte nicht möglich war, höchst grausam erscheinen, rücksichtslos sofort gegen die ausgebliebenen Beklagten die Vervehmung auszusprechen und die Vollstreckung der Todesstrafe zu gebieten. Auch wäre demjenigen, der sich an das Vehmgericht gewendet hatte, weil ihm die Herausgabe streitiger Güter oder die Erfüllung einer versprochenen oder anderen schuldigen Leistung u. dgl. verweigert worden war, mit der sofortigen Vervehmung und Hinrichtung des Gegners wenig genützt worden. Ueberdies war die Vollstreckung der Acht ausserhalb Westfalen in Gegenden, wo es keine oder nur wenige Vehmschöffen gab, eine oft sehr schwierige Sache und bot ein weniger rasches Verfahren den Vehmrichtern wohl auch grössere Vortheile. Auch befolgten der Kaiser und seine Gerichte mildere Grundsätze. Aus diesen und vielleicht noch andern Gründen verzögerten die Vehmgerichte in solchen Fällen die letzte Sentenz so gut es gieng und suchten dem Kläger in anderer Weise zu seinem Rechte zu verhelfen.

So gebot mitunter in Fällen, wo vor den ordentlichen Gerichten kein Recht zu erlangen war, das angerufene Vehmgericht jenen bei Strafe, den Klägern zu ihrem Recht zu verhelfen, vorläufig streitige Sachen zu arrestiren u. dgl. So wurde gewönlich schon in der ersten Ladung der Beklagte aufgefordert, sich binnen einer bestimmten Frist mit dem Kläger zu vergleichen (U s e n e r 47; V o i g t, 10 u. oft noch); die Freigrafen bestimmten mitunter den Ort und die Zeit der Vergleichsverhandlung, ja selbst die Personen, welche die Sache beilegen sollten, und kamen manchmal persönlich zu solchen Verhandlungen. Oder sie ordneten Entscheidung des Streites durch Schiedsrichter an, gegen deren Ausspruch Appellation an den Kaiser u. a. stattfand. (U s e n e r, 50 fg.)

Aber nicht blos eine solche den Streit vermittelnde Thätigkeit übten die Vehmgerichte. War der (unwissende) Beklagte ohne Rechtfertigung bei der Vergleichsverhandlung oder bei dem ersten Rechtstag vor dem Vehmgerichte nicht erschienen, so begnügte sich dieses nicht damit, den Ausgebliebenen in die gewöhnliche Busse von sechzig (oder sechsundsechzig) Schilling alter Königsturnosen [1]) zu verfällen und etwa demselben einen zweiten und dritten Termin unter Androhung der letzten schweren Sentenz zu gewähren, sondern es liess sich am ersten oder an einem der späteren Termine, manchmal auch schon vor der Ladung in eine Verhandlung über die An-

---

[1]) S. Zur Werthbestimmung der Turnosen (v. J. 1407) im Anzeiger für Kunde d. d. Vorzeit, VII. 447. Darnach wären zwölf alte grosse Turnos gleichwerthig einem Franc; zwölf kleine T. gleich einem Schilling, zwanzig Schilling gleich einem Pfund oder einem Franc. — In dem Rechtsbuche bei S e n c k e n b e r g wird ein Königsturnos gleich anderthalb rheinischen Gulden gerechnet.

sprüche des Klägers, namentlich über den erlittenen Schaden, die
Kosten u. s. w. ein, erkannte demselben (nach geführtem Beweise)
sein Recht zu und gebot dem beharrlich ausgebliebenen verurtheilten Beklagten, dem Gerichte und dem Kläger zu leisten, was
er von Ehre und Rechtswegen zu leisten schuldig ist und
dieser auf ihn gewonnen hat; geschähe dieses nicht, so müsste
auf weiteres Begehren des Klägers die letzte schwere Sentenz
und Vollgericht gegeben werden; gewöhnlich fügte der Freigraf hinzu, dass ihm dies sicherlich leid wäre und er es gern
verhütet sehen möchte. Ferners wurde in dem Urtheilsbriefe,
den der Kläger erhielt, diesem und seinem Prokurator die Befugniss ertheilt, des Beklagten Leib und Gut, wie immer sie
dazu kommen mögen, im Holz oder im Felde, auf dem Wasser
oder Lande, in Märkten, auf Strassen, in Städten und Dörfern,
mit geistlichem oder weltlichem Gericht oder auch ohne Gericht
zu ergreifen und zu bekummern und zu besetzen (arrestiren),
so lange, bis sie vom Gegner volle Befriedigung erhalten hätten.
Niemand sollte mit diesem eine Gemeinschaft haben, denselben
hausen, schützen, geleiten. Häufig trugen überdies die Vehmrichter den Obrigkeiten des Verurtheilten oder allgemein allen
Herren, Fürsten, Rittern und Knechten, Amtleuten, Schultheis-
sen, Bürgermeistern, Schöffen und Bütteln auf, den Siegern
bei der Arrestirung der Verurtheilten und ihrer Güter zu
helfen; oder sie richteten direct an sie den Auftrag, die Contu-
mazialstrafen einzutreiben und die Arrestirung selbst vorzunehmen und luden sie zur Verantwortung vor sich, falls sie
diesen Aufträgen nicht nachkämen. Erst wenn alles die
nicht zur Befriedigung der Kläger führte, kam es auf weitere
Begehren dieser zur Vervehmung im heimlichen Gerichte, die
übrigens häufig auch noch in diesem Stadium durch Gewährung einer s. g. Königstagesfrist u. a. verzögert wurde.

So war das Verfahren der Vehmgerichte in den bezeichneten
Fällen in seinen Hauptzügen während der zweiten Hälfte des XV.
Jahrhunderts, und später (vermuthlich auch früher) beschaffen [1].

[1] Bei der Willkürlichkeit, welche sich die Freigrafen in allen Beziehungen erlaubten, fehlt es nicht an mannigfachen Abweichungen

Belege für die Richtigkeit der obigen Darstellung der Grundzüge des Verfahrens der Vehmgerichte bieten weniger die eigentlichen Rechtsquellen derselben, als die vehmgerichtlichen Urkunden. Ich verweise im Allgemeinen namentlich auf die Urkunden und urkundlich begründeten Mittheilungen über vehmgerichtliche Processe in den obengenannten Schriften von U s e n e r und V o i g t und insbesondere, anstatt auf viele, nur auf Usener S. 69 u. Urk. 66, 46 u. 58, und Voigt S. 103 bis 109. Drei Fälle sind es, welche da mitgetheilt sind, zufälligerweise alle drei Erbrechtsstreitigkeiten. Im ersten Falle v. J. 1469 wurde der ausgebliebene Beklagte in Busse und Brüchte von 66 Schilling alter Königsturnose verfällt und hatte der Kläger „sin sache bewiset, beweret, hirwonnen, erstanden, zugebroicht vnd vff den gen. H. Henne (einen Frankfurter) mit orteyl vnd recht von heubtsache, kosten, tzerung, hinder vnd schaden, biss vff datum diss brieffes gelidden, sinen behalt gethan, nach fryenstuls recht, so gut vnd hoich als anderhalb hundert Rinscher gulden“. Demnach gebietet der Freigraf dem Rathe zu Frankfurt, dem Kläger zu seinen Sachen zu verhelfen und desshalb die beweglichen und unbeweglichen Güter des Beklagten festzuhalten u. s. w. — In dem zweiten Falle v. J. 1455 (Usener, S. 60 u. Urk. 58) gebot der Freigraf Mangolt zu Freienhagen nach vorgängiger Untersuchung der klägerischen Behauptungen, den Frankfurtern Arrestirung gewisser streitiger Güter und Gewährung des den Klägern schuldigen Rechtes. Da die Frankfurter dieses Gebot nicht beachteten, so wurden sie — ausser in die übliche Gerichtsbusse — verurtheilt, dass sie den Kläger „den rechten sullen widder habende machen der obgerürte güter (nämlich der streitigen Erbgüter) vnd korung thun der benanten drier dusend gulden (d. i. der vom Kläger angesprochene Ersatz für erlit-

ihres Verfahrens; es war aber auf diese einzugehen an diesem Orte ebensowenig möglich, wie alle Einzelheiten des geschilderten Verfahrens genauer zu erörtern. Nur auf die vielfache Uebereinstimmung sowohl der Vermittlungsversuche, als des ger. Verfahrens der Vehmgerichte mit dem der kaiserl. Gerichte soll schon hier hingewiesen werden.

tenen Schaden, Kosten u. s. w.), vnd mag en die abe herma-
nen vor mir demselben gericht oder andern gerichten" u. s. w.
Das vom Kläger hierauf begehrte Vollgericht wurde verschoben und die Frankfurter ermahnt, dem Gerichte die Busse
u. s. w. abzutragen und dem Kläger „willen zu machen vmb
sine erwisten vnd erwunnen sache der drier dusent gulden
vnd der sache oberort", widrigens das Gericht über sie er-
gehen würde. Und als die Frankfurter auch dieser Ermahnung
keine Folge leisteten, und die höchste Acht gesprochen werden sollte, bat der Freigraf um Mässigung dieser Acht und
wurde sodann für recht gewiesen: da die Frankfurter dem
Kläger zu keinem Recht verhelfen und zu Ehren nicht antworten wollen an den gebührlichen Stätten, so möge der Kläger oder Procurator und Beweiser der Sache der von Frankfurt Leib und Gut aufhalten, bekummern und besetzen, bis
die Frankfurter dem Kläger in seiner erwiesenen und gewonnenen Sache und dem Gerichte Genüge gethan haben, wozu
ihm alle Herren und Fürsten u. s. w. behilflich sein sollen.
Demnach gebietet der Freigraf bei einer Strafe von fünfzig
Goldgulden allen Herren, Fürsten, Bischöfen, Herzogen u. s. w.
auf des Klägers Begehren die Arrestirung der Frankfurter
und ihrer Güter vorzunehmen. --- In dem bei V o i g t a. a. O.
mitgetheilten Falle klagte ein Bürger aus Essen gegen mehrere
Danziger vor dem Freistuhle zu Horeide, weil er im Wege
langer Unterhandlungen die Herausgabe gewisser Nachlassgüter
von den Beklagten nicht erwirken konnte. Hierüber bat der
Freigraf den Hochmeister des deutschen Ordens in Preussen,
die Danziger zur Herausgabe des Nachlasses anzuhalten, wie
sie vor Gott und Rechtswegen schuldig sind und gleichzeitig
erliess er an die Beklagten den Befehl, dem Kläger den
Nachlass binnen Monatsfrist herauszugeben, wie sie dies billig
und von Rechtswegen nach ergangenen Sachen schuldig sind,
widrigenfalls aber vor ihm an einem bestimmten Tage zu erscheinen u. s. w., er sähe das schwere Gericht lieber verhütet.
Ungeachtet der Hochmeister sich zur Beilegung der Sache erbot und auch mehrere Ausgleichsversuche stattfanden, zog der

Kläger doch unbefriedigt aus Preussen, brachte die Angelegenheit wieder vor den genannten Freistuhl und erlangte nun hier ein Urtheil, wornach der deutsche Orden dem Kläger verfallen war in dieselbe Summe, die er an die Beklagten zu fordern hatte, dazu auch in die Kosten und Schaden. Begründet war dieses Urtheil damit, dass der (inzwischen verstorbene) Hochmeister, als Herr des deutschen Ordens, sich selbst mit Willen in das Gericht gegeben und durch seinen Gelobbrief, laut welchem dem Kläger von seinen Gegnern Recht geschehen sollte, diesen also betrogen habe, dass er des Rechtes nicht hat geniessen können. Dem Kläger ward durch das Urtheil weiters gestattet, den deutschen Orden und dessen Untersassen und Güter zu berauben, und aufzuhalten zu Wasser, zu Land u. s. w. bis er zu dem Seinigen komme. Der Hochmeister aber wurde zu „einem rechten gerichtlichen Pflichtag" vor den Freistuhl geladen, ob er da etwas mit Recht gegen dieses Urtheil zu sagen wisse. Würde er sich hierin versäumen, so gieng dann des Klägers gewonnenes Urtheil seinen Gang.

In den hier mitgetheilten drei Fällen kam es vermutlich gar nicht zur letzten schweren Sentenz [1]). Darum möge jetzt noch ein mehrfach interessanter Fall kurz erzählt werden, in welchem auch diese letzte Sentenz gefällt worden ist [2]). Kunz Hasse und sein Knecht Hanns Füssel von Mummersheim klagten vor dem Freistuhle zu Medebach gegen Hanns Ysenkremer zu Mainz wegen nicht näher bezeichneter Verhandlung bezüglich eines Schneidmessers und desshalb, weil Ysenkremer die Kläger ganze Bösewichte gescholten hatte. Diese Scheltworte wurden als vehmbrüchig erkannt und der Beklagte auf einen bestimmten Rechtstag vorgeladen, an welchem die Kläger sich von jener Beschimpfung reinigen wollten. Der Tag wurde, ungeachtet der Abforderung der Sache durch den Mainzer Erzbischof, abgehalten, der Beklagte war nicht erschienen, die Kläger schwuren sich von der Beschimpfung los und wurde zu Recht erkannt, dass sie sich der Scheltworte recht verantwortet

---

[1]) S. auch D a t t, De pace publ. 770 fg.
[2]) U s e n e r, a. a. O. Urk. XVII, S. 138—142.

und entledigt haben, dass sie derselben so frei und los sein sollen, wie am Tage vor der Beschimpfung, dass sie desshalb Niemand meiden, hassen u. s. w. möge, sondern sie in Ehren stehen sollen, wie dies frommen Leuten gebühre. Ferner wurde zu Recht erkannt, dass der Beklagte ihnen gegenüber in derselben Stellung stehen sollte, in welcher sie gestanden wären, wenn man sie schuldig erfunden hätte und dass er ihnen allen zufolge jener Beschimpfung erlittenen und noch zu erleidenden Schaden zu ersetzen habe [1]. Da ein Ausgleich der Parteien nicht erfolgte, klagten jene weiter und erlangten durch Urtheil, „dass sie mit öffentlicher Verkündung und Citation an den Verklagten ihren Behalt gethan haben, nämlich K. Hasse auf eilfhundert Gulden, H. Süsel auf sechzehn Gulden", dass der Beklagte schuldig sei, diesen Behalt zu zahlen ohne Einrede und sie desselben Leib und Gut bekummern mögen zu Wasser, zu Lande, zu Sande, u. s. w., wogegen ihn kein Geleite, keine Freiheit schützen sollte. Ueber weiteren Ungehorsam des Verurtheilten begehrten die Kläger die „leste schwer diffamation Sentencie"; doch ward dem Beklagten zur Warnung noch eine Königstagesfrist gewährt, und ungeachtet fortdauernder Rechtsverweigerung Seitens des Verurtheilten und Gefangensetzung und Beraubung der Kläger durch ihn, begnügte sich der Freigraf, wie es scheint, selbst nachdem den Klägern die letzte schwere Sentenz zugesprochen worden war, zunächst mit einer Warnung an die Mainzer, mit dem verachteten Ysenkremer keine Gemeinschaft zu pflegen. Erst als auch dies nicht zur Befriedigung der Beklagten geführt hatte, erfolgte die Vervehmung, wodurch derselbe für friedlos, rechts- und geleitslos erklärt und in die Gewalt der Kläger gesetzt wurde, m i t i h m z u h a n d e l n, a l s s i c h n a c h f r e i e n S t u h l e s u n d d e r h e i l i g e n h e i m l i c h e n A c h t R e c h t g e b ü h r t. — Da beide Kläger echte und rechte Freischöffen waren, so ist wohl anzunehmen, dass sie die erste gute Gelegenheit benützt haben werden, den Vervehmten aus dem Leben zu schaffen. Bemerkenswerth ist, dass dennoch die

---

[1] Vergl. den von W i g a n d in den Denkwürdigkeiten, ges. aus dem Archive des Reichskammergerichts S. 120 fg., mitgetheilten Fall v. J. 1567.

Möglichkeit einer Absolution in den letzten Sätzen der Ver-
vehmungsformel zugestanden ist. Das Urtheil ist vom J. 1523
und in dieser Zeit sahen sich die Vehmgerichte meist genöthigt,
bei ihrem grausamen Spiele mit dem Menschenleben zartere
Saiten aufzuziehen.

Schliesslich sei noch eines Falles erwähnt, der ziemlich
derselben Zeit angehört, in welche die Sache Ränntl's fiel und
den Nachweis liefert, dass auch in Fällen, in welchen es sich
um schwere Verbrechen handelte, ebenso verfahren worden ist,
wie in den oben mitgetheilten Fällen. Ueberdies ersehen wir
aus diesem Falle, dass auch Wilhelm v. d. Zünger denselben
Grundsätzen des Verfahrens gefolgt sei, welche die Freigrafen
in jenen Fällen beobachtet haben [1]).

Ein gewisser Wendler hatte gegen Mathias Tietz und
Genossen vor dem Freistuhle zu Dortmund wegen Mordbrand
geklagt. Die Beklagten, „vor das offenbare Freiding" geladen,
waren zur Verantwortung nicht erschienen. „Darumb hat der
Prokurator im Namen des M. Wendler sin clage, hovetgut,
kost vnd schaden vff sie behalden vnd gewunnen, geachtet vnd
geromet so gut als achtzig overlentische Rynische gulden,
auch ... ordel vnd recht gewunnen vnd behalden, dass die
obgen .. verclagten dem clager die obgen .. summe gulden,
auch dem freien gerichte die peen vnd bruch bezalen .. sollen,
bynnen geborlicher zeit .. vnd ob die verclagten das nicht
täten, alsdann mögen die clager ... die obgen . summa ...
wol abemanen, affpfenden vnd affwynnen mit gerichten, geistlichen und weltlichen .... vff sunder gerichte, an iren liben
vnd guden ... Auch ist mit vrteil vnd recht erkant ... ob
die verclagten ... sich mit dem clager . vnd .. gerichte nicht
entscheiden in geborlicher zyt ... dass ich ... als dann voll-
gerichte vnd die leste swere sententie vber der verclageden
lip vnd ere geven sol ..."

Sämmtliche hier mitgetheilten Fälle, so verschieden ge-
staltet sie sonst sind, bewähren unwiderlegbar, dass — ab-

---

[1]) S. M ü l l e r, Reichstagstheater unter K. Friedrich V. Bd. I. S. 495.
Vgl. auch a. O. S. 498 fg.

gesehen von den übrigen Vorverhandlungen, auf welche näher einzugehen hier nicht möglich ist — vor der letzten schweren Sentenz, der Vervehmung, gegen den vom angesetzten Rechtstag ungehorsam ausgebliebenen Beklagten ein anderes Urtheil gefällt wurde, durch welches dem Kläger seine Sache, sein Recht oder Anspruch, Hauptgut, Schaden und Kosten ganz allgemein und meist nach vorhergegangener „Würderungsverhandlung" dem Werthe nach in einer bestimmten Summe, sowie dem Gerichte das Recht auf die vom Beklagten verwirkten Bussen und Brüchten zuerkannt und gewöhnlich dem Kläger und dessen Prokurator die Befugniss ertheilt wurde, des Beklagten Leib und Gut anzuhalten, zu pfänden, zu bekummern, bis er vollständig befriedigt worden sei. Zugleich ergieng gewöhnlich an bestimmte Personen und Obrigkeiten oder allgemein der Befehl, den Kläger bei der Bekummerung zu unterstützen und weiter das Verbot, mit dem Verurtheilten irgend welche Gemeinschaft zu pflegen, denselben zu hausen, zu beschirmen, zu geleiten u. s. w., nachdem nicht selten schon früher der Gemeinde, welcher der Beklagte angehörte, geboten worden, jede Gemeinschaft mit demselben abzubrechen, ihn auszuweisen u. dgl.

Demnach ist der durch ein solches vorläufiges Contumazurtheil V e r u r t h e i l t e bereits ein friedloser geächteter Mann und wird auch als ein solcher in den Achterklärungen ausdrücklich bezeichnet, z. B. bei Usener Urk. 64. In der That sind die oft in Einzelheiten sehr abweichenden Achtformeln dieser Urtheile mitunter denen der eigentlichen Vervehmung so ähnlich, dass es zweifelhaft wird, ob es sich um diese oder jene Art der Acht handle. Dennoch unterscheiden sie sich wesentlich von einander. In den Fällen der ersten Art erlangt der Kläger Gewalt über des Beklagten Leib und Gut nur so weit, als diess nöthig ist, um sich und dem Gerichte Befriedigung ihrer vermögensrechtlichen Ansprüche zu verschaffen, beziehungsweise den Beklagten dazu zu zwingen. Durch die Vervehmung wird der Geächtete vogelfrei, recht- und friedlos gegen Jedermann, nach Vehmgerichtsrecht gleich einem, der bereits zum Tode verurtheilt wurde. Die Vervehmung ist — kurz gesagt — gleich der Reichsoberacht, jedoch in ihren Wirkungen erhöht durch die Pflicht der Vehmschöffen, den Vervehmten hinzurichten; die gewöhnlich vorhergehende Aechtung des ungehorsamen Beklagten dagegen gleicht der Reichsacht, bei welcher ja auch, neben den sonstigen Wirkungen und Folgen der Verfestung, die Verhaftung des Aechters und Bekummerung seines Vermögens stattfindet [1]. Von dieser Folge der Achtsentenz, der Bekummerung, Beschlagnahme des Aechters und seines Gutes, nahm man die Veranlassung, diese Sentenz „K u m m e r s e n t e n c i a" zu nennen [2]), und weil sie der letzten schweren Sentenz vorangieng, nannte man sie auch die e r s t e S e n t e n z. Es bezeugt dieses eine bisher, wie es scheint, ganz unbeachtet gebliebene Stelle des bei S e n c k e n b e r g a. a. O. abgedruckten Rechtsbuches, welche überdies ein trefflicher Beleg für unsere obigen Ausführungen und namentlich dafür ist, dass unsere, den U r k u n d e n der Vehmrichter entnommene Unterscheidung zwischen der ersten und letzten Sentenz, oder zwischen Acht und Vervehmung vollkommen richtig und auch in den Rechtssatzungen der Vehmgerichte begründet ist. Der Artikel 29 dieses Rechtsbuches (a. a. O. I. p. 2. pag. 109) hat folgende Ueberschrift: V o n d e n e n d i e v m b k o s t e n u n d s c h a d e n v e r f i e r t e r f o r d e r t v n d v e r w o n n e n w e r d e n, w i e s i e n i e n d e r t g l a i t n o c h k a i n e r s i c h e r h a i t n i t h a b e n s o l l e n, und bestimmt im Wesentlichen: „Wann ainer vmb costen .. erfordert .. wirt, d a s i s t d e r e r s t s e n t e n t z v n d i s t s o h o c h, a l s i n a n d r e n w e l t l i c h e n g e r i c h t e n d i e a c h t .... vnd man doch keinem am leben darumb nichtes tun sol, der nit höher, dann vmb costen vnd schaden erlangt vnd erfordert ist, sondern man sol in niendert gelaittn, fryn noch friden" ... Der folgende Artikel handelt aber: „V o n d e n e n, d i e v e r f i e r t v n d v e r f a y m e t

---

[1] S. die vortreffliche Erörterung bei F r a n k l i n, das Reichshofgericht, II. 320 u. fg.

[2] S. U s e n e r a. a. O. 217 u. a. — G a u p p. Von Fehmger. 81. 89. — K o p p, üb. Verfassg. d. heiml. Ger. 426 fg.

werden . . . letzte swere sentenz." — Auf das zweierlei Verfahren und Urtheil weist auch Art. 37 hin, in der Ueberschrift: „Wie kein Freischöffe niemandes warnung tun sol, der mit recht erlangt ist, es sei vmb costen vnd schaden oder ganntz verfiert." Das s. g. Osnabrücker Rechtsbuch (bei M a s c o v. Notitia iuris et iudiciorum Brunsvic. Anhang S. 47 fg. u. bei T r o s s Sammlung merkw. Urkunden. S. 28 fg.) unterscheidet (T r o s s, S. 53) „brochliche und pein-liche" Klagen, d. h. wohl solche, welche auf Verurtheilung zu Brüchte und Busse oder zu peinlichen Strafen gehen, und be-schreibt (T r o s s, S. 31) das Verfahren, womit Jemand sein Hauptgut, Kosten und Schaden gegen den Beklagten fordert und bewährt [1]). Einer besonderen Sentenz hierüber, die aber nicht zu bezweifeln ist, wird nicht gedacht, jedoch weiter bestimmt, dass man einen solchen beklagten und verfolgten Mann, falls er die Klage und „Verfolgniss" nicht achten wollte und gegen selbe frevelhaft Widerstand leisten zu können meinte, mit rechtem Urtheile aus dem offenen Freigericht in die heimliche beschlossene Acht ziehen und daselbst über ihn, wie über einen Verschmäher und Frevler des Rechtes nach Satzung der heim-lichen Acht richten möge. In den weiteren Bestimmungen wird der „letzten schweren Sentenz" öfter erwähnt und so also auch durch dieses Rechtsbuch die Unterscheidung zweifachen Verfahrens und zweifacher Sentenz einigermassen bezeugt. Ob die erste Sentenz, welche wir auch nach diesem, wahrschein-

---

[1]) W i g a n d, das Femgericht Westfalen's, S. 442 N., 47. — Auch diesem Schriftsteller, obwohl er der richtigen Erkenntniss öfter sehr nahe stand, entgieng, dass die Vehmgerichte zwei Achtsentenzen fällten und diese im Wesentlichen im Verhältnisse wie Reichsacht und Oberacht zu einander standen. S. seine übrigens sehr unklare Darstellung des Contumatialverfahrens a. a. O. 419 fg. Ebenso kennt H. M e y e r, Strafverfahren gegen Abwesende, S. 88, auf Grund der Darstellungen von Wigand und Wächter, nur eine Acht im Sinne der Reichsoberacht. E i c h h o r n's richtige Vermuthung einer doppelten Acht (D. St. u. R. G. S. 421 Note e) wurde von W ä c h t e r a. a. O. S. 164 als nicht in den Urkunden begründet abgelehnt.

lich ältesten aller Vehmrechtsbücher annehmen zu müssen
glauben, bereits die Bedeutung einer Kummer- und Achtsentenz
im oben behaupteten Sinne gehabt habe, überhaupt die Frage,
seit welcher Zeit eine erste Sentenz von jener Bedeutung bei
den Vehmgerichten vorkam, kann hier nicht näher erörtert
werden und dürfte aus dem bis jetzt vorliegendem Quellen-
material nicht leicht zu entscheiden sein. Zur Erklärung der
Urkunden über die Sache des Sigmund Ränntl dürfte aus den
vorstehenden Ausführungen entnommen werden, dass das von
Ränntl gewonnene Urtheil, dessen diese Urkunden gedenken,
eine Kummersentencia, oder, wie sie wegen der gewöhnlich
darin enthaltenen Aufforderung zur Unterstützung des Klägers
bei der Beschlagnahme auch genannt wurde [1]), eine Heischungs-
sentencia gewesen sei.

Ueber den Ausgang dieses Processes wissen wir nichts.
Zur letzten schweren Sentenz ist es da, wie in vielen sonst
bekannt gewordenen Vehmgerichtsprocessen, in welchen die
Kaiser oder Landesherren sich in's Mittel gelegt hatten, vermuthlich nicht gekommen, so energisch die Freigrafen die Behauptung verfochten, dass eine Sache, die als vor das Vehmgericht gehörig erkannt worden ist, nur vor einem solchen
Gerichte zu Ende geführt werden dürfe [2]), ja sogar vom
Kaiser in Folge an ihn gerichteter Appellation erlassene Urtheile kassirten [3]). Wir haben keine Spur, dass jene Sentenz
im besprochenen Falle erflossen wäre; vielmehr einen Ver-
muthungsgrund dagegen, oder doch gegen die Vollstreckung
der etwa dennoch erfolgten Vervehmung in dem urkundlich
bezeugten Umstande, dass mehrere der namentlich angeführten
Beklagten noch lange Zeit nach dem Jahre 1460 am Leben
waren und wie vorher öffentliche Stellen einnahmen.

Wie es scheint, blieb dieser Process ziemlich vereinzelt
in Steiermark. Unter den Tausenden mittelalterlicher Urkunden

---

[1]) U s e n e r, a. a. O. S. 211 am Ende.
[2]) S. T h i e r s c h, Vervehmung des H. Heinrich v. Baiern. S. 127,
   129 u. v. a.
[3]) U s e n e r, a. a O. S 94.

des steiermärkischen Landesarchives fand sich, ausser den drei erörterten Urkunden, kein Zeugniss vehmrichterlicher Wirksamkeit im Lande; eben so wenig in andern Quellen seiner Geschichte. Keine der mannigfachen Massregeln, welche Kaiser und Landesherren, Adel und Städte in anderen Ländern gegen die Vehmgerichte ergriffen, kommt in Steiermark vor; nichts ist bisher bekannt geworden, was das Vorhandensein von Vehmschöffen beweisen könnte. Möglich und nicht ganz unwahrscheinlich ist, dass Sigmund Ränntl Vehmschöffe gewesen sei; aber sonst fehlt jeder Anhalt, anzunehmen, dass es Vehmschöffen im Lande gegeben habe, so merkwürdig dies bei der verbreiteten (jedoch nicht erwiesenen) Behauptung, dass es mehr als hunderttausend Vehmschöffen in Deutschland gegeben habe, ist. Das Land wird diesen Mangel kaum zu beklagen gehabt haben, da die nicht in Abrede zu stellende, aber nach meiner Meinung vielfach übertriebene, heilsame Wirksamkeit der Vehmgerichte von den dem Einzelnen wie dem gesammten Rechtszustande höchst nachtheiligen Missbräuchen ihrer zeitweilig allzu grossen Gewalt gewiss weit überwogen wurde.

Den sonstigen Inhalt der drei Urkunden des st. Landes-Archives näher zu besprechen ist unnöthig, da dieselben hierin wie auch der Form nach von den vielen bekannten und in den citirten Werken benützten Briefen der Freigrafen nicht abweichen. Erwähnenswerth ist höchstens noch die in der Urkunde I enthaltene Bemerkung, dass die s. g. Arnsberger Reformation der Vehmgerichte v. J. 1437 vom K. Sigismund confirmirt worden sei. Auf die Autorität Wächter's (Beiträge S. 137 fg.) hin wird von den Meisten, gegen die Meinung Usener's (a. a. O. S. 14) und Seibertz' (Urkundenbuch III. S. 77 in der fast ganz unbeachtet gebliebenen Note), das Gegentheil angenommen; ich glaube ohne genügenden Grund. Wächter sagt: „Die Reformation vom 27. April 1437 wurde an K. Sigismund geschickt, dieser aber, der im Dezember 1437 starb, kam nicht mehr zur Erledigung der Sache." Letzteres ist nicht unwahrscheinlich, aber m. E. ohne Beweis geblieben. Als solchen kann ich wenigstens das von Wächter angezogene Schreiben K. Friedrich's v. J. 1440 (bei W i g a n d, a. a. O. S. 250) nicht anerkennen. Denn die Worte in demselben: „Wir haben .. vernumen .. wie du .. eyn bequemliche ordenunge .. verainet vnd dieselb .. Kaiser Sigmunden .. gesendet habest, der nach dem balde von dieser welt abgangen vnd verscheiden sey, davon soliche ordenunge nicht viel nützes bracht habe", schliessen die M ö g l i c h k e i t der Confirmation der Arnsberger Reformation durch K. Sigismund keineswegs aus und könnten etwa auch bedeuten: weil K. Sigmund bald nach der Abfassung der Reformation gestorben ist, habe sie nicht so viel genützt, als sie bei längerem Leben des Kaisers vielleicht genützt hätte. Die Reformation war am 27. April 1437 fertig, K. Sigmund starb erst im Dezember desselben Jahres; man hatte also mehr als genügend Zeit, die Confirmation zu erwirken. Muss demnach die Möglichkeit der Confirmation zugestanden werden, so gewinnen die von U s e n e r a. a. O. [1]) angeführten Stellen, in welchen die Reformation als königliche oder als kaiserliche, gegeben von K. Sigismund bezeichnet wird, sowie insbesondere die ganz bestimmte Angabe in unserer Urkunde I, die Reformation sei v o m K. S i g m u n d l ö b l. G e d ä c h t n i s s, d e r d e r f r e i e n h e i m l i c h e n Ge- r i c h t e e i n w i s s e n d e r F r e i s c h ö f f e u n d K a i s e r w a r, c o n f i r m i e r t u n d b e s t ä t i g t w o r d e n, erhöhte Bedeutung. Diese Bemerkung steht in einem an den Kaiser Friedrich III. unmittelbar gerichteten Schreiben der Freigrafen, dient zur Unterstützung ihres Protestes gegen die kaiserliche Abforderung der Sache vom Vehmgerichte und wäre zu diesem Zwecke und in so bestimmter Weise wohl kaum gewagt worden, wenn sie nicht wirklich begründet gewesen wäre; denn K. Fried- rich III. hatte sich wiederholt mit den Angelegenheiten der Vehmgerichte und namentlich mit der Reformation des K. Sigismund beschäftigt und musste oder konnte sehr leicht wissen und erfahren, ob dieselbe von K. Sigismund bestätigt

---

[1]) Die daselbst citirte Stelle aus der Urkunde 52 kommt hier nicht in Betracht uud wurde von Usener offenbar missverstanden.

worden sei oder nicht. Unter so bewandten Umständen erscheint auch die ebenfalls ganz bestimmte Behauptung der durch K. Sigmund erfolgten Bestätigung der Arnsberger Reformation, welche sich in der betreffenden Ueberschrift und am Schlusse der Reformation der weltlichen Gerichte vom Kurfürsten Hermann V. von Cöln v. J. 1547 findet (s. Seibertz, a. a. O. S. 77 Note u. S. 84, Note 163), als ein beachtenswerther Grund für die Annahme, dass die fragliche Confirmation in der That erfolgt sei. Ich halte übrigens den Streit durch die vorstehenden Bemerkungen keineswegs für erledigt und letztere Annahme für erwiesen; aber unläugbar sprechen sehr erhebliche Gründe für diese Annahme und gegen die Behauptung Wächter's. Bestimmter wird sich diese Frage ohne Auffindung neuer Beweismittel nicht beantworten lassen. Es wäre überhaupt sehr zu wünschen, dass die vielen in Archiven liegenden noch unbekannten Urkunden über die Vehmgerichte veröffentlicht würden; die noch immer vielfach dunkle Geschichte derselben und ihres Verfahrens würde hiedurch gewiss sehr gefördert werden.

Kleinere Aufsätze

und

Mittheilungen.

––––––––––

M. Johann Kepler's Heiratsbrief von 1597.

(Angezeigt von Dr. R. Peinlich.)

Einem glücklichen Zufalle und einem archivalisch geübten Blicke verdankt die vaterländische Geschichte die kürzlich vorgekommene Auffindung einer höchst interessanten Reliquie, nämlich eines Bruchstückes vom Heiratsbriefe (Originalurkunde) des weltberühmten Mathematikers J. K e p l e r. welcher 1597 bei Gelegenheit seiner Vermählung mit der Witwe des landschaftlichen Bauschreibers Marx Müller ausgestellt wurde.

Der Chorherr und Archivar des Stiftes Vorau, O t t o k a r K e r n - s t o c k, fand diese werthvolle Reliquie in der Bibliothek seines Stiftes als Einbanddecke eines Büchleins, betitelt: „Nomenclator Hadriani Junii medici" (Augsburg, Mich. Manger, 1592), und übergab dieselbe mit Genehmigung seines Stiftsvorstandes dem Landesarchive in Graz.

Das Deckelblatt ist Pergament, ungefähr 25 Cm. hoch und 15·5 bis 17 Cm. breit. Es wurde durch seine Verwendung zum Büchereinbande an manchen Stellen beschädigt und lässt auch die Schrift an einzelner Stelle gar nicht mehr, an anderen nur schwer erkennen. Von der Urkunde ist über die vordere Hälfte noch etwa ein Siebentel weggeschnitten.

Der k. k. Universitäts - Professor Dr. Arnold Ritter v. L u s c h i n unterzog sich mit dem schönsten Erfolge der mühevollen Arbeit. durch Combination mit ähnlichen Urkunden des 16. Jahrhunderts den fehlenden Text zu ergänzen.

Da Kepler Steiermark bereits im September 1600 mit Frau und Kindern verliess und später nur vorübergehend 1601 und 1605, und seine Frau 1603, nach Graz kam, um die Regelung ihrer finanziellen Verhältnisse, nämlich die Ausfolgung des väterlichen Erbtheiles der Frau und die Erlassung des den Exulanten abverlangten zehnten Pfennigs von den Gütern derselben zu betreiben, wobei dieser Heiratsbrief nichts zur Sache hatte, so lässt sich das Verbleiben dieser Urkunde im Lande durch die Annahme erklären, dass sie sich bei seinem Schwiegervater Jobst Müller zu Mühleck befand.

Wir lassen beides, den Rest der Originalurkunde und die Ergänzung von einander geschieden, folgen und bemerken nur, dass Zeile für Zeile von Seite 172 auf 173 hinüber zu lesen ist.

Ergänzung.

Ich M.(agister) Johannes Kepler, einer er:(samen) la:(andschaft) in S
mich vnd auch für all mein erben, dass ich meiner lieben hauswirtin fra
schaft pauschreiber witib gegeben und gemacht han zu einer widerlag ihres heyratguetts i
czig kreuczer oder funfzehen paczen guter landeswerung in Steyer gerechnet. Vnd
hundert gulden Reinisch bringt, secz ich meiner lieben frau all mein hab sie sei mein aigne
zuetrug, dass ich vor meiner lieben wirtin frauen Barbara an leibserben abgieng i
vierhundert guldein Reinisch heiratguett und widerlag meiner lieben wirtin gefallen. Auch
alsdann aus ihrer ersten ehe, mit weiland N. Lorencz noch vorhanden ist ge
Regina Lorenczin, vnd aber auch die fahrnuss die ich bei meinen lebzeiten gewinne
tail getailt werden, meiner lieben hauswirtin frauen Barbara und meinen nachsten e
Lorenczin aigenthumblich haimbfallen vnd verbleiben, ausgenomen leibskleider, puecher
lieben hausfrauen Barbara allerdings freylediglich haimbfallen vnd unwiderrufflich verbleiben soll
Doch da mir oft ermelte mein liebe hausfrau uber solch mein empfangen heiratsguet noch ei
notwendiger, genuegsamber verschreibung versehen, auf das sy oder ir erben sich derhalben w
nach meinem todtlichen abgang an all mein gelassen hab vnd guet halten muge vnd anders zu tu
meinen schadenpundt im lande Steyer, als ob desselben clauseln, punct vnd artikl hier
diesen heyratbrieff mit meiner handtschrift und betschafft verfertigt, auch zu merer bekräftigung hers
und Adamen Nidnaus beede burger in Grácz, fleissiglichen erpeten, das sie zusamt mir ire namen u
iren nachkomen und allen iren erben an schaden. Der brief ist geben ze Grácz nach Christi geburt i
den 27. tag des monats Aprilis.

Sebastia

Adam (?

M. Johan Kepler m. p.

L. S.   *L. S.*

Anmerkung. Die Ergänzung wurde mit Rücksicht auf die bekannten Daten aus Kepler's Leben und (soweit es angiat
mit Benützung gleichzeitiger Urkunden und Formelbücher vorgenommen. Dem in der Kepler-Literatur wohlbe
kannten Herrn Vereinsvorstande Dr. R. Peinlich verdanke ich die Nachricht, dass Hans Nidenaus Bürge
und Rathsverwandter in Graz war, welcher mit Kepler auch noch in späterer Zeit in vertrauter und geschäf
licher Beziehung stand, daher dieser im Jahre 1601 durch die Zeit seines mehrmonatlichen Besuches unsern
Hauptstadt in seinem Hause wohnte (nach einem Briefe Kepler's aus Graz, d. 30. Mai 1601 an seine Frau
Prag); wie auch Nidenaus noch 1607 der Regina Lorentzin 1000 fl. schuldete. (Frisch, Kepler's Werke VIII.
S. 777) und dass ein Adam Nyednaus am 2. Aug. 1600 unter den Grazer Vorstadtbürgern erscheint, welche
ihre Rückkehr zur katholischen Kirche mit Handschrift und Potschaft zur selben Zeit versprachen, als Kepler
wegen der Gegenreformation die Steiermark verliess. (H. H. u. Staats-Archiv zu Wien, I. ö. Hofkanzlei
Steierm. V, Fasc. 1590—1618). Actenauszüge, welche mir gleichzeitig der Herr Vereins-Schriftführer L. Beck

Original.

eyer mathematicus, bekhenn hiemit für
en Barbara weilendt Marxen Müllers wolermeldter lanndt-
enänntlichen zwayhundert gulden Reinisch, yeden derselben zu sech-
umb solch heyratguett vnd widerlag so in ainer summa vier-
verfangne, oder frey verfallene alles mit der beschaidenheit, ob sich
weliches alles in gottes gnädigen willen steet,) so sollen berüerte
ist abgeredt vnd beschlossen worden, das in der ihenigen fahrnuss weliche
fall gleich halber thaill irer in dero ersten ehe erzeugten tochter namens
möcht, solle für ain fahrnuss geschätzt, vnd widerumb in zwen gleiche
bnen zugleich; da aber dern khaine vorhanden, alsdan mergemeldter Regina
vnd was zur mannswehr gehört vnd genennt wirdt, also auch ir meiner
was ihro von mir oder andern an yeczo oder khunfftig geschenckht wurde
mehrers wurde zuebringen, daruber *soll vnd will ich sie jederzeit mit*
ter so wol vmb ir heyrath, vermacht, als vmb ir mehrers zuebringen
nit schuldig sein solle. Alles treulich vnd pei verpindung des allge-
nen geschriben waren, ongeuerde. Des zue wahrem vrkund hab ich
Sebastian Speidl ainer er: la: in Steyer cinnemer, Hannsen Nidnaus
dterschriben vnd auch ire bettschaft hieran gehangen haben; doch inen
tausent fünfhundert sibenundneunzigisten jar

Speidl m. p.

Nidnaus m. p.   **Hanns Nidnaus** m. p.

Widmanstetter zur Verfügung stellte, ergeben, dass entweder nebst dem Raths
bürger und Handelsmann Hans Nidenaus gleichzeitig noch ein anderer, ganz
gleichen Namens, bei der i. ö. Kammerbuchhaltung in Graz (seit 1575) 1586 als
Raitdiener, 1599 als Adjunct und 1607 als Amtsverwalter bedienstet war, oder
was nicht unwahrscheinlich ist, dass beide identisch sind. Sebastian Speidl ist
ein Bruder des berühmteren Stefan Speidl zu Vattersdorf (Liebenau), landschaftlichen Secretärs, von welch' letzterem ein noch heute in Bayern blühendes Frei-
herrengeschlecht abstammt. Die Unterschrift Kepler's wurde seinen Gehaltsquittungen
aus den J. 1597/8 entnommen, deren Originale das steierm Landesarchiv gleich
dem Heiratsbriefe verwahrt. Das Wort „verfallene" in der 5. Zeile v. o. ist über-
geschrieben und das darunter stehende „aigne" durchstrichen. **Luschin-**

Ein merkwürdiges Flugblatt. [1])

Das st. Landes-Archiv bewahrt das Original eines Flugblattes höchst eigenthümlicher Art, welches selbst unter den ungezählten Reihen von Zeitungen, Flugschriften und Flugblättern, welche die Bibliotheken und Archive des deutschen Reiches und Oesterreichs als grösstentheils noch ungehobene Schätze für die Quellenforschung bergen, zu den Seltenheiten gehören dürfte. Es ist ein Spottgedicht auf den Winterkönig, Kurfürst Friedrich V. von der Pfalz, welches ohne Zweifel bald nach dessen Flucht aus Prag, also Ende 1620 oder Anfang 1621 entstanden ist. Nicht so sehr der Inhalt des Gedichtes, welcher in der fast unerschöpflich erscheinenden Flugschriften-Literatur jener Tage nicht vereinzelt dasteht, sondern besonders die Art der graphischen Darstellung desselben macht dieses Flugblatt zu einer Merkwürdigkeit. Wir finden in den 41 Zeilen des Textes eine beträchtliche Anzahl von (52) Worten durch Bilder ersetzt, so dass wir es hier zugleich mit einem Rebus oder Bilderräthsel zu thun haben, welches wahrscheinlich zu den ältesten in deutscher Sprache verfassten gehört. Ueber das Alter der Bilder-Räthsel sind in neuerer Zeit gründliche Untersuchungen angestellt worden [2]). Vereinzelte Beispiele kommen schon bei griechischen und lateinischen Schriftstellern vor. Auch den alten Steinmetzzeichen und Künstlermonogrammen haftet mehrfach ein rebusartiger Charakter an. In Frankreich scheint das Bilderräthsel zuerst weitere Verbreitung gefunden zu haben und zu Aufzeichnungen scherzhaften Inhaltes verwendet worden zu sein. In den „Bigareures" des Tabourot wird das erste Vorkommen der Rebus in das 12. und 13. Jahrhundert versetzt.

Zedler spricht vom „Rebus de Picardie" und bemerkt, dass in der genannten französischen Landschaft dergleichen scherzhafte Darstellungen mit „hieroglyphischen" Zeichen üblich sind und dass sie zu

---

[1]) Die beiliegende Autographie des im st. Landes-Archive befindlichen Originales ist ein Wiederabdruck einer im XXII. Jahresberichte der st. l. Ober-Realschule zu Graz enthaltenen „Sammlung von Zeitungen und Flugschriften aus der ersten Hälfte des XVII. Jahrhunderts" von Professor Dr. Hans von Zwiedineck-Südenhorst, welcher von der Direction der gedachten Anstalt bereitwilligst zugestanden wurde.

[2]) Boreux. Galante Hieroglyphen. Leipzig 1800. — Dr. Ochmann. Zur Kenntniss der Rebus. Programm des Gymnasiums zu Oppeln 1867. — F. R Hoffmann. Grundzüge seiner Geschichte des Bilder-Räthsels. Berlin 1869. (Dies Büchlein war dem Schreiber dieser Zeilen bis zum Augenblicke der Drucklegung dieses Aufsatzes leider nicht zugänglich.) Notizen finden sich ausserdem im Anzeiger f. K. d. Vzt. Jahrgang 1858 und 1859.

seiner Zeit (Anfang des 18. Jahrhunderts) von französischen Damen nicht
selten zur Anwendung kämen. Es hätten auch etliche Deutsche auf dergleichen Art einen Versuch gethan, unterschiedene Stellen aus der Bibel,
ja das ganze Corpus juris in hieroglyphischen Figuren abzufassen.

Jedenfalls war die Anwendung der Bilderräthsel im 16. und 17. Jahrhundert in Frankreich und Deutschland schon bekannt; denn dafür sprechen
mehrfache Andeutungen im Dictionaire des Ménages (1650) im Gargantua
des Rabelais, in Fischarts und Harsdörfers Schriften. — Ein Seitenstück
zu dem vorliegenden Rebus findet sich in den Sammlungen des Germanischen Museums. Es ist ein 18 Zeilen langes Gedicht, welches ebenfalls
den Winterkönig zum Gegenstande hat und die Ueberschrift führt: „Gründliche weiss (Sage)ung. Vom Heydel (Berg) er vermelt was Ihm ein Zi-
geinerin hat Er (Zelt). Von (Fass) Ihm das vnglückh schnell Erwachsen
sey mit (zwei gekreuzte Knochen) vnd (Quell).“

Mit Uebertragung der bisweilen ziemlich undeutlichen Bilder lässt
sich der Text unseres Flugblattes in folgender Weise lesen:

Die Bettler auss Böhmerland. [3])

Hört zu ir frommen Biderleut,
Zu diser neuen Narren Zeit
   Was sich hat zugetragen.
Last euch ein arme Bettlerschar
   Ihr Leid vnd ellend klagen.

Solen wir euch sagen wer wir seind?
Wir sein geflohen vor dem Feind.
   Das waiss man leider eben·
Der Graff von Thurn der fein Gesel
   Hats Fersengeld Bald geben.

In Behem war ein Keller offen.
Da habn wir zuvil Pier gesoffen [4])
   Darumb thet man vns straffen.
Wir achten nichts was man mit güet
   Geboten oder gschafen. [5])

---

[3]) Es lässt sich aus den vier Figuren nicht ersehen, ob damit bestimmte Persönlichkeiten
bezeichnet sein sollen. Es scheint wahrscheinlich, dass nur im Allgemeinen ein Zug von
Bettlern dargestellt werden sollte; sonst hätte sich der ohnehin nicht sehr artige
Zeichner kaum versagt, auch die Frau Pfalzgräfin im Bilde zu verewigen. Wollten
wir dennoch vier der pfälzischen Flüchtlinge darunter vermuthen: so liesse sich der
Pfalzgraf mit seinem ältesten Söhnlein, Fürst Christian von Anhalt und allenfalls
der stets getreue Camararius nennen.

[4]) Dürfte eine Anspielung auf die zahlreichen Hoffeste in Prag sein.

[5]) Dieser Passus bezieht sich wohl auf die Friedensvorschläge, welche Maximilian von
Baiern zwei Tage vor der Schlacht am weissen Berge dem Winterkönige gemacht
hat, worin er sofortige Thronentsagung verlangte.

Darumb man vns mit khrieg vnd schlacht
In Eil verjagt vnd fortgebracht
   Hinauss auf frembde strassen
Vil Krüge Pier vnd ander guet geschier
   Habn wir hinden gelassen [6])

Der Wind der war doch gar nit guet,
Hat vnss genomen Mantel vnd hut,
   Den Staub vnd sand geblasen,
Starck wider vnss vnd vnser gsind
   In Augen vnd in d' Nasen

Von diesem graussam starcken Wind
Seind wir worden so gar stockblind
   Vnd vnsers gsichts beraubet.
Was wir verlohren in der Flucht
   Das hat der Feind aufklaubet. [7])

Wir hatten zuuor stadt vnd land
Das Engellendisch Hosenband
   Vnd königlichen throne.
Die Augen jetzt nichts zeigen [8]) mehr.
   Khain Scepter noch khain Krone.

Gott bhüt euch euer liebs gesicht
Das noch das vatterland ansicht
   Dass müessen wir entraten,
Vnd ohne ainige Zuuersicht
   Im ellend schwimmen vnd waten.

Die beiden letzten Strofen entbehren des poetischen Schwunges nicht und vereinigen Kraft des Ausdruckes mit Gemüth. Jedenfalls gehört das vorliegende Poem, was Form und Gehalt betrifft, nicht zu den unbedeutendsten Volksliedern jener vielbewegten Zeit, deren erregten Pulsschlag man gerade aus jenen literarischen Erzeugnissen am kräftigsten heraushfühlt, die einem plötzlichen Einfall, einem vorübergehenden Affect ihr Entstehen zu danken haben.   **Z. v. S.**

---

[6]) Das hier angewendete, ziemlich schwer zu erkennende Bild soll die Procedur eines Aderlasses darstellen.

[7]) Krone und Kleinodien, Archiv und Kanzlei, welche Friedrich V. und seine hervorragenden Räthe Fürst Christian von Anhalt und Ludwig Camerarius bei ihrer Flucht in Prag zurückliessen.

[8]) Das hier befindliche Bild ist sehr schwer zu deuten. Dem Schreiber dieser Zeilen erscheint es als ein Mann, welcher eine Figur zeigt, welch' letztere Thätigkeit damit dargestellt werden sollte.

Zur Wiener Weltausstellung 1873.

Der Ausschuss des historischen Vereines hatte zwar anfänglich beabsichtigt, sich an der Weltausstellung in Wien durch eine Exposition zu betheiligen, die eine Uebersicht der Ziele, Bestrebungen, Leistungon u. s. w. des Vereines geben sollte, allein da in Erfahrung gebracht wurde, dass die österreichischen Vereine von gleicher Tendenz jede selbsständige Ausstellung unterlassen, hielt man es für angezeigt, in gleicher Weise zu verfahren.

Dafür waren einzelne Mitglieder des Vereines bei der Weltausstellung mit literarischen Leistungen vertreten, von denen namentlich die beiden zunächst aufgeführten von so hervorragendem Werthe sind, dass ein kurzer Bericht über dieselben hier nicht fehlen darf.

Für das steiermärkische Landesarchiv exponirte der Vorstand desselben, Professor J. Zahn. Die Ausstellungsgegenstände waren:

1. Der 1. Band des (sogenannten) Regestenrepertoriums, d. h. das Verzeichniss der Urkunden des Archivs vom Jahre 810 bis 1299. Dasselbe gewährte nicht nur einen klaren Einblick, in welcher Art das Inventar der Documente geführt wird und die Nachweise über Herstammung, Fund- und Druckort derselben gegeben werden, sondern auch, wie Nachträge bequem ohne Beirrung der Chronologie und Reihenfolge in den Band eingeschoben werden können.

2. Der 3. Band der Register der Documente des oben bemerkten Zeitraumes, d. i. das Verzeichniss der in den Urkunden desselben enthaltenen Namen der Personen, Orte, Sachen und Siegel. Die Ausführlichkeit dieser Bearbeitung zeigt der Umstand, dass die drei Bände dieser Register von c. 3200 Urkunden nicht weniger als 70.000 Daten enthalten.

3. Ein Modell der Kästen (in sechsfacher Verkleinerung), in denen die Documente aufbewahrt werden. Jeder Kasten ist mit Doppelthüren verschliessbar und enthält 5 gleichfalls verschlossene Kistchen, die durch Handhaben beweglich und leicht tragbar gemacht sind. In jedem Kistchen befinden sich in 8 Fächern zum mindesten 200 Stück Urkunden, in der Regel jedoch 300—400. Dass die Aussenseite mit den entsprechenden Orientirungssignaturen versehen ist, versteht sich von selbst.

12

4. Diese Objecte waren von einer vom Professor Zahn verfassten Druckschrift begleitet, welche den Titel führt: „Bericht über Zusammensetzung, Entwicklung, Bestand und Verwaltung des steierm. Landesarchives zu Graz, vorgelegt bei Abgabe von Proben der Fachkataloge desselben zur Wiener Weltausstellung von 1873." — Dieser Bericht enthält nebst dem referirenden und historischen Abschnitte 32 statistische Tabellen, welche einen deutlichen Ueberblick über das archivalische Material in allen seinen Beziehungen geben. Die 33. Tabelle gewährt eine Uebersicht der von den Beamten des Archives in der Zeit ihrer Bedienstung an der Anstalt veröffentlichten Druckschriften. Eine werthvolle Beigabe bilden zwei Karten, von denen die eine die Uebersicht der Oertlichkeiten gibt, aus deren Archiven das Joanneums-Archiv zu Graz (1812—1872) sich bildete, die andere den Grad darstellt, in welchem die ehemaligen steierm. Patrimonialbezirke in diesem Archive derzeit vertreten sind.

5. Im Anschlusse an diese Exposition des Landesarchives befand sich auch das Archiv des steierm. Benediktinerstiftes St. Lambrecht durch 2 Bände seiner Repertorien vertreten. Dieser Anschluss erhält dadurch seine Erklärung, dass der vortreffliche Ordnungsplan des Lambrechter Archives ein Werk und Verdienst des Landesarchivars Prof. Zahn ist.

Waren diese Ausstellungsgegenstände vermöge ihrer Natur kein Gegenstand der Bewunderung für das grosse Publikum, umsomehr erregten sie die Aufmerksamkeit und den vollen Beifall der Sachverständigen. Auch die Preis-Jury votirte für dieselben die Verdienstmedaille; allein bei der überstürzten Hast, mit welcher die Anfertigung der diesbezüglichen Liste geschah, wurde die Eintragung übersehen.

Dieser leidige Fehler wurde dadurch ausgeglichen, dass das Landesarchiv, respective der Vorstand desselben, über Antrag des Generaldirectors der Ausstellung die Allerhöchste Anerkennung Seiner Majestät des Kaisers erlangte.

Ebendieselbe Auszeichnung erhielt für sein Ausstellungsobjekt der k. k. Hauptmann M. Felicetti von Liebenfels, da es in derselben Weise, wie oben erwähnt wurde, um die zuerkannte Verdienst-Medaille gekommen war.

Dieses höchst interessante Ausstellungsobjekt war seine von demselben entworfene und gezeichnete Wandkarte: „Steiermark zur Zeit des Regierungsantrittes des Hauses Habsburg 1282".

Den Lesern dieser Blätter sind die musterhaften kartographischen und gediegenen historischen Arbeiten dieses Gelehrten in den „Beiträgen zur Kunde steiermärkischer Geschichtsquellen" (9. u. 10. Jahrgang) zu bekannt, als dass es nothwendig würde, über den hervorragenden Werth der bezeichneten Karte besondere Worte zu machen. Der kurze Hinweis auf den Inhalt derselben wird genügen, um bei Freunden der Geschichte den lebhaften Wunsch zu wecken, dass diese ausgezeichnete Arbeit auch ihnen baldigst zugänglich gemacht werde.

Die Karte — 9 Quadratfuss gross — im Massstabe von 1″ = 2000⁰ (1 : 144000) entworfen, enthält eine Darstellung alles dessen, was über die politischen, socialen und kirchlichen Verhältnisse im heutigen Steiermark zu Ende des 13. Jahrhunderts quellenmässig nachgewiesen, bestimmt und graphisch wiedergegeben werden konnte. Man findet daher auf derselben verzeichnet und deutlich erkennbar:

1. Die Vertheilung des Besitzes, des landesfürstlichen, des kirchlichen und des herrschaftlichen, u. zw. nicht nur die grösseren Complexe, sondern auch deren zerstreut liegende Güter und Renten;

2. die Lage von 34 Städten und Märkten und von 1459 Dorfschaften, ferner die Bezeichnung der festen Plätze, der Bergwerke, der Culturen u. s. w.;

3. die politische Eintheilung mit Unterscheidung der eigentlichen Steiermark und des damals noch zu Kärnten gehörigen Theiles;

4. die verschiedenen Gerichtsbezirke, wie Provinzialgerichte, landesfürstliche, Stadt- und Marktgerichte, sowie die Bezirke, welche unter der Gerichtsbarkeit von Kirchen und Klöstern oder von weltlichen Magnaten standen; endlich

5. die kirchliche Eintheilung nach den bischöflichen Diöcesen und nach Archidiaconaten nebst den Pfarren und Filialen.

Es ergibt sich von selbst, dass eine solche wissenschaftliche Leistung langjährige mühevolle Studien der ernstesten Art voraussetzt und dass ausser der kritischen Bearbeitung und Sichtung der Quellen eine nicht geringe technische Befähigung und Fertigkeit für den graphischen Theil der Arbeit erforderlich ist. Der Verfertiger unserer Karte vereint das eine mit dem anderen in ausnehmendem Grade.

Die Anregung zu dieser Arbeit verdanken wir dem Ausspruche des berühmten Geschichtsforschers Chmel, dass die staatlichen Verhältnisse des Mittelalters niemals recht verstanden werden könnten, wenn nicht genaue Karten hergestellt würden, „auf denen nicht bloss die Orte bemerkt sind, sondern auch ihre Eigenschaft, nämlich wem sie gehörten und wie sie ihm gehörten". So wie andere Männer der Wissenschaft durch dieses Mahnwort veranlasst wurden, Karten, diesen Bedingungen mehr oder minder entsprechend, zu entwerfen, so auch Felicetti; aber er ist in der That der erste, der eine Arbeit lieferte, die allen obigen Forderungen in der gelungendsten Weise entspricht. Zu diesem Gelingen trug auch der Umstand bei, dass das steiermärkische Landesarchiv nicht nur reichliches historisches Material bietet, sondern auch die Benützung und Verwerthung desselben durch seine intelligente musterhafte Ordnung in angenehmer Weise erleichtert.

Es stehen daher die beiden aufgeführten Ausstellungsobjecte, das Landesarchiv und die Wandkarte, in einer interessanten organischen Verbindung, indem nämlich die Vortrefflichkeit der letzteren den hervorragenden Werth des ersteren in besonderer Weise illustrirt und bethätigt.

Schulrath Dr. R Peinlich exponirte seine „Geschichte des Gymnasiums in Graz", aus den Programmaufsätzen der genannten Lehranstalt in den Jahren 1864, 1866, 1869, 1870, 1871 und 1872 in einem Band zusammengestellt, und eine eigens für die Ausstellung verfasste: „Real- und Personal-Statistik des k. k. I. Staatsgymnasiums in Graz von 1774 bis 1872". Beide Arbeiten waren der Collectivausstellung des k. k. Ministeriums für Cultus und Unterricht angeschlossen, kamen aber nicht vor die Jury. Die „Geschichte" hat bereits im letztjährigen Hefte der „Mittheilungen des historischen Vereines für Steiermark" (Seite 95), die „Statistik" in mehreren Fachblättern eine Würdigung gefunden; wesshalb eine nähere Besprechung beider bei Seite gelassen werden darf.

Dr. R. P.

GEDENKBUCH

DES

HISTORISCHEN VEREINES FÜR STEIERMARK.

(Zufolge Beschluss des historischen Vereines für Steiermark in der XV. allgemeinen Jahres - Versammlung am 5. Dezember 1864 für verstorbene verdiente Vereins-Mitglieder angelegt.)

Gustav Franz Ritter von Schreiner.

Von

Dr. Franz Ilwof.

Einen homo novus nannten die Römer einen Mann aus einer Familie stammend, von welcher noch kein Glied ein höheres Staatsamt bekleidet hatte, einen Mann, der durch eigene Kraft zuerst zu einem solchen gelangte und dadurch sich und seine Nachkommen in die Klasse der Nobiles versetzte. Sie waren dabei ohne Zweifel von dem Gedanken, der sich ihnen wohl auch aus der Erfahrung ergeben musste, durchdrungen, dass es einem Manne, der keine durch Geburt und Stellung hervorragenden Ahnen aufzuweisen hat, doppelt und dreifach schwer fällt, in dem Kampfe, der unser Leben ist, sich durchzuringen, durch eigene Kraft emporzuschwingen und in dem Erkämpften und Errungenen festzuhalten. Ein solcher homo novus, ein selbstgemachter Mann ist es, dessen Leben auf den folgenden Blättern geschildert werden soll [1]).

---

[1]) Als Quelle hiefür dienten mir eine kurze handschriftliche Autobiographie des Verstorbenen, welche ich ebenso wie mündliche Mittheilungen dem Sohne desselben, Herrn Dr. Moriz von Schreiner, verdanke, und endlich mein eigenes Gedächtniss, die Erinnerung an all' das, was Schreiner seit 1849, da ich als angehender Student der Rechte ihn kennen lernte und sein Schüler wurde, erlebte und an die vielen Mittheilungen, die er mir oftmals gesprächsweise über sein Leben machte. — Eine Biographie Schreiner's unter dem Titel „Ein Mann der Wissenschaft" in der Grazer Tagespost 1871, Nr. 88—90, beruht auch auf der oben erwähnten Autobiographie. — Endlich enthält die juridische zu Pest in magyarischer Sprache erscheinende Zeitschrift: „Jogtudományi köz- lony" (1868, 2. Februar, Nr. 5) eine Biographie Schreiner's, welche den kgl. ungarischen Justizminister Theodor Pauler zum Verfasser hat.

Gustav Franz Schreiner wurde am 6. August 1793 in der königlichen Freistadt Presburg geboren. Sein Vater Franz Xaver war dortselbst Bürger, Riemermeister, Hausbesitzer, zuletzt Mitglied des äusseren Rathes und durch 9 Jahre, nach der damaligen Verfassung der königlichen Freistädte Ungarns, Stadtvormund (Tribunus plebis), Vertheidiger und Vertreter der Bürgerschaft im inneren Rathe (Magistrate) mit dem Rechte, des Veto gegen jeden der Bürgerschaft nachtheiligen Beschluss des letzteren; er bekleidete somit öffentliche Ehrenämter, zu welchen ihn das Vertrauen seiner Mitbürger berufen, obgleich er nicht einer altungarischen Familie angehörte, sondern aus Brünn in Mähren stammte, von wo sein Vater (also Professor Schreiner's Grossvater) nach Presburg ausgewandert war. Seine Mutter war eine geborne Zollner, aus Wien gebürtig. Das väterliche und Geburtshaus Schreiner's, der Ostseite der Domkirche zunächst gegenüber gelegen, befindet sich noch im Besitze der Familie.

Schreiner erhielt in der Taufe die Namen Franz Xaver Donat; den Namen Gustav, welcher ihm in der Firmung beigelegt wurde, gesellte er erst seit dem Jahre 1815 den anderen zu. Seine erste Erziehung und Bildung erhielt er in seiner Vaterstadt; da jedoch bereits damals in Ungarn die Kenntniss mehrerer Sprachen für jeden Gebildeten eine dringende Nothwendigkeit war, so wurde er schon als sechsjähriger Knabe zur Erlernung der ungarischen Sprache in das auf der Insel Schütt gelegene ungarische, von deutschen Kolonisten gegründete Dorf Püspöki (Bischdorf) gegeben. Nach der Rückkehr von dort besuchte er in Presburg die Normalschule seiner Vaterstadt und die ersten vier Klassen des dortigen, damals unter der Leitung weltlicher Lehrer stehenden Gymnasiums. Das Schuljahr 1804 1805 brachte er zum Behufe der Erlernung der slovakischen Sprache zu Trentschin bei einem Edelmann, Namens Borschizky zu, wo er am dortigen Piaristen-Gymnasium die erste Humanitätsklasse absolvirte.

Die Gymnasialstudien vollendete er 1806 zu Presburg. Dem Wunsche seiner Mutter folgend, schlug er sodann die geistliche Laufbahn ein und bewarb sich um die **Aufnahme** in eines der Alumnate der Graner Erzdiöcese, der seine Vaterstadt angehörte; obgleich er das zum Eintritte in ein solches erforderliche Alter noch lange nicht erreicht hatte, wurde er doch seiner vorzüglichen Studienzeugnisse wegen und nachdem er die vorgeschriebene Aufnahmsprüfung ausgezeichnet bestanden hatte, aufgenommen, zugleich aber auch verpflichtet, durch die nächsten drei Jahre sich in dem Presburger Emerichs-Seminar dem Studium der lateinischen Klassiker zu widmen. Dies geschah auch in den Jahren 1807 und 1808. Während dieser Zeit erhielt er von dem Erzherzoge Karl Ambros, Primas von Ungarn und Erzbischof von Gran, dem Bruder der Kaiserin Maria Ludovika, die Tonsur und die vier niederen Weihen. Durch den Krieg des Jahres 1809, in dem die Franzosen Presburg beschossen, besetzten und das Emerichs-Seminar in ein Spital verwandelten, wurden die zwölf Kleriker dieses Alumnates genöthigt, dasselbe zu räumen und sich in eines der zwei grossen Seminare zu Tyrnau zu verfügen, und als auch diese zu Spitälern verwendet wurden, sich zu ihren Eltern zu begeben.

Durch die weiteren Kriegsereignisse und ihre Folgen wurden die Seminare von Presburg und Tyrnau den Alumnen für das nächste Jahr (1810) unzugänglich und so wurde Schreiner der Verpflichtung enthoben, noch ein drittes Jahr im Emerichs-Seminar zu verleben. Um jedoch in seinen Studien keine Unterbrechung eintreten zu lassen, erhielt er auf sein Ansuchen von seiner geistlichen Oberbehörde, dem Generalvikariate der Erzdiöcese Gran, da der erzbischöfliche Stuhl damals unbesetzt war, die Erlaubniss, das erste Jahr der philosophischen Studien an der Akademie zu Presburg, an der durchaus weltliche Professoren angestellt waren, zu absolviren. Im folgenden Jahre (1811) wurden die Alumnen wieder in die Seminare berufen; Schreiner kam nach Tyrnau, wo er unter Leitung geistlicher Professoren die Gegenstände des zweiten philosophischen Jahrganges studirte. — In Wien bestand und besteht noch eine Anstalt, das Pazmaneum (von

Peter Pazman, Erzbischof von Gran, Kardinal und Primas von Ungarn, gestorben 1637, gegründet), welches die Bestimmung hat, die ausgezeichnetsten Alumnen der Erzdiöcese Gran aufzunehmen und ihnen so Gelegenheit zu geben, an der theologischen Fakultät der Wiener Universität zu studiren. Schreiner befand sich unter denen, welche 1812 in das Pazmaneum bestimmt waren; da er es aber vorzog, seine kirchliche Laufbahn im deutschen Theile der Monarchie fortzusetzen, so bewarb er sich um die Aufnahme in die Wiener Erzdiöcese, welche er auch sofort nach befriedigend abgelegter Aufnahmsprüfung erlangte. In Wien besuchte er nun als Zögling des Seminars zum heil. Stephan die Vorlesungen des ersten theologischen Jahrganges der Wiener Hochschule; von seiner geistlichen Oberbehörde wurde ihm namentlich an's Herz gelegt, sich dem Studium der orientalischen Sprachen zu widmen, da der Lehrer derselben, Aryda, ein Maronite aus dem Libanon, ihn unter allen seinen Zuhörern besonders bevorzugte, wesshalb Erzbischof Graf Hohenwart auch die Absicht hatte, Schreiner für das Lehrfach der orientalischen Sprachen ausbilden zu lassen. Im Beginne des zweiten Jahrganges der theologischen Studien, November 1812, trat Schreiner, nicht ohne bei dem Erzbischofe auf bedeutende Hindernisse zu stossen, aus dem geistlichen Stande und in den ersten Jahrgang der rechts- und staatswissenschaftlichen Fakultät über. Von da an setzte er die juridischen Studien an der Wiener Hochschule fort und beendete dieselben im August des Jahres 1816. Bald nach absolvirten Studien unternahm er in Gesellschaft dreier junger Maler eine Reise durch ganz Italien; dadurch mag die Anregung gegeben, der Grund gelegt worden sein zu der Liebe für die bildenden Künste, insbesondere für die Malerei, die ihn durch sein ganzes Leben begleitete, die ihn veranlasste, werthvolle Gemälde zu sammeln und Studien in diesem ihm sonst ferner liegenden Gebiete zu unternehmen, welche ihn zu einem tüchtigen Bilderkenner machten.

Diese Reise, durch welche sich sein geistiger und physischer Gesichtskreis so sehr erweiterte, durch welche er seine Studien und Kenntnisse über Land und Leute, insbesondere auf dem alten Kulturboden Italiens, so namhaft ausbreiten und vermehren und auch fremder Herren Länder kennen lernen konnte, war aber ohne Zweifel auf Schreiner auch dadurch von grossem Einflusse, dass sie die in ihm schon mächtig lebende Neigung und Vorliebe für das Studium der Staatswissenschaften nährte und kräftigte. — Die erste Anregung, sich diesem Gebiete des Wissens speziell zu widmen, war durch die gewaltigen Ereignisse der Zeit erfolgt, in welche Schreiner's erste Universitäts-Studienjahre fallen. Die überwältigende blendende Höhe von Napoleons I. Macht und Herrlichkeit, die Katastrophe in Russland, die glorreiche Erhebung des deutschen Volkes, der Anschluss Oesterreichs an die gegen den französischen Usurpator Alliirten, die Riesenkämpfe des Jahres 1813, der zweimalige Marsch der verbündeten Heere nach Paris, die Friedensschlüsse und der Kongress zu Wien, der für einen guten Theil Europa's neue territoriale und staatsrechtliche Grundlagen festzusetzen die Bestimmung hatte, — alles Ereignisse, welche Schreiner als junger Mann, an den eben die Frage der Berufswahl herantrat, miterlebte und von deren letztem er ja selbst Augenzeuge war, mögen mächtig, ja gebieterisch bestimmend auf ihn eingewirkt haben, das Studium der Staatswissenschaften zu seinem Lebensberufe zu wählen.

Schon während seiner juridischen Studien entwickelte sich in ihm von Tag zu Tag mächtiger eine entschiedene Vorliebe für diese Fächer und steigerte sich mit jedem Jahrgange der Rechte in der Art, dass er sich unter seinen Kollegen, besonders in den Fächern der Statistik und Politik, während der Studienjahre so auszeichnete, dass er noch als Studierender die Aufmerksamkeit der Professoren dieser Fächer, Zizius und Wateroth, auf sich lenkte. Diese beiden, namentlich der letztere, ein Schüler Schlözer's und seiner Zeit ein Liebling Kaiser Joseph's II., der ihn von Göttingen nach Wien berufen hatte, können auch als Schreiner's bedeutendste und auf ihn einflussreichste Lehrer bezeichnet werden. Diese waren es nun, welche Schreiner aufforderten, sich dem Lehramte zu widmen und ihn zu ihrem Supplenten, Wateroth an der Universität für Politik, politische Gesetzkunde und die schweren Polizei-Uebertretungen, Zizius an der Maria-Theresianischen Ritterakademie für dieselben Fächer bestimmten. An der Universität bekleidete Schreiner diese Stelle in der damals an den österreichischen Hochschulen üblichen Weise, indem er für den Professor, welchem er zugewiesen war, in dessen Verhinderung einzelne Vorlesungen abhielt. Am Theresianum aber gestaltete sich die Sache für Schreiner bald nach Antritt der Supplentenstelle ganz anders. Zizius, Professor der Statistik an der Universität und der Politik am Theresianum, zugleich Mitglied und General-Referent der Hofkommission in politischen Gesetzsachen, Advokat und noch mit mehreren anderen Aemtern bekleidet, wurde durch diese vielen auf ihm lastenden Geschäfte in einer seine Gesundheit untergrabenden Weise so in Anspruch genommen, dass er sich, besonders um seiner Aufgabe in jener Hofkommission entsprechen zu können, genöthigt sah, sich als Professor einen Urlaub auf unbestimmte Zeit zu erwirken. Zizius hatte daher einen Stellvertreter für sich vorzuschlagen und wählte dazu Schreiner, welcher dadurch von Ostern 1817 bis Schluss des zweiten Semesters von 1818 als supplirender Professor der politischen Wissenschaften am Theresianum lehrte. In diesem Jahre kam die Lehrkanzel der Statistik, der Politik, des österreichischen Staatsrechtes und der österreichischen politischen Verwaltungsgesetzkunde am Lyceum zu Olmütz zur Besetzung; Schreiner unterzog sich dem Concurse (der schriftlichen Prüfung) für diese Stelle, und dieser fiel so glänzend aus, dass ihm dieselbe, obwohl er in dem nachherigen Professor Dr. Franz Fischer einen bedeutenden Mitbewerber hatte, und er noch des Doctorates der Rechte, eines wesentlichen Erfordernisses zur Erlangung einer juridischen Professur ermangelte, mit allerhöchster Entschliessung vom 29. Dezember 1819 verliehen wurde. Mit seiner Abreise von Wien schied er auch aus dem Hause des Grafen Philipp von Grünne, Generals der Cavallerie und Obersthof-

meisters des Erzherzogs Karl, wo er unbeschadet seiner Lehr-
amtsthätigkeit durch drei Jahre als Erzieher des einzigen Sohnes,
Karl Grafen von Grünne, jetzt General der Cavallerie und Oberst-
Stallmeister des Kaisers, gewirkt hatte.

Die Professur in Olmütz bekleidete Schreiner von 1820
bis 1828. Während dieser Zeit erwarb er sich in Wien nach
Ablegung der vier strengen Prüfungen durch die Promotion
am 4. August 1824 das Doctorat der Rechte. Auch mehrere
Reisen fallen in diese Zeit, so kleinere durch Ungarn, Sachsen,
Böhmen und Preussisch - Schlesien und 1822 eine grössere
durch Ober-Italien, die Schweiz, einen Theil Frankreichs und
durch Süd - Deutschland, auf welcher er den jungen Grafen
Mittrowsky (Hörer der Rechte am Theresianum, gestorben
vor wenigen Jahren als kais. Geheimrath und Oberlandesge-
richts-Präsident i. P.), begleitete, den Sohn des damaligen
Gouverneurs von Mähren, der ihm als Führer auf dieser Reise
seinen Sohn anvertraut hatte. Die auf diesen Reisen gesammelten Anschauungen, Erfahrungen und Kenntnisse kamen besonders seinen statistischen Studien und Vorträgen 'zu gute.
Im Jahre 1823 wurde Schreiner in Olmütz neben seiner Professur die provisorische Leitung der dortigen Lycealbibliothek
übertragen, welcher er bis zur definitiven Wiederbesetzung der
Bibliothekarstelle durch ein und ein halb Jahr vorstand.

Schon während dieser seiner Dienstzeit in Olmütz begann
Schreiner's vielseitige literarische Thätigkeit auf dem Gebiete
der Statistik, Geographie und Politik, welche er zuerst durch
Arbeiten, die in Wagner's Zeitschrift und Hormayr's Archiv
erschienen, darthat.

Im Laufe des Jahres 1828 wurde die Lehrkanzel der
Statistik und der politischen Wissenschaften an der juridischen
Fakultät der Universität zu Graz erledigt; Schreiner bewarb
sich um diese Stelle und wurde mit a. h. Entschliessung vom
19. Juli 1828 zum öffentl. ordentl. Professor dieser Fächer
an der Hochschule zu Graz ernannt. Von da an bis zu seiner
um Ostern 1871 erfolgenden Versetzung in den Ruhestand,

also durch dreiundvierzig Jahre bekleidete Schreiner dieses Lehramt in ausgezeichneter Weise.

In den Monaten August und September 1830 bereiste Schreiner von Graz aus als Begleiter des Grafen Ferdinand Attems (Sohn des damaligen Landeshauptmannes Grafen Ignaz Attems), jetzt erblichen Reichsrathes, Oberitalien von Venedig bis Mailand und bis zu den oberitalienischen Seen; am längsten währte der Aufenthalt in den beiden genannten Städten, und Schreiner's gründliche kunsthistorische Kenntnisse trugen nicht wenig dazu bei, dem Grafen Attems, welcher damals noch ein jugendlicher Studiosus war, den Genuss der reichen Kunstschätze Italiens in ausgedehntester Weise und in vollstem Masse zu vermitteln [1]).

In Graz konnte sich, unterstützt durch die in den hiesigen Bibliotheken vorhandenen zahlreichen Hilfsmittel, Schreiner's literarische Thätigkeit in umfangreicher Weise entfalten. Zeugniss hievon geben zahlreiche Arbeiten historischen, politischen, statistischen, topographischen und geographischen Inhaltes, welche von da an bis in die letzten Lebensjahre Schreiner's in zahlreichen Zeitschriften und Sammelwerken erschienen [2]).

Im Jahre 1833 trat Schreiner in das Redactions-Comité der steiermärkischen Zeitschrift und leitete zuerst mit Vest, Thinnfeld und Muchar, später mit diesem, Leitner und Schrötter die Herausgabe derselben bis zu ihrem 1848 erfolgten Aufhören.

Diese umfassenden literarischen Arbeiten brachten Schreiner mit mehreren der ersten Gelehrten Deutschlands auf den Gebieten der Politik, der Statistik und der Rechtswissenschaften, so mit Rotteck, Welcker, Rau, Mittermaier, Berghaus, Wessenberg, Schubert, Karl Ritter und mit anderen Männern seiner Fächer in briefliche, persönliche und freundschaftliche Verbin-

---

[1]) Nach gütigen Mittheilungen der gräflichen Familie Attems.

[2]) Ein Verzeichniss seiner sämmtlichen literarischen Arbeiten folgt im Anhange.

dung. Friedrich Wilhelm Schubert, einer der vorzüglichsten Statistiker Deutschlands und Professor der Geschichte und Staatskunde an der Universität zu Königsberg, der von den sieben Theilen seines grossen Werkes: „Handbuch der allgemeinen Staatskunde von Europa·(Königsberg 1839 — 1843)" nur dreien eine Widmung vorangesetzt hatte, widmete einen derselben Schreiner, „dem gründlichen und wohlverdienten Arbeiter auf dem Felde der Staatskunde als ein Zeichen aufrichtiger Hochachtung", eine Auszeichnung, welche Schreiner mit ungemeiner Freude erfüllte.

Als im Jahre 1843 bei Gelegenheit der Naturforscher-Versammlung Karl Ritter, der berühmte Geograph, Graz besuchte, wurde ihm vom Erzherzoge Johann speziell Schreiner zugewiesen, namentlich um ihm über die Industrie der Steiermark eingehende Aufschlüsse zu geben. Ritter gedenkt auch dankbar Schreiner's in einem Briefe [1]).

Von Schreiner's literarischen Arbeiten berühren uns hier zunächst diejenigen, welche die Steiermark, ihre geschichtlichen, geographischen und statistischen Verhältnisse betreffen. Hieher gehört der „Allgemeine Kalender für die katholische Geistlichkeit", welchen Schreiner in den fünf Jahren von 1832 bis 1836 in Verbindung mit einem Professor der Theologie, namentlich für die Priester der Diöcesen Seckau und Lavant bestimmt, herausgab. Geographische Merkwürdigkeiten der Steiermark schilderte er mit gewandter Feder in den Aufsätzen „Oesterreich's Naturschönheiten" und „Ausflug nach der Höhle in der Frauenmauer"; Statistik und wirthschaftliche Zustände unseres Landes fanden in mehreren Aufsätzen eingehende Berücksichtigung, so in „Steiermarks Volksmenge", in „Steiermarks Waldstand, Holzreichthum und Forstkultur" in den „Statistischen Nachweisungen über die Landwirthschaftspflege des österreichischen Kaiserstaates", welche von Oesterreich ob und unter der Enns und von Steiermark handeln, und endlich in späteren Jahren noch in der ethnographisch-statisti-

---

[1]) Kramer: Karl Ritter (Halle 1870) II. 819.

schen Abhandlung „die Bewohner des Landes"; die ethno-
graphischen Verhältnisse der Steiermark behandelt eine Arbeit
über die Sprachgrenze zwischen Deutschen und Wenden in
unserem Lande.

Ein besonderes Verdienst um Steiermark und speziell
um Graz erwarb er sich durch das Werk: „Grätz. Ein naturhistorisch-statistisch-topographisches Gemälde dieser Stadt und
ihrer Umgebungen", welches er (Grätz 1843) im Vereine mit
Muchar, Unger und Weiglein herausgab.

Wie alle Werke Schreiner's ist auch dieses mit dem
grössten Fleisse, mit ausserordentlicher Gründlichkeit und
seinen Gegenstand vollkommen erschöpfend gearbeitet. Obwol
dreissig Jahre seit seinem Erscheinen verflossen, ist es doch
noch von keiner der späteren über Graz erschienenen Schriften
weder an Umfang noch viel weniger an innerem Werthe übertroffen worden.

Gegen die bis dahin allgemein übliche und auch von
Schreiner in diesem Werke angenommene Schreibung des Namens der Stadt „Grätz" trat bald nach Erscheinen desselben
der bekannte Orientalist Hammer-Purgstall mündlich und
schriftlich für die Schreibung „Gratz" auf; Schreiner verthei-
digte seine Ansicht in zwei Aufsätzen: „Ueber die heutzutage
einzig richtige Schreibung des Namens der Stadt Grätz" und
„Chronologisches Verzeichniss der gedruckten und ungedruckten Urkunden, welche den Namen der Stadt Grätz enthalten" (Steiermärkische Zeitschrift 1844).

Schreiner's Thätigkeit beschränkte sich aber durchaus
nicht auf dieses literarische Wirken; auch auf dem Gebiete
öffentlicher praktischer Wirksamkeit war er rastlos thätig und
bemüht, den vielen Anforderungen, welche die Regierung oder
seine Mitbürger an ihn stellten, vollkommen gerecht zu werden. Die Regierung benützte sein Wissen mehrfach, indem sie
ihn schon 1832 zum Mitgliede der steiermärkischen Provinzial-
Commerz-Kommission ernannte und in den Jahren 1832 bis
1838 ihn mit mehreren die Steiermark betreffenden statistischen Arbeiten betraute; und als Erzherzog Johann im Jahre

1837 daran ging, aus dem Schoose der auch vor ihm gegründeten steiermärkischen Landwirthschaftsgesellschaft einen neuen Verein, den „zur Beförderung und Unterstützung der Industrie und der Gewerbe in Innerösterreich, dem Lande ob der Enns und Salzburg" (jetzt „steiermärkischer Gewerbeverein") entstehen zu lassen, da war es Schreiner, welcher von dem kaiserlichen Prinzen zum Geschäftsleiter und Sekretär des erst zu gründenden Vereines berufen wurde, alle Vorarbeiten leitete, nicht ohne lebhaften Kampf gegen mancherlei Schwierigkeiten die Gründung durchführte, sowol den Verein im Ganzen als auch die einzelnen Anstalten desselben: die Zeichnungsschule, das Musterwaaren-Kabinet, die Bibliothek und endlich auch das steiermärkische Industrie- und Gewerbeblatt in's Leben rief und so in der That wegen seiner lángjährigen vielfachen Verdienste um diesen Verein neben dem Erzherzog als zweiter Gründer desselben bezeichnet werden muss.

Schreiner's materielle Verhältnisse waren namentlich in dieser Periode nicht besonders günstige; der sehr mässige Professorengehalt reichte nicht hin, eine Familie mit fünf Kindern standesgemäss zu erhalten und diesen eine entsprechende Erziehung angedeihen zu lassen; da mussten literarische Arbeiten das Fehlende schaffen helfen und um diese auf wissenschaftlicher Grundlage aufzubauen, bedurfte es des angestrengtesten Fleisses, der angespanntesten Arbeitsthätigkeit von Seite Schreiner's; alltäglich sass er um 4 Uhr Morgens bereits am Schreibtische, wenn er denselben oft auch erst um Mitternacht verlassen hatte, um auf dem Gebiete seiner Wissenschaften nicht zurückzubleiben und doch auch literarisch zu produciren. Seine rastlose Thätigkeit noch in späteren Jahren war in der Universitätswelt geradezu sprichwörtlich geworden; kein Viertelstündchen ging unbenützt vorüber, sogar die viertelstündigen Pausen zwischen den einzelnen Vorlesungen verwendete er, um in der Universitätsbibliothek seinen Studien, Forschungen und Arbeiten obzuliegen.

So war Schreiner seit Jahren als Forscher, Schriftsteller und Lehrer auf dem Gebiete der politischen Wissenschaften thätig und hatte, soweit es unter den damaligen Verhältnissen zulässig war, auch den regsten Antheil an dem öffentlichen Leben und an gemeinnützigen Vereinen genommen; als daher die Bewegungen des Jahres 1848 begannen, da war es wohl selbstverständlich, dass auch diese ihn in ihre Strömung ziehen und auf ihn innerlich und äusserlich mächtig einwirken, ja ihm eine Rolle im parlamentarischen Leben geradezu aufnöthigen würden. Als unmittelbar nach den Märztagen ein frischerer, freierer Geist, als je bisher, auch in die Publicistik eindrang und in Folge dessen eine Aenderung in der Redaction der offiziellen Grazer Zeitung nöthig wurde, da drang der damalige Gouverneur von Steiermark, Graf Wickenburg, mit Bitten und Vorstellungen so lange in Schreiner, bis dieser sich halb wider Willen bereit erklärte, die Redaction dieses Journals zu übernehmen; die akademische Legion wählte ihn zu ihrem Chef, und die Universität zu ihrem Vertreter im verstärkten Landtage, dessen Sitzungen er aber nur kurze Zeit beiwohnen konnte, da er inzwischen von drei Wahlbezirken, Weiz, Feldbach und Cilli, zum Abgeordneten in das Frankfurter Parlament und von der Landeshauptstadt Graz zum Ersatzmanne ihres Abgeordneten in dasselbe, des Ritters von Kalchberg, welcher Sektionschef im österreichischen Finanzministerium geworden, gewählt worden war.

Im Mai 1848 begab sich Schreiner nach Frankfurt und verweilte dort bis Ende April des folgenden Jahres. Im Parlamente sass Schreiner im linken Centrum und schloss sich seiner Parteistellung nach jener Fraction an, welche den Namen von ihrem Versammlungsorte, dem Württemberger Hofe, hatte, der ausser anderen auch Biedermann aus Leipzig, Fallati aus Tübingen, Giskra aus Wien, Hermann aus München, Höfken aus Heidelberg (später in Wien), Mittermaier aus Tübingen, Robert von Mohl aus Heidelberg, Tellkampf aus Breslau, Riesser aus Hamburg, Stenzel aus Breslau, Wydenbrugk aus Weimar und Wurm aus Hamburg angehörten. — Er wurde von dem Parlamente sogleich in den ersten seiner Ausschüsse, in den Mainzer Ausschuss, gewählt, welcher über einen blutigen Konflikt zwischen den Bürgern von Mainz und den preussischen Besatzungstruppen zu berichten hatte. Sodann traf ihn auch die Auszeichnung, in den wichtigsten Ausschuss den Verfassungsausschuss, gewählt zu werden, in welchem die bedeutendsten Männer der Versammlung, wie Mühlfeld, Andrian, Dahlmann, Heinrich Simon, Tellkampf, Beseler, Beckerath, Fürst Lichnowsky, Robert Blum, Ahrens, Waitz, Lassaulx, Römer, Droysen, Paul Pfizer, Mittermaier, Welcker, Robert von Mohl, Bassermann, Max von Gagern, sassen. — Schreiner nahm an den Sitzungen und Arbeiten dieser Ausschüsse, sowie an allen Verhandlungen des Parlamentes, wie es nach seinem Naturell nicht anders sein konnte, den regsten Antheil, und war, wenn er auch auf der Rednerbühne selten erschien, im Klub und in den Ausschüssen um so thätiger

Als nach der Wahl des Königs von Preussen zum deutschen Kaiser durch die Nationalversammlung Oesterreich seine Abgeordneten zurückrief, verliess auch Schreiner Frankfurt und nahm seine Lehrthätigkeit in Graz wieder auf und zwar unter ganz anderen Verhältnissen als er sie im Jahr vorher verlassen hatte. Während vor dem Jahre 1848 wenigstens nach Wunsch und Willen der Regierung die juridische Fakultät nur eine Fachschule zur Heranbildung der für den Staat nöthigen Beamten sein sollte, und daher alle Vorlesungen ihrem Inhalte und Umfange nach strenge vorgeschrieben waren, so dass andere Kollegien gar nicht gehalten werden durften und auch die Studirenden im Besuche der Vorlesungen unabänderlich gebunden waren, so wehte jetzt als eine der wenigen, wenn auch nur theilweise erhaltenen Erbschaften der Märztage, der Geist der Lehr- und Lernfreiheit in diesen Räumen, und Professoren und Studenten stand jetzt die Wahl der zu haltenden und zu hörenden Kollegien frei. Schreiner's Wirksamkeit als akademischer Lehrer konnte sich also auch jetzt erst frei und ungehindert entfalten, was auch, obwol er damals schon im höheren Mannesalter stand, im vollen Masse der Fall war. Die Vorlesungen, welche er von da an alljährlich hielt, namentlich die über Volkswirthschaftslehre und ihre einzelnen

Theile, über Finanzwissenschaft, Verfassungs- und Verwaltungspolitik gehörten zu den anregendsten, belehrendsten und bestbesuchten Kollegien der Universität; der Verfasser dieser Biographie und mit ihm gewiss noch viele ältere Schüler Schreiner's werden sich mit Vergnügen und Genuss der Vorlesungen erinnern, welche er in den Jahren 1849—1852 über Nationalökonomie und Verfassungspolitik hielt; der grösste Hörsaal der juridischen Fakultät war bei jedem dieser Vorträge bis auf seine letzten Sitzplätze besetzt und an der Thüre und entlang den Wänden standen noch viele Hörer, welche alle mit gespanntester Aufmerksamkeit dem freien Vortrage ihres Lehrers folgten. — In den Studienjahren 1854 ·· 1855 und 1863 — 64 bekleidete Schreiner die Würde des Dekans der juridischen Fakultät und im Jahre 1852 · 53 die des Rektors der Universität.

Die Zeit der Reaction von 1850 bis 1860 und die daraus sich ergebenden Zustände lasteten auch auf Schreiner schwer; der seiner Anschauung nach aus ihnen mit unvermeidlicher Gewissheit sich ergebende Verfall des Staates, seine Einbusse an Macht und Ansehen nach Aussen hin, Zerrüttung und Lähmung im Innern erfüllten ihn mit tiefem patriotischem Schmerze, umsomehr, als er, der Forscher und Lehrer auf dem Felde der Staatswissenschaften, das Hohle, das Unhaltbare aller gegen den Geist der Zeit, gegen Recht und Selbstbewusstsein der Völker damals geschaffenen Institutionen auf das deutlichste erkennen und die traurigen Folgen solcher Staatskunst voraussehen musste.

Trost und Erhebung boten ihm in diesen Zeiten seine umfassende Thätigkeit zur Hebung und Fortentwicklung des steiermärkischen Gewerbevereines und eine grosse literarische Arbeit, die er damals (1850) begann. Schon frühe, noch während seiner Studienjahre hatte er seine Aufmerksamkeit dem wunderbar herrlichen Lande Italien zugewendet. Diese Stätte uralter Kultur, diese mit Naturschönheiten und Kunstschätzen so reich gesegnete Halbinsel, die im Alterthume, im Mittelalter und noch im sechszehnten Jahrhundert so grossartige geschicht-

liche Ereignisse und eine so hohe Kulturblüte auf ihrem Boden
sich vollziehen sah und jetzt wieder zu neuem Leben zu erwachen scheint — dieses Land und seine Bewohner waren
schon früher mehrfach Gegenstand seiner Forschungen, Studien
und literarischen Arbeiten gewesen.

Unmittelbar nach Vollendung seiner Studien hatte er ganz
Italien durchreist und in den späteren Jahren unternahm er
von Graz aus mehrere Reisen dahin, besonders nach Ober-
italien, als deren Ergebniss man einige Arbeiten in der „Steiermärkischen Zeitschrift" betrachten kann; so „Erinnerungen an
das österreichische Friaul" (1834), „Reisebilder aus Italien"
(1834) und die Einleitung zu den von Kollmann übersetzten
Briefen des Antonio Canova.

Mehr als alles andere aber zog ihn Venedig, die zaube-
rische Lagunenstadt, an und er beschloss, diese einstige Meeres-
königin sich zum Stoffe eines grossen topographischen und
historischen Werkes zu nehmen. Durch zwei Decennien fast
alljährlich verweilte Schreiner zwei Monate in Venedig und
brachte diese Zeit mit den eingehendsten Studien und Forschungen über die topographischen, statistischen und wirthschaftlichen
Verhältnisse, über die politische und Kunstgeschichte dieser
Stadt zu; und nach Hause zurückgekehrt arbeitete und forschte
er die ganze grossartige Literatur über diese Stadt und ihre
Geschichte auf das fleissigste und gründlichste durch und
sammelte sich so ein wahrhaft riesiges Material als Grundlage
des beabsichtigten Werkes. Nebenbei legte er eine Sammlung
von Photographien von Venedig an, welche die Zahl von vielen
Hunderten erreicht und die grösste und vollständigste derartige Sammlung sein dürfte. An die Ausarbeitung des projectirten grossen Werkes aber kam Schreiner nicht; nur zwei
allerdings umfangreiche Bruchstücke aus demselben, ein Aufsatz über „Venedigs Begräbnissstätten" und eine grosse Arbeit
über Gradiska wurden von ihm dem Drucke übergeben [1].

---

[1] Das ganze grossartige handschriftliche Material Schreiner's über Venedig und die Photographiensammlung befinden sich jetzt im Besitze
seines Sohnes Dr. Moriz von Schreiner in Graz

B

Als Oesterreich seit 1860 allmählich in die Bahnen con-
stitutionellen Lebens einlenkte, eröffnete sich für Schreiner
wieder das Feld parlamentarischer Thätigkeit; in den durch
das a. h. Patent vom 26. Februar 1861 auf den 6. April 1861
einberufenen Landtag wurde er durch den Wahlbezirk der
Märkte Frohnleiten, Gratwein, Deutsch-Feistritz, Uebelbach
und Passail als Abgeordneter gewählt; er gehörte diesem Landtage bis zu der am 2. Jänner 1867 erfolgten Auflösung an
und wurde bei den unmittelbar darnach stattfindenden Wahlen
von demselben Wahlbezirke wieder in die Landesvertretung
entsendet, deren Mitglied er auch bis zu der am 21 Mai 1870
stattgefundenen Auflösung derselben war.

Schreiner's Landtagsthätigkeit war von derselben Hingebung, demselben Ernste und Eifer getragen, welche er ebenso
in allen anderen Gebieten seiner Wirksamkeit an den Tag
legte; er wurde von seinen Landtagskollegen in den Finanz-
ausschuss und von diesem wieder zum Obmanne gewählt, und
hatte so trotz seines damals schon hohen Alters eine grosse
Arbeitslast zu bewältigen, welcher er aber im vollsten Masse
gerecht wurde und wobei ihm gewiss die parlamentarischen
Erfahrungen, welche er einst zu Frankfurt gemacht, sehr zu
Statten kamen. — Mit wahrer Befriedigung und mit Stolz
konnte Schreiner auf die im Landtagssaale versammelten Männer blicken, denn mehr als die Hälfte derselben waren seine
Schüler gewesen, einst im Hörsaale zu seinen Füssen gesessen
und von ihm in die Grundlehren jener Wissenschaften, welche
sie nun praktisch auszuüben berufen waren, zuerst eingeführt
worden; und mit inniger Freude erfüllte ihn der gewiss seltene
Fall, dass während der zweiten Landtagsperiode einer seiner
Söhne, welcher seit 1862 Advokat in Graz war, mit ihm in
derselben Landesvertretung sass.

Auch die Regierung, welche ihn lange bei Seite gesetzt
hatte, begann jetzt wieder, sich seines Rathes zu bedienen,
indem sie ihn 1866 den Verhandlungen des Unterrichtsrathes
in Wien beizog.

In diese Zeit fällt auch der Haupttheil der Thätigkeit

Schreiner's im historischen Vereine für Steiermark. Nachdem er demselben, auch einer Schöpfung Erzherzogs Johann, schon seit seiner Gründung (1845) als Mitglied angehört hatte, wurde er am 25. Juni 1862 von der zwölften allgemeinen Versammlung desselben zum Ausschussmitgliede gewählt.

Als im März 1869 die Stelle des Vereinsvorstandes in Erledigung kam, ersuchte ihn der Vereinsausschuss, die Stellvertretung bis zur nächsten allgemeinen Versammlung zu übernehmen, welche ihn sodann am 30. Juni 1869 zum Vereinsvorstande erwählte. In dieser Eigenschaft leitete er den Verein bis zum 30. Juni 1870, an welchem Tage er seine Stelle in der allgemeinen Versammlung mit dem niederlegte, dass er eine allfällige Wiederwahl wegen seines hohen Alters und zunehmender Kränklichkeit unbedingt ablehnen müsse. So hat sich Schreiner um die Geschichtsforschung und Geschichtschreibung unseres Landes nicht nur durch seine literarischen Arbeiten, sondern auch durch sein Wirken im historischen Vereine und an der Spitze desselben verdient gemacht.

Auch dem steiermärkischen Kunstvereine und dem steiermärkischen Kunstindustrievereine gehörte Schreiner in dieser Zeit als Ausschussmitglied an.

So sehr ihn aber seine Schüler verehrten, seine Mitbürger achteten, eine Auszeichnung von Seite der Regierung, ein äusseres Zeichen der Anerkennung seiner Verdienste durch den Staat, dem er seit fast einem halben Jahrhunderte mit aller Hingebung gedient hatte, war ihm noch nicht zu Theil geworden.

Eine Erklärung hiefür kann in den noch immer fortwirkenden Reminiscenzen seiner Frankfurter Parlamentsthätigkeit, sowie in seinen allgemein bekannten politischen Gesinnungen, denen er oftmals sowol auf dem Katheder als sonst im Leben Ausdruck gab, gefunden werden. Erst dem Ministerium Beust-Hye war es vorbehalten, das Versäumte nachzutragen.

Durch kaiserliche Entschliessung vom 27. Dezember 1867 wurde Schreiner „in Anerkennung seines nahezu fünfzigjährigen Wirkens, während dessen sich derselbe durch zahlreiche lite-

rarische Arbeiten und durch seine sonstige Thätigkeit vielfache
Verdienste um das ihm anvertraute Lehramt erworben, so wie
durch sein taktvolles Benehmen und seine ausgebreiteten
Kenntnisse das Vertrauen seiner Mitbürger zu erlangen gewusst hat", der Orden der eisernen Krone dritter Klasse verliehen, dem bald darauf durch das kaiserliche Diplom vom
19. Mai 1868 „den Statuten des Ordens gemäss und in Anerkennung seines seltenen Eifers und seiner Hingebung für
die Wissenschaften, sowie seiner stets an den Tag gelegten
Treue und Ergebenheit an Se. Majestät und das a. h. Kaiser-
haus" seine Erhebung in den Ritterstand des österreichischen
Kaiserstaates folgte.

Noch immer, trotzdem er nicht mehr ferne dem achtzigsten
Lebensjahre stand, verwaltete Schreiner sein Lehramt mit un-
geschwächtem Eifer, mit Lust und Liebe; zu Ostern 1867
waren bereits fünfzig Jahre verflossen, seit Schreiner zum
ersten Male das Katheder als supplirender Professor betreten,
im Oktober 1868 waren es vierzig Jahre, dass er ununter-
brochen an der Universität zu Graz wirkte, und am 29. Dezember 1869 feierte er sein fünfzigjähriges Professoren-Jubiläum,
denn an demselben Tage des Jahres 1819 war er zum ö. o.
Professor am Lyceum zu Olmütz ernannt worden.

Als das Gesetz vom 9. April 1870 über die Pensions-
behandlung des Lehrpersonales der vom Staate erhaltenen Lehranstalten erfloss, in Folge dessen jeder Professor, welcher das
siebenzigste Lebensjahr zurückgelegt hat, von Amtswegen in
den Ruhestand versetzt wird, traf dieses Los auch Schreiner,
jedoch mit dem, dass ihm durch kais. Entschliessung vom
7. September 1870 ein ansehnlicher Ruhegehalt zuerkannt und
angeordnet wurde, dass er sein Lehramt noch bis Ende des
Wintersemesters 1870/71 fortführe.

Noch eine Auszeichnung war dem würdigen Greise beschieden, welche ihm durch ein seltenes Zusammentreffen der
dabei obwaltenden Verhältnisse hohe Freude bereitete.

Der Gemeinderath der Landeshauptstadt Graz beschloss
in seiner Sitzung am 11. April 1871 einstimmig, Professor

Schreiner „wegen der hohen Verdienste, welche er sich überhaupt und um die Stadt Graz insbesondere dadurch erworben, dass er sich durch mehr als vierzig Jahre mit einem Eifer, der wenig Beispiele aufzuweisen hat, an der hiesigen Universität dem öffentlichen Lehramte, namentlich der Heranbildung der Jugend in den Staatswissenschaften gewidmet, dass er ein ausgezeichnetes topographisch-statistisch-historisches Werk über Graz verfasst und dass er durch seine hervorragende Mitwirkung bei der Gründung des steiermärkischen Industrie- und Gewerbevereines wesentlich zur Hebung des materiellen Wohlstandes in Steiermark und besonders in Graz beigetragen" — die höchste Auszeichnung, über welche die Gemeindevertretung verfügen kann, die Würde eines Ehrenbürgers zu verleihen.

Wenige Tage hierauf wurde Professor Schreiner die Mittheilung von dieser Ernennung durch eine Deputation des Gemeinderathes überbracht, an deren Spitze sein eigener Sohn, als damaliger Bürgermeister stand und welcher ausser dem Vicebürgermeister noch drei Gemeinderäthe, alle drei einstmals Schüler Schreiner's, angehörten. Am 26. Dezember 1871 erfolgte durch dieselben Abgeordneten der Gemeindevertretung die Ueberreichung des Ehrenbürgerdiplomes.

Obwol Schreiner damals bereits siebenundsiebzig Jahre zählte, so war doch zu hoffen, dass er bei seinem regen ungeschwächten Geiste, bei seiner zwar nicht starken, aber gesunden Constitution noch manches Jahr im Kreise seiner Kinder und Enkel in verdienter Ruhe und würdiger Musse verleben könne; umsomehr als er sich, soweit dies eben Menschen beschieden sein kann, glücklicher Familienverhältnisse erfreute.

Er war in erster Ehe mit Katharina Schlegel vermählt, aus welcher fünf Kinder, zwei Töchter und drei Söhne stammen, welche letztere schon bei des Vaters Lebzeiten hervorragende Stellungen im öffentlichen Leben bekleideten — Gustav Freiherr von Schreiner, als k. k. österr. Generalkonsul und diplomatischer Agent in Kairo, Adolf Ritter von Schreiner als Generalsekretär der k. k. Südbahngesellschaft in Wien und Dr. Moriz Ritter von Schreiner als Advokat und von

1870 — 1873 als Bürgermeister von Graz. — Nach dem Tode seiner ersten Gemalin, deren Verlust er tief betrauerte, da er sie heiss geliebt hatte (1836), blieb er zehn Jahre lang Witwer und entschloss sich erst 1846 zur zweiten Ehe und zwar mit Josefine Mutschlechner zu schreiten, einer Frau, welcher er mit inniger Liebe zugethan war und die auch die sorgsamste Pflegerin und Hüterin seiner Greisenjahre bis zu seinem Tode blieb.

Denn kurze Zeit, nachdem er von dem Lehramte geschieden, nahm ein Herzleiden, das sich zwar schon früher, aber nie besonders bedenklich gezeigt hatte, immer mehr überhand, steigerte sich im Winter von 1871 auf 1872 derart, dass seine Kräfte sichtlich sanken, und führte am 1. April 1872 seinen Tod herbei.

Ein reiches vielbewegtes Leben war damit geschlossen, in weiten Kreisen hin war seine Wirksamkeit durch ihn selbst, durch Wort und Schrift, die von ihm ausgingen, und durch eine Zahl von Schülern, wie wenige Lehrer eine gleich grosse werden aufweisen können, und von denen viele bedeutende Stellungen im Leben einnehmen, - ich nenne nur Moriz von Kaiserfeld, Rechbauer nnd Stremayr — fühlbar und folgenreich gewesen; ein trefflicher Vater und Gatte, ein ausgezeichneter Lehrer, ein scharfsinniger Politiker, ein echter Patriot, ein rastlos thätiger Arbeiter auf dem Felde der Wissenschaften war in ihm geschieden und mit dem Verfasser dieser Biographie, der in dem Verblichenen einen väterlichen Freund und Gönner und treuen Rathgeber zu verehren hatte, werden gewiss Hunderte, die ihn kannten und zu würdigen wussten, noch für lange hin Erinnerung und Andenken an ihn im Herzen tragen.

Nicht ohne Schwierigkeiten und ziemlich mühevoll war die Sammlung von Schreiner's in Druck erschienenen Arbeiten, deren Verzeichniss nun folgen soll; sie bestehen mit wenigen Ausnahmen aus in Zeitschriften und zwar vielfach auch anonym erschienenen Aufsätzen, was deren Auffindung und die Feststellung der Autorschaft ungemein erschwerte, um so mehr, als es an Anhaltspunkten hiefür fast gänzlich mangelte.

Schreiner selbst schreibt nämlich in seiner schon oben erwähnten Autobiographie über seine literarischen Arbeiten nur, dass seine schriftstellerische Thätigkeit in Graz ein reichhaltiges Materiale fand, „deren Ergebnisse er (1.) in der Jenaer Literaturzeitung, (2.) in der grossen Ersch'- und Gruber'schen allgemeinen Encyklopädie der Wissenschaften und Künste, (3.) in der ersten Auflage von Welcker und Rotteck's Staatslexikon, (4.) in Hormayr's Archiv, (5.) in Wagner's Zeitschrift, (6.) in den Annalen von Berghaus, (7.) in der steiermärkischen Zeitschrift, (8.) in Hermann Wagener's Staats- und Gesellschafts-Lexikon, (9.) in Holtei's Album für den Friedhof der evangelischen Gemeinde zu Gräz in Steiermark, (10.) in der Augsburger Allgemeinen Zeitung, (11.) in Hlubek's treuem Bild der Steiermark, Gräz 1860, in ungemein zahlreichen Artikeln, deren nicht wenige sehr umfangreich sind, niederlegte. Ausserdem wurde ihm auch noch die Redaction der steiermärkischen Zeitschrift von Sr. k. k. Hoheit dem durchl. Erzherzoge Johann Baptist anvertraut. Auch war er (12.) Mitarbeiter an der achten Auflage des Brockhausischen Conversations-Lexikons. Schreiner arbeitete auch sonst noch mehrere andere selbstständige Werke aus, dahin gehören (13.) eine historisch-statistische Topographie von Grätz, (14.) eine Abhandlung über die einzig richtige Schreibweise des Namens der Stadt Grätz, ferner (15.) die deutsche Sprachgrenze im Südosten der Steiermark, ein Beitrag zu Bernhardi's deutscher Sprachkarte. Er gab überdies durch mehrere Jahre (16.) einen „Kalender für die katholische Geistlichkeit" heraus, in dem der historischen und statistischen Aufsätze mehre von ihm sich vorfinden."

So weit Schreiner über seine eigene literarische Thätigkeit. Die unter 13 und 16 verzeichneten selbstständigen Publikationen, sowie die in den Zeitschriften und Sammelwerken 2., 4., 6., 7., 9., 11. enthaltenen Aufsätze wurden hoffentlich sämmtlich ermittelt; was von Arbeiten aus Schreiner's Feder (1.)

die Jenaische Allgemeine Literaturzeitung enthält, konnte nicht
ermittelt werden, weil alle Artikel in derselben entweder
anonym oder nur mit Buchstaben oder Chiffern unterzeichnet
erschienen; in (3.) Rotteck und Welcker's Staatslexikon (1. Auflage) sind eine grosse Anzahl von Artikeln mit S. unterzeichnet,
die meisten derselben haben jedoch, wie sich aus der 2. Auflage
ergibt, Wilhelm Schulz zum Verfasser; es erübrigen nur die Arbeiten über Oesterreich, Böhmen, Dalmatien und die Sardinische
Monarchie, welche Schreiner zuzuschreiben sind, da auch Form
und Inhalt derselben dafür sprechen. — Die „Zeitschrift (5.)
für österreichische Rechtsgelehrsamkeit und politische Gesetzkunde, herausgegeben von Dr. Vincenz August Wagner" (Wien
1825—40), fortgesetzt von Kudler, Stubenrauch und Tomaschek,
seit 1846—49 unter dem Titel „Oesterreichische Zeitschrift
für Rechts- und Staatswissenschaft" enthält nur einen Aufsatz
(in den Jahrgängen 1846 und 1847) statistischen Inhaltes und
mit Dr. S. gezeichnet, welchen man als aus Schreiner's Feder
stammend annehmen darf. — In den zwei Decennien von
1830 bis 1850 soll Schreiner ständiger Correspondent für den
politischen Theil der Allgemeinen Augsburger Zeitung gewesen
sein; diese Correspondenzen jedoch aufzufinden und verzeichnen zu wollen, wäre wohl eine fruchtlose Mühe gewesen; es
wurde daher aus der Allgemeinen Zeitung (10) nur ein wissenschaftlicher Artikel in das folgende Verzeichniss aufgenommen. —
Ueber Schreiner's Theilnahme an (12.) Brockhaus' Conversations-
Lexikon und an (8.) Wagener's Staats- und Gesellschafts-Lexikon
wird sich unten im Verzeichnisse ausgesprochen; und was endlich
die (unter 14 und 15) von Schreiner genannten selbstständigen
Werke betrifft, so vermochte man dieselben als solche nicht
aufzufinden, doch wäre es möglich, dass er darunter Separatab-
drücke gleichnamiger Aufsätze in der Steiermärkischen Zeitschrift
und in der allgemeinen Zeitung verstand.

Nach diesen Vorbemerkungen möge nun das chronologisch
geordnete Verzeichniss von Schreiner's in Druck gelegten Arbeiten
folgen. Da der Verfasser desselben angesichts der erwähnten
Schwierigkeiten bei dieser bibliographischen Zusammenstellung

besorgen muss, dass ihm ein oder der andere aus Schreiner's Feder
stammende Artikel, besonders wenn er anonym erschienen ist,
entgangen sein könnte, so erbittet er sich das Recht, allfällige
diesbezügliche Nachträge in den nächsten Heften dieser Mittheilungen bringen zu dürfen.

Graz, 6. Januar 1873.

Verzeichniss von Schreiner's Schriften.

1827. Ueber Jenny's Reisehandbuch (2 Bände, Wien 1823). —
In Hormayr's Archiv für Geschichte, Statistik, Literatur
und Kunst. Wien 1827. 18. Jahrgang. Nr. 124, 125,
126, 133, 134 und 135.

1828. Beiträge zur Beförderung der Landeskunde von Mähren
und Schlesien. — In Hormayr's Archiv, 1828, 19. Jahrgang Nr. 10, 11, 42, 60, 118, 119.

1830. A. J. Gross, Handbuch für Reisende durch das Erzher-
zogthum Oesterreich, Steiermark, Salzburg etc. München
1831. Angezeigt von S. (Schreiner) in Hormayr's Archiv
1830, Nr. 76.

1832—1836. Allgemeiner Kalender für die katholische Geistlichkeit. (Vom 3. Jahrgange an auch u. d. T.: Ein Jahrbuch für kirchliche Statistik und Topographie, Kirchengeschichte, kirchliche Biographie, Liturgie, Kunst und
Gesetzkunde, Bibelstudium und biblische Archäologie,
Homiletik, Kirchengeschichte der Akatholiken, Schul-
und Erziehungswesen etc.) In Verbindung mit einem Professor der Theologie herausgegeben von Dr. Gustav
Franz Schreiner. 1.—5. Jahrgang 1832—1836. Grätz
im Verlage bei Damian und Sorge. — (Ueber diesen
Kalender schreibt Schreiner in seiner Selbstbiographie:
„Er (Schreiner) gab überdies durch mehrere Jahre einen
„Kalender für die katholische Geistlichkeit" heraus, in
dem der historischen und statistischen Aufsätze mehre

von ihm sich befinden". (Welche Aufsätze dieses Kalenders jedoch aus Schreiner's Feder geflossen, kann nicht festgestellt werden, da alle in demselben enthaltenen Artikel ohne Namen der Verfasser abgedruckt sind.)

1833—1837 erschien die achte Originalauflage der „Allgemeinen deutschen Real-Encyklopädie für die gebildeten Stände. (Conversations-Lexikon). In zwölf Bänden. Leipzig, F. A. Brockhaus", an welcher Schreiner als Verfasser zahlreicher, namentlich statistischer Artikel theilnahm und auch als Mitarbeiter (im 12. Bande, Schlusswort S. XXI) genannt wird; da jedoch in diesem Conversations-Lexikon alle Aufsätze ohne Namen der Verfasser erschienen, so lässt sich nicht feststellen, welche Artikel desselben aus Schreiner's Feder stammen.

Von 1833 an führte Schreiner gemeinsam mit Vest, Thinnfeld und Muchar die Redaction der steiermärkischen Zeitschrift (erste Folge) 11. u. 12. Heft (1833 u. 1834), dann mit Muchar, Leitner und Schrötter derselben Zeitschrift neuen Folge I. II. III. IV. V. VI. Jahrgang, mit Muchar und Schrötter VII. Jahrgang 1. Heft, mit Muchar VII. 2., VIII. und IX. (letzten) Jahrgang. (Grätz 1834 bis 1848. Im Verlage der Direction des Lesevereins am Joanneum und in Commission bei Damian und Sorge.)

1834. Erinnerungen an das österreichische Friaul. Bruchstücke aus einem Tagebuche. — In „Steierm. Ztschft." 12. Heft, (Grätz 1834) S. 39—64.

1834. Oesterreich's Naturschönheiten. Ein Vorwort zur steiermärkischen Zeitschrift. — Steierm. Ztschft. N. F. I. Jhrg., I. Heft. Graz 1834. S. 1—18.

1834. Reisebilder aus Italien: I. Die Fahrt nach Venedig. — steierm. Ztschft. N. F. I. Jahrg. I. Heft (1834), S. 87—111.

1834. Ausflug nach der Höhle in der Frauenmauer. Mit einem Plane der Höhle. — Steierm. Ztschft. N. F. I. Jahrg., II. Heft. (1834) S. 3—26.

1835. Einige vertraute Briefe des Antonio Canova. Aus dem Italienischen übersetzt von Ignaz Kollmann. Mit einem

Vorworte über den berühmten Bildhauer und seine Kunstleistungen von Dr. Gustav Franz Schreiner. — Steierm. Ztsch. N. F. II. Jhrg. I. Heft (1835), S. 132—141.

1835. Steiermarks Volksmenge in Vergleichung mit jener der übrigen österreichischen Provinzen. Aus ämtlichen Quellen geschöpft. — Steierm. Ztschft. N. F. II. Jhrg. II. Heft (1835). S. 134—181. Dieser Aufsatz ist auch vollinhaltlich in den „Annalen der Erd-, Völker- und Staatenkunde", herausgegeben von Heinrich Berghaus (Berlin) III. Reihe, 2. Band, 1836, S. 1—49 abgedruckt. — In demselben Bande, S. 522—527, dieser Annalen befindet sich eine ohne Namen des Verfassers erschienene ziemlich ausführliche Anzeige der „Steiermärkischen Zeitschrift", neue Folge, I. Band, 1. und 2. Heft, von welcher zu vermuthen ist, dass sie aus Schreiner's Feder stammt.

1835. Böhmen. (Von S.) Im Staatslexikon oder Encyklopädie der Staatswissenschaften, herausgegeben von Carl von Rotteck und Carl Welcker. Erste Auflage. Altona 1835, II. 654—668. — In der 2. Auflage des Staatslexikons (1848) X. 389—408 abgedruckt und mit O gezeichnet.

1836. Steiermarks Waldstand, Holzreichthum und Forstkultur mit steter Berücksichtigung aller übrigen Provinzen des österreichischen Kaiserthums, durchaus nach amtlichen Erhebungen. — Steierm. Ztschft. N. F. III. Jhrg. I. Heft (1836) S. 127—168. — Auch abgedruckt in „Berghaus Annalen" III. Reihe, 4. Band, S. 34—72 (1837).

1837. Dalmatien. (Von S.) In Rotteck - Welcker's Staatslexikon (1837) IV. 166 178. — Auch in der 2. Aufl. (1846) II. 656 663 enthalten und mit S. gezeichnet.

1841. Oesterreich, Kaiserthum mit Inbegriff von Ungarn, Siebenbürgen u. s. w. — In Rotteck und Welcker's Staatslexikon (1841), 12. Band, S. 125—235. — In der 2. Auflage (1848) X. S. 282—389 fast gleichlautend abgedruckt und mit O gezeichnet.

1843. Sardinische Monarchie. (Von S.) In Rotteck-Welcker's Staatslexikon, 1848, XIV, 214—232. — In der 2. Aufl. (1848) XI. 765 – 778 anonym abgedruckt.

1843. Grätz. Ein naturhistorisch-statistisch-topographisches Gemälde dieser Stadt und ihrer Umgebungen. Im Vereine mit Dr. A. v. Muchar, k. k. ö. o. Professor der Philologie, Dr. Fr. Unger, ö. o. Professor der Zoologie und Botanik am st. st. Joanneum, Dr. der Heilkunde Chr. Weiglein, von Dr. Gustav Schreiner, k. k. öffentl. ordentl. Professor der Staatenkunde. Mit vielen Stahlstichen, einem Plane der Stadt und einer geognostischen Karte der Umgebungen. Grätz 1843. Verlag der F. Ferstl'schen Buchhandlung. XVI und 570 S.

1844. Ueber die heut zu Tage einzig richtige Schreibung des Namens der Stadt Grätz. — Steierm. Ztschft. N. F. VII. Jhrg. II. Heft (1844). S. 123—207.

1844. Chronologisches Verzeichniss der gedruckten und ungedruckten Urkunden, welche den Namen der Stadt Grätz enthalten. — Steierm. Ztschft. N. F. VII. Jhrg. II. Heft. (1844). S. 280—272.

1844. Die deutsche Sprachgrenze im Südosten der Steiermark. — (Augsburger) Allgemeine Zeitung, Beilage vom 26. u. 27. September 1844.

1846—1847. Statistische Nachweisungen über die Landwirthschaftspflege des österreichischen Kaiserstaates. (Von Hrn. Dr. S.) (Handelt von Oesterreich ob und unter der Enns und Steiermark.) In „Oesterreichische Zeitschrift für Rechts- und Staatswissenschaft", herausgegeben von Dr. Josef Kudler, Dr. M. v. Stubenrauch u. Dr. Ed. Tomaschek. (Wien.) Jahrgang 1846, I. Band, S. 478—487; Jahrgang 1847, II. Band, S. 129—136 und S. 227—235.

1848. Von Nr. 43, 16. März 1848 bis Nr. 134 vom 31. Juli erscheint Schreiner als verantwortlicher Redacteur der Grazer Zeitung; wie sich aus seiner Erklärung in Nr. 133 ergibt, führte er die Redaction bis zu seiner Abreise nach Frankfurt selbst und von da an

bis letzten Juli führten dieselbe unter seiner fortwährenden Mitwirkung und vollen Verantwortlichkeit seine
Söhne Adolf und Moriz Schreiner.

1857. Venedig's Begräbnissstätten. (Bruchstücke. eines grösseren
noch ungedruckten Werkes über Venedig). — In dem
Album: „Für den Friedhof der evangelischen Gemeinde
in Gratz in Steiermark". Braunschweig, Wien und Gratz
1857. S. 595—666.

1859—1867. Von 1859 bis 1867 erschien das „Neue Con-
versations - Lexikon. Staats- und Gesellschafts-Lexikon.
In Verbindung mit deutschen Gelehrten und Staatsmän-
nern herausgegeben von Hermann Wagener. 23 Bände,
Berlin 1859— 1867". — Schreiner war Mitarbeiter an
diesem Werke, welche Artikel desselben jedoch ihn zum
Verfasser haben, konnte nicht ermittelt werden, da bei
keinem derselben ein Autornamen verzeichnet ist.

1860. Die Bewohner des Landes (Steiermark). Fünfter Abschnitt des Werkes: „Ein treues Bild der Steiermark, herausgegeben von der k. k. steiermärkischen
Landwirthschafts-Gesellschaft durch ihren Sekretär Dr.
F. X. Hlubek. Gratz 1860. S. 47— 66.

1864. Der Grabensee (1. in Salzburg.) (2. in Kärnten). Ersch'
und Gruber's allgemeine Encyklopädie der Wissenschaften
und Künste: I. Section, 77. Band. S. 217.

1864. Gradisca (1. im Küstenlande, 2. und 3. in Italien, 4. und
in der Militärgrenze.) — In obiger Encyklopädie:
I. Section, 77. Band. S. 331—332.

1864. Gradisca, die gefürstete Grafschaft. (Geschichte derselben.)
In Ersch' und Gruber's Encyklopädie: I. Section, 77. Band,
S. 332 - 480.

1864. Gradiscaner Krieg. Ebenda, I. Section, 78. Band, S.
1—15.

1864. Gradistje in Siebenbürgen. Ebenda. I. Section, 78. Band,
S. 15.

1864. Gradlitz in Böhmen. Ebenda. I. Section, 78. Band, S. 15
bis 16.

1864. Grado. (Topographie.) Ebenda. I. Section, 78. Band, S. 40—43.

1864. Grado (Geschichte). Ebenda: I. Section, 78. Band, S. 391 - 467.

1868. Gratz (in Steiermark). Ebenda: I. Section, 88. Band. S. 161—163.

MITTHEILUNGEN

DES

HISTORISCHEN VEREINES

FÜR

STEIERMARK.

Herausgegeben
von dessen Ausschusse.

XXII. HEFT.

Graz, 1874.

Im Selbstverlage.

In Commission der k. k. Universitäts-Buchhandlung
Leuschner & Lubensky.

MITTHEILUNGEN

DES

HISTORISCHEN VEREINES

FÜR

STEIERMARK.

Herausgegeben
von dessen Ausschusse.

XXII. HEFT.

Graz, 1874.
Im Selbstverlage.

In Commission der k. k. Universitäts-Buchhandlung
Leuschner & Lubensky.

Inhalt.

A. Vereins-Angelegenheiten.

Geschäfts-Uebersicht. — Chronik des Vereines.

Erwerbungen.

B. Abhandlungen.

C. Kleinere Aufsätze und Mittheilungen.

Register

A.

Vereins-Angelegenheiten.

A

Geschäfts-Uebersicht.

Chronik des Vereines.

Λm 3. Februar 1873 wurde im Joanneum unter dem Vorsitze des derzeitigen Vorstandes, Landesarchivar's Professor J. Zahn, die 25. Jahresversammlung des historischen Vereines für Steiermark abgehalten, in welcher der Vereins-Schriftführer folgenden Bericht erstattete:

*

„Durch die in der letzten 24. Jahresversammlung am 24. Juli 1872 beschlossene, dann von der hohen steiermärkischen Statthalterei mit Erlass vom 5. October 1872, Z. 12.262, genehmigte Statutenänderung wurden die Jahresversammlungen in die Winterszeit verlegt. Es erscheint daher die gegenwärtige 25. Jahresversammlung insoferne als eine ausserordentliche, als der Zeitraum, über welchen berichtet werden soll, nur ein halbes Jahr umschliesst, welches der Abwicklung früher eingeleiteter Arbeiten und Unternehmungen angehörte.

Von dem Berichte über das Gedeihen der vom Vereine in's Leben gerufenen Ortschroniken abgesehen, welcher besonders erstattet werden wird, beehrt sich der Ausschuss mit der Mittheilung, dass von den heuer fälligen Vereinsschriften der IX. Jahrgang der „Beiträge" zur Zeit theilweise schon verschickt ist, das XX. Heft der „Mittheilungen" hingegen des mannigfachen Inhaltes wegen, erst Mitte Februar vollendet werden dürfte. Für das Jahr 1873 ist die Herausgabe des X. Jahrganges der „Beiträge" mit einer kostspieligen historischen Karte der Steiermark ausgestattet.

Das vollständige Orts-, Personen- und Sachen-Register der bisher erschienenen XX Hefte „Mittheilungen" ist in Aussicht genommen.

Das Register von Muchar's Geschichte der Steiermark ist abgeschlossen und gegenwärtig in Revision und Vorbereitung für den Druck; das steiermärkische Urkundenbuch ist im Umfange von 44 Druckbogen im Reindrucke vollendet und der Index dazu gegenwärtig in Arbeit begriffen.

Der Stand der Mitglieder beträgt mit Ende des Jahres 1872 305 ordentliche, 36 Ehren-, 20 correspondirende Mitglieder und 24 Bezirks-Correspondenten.

Die von der letzten Versammlung zu Ehren- und correspondirenden Mitgliedern ernannten Herren: Excellenz Graf Rudolf S t i l l f r i e d - R a t t o n i t z in Berlin, Hofräthe Ritter v. A r n e t h und A s c h b a c h, Professor Dr. A. J ä g e r und Archivsadjunct M. P a n g e r l, sämmtlich in Wien, haben jeder einzeln ihren Dank für diese Ernennung ausgedrückt.

Als verstorben hat der Verein zwei verdiente Ehrenmitglieder zu beklagen, den Reichshistoriographen Jodok S t ü l z, Abt zu St. Florian, welcher am 28. Juni 1872 zu Hofgastein verschied, dann den k. k. Regierungsrath und jubilirten Director des k. k. Hof-, Münz- und Antikencabinets, Dr. Josef Ritter v. B e r g m a n n, welcher am 29. Juli 1872 zu Graz in hohem Greisenalter sein für die Geschichtsforschung fruchtbares Leben endete.

Der Schriftentausch wird gegenwärtig mit 190 fachverwandten Gesellschaften und einheimischen Lehranstalten unterhalten. Neu zugewachsen sind die königl. preussische Universitätsbibliothek zu Königsberg und die k. k. Staatsoberrealschule zu Graz.

In Hinblick auf den in der vierten Quartalversammlung vom 27. Jänner 1871 gegebenen Bericht über die Seitens des Vereines eingeleiteten Schritte, durch welche eine bessere Verwahrung der inneröst. Kammeracten in der Statthaltereiregistratur erzielt werden sollte, ist der Vereins-Ausschuss in der Lage mitzutheilen, dass diese Angelegenheit in Folge der thätigen Verwendung Sr. Excellenz des Herrn Statthalters im Spätsommer 1872 ihre günstige Entscheidung fand. Es sind seither diese für die Finanzgeschichte der inneröst. Länder vom 16.—18. Jahrhunderte wichtigen Acten wieder im Vorauerhofe, wo sie auch schon früher einmal waren, entsprechend untergebracht worden.

Von den Bezirkscorrespondenten haben die Herren: Kaplan A. M e i x n e r in St. Veit am Vogau, über Funde aus der Römerzeit in der Umgebung seines Stationsplatzes und im Stiefingthale, Dr. J. K r a u t g a s s e r in Mureck, über Auffindung einer Römermünze, dann einen vom Grafen P l a t z zu Freudenau in Oberschwarza entdeckten wohlerhaltenen Römerstein Berichte eingesendet. Herr Pfarrer K a r n e r überreichte geschichtliche Notizen über die Pfarre und Umgebung seines Geburtsortes Wundschuh bei Wildon.

Als Geschenkgeber sind dankend zu nennen: Frau Gräfin Anna v. S a u r a u, geb. Gräfin v. Goëss, Sternkreuzordens- und Palastdame in Graz, dann die Herren: Anton A u s t, Werksarzt und Bezirkscorrespondent zu Gaal bei Knittelfeld; Ernst v. D e s t o u c h e s, Archivar und Chronist der Stadt München; Georg G ö t h, Dr. und jubilirter Studiendirector in Graz; Adolf K o f l e r, k. k. Hof-Weinlieferant und Realitäten- besitzer in Pettau; Franz K r o n e s, Dr., k. k. Universitäts- Professor in Graz; Anton M e i x n e r, Kaplan und Bezirks- Correspondent in St. Veit am Vogau; Carl Woldemar N e u - m a n n, k. baier. Hauptmann, correspondirendes Mitglied in Regensburg; Johann P a r a p a t, Kaplan zu Rabensberg bei Stein in Krain; Ignaz S c h l a g g, k. k. Bezirksrichter und Bezirkscorrespondent in Obdach; Mauriz S t r a c h w i t z, Graf, k. k. Kämmerer und Gutsbesitzer zu Schloss Pichl im Mürz- thale; Thassilo W e y m a y r, k. k. Gymnasialprofessor in Graz; endlich Herr Franz N i n a u s, Magister der Chirurgie in Graz, welcher sich durch Uebergabe eines in Oel gemalten Portraitbildes besonders verdient machte. Dasselbe betrifft den 1660 in der Steiermark geborenen berühmten Contrapunktisten und Hof-Obercapellmeister der Kaiser Leopold I., Josef I. und Carl VI., J o h a n n J o s e f F u x († 1724), dessen Lebens- geschichte erst jüngst der kais. Rath L. v. K ö c h e l in Wien in einem stattlichen Buche abhandelte.“

*　*　*

Von geschäftlichen Angelegenheiten dieser Versammlung betrifft der Bericht des Kassiers zunächst die Rechnung pro 1872, in welcher an Einnahmen (unter Hinzurechnung des Uebertrages per 1902 fl. 6 kr.) 4555 fl. 62 kr. figuriren, welchen 2196 fl. 82 kr. Ausgaben, zumeist für Druckarbeiten, gegenüberstehen. Der Rest per 2358 fl. 80 kr. und noch meh- rere kleine Einnahmeposten, welche jedoch durch die bis- herigen Ausgaben völlig erschöpft werden, ergibt den gegen- wärtigen Kassastand mit 2351 fl. 90 kr., von welchen 2300 fl. fruchtbringend angelegt sind. Die bedeutenden Zahlungen für Druckarbeiten, welche in diesem Jahre fällig werden, nöthigen den Cassier zur Mahnung, es mögen die gegenwärtig mit 988 fl. aushaftenden Mitglieder-Beiträge coulant berichtigt werden.

Für die gehabten Auslagen bei Anfertigung neuer styl- gemässer Diploms-Blanquette wird die Indemnität angesprochen und ertheilt, gleichzeitig auch über Antrag des Ausschusses die Einhebung einer Taxe von 2 fl. für Ausfertigung der Diplome an neuaufgenommene Mitglieder und die dem entsprechende Aenderung der Statuten genehmigt; den älteren Mitgliedern Neuausfertigungen von Diplomen gegen Erlag der halben Taxe gewährt. Dr. Luschin spricht den Wunsch aus, dass der Ausschuss für das Jahr 1873 nicht nur allein den Register der bisherigen XX Hefte „Mittheilungen", sondern auch ein Heft mit geschichtlichen Aufsätzen herausgebe; ebenso meint er, dass sich die beträchtlichen Auslagen für Inserate gelegentlich der öffentlichen Versammlungen durch räumliche Zusammendrängung und Verminderung der Insertionen herabdrücken lassen dürften; beiden Wünschen verspricht der Ausschuss Rechnung zu tragen.

Bei der theilweisen Neuwahl des Ausschusses wurde der wieder wählbare Cassier, Herr Ernst Fürst, in seiner Function bestätigt, dann die Herren: Schulrath Gymnasialdirector Dr. Richard Peinlich zum Vorstande, Professor Dr. Hermann Jgnaz Bidermann zum Vorstand-Stellvertreter, Major Graf Heinrich von Attems, Archivsadjunct Dr. Arnold Luschin und Realschuldirector Heinrich Noë zu Ausschüssen, dann für den Fall einer Wahlablehnung, welche dann auch wirklich von Seite des Grafen Attems einlief, Professor Dr. Ferdinand Bischoff zum Ausschuss-Ersatzmanne mit zweijähriger Functionsdauer, Professor Ignaz Schrotter und Cassier Carl Burghardt zu Revisoren der Rechnung pro 1873 erwählt.

Ueber Antrag des Schulrathes Dr. R. Peinlich votirt die Versammlung den abtretenden Ausschüssen, zumal dem bisherigen Vorstande Landesarchivar J. Zahn den Dank, worauf der Letztgenannte im Namen der so Geehrten erwidert.

Ueber die nun zum Abschlusse gelangte Angelegenheit der Einführung von Ortschroniken wird folgender Bericht verlesen:

*
* *

„Die Generalversammlung vom 24. Juli 1872 hat dem Ausschusse und dem Comité für Einführung von Ortschroniken freie Hand innerhalb gewisser gestellter Grenzen gegeben, das Unternehmen aus dem damals vorgelegten Stadium der Berathung in die Wirklichkeit zu übertragen.

Bei dem Umstande, dass daran die Interessen des Vereines in höherem Grade geknüpft sind, hält sich der Vereins-Ausschuss immerhin für verpflichtet, der Generalversammlung von der Art der Ausführung eingehender Mittheilung zu erstatten.

Wie schon dargelegt worden, richtet sich der Zweck der Ortschroniken mehr auf die Gegenwart und Zukunft, als nach der Vergangenheit. Desshalb theilt sich die Form derselben in zwei Theile, in die Ortsbeschreibung und in die eigentliche Orts- oder Tageschronik. Es war Sache des Comité's, diese Theile in ihren nothwendig bedingten äusseren Formen, sowie betreffs ihres Inhaltes klar erscheinen zu lassen. Diess konnte nur mittelst gewisser Rubriken und Muster geschehen, welche das Comité anlegte und worin nach Möglichkeit darauf geachtet wurde, den künftigen Chronisten die Führung so ersichtlich, leicht und bequem zu machen, als nur immer wünschenswerth.

Die Formularien, auf welchen die Ortsbeschreibungen und Chroniken eingetragen werden sollen, sind sonach von mehreren Beilagen begleitet. Diese haben den Zweck, einzuführen in die Aufgabe und durch Beispiele sie zu erleichtern. Die Vorrede setzt das Ziel auseinander, das dem Ausschusse vorschwebte; die zweite Beilage stellt die Rubriken fest, welche bei Ortsbeschreibungen wesentlich zu berücksichtigen seien; die dritte Beilage gibt eine wirkliche Ortsbeschreibung, u. z. von Moskirchen, welche annähernd nach den Forderungen der zweiten Beilage gearbeitet ist und eigentlich so verdeutschen sollte, wie die allgemeinen Regeln in's Positive, sozusagen übersetzt, sich ausnehmen; die vierte Beilage gibt das Beispiel einer Ortschronik, zwar von einem fingirten Orte und mit fingirten, allein aus dem Leben gegriffenen Thatsachen, und die letzte endlich enthält die Berichtcoupons, welche jährlich an den Ausschuss zur Evidenzhaltung der Chronikenführung eingesendet werden sollen.

Das Comité hat es sich sonach nicht verdriessen lassen, alle geistigen und materiellen Mittel aufzuwenden, um die Sache lebensfähig zu gestalten. Es hat so gehandelt in der festen Ueberzeugung, dass mit der blossen Anregung, dies oder jenes habe zu geschehen, gar nichts geholfen, sondern, dass es geboten sei, die Wünsche und Bedürfnisse so deutlich als möglich zu veraugenscheinlichen, damit dem unklaren Verständnisse nachgeholfen, Fehlern und Entschuldigungen vorgebeugt und ein möglichst entsprechendes Resultat erzielt werde. Aehnliche Vorarbeiten und gleiche Hilfe hat nach dem Wissen des Ausschusses in solcher Erschöpfung kein Verein seinem Lande geboten und der Ausschuss kann mit gewisser Befriedigung die Angelegenheit in Lauf bringen, dass, was von seiner Seite nöthig, nicht vernachlässiget, sondern eher bis zum Aeussersten vorbereitet worden sei.

Muster der besagten Schriftstücke liegen Ihnen vor. Dieselben werden nächstens, als vom Vereine zu beheben, in Verlautbarung gebracht werden, und es wird dann Sache der Männer, die sich des Zweckes annehmen wollen, sein, sie zu beheben und so zu benützen, wie die Unterrichts- und anderen Beispiele der besagten Beilagen es darlegen.

An die Generalversammlung aber apellirt der Ausschuss, dass deren Theilnehmer für das Unternehmen wirken, dass sie dafür Arbeiter gewinnen helfen. Denn nur von solchen lässt sich die Krönung der Arbeiten des Comité's erwarten. Und der Ausschuss rechnet, wenn auch nicht auf strömende Mitwirkung, so doch mehrfache, da es nicht verkannt werden kann, dass das Unternehmen für die Landesgeschichte von Gewinn und für den Mitarbeiter ehrenvoll ist. Unter allen Umständen aber hält der Ausschuss seine Aufgabe als für dermalen erledigt und legt sie in die Hände jener patriotisch denkenden Persönlichkeiten, welche mit den Bestrebungen des Vereines sympathisiren. Es würde dem Ausschusse ein Moment besonderer Genugthuung sein, könnte er im Jahre 1878, wo die Einberufung und Prämiirung der bestgeführten Chroniken stattfinden soll, auf eine Anzahl derselben hinweisen, die ihr Entstehen seiner Initiative verdanken. Dann würde Steiermark unter den österreichischen Kronlanden nicht allein das erste sein, welches mit solchen Mitteln des Unternehmens sich annimmt, sondern auch das mit Resultaten auf solchem Gebiete hervortritt. Dann hat sich der Zweck des Vereines in dieser Richtung erfüllt, denn das ist wohl nicht zu bezweifeln, dass die Sache, wenn einmal in den Gang gebracht, sich selbst helfen und vorwärts bringen wird."

* * *

Hierauf gelangen die Vorträge an die Reihe und es hält Se. Erlaucht Herr Graf Gundacker Wurmbrand-Stuppach seinen von Demonstrationen begleiteten Vortrag über die 1872 zu Gleichenberg gemachten prähistorischen Funde.

Anknüpfend an einen Feuilleton-Aufsatz des Med.-Dr. M. Macher in der Abendausgabe der Grazer „Tagespost" vom 24. September 1872 vertritt er die Ansicht, dass die Gebrauchzeit der auf dem südwestlichen Abhange des Hügels der Villa Wickenburg in Gleichenberg gefundenen Schalen und Scherben, dann fünf Stück Steinwaffen (letztere zum Theile den von Professor Unger bei Radkersburg gefundenen ähnlich) nicht auf Jahrtausende zurückgeschoben werden könne, wie Dr. Macher meint, sondern kaum einige Jahrhunderte vor unsere Zeitrechnung zu setzen seien. Graf Wurmbrand sieht durch diesen Fund eine Ansiedlungsstätte der kymerischen Kelten der nahverwandten Gallier und der Germanen belegt, welche sich in diesen Gegenden niederliessen, nachdem sie die Eingebornen unterworfen hatten.

Der nun folgende Vortrag des Herrn Professor Dr. H. J. Bidermann behandelte die steierische Verfassungskrisis zur Zeit der ersten französischen Revolution und wurde mit Hinzugabe einiger interessanter Actenstücke in das XXI. Heft der „Mittheilungen" S. 15—105 aufgenommen.

Beide Vorträge erregten lebhaftes Interesse und wurden mit Beifall aufgenommen.

Die Versammlung währte von ½ 6—8 Uhr Abends.

Unterm 2. März 1873 bescheinigt die h. steierm. Statthalterei die in der letzten Jahresversammlung beschlossene Statutenänderung.

Am 10. April wird mit der historischen Section der polnischen Akademie der Wissenschaften in Krakau der Schriftentausch eingeleitet.

Am 26. April beschliesst der Ausschuss mit Rücksicht auf den in der letzten Jahresversammlung ausgesprochenen Wunsch, auch im Jahre 1873 ein geschichtliche Aufsätze enthaltendes Heft der „Mittheilungen" mit angeschlossenem Register für dieses Heft herauszugeben. Der Register der bisher erschienenen XX Hefte „Mittheilungen" soll in zwei bis drei jahreweisen Abtheilungen abgesondert ausgegeben und mit der Ausgabe der vom Archivsadjuncten Dr. Luschin bearbeiteten Uebersicht aller in den Schriften des Vereines erschienenen Aufsätze begonnen werden.

Die Auflage der Vereinsschriften wird auf 650 Exemplare erhöht.

Am 28. April hält der Verein seine 11. Vierteljahresversammlung, bei deren Beginn der Vorsitzende Schulrath Dr. Peinlich sich als neugewählter Vorstand einführt, dann einen Nachruf den zwei jüngst verstorbenen vielverdienten Ehrenmitgliedern des Vereines, den beiden Topographen Director Dr. Georg Göth (gest. 69 Jahre alt, Graz, 4. März) und Carl Schmutz (gest. 87 Jahre alt, zu Linz, 20. April) widmet.

Professor Virgil Käferbäck besprach die in Deutschland allgemein, auch in Graz bestandene und aus der heidnischen Zeit stammende Sitte, zur Sommer-Sonnenwende Feuer im Freien anzuzünden und Strohmänner oder andere Figuren dabei zu verbrennen. Da wurde am Vorabende des Johannistages, 23. Juni, eine riesige, bekleidete Strohpuppe an einer langen Stange befestigt durch die Stadt getragen, am Sonnenwendfeuer in der Karlau angezündet und dann noch brennend in die Mur geworfen.

Diese Puppe hiess der Tattermann! Die Bedeutung dieses Namens stammt vom Worte tattern, zittern, daher Tattermann in Steiermark eine Vogelscheuche und einen feigen willenlosen Menschen bezeichnet.

Bei dieser Volksbelustigung entstanden aber oft bedauerliche Excesse, so dass die bewaffnete Macht nicht selten einschreiten musste, um Ruhe und Ordnung zu schaffen; ja es kam sogar im Jahre 1699 zu förmlichen Kämpfen zwischen dem Civile und dem Militär, so dass man sechs Todte und eine grosse Anzahl Verwundeter zählte. Auch gab das Volk bei dieser Festlichkeit oft seinem Aerger über sociale Verhältnisse Ausdruck, so prangte einst bei einer Erhöhung der Fleisch- und Kerzenpreise der Tattermann auf seiner hohen Stange ganz mit Würsteln und Kerzen behängt. Diess gab dann oft zu Tumulten Veranlassung, so dass sich die Regierung genöthigt sah, diese Sitte abzuschaffen, aber trotz wiederholter Verbote erhielt sie sich noch fort, bis ihr endlich die Unruhen vom 23. Juni 1773, wo abermals Militär einschreiten musste und der Buchhaltungsofficial H u e b e r durch einen Schuss das Leben verlor, mehrere Soldaten aber durch Pistolenschüsse und Steinwürfe verwundet wurden, für immer ein Ende machten. Unter energischen Drohungen verbot nun die Regierung diese Festlichkeit für immer und erliess eine Reihe von Massregeln, jeden Versuch einer Erneuerung derselben sogleich zu unterdrücken.

Der Vortragende verwies hiebei auch auf einen Aufsatz von Professor I l w o f, welcher schon früher die Ansicht W i n k l e r n 's und auf letzteren gestützt G e b l e r 's widerlegte, als stamme dieser Gebrauch von der Verbrennung eines Tartaren.

Der Vortrag des Oberlieutenants L. B e c k h - W i d m a n s t e t t e r hatte den beklagenswerthen Zustand vieler mittelalterlicher Denkmäler zum Gegenstande, welche nicht selten auf Kosten völlig intereseloser Ueberbleibsel aus der Römerzeit vernachlässigt werden. Ein Beispiel kaum glaublicher Rücksichtslosigkeit stützt diese Thatsache durch die bisherige Verwahrlosung der Denkmale des uralten, durch rühmliche kriegerische Leistungen ausgezeichneten Herrengeschlechtes der T e u f f e n b a c h   z u   T e u f f e n b a c h und M a s s w e g, in der durch sie gegründeten Margarethen-Pfarrkirche ihres Stammsitzes zu Teuffenbach in Obersteier. Am Fussboden der Kirche, theils durch Betstühle verdeckt, theils den Schuhnägeln der bäuerlichen Besucher preisgegeben, oder in der Umfassungsmauer des Kirchhofes, waren die hin und wieder nicht nur in geschichtlicher, sondern auch in künstlerischer Beziehung interessanten Denkmäler in Bruchstücken zerstreut eingemauert, mit Bezug auf die Friedhofmauer mehrere eben nur als einfaches, in kleine Stücke zerklopftes Steinmateriale, bei Ausbesserungen verwendet worden. Diesen Verwüstungen leistete übrigens eine zu Ende vorigen Jahrhunderts erschienene Kreisamts-Verordnung, welche die Verwendung der alten Grabsteine bei Kirchenreparaturen anordnete, Vorschub.

Der historische Verein nahm sich auf den Bericht des Vortragenden der Sache an, und schöpfte daraus den Anlass, im Allgemeinen die Angelegenheit einer besseren Versorgung der Kirchendenkmäler bei den beiden Landesbischöfen, u. z. mit erfreulichem Erfolge anzuregen. Hinsichtlich der bescheiden dotirten Pfarrspfründe zu Teuffenbach musste aber auf die Beisteuer der nächsten Interessenten, die Sprossen der auf den Denkmalen genannten Geschlechter gewiesen werden. Von ihnen (den P. T. Frauen: Theresia Gräfin von Herberstein-Dietrichstein in Wien, Anna Gräfin von Saurau-Goëss in Graz, Amalia Freiin Teuffenbach-Thurn und Antonia Freiin v. Formentini-Teuffenbach in Görz; den P. T. Herren: Alfred und Ernst Fürsten zu Windisch-Grätz in Wien und Graz, Sigmund Freiherr v. Pranckh, königl. bairischen Kriegsminister in München, Albin und Arthur Freiherren von Teuffenbach-Teuffenbach in Wien und Görz) wurden auch die Kosten der bisher durchgeführten Denkmal-Umstellungen gedeckt.

Die Umstellung zweier mächtiger Grabsteine, welche später als Altartische in Verwendung genommen wurden, erfordert weitere Verhandlungen mit der Kirchenbehörde, welche erst durchgeführt werden müssen. Aber selbst das, was bisher bereits geschehen ist, liefert ein erfreuliches Resultat und constatirt für das unscheinbare Kirchlein zu Teuffenbach eine so grosse Anzahl von Denkmälern einer und derselben Familie, wie eine solche wenige andere Kirchen in Oesterreich enthalten dürften. Während eine Inventur des Jahres 1780 nur acht sichtbare Denkmale ergab, wurden bis nun vom Maurermeister Clonfero in Murau unter der Leitung des die Arbeiten rastlos fördernden Ortspfarrers Herrn Anton Zugsbratl, 18 die Teuffenbacher betreffende Denkmale zusammengestellt und sämmtliche im Innern der Kirche untergebracht.

Diese Denkmale, deren ältestes dem Jahre 1480 angehört, das jüngste aus der Zeit zwischen 1609—1620 stammt,
werden vom Sprecher beschrieben, zugleich aber auch die ihm
anderwärts bekannten Fundstätten Teuffenbach'scher Denkmale
erwähnt. Nicht minder gedenkt er der Bedeutung des Geschlechtes für die Steiermark, wodurch das Interesse für diese
Erinnerungsmale eigentlich gehoben wird und betont schliesslich jene Namen von geschichtlichem Klange, welche aus
ihnen heraus zu uns sprechen. Es sind dies: Regina, Gemahlin Hansens v. Teuffenbach († um 1510), deren Name
uns an ihren berühmten Bruder Sigismund von Dietrichstein erinnert; der als Stifter des Spitals zu Sauerbrunn bei
Judenburg wie als Krieger hochverdiente erste Freiherr Franz
von Teuffenbach († 1578); und Heinrich Mathias Graf von
Thurn, der unermüdliche und unglückliche Parteigänger der
protestantischen Sache im 30jährigen Kriege, welcher als Gemal
der Tochter des reichen Offo von Teuffenbach auf dem
prachtvollen Grabmale des letzteren genannt ist.

Weil aus der Zeit, der die Denkmale angehören, sämmtliche in der Stammtafel vorkommende männliche Teuffenbach
in dieser Weise geehrt wurden, bis auf den vierten Gemal
der bekannten 1623 verstorbenen Herrin von Murau, Anna
Gräfin zu Schwarzenberg, geb. Neuman von Wasserleonburg, diese aber allen ihren Gatten Denkmale widmete,
so hofft der Vortragende, in einer der zwei Altartischplatten
das Denkmal Carl's von Teuffenbach noch zu finden.

Nachdem über Antrag des Vorsitzenden beiden Rednern
der Dank der Versammlung votirt wurde, erfolgte der Schluss
der Sitzung.

Am 10. Juli hält der Verein, diesmal im Landtagssaale,
unter dem Vorsitze des Vereinsvorstandes Schulrathes Dr. R.
Peinlich seine 12. Vierteljahresversammlung.

Professor Dr. H. J. Bidermann begründet den von
ihm im Ausschuss eingebrachten und da acceptirten Antrag,
die nächste Quartalversammlung als Wanderversammlung in
einem erst zu bestimmenden Orte abzuhalten und die Versammlung gibt die hiezu statutengemäss nöthige Einwilligung.
In späteren Berathungen des Ausschusses wird die Stadt
Leoben in Obersteier gewählt und die mit ihr diesfalls gepflogenen Verhandlungen führen zum erwünschten Abschlusse.

Notar J. C. Hofrichter aus Windischgraz beantragt,
der historische Verein möge sich beim Grazer Gemeinderathe
verwenden, dass eine der neu zu benennenden Gassen nach

der ältesten Dynastie der Steiermark Traungauergasse benannt werde. Angenommen.

Hierauf hält Professor Dr. K r o n e s einen sehr beifällig aufgenommenen Vortrag über den Altgrafen H e r m a n n II. von C i l l i, welcher dann in das XX. Heft „Mittheilungen", S. 106—144, aufgenommen wurde.

Am 14. Juli beschliesst der Ausschuss die Kürzung der Administrativberichte in solcher Form, dass nur was von allgemeiner Wichtigkeit und von besonderem Interesse ist, zum Drucke komme, weiters die Annahme der Antiquaschrift als der für wissenschaftliche Publicationen immer mehr in Aufnahme kommenden, für die „Mittheilungen".

Am 8. October berichtet der Schriftführer im Ausschusse über die gelegentlich seiner Anwesenheit in Linz mündlich gepflogenen Verhandlungen mit den Erben nach dem einheimischen Topographen Carl S c h m u t z, nach welchen die Ueberkommung der von dem genannten fleissigen Forscher gesammelten Styriaca als sicher gelten darf.

Das k. k. österreichische Museum für Kunst und Industrie tritt in literarischen Tauschverkehr mit dem Vereine.

Der Antrag des Bezirkscorrespondenten Dr. J. K r a u t - g a s s e r in Mureck, die Volksschulen jener Landestheile, in welchen häufig Münzenfunde aus der Römerzeit gemacht werden, mit Duplikaten von öfters vorkommenden Münzen zu betheilen, um dadurch die Sammellust im Landvolke zu erwecken, wird an das Münzen- und Antikenkabinet am Joanneum zur Amtshandlung abgetreten.

Der Ausschuss beschliesst, sich petitionsweise an den h. steierm. Landtag mit der Bitte um Uebernahme der Druckkosten für das Register zu M u c h a r zu wenden, weil die ersten fünf Bände dieses Werkes völlig auf Landeskosten herausgegeben wurden, und der Verein ohnehin die Herstellung des Manuscripts in seinem Kreise besorgte.

Am 12. October versammelten sich zu Leoben die Theilnehmer der 13. Vierteljahres-, zugleich e r s t e n W a n d e r - V e r s a m m l u n g des historischen Vereines für Steiermark, von welchen die aus Graz zumeist mit dem Postzuge um 12 Uhr 16 Minuten in Leoben eintrafen und daselbst von dem Leobner Fest-Comité, bestehend aus den Herren: Anton L u t z, Bürgermeister zu Leoben, Wilhelm F a i l h a u e r, k. k. Postmeister, Dr. Gregor F u c h s, Director des Realgymnasiums, Franz

Kupelwieser, Professor an der k. k. Montan-Akademie, Josef Meyer, Gemeinderath, Franz Savetz, Hauptschullehrer und Gemeinde-Ausschuss, und Franz Sprung, Director der Innerberg'schen Gewerkschaften zu Donawitz bei Leoben, auf das Freundlichste bewillkommt wurden.

Von Graz waren eingetroffen:

Se. Excellenz der Herr Statthalter Freiherr v. Kübeck, (der Herr Landeshauptmann und Ehrenpräsident Dr. Moriz von Kaiserfeld sprach in einem Schreiben an den Vereins-Vorstand sein Bedauern aus, durch Berufsgeschäfte an der Theilnahme gehindert zu sein). Vom Ausschusse: Der Vereinsvorstand Schulrath Dr. Richard Peinlich, Vorstand-Stellvertreter Professor Dr. H. J. Bidermann, Schriftführer L. Beckh-Widmanstetter, Professor Dr. A. v. Luschin, Schuldirector Noë. Mitglieder: Custos Dr. A. Jeitteles, kais. Rath Pfarrer Dr. Knabl, Professor Korp, Professor Dr. Franz Krones, Professor Dr. Georg Lucas, Professor Macun, Professor J. Reichel, Oberlandesgerichtsrath Johann Reicher, Professor Johann Rogner, Dr. Medicinæ Senior. Gäste: Die Philosophen Johann Ebner und Kümmel, Mediciner Victorin Rogner, magistratlicher Cassier Carl Schneiderlechner mit Gemalin, — aus Judenburg Dr. Pillmayer, aus Gaal bei Knittelfeld Bezirkscorrespondent Werksarzt A. Aust, aus Obdach Bezirkscorrespondent Bezirks-richter Ignaz Schlagg.

Nachdem „beim Mohren" das Mittagmal gehalten war, wurde der vormals von Eggenwald'sche Garten besucht, in dessen Pavillon General Bonaparte am 18. April 1797 den Präliminarfrieden von Leoben mit·Oesterreich unter-zeichnete, dann die Wanderung nach dem aufgehobenen ältesten Benedictinerinnen-Kloster in Göss auf dem Umwege über die Ruinen des Schlosses Massenberg und den Aussichtspunkt „Bellevue" angetreten. In Göss besahen die Anwesenden, vom Ortspfarrer Andreas Gschirts geleitet, die Stiftskirche, ein neu aufgefundenes Gemälde, die Kirchenparamente, dann die Grabdenkmale der Aebtissinen ausser der Kirche; den Schluss machte ein kürzerer Aufenthalt im Brauhause zu Göss, welcher zu mehreren Begrüssungen durch Trinksprüche den Anstoss gab. Nach Leoben rückgekehrt wurde das Abendessen im grossen Speisesaale des „Mohren" eingenommen, während das Absenger'sche Terzett sich produzirte.

Am 13. October Morgens 8 Uhr machte über Einladung des Herrn Werksdirectors Franz Sprung ein grösserer Theil der Gesellschaft einen Ausflug nach der vormals Frei-

herr v. M a y r, nun Innerberg'schen Gewerkschaft Donawitz.
Dort zeigte Herr Director S p r u n g die in einzelnen Theilen,
namentlich der schönen Decke noch gut erhaltenen Reste
einer kleinen römischen Grabkapelle, auf welche die Arbeiter
vor circa zehn Jahren gelegentlich der Umlegung des Tro-
faiachbaches stiessen und die dann auf seine Anordnung aus-
gegraben wurde. Die Fundstätte wurde besucht, dort die
Genesis des Fundes vom Herrn Director S p r u n g erörtert
und noch andere kleinere Fundstücke vorgezeigt.

Von 10 Uhr Vormittags bis nahe 1 Uhr Mittags wurde
im grossen Rathssaale der Stadtgemeinde Leoben die Hauptversammlung abgehalten, welcher ausser den bereits Vorgenannten noch die M i t g l i e d e r: Güterbesitzer Freiherr Franz
M a y e r von M e l n h o f, Postverwalter Martin R e i t s a m e r,
Landesgerichts-Rath Ludwig S p r u n g, Professor Johann
T s c h a n e t, die G ä s t e: Hochwürden Alois S e e l i n g, Stadtpfarrer in Leoben, Franz T e c h e t, Vorstadtpfarrer in Waasen,
Andreas G s c h i r t s, Pfarrer in Göss, Hofrath Peter Ritter
von T u n n e r, Landtagsabgeordneter Freiherr von Z s c h o k,
Staatsanwalt Eugen M i h u r k o, pens. Finanzrath Alois F a i l-
h a u e r, k. k. Notar Franz von A i c h e l b e r g, Advocat Dr.
Josef G m e i n e r, Med.-Dr. H o m a n n, Dr. S t e y r e r, Land-
wehr-Major H e r z n e r, Postofficial Ritter von S c h e r e r, weiters acht Damen, Bürger der Stadt, Studirende der Bergakademie, im Ganzen 112 Personen beiwohnten.

Vorsitzender Schulrath Dr. Richard P e i n l i c h eröffnet
die Versammlung mit einer einleitenden Rede über Zweck und
Bedeutung der Wanderversammlung und gibt von dem Programme Kenntniss, worauf der Schriftführer den Geschäfts-
bericht mit besonderer Betonung der sich stets mehrenden
Anmeldungen für Ortschronikenführungen und ebenso für den
abwesenden Cassier den Cassenbericht (Empfänge einschliesslich des Uebertrages vom Vorjahre 3969 fl. 70 kr., Ausgaben
1913 fl. 83 kr., Rest 2055 fl. 87 kr.) vorträgt.

Dann ersucht Vorsitzender Namens des Ausschusses um
Ertheilung der Indemnität hinsichtlich der durch die tagende
Versammlung verursachten Kosten, welche ertheilt wird.

Schriftführer referirt über den Vorschlag des Ausschusses,
die ordentlichen Mitglieder: Herren Ludwig J o s s e k, k. k.
Bezirkshauptmann in Rann, Hermann P u f f, k. k. Hauptmann-
Auditor in Marburg, und Johann K r a i n z, Volksschullehrer
in Oberwölz, dann den Herrn Franz T i e f e n b a c h e r, k. k.
pens. Finanzbeamten in Fehring, zu Bezirkscorrespondenten
zu ernennen. Der Vorschlag wird genehmigt, ebenso jener des

Vorsitzenden, die Herren: Professor Dr. K r o n e s, Professor Dr. Georg L u c a s und Oberlandesgerichtsrath R e i c h e r zu Ratificatoren des Sitzungsprotokolls zu wählen.

Ueber die Aufforderung des Vorsitzenden, etwaige Wünsche und Anträge kund zu geben, meldet sich Niemand zum Worte, es wird daher zu den V o r t r ä g e n geschritten.

I. Professor Dr. H. J. B i d e r m a n n bespricht die Handelsbeziehungen der Stadt Leoben zu den westlichen Alpenländern vom 16. bis zum 19. Jahrhunderte, hebt die Bedeutung des Eisenhandels, durch welchen Leoben seine Berühmtheit erlangte, hervor, schildert mit Zugrundelegung tirolischer Archivalien den regen Verkehr, welcher zwischen Tirol und jener Stadt besonders im 16. Jahrhundert bestand und verbreitet sich dabei auch über andere Wechselbeziehungen. Er begrüsst damit die Stadt und schliesst mit einer Aufforderung zu kräftiger Unterstützung der Zwecke des historischen Vereines. (Sein Vortrag wurde ohne die Kürzungen, die er vornahm, indem er ihn hielt, als F e s t s c h r i f t ausgegeben und erscheint auch in diesem XXII. Hefte der Mittheilungen des historischen Vereines.)

II. Der zweite Vortragende, Professor Dr. Arnold Ritter v. L u s c h i n, ging von dem Gedanken aus, dass die mittelalterlichen Anschauungen vom Wesen und Zwecke der Münze von den heutigen mannigfach abwichen und dass diese zur Auffassung des Münzwesens als einer blossen Finanzquelle hinleitete. Nachdem er sodann das daraus für den Münzberechtigten abgeleitete Recht der Münzverrufung und Verschlechterung geschildert, wandte er sich der gedrängten Darstellung des Münzwesens in Steiermark während des Mittelalters zu, besprach die im Lande umlaufenden Sorten, versuchte deren Circulationsgebiet zu begrenzen und die Münz- und Wechselstätten namhaft zu machen. Mit einem Hinweis auf die Finanzkrise des 15. Jahrhunderts, die Zeit der Schinderlinge, in welcher der Grazer Bürger und Münzmeister Balthasar E g g e n b e r g e r eine wenig gerühmte Rolle spielte, schloss der durch Vorweisung der einzelnen Münzsorten erläuterte Vortrag nach halbstündiger Dauer [1]).

III. Der dritte Vortrag des Schulrathes Dr. R. P e i n l i c h behandelte das Rathsstuben-Regiment der steier. Landstädte im 16. Jahrhunderte mit besonderer Berücksichtigung von Leoben.

---

[1]) Der Vortrag wurde seither im Jännerhefte der Zeitschrift für deutsche Culturgeschichte, Jahrgang 1874, S. 19 ff. veröffentlicht.

Nach einigen einleitenden Worten über die Reichhaltigkeit und Mannigfaltigkeit des Stoffes, folgten Andeutungen über die autonome Stellung der Gemeinde, über den Wirkungskreis der Stadtbehörde, deren Zusammensetzung und Gliederung, sowie über die Wahl derselben und die Stellung gegenüber der Bürgerschaft. Annäherungsweise wurde die Zahl der Bewohner von Leoben und einiger anderer Orte für das Jahr 1528 und die Zahl der rücksässigen Bürger von Leoben im Jahre 1572 bestimmt. Hieran schloss sich die Aufzählung der in- und ausserhalb des Rathes mit städtischen Aemtern zu Leoben betrauten Männer, ferner Angaben über die Rathsordnung in Betreff der Sitzungen und die Massregeln gegen Säumige zu Leoben und an anderen Orten. Bei der Besprechung der städtischen Agenden in Beziehung auf den Landesfürsten, wurde die Behandlung der landesfürstlichen Generalien im Rathe dargelegt und die Art der Publicirung an die Bewohner des Ortes. Als Beispiel diente eine Polizeiverordnung vom Jahre 1530 und ein Steckbrief vom Jahre 1579. Dann folgten einzelne Daten über das Land- und Banngericht zu Leoben, über die Seltenheit von Verbrechen, welche die Todesstrafe verdient hatten, über die Stelle, wo der Galgen stand, über Fälle, wo die Regierung die Urtheilssprüche des Stadtgerichtes 1573 und 1575 unzulänglich fand und daher Reassummirung der Untersuchung verlangte, ferner ein Process wegen heimlich von Goldwäschern aufgekauften Goldes (1600), wo das Stadtgericht wegen Umgehung seines Rechtes durch landesfürstliche Beamte die Schuldigen unbestraft liess, endlich aus den Injurien- und Raufhändeln ein Beispiel sonderbarer Rechtspflege (1595), wo die gröbliche Antastung des Bürgermeisters, als er bei einer Rauferei von Amtswegen dazwischentrat, ungeahndet blieb. An den Bericht über die Erledigung der Beschwerden der Bürgerschaft von Leoben durch den Rath in öffentlicher Versammlung 1591, schloss sich eine kurze Hindeutung auf die gelegentlichen Festmahlzeiten der Rathspersonen. Die Verlesung eines bei festlichen Gelegenheiten üblichen „Menu" von 18 Gerichten machte den Beschluss.

Die vorgerückte Stunde veranlasst den Vorsitzenden die Versammlung zu befragen, ob sie geneigt sei, auch noch die zwei kurzen Mittheilungen anzuhören, welche erst heute Morgens dem Ausschusse angemeldet wurden; über die darauf ertheilte Zustimmung verliest

IV. Herr Bezirkscorrespondent A u s t aus Gaal bei Knittelfeld einen warm empfundenen Nekrolog des am 10. November 1786 zu Schwanberg geborenen und am 27. April 1872

B

verstorbenen Grossindustriellen Andreas T ö p p e r. Dieser
machte sich dadurch besonders bemerkbar, dass er 1818 zu
Scheibs in Niederösterreich die erste österreichische Neubruch-
Stahlwaarenfabrik in Oesterreich gründete und in Flor brachte.
Er vergass aber auch nicht an seinen Geburtsort Schwanberg
in Steiermark, für welchen er mehrere wohlthätige Stiftungen
errichtete, dort auch am Kirchhofe seinen verstorbenen Eltern
Andreas († 1806) und Ursula T ö p p e r († 1809) ein Denkmal
widmete. Der Umstand, dass T ö p p e r nach Beendigung seiner Wanderschaft 1811 eine Knittelfelder Bürgerstochter geehlicht hatte, veranlasste den Redner, diese Blume der Erinnerung für den Verstorbenen zu pflücken.

V. Endlich bespricht der Vereins-Schriftführer Ober-
lieutenant Leopold B e c k h - W i d m a n s t e t t e r das am
Tage vorher dem Archive des Schlosses Liechtenstein *) bei
Judenburg entnommene, in seiner guten Ausstattung und
Erhaltung vorgewiesene Hauptbuch des kaiserlich befreiten
Handelsherrn Hanns P a g g e in Wien, die Jahre 1646 und 47
umfassend. Indem Redner aus dem Buche ziffermässig nach-
weist, dass der Wiener Kaufherr in circa 500 Posten mit
beiläufig 160 Orten in Oesterreich, Steiermark, Kärnten, Ungarn,
Mähren, dann aber auch mit Städten wie Nürnberg, Danzig etc.
in Verbindung stand, dass zu seinen Debitoren Personen jeden
Standes vom deutschen Kaiser bis zum Krämer herab gehörten, legt er das Hauptgewicht auf den Umstand, dass die
Familie Pagge's mit der Steiermark und weiters auch mit der
Stadt Leoben in näherer Berührung stand. Schon vor mehr
als 100 Jahren wurden die Pagge unter den geadelten handel-
treibenden Familien von St. Veit in Kärnten genannt, von wo
sie sich nach dem salzburgischen Lungau und Obersteier verbreiteten. F r a n z war um 1600 des Erzherzogs Ferdinand Rath
und Stadtanwalt in L e o b e n, D a n i e l etwas später innerösterr.
Regierungskanzler. Unseres Pagge Mutter war eine Tochter
des reichen Judenburger Handelsherrn und Stadtrichters Balthasar Hainricher, gestorben um 1600, dessen Söhne Hans
und Hermann den Thorhof bei Judenburg zum Schlösschen Hainrichsperg umschufen, dann mit kaiserlicher Bewilligung sich darnach nannten, ein grosses Vermögen sammelten,
aber ohne Kindersegen blieben. Letzterer Umstand veranlasste
den Hermann Hainricher von Hainrichsperg 1644 seinen

---

*) Vom Eigenthümer, Sr. Durchlaucht dem Herrn Generalen der Ca-
vallerie Fürsten Friedrich zu L i e c h t e n s t e i n dem Vereine zur
Verfügung gestellt.

Schwestersohn Hanns Pagge zu adoptiren, der um 1646 dann auch völlig den Namen Hainrichsperg annahm, bald darauf Wien verliess und sich gänzlich nach Judenburg zog, wo er bis zu seinem Tode 1676 als Burggraf waltete und durch die Erwerbung namhafter Landgüter um Judenburg seinem Sohne zur Grafenwürde den Weg bahnte. Als Bürger von Bedeutung, wussten die Grafen Hainrichsperg sich im neuen Stande aber nie zu einer ihrem nunmehrigen Range entsprechenden Geltung zu bringen, erloschen übrigens auch schon 1783.

In dem Hauptbuche unseres „Hanns Hainricher von und auf Hainrichsperg zum Weyer, sonsten Pagge genannt", begegnen wir manchem für die Handelsgeschichte Innerösterreichs wichtigen Namen, so Inzaghi (später Grafen), Haubt, Decrignis, sämmtlich in Graz — Egger (nun Grafen) in Leoben — Liscutin in Judenburg; wir vermissen darin allerdings auch dubiose Forderungen nicht, aber mit Rücksicht auf die einkommenden hohen Summen in so unnennbaren Beträgen, dass wir daraus eine hohe Meinung von der Solidität der Pagge'schen Handelsverbindungen schöpfen.

Nachdem nun die Tagesordnung völlig erschöpft war, schloss Vorsitzender Schulrath Dr. R. Peinlich um 12½ Uhr Mittags, nachdem er den Anwesenden für ihr Erscheinen und ihre Theilnahme den Dank ausgesprochen, die Versammlung.

Unmittelbar darnach vereinigte sich der grössere Theil der in der Hauptversammlung anwesenden männlichen Persönlichkeiten zu einem gemeinsamen Festmahle beim „Mohren". — Den ersten Trinkspruch brachte hiebei der Vereinsvorstand Schulrath Dr. Peinlich auf die Gastfreundlichkeit der Gemeinde und des Bürgermeisters der Stadt Leoben aus, welchen Gruss Bürgermeister Lutz mit einem „Hoch" auf die aus der Entfernung herbeigekommenen Mitglieder des Vereines, die Gäste Leobens erwidert. Darauf toastirte Schulrath Dr. R. Peinlich auf Se. Excellenz den Herrn Statthalter, Professor Dr. H. J. Bidermann auf den Ehrenpräsidenten des Vereines, den würdigen Staatsmann aus der Heimat, nunmehrigem Landeshauptmann Dr. Moriz von Kaiserfeld, Professor Dr. Arnold von Luschin brachte dem Leobner Festcomité sein „Hoch" und Professor Dr. Franz Krones gedachte, indem er in einem humorgewürzten Rückblicke die Erlebnisse der letzten zwei Tage Revue passiren liess, der Frauen von Leoben. Noch erhob Freiherr von Mayer-Melnhof sein Glas, um den 84jährigen „Nestor" des historischen Vereines, kais. Rath Pfarrer Dr. Richard Knabl, zu begrüssen und erntete herzliche Erwiderung von dem Greise. Werksdirector S p r u n g schloss die Trinksprüche mit einem solchen auf den Vereinsvorstand, wornach sich die Gesellschaft trennte, die Anwesenden aus Graz, begleitet vom Leobner Festcomité zur Eisenbahn fuhren und mit dem beiläufig 3 Uhr nach Bruck und Graz abgehenden Zuge nach Graz rückkehrten.

In der Ausschuss-Sitzung am 14. October behandelte der Ausschuss theils vertrauliche, theils noch nicht abgeschlossene Gegenstände, welche die Klarlegung der Beziehung des Ausschusses zu dem Comité für Herausgabe steiermärkischer Geschichtsquellen betreffen.

In der Ausschuss-Sitzung vom 14. November beschliesst der Ausschuss an Se. Majestät den allergnädigsten Kaiser anlässlich des Regierungsjubiläums eine im Entwurfe zugleich vorgelegte Adresse zu richten. Dieselbe wurde sodann am Festtage von einer Deputation des Ausschusses Sr. Excellenz dem Herrn Statthalter überreicht.

Schriftführer L. B e c k h - W i d m a n s t e t t e r berichtet über die Beendigung der seiner persönlichen Obsorge überlassenen Grabmal-Bergungen in der Pfarrkirche zu Teufenbach [*)] in Obersteier und der damit durch die Widmung eines Geldbetrages in Verbindung stehenden Umstellung eines am Fussboden der Verreibung preisgegebenen, für die Genealogie der Fürsten zu Windisch-Grätz wichtigen Denksteines in der Franziskanerkirche zu Graz. Derselbe besitzt ausser dem combinirten Wappen der Windischgrätz-Wolfsthaler folgende Inschrift:

> In sand Jacobs kapelln
> im kloster cze grac habe
> n die windischgracz au
> ch die wolfthaler . ir . greb
> nus vnd ligt da . taman
> wolfthaler der lest 1474.

In der Ausschuss-Sitzung vom 16. December wird die Mittheilung des Bezirkscorrespondenten K r a i n z verlesen, nach welcher die Stadtvertretung von Oberwölz auf seine Anregung beschlossen hat, circa 20 Original-Pergamenturkunden gegen

---

*) Die wichtigeren Daten über die Teufenbacher Denkmäler sind der Skizze des darüber in der 11. Quartalversammlung gehaltenen Vortrages S. X zu entnehmen.

Einlieferung von vidimirten Abschriften derselben dem Vereine in die Verwahrung zu überlassen; ein Anerbieten, welches der Ausschuss mit Dank annimmt.

Die 26. allgemeine Jahresversammlung des Vereines wurde am 30. Jänner 1874 in Anwesenheit des Herrn Vereinspräsidenten, Landeshauptmann Dr. Moriz v. Kaiserfeld und unter Leitung des Vorstandes, Schulrath Dr. R. Peinlich im Joanneum abgehalten, wobei der Schriftführer, Oberlieutenant L. Beckh-Widmanstetter Namens des Ausschusses Folgendes berichtete:

* * *

„Zum ersten Male seit dem Bestande des Vereines ist der Ausschuss heute in der 26. Hauptversammlung in der Lage, über ein mit dem Kalenderjahre zusammenfallendes Vereinsjahr zu berichten.

Ausser der Herausgabe der gewöhnlichen Vereinsschriften, als dem XXI. Hefte der „Mittheilungen", welche in Hinkunft, um einem mehrfach ausgesprochenen Wunsche zu begegnen, mit Antiqualettern gedruckt werden sollen, und dem X. Jahrgange der „Beiträge", war der Ausschuss auch bemüht, die Veröffentlichung zweier seit längerer Zeit vorbereiteter Werke einzuleiten.

Die Drucklegung des vollständigen Registers zu den bisher ausgegebenen XX Heften „Mittheilungen" wurde zwar durch die Erkrankung des mit der Herstellung der Zettelauszüge beschäftigten Herrn und andere Umstände verhindert, dagegen als eine Abschlagszahlung eine „Uebersicht aller in den Schriften des historischen Vereines bisher veröffentlichten Aufsätze, ferner der historischen oder die Steiermark betreffenden Artikel in der steiermärkischen Zeitschrift" ausgearbeitet und dieselbe als erste Lieferung des nun abgesondert und abtheilungsweise erscheinenden Registers der ersten Reihe unserer „Mittheilungen", gleichzeitig mit den pro 1873 fälligen Jahresgaben des Vereines an die Mitglieder versendet; von nun an wird jedem einzelnen Hefte ein Register beigegeben werden.

Die Herstellungskosten der Vereinsschriften sind zwar, von den allgemeinen Ursachen abgesehen, auch noch durch die in den beiden letzten Jahrgängen der „Beiträge" enthaltenen Karten über die Gestaltung unseres Heimatlandes im frühen Mittelalter einigermassen gestiegen. Allein der Ausschuss rechtfertigt diese Mehrauslagen mit dem Bestreben, sich durch ähnliche Publicationen nicht von anderen Vereinen überflügeln zu lassen und meint, dass der Mehrbetrag durch den inneren Werth des Gebotenen reichlich aufgewogen werde.

Der Index zu Muchar's Geschichte der Steiermark wurde in den Druck gegeben und ist diese schwierige Arbeit, Dank der auf sie verwendeten rastlosen Mühe und der uneigennützigen Opferwilligkeit mehrerer Vereinsmitglieder, welche die Revision übernahmen, bereits bis zum 16. Bogen fertig gedruckt. Es kann somit die völlige Vollendung desselben im Verlaufe des Jahres 1874 nicht mehr angezweifelt werden. Weil die ersten fünf Bände des Muchar'schen Geschichtswerkes vollständig aus Landesmitteln herausgegeben wurden, der Verein dagegen die weiteren drei Bände mit grossen Opfern besorgte, auch das Manuscript des Index beschaffte, so hat sich der Ausschuss an die Munificenz des h. steierm. Landtages mit der Bitte gewendet, die Druckkosten des Index entweder ganz, oder doch zum Theile auf das Landesbudget zu übernehmen. Der hohe Landtag hat auch in Würdigung dieser Umstände einen Beitrag von 1000 fl. zu diesem Zwecke bewilligt, wofür demselben der Dank des Vereines durch diese hochgeehrte Versammlung noch ausgesprochen werden möge.

Vom ersten Bande des Urkundenbuches sind nur mehr der Index und die Vorrede zu drucken. Um jedoch die nachfolgenden Publicationen in keiner Weise zu verzögern, hat der Ausschuss schon jetzt die Inangriffnahme des zweiten Bandes der steiermärkischen Geschichtsquellen in Aussicht genommen, er überträgt aber das Votum über die Zulässigkeit dieses Vorgehens, eventuell die Genehmigung der Kosten auf eine hochgeehrte Versammlung.

Das Unternehmen der Ortschronikenführungen, welches der Vereins-Ausschuss in der letzten Jahresversammlung mit vollendetem Entwurfe einbrachte, erfreut sich im Lande bereits vielfacher, immerwährend steigender Theilnahme. Wie sehr die Wichtigkeit erkannt wird, dadurch ein treues Spiegelbild des in einem Orte sich abwickelnden Lebens der Zukunft zu bewahren, beweist die Zahl der Orte, welche bisher Chroniken anlegten, sie beträgt dermal 24 und vertheilen sich dieselben auf die 16 Gerichtsbezirke Leibnitz mit 5, Oberwölz mit 3, Arnfels und Umgebung Graz mit je 2, Bruck a. M., Deutschlandsberg, Feldbach, Fehring, Fürstenfeld, Kindberg, Kirchbach, Knittelfeld, Neumarkt, Pettau, Tüffer und Wildon mit je einem Chronisten.

Die Namen der Ortschronisten enthält eine Beilage.

Die grössere Betheiligung des Bezirkes Leibnitz und der Nachbargegenden ist der Intervention des Herrn Landesschul-

Inspectors J. Al. Rozsek zu verdanken, welcher gelegentlich der August-Lehrerversammlung zu Leibnitz acht Theilnehmer derselben zur Uebernahme des Chronistenamtes zu ermuntern wusste.

In verwandter Richtung erwies sich die Bezirksvertretung von Leibnitz entgegenkommend, welche einen Beitrag von 50 fl. votirte, zum Falle eine druckfähige Ortsbeschreibung und Chronik zu Stande gebracht würde, die dem Unterrichte der Ortskunde in den Schulen zweckdienlich wäre, Ortsbeschreibungen hat auch eine Anzahl von Schülern des I. Staatsgymnasiums im Jahre 1873 geliefert, u. z. für St. Anna am Aigen Alois Stradner, Arnfels Anton Liebisch, Göss Adolf Stollowski, Gollrad bei Mariazell Franz Hasenauer, Gusswerk bei Mariazell Camillo v. Ruttner, Mariazell Josef Wiederhofer, Palfau J. Tornofski, Preding J. Prettner und Kobenz V. Kaitner.

Das Vorhaben des Ausschusses, eine Betheiligung des Vereines an der Weltausstellung eintreten zu lassen, scheiterte an den im Artikel: „Zur Wiener Weltausstellung 1873" (XXI. Heft „Mittheilungen" S. 177) geschilderten Hindernissen, ebenda kann aber entnommen werden, welchen Antheil das steiermärkische Landesarchiv, das Archiv der Benedictiner-Abtei St. Lambrecht und das Vereinsmitglied M. v. Felicetti an der Ausstellung genommen haben.

Schon im Jahre 1872 gedachte der damalige Vereins-Vorstand Landesarchivar Zahn die in den Statuten vorgedachte Einführung der Wanderversammlungen zu versuchen. Obgleich derselbe die zu einer zweckmässigen, den Erfolg sichernden Abhaltung der Versammlung nöthigen Andeutungen zusammengestellt hatte, so stand doch in jener Zeit die damalige Eintheilung des Vereinsjahres und der öffentlichen Versammlungen diesem Vornehmen hinderlich im Wege. Es blieb diesem abgelaufenen Jahre vorbehalten, diese in Deutschland allenthalben und auch in Niederösterreich mit Vortheil erprobte Institution in's Leben zu führen. Das industriereiche, durch eine überaus gastfreundliche Bewohnerschaft ausgezeichnete Leoben wurde für diesen ersten Versuch ausersehen und der schönste Erfolg belohnte denselben, welcher sich zumeist in einem namhaften Zuwachse von Mitgliedern aus dieser Stadt äusserte. Der Verein ergreift diese Gelegenheit, um sowohl der Stadtgemeinde als dem um das Zustandekommen besonders verdienten Mitgliede, Gymnasialdirector Dr. Gregor Fuchs den besonderen Dank zu sagen.

Von den Bezirkscorrespondenten, welche nach einem Beschlusse der Leobner Wanderversammlung durch die Herren Bezirkshauptmann Ludwig J o s s e k für Rann, Hauptmann-Auditor Hermann P u f f für Marburg, pens. Finanzbeamten Franz T i e f e n b a c h e r für Fehring und Lehrer Johann K r a i n z für Oberwölz vermehrt erscheinen, erwies sich zumal der letztere sehr thätig. Er veranlasste die Gemeindevertretung der Stadt Oberwölz zu dem Beschlusse, die noch in ihrem Besitze befindlichen circa 20 Original-Urkunden dem Vereine gegen Besorgung beglaubigter Abschriften abzutreten. Ausserdem machten sich die Herren Bezirkscorresp. M e i x n e r und K r a u t-g a s s e r durch Berichtlegungen um das Vereinsinteresse verdient.

Die vom Bezirkscorresp. Kaplan A. M e i x n e r in St. Veit am Vogau angeregten Nachgrabungen in Reznej bei Ehrenhausen, führten zur Blosslegung einer römischen Villa und wird Herr Pfarrer K n a b l heute über die Entdeckungen daselbst näher berichten.

Auch aus Murau hatte Herr Bezirksadjunct v. R i e b e n von dem Vorkommen vermuthlich römischer Baureste im Königreiche, d. i. in der Gegend nächst dem Bade Einöd bei Neumarkt an der steirisch-kärntnischen Grenze, aufmerksam gemacht; der darüber eingeholte Bericht des Herrn Bezirks-corresp. P. Cölestin K o d e r m a n n in St. Lamprecht ergab jedoch keine Handhabe für eine weitere Verfolgung der Sache.

Die dem Vereins-Schriftführer L. B e c k h - W i d m a n-s t e t t e r zur eigenen Besorgung überlassenen Umstellungen der freiherrlich Teuffenbach'schen Familiendenkmäler in der gleich-namigen Pfarrkirche ihres Stammortes in Obersteier wurden (in Verbindung mit der Erhaltung eines solchen das fürstliche Geschlecht Windisch-Grätz betreffenden Denksteines vom Jahre 1474 in der Franziskanerkirche in Graz), vollzogen und dürfte nun das Kirchlein in Teufenbach mit seiner grossen Anzahl von gut geborgenen Denkmälern einer und derselben Familie ein Beispiel zur Nachahmung an anderen Orten geben.

Schon im vorigen Jahre hatte Se. Durchlaucht, der Herr General der Cavallerie, Fürst Friedrich zu Liechtenstein, sein Archiv im Schlosse zu Liechtenstein zur Auswahl des histo-risch Werthvollen zur Verfügung gestellt. Im jüngst abgelau-fenen Monate November kam dasselbe nach vorheriger flüch-tiger Auswahl dem Vereine in neun Kisten im Gewichte von 22 Centnern zu. Soweit sich bei der vorgenommenen ersten Scheidung dieser Archivalien übersehen liess, enthalten dieselben eine stattliche Reihe von Stiftregistern der Herr-schaften Liechtenstein, Weyer und Rieggersdorf (Gabelkhoven), dann mehrerer Gülten nächst Judenburg vom 17. Jahrhun-derte herwärts, eine sehr grosse Anzahl von Urkunden und

Acten, die vormaligen Unterthanen jener Güter betreffend, dann auch besonders viel Materiale über die einst auf den genannten Gütern sesshaft gewesenen Adelsgeschlechter Gabelkhoven und Hainrichsberg.

Als Geschenkgeber gebührt in erster Reihe dem h. steierm. Landtage bezüglich der auch für das Jahr 1873 gewährten Subvention von 525 fl. der Dank des Vereines, der Grossindustrielle und Güterbesitzer Franz Freiherr M a y r v. M e l n h o f wendete dem Vereine als besondere Gabe 20 fl. zu; Herr Carl Gottfried Ritter v. L e i t n e r widmete das ihm zugefallene Honorar per 15 ½ fl. für seinen im XX. Hefte abgedruckten Gedenkbuch-Aufsatz über den Archivar Josef W a r t i n g e r zum seinerzeitigen Ankaufe einer eigenen Grabstelle für W a r t i n g e r und wurde dieser Betrag bis zur Verwendung auf ein besonderes Sparcassebuch angelegt. Auch intervenirte Herr v. L e i t n e r in dankenswerther Weise bei Erwerbung eines Portraitbildes unseres heimatlichen Dichters Johann Georg F e l l i n g e r. Frau Josefine G ö t h gab aus dem Nachlasse ihres verewigten Gemals Dr. G. G ö t h das Manuscript zu dessen ungedruckt gebliebener Topographie des Grazer Kreises sammt der bezüglichen Correspondenz, einen von Dr. G ö t h mühsam zusammengestellten Zettelkatalog steirischer Orte und Personen mit literarischen Verweisungen nebst einer Partie Bücher. Ausserdem wurde der Verein durch die unter den Erwerbungen ausgewiesenen Geschenke erfreut.

Im Mitgliederstande sind namhafte Veränderungen zu Gunsten des Vereines zu verzeichnen und mit Rücksicht auf die sich fortwährend erhöhenden Herstellungskosten aller Druckarbeiten wäre es nur zu wünschen, dass die Zahl unserer Theilnehmer noch weiters sich erhöhe. Es sind 71 ordentliche Mitglieder eingetreten, entgegen 26 ausgetreten oder gestorben, so dass der dermalige Stand der Mitglieder, aus 355 ordentlichen, 30 Ehren- und 16 correspondirenden Mitgliedern, dann 26 Bezirkscorrespondenten, die Zahl der durch Schriftentausch verbundenen Gesellschaften 170 beträgt.

Der Tod brachte dem Vereine empfindliche Verluste. Von den Ehrenmitgliedern starben die zwei ehemaligen Statthalter der Steiermark, kais. geheimen Räthe Moriz Freiherr v. B u r g e r und Michael Graf zu S t r a s s o l d o - G r a f f e n b e r g — der einstmalige Vorstand des germanischen Museums in Nürnberg Dr. Johann Freiherr v. A u f s e s s, — der jubilirte illyrische Gubernial-Vicepräsident, geheimer Rath Carl Graf W e l s p e r g - R a i t e n a u, dann die beiden Topografen der Steiermark, Carl S c h m u t z, pensiou. Secretär der oberösterreichischen Landwirthschafts-Gesellschaft, und Dr. Georg G ö t h, jub. Studiendirector in Graz. — Von den correspondirenden Mitgliedern schieden der Regierungsrath und langjährige Präsident der kais. Akademie der Wissenschaften, Theodor Ritter v. K a r a j a n in Wien und der Geschichtsforscher Dr. Wolfgang M e n z e l in Stuttgart aus dem Leben. Von den verstorbenen ordentlichen Mitgliedern verdient der durch eine lange Reihe von Jahren in Graz thätige jubilirte Gubernial-Vicepräsident Josef F e l l n e r besondere Erwähnung.

Andererseits wurde von den lebenden und thätigen Geschichtsforschern unseres Vereines, Professor Dr. Adam W o l f zum wirklichen, Landesarchivar Professor Josef Z a h n zum corresp. Mitgliede der kais. Akademie der Wissenschaften, unser Ausschussmitglied, der vormalige Adjunct am steierm. Landesarchive, Dr. Arnold Ritter v. L u s c h i n zum ausserordentlichen Professor der hiesigen Universität ernannt.

* *

Der Bericht des Cassiers betrifft die im Anhange abgedruckte Uebersicht der Einnahmen und Ausgaben des Vereines im Jahre 1873, worauf der Jahresvoranschlag für das Jahr 1874 vorgetragen und genehmigt wird.

Die Anträge des Ausschusses, dem hohen steiermärkischen Landtage für die grossmüthige Subventionirung des Registers zum Muchar'schen Geschichtswerke den Dank der tagenden Versammlung zu votiren, — Herrn Adolf B e r g e r, Vorstand des fürstlich Schwarzenberg'schen Centralarchives in Wien, zum corresp. Mitgliede und Herrn Dr. Gregor F u c h s, Director des Realgymnasiums in Leoben, zum Bezirkscorrespondenten zu ernennen, — die Honorare des Hilfsbeamten auf 15 fl., des Vereinsdieners auf 8 fl. monatlich zu erhöhen, — ungeachtet der I. Band der steiermärkischen Geschichtsquellen noch nicht abgeschlossen werden konnte, doch sofort mit dem Drucke des II. Bandes (das steiermärk. Landrecht enthaltend) zu beginnen: werden insgesammt ohne Debatte angenommen. Ebenso wird der vom Herrn Landesarchivar Professor Z a h n gestellte Antrag, der Verein solle am 21. Juni d. J. das Jubiläum seines 25jährigen Bestandes festlich begehen, acceptirt und votirt die Versammlung die zur Ausführung nöthigen Geldmittel *).

---

*) Weil spätere genaue Erhebungen ergaben, dass der Gründungstag des historischen Vereines für Steiermark auf den 27. April 1843 fällt, am 21. Juni 1849 derselbe nur den Verband mit dem bestandenen historischen Vereine für Innerösterreich löste und sich selbstständig erklärte, unterblieb die projectirte Feier.

Bei der theilweisen Erneuerung des Ausschusses werden der wieder wählbare Schriftführer Oberlieutenant Leopold Beckh-Widmanstetter mit Acclamation für seine bisherige Function wiedergewählt, die Herren Professoren Dr. Ferdinand Bischoff zum Vorstand-Stellvertreter, Professor Dr. Carl Gross und Oberlandesgerichtsrath Johann Reicher zu Ausschüssen; Professor Ignaz Schrotter und Oberrechnungsrath Franz Zeidler zu Revisoren der Jahresrechnung pro 1874, Hauptmann Moriz v. Felicetti, Feldmarschall-Lieutenant Florian Freiherr v. Macchio und Professor Johann Rogner zu Ratificatoren des Sitzungs-Protokolles gewählt.

Nachdem so der geschäftliche Theil des Programmes erschöpft war, hielt der Herr kais. Rath Pfarrer Dr. Richard Knabl in viertelstündiger freier Rede eine Besprechung der bisherigen und noch nicht abgeschlossenen Ausgrabungen in Retznei, einem in geringer Entfernung nördlich von Ehrenhausen gelegenen Dörfchen, welches von der Stätte der einstigen Römerstadt Flavia Solva etwa ¹/₂ Stunde entfernt ist. Die im Juli 1873 bei Urbarmachung einer Bodenstrecke aufgedeckte Fundstätte legte antike Grundmauern blos, mit theils zusammenhängenden, theils getrennten Gemächern und Kammern, wovon einige mit hübschen Wandmalereien und einförmigen Mosaikböden ausgestattet waren; nicht minder fanden sich Spuren von Badekammern mit Wasserabzugscanälen, dann Reste von Bleiröhren, Beheizungsherden und einige wenige Anticaglien vor. Aus dem bisher Aufgedeckten schloss man auf die Reste einer einst hier bestandenen römischen Villa, wodurch sich Redner veranlasst fand, das Wesen der römischen Villen zu erörtern und zur Nachforschung nach anderen dergleichen Landhäusern in der Nähe der bedeutenderen römischen Ansiedlungen in der Steiermark, namentlich Pettau und Cilli anzuregen.

Der Vortrag des Herrn Schulrathes Dr. R. Peinlich behandelte den Stand der Gewerbe, des Handels und der Industrie im 16. Jahrhunderte in der Steiermark. Derselbe war durch verschiedene Gefährdungen seit dem 13. Jahrhunderte im Rückschritte begriffen und im 16. in einer ziemlich kläglichen Lage. Nach Aufzählung und kurzer Charakteristik der wichtigsten Handelsstädte wurden die hervorragendsten Produkte, welche ein landesfürstliches Privilegium erlangt hatten, ferner die bedeutendsten Montanprodukte, vom Eisen auch der Umfang des Verkehres angegeben. Von den Hindernissen für den commerciellen und industriellen Aufschwung wurden angeführt die Lage des Landes, die geringere Ausdehnung der geschlossenen Städte, die Verheerung durch Feuersbrünste (vom 13. bis 16. Jahrhundert), die Folgen der Einschliessung durch Wall und Graben (mit zwei Beispielen von strenger Ahndung bei Umgehung der Thorsperre), die Beschränkung durch das Zunftwesen und die Monopolisirung und selbst durch die eigenen städtischen Handelsrechte, womit der Vortrag wegen vorgerückter Zeit mit Uebergehung der weiteren hemmenden und drückenden Verhältnisse um 8 Uhr schloss.

Orts-Chronisten.

Die P. T. Herren:

A u s t Anton, Werksarzt (Bezirkscorresp.), für Gaal, Bezirk Knittelfeld.

B o s e r Friedrich, Schullehrer, für Fürstenfeld.

D i e n s t l e r Georg, Schullehrer, für Wolfsberg, Bezirk Kirchbach.

F e l s Julius, Fabriks-Chemiker, für Hrastnik, Bezirk Tüffer.

F r o d l Carl, Schullehrer, für Schönberg, Bezirk Oberwölz.

G r u b e r Filipp, Schullehrer, für Strass, Bezirk Leibnitz.

H i r s c h m a n n Virgil, Pfarrer, für Stúboll, Bezirk Umg. Graz.

K a h r Franz, Schullehrer, für Leibnitz.

K a p p e l Franz, Schullehrer, für Gleinstätten, Bezirk Arnfels.

K r a i n z Johann, Schullehrer (Bezirkscorresp.), für Oberwölz.

K ü n s t n e r Jakob, Grundbesitzer und Gemeindevorsteher, für Winklern, Bezirk Oberwölz.

K u r z m a n n Michael, Schullehrer, für St. Nicolai ob Drassling, Bezirk Leibnitz.

M i k u s c h Alois, Schullehrer, für Zeierling, Bezirk Deutsch-Landsberg.

N e p e l Adolf, Schullehrer, für Leutschach, Bezirk Arnfels.

N o e s t Ignaz, Postofficial, für Steinbrück, Bezirk Tüffer in Untersteier.

O r t h Cajetan, Schullehrer, für Ehrenhausen, Bezirk Leibnitz.

P e z l e d e r e r Anton, Apotheker und Bürgermeister, für Kindberg.

P i r k e r Franz, Schullehrer, für Wildon.

R a i s p Ferdinand, Gutsverwalter (Bezirkscorresp.), für Pettau.

S c h m i d Ernst, Wundarzt, für St. Marein am Pickelbach, Bezirk Umgebung Graz.

S t o p p a c h e r Oswald, Schullehrer, für Perchau, Bezirk Neumarkt in Obersteier.

S t r o h m a y e r Ferdinand, Wundarzt, für Riegersburg, Bezirk Feldbach.

T i e f e n b a c h e r Franz, k. k. pens. Finanzbeamter (Bezirkscorresp.), für Fehring.

V o g l s a n g Alois, Gutsbesitzer, für St. Lorenzen im Mürzthal, Bezirk Bruck a. M.

Z i n n a u e r Marcus, Schullehrer, für St. Nicolai im Sausal, Bezirk Leibnitz.

Veränderungen

im

Personalstande des Vereines

vom 1. August 1872 bis Ende des Jahres 1873.

Neu aufgenommene ordentliche Mitglieder.

Die Frau: Khünburg, Therese Gräfin, geborne Gräfin Goëss, k. k. Kämmererswitwe und Sternkreuzordensdame in Graz. — Die Herren: Aichelberg Franz von, k. k. Notar in Leoben. — Campi Edler zu Montesanto Louis von, Gutsbesitzer zu Cles in Südtirol. — Cumano Constantin, Dr. und Privatier in Cormons. — Failhauer Alois, k. k. Finanzrath in Pension in Leoben. — Failhauer Wilhelm, k. k. Postmeister und Realitätenbesitzer in Leoben. — Felberbauer Leopold, fürstbischöflich geistlicher Rath, Dechant und Pfarrer in Schwanberg. — Forheimer Eduard, Privatier in Wien. — Friess Gottfried Edmund, Capitular des Benedictinerstiftes Seitenstetten und Professor der Geschichte am Obergymnasium dortselbst. — Friesach Carl, Dr. d. Phil., k. k. Regierungsrath und a. o. Professor der Mathematik an der Carl-Franzens-Universität in Graz. — Gmeiner Josef, Dr. d. Rechte und Advocat in Leoben. — Griessl Anton, Stadtpfarrkaplan und Katechet in Leoben. — Gschirts Andreas, Pfarrer in Göss bei Leoben. — Guggenberger Josef, Professor am l. Realgymnasium in Leoben. — Haim Johann, Stadtpfarrkaplan und Katechet in Leoben. — Haslinger Carl, Gemeindesecretär in Leoben. — Hauslab Franz, Ritter von, k. k. geheimer Rath, Feldzeugmeister und lebenslänglicher Reichsrath in Wien. — Hebenstreit Alois, Dr. der Theologie, päpstl. Kämmerer und Domvicar in Graz. — Hoffer Franz, Dr. und Advocat in Leoben. — Janiss Franz, Cooperator an der Vorstadtpfarre Waasen in Leoben. — Jossek Ludwig, k. k. Bezirkshauptmann in Rann. — Karabacek Josef, Dr., Docent für orientalische Paläografie in Wien. — Kerns t o c k Ottokar, Chorherr und Archivar des Augustinerstiftes zu Vorau. — K l i n g e r Franz, Dr., k. k. o. ö. Professor der Theologie, f. b. geistl. Rath in Graz. — K o f l e r Adolf, Hofweinlieferant und Realitätenbesitzer zu Pettau. — K o r p Franz, Professor am k. k. I. Staatsgymnasium in Graz. — K r a i n z Johann, Volksschullehrer in Oberwölz. — K r z y ż a n o w s k i d e W o l a - S i e n i e n s k a Stanislaus, Dr., correspondirendes Mitglied der polnischen Akademie der Wissenschaften in Krakau. — K u p e l w i e s e r Franz, k. k. Professor an der Bergakademie in Leoben. — L e i t n e r Friedrich Ritter von, Dr., k. k. Statthaltereiconcipist in Graz. — L i n k e n h ö l l e r Carl, Kaplan in Hatzendorf bei Fehring. — L u c a s Georg, Dr. der Philos. und Professor am k. k. I. Staatsgymnasium in Graz. — L u t z Anton, Bürgermeister in Leoben. — M a c c h i o Florian Freiherr von, k. k. Feldmarschall-Lieutenant im R. in Graz. — M a c u n Johann, Professor am I. Staatsgymnasium in Graz. — M a y e r Josef, Glasermeister und Hausbesitzer in Leoben. — M a y r Carl, k. k. Statthaltereirath in Graz. — M i h u r k o Eugen, k. k. Staatsanwalt in Leoben. — M i t t a r s c h Josef, Pfarrer in Veitsberg bei Leoben. — M ü l l n e r Alfons, k. k. Professor an der Lehrerbildungsanstalt in Marburg. — O b e r s t r a s s e r Josef, Realitätenbesitzer in Leoben. — O s t e r e r Johann, Gutsbesitzer in Leoben. — P a l t a u f Christian Sigmund, Dr. der Med. und Chirurgie, Magister der Geburtshilfe und Director des 1. Bades Neuhaus in Graz. — P a r a p a t Johann, Cooperator in Rabensberg bei Stein in Krain. — P i c h l e r Alois, bürgerl. Handelsmann, Haus- und Realitätenbesitzer in Oberwölz. — P ö l z l Franz, Dr., k. k. o. ö. Professor des Bibelstudiums in Graz. — P r e m Simon, Professor am 1. Realgymnasium in Leoben. — P u f f Hermann, k. k. Hauptmann-Auditor in Marburg. — R a c h o y Franz, Bergverwalter in Leoben. — R e i c h e l Josef, Professor am I. Staatsgymnasium in Graz. — R e i c h e r Johann, k. k. Oberlandesgerichtsrath in Graz. — R e i t s a m e r Martin, k. k. Postverwalter in Leoben. — R o g n e r Johann, Dr., k. k. Director und st. l. Professor in Graz. — S c h a c h n e r Ambrosius, Kaufmann in Leoben. — S c h i n d l e r Heinrich, Oberlehrer und Bezirks-Schulinspector in Leoben. — S c h o t t Johann von, k. k. Artilleriemajor in Pension in Leoben. — S e e l i n g Alois, fürstbisch. geistl. Rath, Dechant und Stadtpfarrer in Leoben. — S e u n i g Eduard, Dr. der Rechte in Laibach. — S p i e l b e r g e r Georg, k. k. Steuereinnehmer in Oberwölz. — S p o r k Eugen, Redacteur des „Steirerseppel" in Graz. — S p r u n g Franz, Director der Innerberg'schen Gewerkschaften in Donawitz bei

Leoben. — S p r u n g Ludwig, Dr. d. R. und Landesgerichts-
rath in Leoben. — S t e l z e r Dominik, Secretär der städtischen Sparcasse in Leoben. — S t e r n Andreas, Dr. und Vorsteher des Wirthschaftsamtes in Leoben. — S k u h a l a Johann,
Kaplan an der Hauptpfarre St. Georgen in Gonobitz. —
T e c h e t Franz, Vorstadtpfarrer in Waasen zu Leoben. —
T s c h a n e t Johann, Professor am I. Realgymnasium und Bezirksschulinspector in Leoben. — T u n n e r Peter Ritter von,
k. k. Hofrath und Director der Bergakademie in Leoben. —
U r a n i t s c h Anton, Dr., Hof- und Gerichtsadvocat, Gemeinderath in Graz. — V a l e n t i n i t s c h Franz, Professor an der
k. k. Staats-Oberrealschule in Graz. — W i l h e l m Anton,
Rechnungsführer der Innerberger Gewerkschaft in Seegraben
bei Leoben. — W i n t e r Gustav, Dr., Concipist im k. k. geheimen Haus-, Hof- und Staats-Archive in Wien. — W o h l f a r t h
Carl, Buchhändler in Graz. — W u c h e r e r v o n H u l d e n f e l d
Peter Freiherr, k. k. Kämmerer und Hofrath im Ruhestande
in Graz. — W ü n s c h e r Eduard, Gasthofbesitzer in Leoben.
Z e i d l e r Franz, Oberrechnungsrath der k. k. Statthalterei in
Graz.

Ausgetretene ordentliche Mitglieder.

Die P. T. Herren: B e r n h a r d Lewis, Journalist in Wien.
— B o n a r Ernst Freiherr von, Gutsbesitzer in Dobl. — G a u p-
m a n n Rudolf, Professor am Realgymnasium in Pettau. —
G l e i s p a c h Carl Graf von, k. k. Kämmerer, geheimer Rath
und lebenslänglicher Reichsrath in Graz. — G r u b e r Philipp,
Bürgerschullehrer in Hartberg. — G o l d e n b l u m, Dr. A. J.,
Schriftsteller in Odessa. — H e n n Carl, Badedirector in Tüffer.
— H ö n i s c h Johann, Dr., k. k. Oberstabsarzt im Ruhest. in
Graz. — H u b e r Heinrich, Journalist, ehedem in Graz. —
H u g e l m a n n Carl, Dr. der Rechte und Privatdocent an der
Universität in Graz. — K o n č n i k Peter, Professor in Pettau.
— M a r e s c h Anton, Landesschulinspector in Troppau. —
P o g a t s c h n i g g, Dr. Valentin, k. k. Professor an der Militär-
Akademie in Wr.-Neustadt. — S c h ä f f e r Heinrich, k. k.
Hauptmann im 47. Lin.-Infant.-Regimente in Klagenfurt. —
T o m a s c h e k Carl, Dr., k. k. Universitätsprofessor in Wien. —
W e i s s v. T e u f f e n s t e i n Carl Freiherr, k. k. Sectionschef
a. D. zu Schloss Harmsdorf bei Graz. — Z e i l i n g e r Franz,
Sensengewerk in Uebelbach.

Gestorben die P. T. Herren:

Aufsess Johann Freiherr von, Dr. Juris, königl. bairischer Kämmerer, Johanniter-Ordensritter, Gründer und erster Vorstand des germanischen Museums in Nürnberg, Ehrenmitglied, zu Münsterlingen bei Constanz am 6. Mai 1872, 71 Jahre alt.

Burger Moriz Freiherr von, k. k. geheimer Rath, ehemaliger Statthalter von Steiermark, später Marineminister, Ehrenmitglied, zu Wien am 2. October 1873, 69 Jahre alt.

Cumano Constantin, Dr. und Privatier zu Cormons, im Jahre 1873 zu Cormons.

Dajnko Peter, geistl. Rath, Dechant und Pfarrer zu Grosssonntag, am 2. März 1873, 86 Jahre alt.

Fellner Josef, k. k. jub. Statthalterei-Vicepräsident, zu Graz am 19. Mai 1873, 83 Jahre alt.

Göth Georg, Dr., jub. Studiendirector und Custos am Joanneum, ehemaliger Vereins-Vorstand und Schriftführer, Ehren- und ordentliches Mitglied, zu Graz am 4. März 1873, 69 Jahre alt.

Karajan Theodor Ritter von, Dr., k. k. Professor und ehemaliger Präsident der kais. Akademie der Wissenschaften in Wien, corresp. Mitglied, zu Wien den 28. April 1873, 64 Jahre alt.

Menzel Wolfgang, Dr., Geschichtsforscher, corresp. Mitglied, zu Stuttgart am 23. April 1873, 74 Jahre alt.

Pistor Johann Ritter von, Gutsbesitzer, ehemaliger st. st. Ausschussrath, zu Radkersburg am 4. Mai 1873, 86 Jahre alt.

Schmutz Carl, Secretär der oberösterreichischen Landwirthschaftsgesellschaft, steiermärkischer Topograph, Ehrenmitglied, zu Linz am 20. April 1873, 87 Jahre alt.

Strassoldo Michael Graf, k. k. geheimer Rath und Statthalter der Steiermark im Ruhestande, Ehrenmitglied, am 26. December 1873, 74 Jahre alt.

Welsperg-Raitenau und **Primör** Carl Graf, k. k. geh. Rath und Kämmerer, Ehren- und ordentliches Mitglied, zu Wien am 12. October 1873, 95 Jahre alt.

Ueber-
der Einnahmen und Ausgaben

Einnahmen	Einzeln fl.	Einzeln kr.	Zusammen fl.	Zusammen kr.
Kassarest mit Schluss 1872	—	—	2358	80
Interessen von den angelegten Capitalien . . .	—	—	130	21
Beiträge. Die ordentlichen Mitglieder haben eingezahlt .	1112	4		
Aussergewöhnliche Spende des Franz Freiherrn Mayr v. Melnhof in Leoben	20	—	1132	4
Jahres-Subvention der h. steiermärk. Landschaft .	—	—	525	—
Für verkaufte Verlagsartikel	42	50		
Für verkaufte alte Inventarsgegenstände . . .	12	—	54	50
Taxen für ausgestellte Diplome	—	—	91	—
Widmung des Ehrenmitgliedes Carl Gottfried Ritter v. Leitner zum seinerzeitigen Ankaufe einer eigenen Grabstelle für den Archivar Josef Wartinger	—	—	15	50
Zusammen . . .	—	—	4307	5
Werden die jenseits nachgewiesenen Ausgaben abgezogen mit	—	—	2349	34
bleibt Uebertrag für das Jahr 1874	—	—	1959	71

von welchem 1615 fl. 50 kr. in der steierm. Sparkasse angelegt sind.

sicht
für das Kalenderjahr 1873.

Ausgaben	Einzeln		Zu-sammen	
	fl.	kr.	fl.	kr.
Gehalte: Honorar für den Hilfsbeamten	144	—		
Entlohnung für den Vereinsdiener	72	—		
Remunerationen an die Vereinsbediensteten	45	—	261	—
Kanzleierfordernisse: Papier, gewöhnliche Porti, Spesen, Austragen und Versendung der Vereinsschriften durch die Buchhandlung	134	98		
Verpackung und Transport der vom Schlosse Liechtenstein erhaltenen Archivalien	28	95		
Herstellung des neuen Diplomes	102	70		
Für die kalligraphische Ausfertigung von Diplomen	51	10		
Adresse an Se. Majestät den Kaiser anlässlich der 25jährigen Regierungs-Jubelfeier	26	70	344	43
Oeffentliche Vereins-Versammlungen: Kosten der Inserate, Einladungen u. s. w.	—	—	116	74
Beiträge: An das germ. National-Museum in Nürnberg	5	—		
„ an den Gesammtverein der deutschen histor. Vereine in Darmstadt, 5 Thlr.	8	15	13	15
Ankäufe von Büchern und einem Porträt des steierm. Dichters Fellinger	—	—	16	42
Ortschroniken: Druck des Unterrichtes und Formularien für Chroniken	118	98		
Einbinden derselben	22	50	141	48
Publicationen:				
„Mittheilungen" 20. Heft	561	82		
„ 21. Heft auf die lithogr. Beilage	9	—		
Für das Register zu den 20 Heften „Mittheilungen", Vorarbeiten	20	—		
Druck der „Uebersicht" der in den bisher erschienenen Vereinsschriften enthaltenen Aufsätze	70	40		
„Beiträge" zur Kunde steiermärk. Geschichtsquellen, 10. Jahrgang, Text 593 fl. 40 kr., die Karte 170 fl. — kr., zusammen	743	40		
Urkundenbuch, I. Band, Theilbetrag des Honorars	50	—	1452	22
Zusammen	—	—	2349	34

C*

Den Sammlungen des Vereines

sind im Jahre 1873 zugekommen:

A. Für die Bibliothek.

I. Durch Schenkung.

3434. Aust Anton, Bezirkscorresp. zu St. Gaal bei Knittelfeld: a) Erbrechtsordnung vom Jahre 1787; b) 14 Ansichten der vorzüglichsten Städte Griechenlands.

3435. Berger Adolf, Archivar des fürstl. Schwarzenberg'schen Central-Archives in Wien, sein Werk: Die Archive des fürstl. Hauses Schwarzenberg, ältere Linie. (Beiträge zur Geschichte und Statistik derselben), 1873, Wien.

3436. Göth Josefine, Witwe des jub. Studiendirectors Dr. Georg Göth in Graz, aus dessen Nachlasse: Alte steierm. Zeitschrift, Jahrg. 1821—1828, N. F. Jahrg. 1834 bis 1848; — Fuchs Gregor, Prof., Geschichte des Benedictinerstiftes Admont, 1859, Graz; — Graf J., Bürgermeister in Leoben, Nachrichten über Leoben und Umgegend, 1824, Graz; — Kalchberg Wilhelm Freiherr von, Schlosscommandant in Graz, Der Grazer Schlossberg und seine Umgebung 1856, Graz; — Peinlich, Dr., Benno Kreil, Abt zu Admont (Nekrolog), 1863, Graz; — Polsterer A. J., Dr., Grätz und seine Umgebungen, 1827, Graz; — Prašil W. W., Dr., Gleichenberg in seiner allmähligen Entwicklung zu einer Curanstalt, 1850, Graz; — Ramsauer Ignaz, Topograf.-statistische Darstellung des Bezirkes Umgebung Graz in Steiermark (lithog.), 1868, Graz; — Stur Dyonis, k. k. Bergrath, Geologie der Steiermark, 1871, Graz; — Wartinger Josef, Archivar, Kurzgefasste Geschichte der Steiermark, 1815, Grätz; — Winklern Joh. Bapt. v., Pfarrer, a) Biografische und literarische Nachrichten von den Schriftstellern und Künstlern in der Steiermark, 1810, Grätz; — b) chronologische Geschichte des Herzogthums Steiermark," 1820, Grätz.

3437. Grenser Alfred, Buchhändler in Wien: Die Kaiserstein, Geschichte des Hauses Pusikan, 1873, Wien.

3438. Helfert, Alexander Freiherr von, k. k. Geheimrath in Wien, sein Werk: Maria Louise, Erzherzogin von Oesterreich, Kaiserin der Franzosen, 1873, Wien.

3439. Hofrichter J. C., k. k. Notar in Windischgrätz: a) Prüfung aus der Ziffer- und Buchstaben-Rechnung des Lyceum in Graz, 1794; — b) drei Schülerverzeichnisse des Grazer Gymnasiums aus den Jahren 1790 bis 1793; — c) Zeitungsblatt und Theaterzettel aus dem Beginne des 19. Jahrhunderts; — d) einige Zeitungsaufsätze geschichtlichen Inhalts in Ausschnitten.

3440. Ilg Adalbert, Dr. und Custos am Museum in Wien, sein Werk: Heraclius, von den Farben und Künsten der Römer. Originaltext und Uebersetzung, 1873. Wien.

3441. Kohn Natan, Dr., Adjunct am Münzen- und Antikencabinete des Joanneums in Graz, seine Abhandlung: Der angebliche Votivaltar des Tribunen Scudilo, 1873.

3442. Krones Franz, Dr., k. k. Universitätsprofessor in Graz, seine Schriften: a) Cillier Chronik. Kritische Untersuchungen ihres Textes und Gehaltes, 1873, Wien; — b) Die Grafen von Cilli (Skizzen als Separatabdruck aus der Grazer „Tagespost"), 1873, Graz; — c) Studien über Bedeutung und Ursprung deutscher Ortsnamen der Steiermark, 1872; — d) Die österreichische Chronik Jacob Unrest's, 1872, Wien.

3443. Krzyżanowski de Wola Sienienska Stanislaus R. v., Dr. der Philos. und a. o. Mitglied der Akademie der Wissenschaften in Krakau, seine Schriften: a) Tulczyn, Monografia, 1862, Krakau; — b) Pamiatki polskie (von Grabdenkmälern), 1863, Kiew; — c) Silva rerum ksiedza szymona Krzysztofowicza (Chronik von 1763—1808), Odessa, 1864; — d) Kościoc N. Maryi Panny w Mohylowie nad Dniestrem. (Die S. Marienkirche in Mohilow am Dniester), Krakau, 1867; — e) Listy Jana de Witte (Briefe des Generals Johann de Witte), Krakau, 1868; — f) Skorowidz miejscowosci b. wdztwa braclawskiego (Topografie der Ukraine), Krakau, 1869; — g) Rocznik dla archeologów, numizmatykow i bibliografow polskich rok 1869. (Jahrbuch für polnische Archeologen, Numismatiker und Bibliographen). Krakau, 1870; — h) Slownik heraldyczny. (Heraldisches Wörterbuch). Krakau, 1870; — i) O Grobowcach (von Grabdenkmälern), Krakau, 1870; — k) De Simonis Okolscii monachi ordini Sancto

Dominico sacro addicti vita et scriptis historicis. (Ueber das Leben des Simon Okolski.) Krakau, 1870; — l) Stanislaus Dunin Karwicki de ordinanda republica. (Stanislaus Dunin Karwicki, über die Grundsätze der Regierung eines Staates.) Krakau, 1871; — m) Materialy do monografii Rodu Krzyzanowskich z Woli Sienienskiej i Krzyzanowic herbu Debno.

3444. Lavant, das Ordinariat des Bisthums: Personalstand pro 1873.

3445. Macher Mathias, Dr. Med. und jubilirter k. k. Bezirks-Arzt, seine Schrift: Das Anna-Kinderspital und der Kinderspitalsverein in Graz von 1844—1872, Graz, 1873.

3446. Maschek Ludwig, kais. Rath in Zara, sein Werk: Manuale del regno di Dalmazia, 2. und 4. Jahrg. 1872 und 1873.

3447. Peinlich R., Dr., k. k. Schulrath in Graz, Ortsrepertorium des Herzogthums Steiermark, Graz, 1872.

3448. Rast Ferdinand Freiherr von (Pseudonym Hilarius), in Marburg: die Nr. 54 und 55 der „Marburger Zeitung" vom 4. und 7. Mai 1873 mit seinem Aufsatze: Aus Marburgs Vorzeit. Die Gründung des hiesigen Bürgerspitales.

3449. Reyer Constantin, Turnlehrer in Graz, seine Abhandlung: Vorarbeit zu einer Statistik der deutschen Turnvereine des XV. Turnkreises (Deutsch-Oesterreich), Graz, 1873.

3450. Seckau, das Ordinariat des Bisthums: geistlicher Personalstand, 1873.

3451. Stillfried-Rattonitz Rudolf Graf, Dr., kais. deutscher Geheim-Rath und Oberceremonienmeister in Berlin, sein Werk: Zum urkundlichen Beweise über die Abstammung des preussischen Königshauses von den Grafen von Hohenzollern. (Separatabdruck aus dem zweiten Bande der Hohenzoller'schen Forschungen.) Berlin, 1873.

3452. Tiefenbacher Franz, k. k. pens. Finanzbeamter zu Fehring: a) Johann Weikhard Freiherr von Valvasor's „Topographia ducatus Carnioliæ modernæ" 1679; — b) Incoronazione di S. M. J. R. A. Ferdinando I. e Re del regno lombardo-veneto, 6. Settembre 1838, von Alesandro Sanquirico.

2. Im Schriftentausch mit fachverwandten Akademien, Vereinen und Gesellschaften.

3453. Agram, südslavische Akademie der Wissenschaften: a) Rad jugoslavenske Academije znanosti i umjetnosti, Heft 20 bis 22; — b) Acta conjurationem Bani Petri a Zrinio et Comitis a Frangipani, 1873.

3454. — der Verein für südslavische Geschichte: Arkiv, Knjiga, 1872.

3455. Amsterdam, die königl. Akademie der Wissenschaften: a) Jaarbock van de koninklyke Akademie van Wetenschappen, 1871; — b) Verslagen en Mededeelingen der koninklyke Akademie Affdeeling Letterkunde, tweede reeks, twede Deel, 1872; — c) Verslagen en Mededeelingen Affdeeling Naturkunde, tweede reeks, zesde (6) Deel, 1872; — d) Processen-Verbaal, Affdeeling Naturkunde, Mai 1871 bis Ende April 1872.

3456. Ansbach, histor. Verein für den kön. bair. Regierungsbezirk Mittelfranken: 38. Jahresbericht, 1871—72.

3457. Bayreuth, histor. Verein für Oberfranken: Archiv, 12. Bd., 1.—2. Heft, 1872 – 1873.

3458. Berlin, königl. preuss. Akademie der Wissenschaften: a) Monatsbericht vom November 1872 bis incl. December 1873; — b) phil. und histor. Abhandlungen aus dem Jahre 1872, gedruckt 1873.

3459. — Verein für die Geschichte der Stadt Berlin: a) Chronik; — b) Urkundenbuch; — c) Vereinsschriften, Jahrg. 1865, 1871 und 1873; — d) Jahresberichte 1869, 1872 und 1873.

3460. — Verein „deutscher Herold“: Monatsschrift, 3. Jahrgang 1873.

3461. Bern, histor. Verein des Cantons: Archiv, 8. Bd., 2. Heft 1873.

3462. Bistritz, das evang. Obergymnasium: Programm des Schuljahres 1872—1873.

3463. Bozen, der christliche Kunstverein: Kunstfreund, 2. Jahrgang 1873.

3464. Breslau, schles. Gesellschaft vaterländischer Cultur: a) 49. Jahresbericht für 1871; — b) Abhandlungen der Naturwissenschaften und Medicin pro 1869—1872; — c) Abhandlungen, phil.-histor. Abtheilung, 1871.

3465. — Verein für Geschichte und Alterthum Schlesiens: a) Zeitschrift, 11. Bd., 2. Heft, 1872; — b) Scriptores rerum silesicarum, 8. Bd., 1873; — c) Jahresberichte 1871 und 1872.

3466. Brünn, histor.-stat. Section der mähr.-schles. Gesellschaft zur Beförderung des Ackerbaues, der Naturkunde etc.: a) Schriften der Section, 20. Bd., (Geschichte der mähr.-schles. Gesellschaft von Chr. Ritter d'Elvert, Brünn 1870; — b) 21. Bd., Geschichte der Musik in Mähren und Schlesien, von demselben, Brünn 1873; — c) C. Diebl, Landwirthschafts-Reminiscenzen und Conjuncturen im hunderten Gründungsjahre der Gesellschaft, Brünn 1870; — d) Notizenblatt der Gesellschaft vom 2. bis inclusive 18. Jahrg., 1856 bis incl. 1872.

3467. Brüssel, königl. Akademie der Wissenschaften: a) Builetins de l'Akademie, 2. Serie, 31.—34. Bd, (39., 40. u. 41. Jahrg.), 1871 u. 1872; — b) Annuaire (38. u. 39. Jahrg.) 1872 und 1873; — c) Centiéme anniversaire de fondation (1772 1872), 2 Bde., 1872; — d) Tables de Mortalité et leur developpement, von Ad. Quetelet, 1872.

3468. Chambery, société savoisienne d'histoire et d'archéologie M·moires et documents, 12 Bd., 1872.

3469. Christiania, Verein zur Erhaltung und Aufbewahrung nordischer Vorzeitdenkmäler: a) Foreningen, 1872; b) Beretning om den almindelige Udstilling for Tromso Stift, 1872; — c) Licblein, J., Recherches sur la Chronologie Egyptienne, 1873.

3470. Darmstadt, histor. Verein für das G. H. Hessen: Archiv für hessische Geschichte und Alterthumskunde, 13. Bd., 1. Heft, 1872.

3471. Dijon, Commission des antiquités du departement de la Cote d'Or: a) Mémoires, 8. Bd., 2. Liefrg., 1872; — b) Voies romaines du departement de la Cote d'Or, 1872.

3472. Donaueschingen, Verein für Geschichte und Naturgeschichte: Schriften, 2. Heft, 1872.

3473. Dorpat, gelehrte estnische Gesellschaft: a) Verhandlungen, 7. Bd., 3. und 4. Heft, 1873; — b) Sitzungsberichte, Jahrg. 1872.

3474. Dresden, königl. sächsischer Alterthumsverein: Mittheilungen, 23. Heft, 1873.

3475. Elberfeld, Bergischer Geschichts-Verein: Zeitschrift, 8. Bd., 1872.

3476. Emden, Gesellschaft für bildende Kunst und Alterthümer Jahrbuch, Heft 1. 1872.

3477. Erfurt, Verein für Geschichte und Alterthumskunde:
a) Mittheilungen, 6. Heft, 1873; — b) Hermann K.,
Bibliotheka Erfurtina, 1863.

3478. Frankfurt a. M., Verein für Geschichte und Alterthumskunde:
a) Archiv, N. F. 5. Bd., 1872; — b) Mittheilungen,
4. Bd. Nr. 3, October 1872; — c) Neujahrblatt für 1872.

3479. Frankfurt a. d. Oder, histor. statistischer Verein: Mittheilungen, 9. bis 12. Heft, 1873.

3480. Frauenfeld, histor. Verein des Cantons Thurgau: Beiträge zur vaterl. Geschichte 11., 12. und 13. Heft,
1870, 1872 und 1873.

3481. Freiberg in Sachsen, Alterthums-Verein: Mittheilungen,
10. Heft, 1873.

3482. Freiburg im Breisgau, Verein zur Beförderung der
Geschichtskunde: Zeitschrift 2. Bd., 3. Heft, 1872, —
3. Bd., 1—2. Heft, 1873.

3483. St. Gallen (Schweiz), histor. Verein: Mittheilungen zur
vaterländ. Geschichte, 13. (N. F.) 3. Heft. 1872.

3484. Görlitz, Oberlausitzische Gesellschaft der Wissenschaften:
Neues Lausitzisches Magazin, 49. Bd., 2. Hälfte, 1872,
50. Bd., 1. Heft, 1873.

3485. Göttingen, königl. Gesellschaft der Wissenschaften:
Nachrichten 1872.

3486. Graz, Carl Franzens-Universität:
a) Die Entstehungszeit des österr. Landrechtes
(kritische Studie von Dr. A. Ritter v. Luschin); —
b) Personalstand für den Sommersemester 1873;
— c) Programm für den Wintersemester 1873, 74.

3487. — technische Hochschule am Joanneum: Programm
pro 1873/74.

3488. — Joanneum: 61. Jahresbericht, 1872.

3489. — II. Staatsgymnasium: Jahresbericht 1873.

3490. — st. landschaftl. Oberrealschule: 22. Jahresbericht,
1873.

3491. — k. k. Staats-Oberrealschule: 1. Jahresbericht, 1873.

3492. — Verein der Aerzte in Steiermark: Sitzungsberichte
des 10. Vereinsjahres 1872 73.

3493. — christlicher Kunstverein der Diöcese Seckau: Kirchenschmuck, Jahrgang 1873.

3494. — akadem. Leseverein: 6. Jahresbericht, 1873.

3495. Greifswalde, die Gesellschaft für Pommer'sche Geschichte
und Alterthumskunde: Pommer'sche Genealogien, 2. Bd.
2. Heft, 1873.

3496. Halle, thüringisch-sächsischer Verein für Erforschung des vaterl. Alterthums: Neue Mittheilungen aus dem Gebiete histor.-antiquarischer Forschung, 13. Bd., 2. Heft 1871, 3. Heft 1873.

3497. Hamburg, Verein für hamburgische Geschichte: Hamburg's Bürgerbewaffnung von C. F. Gaedechens, 1872.

3498. Hanau, Bezirksverein für hessische Geschichte und Alterthumskunde: Mittheilungen Nr. 4, 1873.

3499. Hannover, histor. Verein für Niedersachsen: Zeitschrift, Jahrgang 1871.

3500. Hard, Vorarlberger Museumsverein, 13. Rechenschaftsbericht, 1873.

3501. Hermannstadt, Verein für siebenbürgische Landeskunde:
a) Jahresbericht pro 1871/72; — b) Archiv, N. F. X. Bd., 2. und 3. Heft, 1872; — c) Programm des Gymnasiums in Hermannstadt, 1871/72; — d) Programm des Gymnasiums in Schässburg, 1871/72.

3502. Hohenleuben, Voigtländisch-alterthumsforschender Verein:
a) Mittheilungen aus dem Archive; — b) Jahresberichte, 41., 42 und 43.

3503. Innsbruck, Ferdinandeum: Zeitschrift, 3. Folge, 17. Heft, 1872.

3504. Klagenfurt, naturhist. Landesmuseum: Jahrbuch, 11. Hft., 20—21. Jahrg., 1871—1872.

3505. Köln, histor. Verein für den Niederrhein: Annalen, 24. Heft, 1872.

3506. Königsberg, königliche und Universitäts-Bibliothek: Altpreussische Monatsschrift, neue Folge, 9. Bd., 7. und 8. Heft, 10. Bd. 1. bis 8. Heft, 1872—1873.

3507. Kopenhagen, königl. dänische Gesellschaft für nordische Alterthumskunde:
a) Aarboger, 1872, 2.—4. Heft, 1873, 1. Heft; — b) Tillaeg til Aarboger, Jahrg. 1872; — c) Mémoires, Nouvelle Serie, 1872.

3508. Krakau, histor. Commission der königl. poln. Akad. der Wissenschaften:
Scriptores rerum polonicarum, 1. Bd., 1872.

3509. Lausanne, Société de la Suisse romande: Mémoires et documents, 27. und 28. Bd., 1872—1873.

3510. Leeuwarden, Friesch Genootschap van Geschied-, Oudheid-en Taalkunde.
a) De vrije Fries, Mengelingen, 12. Deel (Nieuwe Reeks, 6. Deel, 3) 1872; — b) 44 Verslag der Handelingen, over het Jaar 1871 bis 1872; — c) Friesche

Oudheden. Afbeeldingen van merkwardige Voorwerpen van Wetenschap en Kunst. 3. Aflevering, 1872.

3511. Leipzig, königl. sächs. Gesellschaft der Wissenschaften:
a) Berichte über die Verhandlungen der Gesellschaft 1870 und 1871; — b) Lange Ludwig, der homerische Gebrauch der Partikel Ei, 1872; — c) Philippi Adolf, über die römischen Triumphalreliefe und ihre Stellung in der Kunstgeschichte, 1872; — d) Voigt Georg, die Geschichtsschreibung über den Zug Carl's V. gegen Tunis 1535, 1872; — e) Voigt Moriz, über den Bedeutungswechsel gewisser die Zeitrechnung und den ökonomischen Erfolg einer That bezeichnender technischer lateinischer Ausdrücke, 1872.

3512. — Verein für Geschichte Leipzigs: Schriften, 1. Bd., 1873.

3513. — deutsche morgenländ. Gesellschaft: Zeitschrift, 26. Bd., 3. und 4. Heft, 1872; — 27. Bd., 1. bis 3. Heft, 1873 und Register zum 11.—20. Bd., 1872.

3514. — fürstlich Jablonowski'sche Gesellschaft: Preisschriften, 17. Bd., 1873.

3515. Leoben, landschaftl. Realgymnasium: 7. Jahresbericht, 1873.

3516. Linz, Museum Francisco-Carolinum:
a) 31. Jahresbericht nebst 26. Lieferung der Beiträge zur Landeskunde von Oesterreich ob der Enns, 1873; — b) das Museum (Darstellung seiner 40jährigen Wirksamkeit gelegentlich der Weltausstellung), 1873.

3517. Luxemburg, Société archéologique: Publications, 27. Bd., (5. der neuen Serie), 1873.

3518. Luzern, histor. Verein der fünf Orte Luzern, Uri, Schwyz, Unterwalden und Zug: Geschichtsfreund, 28. Bd., 1873.

3519. Mitau, kurländische Gesellschaft für Literatur und Kunst: Sitzungsbericht pro 1872.

3520. Mons, société des sciences, des arts et des lettres du Hainaut:
a) Mémoires et Publications, 7.—8. Bd., 1872, 1873; — b) Programm des für das Jahr 1873 ausgeschriebenen Concurses.

3521. Montbéliard, la Société d'emulation: Mémoires, 2. Serie, 4. Bd.

3522. München, königl. bairische Akademie der Wissenschaften:
a) Sitzungsberichte, Hefte 2 bis 5 von 1872, 1 bis 3 von 1873; — b) Inhalts-Verzeichniss der

Sitzungsberichte vom Jahre 1860—1870; — c) Gedächtnissrede auf Friedrich Adolf Trendelenburg, von Dr. Carl v. Prantl, 1873; — d) Mitgliederverzeichniss der Akademie; – e) Rede von J. v. Döllinger, gehalten am 25. Juli 1873 zur Vorfeier des Geburtsfestes Sr. Majestät des Königs Ludwig II., München, 1873.

3523. — histor. Verein von und für Oberbaiern:
a) 32. und 33. Jahresbericht, 1869—1870; — b) Archiv, 32. Bd., 1. Heft.

3524. Münster, literarischer Handweiser: Nr. 129 bis 146, 12. Jahrg., 1873,

3525. Nürnberg, germanisches Museum:
a) Anzeiger, 19. Jahrg., 1872; — b) Die Aufgaben und die Mittel des germanischen Museums. (Eine Denkschrift.) 1872.

3526. Paderborn, Verein für Geschichte und Alterthumskunde Westphalens: Zeitschrift, 29.—31. Band (in 5 Heften), 1871—1873.

3527. Paris, histor. Institut für Frankreich: L'investigateur, 38. Jahrg. von Juli bis Ende December 1872, 39. Jahrgang 1873.

3528. Pettau, Realgymnasium: 3. Jahresbericht 1872.

3529. Pest, die königl. ungar. Akademie der Wissenschaften:
a) Almanach, 1872 und 1873; b) Ertesitö (Sitzungsberichte), 5., 6. Jahrg., compl., dann vom 7. die Hefte 1—7, 1871—1873; c) Magyar történelmi tár (ung. Geschichtsquellen), 2. Jahrg., 16.—18. Bd., 1871—1872; — d) Ertekezések a történeti (Mitth. a. d. Geschichtswissensch.), 2. Bd., Hefte 1—9, 1872/1873; — e) Török magyarkori történelmi emlékek (Geschichtsdenkmäler aus der ungarisch-türkischen Zeit) 7. und 8. Bd., 1871 und 1872; — f) Monumenta hungariæ histor. (Magyar történelmi emlékek) vom 8. Bde ein Nachtrag, Diarium von 1663—1674, 1871 dann 17. Bd., 1. Abth., 1872 und 24. Bd., 1873; — g) Archivum Rákóczianum II. Rákóczi Ferencz levéltara (Briefe von Franz Rakoczi) 1. und 2. Abth., je der 1. Bd. 1872/73; — h) Magyarország helyrajzi története (topografische Geschichte Ungarns) 2. Bd. 1872; — i) A hazai és külföldi iskolazas, 1873; — k) A régi Pest. Töténeti tanulmany 1873.

3530. Poitieres, Gesellschaft der Alterthumsforscher des westlichen Frankreich: Bulletin, 3. und 4. Quartal 1872.

3531. **Prag, königl. böhmische Gesellschaft der Wissenschaften:** Sitzungsberichte, Jahrg. 1871 und 1872 compl., 1873, Nr. 1 bis 8; — Abhandlungen, 6. F., 5. Bd., 1872.

3532. — **Verein für Geschichte der Deutschen in Böhmen:** a) Mittheilungen, 9. Jahrg. Nr. 7 und 8, 10 und 11. Jahrg. complett, 12. Jahrg. Nr. 1 und 2 (1871—1873); — b) Jahresberichte, 9, 10 u. 11 (1871, 1872 und 1873); — c) Mitglieder-Verzeichniss pro 1872/73; — d) Lippert, Geschichte der Stadt Leitmeritz (Abth. 3 der Beiträge zur Geschichte Böhmens), 1871; — e) Dr. Laube, aus der Vergangenheit Joachimsthals, 1873; — f) Dr. Leeder, Beiträge zur Geschichte von Arnau, 1872.

3533. — **Lese- und Redehalle der deutschen Studenten:** Jahresbericht pro 1872/73.

3534. **Reval, ehstländisch-literarische Gesellschaft:** Beiträge zur Kunde Ehst-, Liv- und Kurlands, 1. Bd. 4. Heft 1873.

3535. **Riga, Gesellschaft für Geschichte und Alterthumskunde der Ostseeprovinzen Russlands:** a) Mittheilungen, 10. und 11. Bd., 1. bis 3. Heft, 1865; — b) Luther an die Christen in Livland zur Feier des 50jähr. Amtsjubiläums des evangel. Bischofes Dr. C. C. Ullmann in St. Petersburg, 1866.

3536. **Salzburg, Gesellschaft für Salzburger Landeskunde:** Mittheilungen. 12. Vereinsjahr, 1872.

3537. **Schwerin, Verein für meklenburgische Geschichte und Alterthumskunde, Jahrbuch, 37. Jahrg., 1872.**

3538. **Sigmaringen, Verein für Geschichte und Alterthumskunde in Hohenzollern:** Mittheilungen, 11. Jahrg., 1872/73.

3539. **Stade, Verein für Geschichte und Alterthümer der Herzogthümer Bremen und Verden:** a) Altarschrein der Kirche zu Altenbruch, von H. Almers, 1873; — b) Catalog der Bibliothek des Vereines, 1873.

3540. **Stettin, Gesellschaft für Pommer'sche Geschichte und Alterthumskunde:** Baltische Studien, 24. Jahrg., 1872.

3541. **Strassburg, la Société pour la conservation des monuments historiques d'Alsace:** Bulletin, 2. Serie, 8. Bd., 1872.

3542. **Stuttgart, königl. statistisch-topogr. Bureau:** Württembergische Jahrbücher für Statistik und Landeskunde, Jahrg. 1871.

3543. — **württembergischer Alterthumsverein:** Jahresheft, 2. Bd., 1. Heft, 1873.

3545. Tettnang, Verein für Geschichte des Bodensee's und seiner Umgebungen: Schriften, 1. bis 4. Heft, 1869 bis 1873.

3546. Trier, Gesellschaft für nützliche Forschungen: Archeologische Funde in Trier und Umgegend, Festschrift, 1873.

3547. Ulm, Verein für Kunst und Alterthum in Ulm und Oberschwaben: Verhandlungen, neue Reihe, 5. Heft, 1873.

3548. Utrecht, de histor. Genootschap:
a) Kroniek, 6. Serie, 2. und 3. Theil, 27. u. 28. Jhrg., 1872 und 1873; — b) Werken, neue Serie Nr. 17, 18, 19, 1872—1873, (Rogge's Briefe von Johann Wtenbogaert und v. Vloten Onderzoek); — c) Catalogus der Boekery, 1872.

3549. Weinsberg, histor. Verein für das württembergische Franken: Zeitschrift, 8 Bd., 2. und 3. Hft., 9. Bd. 1. Hft., Jahrgänge 1869, 1870 und 1871.

3550. Wernigerode, Harz-Verein für Geschichte und Alterthumskunde: Zeitschrift, 5. Jahrg., 3. und 4. Heft, 1872, 6. Jahrg., 1. und 2. Heft 1873.

3551. Wien, kais. Akademie der Wissenschaften:
a) Sitzungsberichte phil.-histor. Classe, 70. Bd., Heft 1 bis 3, 1872; 71. Bd., Heft 1—4, 1872; 72. Bd., Heft 1; 73. Bd., Heft 1—3; Register VII zu den Bänden 61 bis 70, 1872; — b) Denkschriften, 21. Bd.; — c) Archiv für Kunde österr. Geschichtsquellen, 48. und 49. Band complett, 50. Bd., 1. Hälfte; — Fontes rerum austriacarum 36. Bd., 2. Abth.; 37. Bd., 2. Abth.; Diplomataria et acta.

3552. — k. k. Central-Commission zur Erforschung und Erhaltung der Baudenkmale: Mittheil., 18. Jahrgang, 1873.

3553. — k. k. statistische Central-Commission: Mittheilungen, 19. Jahrg., 4. Heft, 1872; — Statistik des Judenthums in Oesterreich-Ungarn, 1873.

3554. — österr. Museum für Kunst und Industrie:
a) Catalog der Ornamentstich-Sammlung des Museums, 1865; — b) Catalog der ehemaligen Bock'schen Sammlung von Webereien und Stickereien des Mittelalters und der Renaissance, 1865; — c) die Kunstindustrie auf der Ausstellung zu Dublin (Bericht des Custos J. Falke, 1865); — d) Catalog der Bibliothek des Museums, 1869; — e) Catalog der österr. Kunstgewerbe-Ausstellung 1871; —

f) die Ausstellung österr. Kunstgewerbe vom 4. November 1871 bis 4. Februar 1872; — g) Wegweiser durch das k. k. Museum 1873.

3555. Wien, k. k. geographische Gesellschaft: Mittheilungen, 15. Bd. (5. der N. F.), Jahrg. 1872.

3556. — Verein für Landeskunde in Niederösterreich:
a) Blätter N. Folge, 6. Jahrgang, 1872; — b) Topographie von Niederösterr., 4. Heft, 1871.

3557. — heraldisch-genealogischer Verein Adler: Zeitschrift, Jahrg. 1873.

3558. — deutsch-österr. Alpenverein: Zeitschrift, Jahrg. 1872, Heft 1—4.

3559. — der Tourist, Jahrg. 1873.

3560. — Leseverein der deutschen Studenten: 2. Jahresbericht 1872/73.

3561. Wiesbaden, Verein für Nassau'sche Alterthumskunde und Geschichtsforschung: Annalen, 12. Bd., 1873.

3562. Würzburg, histor. Verein für Unterfranken und Aschaffenburg: Archiv, 22. Bd., 1. Heft, 1873.

3563. Zürich, allgemeine geschichtsforschende Gesellschaft der Schweiz: Archiv, 18. Bd., 1873.

3564. Zwickau, Verein zur Verbreitung guter und wohlfeiler Volksschriften:
a) 31. Jahresbericht 1871/72; — b) der deutsche Volkskrieg gegen Frankreich, 1870/71, von Dr. Otto Kämmel, 3. Bd., 2. Abth., 1872; — c) Schlichte Geschichten von Rudolf Müldener, 1872; — d) die Verkehrsmittel der Gegenwart, von Oskar Friedrich, 1. 1872; e) Apologetische Vorträge, 1872; — f) Sonnenblumen, von F. Schmid-Schwarzenberg, 1873; — g) Zugabe zum Kalender 1873.

3. Durch Ankauf.

3565. Bauer, Dr. Ludwig, Director des grossherz. hessischen Haus- und Staatsarchives: Hess. Urkunden, 5. Bd., 1873.

3566. Darmstadt, Gesammtverein der deutschen Geschichts- und Alterthumsvereine: Correspondenzblatt, Jahrg. 1873.

3567. Mainz, römisch-germanisches Centralmuseum: Die Alterthümer unserer heidnischen Vorzeit von Dr. L. Lindenschmit, 3. Heft des 3. Bd., 1873.

B. Für das Archiv.

I. Urkunden und Acten.

Die Stadtgemeinde Oberwölz überliess mit Vorbehalt des Eigenthumsrechtes folgende in ihrem Besitze befindliche Urkunden:

1468. 1358, St. Gallustag, o. O. — Bischof Albrecht von Freysing bestätigt den Bürgern zu Oberwölz ihre alten Stadtrechte. Orig. Pgmt., 1 hgd. Siegel.

1469. 1447, Montag nach Oswald, Graz. — Hans von Stubenberg, Hauptmann in Steyer, befiehlt dem Richter und Rathe von Oberwölz, den Erhart Heurissel in Empfangnahme des ihm zustehenden Erbes nach der seel. Kathrey Huefschmidin zu Oberweltz nicht zu hindern. Orig. Pap., rückw. aufged. S.

1470. 1473, 24. April, o. O. — Richter, Rath und die Gemeinde der Stadt Oberwölz überlassen dem Meister Balthasar Bader und seiner Hausfrau die städtische Badestube kaufrechtsweise unter dem Siegel der Stadt. Orig. Pgmt., 1 hgd. zerb. S.

1471. 1511, Montag nach Matthäus, Graz. — Die steierm. Landschaft mahnt den Richter und Rath von Oberwölz, einen Steuerausstand von 80 Pfund Pfennige bis zum Sonntage nach dem Martinstag zu bezahlen. Orig. Pap., 4 aufged. Petsch.

1472. 1525, 13. Jänner, Wien. — Ferdinand, Prinz in Spanien, Erzherzog von Oesterreich, bestätigt über die Bitte des Christof Weltzer, bischöfl. Freysing'schen Pflegers zu Weltz, den Bürgern zu Oberweltz und St. Peter (am Kammersberg) die ihnen schon von den Herzogen Wilhelm und Albrecht ertheilten Freiheiten. Orig. Pgmt., 1 hgd. S.

1473. 1528, Mittwoch nach St. Blasius, o. O. — Christina, ehel. Tochter des Benedict Anprant, hat sich mit ihrem bisherigen Dienstgeber Meister Lienhart Schneider, Bürger in Oberwölz, über ihre Forderungen verglichen und gibt Verzicht. Sigler Michael Mabilla, Stadtrichter, und Marx Frostl, Bürger zu Oberwölz. Orig. Pap., 2 Petsch.

1474. 1531, Freitag nach Florian, Oberwölz. — Hieronymus Auer quittirt für seine Hausfrau Agnes dem Wolfgang, einem Sohne des Lienhart Schneider, Bürger zu Oberwölz, einen schuldigen Lidlohn. Sigler: Konrad Khintinger, Stadtrichter zu Oberwölz. Orig. Pap., 1 aufged. Petsch.

1475. 1550, 27. Jänner, o. O. — Peter Dornner zu Hintereck in der Pfarre Weltz beurkundet seine Verehelichung mit Jungfrau Katharina, Tochter des Hans Hugent (?) in der Pöla. Orig. Pgmt. 2 hgd. Petsch.

1476. 1567, 20. Jänner, o. O. — Franzischkh von Teuffenbach, Ritter etc., bescheinigt den Bürgern von Oberwölz den Besitz einer Urkunde, Kraft welcher am Mittwoch nach Domine longo in der Fasten 1419, Wulfing von Stubenberg dem Hanns von Teuffenbach, damaligen Hauptmann der Herrschaft Rottenfels und Oberwölz, eine 1½ Joch grosse Wiese im Burgfried von Oberwölz verkaufte. Diese letztere Urkunde ist inserirt. Orig. Pgmt.

1477. 1567, 6. November, Graz. — Erzherzog Carl von Oesterreich-Steiermark bestätigt den Bürgern zu Oberwölz und St. Peter am Kammersberg ihre Privilegien. Orig. Pgt.

1478. 1582, 1. September, o. O. — Richter und Rath der Stadt Oberwölz verkaufen der Frau Regina, Witwe nach Gregor Thalhammer (evang.) Pfarrer zu Frauenburg, einen Garten an der Welz, rainend an die Gärten der Oberwölzer Bürger Wolf Derflinger und Florian Leitner am Wege nach St. Pongratz, unter dem Siegel der Stadt. Orig. Pgmt.

1479. 1600, 7. Juli, Freising. — Ernst, Churfürst und Erzbischof von Köln, Administrator des Stiftes Freising, bestätigt den Bürgern zu Oberwölz im Anbetrachte, dass sich dieselben wieder zum rechten Glauben bekehren liessen, ihre städtischen Privilegien. Orig. Pgmt., 1 S.

1480. 1617, 10. Februar, o. O. — Gesellenbrief der Fleischhauer von Oberwölz für Martin Ofedler. Orig. Pgmt., 4 hgd. P.

1481. 1620, 27. Mai, Freising. — Bischof Veit Adam von Freising bestätigt den Bürgern von Oberwölz ihre städtischen Privilegien. Orig. Pgmt., 1 S.

1482. 1639, 3. März, Wien. — Kaiser Ferdinand III. bestätigt den Bürgern zu Oberwölz und St. Peter am Kammersberg ihre Freiheiten. Orig. Pgmt., 1 S.

1483. 1648, 24. April, o. O. — Vergleich zwischen der Stadt Murau einer-, der Stadt Oberwölz und der Hofmark St. Peter unter dem Kammersberg andererseits, durch welchen mit Rücksicht auf die befreite Niederlage in Murau die Verführung der Kaufmannswaaren auf den umliegenden Strassen und Wegen geregelt wird. Sigler Johann Adolf Graf zu Schwarzenberg, Herr zu Murau, Herr Adam Jocher, Pfandinhaber auf Rothenfels, und die beiden Städte, wechselweise an den zwei ausgefertigten Urkunden. Orig. Pgmt. mit dem Siegel des Grafen und der Stadt Murau. Dabei ein Nachtrag auf Pergament mit dem Siegel von Murau.

1484. 1656, 17. März, Freising. — Bischof Albrecht Sigmund zu Freising bestätigt den Bürgern der Stadt Oberwölz und der Hofmark St. Peter ihre hergebrachten Freiheiten. Orig. Pgmt., 1 S.

1485. 1660, 25. Jänner, Judenburg. — Gesellenbrief der Fleischhauer von Judenburg für den Hans Abstorffer. Orig. Pgmt.

1486. 1674, 12. Jänner, Wien. — Kaiser Leopold I. bestätigt den Bürgern von Oberwölz und St. Peter unter dem Kammersberg ihre hergebrachten Freiheiten. Orig. Pgmt., 1 Siegel.

Geschenkt haben die Herren:

Johann K r a i n z, Volksschullehrer und Bezirks-Correspondent in Oberwölz:

1487. 1494, 8. Juli, o. O. — Verbrüderungsurkunde der Bäcker und Müller zu Judenburg, Murau, Neumarkt und Oberwölz. Sigler: die Brüder Ulrich und Sigmund Welzer, Pfleger und Anwälte zu Oberwölz. Orig. Pgmt., 2 hgd. S. — dann ein Vidimus des Jahres 1706 auf Papier.

1488. 1509, 2. September, Oberwölz, und
1514, 21. Juli, ebenda — die Bäcker und Bäckerknechte zu Oberwölz verkünden ihren Handwerksgenossen, dass sich Andrä Weinberger und Ulrich Preynner in ihre Bruderschaft aufnehmen liessen. Zwei Orig. Pgmte., das ältere zeigt Spuren eines aufgedrückt gewesenen Siegels, am jüngeren ist das Siegel erhalten.

1489. 1543, 3. Juli, o. O. — Hans Khamrer zu Khrumeckh verkauft dem Michael Prantl, Bürger zu Oberwölz ein Grundstück daselbst. Sigler: Peter Schwinger, Stadtrichter, Hans Oeller am Püchl, Zechmeister der St. Martinskirche in Oberwölz. Orig. Pgmt., 2 hgde. S., beide beschädigt.

1490. 1602, 29. April, o. O. — Georg Grienauer, Rathsbürger zu Oberwölz beurkundet seine Verehelichung mit Jungfrau Agnes Gotfridt. Mitsiegler: Vincenz Hoffer, Stadtrichter zu Oberwölz. Orig. Pgmt., zwei hgde. S. fehlen.

1491. 1611, 25. Juli, o. O. — Anna Freiin zu Teuffenbach, Frau zu Murau, geborne Neuman von Wasserleonburg, verkauft dem Bürger Willibald Monetschein zu Murau das Burgrecht auf dem wällischen Streckhammer an der Ranten nebst zugehörigen Gründen. Einfache Abschrift.

1492. 1635, 22. Juli, Frauenburg. — Wolf Herr von Stubenberg Erbschenk in Steyer, kais. Rath und Kämmerer, belehnt seinen Pfleger Andrä Geyer für sich und seine Ehefrau Katharina, geb. Muehrer, mit der sogenannten Bauernfeind-Hube zu Mainhardsdorf in der Lackhen bei Oberwölz und anderen benannten Stücken. Einfache Papierabschrift.

1493. 1649, 16. December, Graz. — Die Zechmeister des Leinweber-Handwerks in Graz gestatten den Leinenwebern in Oberwölz, sich der von ersteren errichteten, vom Kaiser Ferdinand III. ddo. Wien, 21. Juli 1649 bestätigten Zunft- und Handwerksordnung zu unterwerfen und stellen die letztere wörtlich ihrer Bewilligung voran. Orig.-Pgmt. in Buchform, 1 hgd. S.

1494. 1651, 26. Februar, Oberwölz. — Mathias Luegj, Bürger und Fleischhauer zu Oberwölz spricht den Andreas Gressing zum Gesellen. Orig. Pgmt., 3 hgd. S., abgerissen.

1495. 1651, 20. September, Friesach. — Dr. Nicolaus Battaglia, Propst zu Friesach und Erzpriester in Unterkärnten, und Michael Zauchenperger, salzburg. Vicedomamts-Verwalter in Friesach, verkaufen als verordnete Inspectoren des Collegiatstiftes St. Bartholomä in Friesach, dem Bürger und Handelsmanne Georg Mayer zu Murau zwei Zehente in der Pfarre St. Georgen ob Murau. Vidim. Papier-Abschr.

1496. 1676, 12. October, Zeiring. — Thomas Langanger, Stift Admont'scher Verwalter und Zehentbestandmann des Gutes Mainhardsdorf bei Oberwölz, überträgt dem Benedictinerstifte Admont das Eigenthums-, Vogtei- und Patronatsrecht über die von ihm erbaute Kapelle Maria-Altötting in Winklern. Einf. Pap.-Abschr

1497. 1696—1700. — Drei Regierungsdecrete an und ein Gesuch von den Bäckern und Müllern in Oberwölz in Zunftsachen. Orig. und Abschr.

D*

1498. 1706, 7. Juli, Graz. — Die Zechmeister des Leinweber-Handwerks in Graz theilen den verbundenen Leinwebern in Oberwölz, die den ersteren vom Kaiser Josef I. ddo. Wien 9. November 1705 bestätigte Handwerksordnung in extenso mit. Orig. Pgmt. in Buchform, 1 hgd. S.

1499. 1709, 20. November, Graz. — Die Hauptlade des Müllerhandwerkes in Graz übermittelt dem Müllerhandwerk der Stadt Oberwölz ein Transumpt der den ersteren vom Erzherzoge Ferdinand von Innerösterreich ddo. Graz 1. November 1608 ertheilten, 20 Artikel umfassenden Handwerksordnung. Orig.-Pap. in Buchform mit Pergamenteinband und 2 hgd. S.

1500. 1710—1740. Zehn Stück Kaufrechtsbriefe von den Zechpröpsten der Kirchen St. Martin und St. Sigismund in Oberwölz an Unterthanen der beiden Gotteshäuser. Orig. Pap. mit aufgedr. Petschaften.

1501. 1716, 20. Juli, Murau. — Adam Franz Fürst zu Schwarzenberg belehnt die Freifrau Sabina Theresia Putterer, geb. Freiin Welsersheim, Witwe nach Franz Josef Freiherrn Putterer, als Notgerhabin ihres minderjährigen Sohnes Franz Gottlieb Freiherrn Putterer mit einer Hube am Pichel bei Schöder. Orig. Pgmt. 1 hgd. S.

1502. 1720, 17. Juli, Murau. — Franz Sigmund von Monsperg, Rathsbürger und Handelsherr zu Murau, beurkundet, dass ihm sein Bruder Carl Anton von Monsperg als Universalerbe der von ihrem Vater Johann Wilhelm von Monsperg hinterlassenen Hammerwerke zu Murau und Fresen, seinen mütterlichen und väterlichen Erbsantheil völlig bezahlt hat, unter seinem und dem Siegel der Stadt Murau. Vidim. Pap.-Abschr.

1503. 1724, 28. März, Graz. — Kaiser Carl VI. dehnt durch den innerösterr. geheimen Rath die den Leinwebern in Graz ddo. Wien 26. October 1712 ertheilte Zunft- und Handwerksordnung auch auf die Leinweber der Stadt Oberwölz aus. Orig.-Pgmt in Buchform gebunden mit 1 hgd. S.

1504. 1725, 15. September, Murau. — Kaufvertrag zwischen Herrn Johann Rudolf Egger, Rathsbürger, kais. Kammergutsbeförderer und Hammerherrn zu Murau an der Ranten als Verkäufer, und dem Herrn Carl Anton von Monsperg, kais. Kammergutsbeförderer und Hammerherrn an der Fresen und Murau als Käufer des an der Ranten ausser Murau liegenden Wälschhammers sammt Hammerhaus, Garten, den anstossenden Gründen, des

Hauses zu Murau am Erchtagplatz sammt Stadel und Garten etc. Kaufschilling 2400 fl. Zeugen: Johann Michael Fundo, Verwalter der Herrschaften Gstatt und Strechau, Franz Leopold Winkhler, Schwarzenberg'scher Eisenverweser, Franz Michael Kolb und Franz Anton Steyerer zu Murau.

1505. 1746, 3. December, Graz. — Die Zechmeister der Leinweber von Graz theilen der verbundenen Weberknappenschaft in Oberwölz, das von der Königin Maria Theresia neu ertheilte Handwerks-Privilegium ddto. 5. Juli 1745 in extenso mit. Orig. Pgmt. in Buchform.

1506. 1747, 4. Februar, Graz. — Königin Maria Theresia dehnt durch den innerösterr. geheimen Rath die den Leinwebern in Graz ddo. Wien 5. Juli 1745 ertheilte Handwerksordnung auch auf die Leinweber der Stadt Oberwölz aus. Orig.-Pgmt. in Buchform, 1 hgd. S.

1507. 1749, 2. Jänner, Augsburg. — Josef, Landgraf zu Hessen, Bischof zu Augsburg etc. verleiht dem Johann Peter Garzaroll von Garzarolshofen den Hofrathscharakter. Vid. Abschr., Pap.

1508. 1759, 12. Jänner, o. O. — Mathias Gottlieb Praunseys, Unterthan der Herrschaft Waydhofen an der Ybs und Zerrenhammermeister in der Gross-Mendling, verkauft dieses sein Hammerwerk um 7000 fl. dem Johann Schröckenfuchs, Zerrenhammermeister zu Hollenstein und seiner Ehefrau Katharina; zugleich Uebergabs-Inventar. Orig. Pap.

1509. 1769, 22. April, Unzmarkt. — Kasper Anton Welz und seine Gattin Maria Josefa, geb. von Garzarolli, verschreiben sich gegenseitig ihr ganzes Vermögen, sollten sie jedoch mit Kindern gesegnet werden, so habe diese Verschreibung nur auf die eine Hälfte ihres Besitzes Bezug, die andere gehöre den Kindern. Sigler: Carl Philipp Rauch, Landger.-Verwalter in Frauenburg und Johann Josef Egger, Syndicus in Unzmarkt. — Zwei abgesonderte Urkunden, erstere in vid. Abschr., letztere Original.

1510. 1772, 26. Mai, Murau. — Eva Clara, in erster Ehe vermählt mit Franz Steyrer, nun Witwe nach Carl von Monsperg, errichtet zu Gunsten ihrer Kinder erster Ehe: Franz Steyrer und Elisabeth, verehelichte Hueber, ihren letzten Willen. Einf. Pap.-Abschr.

1511. 1780, 25. August, Murau. — Fürst Josef zu Schwarzenberg etc., gibt den zur Herrschaft Murau gehörigen, an der Ranten bei der Brücke gelegenen sogenannten wälschen halben Hammer sammt gemauerten Stock und Garten etc., wie ihn ehemals Herr Franz Steyrer inne hatte, nun der Frau Katharina Zinner kaufrechtsweise. Orig. Pap.

1512. 1782, 1. Juli, Graz. — Frau Maria Theresia Pucher, geb. Mayer, verkauft ihre dem Collegiatstifte in Friesach dienstbaren, um Murau liegenden Zehente für 4000 fl. dem Herrn Peregrin Zinner. Einf. Pap. Abschr.

1513. 1787—1817. — 28 Stück Schulprüfungs- und Dienstzeugnisse für Leopold Lucas Müller, geb. zu Bischoflak in Oberkrain, zuletzt bis 1817 durch vier Jahre bischöflich Gurk'scher Verwalter der Herrschaften Rastenfeld und Mayerhofen in Kärnten. Orig. Pap.

1514. 1803, 20. Juni, Murau. — Richter und Rath der Stadt Murau verkaufen dem Herrn Peregrin Zinner, fürstlich Schwarzenberg'scher Oberverweser in Murau, einen Stadel ausserhalb dem Wagbrückenthor kaufrechtsweise. Orig. Pap.

1515. 1809, August. — Correspondenz mit dem Hammerwerke Pachern, die Aufbringung einer französischen Kriegscontribution betreffend.

1516. 1850, 6. November, Stift Admont. — Abt Benno und der Convent der Benedictinerabtei Admont cediren die ihnen eigenthümliche Kapelle Maria Altötting in Winklern sammt den dazu gehörigen Gründen, Vogtei- und Patronatsrechten und Pflichten in das Eigenthum der Gemeinde Winklern. Einf. Pap. Abschr.

1517. 1760—1828. — 17 Stück diverse Schriften, die Leinweberzunft zu Oberwölz betreffend.

1518. — 16 Urkunden und Acten verschiedenen geringfügigen Inhaltes.

Carl Ritter v. Pichl-Gamsenfels, Gutsbesitzer und Bezirks-Correspondent zu Schloss Eggenwald bei Radkersburg:

1519. 1807, 12. April, Augsburg. — Lehrbrief für den Lust- und Blumengärtner Johann Georg Adelwerg aus Unterhausen. O. Perg.

1520. 1808, 6. December, Marburg. — Intimat des Kreisamtes Marburg, die Vereinigung mehrerer Gülten zu einer Herrschaft unter dem Namen Neuweinsberg betreffend. O. Perg.

Michael **K u n d e g r a b e r**, Caplan zu St. Georgen a. d. Stiefig n:
1521. 1772, 26. Juni, Wien. — Kaiserin Maria Theresia bestätigt den bürgerl. Fleischhackern zu Marburg die ihnen
1638 vom Kaiser Ferdinand III. gegebene Handwerksordnung. Abschr.

Frau Johanna **P e i t l e r**, k. k. Notarswitwe und Gutsbesitzerin
zu Schloss Wildbach:
1522. 1582, . . Juni, St. Andrä im Lavantthale. — Bischof
Georg v. Seggau und Lavant überlässt seinem Pfleger
zu Twimberg, Andrä Weiss, zur Belohnung seiner Dienste
benannte stiftische Wein-, Getreide- und Hirschzehende
zu St. Florian a. d. Lassnitz bestandweise gegen jährliche 300 Pfund Pfen. auf 12 Jahre. O. Perg.

II. Handschriften.

Sämmtlich Geschenke, u. z. von den Hrn. Bezirkscorrespondenten:
Johann **K r a i n z**, Schullehrer in Oberwölz:
490. 1682—1780, Meisterbuch der Bäcker und Müller zu
Oberwölz. Pap. in Pgmt. geb. 4".
491. 1683—1791, Gesellen- und Lehrjungenbuch der Bäcker
und Müller zu Oberwölz. Pap. in Perg. geb. 4".

Anton **M e i x n e r**, Kaplan in St. Veit am Vogau:
492. Medicinbuch, Handschrift von c. 1700 des Georg Saupt-
mann, Laboranten zu Deutmansdorf (aus dem Archive
des Schlosses St. Georgen a. d. Stiefing).
493. Das „Paradeiss-Gspiel", eine Parabel, welche zu Hitzendorf und Umgebung jährlich (im Fasching) zur Auf-
führung kommt. Copie eines Manuscripts aus Hitzendorf.
494. Lieder, Sagen, Mythen und Märchen als Fortsetzung der
früheren einschlägigen Einsendungen (s. Handschr. 484).
495. Auszüge aus der Pfarrchronik von St. Georgen a. d.
Stiefing, milde Stiftungen betreffend.

Carl Ritter v. **P i c h l - G a m s e n f e l s**, Gutsbesitzer zu Schloss
Eggenwald:
496. Acten mit genealogischen Aufschlüssen über die aus Strassburg am Rhein stammende, nach Steiermark eingewan-
derte Familie v. Schaumberg des einfachen Adelstandes.

Frau Josefine **G ö t h**, geb. Prandstätter, Studiendirectors-Witwe
in Graz:
497. Das Manuscript der ungedruckt gebliebenen Topographie
des Grazer Kreises von weiland Director Dr. Georg
Göth, sammt den darauf Bezug nehmenden Correspondenzen des Verfassers. 17 ½ Pfd.

498. Ein Zettelkatalog von steiermärkischen Orts- und Personennamen mit literarischen Verweisungen, zusammengestellt von † Director Dr. Georg Güth. Circa 1850.

Endlich gestattete Se. Durchlaucht der Herr k. k. geheime Rath, General der Cavallerie und lebenslängliche Reichsrath, Friedrich Fürst von und zu L i e c h t e n s t e i n, aus seinem Archive im Schlosse Liechtenstein bei Judenburg das für geschichtliche Zwecke verwendbare auszuwählen, was im Herbste 1873 geschah und darauf eine Anzahl von Handschriften, Acten und Urkunden im Gesammtgewichte von 22 Centnern nach Graz geliefert wurde.

Aus dieser Sendung, zumeist die vordem vereinigt gewesenen Herrschaften Liechtenstein, Riegersdorf (Gabelkhoven) und Weyer, dann die Spitalsgült heil. Geist, sämmtlich in und um Judenburg gelegen, betreffend, sind hervorzuheben:

Eine Sammlung aller im Judenburger Kreise und für denselben ergangenen Currenden und Verordnungen der Landes- und Kreisbehörden, dann des Appellationsgerichtes, die Jahre 1784, 85, 90, 91, 92, 95, 97, 98 1802, 6, 7, 9 bis inclus. 43 umfassend, theilweise gebunden und auch hin und wieder doppelt vorhanden.

U r b a r e :

Der Herrschaft L i e c h t e n s t e i n vom Jahre 1702 (Or.) und ddo. 21. Juni 1714, Abschrift; der Spitalsgült H e i l i g e n g e i s t in Judenburg von 1608 und 1666; der K u c h e l - a i g e n g ü l t vom Jahre 1567; des dem Kloster Seiz gehörig gewesenen K a l l w a n g e r a m t e s im Paltenthale in Obersteier ddo. 7. Mai 1598.

S t i f t r e g i s t e r, u. z.:

Herrschaft L i e c h t e n s t e i n mit 105 Jahrgängen aus den Jahren 1650 - 1837.

Hschft. R i e g e r s d o r f, 79 Jahrgänge aus der Zeit von 1660—1820.

Hschft. W e y e r, 74 Jahrgge. aus der Zeit von 1660—1837.

Gült h e i l. G e i s t, 124 Jahrgge. aus der Zeit von 1650 bis 1848.

Ausserdem mehrere Stiftregister, kleinere Gülten und einzelne Aemter aus der Umgebung von Judenburg betreffend.

Eine Reihe von Geld- und Naturalien-Rechnungsbüchern, auf diese Güter bezüglich.

300 Packete mit Urkunden, Verlassabhandlungen und anderen Acten, Bauerngüter der genannten Herrschaften betreffend.

Nahezu 1400 einzelne Pergament-, dann circa 400 Papier-

Urkunden, Kauf-, Schenkungs-, Heirats- oder Schirmbriefe für Unterthanen der Herrschaften Liechtenstein. Riegersdorf, Weyer, Spielberg, der Spitalsgült heil. Geist, der Kuchelaigengült etc., durchweg Originalien, weiters fünf grosse Packete mit ungezählten derlei Urkunden, Verlassabhandlungen, Schätzungen und anderen aus dem Unterthanenverhältnisse fliessenden Amtshandlungen derselben Grundobrigkeiten vom 16. Jahrhunderte herwärts.

Ueber 800 Verlass- und Uebergabsinventare über Bauerngüter vom 16. Jahrhunderte herwärts.

Mehrere Packete mit Gerichtsacten aus dem laufenden Jahrhunderte.

Ein Packet mit Acten über die Greisenegg'sche Spitalstiftung zum heil. Geist in Judenburg.

Ein Packet über die Zach-, dann Moshardt'schen Kuchelaigengülten.

Ein Packet über die Herrschaft Liechtenstein aus der Zeit, als dieselbe die Freiherren von Königsbrunn besassen, 1719 bis 1814.

Ein Packet über die Herrschaft Riegersdorf aus der Zeit des Besitzes der zuletzt gräflichen Familie Gabelkhoven, 1569 bis 1775, dann der nachfolgenden Besitzer bis 1814.

Ein Packet über die Familie der Grafen von Hainrichsperg *) und ihre Herrschaft Weyer.

Ein Packet über die milden und frommen Stiftungen der Heinrichsperg in Judenburg.

Ein Packet über den Passhammer an der Pöls bei Judenburg.

Zwei Handelsbücher des Kaufmannes Johann Pagge (nachmals Freih. v. Hainrichsperg) in Wien, aus dem 17. Jahrhdte.

Schliesslich folgende für die Local- und Geschlechtergeschichte von Judenburg und Umgebung wichtige Urkunden:

1421, 16. October, Graz. — Herzog Ernst von Oesterreich und Steiermark schenkt dem von seinem Kammermeister Hans Greyssnegkher gegründeten Armenspitale in Judenburg die ihm von den Judenburger Fleischhackern jährlich zu liefernden zwei Ochsen im Werthe von sechs Pfd. Pfen. Abschr.

1424, 26. October, Liechtenstein. — Rudolf und Otto v. Liechtenstein belehnen den Hans Lobnynger mit einem Gute zu Czeltweg. Abschr.

1429, 9. Juli, o. O. — Hans Wildonier, Bürger zu Juden-

---

*) Ueber die Grafen v. Hainrichsperg, vorher Bürger Hainricher in Judenburg, siehe unter den Erwerbungen für das Archiv, Mittheilungen XIX. Heft 1871, Seite LXVII, Nr. 1378—1382, ebenfalls aus dem Archive zu Liechtenstein.

burg, verkauft sein Apothekerhaus in Judenburg dem dortigen Bürger Stefan Scheller um 32 Pfd. Pfen. Or.

1430, 17. September, Liechtenstein. — Anna, Witwe Rudolf's, Mutter Leonhard's von Liechtenstein, begabt den Andrä Kerner mit dem Gödleynsacker ob Judenburg kaufrechtsweise. Abschr.

1441, 16. April, o. O. — Heinrich Lantschacher verleiht dem Michael Lackner das Poppelgut im Salachgraben bei Oberwölz kaufrechtsweise. Or.

1445, 10. März, o. O. — Alex, Sohn der † Sigharttin bei der Murbrücke zu Judenburg, verkauft benannte Aecker danächst dem Hans Smydel, Bürger zu Judenburg. Or.

1455, 8. Jänner, o. O. — Hans Layer zu Strettweg verkauft einen Acker im Spitalfeld bei Judenburg dem dortigen Bürger, Meister Andrä dem Goltsmid, genannt Marchhouer. Or.

1458, 14. September, o. O. — Benannte Meister, Gesellen und Jünger des Schmiedehandwerks der Stadt Knittelfeld und Umgebung vereinigen sich zu einer Bruderschaft. Abschr.

1460, 4. Juni, o. O. — Michael Lackner in Salach versichert das Heiratsgut seiner Ehefrau Margaretha auf seiner Pöppelhube. Gleichz. Pgmtschft., ob Orig.?

1489, 28. März, o. O. — Berman Frangkh, Bürger zu Judenburg, verkauft sein Burgrecht an einer Fleischbank in Judenburg dem Cristan Amering. Or.

1491, 24. April, o. O. — Barbara v. Paynn, Aebtissin des Claraklosters im Paradeis nächst Judenburg, verleiht dem Judenburger Bürger Cristan Amering einen Garten in der Stadt burgrechtsweise. Or.

1500, 14. Juli, Judenburg. — Heinrich Doss, Rathsbürger zu Judenburg verkauft seinem Schwiegervater Cristan Amering, Rathsbürger daselbst, benannte Gründe in der Nähe der Stadt. Or.

1502, 27. Februar, o. O. — Der Zechmeister der Niklas-Pfarrkirche zu Judenburg, Rathsbürger Cristan Hatzes, begabt den Rathsbürger Cristan Emering mit dem Burgrechte auf zwei Krautgärten bei der Stadt. Or.

1509, 28. Februar, o. O. — Die Kinder und Erben nach dem † Cristan Emering beurkunden, dass ihnen die Witwe ihres Vaters resp. Schwiegervaters, Frau Margareth, das gesammte väterliche Hab' und Gut völlig abgetreten hat. Or.

1509, 9. März, o. O. — Die Kinder des † Cristan Emering überantworten ihrer nun verwitweten Mutter, Frau Margareth, einen Stadl und Baumgarten nächst der Stadt. Or.

1512, 10. März, o. O. — Appolonia, des † Judenburger Rathsbürgers Cristan Aemering Tochter, nun des Andrä Freydl,

Bürgers zu Wolfsberg Hausfrau, quittirt ihrem Bruder Ruprecht Amering den Empfang· ihres väterlichen Erbes. Or.

1514, 13. November, o. O. — Cristan Weyland, Bürger zu Villach und seine Hausfrau Ursula, des † Cristan Amering zu Judenburg Tochter, vereinbaren sich hinsichtlich ihres väterlichen Erbtheiles mit ihrem Bruder Ruprecht Amering, Bürger zu Judenburg. Or.

1515, 3. April, o. O. — Benedict und Adrian die Gloyacher verkaufen dem Knittelfelder Bürger Bernhardin Gerolt ihren frei eigenen, mit 12 Pfd. Herrengült beansagten Hof zu Pölshofen. Or.

1516, 15. Juni, o. O. — Meister Bernhardin Ämering, Chorherr und Pfarrer zu St. Stefan bei Stainz, Sohn des † Judenburger Rathsbürgers Cristan A., quittirt seinem Bruder Ruprecht A. den Empfang seines väterlichen Erbtheiles. Or.

1521, 29 September, o. O. — Der Rath der Stadt Judenburg tauscht Namens der Nicolaus-Pfarrkirche daselbst mit dem edlen Christof Prancker von Pranckh benannte nächst der Stadt gelegene Grundstücke. Or.

· 1522, 24. April, o. O. Hans Neydtarff, Bürger zu Murau, verkauft mehrere näher benannte Besitzungen zu St. Georgen ob Murau, theils von dem Landesfürsten, theils von den Liechtensteinern zu Lehen, dem Judenb. Bürger Ruprecht Embring. Or.

1525, 9. Februar und 7. April, o. O. — Franz Tonhauser, Ritter, Hauptmann und Vicedom zu Friesach, verleiht auf Befehl des Cardinals Matthäus zu Salzburg dem Judenburger Bürger Ruprecht Amering zwei Grundstücke nächst Vohnsdorf bei Judenburg kaufrechtsweise. Beide Pap. Abschriften.

1527, 9. Mai, o. O. — Christof Welzer v. Eberstein d. Aelt., Ritter, verkauft seinem Vetter Christof Pranngkher von Prannghk sein freieigenes Haus und Hofmarch in der Stadt Judenburg. Or.

1527, 11. Juli, Judenburg. — Die Kinder des Heinrich Toss, welche er mit seiner † Ehefrau Catharina Ambring hatte, quittiren ihrem Vater bei nunmehr erreichter Volljährigkeit den Empfang des ihnen nach ihrem Grossvater Cristan Ambring zugefallenen Erbes von 171 Pfd., 4 Schil. Pfen. Or.

1531, 8. Juni, o. O. — Ruprecht Ambring, Rathsbürger zu Judenburg, vertauscht mit dem Kaplan der Johanns-Kapelle im Schlosse Liechtenstein, Johann Gastromair, mehrere benannte Gründe. Or.

1533, ... o. O. — Meister Leonhart (sonst Bernhardin genannt) Ambring, Pfarrer zu Judenburg, verwechselt mit seinem Bruder Ruprecht Emering mehrere um Judenburg gelegene Grundstücke. Or.

1534, 12. October, o. O. — Die vier Kinder nach dem Judenburger Rathsbürger Heinrich Toss aus seiner Ehe mit Erntraut Retzer verkaufen benannte ererbte Grundstücke für 180 Pfd. Pfenige dem Augustin Körbler, Pfleger zu Frauenburg. Or.

1534, 6. September, Judenburg. — Ruprecht Emering, d. z. Bürgermeister zu Judenburg überlässt seinem Unterthan Vincenz Ringshüetl das Kaufrecht an der Ringshüetlhube. Or.

1539, 30. Juni, Grácz. — Ursula, Witwe nach Hans Zeller, Bäcker und Bürger zu Graz, nun Ehefrau des Hans Stainperger, Bäcker und Bürger zu Graz, überantwortet Namens ihrer Zeller'schen Kinder zwei dem Grazer Stadtpfarrer Dr. Johann Ernnst unterthänige Weingärten in der Langwiesen, dem Grazer Bürger Hans Kämpf und seiner Schwester Elisabeth, um damit die von ihrem früheren Manne contrahirten Schulden theilweise zu tilgen. Or.

1544, 10. März, Judenburg. — Hans Aindlitzhofer, Bürger zu Judenburg, verkauft dem dortigen Bürger Michael Mayer einen Garten sammt Stadl im Burgfried der Stadt. Or.

1544, 15. Juni, o. O. — Eustach Branckher v. Pranckh zu Rieckhersdorf verkauft seinem Bruder Ruprecht Branckher v. Pranckh sein freieigenes Haus sammt Zugehör in der Stadt Judenburg. Or.

1545, 14. Jänner, Judenburg. — Ruprecht Emering ersucht brieflich die Herren Georg und Otto von Liechtenstein zu Murau, ihm das als Peutllehen gegebene Gschöllergut zu St. Martin, nun wo er vom König Ferdinand in den Adelmannsstand erhoben wurde, als Ritterlehen zu verleihen. Or.

1545, 3. Juli, Trofaiach. — Christof Puchler, Pfarrer zu Trofeiach und Commissär des Erzpriesterthumes in Obersteier, fordert den Pfarrer zu Pöls Veit Zesar vor sich, damit er über die wegen gemachter Schulden und ausgestossener Schmachworte vom edl und vesten Ruprecht Ambring in Judenburg wider ihn vorgebrachte Klage Rede stehe. Gleichz. Pap. Abschr.

1554, 26. Juni, Judenburg. — Der Gültensinhaber am Pölshofe bei Judenburg, Hans Brauch in Judenburg, löst für 750 Pfd. Pfen. das Kaufrecht an benanntem Hofe von dem derzeitigen Inhaber Georg zu Pölshofen ein, worauf am 29. September d. J., Georg Pölshofer die Ablösung dieses seines Kaufrechtes durch den Hans Brauch beurkundet. Beide Or.

1555, 26. November, Judenburg. — Simon Grien, Bürger zu Judenburg, verkauft dem Rathsbürger daselbst, Marx Pluemacher, sein Haus, Mühle etc. am Purbache nächst dem windischen Stadtthore. Or.

1558, 30. Jänner, o. O. — Clemens Körbler zu Judenburg verkauft dem Oswald Einpacher am Passhammer unter Pöls seinen mit vier Pfd. Herrengült beansagten Hofanger zu Dietersdorf. Or.

1559, 11. November, Judenburg. — Der Ritter Franzischk v. Teuffenpach, kais. und steierm. landsch. Kriegsrath an den windischen und croatischen Grenzen, beurkundet für sich und seine Brüder Walthasar, Deutschordenscomthur, Erasmus und Bernhard einen Tausch um mehrere Gülten mit seinem Schwager Ruprecht Branckher v. Pranckh. Or.

1561, 24. April, o. O. — Georg Werth begibt sich mit seinem bisher frei besessenen Acker im Purkfelde ob Pöls unter den Schutz des Judenburger Rathsbürgers Hans Brauch als dessen nunmehriger Unterthan und der letztere schirmt diesem seinem neuen Unterthan seinen Acker ddo. 1561, 29. September. Beide Or.

1567, 23. Mai, o. O. — Dorothea, des † Judenburger Bürgers Hans Gollawitzer Tochter, nun des Judenburger Bürgers und Maurers Josef von Camersee Hausfrau, verkauft einen Garten im Burgfriede der Stadt Judenburg dem Michael Maier, Bürger daselbst. Or.

1570, 19. Februar, Murau. — Christof v. Liechtenstein, Herr zu Murau, oberster Erbkämmerer in Steier und Landmarschall in Kärnten, als des Namens der Aelteste und „derzeit regierender Herr", belehnt die vier Söhne des verstorbenen Franz Gapelhouer, Wolf, Georg, Abraham und Maximilian mit dem Wirmbler- und dem Pambkircherhofe zu St. Georgen ob Murau. Or.

1573, 28. November, Judenburg. — Der Rath dieser Stadt verkauft Namens der St. Barbara-Bruderschaft daselbst dem Rathsbürger Jacob Mayer einen Krautgarten vor dem Landthore. Or.

1585, 31. Jänner, Judenburg. — Georg Bernhard Ursenpeckh zu Potschach, Obersterblandstabelmeister in Steier, überlässt seinen Thorhof bei Judenburg kaufrechtsweise dem Georg Salzmann, Rathsbürger zu Judenburg und Hammermeister im Murboden und Pölsthal. Or.

1585, 17. Juni, o. O. — Maria, Tochter des † Judenburger Rathsbürgers Hans Brauch, nun Gattin des Grazer Bürgers Christof Lechner, verkauft ihrer Schwester Anna, jetzt Hausfrau des Judenburger Bürgers Balthasar Hainricher, einen Acker. Or.

1589, 19. März, Pux. — Hans Sigmund von Greisenegg zu Eberstein und Hornberg, Erzherzogs Carl von Oesterreich

Truchsess, verkauft seine Güter im salzburgischen Lungau dem Pfleger zu Werfen, Christof v. Khuenburg zu Khuenegg. Or. Concept.

1589, 5. September, o. O. — Maximilian Gablkhouer verkauft seinem Bruder Abraham benannte Gülten. Or.

1591, 24. März, Judenburg. — Die Witwe Anna v. Prankh geb. Zach schenkt ihrem Sohne Romanus die sogenannte Rosenegkhube und einen Weingarten im Teufenpach. Or.

1592, 1. Jänner, Judenburg. — Balthasar von Pranckh, landsch. Rittmeister im Viertel Judenburg und Ennsthal, vollzieht mit seinem Vetter Romanus v. Pranckh einen Gültentausch. Or.

1594, 24. April, Judenburg im Pranckh'schen Hause. — Romanus v. Pranckh schenkt seiner Gemalin Susanna geb. Ueberacker, anlässlich ihrer jüngst stattgehabten Hochzeit, anstatt der landesgebräuchigen ihrem Stande angemessenen goldenen Kette seine Hube am Roseneckh. Or.

1595, 10. April, Judenburg. — Balthasar Hainricher, Rathsbürger zu Judenburg, überlässt dem Obdacher Bürger Michael Huber die Rüdenleiten bei Obdach kaufrechtsweise. Or.

1595, 18. Juni, Judenburg. — Christof Gablkhouer der Mittlere beurkundet seine Verehelichung mit Jungfrau Judith, Tochter des kais. Oberhauptmannes zu Kreuz, Jörg Ambros Wätnickh und versichert das Heiratsgut seiner Frau und die etwaige Witwenversorgung. Or.

1596, 4. Mai, Judenburg. — Die Brüder von Pranckh verabreden sich mit dem Christof Gablkhouer dem Aelteren wegen Verkauf ihres Schlosses Rieggersdorf nächst Judenburg. Kaufschilling 11.000 fl. und 50 Ducaten. Or.

1596, 17. December, Judenburg. — Katharina Haydn geb. v. Pranckh verkauft dem Walthasar Hainricher, Rathsbürger und Handelsmann zu Judenburg, Hammermeister im Pölsthal, benannte Herrengülten. Or.

1597, 10. Mai, o. O. — Ursula Schaffmann geb. Tollinger verkauft benannte Herrengülten dem Walthasar Hainricher. Or.

1597, 29. September, o. O. — Carl Freih. zu Teuffenbach auf Offenburg etc. belehnt als Gewalts- und Lehensträger seiner Gemalin, Freiin Anna, Frau zu Murau, geb. Neuman v. Wasserleonburg, den edl und vesten Christof Gabelkhouer mit dem zur Herrschaft Murau lehenpflichtigen Hofe zu Rieggersdorf an der Pöls. Or.

1598, 8. October, o. O. Wilhelm Rauhenperger zu Hanfelden verkauft mit Einwilligung der Eigenthümer des Stiftes zum heil. Geist in Judenburg, Adrian und Hans Franz Vettern v. Greisenegg, dann des gegenwärtigen Sazinhabers dieser Stiftung Adam v. Gallenberg zum Gallenstein, Erbvogtes zu Münkendorf, dem Zeiringer Bürger Walthasar Pühler sein Kaufrecht an einem Anger zu Oberwinden. Or.

1603, 21. Jänner, Graz. — Der steirische Landesverweser Hans Sigmund Wagen v. Wagensperg fordert die Erben nach Hans Sigmund v. Greissenegg auf, dem Judenburger Rathsbürger Georg Salzman eine Forderung von 212 fl. zu bezahlen. Or.

1606, 12. September, Graz. — Die steierm. Verordneten überantworten benannte in Folge von Steuerausständen gepfändete Unterthanen der Spitalstiftung zum heil. Geist in Judenburg, dem Georg Wucherer zu Drasendorf satzweise. Or.

1607, 13. Februar, Graz. — Erzherzog Ferdinand von Oesterreich übergibt die zerrüttete Greisenegg'sche Spitalsstiftung zum heil. Geist in Judenburg dem Jesuitencollegium in Graz mit der Widmung der Einkünfte für das Ferdinandeum daselbst. Or.

1607, 11. Mai, Graz. — Der steirische Landesverweser Hans Sigmund von Schrottenpach überantwortet benannte Gallenberg'sche gepfändete Gülten, den Brüdern Hans, Hörman und Balthasar Hainricher. Or.

1608, 2. September, Judenburg. — Hans Gebmhofer zu Judenburg verkauft 8 Pfd. Geldes steirischer Herrengült dem Rathsbürger Georg Salzmann in Judenburg. Or.

1609, 10. Juli, Judenburg. — Christof Ruprecht von Prangckh zu Poppendorf verkauft dem Christof Gablkhouer zu Riegersdorf einen Unterthan zu Dietersdorf. Or.

1612, 10. Juli, o. O. — Paul von Kraussnegg Freih. zu Hollnegg und Frauenburg, des verstorbenen Kaisers Rudolf II. gewesener Hofkammerpräsident, gibt die seiner (wahrscheinlich pfandweise innegehabten) Herrschaft Frauenburg unterthänige Haselöde am Zizenbach kaufrechtsweise dem Bartlmä Zizmayr. Or.

1616, 24. Jänner, Klagenfurt. — Freih. Christof David Ursenpeckh, Landeshauptmann in Kärnten, schenkt seinen mit 6 Pfd. steirischer Herrengült beansagten Thorhof (Schlösschen Heinrichsperg bei Judenburg) den Brüdern Hans und Herman Hainricher, in Anerkennung ihrer dem Geschenkgeber geleisteten Dienste. Or.

1617, 21. März, Judenburg, — Hans Adam v. Pranckh verkauft dem Judenburger Rathsbürger Ernreich Salzmann die Gült an der Schindtlerhube in der Rastatt. Or.

1617, 12. Mai, Judenburg. — Der Rath der Stadt Judenburg gibt Revers über eine mit 300 fl. dotirte wohlthätige Stiftung der Brüder Hans und Herman Hainricher. Or.

1618, 2. Mai, Grosslobming. — Christof Schaffman zum Hemerless und Grosslobming verkauft dem Judenburger Bürger Ernreich Salzmann seine Gült an der Wolfgerhube in Oberweg. Or.

1621, 9. April, Jndenburg. — Die drei Brüder Wolf Adam, Hans Alban und Daniel von Gallenberg zum Gallenstein, Erbvögte zu Minkendorf, verkaufen, um die Schulden ihres Vaters bezahlen zu können, sechs benannte Unterthanen in der Umgebung von Judenburg dem Herman Hainricher, Inhaber der Herrschaft Liechtenstein. Or.

1621, 18. November, Judenburg. — Christof Friedrich Zach zu Lobming verkauft dem Jesuitencollegium in Graz einen Acker zu Strettweg. Or.

1622, 16. Juni, Riegersdorf. — Maximilian v. Gablkhoven löst benannte um 2680 fl. versetzte Güter von seinem Vetter Christof Gablkhouer zu Riegersdorf wieder ein. Or.

1626, 24. Februar, Judenburg. — Hans Jacob Putterer zum Aigen und auf Liechtenstein verkauft mehrere seiner Gülten dem Herman Hainricher von und auf Hainrichsperg. O.

1627, 28. Mai, Murau. — Graf Georg Ludwig zu Schwarzenberg, als nach Ableben seiner Gemalin Anna geb. Neumann v. Wasserleonburg in Kraft einer Schenkung Eigenthümer der Herrschaft Murau, belehnt den Reichart Gabelkhouer mit dem Hofe zu Rieggersdorf. Or.

1628, 27. März, Lobming. — Christof Adam von und zu Teuffenpach auf Massweg, Spielberg und Hart bestätigt den Brüdern Reichart und Franz Christof v. Gablkhouen ihr Kaufrecht an zwei Vogteigründen. Or.

1628, 10. April, Judenburg. — Der Rath der Stadt Judenburg beurkundet die Erweiterung der im Jahre 1617 durch die Brüder Hans (mittlerweile †) und Herman Hainricher gemachten Stiftung per 300 fl., bis auf 1100 fl. durch Herman von und auf Hainrichsperg und verpflichtet sich zur Einhaltung der Bestimmungen des inserirten Willbriefes. Or.

1628, 22. September, Judenburg. — Susanna, geb. Praunfalckh, Gemalin des Freih. Georg Heinrich von Dietrichstein, verkauft 70 Pfd. 4 Sch. 7 1/2 Pfen. Geldes ihrer Herrengülten in Obersteier dem Herman von und auf Hainrichsperg. Dabei das betreffende Urbar. Or.

1629, 30. März, Graz. — Freih. Hans Friedrich von und zu Teuffenbach verkauft 29 Pfd. 21 Pfen. Geldes Herrengülten um Judenburg für 3164 Gulden und 30 Ducaten dem

Herman H. von und auf Hainrichsperg. Dabei das betreffende Urbar. Or.

1629, 30. August, Graz. — Kaiser Ferdinand II. belehnt die Brüder Reichhardt und Franz Christof Gablkhover mit einem Fischwasser an der Pöls. Or.

1629, 30. August, Judenburg. — Philibert Schrantz auf Schranzenegg und Forchtenstein verkauft benannte Gülten, Alpen und den „schönen Wald" in Ranach für 2240 fl. dem Herman Hainricher von und auf Hainrichsperg. Dabei das bezügl. Urbar. Or.

1630, 28. April, Judenburg. — Sigmund Friedrich Zach zu Grosslobming verkauft seine mit 46 Pfd. Herrengült beansagte Kuchelaigengült seinem Vetter Christof Friedrich Zach. Or.

1630, 20. November, Regensburg. — Kaiser Ferdinand II. verkündet, dass er sich das Fischereirecht in der Mur von der Thalheimer bis zur Judenburger Brücke als ein freies Eigenthum angeeignet und dem Burggrafen zu Judenburg Hörman Hainricher die Inspection über die Fischerei anbefohlen habe. Or.

1637, 5. Juni, Schloss Weyer. — Bürgermeister, Richter und Rath der Stadt Judenburg reversiren über eine, nach dem eingeschalteten Willbriefe vom gleichen Tage, durch Hörman Hainricher von und auf Hainrichsperg zum Weyer, kais. Burggrafen in Judenburg, zu Gunsten verarmter Bürgersleute errichtete Stiftung per 1000 fl. Or.

1638, 3. September, Judenburg. — Ernreich Salzman, Rathsbürger in Judenburg, verkauft dem Hermann Hainricher von und auf Hainrichsperg benannte Gülten. Or.

1640, 12. December, Schloss Weyer. — Der Rath der Stadt Judenburg gibt über eine weitere, mit 600 fl. zu Gunsten verarmter Bürgersleute aus Judenburg dotirte Stiftung des Judenburger Burggrafen Hörman Hainricher von und auf Hainrichsperg Revers. Or.

1641, 1. März, Graz. — Hans Ernst der Aeltere Freih. von Pranckh auf Pux, verkauft der Frau Maria Elisabeth von Pranckh geb. Zehetner einen Weingarten zu Neudorf. Or.

1642, 8. Februar und 1644, 1. August, Schloss Weyer. — Hörman Hainricher von und zum Hainrichsperg etc. überlässt das Kaufrecht an benannten Gründen dem Georg Hueber, derzeit Bürgermeister zu Judenburg. Beide Or.

1648, 18. April, o. O. — Anna Weger geb. Hainricher am Passhammer, verkauft ihrem Bruder Hörman Hainricher etc. 2 Pfd. Herrengülten. Or.

1649, 3. Mai, Passhof. — Anna Weger, geb. Hainricher,

verkauft dem Hauptmanne Mathias Pölchinger zu Waschhofen ihr freieigenthümliches Gut Passhof sammt dem Hammer, der Mühle und Säge etc. für 1700 fl. und 10 Ducaten. Or.

1650, 12. April, Judenburg. — Der Rath der Stadt Judenburg beurkundet den Empfang von 500 fl., welche der † Judenburger Burggraf Hörman Hainricher von und auf Hainrichsperg zu einem Gottesdienste in der durch ihn erbauten Capelle bei der Pfarrkirche gestiftet hat, welchen Betrag nun die Schwester und Allodialerbin, Frau Salome Pagge, geb. Hainricher, erlegte. Or.

1651, 17. Juli, Weyer. — Johann Hainricher von und auf Hainrichsperg zum Weyer, Pagge genannt, kais. Rath und Burggraf zu Judenburg, als in dem Fideicommiss-Testamente ddto 28. Jänner 1646 eingesetzter Erbe seines † Vetters Hörman Hainricher von und auf Hainrichsperg zum Weyer, kais. Burggrafen zu Judenburg — überantwortet eine von dem letzteren der Barbara Philippitsch geb. Pagge (Schwester des Ausstellers) vermeinte Hube, der Beschenkten. Or.

1652, 14. August, Prag. — Kaiser Ferdinand III. schenkt seinem Rathe und Burggrafen zu Judenburg, Johann Hainricher von und auf Hainrichsperg zu Weyer, Pagge genannt, eine bisher kais. Jagd in dem Bezirke der Herrschaft Weyer. Or.

1652, 31. December, o. O. — Urbar über 30 Pfd. Herrengült in Obersteier, welche Frau Sidonia Vegelin geb. Mayr, Witwe zu Pichelhofen, dem Judenburger Burggrafen Johann v. Hainrichsperg-Pagge verkauft hat. Or.

1653, 26. April, Weyer. — Die Bruderschaften der Stadtpfarrkirche zu Judenburg vollziehen mit dem Johann von Hainrichsperg einen Gültentausch. Or.

1655, 19. August, o. O. — Hans Georg Moser von und zum Münzgraben verkauft dem Freih. Zacharias v. Gabelkhoven zu Riegersdorf eine Gült. Or.

1657, 2. März, Weyer. — Johann Hainricher von und auf Hainrichsperg etc. begabt die Frau Magdalena Liscutin in Judenburg mit benannten Grundstücken. Or.

1657, 28. October, Neumarkt. — Wolf Andrä v. Pichl, kais. Einnehmer zu Neumarkt, verkauft dem dortigen Rathsbürger Gregor Aeckherl benannte Besitzungen in Neumarkt. Or.

1660, 21. December, St. Oswald ob Pöls. — Die Zechleute der St. Wolfgangs-Bruderschaft zu St. Oswald in Obersteier, verkaufen ihre schon nahezu 100 Jahre verpfändeten 28 Pfd. Herrengülten dem edlen Johann Paris von Rehlingen zum Goldenstein. Or.

1662, 5. November, Passhammer. — Mathias Pölchinger

am Passhammer, Hauptmann, überlässt dem Sensenschmied Hans Moser ein Haus am Passhammer kaufrechtsweise. Or.

1665, 16. Juni, Schloss Eppenstein. — Gregor Ignaz v. Sidenitz, Edler Herr zu Eppenstein etc., und Johann v. Hainrichsperg etc. verwechseln benannte Gülten. Or.

1666, 24. März, o. O. — Reichardt v. Gablkhoven zu Rieckersdorf begabt den derzeit. Stadtrichter zu Judenburg, Adam Ferdinand Felber, mit dem Kaufrechte auf drei Aecker. Or.

1667, 27. April, Riegersdorf. — Die Schwestern Anna, Maria und Johanna Margaretha v. Gabelkhoven überlassen ihrem Vetter Zacharias Freih. v. Gabelkhoven ihre Antheile an dem Gute Riegersdorf geschenkweise. Or.

1670, 20. März, Schloss Weyer. — Der Judenburger Rathsbürger und Maurermeister Mathes Leuthner, überlässt sein Kaufrecht auf einer Keusche im Purbache dem Sebastian Rützmayr, Flossmeister zu Judenburg. Or.

1676, 22· Juli, Graz. — Die Witwe Sophia Eleonora Freiin Schätzl, geb. Freiin v. Eibiswald, verkauft ihren ererbten Antheil an der Herrschaft Purgstall der Marie Eleonora Freiin v. Eibiswald, Gemalin des Grafen Otto Wilhelm v. Schrottenpach, für 6500 fl. Or.

1679, 22 Jänner, Graz. — Sidonia Constantia Freiin v. Gabelkhoven, geb. Freiin v. Prankh, vergleicht sich mit ihren drei Söhnen Johann Seifrid, Georg Christian und Johann Zacharias hinsichtlich ihrer Witwenansprüche. Or.

1688, 6. Mai, Judenburg. — Johann Christof Lischkutin, kais. Hofhandelsmann und Tabakpächter in Graz, verkauft dem Fräulein Maria Elisabeth Gräfin v. Gleispach sein Kaufrecht an einer Keusche sammt Garten in Judenburg. Or.

1690, 21. Juni, Graz. — Kaiser Leopold I. belehnt den Freih. Johann Seifried von Gabelkhoven mit einem Fischwasser im Pölsflusse. Abschr.

1690, 20. September, Graz. — Kaufsabrede über vom Zacharias Freih. v. Gablkhoven seinem Bruder Johann Seifried verkaufte 28 Pfd. 5 Schil. 20 Pfen. Herrengülten in und um Neumarkt. Or.

1697, 20. Jänner, Wien. — Heiratsabrede zwischen dem Freih. Johann Seifried v. Gabelkhoven und der Maria Theresia Freiin v. Gienger. Or.

1707, 8. April, Riegersdorf. — Vertrag zwischen Johann Zacharias und Johann Philipp Anton Freih. v. Gabelkhoven, vermöge welchem ersterer dem letzteren das Gut Riegersdorf gegen Vorbehalt lebenslänglicher Versorgung am Schlosse übergibt. Or.

1711, 27. März, Judenburg. — Johann Sigmund Zach zu Grosslobming, Varrach und Ainödt, verkauft aus seinen Kuchelaigengülten mehrere Unterthanen dem Moriz Anton von und zu Mosshardt auf Dürnberg. Or.

1717, 26. Juni, Judenburg. — Urbar über c. 61 Pfd. Herrengülten, welche die Witwe des Freih. Raimund v. Rehlingen an den Freih. Johann Franz v. Königsbrunn verkaufte. Or.

1724, 1. Juli, Graz. — Johann Filipp Anton Graf von Gabelkhoven verkauft dem Georg Balthasar Grafen v. Christallnigg ein Haus in Klagenfurt. Or.

1729, 27. Jänner, Seckau. — Franz Albrecht Zach zu Grosslobming, Varrach und Ainödt, überlässt einen Unterthan seinem Vetter Freih. Moriz Anton von und zu Mosshardt. Or.

1730, 8. August, Herrschaft Liechtenstein. — Johann Franz Freih. v. Königsbrunn, Herr auf Liechtenstein, verleiht dem Jacob Setznagl die Kollerhube in Niederwölz. — Weiters an demselben Tage dem Baron Kainbach'schen Mautheinnehmer zu Zeiring Bernhard Reicher benannte Gründe bei Unterzeiring kaufrechtsweise. Beide Or.

1734, 31. März, Herrschaft Murau. — Eleonora Amalia, verw. Fürstin zu Schwarzenberg, geb. Fürstin zu Lobkowitz, als Vormünderin ihres Sohnes, Erbprinzen Josef Adam zu Schwarzenberg, Herzogs zu Crumau, belehnt den Grafen Johann Philipp Anton von und zu Gabelkhoven mit dem zur Herrschaft Murau lehenpflichtigen Hofe zu Riegersdorf an der Pöls, Pfarre Fohnsdorf. Or.

1736, 20. August, Weyer. — Die Grafen Carl, Ignaz, Anton und Josef von und zu Hainrichsberg, Herren der Herrschaften Weyer, Spielberg, Rottenbach und Neudorf, verleihen dem Elias Weinmeister benannte Wiesen nächst Möderbruck. Or.

1758, 8. April, Weyer. — Anton Josef Victorin und Franz Josef Grafen v. Hainrichsperg etc., beide kais. Hofkriegsräthe, verleihen dem Herrn Johann Dival und seiner Hausfrau Magdalena einen Garten sammt Keusche in Judenburg kaufrechtsweise. Or.

1762, 19. Juni, Marburg und Graz. — Vertrag zwischen Anton Seifried Freih. v. Moshard und Franz Anton Freih. v. Königsbrunn, vermöge welchem ersterer dem letzteren die sogenannte Kuchelaigengült in Obersteier um 2500 fl. verkauft. Or.

C. Für die Kunst- und Alterthums-Sammlung.

1122. Porträtbild des steierm. Dichters Johann Georg Fellinger. Gekauft.

1123. Vierzehn Stück Münzen aus der Römerzeit. Geschenk des Herrn Adolf Kofler, k. k. Hofweinlieferanten und Realitätenbesitzers in Pettau.

1124. Ein Richtschwert der ehemaligen Herrschaft Rothenfels. Geschenk des Herrn Schullehrers Johann Krainz in Oberwölz.

1125. Zwei kleine Silbermünzen auf die dem Kaiser Ferdinand I. 1837 dargebrachte Huldigung in Siebenbürgen und die 1838 stattgehabte Krönung in Mailand. Geschenk des Herrn Franz Tiefenbacher, pens. k. k. Finanzbeamten in Fehring.

1126. a) Zwei Holzversteinerungen von Eichen- und Erlenholz, gefunden 1872 zu Hochgrasnitz in den windischen Büheln; b) eine in Eisen gegossene Miniaturbüste des Kaisers Franz von Oesterreich; c) ein Carneol mit eingravirter Rose und der im Halbbogen darüber angebrachten Inschrift „LAMOUR"; d) 20 Stück verschiedene Siegelstöcke und Petschafte. Geschenke des Herrn Anton Meixner, Caplans in St. Veit am Vogau.

Berichtigung.

In der Uebersicht der Einnahmen und Ausgaben für das Jahr 1873, S. XXXIV und XXXV wurden bei den Ausgaben für Publicationen, die Ziffern der Summe verwechselt; letztere ergibt sich bei Addition der einzelnen Posten mit 1454 fl. 12 kr., die Totalsumme der Ausgaben dann mit 2347 fl. 34 kr.

F

B.

Abhandlungen.

Die Verkehrsbeziehungen der Stadt Leoben

zu den

westlichen Alpenländern

vom 16. bis zum 19. Jahrhunderte. *

Von

Dr. H. J. Bidermann.

Vieljähriger Aufenthalt in Tirol hat mir Gelegenheit
verschafft, in dortigen Archiven nach Spuren der Handelsbeziehungen zu forschen, welche zwischen Steiermark und den
westlichen Alpenländern in früheren Jahrhunderten bestanden.
Den Antrieb zu dieser Nachforschung empfing ich durch die
Erinnerung an das Land, in dem ich nun wieder lebe und das
ich zuerst als Student, dann wieder während der Mussestunden
meines lehramtlichen Tirociniums kennen und schätzen gelernt
hatte. So oft mir bei meinen tirolischen Archivstudien auf
Steiermark Bezügliches unterkam, notirte ich es mir, ohne seiner
Verwendung sicher oder auch nur darüber mit mir selber im
Klaren zu sein. Dieser Vorliebe verdanke ich die Möglichkeit,
heute der Stadt zu Ehren, in welcher der historische Verein
für Steiermark seine erste Wanderversammlung abhält, aus
fernab liegenden Quellen Geschöpftes als Tribut, den die Wissenschaft ihrer Vergangenheit zollt, zu verkünden. *)

Mein Bericht hat, wie sich bei Leoben von selbst versteht, zumeist das Eisen zum Gegenstand.

Das Eisen ist der unentbehrliche Behelf, mit dessen Hilfe die

---

* Nachstehendes wurde mit Uebergehung von Einzelnheiten in der
Sitzung des historischen Vereines für Sieiermark, welche dieser im
October 1873 (anlässlich seiner ersten Wanderversammlung) in
Leoben hielt, vorgetragen.

Menschheit das Gebäude ihrer heutigen Civilisation, Künste und Wissenschaften nicht ausgenommen, aufgebaut hat und wodurch sie dasselbe erhält; es ist das wirksamste Mittel, rohe Völker für die Segnungen der Kultur empfänglich zu machen und zwar nicht sowohl durch gewaltthätige Anwendung, als vielmehr durch Hintanhaltung der beständigen Noth, mit der solche Völker, so lange ihnen der Gebrauch des Eisens versagt ist, ringen, welcher Kampf eben ihre Rohheit bedingt; es vermittelt die Verkörperung von Gedanken, die im Kriege wie im Frieden von der grössten Tragweite, ja epochemachend sind; es fixirt Erfindungen (und ist deren Träger), ohne welche die Welt zur Stunde kaum halb so mächtig, kaum halb so reich wäre, als sie ist; sein Verbrauch gibt einen Gradmesser für das wirthschaftliche Gedeihen der Völker ab; seine Hervorbringung überragt an Bedeutung die jedes anderen Metalles (schon als deren natürliche Voraussetzung und vermöge der grossen Anzahl Menschen, welche sie beschäftiget); der Handel damit kommt sonach Bedürfnissen entgegen, welche zu den wichtigsten nicht nur, sondern auch zu den edelsten zählen, nach deren Befriedigung die Menschheit sich sehnt [1]).

Eine Stadt, welcher gerade dieser Handel zu einer Berühmtheit verhalf, wie wenige Handelsplätze in der Vorzeit sie genossen, darf stolz sein auf diese ihre Stellung im Weltverkehr und das Bewusstsein davon mag Alle durchdringen, welche — sei es als fernblickende, scharf calculirende Handelsherren, sei es als gewissenhafte, berufseifrige Genossen und Diener — das grosse Werk vollbringen oder deren Voreltern es vollbrachten. Nicht minder darf sich freilich auch der Berg- und Hüttenmann seines massgebenden An-

---

[1]) Näher ausgeführt und mit Beispielen aus der Geschichte aller Zeiten belegt sind diese Gedanken in der Broschüre des Dr. E. Schweickhardt: „Das Eisen in histor. und national-ökonom. Beziehung“, Tübingen 1841. Vgl. auch Prof. Mischler's Werk über das deutsche Eisenhüttengewerbe, die von Fr. G. Winck herausgegeb. Deutsche Gewerbs-Zeitnng, 17. Jahrg. (1851), S. 255 und Zippe's Geschichte der Metalle S. 142—144.

theiles an dem Ruhme freuen, den die Stadt Leoben sich erwarb. Ohne i b n hätte der hiesige Eisenhandel nie erblühen können. Aber ebensowenig hätte o h n e diesen Handel e r in Leobens Umgegend ein lohnendes Feld der Thätigkeit und opferwillige Gönner seines geistigen Fortschrittes gefunden.

Das ist der — nicht neue — Standpunkt, von welchem aus ich den geschichtlichen Rückblick wage, der das soeben Gesagte rechtfertigen, mindestens es erläutern und durch Beispiele, die keine Gemeinplätze sind, verdeutlichen soll.

Vergegenwärtigt man sich die Gebirgsreihen, durch welche d a s I n n t h a l von den Thälern der M u r und der E n n s geschieden ist, kennt man den weiten Umweg, welchen schwere Frachtfuhren vor der chausséemässigen Herstellung der Passthurn-Strasse einschlagen mussten, um aus diesen beiden Thälern ins Innthal zu gelangen, so ist man von Vorne herein gewiss nicht geneigt, einen in d e n B e g i n n der neueren Zeit zurückreichenden, r e g e n Verkehr zwischen jenen Gegenden auch nur als möglich vorauszusetzen. Und doch bestand ein solcher im 16. Jahrhunderte bereits. Er bestand nicht nur der natürlichen Hindernisse ungeachtet, sondern auch trotz den mannigfachen Erschwerungen, welche Stappel- und sonstige Vorkaufsrechte Mauthschranken und s. g. Widmungssysteme ihm bereiteten.

Freilich hinderten derlei Einrichtungen nicht allein den f r a g l i c h e n Handelszug. Der Vertrieb des kärntnischen und des innerbergischen Eisens kämpfte mit den gleichen Schwierigkeiten und die dadurch geschaffenen widernatürlichen Verhältnisse waren es eben, welche dem Leobner (oder Vordernberger) Eisen den Weg nach Tirol bahnten, das naturgemäss mit dem Ankaufe dieses Artikels an Kärnten als an das unmittelbare, durch's Pusterthal leicht zugängliche Nachbarland gewiesen war. — Das kärntnische Eisen durfte nämlich bis zu den Tagen Kaiser Joseph's II. blos in südlicher Richtung über die Grenzen des Landes hinaus abgesetzt werden. Der Ausgang durch's Pusterthal und auf den paralell laufenden, nach Tirol führenden Gebirgswegen war ihm so gut verwehrt, als dem innerbergischen Eisen der Absatz südlich, östlich oder westlich vom steiermärkischen Erzberge.

Diese Absatzgebiete waren vielmehr (mit geringer Ausnahme) dem Leobner Eisen reservirt, das nach Tirol entweder über Aussee, Ischl, Salzburg, Reichenhall und Wörgl, sodann den Inn entlang aufwärts oder (um der verbotenen Concurrenz mit dem kärntnischen Eisen, dessen Hauptstappelplatz vom 15. Jahrhundert herwärts St. Veit war, auszuweichen) über Murau, Tamsweg, den Katschberg, Gmünd, Sachsenburg, Greiffenburg und Oberdrauburg, ausnahmsweise wohl auch durch's Möllthal, gelangte.

Der Ausgangspunkt dieses Handels war, wie gesagt, d i e S t a d t L e o b e n, welche dies ursprünglich allerdings weniger der Rührigkeit ihrer Bürger als vielmehr der Gnade des Landesfürsten verdankte. Denn durch eine vom österreichischen Herzoge Friedrich III. getroffene Verfügung) erhielt die Stadt das Recht, alles in Vordernberg erzeugte, für Wällischhämmer geeignete Roheisen an sich zu ziehen und an die Hammermeister sowohl, als an die Eisenhändler zu verkaufen. Dasselbe durfte die Strasse über Rottenmann erst dann einschlagen, nachdem die Leobner vom Zwischenhandel ihren Gewinn gezogen und die Erlaubniss zur Verfrachtung in dieser Richtung ertheilt hatten, wo es blos an dem in der Murauer Gegend erzeugten Eisen einen Concurrenten hatte. Daher begegnen wir dem V o r d e r n b e r g e r Eisen allenthalben unter dem Namen des L e o b n e r. Wenn nun gleich diese Bezeichnung der Stadt eine Berühmtheit verschaffte, auf welche sie vormals nur als privilegirte Vermittlerin Anspruch hatte, so fiel ihr doch die eben erwähnte Rolle nicht ohne vorgängiges Verdienst zu; die ihr erwiesene Gnade der Landesfürsten war kein unmotivirtes Geschenk, kein Ausfluss autokratischen Beliebens. Die Stadt übernahm, indem sie besagtes Recht an-

---

[2] Zuschrift an die von Trofaiach und Vordernberg ddo. Graz, 12. März 1314. (Abschrift im steierm. Landes-Archive.)

trat, oder wenigstens bald nachher den Vordernberger Schmelz-
werksbesitzern gegenüber, welche späterhin Radmeister hiessen,
gewisse Verpflichtungen. Die Erfüllung dieser setzte ein nam-
haftes Vermögen, Pünktlichkeit und Umsicht voraus. Die Roh-
produzenten sollten der Sorge für den Absatz überhoben, stets
vorschussweise mit hinreichendem Betriebskapitale versehen
und durch raschen Vertrieb ihrer Erzeugnisse zu beharrlicher
Ergänzung der Vorräthe ermuntert werden. Schon das in die
Leobner Bürgerschaft diesfalls gesetzte Vertrauen beweist, dass
der Begünstigung, die es derselben eintrug, ein achtenswerthes
Streben voranging, aus dem der echte kaufmännische Sinn zum
Frommen aller Betheiligten sich entwickelte.

Es geschah nicht ohne Anwendung dieses Sinnes, dass
mit Anfang des 16. Jahrhunderts das Leobner Eisen
in Tirol das böhmische, oberbaierische und fränkische oder
vielmehr die hieraus verfertigten Werkzeuge und Waffen verdrängte. Die „Passbriefe“, welche in den mit „Entbieten und
Bevelch“ überschriebenen Kopeibüchern des tirolischen Statt-
halterei-Archivs erhalten sind, weisen schon für das Jahr 1513
einen im October des vorhergehenden Jahres von der tirolischen Kammer verfügten Bezug von 435 Säm Eisen aus Leoben
nach. Diese Quantität, in deutschen Centnern ausgedrückt deren
1087 ½, war für's Innsbrucker Zeughaus, die dortige „Plattne-
rei“ (d. h. Harnischschmiede) und für das dortige Hauskam-
meramt des Landesfürsten bestimmt. In späteren Jahren erscheint auch die Haller Saline unter den mit Leobner Eisen
bedachten landesfürstlichen Anstalten. Die bezogene Menge
schwankte von Jahr zu Jahr. So betrug sie 1518: 280, 1521:
188, 1522: 143, 1523: 675 Säm. Im letzgenannten Jahre
bezifferte sich der Bedarf der Haller Saline allein auf 125
Säm = 312 ½ Ctr. „allerlei Eisens“; dem Innsbrucker Zeughause wurden 350 Ctr. Kugeln und 200 Ctr. Stabeisen zuge-
führt. Vom Jahre 1530 an sank die Bedarfsziffer, alle Institute zusammengenommen, nicht mehr unter 500 Säm, nachdem sie im Jahre 1528 wegen Herstellung einer neuen Pfanne
im Haller Salzsudhause, wozu 403 Säm benöthiget wurden,

bereits die Höhe von 639 erreicht hatte. Im Jahre 1547 erging für das „Pfannhaus" allein eine Bestellung von 608 Säm. In dem auf 513 Säm lautenden Passbriefe für das Jahr 1550 (ausgestellt im December 1549) finden wir den Bedarf als Eisen, Nägel und Stahl specifizirt. Der gleichen Dreitheilung begegnen wir beim Jahre 1551. Die Erbauung eines geistlichen Stiftsgebäudes zu Innsbruck auf Befehl Kaiser Ferdinands I. steigerte den Bedarf an „Leobner Eisen" im Jahre 1554 auf 782, im folgenden Jahre aber gar auf 1902 Säm (= 4755 Ctr.). Und noch 11 Jahre später (1565) wurde für das nächste Quinquennium, einschliesslich des Erfordernisses der Rattenberger Hütten, die jährliche Lieferung von 1000 Säm bedungen.

Die Verfrachtung besorgte Anfangs Jordan Zannger, später Hanns Zannger bald allein, bald in Verbindung mit Thomas Perger; von 1532 an erscheint der Leobner Bürger Leonhard Gablkover als Spediteur; ihn löste 1555 der „königliche Eisenfertiger" Georg Ernegger zu Salzburg ab.

Ausserdem deckte der Falkensteiner Bergbau bei Schwaz, eine damals hochberühmte Gruppe von Silbergruben, seinen Bedarf an Eisen und Stahl in der Zeit von 1524—1574 gleichfalls ohne Ausnahme aus Leoben[3]). Von den übrigen Bergwerken des Innthales und seiner Verzweigungen, welche damals auch in hoher Blüthe standen, ist anzunehmen, dass sie diesem Beispiele folgten. Von einigen ist dies sogar positiv bekannt. Im Jahre 1562 z. B. gaben die Hammermeister des Palten- und Kammerthales über 400 Säm geschmiedeten Eisens an die Grubenverwaltungen zu Schwaz, Rattenberg und Sterzing ab[4]). Landesfürstlicher Seits ward der bezügliche Bedarf im darauf folgenden Jahre durch den Vorbehalt von 4 Wällischhämmern sicher gestellt, deren 2 bei Leoben und 2 (Gablkover'sches Eigenthum) bei St. Michael lagen.

---

[3]) J. v. Seeger, Beitr. z. Gesch. des Bergbaues in Tirol, im Sammler f. Gesch. u. Statistik v. Tirol, I. Bd, S. 116.

[4]) Alb. v. Muchar, Gesch. d. steierm. Eisenwesens am Erzberge vom J. 1550 – 1590 in der steierm. Zeitschrift, N. F. VIII. Jahrg., 2. Hft. S. 31.

Aus dem Angeführten ist ersichtlich, dass die Verkehrs-beziehungen zwischen Nordtirol und Leoben nicht blos Roheisen (s. g. Flossen oder Kloben) zum Gegenstand hatten, sondern dass vornehmlich Streckwaaren und **h ö h e r   r a f f i n i r t e** Eisenpro-ducte **v o n   L e o b e n   a u s** in's Innthal (mitunter wohl auch von hier über den Brenner) gebracht wurden.

Da nun das Monopol Leobens auf **l e t z t e r e** in dama-liger Zeit sich noch nicht erstreckte, so war es offenbar die Handelstüchtigkeit der Bewohner dieser Stadt, welche den Kreis ihrer Geschäfte über jenen Schutzbereich hinaus erwei-terte. Denn erst durch die Verlagsordnung vom 17. April 1575 und noch mehr durch die Hammerverordnung von gleichem Datum wurden die Hammermeister den Leobner Eisenhändlern gegenüber in eine Art Zwangslage versetzt, aus der sie sich übrigens bald wieder befreit zu haben scheinen [*]).

Ich bemerkte oben, dass das Leobner Eisen das böhmische, fränkische und oberbairische aus Tirol verdrängte. Der Be-weis hiefür lässt sich aus den **K a m m e r r e c h n u n g e n** der **S t a d t   H a l l** im Innthale erbringen. Ich habe diese bis in die ersten Jahrzehnte des 15. Jahrhunderts zurückreichenden Auf-schreibungen, so weit sie eben dem vorbezeichneten Jahrhun-derte angehören, sämmtlich und die meisten aus dem folgen-den Jahrhunderte erhaltenen sorgfältig durchgesehen. Dabei fand ich als Bezugsquelle für Leisten- und Pucklnägel die Stadt **L a n d s h u t**, für Brettnägel **R e i c h e n h a l l**, für Pfeil-eisen **M ü n c h e n**, für Eisenblech und Harnisch-Bestandtheile **N ü r n b e r g** genannt. Nebenher kaufte der Haller Stadtmagi-strat wohl auch von Italienern, welche die dortigen Jahrmärkte besuchten, Nägel; so z. B. im Jahre 1466 : 1950 Stück „von einem walch", wie es heisst, um „7 Pfd. Perner". Die meisten Anschaffungen dieser Art stammten aber, wie gesagt, aus Baiern, wo ausser dem einheimischen auch böhmisches Eisen in Menge

---

[*]) Jene beiden „Ordnungen" finden sich abschriftlich nebst anderen zu-gehörigen Documenten in einem Mspt. — Codex des steierm Landes-Archivs (Nr. 2550), der aus der Verlassenschaft des Seckauer An-walts Moriz von Moshardt herrührt, auf Bl. 53– 72, 76ᵇ ff. und 263

verarbeitet ward. Tirol selber dagegen lieferte in älterer Zeit so wenig Eisenwaare, dass kaum ein paar kleine Bezirke der Zufuhr entbehren konnten. Eisenerz ward zwar im frühen Mittelalter auf dem Berge Malegnon zwischen Folgaria und Vicenza, zu Fursill im Grödnerthale, bei Orsana im Sulzberge und im Unterinnthale bei Wattens gegraben. Doch überdauerte keiner dieser Bergbaue das 15. Jahrhundert und die Ausbeute war nie eine namhafte. Die an ihre Stelle getretenen Unternehmungen zu Predazzo im Fleimserthale und zu Buchenstein, wo der Brixner Bischof als Landesherr eine Zeit lang das nach dem Wappen seiner Kirche Ferro d'Agnello benannte Roheisen erzeugen liess, gelangten so wenig, als das Eisenbergwerk im Thale Primör, womit Kaiser Ferdinand I. 1550 den Ritter Simon Botsch belehnte, zu nachhaltiger Blüthe; das letztgenannte schon desshalb nicht, weil Erzherzog Ferdinand von Tirol, als er im Jahre 1568 dessen Verkauf an den Freiherrn Christof von Welsperg ratificirte, dem neuen Besitzer ausdrücklich zur Pflicht machte, das gewonnene Eisen nur nach Venedig und sonst in's italienische Ausland, überhaupt in Gegenden abzusetzen, „wo es dem Leobnischen Eisen an dessen Ausgang keinen Schaden bringen mag" [6]).

Die landesfürstliche Kammer zu Innsbruck, auf deren Antrag ohne Zweifel diese Beschränkung verhängt wurde, liess es auch an sonstiger Rücksichtnahme auf die steiermärkische Eisenproduction nicht fehlen.

So verwendete sie sich unterm 6. October 1597 beim Erzherzoge Ferdinand, dem damaligen Beherrscher Innerösterreichs, um Nachsicht zu Gunsten des Hammerwerksbesitzers Wolfgang Hertz zu Leoben, damit dessen Hammer von der drakonischen Unterdrückung ausgenommen werde, welche der Erzherzog damals in Ansehung aller Hammerwerke zu Leoben und 5—6 Meilen im Umkreise um diese Stadt verfügt hatte, um das von denselben consumirte Holz den Radgewerken zu-

---

[6]) Bezüglich des hier über die tirolische Eisenindustrie der Vorzeit Gesagten verweise ich auf v. Seeger's oben citirte Abhandlung.

zuwenden. Aus dem bezüglichen Schreiben der Innsbrucker Kammer [7]) erfahren wir, dass Hertz seit 30 Jahren Lieferant des Bedarfes der Haller Saline an steiermärkischem Eisen war. Jüngst erst hatte die Kammer den Lieferungsvertrag mit ihm auf weitere 5 Jahre erneuert und zwar über ein jährliches Quantum von 700 Säm. Der Betrieb der Saline, sagt die Kammer, käme in Aufliegenheit, wenn der Erzherzog das fragliche Hammerwerk nicht fortbestehen liesse.

Den Transport besorgte damals der „oberste Eisenhandels-Verwalter" Augustin Eyperger. Wenige Jahre später, im April 1603, begegnen wir in den Acten des tirolischen Statthalterei-Archives der zu Kaufbeurn (zwischen Augsburg und Reutte in Tirol) ansässigen Firma „Mathias Precheler und Mitverwandte" als Vermittlerin bei Deckung jenes Bedarfes. Die Salinenverwaltung zu Hall schickte sich eben an, Versuche mit neuen Sudpfannen zu machen, welche freilich gar kläglich verliefen [8]), und benöthigte dazu eine riesige Menge Eisen. Jene Firma übernahm die Beistellung u. z. „allerlei Eisens: kleiner und grosser Flammen, Stabeisens, Stahl, Thürpleche u. s. w.", jedoch „allein aus Teutschen Hämmern, als von Rotenmann vnd den Hammerwerken daselbst". Noch war indessen seit dem Abschlusse des Lieferungsvertrages kein Jahr verflossen, als dieselbe bei der Innsbrucker Kammer um eine Aufbesserung der Lieferungsbedingnisse ansuchte, weil der Preis des steirischen Eisens inzwischen gestiegen, auch der Fuhrlohn theurer geworden und manche andere Auslage gewachsen sei, so dass die grosse Kapitalsanlage, welche in dem Eisenhandel steckt, ihr fast keinen Zinsengenuss mehr gewähre. Die Vergünstigung, welche sie sich ausbat, bestand in der beim Kaiser zu erwirkenden Erlaubniss, zu jeder Linzer Messe den Eisenmagazinen der Stadt Steyer gegen diejenige Bezahlung, welche andere ausländische Handelsleute dafür leisten, 800 Ztr. Stahl

---

[7]) „Missiven am Hof" im tirol. Statth.-Arch., Jhrg. 1597, S. 277.

[8]) C h m e l, Oesterr. Geschichtsforscher, II. Bd, 2. Hft., S. 333. Vgl. G u a r i n o n i's „Gräuel der Verwüstung", S. 372.

und Eisen entnehmen zu dürfen. Und in der That befürwortete die Innsbrucker Kammer dieses Anliegen ")"; ein Beweis, wie viel ihr an der Zuhaltung des Vertrages lag, zugleich aber auch eine Andeutung, dass die Eisenhändler der Stadt Leoben zu Anfang des 17. Jahrhunderts durchaus nicht die alleinigen Gebieter auf dem tirolischen Eisenmarkte waren, sondern den Erlös für das, was s i e dahin absetzten, zum Theile wenigstens, der Ueberlegenheit ihrer Concurrenz, beziehungsweise der Vortrefflichkeit des Vordernberger Eisens verdankten.

Weitere Belege hiefür bietet d a s I n n s b r u c k e r S t a d t-A r c h i v. Zu meiner nicht geringen Ueberraschung fand ich dort ein Actenconvolut, welches weitläufige Verhandlungen über die Zulassung des Leobner Eisens in Tirol enthält [10]).

Darnach herrschte hier im Jahre 1624 empfindlicher Mangel an brauchbarem Eisen. Zwar existirte nun seit Kurzem ein Eisenschmelzwerk zu Kleinboden am Fusse des St. Pankrazenberges, unweit Fügen, also nahe am Eingang in's Zillerthal, und es scheint, dass diesem Unternehmen zu Liebe damals die Einfuhr des Eisens über die Grenzen Tirols sogar einem hohen Zolle unterlag. Allein gerade in dieser vernunftwidrigen Fürsorge lag auch bereits das Geständniss, dass mit dem Zillerthaler Schmelzwerke dem Lande wenig gedient sei. Schon auf dem Landtage vom Jahre 1619 beschwerten sich die Stände Tirols über die Sperre der Eisenzufuhr aus Kärnten [11]), womit nicht etwa die Zufuhr kärntnischen Eisens, sondern die des steiermärkischen, das von Murau über Tamsweg und durch Kärnten ging, gemeint war. Und wenn auch der „Zillerthaler Handel" die ärarischen Industrieanstalten um einen Gulden per Saum billiger, als es von Leoben aus geschah, mit Stahl und Eisen zu versehen sich erbot, so genügte doch seine Erzeugung kaum diesen, geschweige denn, dass sie nach

") „Missiven an Hof", Jhrg. 1603, S. 230.

[10]) Es trägt die Signatur: I. Abth. Nr. 872 und begreift auch als Beilage die Nummer 464, so wie den Fascikel 872½ in sich.

[11]) Hist. statist. Archiv für Süddeutschland, II. Bd. (1808), S. 328.

Qualität und Quantität dem Begehr der Privatindustrie des Landes entsprochen hätte. Die sich mehrenden Klagen bewogen die oberöster. Regierung zu Innsbruck, welche Behörde damals die Landespolizei handhabte, mittelst eines unterm 10. October 1624 an alle Obrigkeiten Tirols gerichteten Rundschreibens Erkundigungen über die Grösse des Bedarfs an L e o b n e r Eisen einzuziehen. Vorher schon hatte sie den Statthalter von Innerösterreich um Aushilfe angegangen und von diesem die Antwort erhalten: es könne nur durch Leobner Eisen die Noth gelindert werden. Welche Bedarfsmengen von den Obrigkeiten einberichtet wurden und was zunächst verfügt wurde, um diesen Wünschen Rechnung zu tragen, ist mir nicht bekannt. Ich weiss nur aus anderer Quelle, dass im Vintschgau der Jammer anhielt [12]).

Trat auch vorerst eine Milderung der Prohibitivmassregeln ein, welche das Uebel verschuldeten, so kehrte die Regierung doch bald wieder zu dieser verfehlten Wirthschafts - Politik zurück. Ein Rundschreiben vom 9. October 1664 verpflichtete alle tirolischen Eisenhändler, z w e i D r i t t h e i l e i h r e s B e d a r f s beim Z i l l e r t h a l e r Eisenwerke einzukaufen, dessen Besitzer, der o. ö. Regierungsrath Joh. Karl Fieger, Freiherr auf Friedberg, erklärt hatte, das Werk auflassen zu müssen, wenn ihm nicht solcher Gestalt unter die Arme gegriffen würde. Dem wollte sich kein Eisenhändler fügen. Die Stände baten den Kaiser Leopold auf dem Huldigungs-Landtage von 1665, Fieger's Privatvortheil den Forderungen des Gemeinwohles unterzuordnen und Jedem, der Eisen braucht, zu gestatten, dass er es sich dort hole, „wo man selbiges am Besten und Nutzbarlichsten bekommen kann" [13]). Der Magistrat der Stadt Innsbruck remonstrirte dagegen unterm 17. Oktober und 27. November 1665. In seinen Vorstellungen betonte er namentlich, dass das L e o b n e r E i s e n, gegen dessen Einfuhr

---

[12]) E p h r a i m K o f l e r, handschftl. Gesch. von Göflan in der tiroliscnen Musealbibliothek, III. h. 32.

[13]) Acten im Archive der Tiroler Landschaft.

jenes Mandat die Spitze kehre, trotz der weiten Fracht um
1 fl. 40 kr. per Saum billiger zu stehen komme, als das merklich schlechtere Zillerthaler Product. Die Regierung hatte mittlerweile zu Hall eine Niederlage für letzteres in's Leben gerufen,
aus welcher der Centner zum Preise von 15 fl. 40 kr. bezogen werden konnte. Allein Niemand beruhigte sich dabei.
Erst im Wege der Abfindung gewann Fieger Abnehmer und
gelangte so jener Regierungsbefehl theilweise zum Vollzuge.
So liessen sich Andrä Pranger und Karl Aschauer, die hervorragendsten Metallhändler Tirols, mit Beginn des Jahres 1666
herbei, jährlich 1800—2000 Säm Zillerthaler Eisen käuflich
unter der Bedingung zu übernehmen, dass sie daneben jährlich 600—800 Säm ausländisches (das will sagen: steiermärkisches) Eisen in Verschleiss bringen durften.

Während dies in Tirol vorging, säumten auch die drei
Vordernberger „Eisenglieder", wozu die Stadt Leoben als Ver-
leger des Vordernberger Eisens gehörte, nicht, ihr gekränktes
Interesse zu wahren. Doch richteten sie vorerst wenig aus. Der
Konflikt zog sich mehr als 20 Jahre lang hin. Als im Jahre
1678 der zu Leoben ansässige Freiherr Viktor von Prandtegg
um die Erlaubniss einschritt, durch 5 Jahre jährlich 400 Ctr.
Leobner Eisen in's Unterinnthal zu freiem Verkaufe importiren
zu dürfen, ward ihm dies rundweg abgeschlagen. Wie wenig
tröstlich auch derartige Bescheide für die steiermärkischen
und tirolischen Schicksalsgenossen lauteten, so gaben doch
diese die Sache, für die sie eingetreten waren, nicht verloren.
Sie verbündeten sich förmlich zu gemeinschaftlichem Vorgehen
und schickten wiederholt Abgeordnete an's kaiserliche Hoflager,
deren vereinte Bemühungen endlich auch Erleichterungen erwirkten, obschon das fragliche Mandat der Hauptsache nach
in Geltung blieb. Und selbst das Wenige, was sie erreichten,
kostete viel. So verehrte die Stadt Innsbruck allein, um ge-
neigtes Gehör zu finden, dem Hofrathe der Hofkanzlei Adam
Remich 300 fl. Ein Bedienter des Hofkanzlers erhielt 6 fl.
Ausserdem wurden für ein silbernes „Geschirr" auf des Innsbrucker Magistratsrathes Schmelzel Ordre 45 fl. ausgelegt und

vorher schon waren 629 fl. 30 kr. in dieser Angelegenheit aufgewendet worden. Der Repräsentant des „Zillerthaler Handels" hatte eben pfiffiger Weise einen Landsmann des Hofvicekanzlers Freiherrn von Buccelini, welcher in Verhinderung des Hofkanzlers Grafen Strattmann zumeist die Sache in die Hand nahm, nämlich den Wiener Advokaten Romanini zum Rechtsfreund erkoren und gegen einen solchen Anwalt war schwer aufzukommen. Aber auch die Vertreter der Stadt Innsbruck, welche sich da in's Mittel legten, liessen sich ihre Dienste aus dem städtischen Säckel theuer bezahlen. Ein Herr Jakob Christof Wagner prätendirte an Diäten für 121 Tage, die er am kais. Hoflager zu Wien, Linz und Wiener-Neustadt zubrachte, 726 fl. und für seine Mühewaltung obendrein eine Remuneration von 450 fl. nebst einem „Trühele". Im Ganzen opferte die Stadt diesem Zwecke über 2000 fl. Um den Einfluss zu paralisiren, welchen der Zillerthaler Repräsentant, Peter Täsch, dadurch zu gewinnen suchte, dass er in der Person eines Abbate Ferrari einen zweiten (geheimen) Agenten am Wiener Hofe bestellte, steckte sich die Stadt hinter den Hyeronimitaner-Mönch P. Hyppolit aus Pergine, der als Prediger in Wien lebte.

Tirolischer Seits betheiligten sich an diesem Kampfe für unbehinderte Zulassung des Leobner Eisens in Tirol ausser der Landeshauptstadt noch die Städte Meran, Bozen und Hall, ferner die Landesviertel an der Etsch, Burggrafenamt, Ober- und Unter-Innthal. Eine von diesen Allen unterfertigte Eingabe wanderte im Jahre 1685 nach Wien. Die Gegenpartei schüchterte nun freilich den Einen und Anderen, der da als Unterzeichner fungirt hatte, dergestalt ein, dass hintendrein Widerrufe erfolgten. So stellten ein Schwager des Zillerthaler Repräsentanten Peter Täsch, welcher als Vertreter des Viertels Unterinnthal da mitgethan hatte, und der Mandatar der Stadt Hall, Dr. Paprian, ihr Mitwissen nachträglich in Abrede. Daraus kann auf die Stärke der Agitation geschlossen werden, welche in den Bergen Tirols damals des Leobner Eisens halber stattfand.

Die Vordernberger „Eisenglieder", deren vornehmster

Wortführer der Gewerk Joh. Paul Egger war, nahmen zur Presse ihre Zuflucht und da in jener Zeit noch keine Tagblätter zur Verfügung standen, liessen sie ihre Erwiderung auf eine vom Zillerthaler Gewerken Fieger am 22. September 1685 in Innsbruck producirte Vertheidigungsschrift unter dem Titel einer „Information" abgesondert in den Druck legen.

Aus diesen beiden Streitschriften ist zu ersehen, dass vor dem Jahre 1664 der Absatz des Leobner Eisens nach Tirol, dem Allgäu, Graubündten und der oberen Schweiz jährlich 6000 bis 7000 Säm, deren jeder 2½ Ctr. wog, betrug. In Hall kostete der Centner desselben 15—15½ fl., während das Zillerthaler Eisen damals „beim Stockh" d. h. am Erzeugungsorte auf 15 fl., in Hall aber auf 16 fl. 40 kr. zu stehen kam. Seither war der Preis des letzteren für die Haller Niederlage auf 15 fl. herabgesetzt worden und um den Zwang zur Abnahme weniger gehässig erscheinen zu lassen, lag hier im Jahre 1685 für den „gemeinen Mann" Leobner Eisen zum Preise von 14½ fl. per Ztr. bereit, welche klug berechnete Einrichtung zugleich dazu diente, den Werth des Leobner Eisens in den Augen der tirolischen Bevölkerung immer tiefer herabzusetzen. Fieger war mit dem Aerar dahin übereingekommen, dass dieses statt der Bergfrohne von ihm jährlich Eisen bis zum Werthbetrage von 2000 fl. unentgeltlich übernahm, womit die Haller Saline und der Bergwerkshandel zu Schwaz dotirt wurden. Von der genannten Pfannhaus-Verwaltung, vom Controlor des kais. Zeughauses in Innsbruck und vom Stubaier Richter Christof Kapferer brachte er auch Zeugnisse bei, dass das Zillerthaler Eisen besser sei, als das Leobner. Die Aussage des Stubaier Richters unterstützten die Huf- und Sensenschmiede dieses gewerbsamen Thales mit der drastischen Versicherung, dass sie „beim Leobner Eisen nit fortkhommen khunten, sondern verderben miessten". Hackenschmiede gaben die gleiche Erklärung ab. Dem entgegen behaupteten die Vordernberger in ihrer „Information": das Leobner Eisen sei um ein Drittel dauerhafter, als das Zillerthaler; die Haller Salzpfannen müssten, seit man letzteres dazu verwende, um ein Drittel dicker gemacht werden, was zur Folge habe, dass man nun um ein Drittel mehr Holz zu ihrer Erhitzung benöthiget und die Salzkruste an der inneren Kesselwand sich stärker anlegt. Die Freunde des Leobner Eisens widersprachen auch den über dessen Theuerung vorgebrachten Angaben. Im Nothfalle, meinten sie, werde dasselbe zum Preise von 12 fl. pr. Ctr. nach Innsbruck gestellt werden können. Der Hauptsitz des Handels damit war aber in Tirol die Stadt Hall, deren Bürgermeister Jakob Wenzl damals dessen Vertrieb sich höchlich angelegen sein liess. Fieger erblickte in diesem Kaufmanne den vornehmsten Gegner seines Unternehmens. Um zu zeigen, wie wenig Beachtung dieses Handelshaus und jedes Seinesgleichen verdiene, wies er auf die Gefahr hin, die für's ganze Land Tirol entstände, wenn aus Anlass eines Krieges oder einer Seuche die Zufuhr des Leobner Eisens suspendirt werden müsste und sodann im Innern des Landes kein ergiebiges Eisenwerk vorhanden wäre. Er rechnete der Regierung vor, wie viel an Steuern und Zinsungen sie von den Zillerthaler Eisenarbeitern, an Zoll für Waffen und Sensen von den durch diese mit Rohmaterial versehenen Schmieden des Landes jährlich einnehme. Er vindicirte sich auch noch viel andere Verdienste um's Aerar und hoffte, damit am ehesten durchzudringen.

Allein die Wiener Centralstellen beurtheilten die Sachlage minder einseitig und wenn sie auch das Zillerthaler Eisenwerk nicht dem Verfalle preisgeben wollten, so nahmen sie doch auf die Consumenten einigermassen Bedacht. Eine kais. Entschliessung vom 18. Februar 1686 erhöhte daher die Ziffer des Leobner Eisens, das nun wieder jährlich in's Inn- und Wippthal gebracht werden durfte, auf 1500—2000 Säm. (Für's Puster- und Etschthal war die fragliche Beschränkung ohnehin nie in Kraft getreten.) Allein die Verlautbarung dieses Zugeständnisses verzögerte sich bis zum Hochsommer. Die Stadt Innsbruck führte darüber unterm 10. Juli 1686 Klage. Ihr war der Entgang des Leobner Eisens so schmerzlich gefallen, dass sie in ihrem Bestellungsdrange jene a. h. Entschliessung gar nicht abwartete, sondern bereits am 26. Januar 1686 mit dem Murauer Eisenobmanne Gressing einen auf 200 Zentner lautenden Lieferungsvertrag schloss. Der Repräsentant des Zillerthaler Eisenwerks erhielt hievon Kenntniss und veranlasste die Sequestrirung von 172 Zentnern, welche in Erfüllung des Vertrages zu Kastengstadt abgelagert wurden. Die Stadt beschwerte sich nun neuerdings beim Kaiser, der unterm 2. October 1686 die vor erwähnte Klage damit erledigte, dass er die tirolischen Landesstellen anwies, seinen früheren Befehl zu exequiren. Als Fieger wahrnahm, dass er dies nicht länger mehr zu hintertreiben im Stande sei, erfrechte er sich, vom Leobner Eisen zu Rattenberg im Unterinnthale eine Mauthgebühr von 36 kr. per Saum eigenmächtig einzuheben. Ein kaiserliches Mandat vom 5. April 1687 untersagte diesen Unfug; doch Fieger kehrte sich nicht an das Verbot und beim Schlusse der Verhandlungen, welche in den von mir benutzten Innsbrucker Stadtacten verzeichnet sind, dauerte die Bedrückung des Verkehres durch den gewaltthätigen Zillerthaler Gewerken fort.

Welche Bewandtniss es mit der Zeugenschaft der Stubaier Schmiede hatte, auf die Fieger, um das Leobner Eisen als unbrauchbar hinzustellen, sich berief, lehrt ein Gesuch eben dieser Eisenarbeiter an ihre Gerichtsherrschaft vom Jahre 1700, worin dieselben das Zillerthaler Eisen genau so qualificiren, wie sie früher das Leobner verdächtiget hatten. Sie drangen auf Verbesserung des Rohstoffes, weil sonst die Stubaier Waare allen Credit zu verlieren Gefahr liefe.

Ich stiess auf diese Eingabe im Stubaier Gerichtsarchive und fand neben ihr dort eine zweite aus dem Beginne des Jahres 1702, in welcher die Schmiede des Thales um die Erlaubniss bitten, kärntnisches Eisen aus der gräflich Lodron'schen Hütte zu Gmünd beziehen zu dürfen.

Inzwischen fristete das Zillerthaler Eisenwerk seine erkünstelte Existenz. Es bezog die Erze aus dem gegen den Inn abdachenden Oexlbachthale über's Joch. Als das Aerar das nämliche Spatheisensteinlager in Angriff nahm und zu dessen

Verwerthung im Jahre 1774 das Eisenschmelzwerk zu Jenbach in Betrieb setzte, fühlte sich die Fieger'sche Gewerkschaft dieser einheimischen Concurrenz schon gar nicht gewachsen. Sie trat daher ihren ganzen Montanbesitz an's Aerar ab, welches kurz zuvor auch den Pillerseer Eisenhandel an sich gekauft hatte und nun eine sehr rationelle Thätigkeit entfaltete [14]. Diese wurde dem Leobner Eisen bald gefährlicher, als ihm die von der Regierung zum Schutze des Zillerthaler Werkes ergriffenen Massregeln gewesen waren, zu deren Umgehung gewiss auch Schmuggler die Hand boten.

Das Eisenzeug - Abgabssystem der beiden Haupteisenkammer-Güter Inner- und Vordernberg vom 25. November 1769 bescheert noch den „Handelsfreunden" in Tirol jährliche 4000 Ctr. Stahl, Mock und grobe Streckwaare [15]. Wenige Jahre später überstieg auch dieser herabgeminderte Ansatz den reelen Bedarf, ungeachtet die alten Beschränkungen immer laxer gehandhabt wurden.

Hatten die Eisenconsumenten in Tirol früher sich beklagt, dass sie zum Ankaufe einheimischen Eisens gezwungen würden, so klagten sie nun über die Kargheit, womit das landesfürstliche Bergwesens-Directorat zu Schwaz die bei ihm einlaufenden Bestellungen auf Eisen und Stahl befriedigte.

Dieser Zurückhaltung allein war es mehr zu danken, dass z. B. die Stubaier Schmiede um das Jahr 1785 durchschnittlich neben 500 Ctr. tirolischen Stahls noch 19 Ctr. steirischen und 70 Ctr. Blech gleichen Ursprunges neben 62 Ctr. kärntnischen Eisens und 1875 Ctr. tirolischen Stabeisens verarbeiteten [16]. Dafür aber nahm die Durchfuhr steiermärkischen Eisens durch Nordtirol damals grosse Dimensionen an. Und damit gelange ich zur Besprechung der Verkehrsbeziehungen, in wel-

---

[14] Ant. Pacher, der tirolische k. k. u. mitgewerkschaftliche Eisenhandel, im Berg- u. Hüttenmännisch. Jahrbuch der k. k. Montan-Lehranstalt zu Leoben, IV. Band (1854) S. 220 ff.

[15] Codex Austriacus, VI. Band, S. 1226.

[16] Handschriftl. Bericht des Gub.-Rathes v. Sardagna in der Bibl. Tirolensis zu Innsbruck.

2*

chen insbesondere auch Leoben — zunächst was das Eisen anbelangt — zu Südtirol und den übrigen Alpenländern im Westen stand.

Ich will mich diesfalls kurz fassen, nicht blos der vorgeschrittenen Zeit halber, sondern auch wegen der Zerstreutheit der einschlägigen Quellen.

Schon in dem Befehlschreiben Kaiser Maxmilians I. vom 25. Januar 1507, womit dieser die herkömmliche Vertheilung des steiermärkischen Eisens in Erinnerung brachte [17]), werden als Absatzorte für das Leobner Eisen das Land an der Etsch, Salzburg, Baiern und Schwaben bezeichnet. 240 Jahre später wiederholte Maria Theresia diese Widmung [18]). Das Land an der Etsch erhielt seinen Eisenbedarf zumeist auf der Strasse über Murau, Tamsweg, Gmünd und Oberdrauburg. Dieser weite Transport unterlag den mannigfachsten Beschwernissen. Der Abgaben nicht zu gedenken, die davon zu entrichten waren, war für ihn die Benützung sogenannter Rottfuhren vorgeschrieben, d. h. einer Vorspannseinrichtung mit Pferdewechsel gegen Bezahlung gewisser Taxen. Um dieser Bedrückung auszuweichen, schlossen am 7. December 1751, wie ich aus den Acten des Regierungs-Archives zu Klagenfurt weiss, die Eisenhändler Dierling und Holzer zu Bozen Gastinger zu Mühlbach, Sagmeister zu Brixen, Oberhuber, und Kranz zu Lienz mit der Gemeinde Oberdrauburg einen Vertrag, durch welchen diese sich verpflichtete, das Fuder Eisen (zu 15 Ctr.) von Greiffenburg in Kärnten bis Lienz um 3 fl. zu liefern und die Fracht in Drauburg höchstens 3 Tage lang liegen zu lassen. Auch gestattete die Gemeinde, dass sogenannte Adritura-Fuhren zur Weiterbeförderung des Eisens ohne besondere Abfindung von da an benützt werden durften. Das Niederlags- und Rottfuhr-Privilegium der Greiffenburger in Ansehung des ihren Markt passirenden Eisens und Stahls

---

[17]) Abschrift im Moshardt'schen Mspt.-Kodex des steierm. Landes-Archivs, Bl. 72ᵛ —73.

[18]) Codex Austriacus V. Bd., S 372.

sowie der Nägelkisten datirte aus dem Jahre 1454, wo Kaiser Friedrich es ihnen verlieh. So alt, ja gewiss älter noch war also jene Zufuhr. Als das Privilegium im Jahre 1782 aufgehoben ward, gab es in Greiffenburg nicht weniger als 43 Rottfuhr-Gerechtsame, deren jede einen Preis von 50 bis 100 fl. hatte. Was S a l z b u r g betrifft, so unterhielten die Leobner Hammermeister im Vereine mit den meisten Berufsgenossen der oberen Steiermark in der Hauptstadt dieses Namens eine ansehnliche Niederlage von sogenanntem „geschlagenen Zeug", deren Rentabilität allerdings mitunter zu wünschen übrig liess. Kriegswirren und Contumaz-Anstalten beeinträchtigten dieselbe besonders in der zweiten Hälfte des 17. Jahrhunderts. Aber noch im Jahre 1769 glaubte man dieser Niederlage, beziehungsweise dem Fürstenthume Salzburg 920 Ctr. Bruch- und Streckeisen und 3080 Ctr. Stahl, Mock- und Grobeisen zuweisen zu sollen [9]). Des Eisenhandels, der die S c h w e i z mit Steiermark verband, wird in der 1793 gedruckten „gründlichen Vorstellung der Beschaffenheit des teutschen Comerciiwesens" gedacht. Dort ist S. 24 ein kais. Patent vom 6. November 1693 citirt, welches bestimmte, dass Eisen und Stahl und die Sensen, welche sonst nach der Schweiz importirt zu werden pflegen, höchstens nach den von der französischen Grenze entfernten Kantonen gebracht werden dürften, nicht aber nach Basel, Freiburg, Solothurn, Genf u. s. w.

Lindau am Bodensee, damals noch eine unabhängige Reichsstadt, wurde zur Controlstätte bestimmt und eine Niederlage für Waaren, welche dem Feinde beim Kriegführen Vorschub leisten könnten, daselbst etablirt. Die im Spätherbste des Jahres 1690 zu Konstanz am Bodensee für den Sensenhandel aus Oesterreich nach der Schweiz publicirten Sperr-Massregeln riefen Beschwerden in Menge hervor; doch scheint es, dass österreichischer Seits das Zillerthaler Eisenwerk davon am meisten betroffen wurde. Tieferen Einblick in diese Verkehrsbeziehungen gewährt die Correspondenz des Handelshauses

---

[9]) Codex Austriacus, VI. Bd., S. 1225.

„Mathias Köglers Erben" zu Hall in Tirol. Die mehrere hundert Geschäftsbriefe, welche in den Anfang des 18. Jahrhunderts zurückreichen, umfassende Correspondenz [20]) enthält solche von den Firmen „Zässleins Wittwe" in Basel, „Rauschenbach", „H. Ott" in Schaffhausen und „J. H. Frohn" in Frankfurt am Main, welche Sensen, Sicheln und Stahl zum Gegenstande haben. Insbesondere betont der Frankfurter Kaufmann Frohn in einem Briefe aus dem Jahre 1744: er beziehe Sensen und Sicheln aus Steiermark über Hall, Bregenz und Schaffhausen, um sie nach Genf weiter zu senden.

Waren das auch nicht ausschliesslich Leobner Handelsgüter, so befanden sich doch ohne Zweifel solche darunter.

Bisher war vom Eisen die Rede. Damit sind aber die älteren Verkehrsbeziehungen Tirols zu den westlichen Alpenländern nicht erschöpft.

Die Approvisionirung Tirols, namentlich der Bergwerke und grösseren Städte, machte nicht selten Zufuhren von Lebensmitteln nöthig, deren Einkauf auch in der Umgegend von Leoben stattfand. Im 16. Jahrhunderte kamen Fleischhauer aus Innsbruck und Schwaz regelmässig zu diesem Ende hieher und die Ochsentriebe, welche sie heimschickten, kreuzten sich unterwegs mit langen Zügen von Saumthieren, auf deren Rücken Lodenstücke, Handschuhpäcke, Körbe mit Glas und Kupferrollen ruhten. Auch Wachs und metallische Farbstoffe trug die Gegenströmung des Verkehres aus Tirol nach Leoben oder führte sie wenigstens hier durch.

Und richtet man den Blick über den Tausch der Sachgüter hinaus; fasst man den Wechselverkekr der Personen in's Auge, so drängt sich einem eine kaum zu bewältigende Fülle von Wahrnehmungen auf, die ich dem gegenwärtigen Vortrage einzubeziehen, selbstverständlich verzichten muss.

Nur des Wasserbaumeisters Hanns Gasteiger, des Kammergrafen Anreiter v. Ziernfeld und des Jesuiten-

---

[20]) Sie wurde mir durch die Güte des dermaligen Chefs dieses Handelshauses, Herrn Jos. Christof Feistenberger, zugänglich.

Rectors Gentilotti sei hier gedacht, welche drei aus Tirol stammenden Männer, der Erste vermöge seiner Bauten [21]), namentlich durch den schon im Jahre 1567 privilegirten Vorschlag, am Erzberge eine Eisenbahn zu bauen, der Zweite vermöge seiner Amtirung, wie nicht minder vermöge seines Grundbesitzes [22]) und der Dritte als Gründer der nach seinem Orden benannten Kirche in Leoben [23]) zu dieser Stadt in nähere Beziehung getreten sind. Hinwider hat Leoben manchen tüchtigen Bergmann an Tirol abgegeben und bis in die neueste Zeit herauf währte, durch die Anziehungskraft der Bergakademie begünstigt, dieser Wechsel.

So finden wir, wie weit wir auch innerhalb der Grenzen, die ich meinem heutigen Vortrage steckte, um uns blicken, allenthalben Anknüpfungspunkte und Fäden, um daraus ein Bild der Regsamkeit zu weben, welche einst die Stadt Leoben und deren Umgegend mit den westlichen Alpenländern verband.

Das Eisen zumal, das ihre Bürger schmieden liessen oder als „rauhe" Waare von den Radgewerken erhandelten, um Tiroler Kundschaften damit zu versehen, griff belebend in jene Wechselbeziehungen ein. Während es Einzelne bereichern half, nützte es noch weit mehr der Volkswirthschaft im Allgemeinen. Wie die daraus gefertigten Klammern Bindeglieder im Kleinen sind, so umspannte es im Grossen räumlich auseinander liegende Interessen. In Farbe und Kupfer verwandelt kehrte es heim. Als Brechstange und Schlägel bahnte es menschlichem Fleisse die Wege in's Innere der Tiroler Berge und der reiche materielle Segen, der diesen entströmte, der Aufschwung, der sich daran knüpfte — sie waren zum Theile das Resultat

---

[21]) Alb. v. Muchar, a. a. O. S. 54—66 u. in seinem Aufsatze: „Die ältesten Erfindungen und die frühesten Privilegien für industriellen Fleiss in Innerösterreich" und im 4. Jhrg. der n. F. der steiermärk. Zeitschrift (1837), 2. Hft., S. 11. Gasteiger war, als er nach Steiermark kam, Bürger von München, jedoch nicht von Geburt, sondern Kraft besonderer Verleihung des Bürgerrechts an ihn.

[22]) Josef Graf, Nachrichten über Leoben, Graz, 1824, S. 118—124.

[23]) Ebenda S. 124.

der Bemühungen hiesiger Bürger. Wenn die Silberausbeute Tirols im 16. Jahrhunderte mehr oder minder den Preisstand auf allen europäischen Handelsplätzen beeinflusste, wenn sie Luxusbedürfnisse weckte, denen die Möglichkeit ihrer Befriedigung zur Seite ging, wenn sie solcher Gestalt ungezählten Arbeitskräften eine lohnende und, was mehr sagen will, den Lebensgang rechtzeitig fördernde Beschäftigung sicherte: so durfte über all' den rauschenden Wirkungen als eine der Ursachen das steiermärkische Eisen nicht vergessen werden, das, mit dem vaterländischen Dichter Karl Gottfried von Leitner zu reden, „aussen schlicht und innen stark" dieser Bezeichnung sich da in Wahrheit würdig erwies. Und wenn die Frächter Tirols mit ihren schwer belasteten Fuhrwerken der im Getriebe des Weltverkehres ihnen zugefallenen Aufgabe nachgingen, wenn der dortige Bauer, hinter seinem beschlagenen Pfluge einherschreitend, die Erdschollen wendete, welche ihn nähren sollten, wenn er, seine Wiesen mähend, der Viehzucht oblag: dann hatte abermals Leobner Eisen seinen Antheil daran.

Wenn die Haller Saline Ueberschüsse an Salz producirte, welche einen Ausfuhrartikel nach der Schweiz bildeten und zu einem lebhaften Stichhandel mit vorarlbergischen Milchproducten Anlass gaben, wenn demzufolge das ferne Oberinnthal seine stiefmütterliche Ausstattung mit Nahrungsquellen leichter verschmerzte, die Schweizer Viehzucht blühte und der Gütertransport in jener Richtung durch gesicherte Rückfracht erleichtert ward, vollzog sich damit nur eine Metamorphose, deren Kern das Leobner Wappen trug.

Und mit dem gleichen Rechte kann der Schauplatz solchen Ineinandergreifens von Ursache und Wirkung in dem gegebenen Falle nach den Kantonen der Schweiz, in's salzburgische Gebirgsland und an's nördliche Gestade des Bodensees verlegt worden.

Ueber der Grossartigkeit der Rundschau, die sich uns da öffnet, mögen die Schatten, welche seinerzeit die monopolistische Stellung der Leobner Bürgerschaft warf, wie die Flecken an der Sonne hier unbeachtet bleiben. Sie waren auch nicht so dunkel, als ihr Reflex auf der Netzhaut gewisser Theoretiker, welche in schrankenloser Bewegung das einzige Heil der Volkswirthschaft erblicken und an alle Culturstufen den gleichen Maasstab legen.

Sei dem übrigens wie immer; — dass die geistige Einkehr bei den Boten der Vergangenheit nicht blos Staub aufwirbelt, sondern auch erfrischend wirken kann, glaube ich gezeigt zu haben. Es ist das ein Verdienst des Stoffes und nicht dessen, der sich dafür begeistert. D e r a r t i g e S c h ä t z e z u h e b e n , s o l l N i e m a n d s i c h g e r e u e n l a s s e n , d e m s i e z u g ä n g l i c h s i n d ; a m w e n i g s t e n D e r j e n i g e , d e r s i e s e l b e r v e r w a h r t , e t w a g a r s e i n E i g e n n e n n t.

Die Umgegend von Leoben birgt sicherlich noch manchen Urkundenschatz, wozu nicht blos steife Pergamentblätter gehören. Die meisten Gewerksinhaber, deren Familien in die Geschichte des Vordernberger Eisenwesens verflochten sind, dürften unter ihren Privatpapieren Aufzeichnungen von allgemeinem Interesse bei sich versperrt halten. Und manche Gemeindetruhe, mancher alte Kanzleikasten strotzt vielleicht noch von derartigem Inhalte. Alte Rechnungen, Correspondenzen, Tagbücher und was dergleichen anscheinend unwichtige Schriften mehr sind, verdienen dem Stillleben, welchem sie als Staffage dienen, entrissen zu werden; sei es nun dadurch, dass der Besitzer selber sie zu einer geschichtlichen Skizze verarbeitet und sein Elaborat dem historischen Vereine zur Verfügung stellt, oder dass er die ihn daheim höchstens belästigenden Papiere d e m L a n d e s a r c h i v z u r E i n v e r l e i b u n g a n b i e t e t, wobei er nicht nur in Bezug auf Familiengeheimnisse der grössten Discretion versichert sein kann, sondern auch eine bessere Unterbringung erzielt.

Einzelner löblicher Anläufe ungeachtet kam noch immer keine Gesammtdarstellung der Geschichte des steiermärkischen Eisenwesens zu Stande. Mein heutiger Beitrag füllt nicht sowohl eine Lücke in der Reihe der Vorarbeiten aus, als er vielmehr zu erkennen gibt, wie viel es da noch nachzutragen gälte.

Wäre es nun nicht ein dankbares oder mindestens ein dankenswerthes Beginnen, wenn durch Ergänzung dessen, was M u -
c h a r , G ö t h und G r a f geleistet haben, über die Vordernberger Industriegruppe ein Geschichtswerk geschrieben werden
wollte, wie es kürzlich der Oberbergverwalter Friedrich M ü -
n i c h s d o r f e r in Ansehung des Hüttenberger Erzberges geliefert hat und wie in Ansehung der Eisenindustrie der u n -
g a r i s c h e n Länder ich vor 16 Jahren eines zu Stande brachte ?

Sollte es eine v e r g e b l i c h e Erwartung sein, wenn man
sich mit der Hoffnung trägt, dass geschichtskundige Praktiker,
wie der Gubernialrath Franz Ritter v. F e r r o , welcher die
Geschichte der Innerberger Hauptgewerkschaft schrieb, und der
um Kärntens Montangeschichte vielverdiente Inspector Jakob
S c h e l i e s s n i g g waren, Nachfolger auf diesem Gebiete finden
werden?

Die Arbeiten Beider zieren die Jahrbücher der montani-
stischen Lehranstalt zu Vordernberg, welche der damalige Professor und nunmehrige Hofrath Peter T u n n e r , selber ein Stück
Geschichte und zwar von epochaler Bedeutung, zu redigiren
angefangen hat. Sie wären aber in den Schriften der historischen Vereine der Länder, welche sie angehen, nicht minder
am Platze gewesen.

Lassen Sie mich mit der Moral dieser Bemerkungen schlies-
sen. Sie lautet: d e r h i s t o r i s c h e V e r e i n f ü r S t e i e r -
m a r k , in dessen Namen ich hier zu sprechen mich berech-
tiget fühle, e r w a r t e t , dass seine Wanderversammlung in
Leoben i h m und d e m L a n d e s a r c h i v e , das seine Rüst-
kammer bildet, erfreulichen Zuwachs einträgt, Zuwachs an thätigen, mindestens Geld für die kostspieligen Vereinszwecke
spendenden Mitgliedern, an Aufsätzen geschichtlichen Inhaltes
und an Stoff zur Ausarbeitung solcher.

Innerösterreichische Religions-Gravamina
aus dem 17. Jahrhundert.

Ein Beitrag zur Geschichte der Gegenreformation in Innerösterreich
von
Dr. Hans von Zwiedineck-Südenhorst.

Die Grazer Universitäts-Bibliothek bewahrt unter den zahlreichen Flugschriften, von welchen ich allein aus der ersten Hälfte des XVII. Jahrhunderts bisher 130 Nummern aufzählen und namhaft machen konnte [1]), in einem Bande [2]), in welchem zwölf verschiedene Druckschriften aus jener Zeit zusammengebunden sind, auch ein sieben Quartbogen starkes Büchlein, welches in seinem Titel folgende Inhaltsangabe enthält:

I. Siebentzig wichtige Motiven, Warumben die kön. Mayest. in Polen, Senatores vnd der Adel derselben Cron, wider Vngarn, Böhem, vnd die confoederirte Länder, dieser zeit mit feindlichem Vberzug, oder sonsten in andern weg zu entgegen nichts handeln, noch dem angenommenen Defensionwerk sich widersetzen sollen:

II. Beständige Ablaynung der Vrsachen, welcher willen die kön. Mayest. in Franckreich wider Vngarn, Böhem vnd die vereinigte Länder hülff zu laysten ersucht worden;

Beydes aus Polnischer vnd respective frantzösischer Sprachen inn das Teutsche übergesetzt.

---

[1]) Zeitungen und Flugschriften aus der ersten Hälfte des XVII. Jahrhunderts. I. Sammlung. Graz 1873.

[2]) Sign. 51/26 b.

III. Gravamina Religionis der löblichen Evangelischen Stände in Steyer, Kärndten vnnd Crain etc. Darauss die über grosse Gewissens Bedrangnussen männigklich zu vernemen hat. Gedruckt im Jahr MDCXX.

An die zweite Schrift ist noch angefügt:

Der Theologischen Facultät zu Wittenberg Bedencken auff die Frag: Ob der Röm. Kayserlichen Mayestät, die Evangelischen Fürsten vnd Stände im Krieg wider jhre Evangelische Religions Verwandten, mit gutem Gewissen hülffliche Assistenz laysten können vnd sollen.

Die dritte Schrift, mit welcher wir uns hier etwas eingehender beschäftigen wollen, führt den besonderen Titel:

Religions-Gravamina, der dreyen Landen Steyer, Kärndten vnnd Crayn, so viel deroselben Mitglieder, als die mehreres der alleinseligmachenden Evangelischen Religion zugethan sind; wider die Religions Persecutions Commissarien etc.

Nach einer kurzen Einleitung, in welcher gesagt wird, dass die „Religions- und Gewissens-Beschwerungen Land-, Reichs- ja Weltkündig" · seien, werden in 21 Punkten hauptsächlich folgende Thatsachen hervorgehoben: Schliessung der Hauptministeria und Gymnasia zu Grätz, Judenburg, Klagenfurt und Laibach; Schliessung und Sprengung vieler Pfarren und anderer Kirchen, Verjagung der Seelsorger, Prediger und Schuldiener; Zerstörung von Friedhöfen, Beschimpfung und Beraubung von Leichen der Evangelischen, Verbrennung heiliger Bücher.

Als „Jammer über alle Jammer" wird bezeichnet, dass viele tausend Bekenner der evangelischen Wahrheit zu schändlicher verdammlicher Verläugnuss ihrer christlichen „Religion" genöthigt wurden.

Eingehend wird in den Punkten 14—18 das Verfahren kritisirt, welches gegen die „beständigen Bekenner" eingeleitet wurde. Diese seien gezwungen worden, „theils in sechs wochen, drey tagen, theils in acht tagen, theils bei Sonnenschein, theils auch im harten Winter vnd starcken Vngewitter das Landt zu uerlassen, da doch der Reichs Religionsfrieden de Anno 1555 denen Vnterthanen auss jhrer Herrn vnd andern herrschaften Gebiet der Religion halben zu ziehen, allein auff jhr freye Willkür stellet, wie die formalia lauten." Es sei ihnen durch ein Specialedict verboten worden, „ihre in der Eile vnverkauften Güter bestandsweis anderen zu verlassen" (in Pacht zu geben), „damit sie dieselben um einen Spott hergeben und gleichsam verschenken müssen." Ausserdem habe man ihnen von ihrem gesammten Vermögen den zehnten Pfennig als „Nachsteuer" abgenommen und sich dabei auf das Beispiel der Reichsfürsten und den oben erwähnten Religionsfrieden berufen. Dieser aber bezöge sich nur auf das an jedem Orte bestehende Herkommen und davon sei in diesen Landen nichts bekannt. Zur Zahlung der „Nachsteur" habe man „richtige vnd gar Hoffschulden per modum compensationis" nicht angenommen, sondern ihnen den letzten Nothpfennig abverlangt. Eine „infamia" sieht die Beschwerdeschrift darin, dass die Verbannung bei Leib- und Lebensstrafe auf ewig „extendirt" wird, „dass einer nicht mehr hindörffe, da seine in Gott ruhende Eltern vnd er viel Jahr redlich vnd ohne alle klag gehauset, da doch der vom Gegentheil angezogene Religionsfried aussdrücklich vermeldet, das solchs eines jeglichen der Religion halben willkürlicher Auss vnd Abzug denselben allen vnd jeden an jhren Ehren vnnachtheilich vnd vnuerkleinerlich seyn soll." Den evangelischen Herren und Landleuten, wird weiter behauptet, seien die Ehrenämter entzogen oder wenn sie für solche von Einer Ehrsamen Landschaft vorgeschlagen worden, seien andere an ihrer Stelle berufen worden. Ja man habe sogar solchen Personen, die mit eigenem Willen ausser Lands gezogen sind, die Zahlung des 10. Pfennigs aufgetragen und ihnen die Religionsübung ausser Landes untersagt, „dahin doch Ihrer Durchlaucht Jurisdiction sich nicht erstreckt vnd niemandt de jure extra territorium suum etwas zu schaffen oder zu straffen hat".

Von besonderem Interesse und für die Beurtheilung der besprochenen Schrift von Wichtigkeit sind die letzten zwei Punkte, deren Wortlaut hier folgen soll:

„20. Vnd was bey diesen hauptbeschwerungen bey jedem punct vnd sonsten für absonderliche hohe excess, Vnfug, gewaltthätige attentata vnnd Bedrangnussen, hauffenweiss fürgelauffen, welche doch einstheils zu verschmertzen, wann nur noch eine Linderung vnd Besserung zu hoffen were; Nun aber wil vns alle derogleichen hoffnung mit Ihrer Fürstl. Durchl. Jüngst den 8. December dieses 1609. Jahrs, ertheilten vngnädigsten Resolution allerdings abgeschnitten seyn, inn deme höchstgedachte Ihre Fürstl. Durchl. sich categorice rund vnd lauter einmal vor alles dahin erkläret: bei Ihrer meynung biss in jhre Gruben zu verharren; Item, dass sie zu keiner andern Resolution zu bringen vnd zu bewegen, sondern lieber alles vnnd jedes, so sie von den Gnaden Gottes hetten, in die Schantz vnnd willigklich darzusetzen, als von Ihrer meynung im wenigsten zu weichen gedencken; Item, bedrohen, den Ständen gleichwohl vnuerhoffte widrige erzeigungen nit vngerochen verbleiben, sondern obgelegen seyn zu lassen, was zu erhaltung jhrer Gerechtigkeit seyn möchte.

21. Vnd was schliesslichen zum allerbeschwerlichsten, dass Ihr Fürstl. Durchl. dero getrewe Landstände inn Religionssachen nicht mehr hören wollen, sondern perpetuum silentium nunmehr öffters als 30. September Anno 1598. Den 5. Maij Anno 1599 den 5. Martii Anno 1601. Vnd jüngstlichen bemelten 8. December Anno 1609 mit grossen Vngnaden vnd schweren comminationen imponirt, vnnd dass sie keine derogleichen Religions- und Beschwerschrifft mehr annehmen wöllen, Inmassen sie albereit den 3. Febr. Anno 1599 ein Schrift vmb dass kein Geistlicher bey vorgehabter præsentirung gewesen, von denen Evangelischen Herren und Landleuten nicht angenommen, welches dann dura & acerba vox regnantis est, non velle audire, & scripta accipere, contra quam vetula illa objiciebat Regi Macedonum Philippo audientiam recusanti: si non vis audire, noli ergo regnare, da doch dergleichen beschwerungen in Religionssachen, vnd in specie wider die Geistlichen nichts newes,

sondern je vnd allezeit vorgelauffen, so williglich von denen Landsfürsten vnd regierenden Herren angenommen vnd gebürlich in Sachen gebraucht worden, wie wir in der Steyrischen Landesvest (Fol. 31) ein schön Exempel haben, das noch Anno 1518 als Lutherus die Oberhand bekommen, Kayser Maximilian dem Ersten die Lande wider die Geistlichen vnnd Priesterschafft einen gantzen Catalogum vielerley beschwerungen, vnordnungen vnnd saumnuss der Clerisey in Handlungen jhrer Beneficien, Gottesdiensten, Stifftungen, Seelsorg, in administration der Kirchen und Pfarrlichen Rechten, Praelaturen, Probsteyen, Abteyen, Canonicaten, Pfründen, Commenden vnnd andern Courtisanischen Sachen zu beschwerung der Land, übergeben, Ihre Kays. Mayest. vmb abwendung zu sollicitiren, sondern auch was Ihro als Herren vnnd Landesfürsten gebürte, ein einsehen zu haben, allergnädigist versprochen; Derogleichen remedirung man jetzo ebenfalls in weit mehrern terminis (da das übel überhand gar, vnnd viel zu viel genommen, ita ut vix spes sit salutis) bedörfftig.

Von Politischen obgedachter dreyer Stände vnnd Landen Beschwerungen were gleicher gestalt viel zu sagen vnnd klagen, davon bey anderer Gelegenheit meldung beschehen solle."

Ueber die Entstehung und Bedeutung dieser Beschwerdeschrift lässt sich mit Berücksichtigung der bisher über die Verhandlungen zwischen Erzherzog Ferdinand und den protestantischen Ständen bekannt gewordenen Actenstücke Einiges festsetzen, welches ich im Folgenden zusammenfasse:

Was zunächst die Zeit der Entstehung betrifft, so scheint mir aus dem Texte zweifellos hervorzugehen, dass man für dieselbe die letzten Tage des Jahres 1609 ansetzen muss, da die in den letzten zwei Punkten besonders hervorgehobene „ungnädige Resolution" Ferdinands vom 8. December dieses 1609. Jahres datirt wird, welche Bezeichnung genau wörtlich zu nehmen ist und ausserdem noch durch die nachträgliche Erwähnung im 21. Punkte als „jüngstlich" bestätigt wird.

Es lag nahe, die Landtagshandlungen dieses Jahres zu
Rathe zu ziehen und dieselben erwiesen, dass sich die Landschaft allerdings gerade damals besonders eifrig um die Erledigung ihrer Beschwerden angenommen hatte. Die Verord-
neten-Relation [3]) erwähnt darüber Nachstehendes:

„Beschwär Articl erledigung betreffend.

Letztlichen berichten ain Ers. Landschafft wir auch hiemit
gehorsamblich, das wir auf derselben im Landtag ybarge-
bene Politische Beschwär Articl biss dato yber öffteres viel-
faltiges sollicitiren vnd anhalten ainige resolution nicht erlangen mügen. Welches an ihme selbst nicht ein geringe
beschwärung ist, alls berürte Articl samentlich, dann da
sich iemandt billich beschwärt befindet, denselben aber
nicht geholfen wierdet, da man Ihme doch zuhülff khommen
khan vnd solle, ist es sodann die grösste vnd maiste beschwärung, sonderlich aber ist dises hochzubeklagen, das es
nunmehr ganz vnd gar zu ainer gewohnheit khommen, das
solche ainer Er: La: Gravamina gemännigklich ybers Jahr
zu hoff vngeacht berürtes sollicitirn vnd anhaltens, vner-
ledigter aufgehalten werden!“

Der Landtag legt desshalb seine Gravamina nochmals vor,
welche auch im Anhange zu der Relation vollinhaltlich aufgeführt werden. Dieselben behandeln die Anlagen, Einlagen,
wie auch die Ausstände der Städte und Märkte. Die Hof-
kammer-Anticipationes, die alten und neuen Reichshilf Ausstände, die Verkaufung der Landgülten, sowie eine „Beschwärung, das die Herrn vnd Landleuth alhie zu Grätz kheine
Bürgers-Heuser khauffen noch darauf leihen sollten“. Aehnliche Beschwerden kehren in den Landtagshandlungen. von
1611, 1613, 1615 wieder und erstrecken sich ausser den genannten Gegenständen auch auf die Eisensteigerung, Salz-
ringerung, die „Vngarische Traitfuhr“, das Lehenrecht und
den Præcedenzstreit, welchen die Innerösterreichischen Stände
mit den oberösterreichischen seit dem Linzer Generalconvent

---

[3]) Steierm. Landes-Archiv. Landtagshandlung 1609. pag. 190.

von 1614 wegen des Vortrittes und der Votirung führten. Die religiösen Verhältnisse werden in allen diesen Beschwerdeschriften nicht berührt; es hat überhaupt den Anschein, als sei mit Absicht zwischen politischen und Religions-Beschwerartikeln (gravamina) unterschieden worden, wenigstens führen die zuletzt erwähnten, officiell vom Landtage aufgestellten stets die Bezeichnung „politisch" bei sich, während der Titel der uns vorliegenden Flugschrift den Ausdruck „Religions-Gravamina" an der Spitze trägt. Die Erklärung für diesen Umstand ist im Texte unserer Gravamina selbst gegeben. Es ist nämlich sehr einleuchtend, dass die steirischen Stände dem Erzherzoge und dessen Regierung jeden Vorwand nehmen wollten, womit die Nichtbeachtung ihrer Beschwerden hätte begründet werden können. Nachdem Ferdinand, wie hier erwähnt wird, sich mehrmals standhaft geweigert hatte, irgend welche Beschwerden in Religionsangelegenheiten anzunehmen, war vorauszusehen, dass seine Regierung jede derartige Eingabe unberücksichtigt lassen würde, sobald auch nur irgend ein Punkt sich auf religiöse Dinge bezog. Man nannte daher die Beschwerden, die sich auf Steuern und Rechtsangelegenheiten bezogen, „politische", um ihren Unterschied von den verpönten Religionsbeschwerden sofort kenntlich zu machen.

Aber nicht nur, dass diese Gravamina selbst in den Landtagshandlungen nicht erwähnt werden, es findet sich sowohl in diesen, wie auch in den Protokollen über die Sitzungen der Verordneten, sowie in den landesfürstlichen Patenten nicht die geringste Andeutung über die Entschliessungen des Erzherzogs Ferdinand, welche im 21. Punkte der Gravamina erwähnt und vom 30. September 1598, 5. Mai 1599, 5. März 1601 und 8. December 1609 datirt werden. Dennoch sind uns dieselben nicht ganz unbekannt; es ist kaum zu zweifeln, dass die Resolution vom 30. September 1598 mit der Ausweisung der evangelischen Priester aus Graz, welche am 28. d. M. stattfand, zusammenhängt. Die Resolution vom 5. Mai 1599 dürfte wohl identisch sein mit der von Hurter reproducirten „Hauptresolution ueber der

Herrn und Landleuth in disen dreyen Erblannden Steyr, Khärndten vnd Crain, der Augspurgerischen Confession zugethan, eingebrachte Religions-Beschwärungen" [*]. Dieselbe wurde den zum Landtage von 1599 (Jänner bis April) versammelten steirischen Herren evangelischen Glaubens zugestellt, welchen sich zahlreiche Abgesandte aus Kärnten und Krain angeschlossen hatten, um in zwei Beschwerdeschriften vom 22. Jänner und 8. Februar gegen die vorangegangenen Gewaltacte des Erzherzogs zu protestiren und Religionsfreiheit zu verlangen. Die Hauptresolution enthält den Schlusspassus: „So wöllen sich demnach die Herrn vnd Landleuth Augspurgerischer Confession in dem Namen Gottes nunmehr zu rhue begeben, in Ir Durl. etc. weitter nit sezen, Sich auch nicht vnderstehen, Irer Durl. was solliches verrer zuezumuetten, dadurch Sy Ir wissen vnd gewissen zum höchsten onerierten vnnd entlichen die vnhuldt Gottes yber sich zu Ehewigem verderben laden sollen. Vnd diss ist also Irer Für. Durl. enntliche gewisse Resolution, will vnd mainung, darbey Sy biss in Ir grueben zuuerharren vnd sich auf ainiche widrige mainung, durch khainerley mittl (mit Gottes Beyständiger Hilff) dauon bringen vnd bewögen zulassen für allzeit gnedigist endtschlossen."

Das Datum dieses sehr umfangreichen Actenstückes ist der letzte April 1599. Für Jedermann, der in Ferdinand und seinen Räthen nicht ausschliesslich die muthigen Kämpfer für eine erhabene, das Glück des Volkes begründende Idee sieht, wie der im Zustande religiöser Extase geschichtsschreibende Herr von Hurter, ist hinter dem Gemische von Drohung und Bitte, welches dieses Actenstück durchdringt, hinter dem eifrigen Bemühen, die Verfassungswidrigkeit der von den Standesherren eingeleiteten Schritte nachzuweisen, die Verlegenheit der Regierung leicht ersichtlich. Die gepriesene Festigkeit hätte Ferdinand wenig genützt, wenn die Stände ebenso fest und unerschrocken gewesen wären. Ihr Rückzug ist aus den bisher bekannten Thatsachen kaum erklärlich und man wird

---

[*] Hurter, Geschichte K. Ferdinands und seiner Eltern. IV 496.

versucht, dem uns leider nicht geschilderten Spiele hinter den
Coulissen mehr Bedeutung beizulegen, als den officiellen Acten-
stücken. Für den 5. März 1601 enthält Hurter's Darstellung
keinerlei Erwähnung; die Resolution vom 8. December 1609
ist die Antwort auf eine Eingabe der evangelischen Herren,
welche manche Anklänge an die Gravamina enthält; wie z. B.
die Beschwerde wegen Ausschliessung von sämmtlichen Aemtern. Die Antwort enthält nach Hurter's Mittheilung auch die
in den Gravamina citirte Stelle: „rund sage er (der Erzherzog) es heraus, dass er eher alles, was er von Gottes
Gnaden besitze, in die Schanzen schlagen, als von dieser
Ueberzeugung im geringsten weichen wollte." Eine nochmalige
Antwort auf diese Resolution erschien den in Graz versammelten innerösterreichischen Standesherren offenbar gänzlich
aussichtslos und sie mochten daher, erbittert durch die Hart-
näckigkeit der Regierung, wohl daran denken, ihre Klagen
anderswo vorzubringen und die Aufmerksamkeit jener Kreise
auf sich zu ziehen, welche begierig jede Gelegenheit ergriffen,
um der Opposition gegen das Habsburgische Haus und seine
Regierungsmethode neue Nahrung zu verschaffen.

Unter dem unmittelbaren Eindrucke, welchen die Resolution vom Jahre 1609 auf die damals in Graz versammelten
evangelischen Standesherren hervorgerufen hat, entstanden
die Gravamina. In Verbindung mit den Verhandlungen dieses
Jahres steht auch ein anderes Schriftstück, dessen Besprechung ich später mir anzufügen erlauben werde. Eine erreg-
tere Stimmung scheint bei Abfassung der Gravamina überhaupt vorgewaltet zu haben. Wenigstens deutet die Beziehung auf den Tod Philipps von Macedonien mit Citirung der
Phrase: „si non vis audire, noli ergo regnare", so ziemlich
die äussersten Gedanken der durch die Fruchtlosigkeit ihrer
Bemühungen verletzten und aufgeregten Herren an.

Was den Inhalt der Gravamina betrifft, so finden sich
unter den Beschwerden mehrere Thatsachen erwähnt, welche
sehr wohl geeignet sind, das Halbdunkel theilweise zu erhellen,
in welches die Vorgänge während der Gegenreformation noch

3*

gehüllt sind. Dahin gehören namentlich die Chicanen gegen die zur Auswanderung gezwungenen Protestanten, die bei ihrer berechneten Härte es uns erklärlich machen, dass sehr Viele, die ursprünglich zur Auswanderung geneigt waren, endlich doch lieber eine Abschwörung ihres Glaubens erheuchelten, als dass sie ihre ganze Habe auf's Spiel setzten ⁵). Der Augsburger Religionsfrieden von 1555 wird in zweifacher Richtung benützt, um das Vorgehen des Erzherzoges als ungesetzlich darzustellen. Zunächst wird behauptet, dass die Ausweisung der Religion wegen an und für sich gegen den Religionsfrieden verstosse, welcher es Jedermann freistelle, ob er wegen der Religion auswandern wolle oder nicht. Es ist nun ganz richtig, dass sich in der bezogenen Constitution kein Passus vorfindet, der den einzelnen Reichs-Ständen das Recht der Ausweisung wegen des religiösen Bekenntnisses ausdrücklich zuschreibt. Der auf die Auswanderung bezügliche §. 24 bestimmt nur die Modalitäten, welche im Falle einer Auswanderung zu beobachten sind, ohne irgend welche Fälle anzugeben, in welchen dieselbe erzwungen werden konnte⁶). Gerade der Inhalt dieses Paragraphen gibt jedoch erst dem

---

⁵) Was Hurter an Belegen für die Milde der Regierung zusammenträgt, verschwindet gegen die colossalen Strafen, welche Dimitz in seiner Urkundensammlung allein von Krain aufzählt.

⁶) Der hier einschlägige §. 24 lautet: „Wo aber unsere, auch der Churfürsten, Fürsten und Ständen Unterthanen, der alten Religion oder Augsburgischen Confession anhängige, von solcher ihrer Religion wegen, aus unsern, auch der Churfürsten, Fürsten und Ständen des Heil. Reichs Landen, Fürstenthümer, Städten oder Flecken, mit ihren Weib und Kindern an andere Orth ziehen, und sich nieder thun wolten, denen soll solcher Ab- und Zuzug, auch Verkauffung ihrer Haab und Güter, gegen ziemlichen billigen Abtrag der Leibeigenschafft und Nachsteuer, wie es jedes Orts von altersher üblich hergebracht und gehalten worden ist, unverhindert männigliches, zugelassen und bewilliget, auch an ihren Ehren und Pflichten aller Ding unentgolten seyn. Doch soll den Oberkeiten an ihren Gerechtigkeiten und Herkommen der Leibeigenen halben, dieselbigen ledig zu zehlen oder nicht, hiedurch nichts abgebrochen oder benommen seyn "

§. 15, welcher die Hauptgrundsätze des Uebereinkommens feststellt, jene verhängnissvolle Deutung, welche in dem monströsen Satze: cujus regio, ejus religio gipfelte. Denn, wenn auch der erste Theil des §. 15 die Religionsfreiheit nur den Reichsständen zuspricht, so lässt sich doch der letzte Absatz desselben derart auslegen, dass jeder gewaltsame Act gegen wen immer in Sachen des Religionsbekenntnisses als verpönt erscheint, nachdem es da heisst: „und soll die streitige Religion nicht anders, dann durch christliche, freundliche, friedliche Mittel und Wege zu einhelligem christlichem Verstand und Vergleichung gebracht werden." Es wäre nun kaum irgend einem Reichsstande möglich gewesen, die Ausweisung seiner andersgläubigen Unterthanen als ein „freundliches und friedliches Mittel für die Vergleichung" zu erklären, wenn nicht §. 24 selbst stillschweigend eine solche Subsumption nothwendig machen würde. Denn wozu brauchte es Bestimmungen über die Auswanderung der Religion wegen, wenn eine solche überhaupt nicht erzwungen werden könnte? Wer wird auswandern, so lange man ihn nur „friedlich und freundlich" behandelt?

Die unehrliche Gesinnung der einen der paciscirenden Parteien, welche die Zweideutigkeiten und Widersprüche dieses unseligen Friedensinstrumentes hervorrief, gab den Erben dieser Gesinnung die Mittel an die Hand, eine formelle Basis für religiöse Intoleranz und Gewaltacte zu finden, die nimmermehr im Sinne der Sieger von 1552 gelegen waren und in grösserem Masstabe auch nur einseitig von der katholischen Partei zur Anwendung gebracht wurden.

Wenn demnach auch die erzherzogliche Regierung bei den von ihr vorgenommenen Ausweisungen der Akatholiken die formelle Berechtigung aus dem Augsburger Frieden ableiten konnte und der Widerspruch der Betroffenen nicht von evidenter Richtigkeit war, so scheint doch die zweite Anklage von der Ungesetzlichkeit der Einhebung des 10. Pfennigs, als einer in Innerösterreich nicht bestehenden Gewohnheit, begründet zu sein, nachdem die Regierung in den bis jetzt bekannt gewordenen Acten nirgends den Nachweis versucht, die Gesetzmässigkeit ihrer fiscalischen Verordnung historisch zu belegen. Sehr bezeichnend für die Kanzleitaktik der inner-österreichischen Räthe ist auch die im 21. Punkte der Grava-mina erwähnte Thatsache, dass eine Beschwerdeschrift aus dem Grunde nicht angenommen wurde, weil bei der Präsen-tirung kein Mitglied geistlichen Standes zugegen gewesen, sowie der im 19. Punkt erhobene Vorwurf, dass selbst das dem Landtage zustehende Vorschlagsrecht für Ehrenämter un-berücksichtigt blieb, ausschliesslich um die Protestanten zurück-zusetzen und in der richtigen Erwartung, dass gekränkter Ehrgeiz am ehesten geeignet sei, Gewissensscrupel zu be-siegen und den Adel, dem man mit offener Gewalt doch nicht beikonnte, — katholisch zu machen.

Es erübrigt noch die Beantwortung der Frage, wie denn diese „Gravamina" 10 Jahre nach ihrer muthmasslichen Ab-fassung dazu gelangt seien, fern von dem Orte ihrer Ent-stehung, in Prag, in der Gesellschaft von polnischen und fran-zösischen Angelegenheiten das Licht der Publicität zu erblicken. Eine wenig gewagte Combination gibt die Erklärung. Es wird für die historische Flugschriftenliteratur kaum ergiebigere Jahre geben, als die Jahre 1619, 1620, 1621, wo sowohl von protestantischer als katholischer Seite die Presse als Agitationsmittel ganz ungewöhnlich in Bewegung gesetzt wurde. Die Häupter der Union liessen in Augsburg, Hanau, haupt-sächlich aber in Prag eine Flugschrift nach der andern er-scheinen, welche theils zur Vertheidigung der eigenen Politik, theils zur Anklage wider die Gegner bestimmt waren. Zu einer solchen hat nun eine Persönlichkeit, welche entweder selbst zu den evangelischen Herren der Steiermark zählte, oder doch denselben sehr nahe stand, willkommenes Material geliefert, indem sie die anno 1609 abgefassten Gravamina zur Verfügung stellte. Die Betheiligung innerösterreichischer Pro-testanten an der böhmisch-pfälzischen Action habe ich ander-wärts nachgewiesen [7]), das Vorhandensein von Verbindungen

[7]) Christian von Anhalt und seine Beziehungen zu Innerösterreich. Graz, Leuschner 1874.

zwischen steirischen Baronen und Christian von Anhalt, Thurn, Tschernembl u. A. lässt es glaublich erscheinen, dass man durch die Publication der besprochenen Gravamina einerseits die Wahrscheinlichkeit einer Erhebung der innerösterreichischen Protestanten bei den unirten Fürsten in Aussicht stellen und andererseits in Innerösterreich selbst die Gemüther erregen und für die Gemeinsamkeit der Religionsinteressen nord- und südwärts der Donau empfänglich machen wollte.

Im innigen Zusammenhange mit der eben besprochenen Beschwerdeschrift steht nach meiner Anschauung jene „Vollmachts- und Vereinigungs-Urkunde der unkatholischen Landleute Cärnthens", welche Hurter im Anhange des VI. Bandes (pag. 643) seines mehrmals erwähnten Werkes abdruckt. Dieselbe trägt ebenfalls das Datum von 1619, enthält jedoch im Texte von vorneherein die Erklärung, dass sie nur als eine Erneuerung einer schon am 29. August 1609 entstandenen Urkunde zu betrachten ist, in welcher sich die evangelischen Standesmitglieder der drei Lande auf Edelmannswort gegenseitigen Schutz und Beistand zusagen, falls einem von ihnen in Folge von Religionsangelegenheiten ein Unrecht zugefügt würde.

Die früher berührten Vorgänge im Landtage von 1609, die Theilnahme von Parteigenossen aus Kärnten und Krain, die unwillige, gereizte Antwort des Erzherzogs sind die Folge des vorher geschlossenen Bündnisses, welches durch die Urkunde vom 29. August 1609 formell abgeschlossen wurde und höchst wahrscheinlich eine noch weitergehende Bedeutung hatte, als der Text der Urkunde selbst verräth.

Man muss sich vergegenwärtigen, dass 1609 das Jahr des Majestätsbriefes ist, dass in demselben Jahre ein Prinz des Hauses Oesterreich, Mathias, der ständisch-evangelischen Opposition in Oesterreich und Mähren die Hand gereicht und mit ihr im Bunde seine Ziele erreicht hatte, um das Vorgehen des innerösterreichischen Adels vollkommen würdigen zu können. Ebenso wird man aber auch aus dem Zusammenhange der gesammtösterreichischen Verhältnisse die Ueberzeugung schöpfen, dass die beste Zeit für eine erfolgreiche

ständische Action bereits vorübergegangen war, dass die Inner-
österreicher mit ihrer Conföderation zu spät gekommen waren
und überhaupt viel zu ehrlich und loyal gehandelt hatten, um
gegenüber der Jesuitenpolitik einen Vortheil erringen zu können [5]).

So blieben denn die Gravamina in dem Pulte des evangelischen Ausschusses liegen, um gleich der ständischen Opposition selbst einen zehnjährigen Schlaf zu halten und nach
ihrer Wiedererweckung sofort für immer gegenstandslos zu
werden. Die Conföderationsurkunde wurde 1619 ebenfalls erneuert; doch keineswegs, wie dies 1609 ohne Zweifel der
Fall war, auf einer allgemeinen Versammlung, sondern im
Wege schriftlichen Verkehres. Es geht dies aus der Schluss-
formel hervor: „beschehen im Landtage den 20. Febraij zu
Gratz, 4. Marzi zu Klagenfurt, hernach in Labach, davon
täglich der Succurs erwartet wird".

Von einer Wirkung dieser Wiedererneuerung der innerösterreichischen Conföderation ist mir nichts bekannt geworden; es lässt sich auch das Gebahren des evangelischen
Ausschusses der drei Länder kaum beurtheilen, seine That-
losigkeit schwer erklären, so lange nicht weitere Materialien
dafür an das Tageslicht gebracht werden. Dass die darauf
gerichtete Forschung nicht ganz aussichtslos sein dürfte, dass
eine auf Grundlage erweiterter Kenntnisse fussende Darstellung der Gegenreformation aus dem Stadium des frommen
Wunsches noch zu weiteren Phasen gehoben werden könnte,
ist mir durch meine bisherige Beschäftigung mit den Geschichtsquellen jener Zeit nahezu zur Gewissheit geworden.

G r a z, Mai 1874.

---

[5]) Erzherzog Ferdinand rühmte diese Ehrlichkeit selbst in einem
Briefe an seine Mutter (Hurter V. 257), als er Kenntniss erhielt,
dass die steirischen Verordneten die Aufforderung Mathias, sich
ihm anzuschliessen, uneröffnet zurückgesendet hatten. Wenn die
evangelischen Herren dabei auf Dank und Anerkennung und endliche
Gewährung ihrer bescheidenen Forderungen gerechnet hatten, so
legten sie dabei eine Kurzsichtigkeit an den Tag, über welche ihre
Gegner nicht wenig Vergnügen empfunden haben mögen.

Die Herrschaft König Ottokar's II. von Böhmen

in Steiermark.

Ihr Werden, Bestand und Fall (1252 — 1276)

von

Dr. F. Krones.

Quellen-Hilfsmittel. *)

a) Quellenschriftsteller.

Ottokar's Reimchronik, h. v. Pez in den scrr. rer. austr. III. Bd. — Annales Austriæ, h. v. Wattenbach im XI. Bde. der Monum. Germaniæ (vgl, die A. b. Pez und Rauch und Stögmann's bezügliche Zusammenstellung im IX. Bde. des Arch. f. K. ö. G.) Annales Ottocariani im XI. Bde. der M. G. Contin. magni presbyt. Reichersperg, Hermanni Altah. ann. Mon. Germ. XVII. — Die Compilation: Chron. Australe o. Historia australis b. Freher-Struve Corp. scrr. rer. germ. p. 431—490 aus dem 14. Jahrh. (vgl. O. Lorenz: Deutschlands Gesch. Q. im M. A. S. 268). Joannis abb. Victoriensis, Chron. h. v. Böhmer in den Fontes rer. germ. I., in diesem Theile der Rheimchronik nachgeschrieben; desgl. Mathæi cujusdam vel Gregorii Hageni germanicum Austriæ chronicon b. Pez scrr. I. 1043—1158; Ebendorfer von Haselbach Chron. austr. ebda.: — Anon. Leob., h. v. Pez I. Bb. der scrr. vgl. Zahn's Ausgabe Graz 1865. — Keza Chron. Hung. Endlicher Mon. Arpad. I. und Thuroczy Chron. Hung. b. Schwandtner scrr. rer. Hung. I. (liefern so gut wie nichts). Unrest Kärntn. Kronik b. Hahn Coll. monum. I, (schreibt der Reimchronik Ottokars nach). s.

b) Urkundensammlungen.

Gerbert und Bodman Cod. epist. Rudolfi I. 1772 f. u. 1806. Dolliner: Codex epist. regis Premislai Ottocari Vienn. 1803. — (Pusch und Fröhlich), Diplomataria sacra ducatus Styriae, 2 Bde. 1796. Palacky Formelbücher 1842. Bärwald: Baumgartenberger Formelbuch fontes rer. austr. 2. A. XXV. 1866. —

---

*) Die mit gesperrtem Satze gedruckten Titel bedeuten vorzugsweise oder am häufigsten gebrauchte Werke.

Boczek Cod. dipl. epist. Moraviæ III., IV. Bd. 1836 f.; Erben
und Emler Reg. Boh. Moraviæ diplomatica Pars prima et se-
cunda (Vol. I. II.) 1855—1873. — Fejér Cod. diplom. Hung.
IV, 2. — Böhmer Kaiserregesten (Regesta imperii 1198—1254
und 1246—1313 et Addit. I. II. 1844—1857 Urkundenbuch des
Landes o. d. Enns 1852 ff. III. Bd. Urkunden z. Gesch. v. Oest.,
Stm., Kärnt., Krain, Görz, Istr., Triest, Tirol v. 1246—1300, h. v.
Chmel (1849) im I. Bde. der Fontes rer. austr. erste Abth. —
Bianchi: Documenta hist. Forojul. sæculi XIII. 1206—1299 summ-
matim regesta. Arch. f. K. ö. G. 22. Bd., 373 ff. (1267 ff.)

    c) Bearbeitungen.

Ph. Lambacher: Oesterr. Interregnum u. s. w. 1773, 4⁰.
Rauch: Oest. Geschichte (begonnen von Schrötter) III. Bd. (— 1280).
F. Kurz, Oesterreich unter Ottokar u. Albrecht I. 1.—2. Bd. (Urkdn.)
Lichnowski, Geschichte des Hauses Habsburg I. Bd. 1836.
Wiener Jahrbücher f. Litt. & Kunst 108. Bd. A. v. Chmel
    über Lichnowski's Geschichte des Hauses Habsburg u. s. w.
    (urkundl. Material z. Salzburger Kirchenstreite.) (Vgl. Koch-
    Sternfeld's Beitr. z. Gesch. Salzb. etc. III. Bd. u. s. Aufs.
    in den Abh. der kön. bair. Akad. d. W. IV, 2.)
Palacky, Gesch. Böhmens II. 1, A. (u. dejini II, 1.)
Kopp, Gesch. d. eidgenöss. Bünde I., II. Bd.
O. Lorenz, Erwerbung Oesterreichs 1857. Deutsche Geschichte
    im 13. und 14. Jahrh. I. II. Bd. 1864 und dessen frühere Ab-
    handlung über den Salzburger Kirchenstreit im 33. Bde. der
    Sitzungsber. hist. phil. Kl.
Dudik, Gesch. Mährens, 5. Bd. 1870. (1197—1261.)
Fessler, Gesch. der Ungarn, neu bearb. v. Klein, I. Bd.
Hirn, K. Rudolf I. Wien 1874.

    Für steierm. u. innerösterr. Gesch. insbesondere.

Caesar, Ann. duc. Styriæ I. Bd. 1768.
Muchar, Gesch. das Herz. Steiermark 5. Bd. (vgl. 2, 3.)
K. Tangl, Handb. der Gesch. des Herz. Kärnten. IV. 1. A.
Tangl, die Grafen von Pfannberg; die Grafen v. Heunburg im
    XVII., XVIII., XIX., XXV. Bde. des Arch. f. K. ö. G.
J. Falke, Gesch. des Hauses Liechtenstein I. Bd. 1868.
Manzano, Annali del Friuli III. Bd. 1860.
(Kleinmeyern) Iuvavia, 1784.
Zauner, Chronik von Salzburg, 2. Bd.
A. Pichler, Landesgeschichte von Salzburg, 1866.
Krones, Quellenmässige Vorarbeiten z. Gesch. und Quellenkunde
    des mittelalt. Landtagswesens der Steiermark, im 2. Jahrg. der
    Btr. z. K. der stm. G. Q.

d) Handschriftliches.

Die wesentliche Grundlage meiner Arbeit bildeten die Urkundensammlung, die Regesten und Repertorien des musterhaft geordneten steierm. Landesarchives.

Des Raumersparnisses willen und im Interesse der Uebersichtlichkeit wurden sämmtliche Urkundenbelege, die wenigen im Texte untergebrachten abgerechnet, einem eigenen Anhange einverleibt und dem Texte die laufenden Nummern dieser Regesten in Klammern eingefügt. Ueberdies vermied der Verfasser so viel als möglich alle Citate und nur, wo dies unausweichliche Nothwendigkeit war, erscheinen solche unter dem Texte.

---

1. Die Vorgänge in den Jahren 1246—1254 bis zum Ofner Frieden.

Der streitbare Friedrich, des Hauses Babenberg letzter männlicher Sprosse, hatte sein Ende in der Lejtaschlacht (1246, 15. Juni) gefunden, durch Feindeshand, oder, wie ein schlimmeres Gerücht besagte, durch die tückische Waffe geheimer Widersacher im eigenen Heeresgefolge.

In der Fülle blühender Manneskraft war er dahin geschieden und galt er auch bei Lebzeiten als harter, launenhafter Fürst, dessen Lebenselement die Fehde und der Sinnengenuss waren, der mit allen Nachbarn im Streite lag und ebensowenig den Säkel und die Wehrkraft der Lande als ihre Rechte und Freiheiten schonte, so vergass man jetzt dieser Schattenseiten und gedachte lieber seines kräftigen Armes, mit dem er Willkür und Gewaltthat der Mächtigen im Lande gezüchtigt, seiner reckenhaften Tapferkeit, die er mächtigen Gegnern und Landesfeinden verspüren liess und beklagte in ihm das Erlöschen eines vielgerühmten kerndeutschen Fürstenstammes [1]).

---

[1]) Ganz bezeichnend heisst es darum im Victoriensis A. in Böhmer's Fontes rer. germ. I., S. 282. Hic (Fridericus) sine herede decessit, quod terram plus quam ejus interitus perturbavit.

Vgl. Cont. Garst. Mon. Germ. XI, 598 Austria et Styria quasi una sedet in pulvere tristis et gemebunda.

Mehr als ein halbes Jahrhundert stand auch unser Land unter babenbergischer Herrschaft und wie sehr es auch, trotz dieser äusserlichen Verbindung mit Oesterreich, seine innere Eigenständigkeit und verfassungsmässige Autonomie behauptet hatte, so verknüpfte doch beide Länder das Band der Personalunion und setzte den Pulsschlag ihres politischen Lebens in gleichförmige Bewegung.

Nicht ungetrübt war das Verhältniss der Steiermärker zu dem letzten Babenberger; schwer empfand die Ständeschaft den Druck von Massregeln des kriegslustigen Fürsten, die ihre verbrieften Rechte und Freiheiten kränkten und sie säumte nicht, als Kaiser Friedrich II. den trotzigen Herzog geächtet, von ihm gleich den Oesterreichern abzufallen und der unmittelbaren Herrschaft des Reiches und des Kaisers anzugehören. Aber der letzte Babenberger war grösser durch Thatkraft als sein Missgeschick, er gewann das Verlorene wieder, da der Kaiser selbst den Ausgleich suchte, und gereifter an Erfahrung, klüger an Einsicht waltete er nun des Fürstenamtes in der Steiermark zu allgemeinerer Zufriedenheit.

Und so war denn sein vorzeitiger Tod ein fühlbarer Verlust auch für die Steiermark; man sah sich an der Schwelle einer unerquicklichen, einer herrenlosen Uebergangszeit, deren schwere Noth Herzog Friedrich's Waffengenosse, unser ritterlicher Sänger Ulrich von Liechtenstein beklagt, und die sich in der geschichtlichen Dichtung des Reimchronisten Ottokar abspiegelt.

Nach dem klaren Wortlaute der babenbergischen Handfeste v. J. 1156 (1245 neu bestätigt) und dem im Reiche geübten Lehenrechte mussten Oesterreich und Steiermark in Folge der Lejtaschlacht des J. 1246 als heimgefallene Reichslehen gelten. Selbst wenn das angebliche Testament des letzten Babenbergers in Anschlag gebracht wird, wonach die hinterlassenen Herzogthümer der Fürsorge des römischen Stuhles empfohlen wurden, lässt sich von dieser Rechtsanschauung nicht abgehen und ebensowenig verkennen, dass sie in der Steiermark weit mehr in's Gewicht fiel, als die Geneigtheit für das natürliche Erbrecht der überlebenden weiblichen Seitenverwandten des Herzogs, seiner Schwester Margarethe, verwitweten römischen Königin, und der Nichte Gertrud, um deren Hand sich nicht lange zuvor der Kaiser selbst beworben hatte, die aber dem böhmischen Königssohne Wladislav Heinrich, Markgraf von Mähren, zu Theil wurde.

Denn wie sehr sich auch des Kaisers grösster Gegner, der willensstarke Papst Innocenz IV., zu Gunsten dieses weiblichen Erbrechtes abmühte, um die beiden Lande der Hand des Kaisers zu entwinden, — in der Steiermark fand der Günstling des römischen Stuhles, Herrmann von Baden, Gertruden's zweiter Gatte, keine Anerkennung ²), deren er im Lande Oesterreich auch nur in beschränktem Masse genoss (9). Wohl aber wandten sich die Steiermärker an den Staufenkaiser wiederholt mit der Bitte, dem herrenlosen Zustande ein Ende zu setzen, denn die Reichsverweserschaft des Ebersteiners, dann des Görzer Mainhard, galt doch nur als Nothbehelf.

Der Kaiser aber, in unheilvollem Kampfe für seinen Machtbestand auf wälscher Erde verwickelt und durch sein Verhängniss entfremdet dem deutschen Reiche, woselbst ein Gegenkönig um den Andern das Ansehen seines Sohnes, des römischen Königs Konrad IV. bekämpfte, hatte weder Musse noch Willen, die schwierige Frage im Sinne der Steiermärker zu lösen. — Er starb den 13. December 1250, mit ihm der Glanz und die Grösse seines Hauses und so floss das österreichisch-steiermärkische Zwischenreich mit dem gemeindeutschen zusammen. Dem Reiche fehlte die einigende Kraft; darf es uns da Wunder nehmen, wenn an seiner Peripherie, in den südlichen Donaualpenländern besonders, das politische Leben eigene Bahnen einzuschlagen begann und das Testament des Kaisers ³) für diese Länder wirkungslos blieb?

---

²) Den Titel dux Austriæ et Styriæ führte er allerdings.

³) Lambacher (Interr. S. 40 1) hält es für erdichtet, doch kann seine Echtheit nicht entscheideud bestritten werden. Vgl. über das Testament die Angaben in Potthast's Regg. pont.f. z. J. 1250, December 13—17.

Und doch hätte gerade Kaiser Friedrich's II. letzter Wille die beste, naturgemässe Versöhnung der Gegensätze herbeiführen können, da er seinen gleichnamigen Enkel, den Sohn der Babenbergerin Margaretha und König Heinrich's VII., des unglücklichen Sprossen des Kaisers, zum Erben Oesterreichs und Steiermarks einsetzte.

Aber das Testament blieb, wie gesagt, wirkungslos, überdies verscholl alsbald dieser Enkel — wie das Gerücht besagte, von seinem Halboheime Manfred durch Gift aus dem Leben geschafft — und die Zeit war gekommen, wo an die Steiermärker und Oesterreicher die gebieterische Nothwendigkeit herantrat, die Entscheidung ihrer Zukunft in eigene Hand zu nehmen.

Es war hohe Zeit, dass sich die Steiermärker um einen Landesfürsten umsahen, denn es war zu besorgen, ihre Heimat würde der Tummelplatz der Raub- und Fehdelust, der gemeinschädlichen Parteileidenschaft und gerade die „Besseren und Edleren" verlören das Gefühl für das Beste und die Ehre des Landes [1]).

Hatte doch der Sponheimer Philipp, des Kärntner Herzogs Bernhard jüngerer Sohn, damals Erwählter von Salzburg, ein Mann, dessen ganzes Wesen mit dem geistlichen Hirtenamte [2]) im grellsten Widerspruche sich bewegte, — jene schlimmen Neigungen zur Fehde um Gewinn bei so manchem steirischen Edelherrn auszunützen Gelegenheit gefunden, — als er, der Gegner des Kaisers und vor allem der ghibellinisch gesinnten Görzer, in das Ennsthal einbrach und unter dem Aushänge-

---

[1]) Ulrich von Liechtenstein im Frauendienst A. Lachmann's pg. 530:

. . . .

    man roubt diu lant naht unde tac
    dâ von vil dörfer wüeste lac.
    die reichen wurden sô gemuot
    daz si den armen nâmn ir guot."

. . . .

[2]) Ueber s. geistliches Vorleben vgl. Dudik, Geschichte Mährens 5, 383—4.

schilde der Züchtigung der unrechtmässigen Träger salzburgischer Hochstiftslehen das entschiedene Streben verrieth, das ganze Thalgelände bis zum Rottenmanner Tauern von der Steiermark loszureissen. Da dienten ihm um Sold und andern Gewinn Glieder der steirischen Ständeschaft, deren Namen vom besten Klange sind und noch oft an erster Stelle sich finden, wo die wichtigsten Landesangelegenheiten zur Sprache kommen [*]). Es sind die Grafen von Pfannberg, Bernhard und Heinrich, Dietmar der Weissenecker, Ulrich von Marburg, Wulfing von Treuenstein, Albert von Wildhausen und auch Herr Ulrich von Liechtenstein (10) fehlt dabei nicht [†]). Dieser bezeugt urkundlich, als treuer Dienstmann des Erzbischofs, keinen deutschen Kaiser als den rechtmässigen anerkennen zu wollen, den nicht der Papst und Deutschland's staufenfeindliche Kirchenfürsten als solchen betrachten würden. Tragen wir aber den thatsächlichen Verhältnissen Rechnung und vergessen wir nicht, wie wenig Ernst man damals wie zu zu allen Zeiten mit solchen urkundlichen Versicherungen und Redensarten machte, — so erscheint uns dieses Benehmen des Liechtensteiners ebenso begreiflich als belanglos für seine prinzipielle Parteistellung, die überhaupt in solchen Zeiten allgemeiner Unsicherheit und widerstreitender Rechtsanschauungen, wo auch die Besseren nicht immer wussten, was Rechtens sei und wem man gehorchen solle, der wechselnden Parteinahme aus persönlichen Beweggründen des greifbaren Vortheils und äusserlichen Ansehens den Platz stets räumen muss.

Veranschlagen wir nämlich den gesammten Bodenbesitz der Salzburger Kirche in der Steiermark, wie er sich im eilften Jahrhunderte entwickelt darstellt, so zeigt derselbe einen Umfang, der dem Allodial- und Lehenbesitze der Traungauer mindestens gleichkam. Immerhin blieb derselbe trotz späterer

---

[*]) Vgl. über diese Verhältnisse die Abhandlung Ottokar Lorenz' im 88. Bde. der Sitzungsb. der hist. phil. Kl. und die Darstellung in seiner deutschen Gesch. I. 73—80.

[†]) Die Daten über den bisherigen Lebensgang und Aemterbesitz des Liechtensteiners s. Falke a. a. O. 104—112.

Wandlungen bedeuteud genug. Die Grafschaft des Ennsthales, wenngleich ein Bestandtheil der karantanischen Mark, später des Herzogthums Steier, bestand fast durchwegs aus salzburgischen Gütern im eigenen Bestande oder in den Händen adeliger Lehensträger des Hochstiftes (1—4, 6, 8), vor Allem aber der Landesherzoge, unter denen der letzte Babenberger Vieles dessen, was er vom Hochstifte zu Lehen trug, an Afterlehensträger vergabte. Hier also, dann am obern Murboden, wo die Kammerfeste Vonstorf einen wichtigen Mittelpunkt salzburgischen Besitzes bildet, in der Gegend Mittelsteiermark's mit dem Vororte Leibnitz und in der unteren Mark, allwo Pettau als eine Hofstatt des Erzstiftes bestand, fand sich ein stattlicher Kreis Salzburger Vasallen aus der steiermärkischen Adelschaft. Darf es uns da Wunder nehmen, dass in den Tagen der Unsicherheit, als die Steiermark eines Landesfürsten entbehrte, so mancher Edelherr Gunst und Verdienst bei dem mächtigen Inhaber des Hochstiftes und Bruder des Kärntner Herzoges suchte und Angesichts des Umstandes, dass es im Reiche kein allgemein anerkanntes Oberhaupt gab, Verbindlichkeiten einging, die der Kirche das Entscheidungsrecht in der Königsfrage einräumten? Der Liechtensteiner und seine Standesgenossen in gleicher Lage dachten darum nicht um Haarbreite päpstlicher als Andere, höchstens eigennütziger.

Anderseits begreifen wir aber auch ganz gut, dass der Erwählte von Salzburg die günstige Gelegenheit nutzen wollte, das zersplitterte Lehensgut des Hochstiftes in der Steiermark zurückzugewinnen (5) und für alle Begegnisse einer ausgiebigen Vasallenhilfe sich zu sichern bemüht war, wie die Hoftage Philipp's im Februar und Juni 1250 zu Vonstorf andeuten (11). Willfährige Lehensmannen, wie namentlich die Pfannberger, fehlten nicht; Dienstverträge wurden geschlossen, die denn doch irgend ein Hinterpförtchen offen liessen (12, 13) und der Erzbischof war nicht der Mann auf halbem Wege stehen zu bleiben, wie die Rheimchronik andeutet. An Willenskraft und kriegerischer Tüchtigkeit gebrach es ihm keineswegs, wie bald darauf sein glücklicher Kampf mit dem Görzer und Tiroler Grafen (1252) bewies.

Da trat denn an die Steiermärker die verhängnissvolle Frage heran, wen sie zum Landesfürsten erküren mochten. Unter den Oesterreichern hatte sich eine starke Partei für den Sohn des Böhmenkönigs Wenzel, Premysl Otokar, Markgrafen von Mähren, Gertruden's Schwager und Verwandten des Sponheimers Philipp gewinnen lassen. Denn vorderhand gab es keine die Vergabung fälliger Reichslehen entscheidende Kaiser- oder Königsgewalt in Deutschland, und der böhmische Thronfolger, verwandt mit den Babenbergern und dem Kärntner Herzogshause, auch bei dem römischen Stuhle gut angeschrieben, in der Fülle der Jugend und Kraft, erschien als der geeignetste und mächtigste Bewerber, freigebig im Lohnen und nicht karg mit Versprechungen und freundlichen Worten. Ueberdies war er entschlossen, der betagten Margarethe, der Schwester des letzten Babenbergers und Schwiegertochter Kaiser Friedrich's II., die Hand zu reichen, nachdem er im Spätherbste des Jahres 1251 [5]) Oesterreich und auch Wiener-Neustadt [9]), das Bindeglied zwischen Oesterreich und Steiermark, zur bedingten Anerkennung seiner landesfürstlichen Gewalt gebracht hatte. Endlich darf man auch nicht übersehen, dass Philipp, der Erwählte von Salzburg, dem die Ungarn alle seine Errungenschaften in der Steiermark abdrangen, in Gemeinschaft mit seinem Bruder, dem Kärntner Herzoge Ulrich, sein möglichstes that, um die Ungarn bei Ottokar anzuklagen [10]) und den premyslidischen Verwandten zur Annexion der Steiermark aufzumuntern.

---

[5]) Vgl. Lorenz, Erwerbung Oesterreich's durch Ottokar v. Böhmen, 1857, S. 11 ff. 1251, 21. Nov. fand bereits der Huldigungstag in Klosterneuburg statt. s. Urkdb. des L. o. d. E. III. 178.

[9]) Vgl. Erben's Regg. I 612 Nr. 1326.

[10]) Reimchr. Cap. 22.
   „Er chlagt Im ser den Gewalt
   den Im der Chunig Welan
   hie ze Steyr het getan"

.   .   .   .

In der steiermärkischen Ständeschaft äusserte sich nun eine Parteispaltung, denn mit klaren Besitzrechten oder berechtigten Ansprüchen hatte die damalige Sachlage nimmer zu schaffen. Es war die Zeit der Annexionen und Usurpationen gekommen, die Zeit, in welcher die Steiermärker entschlossen waren, sich den Herrn selbst zu wählen und man wäre versucht, eben diesen Zeitpunkt für den auffälligen Zusatz von späterer Hand in den landrechtlichen Satzungen der Georgenberger Urkunde vom Jahre 1186 verantwortlich zu machen. Ein Theil der steiermärkischen L a n d h e r r e n dachte an ein Zusammengehen mit dem Schwesterlande und stimmte für Ottokar's Anerkennung. Ob der Führer dieser Partei, Ulrich von Liechtenstein, sein Bruder Dietmar auf Offenberg, der Treuensteiner, Ehrenfelser u. A. einzig und allein von dem Grundsatze geleitet wurden, „es sei Rechtens, dass Oesterreich und Steierland Einer Hand unterthänig bleibe“, — und nicht auch andere greifbare Beweggründe von der böhmischen Annexionspolitik aufgeboten wurden, — lässt sich nicht sicher entscheiden. Immerhin wollen wir annehmen, dass dabei der Liechtensteiner „witzig und männlich“ dachte; überdies gab die nächste Zukunft dieser Partei Recht.

Anders aber dachten, Dietmar von Weisseneck an der Spitze, Friedrich von Pettau, Ulrich und Leutold, die Wildonier, Wulfing von Stubenberg, Heinrich von Pfannberg, Seifried von Mährenberg, die Ramensteiner, der Kranichsberger, Kolo von Seldenhofen, — gewiss die stärkere Partei. Sie kam den Wünschen der Wittelsbacher, Herzog Heinrich's, des Bruders Pfalzgrafen Ludwig's, entgegen. Dieser musste aber bald das willkommene Angebot fallen lassen.

Denn sein Schwiegervater, König Bela IV. von Ungarn, war nicht gesonnen, dem Eidame mit Rath und That behilflich zu sein, ihn gelüstete selbst nach dem Besitze der benachbarten Steiermark. Bald gelang ihm die Ausnützung der wittelsbachischen Partei zu ungarischen Annexionszwecken und die Babenbergerin Gertrude, inzwischen wieder aus ihrer Zurückgezogenheit aufgetaucht, wurde schon aus Verdruss über die Wendung der Dinge in Oesterreich seine Verbündete. „Mit Boten und Briefen," erzählt die Reimchronik, „übergab sie all' ihr Recht auf Oesterreich und Steierland heimlich" dem Ungarnkönige, der ihr als Entgelt den dritten Gatten, Roman von Halitsch, seinen Neffen auserkor. So dienten beide Babenbergerinnen, Margarethe und Gertrud, der politischen Annexion als brauchbare Rechtstitel, wenngleich Gertrudens bezügliche Cession thatsächlichen Einflusses so gut wie ganz entbehrte.

Da Ottokar jedoch, seit Februar 1252 Verlobter und zwei Monate später Gemahl Margarethen's, sich nicht bloss Herzog von Oesterreich, sondern auch von Steiermark schrieb, überdies alles aufbot, um die Gunst der Steiermärker zu gewinnen; da er im Sommer des genannten Jahres einen Gütervertrag mit Dietmar von Steier abschloss (15) und Urkunden als Herzog der Steiermark ausstellt, ja persönlich in das Land gekommen zu sein scheint, — während die Ungarn einen verheerenden Einfall nach Oesterreich und Mähren vollführten, — so liegt die Wahrscheinlichkeit nahe, Bela IV. habe damals noch nicht über die wittelsbachische Partei in unserem Lande verfügt und die Occupation der Steiermark besten Falles im Herbste und nur unvollkommen durchzuführen vermocht.

Ja wir begegnen noch im Mai und Juni des nächsten Jahres (1253) dem böhmischen Thronfolger als „Herzoge Oesterreichs und Steiers" in unserem Oberlande, zu Leoben, von einem stattlichen Kreise steiermärkischer Adelsherren umgeben. Auch Dietmar von Weisseneck und Wulfing von Stubenberg finden sich (16) — auffällig genug — darunter, was auf eine ungarnfeindliche Haltung Einzelner von der wittelsbachischen Partei schliessen liesse. Ueberdies spricht die Reimchronik von der Vertreibung des ungarischen Hauptmannes Ainbold. Wir bewegen uns somit innerhalb urkundlicher Thatsachen und verworrener Ueberlieferungen, die keinerlei klare und sichere Ansicht ermöglichen.

Jedenfalls werden wir sicher gehen, wenn wir uns dem Geleite der Reimchronik nur mit grosser Vorsicht überlassen und folgenden Gang der Ereignisse als den wahrscheinlichen hinstellen. Der erste Zeitabschnitt der ungarischen Annexion fällt in den Spätsommer und Herbst des Jahres 1252, zweifelsohne in Verbindung mit dem verwüstenden Einfalle Bela's IV. nach Oesterreich, der den Ungarnkönig um den 20. Juni im Lager vor Wien erscheinen lässt. Ottokar's Anwesenheit in der Steiermark ist für damals auf urkundlichem Wege nicht genau erweislich [11]), aber thatsächlich annehmbar.

1253 kam es zu einer Reaction gegen diese Anfänge der ungarischen Herrschaft in unserem Lande, deren Umfang wir eben so wenig als die sie leitenden Persönlichkeiten klar zu erkennen vermögen. [12]) Wahrscheinlich hatte sie sich anfänglich einer Maske bedient, als vertrete sie nur das Interesse des Wittelsbachers und lüftete sie erst allgemach. Diese Reaction benützte Ottokar und so begreifen wir dessen Anwesenheit im Mai des genannten Jahres zu Leoben im Oberlande und die Gegenwart zweier ansehnlicher Vertreter der wittelsbachischen Partei, insbesondere ihres Führers Dietmar von Weisseneck, neben Ottokar's Hauptanhänger, Ulrich von Liechtenstein (16).

Ungarns Angriff auf Oesterreich und Mähren im Juni 1253 war mit einem bald erfolgenden Einfalle der Baiern nach Oesterreich combinirt und da Ottokar von seinem Vater selbst, trotz der Grösse dieser Kriegsgefahr, aus Groll und Argwohn im Stiche gelassen wurde, hatte er den Aufwand

---

[11]) Bei Lambacher findet sich Anh. 31—32 Nr. XXI eine Urkunde Ottokar's vor, die seine Anwesenheit zu G r a z i. J. 1252 bezeugt, aber o h n e j e d e n ä h e r e Z e i t a n g a b e.

[12]) Reimchronik, Cap. 21, 22. Joan. Victor. a. a. O. I. B. 4. Cap. der der Reimchronik nachschreibt, fasst dies in nachstehende Worte zusammen :

Ungari autem terre presides populum inconsuetis angariis opprimentes nobiles et plebeios nimium perturbabant. Considerantes igitur ex hoc, quod omnes Ottocarum affectarent et cottidie eius patrocinium implorarent, formidantes et nutantes vacillantibus animis ad propria redierunt. Quibus (Ungaris) eliminatis et de terra egressis Ottokarus advocatur et occurente sibi populo de singulis civitatibus cum laude princeps Styrie potentialiter est effectus.

all' seiner Kräfte nöthig, um Oesterreich und Mähren zu retten. Thatsächlich musste er also die Steiermark preisgeben oder richtiger gesagt der Selbstvertheidigung überlassen. Jene Aenderungen somit, welche unser Reimchronist, die einzige Quelle dieser steiermärkischen Geschichtsepoche, an die erste Annexion der Ungarn knüpft und durch Ottokar bewirken lässt, nämlich die angebliche Vertreibung des ungarischen Hauptmannes Ainbold (Ompud?) und die Uebertragung der Landeshauptmannschaft von Witigo auf Heinrich von Pfannberg, müssten in die Zeit von 1252 — Mai. Juni 1253 gestellt werden. Aber ihr Detail hält der urkundlichen Kritik nicht Stand.

Ainbold's Vertreibung müssen wir aus Mangel an anderweitigem Quellenmateriale unerörtert lassen. Aber bezüglich Witigo's ist die Reimchronik im Irrthum; er war nie Landeshauptmann, sondern Landschreiber der Steiermark; ebensowenig begegnet uns eine urkundliche Spur der von dieser Quelle behaupteten Landeshauptmannschaft des Pfannbergers, die besten Falles nicht lange währen mochte, da auch Hartnid's von Pettau, Wulfing's von Stubenberg, Leutold's von Stadek und Wulfing's von Treuenstein in gleicher Eigenschaft gedacht wird [13]). Nun aber entsteht die wichtige Frage: hielt Ottokar den factischen Besitz der steiermärkischen Herrschaft bis 1254 fest? Dass der Angriff der Ungarn zurückgewiesen wurde, scheint aus den allerdings sehr unbestimmten Andeutungen der Quellen hervorzugehen. Mitte Sep-

---

[13]) Vgl. Reimchronik a. a. O. S. 34—35. Im Victoriensis a a. O S. 287—8 (I. Buch, 4 Cap.), der in diesem Theile seiner Chronik ein Auszug der Reimchronik genannt werden darf, werden die Ereignisse übersichtlicher geordnet, ohne dass wir jedoch klarer darin sähen. Tangl in seinen Abh. über die Pfannberger, II. Abth. Arch. f. K. ö G. 18. Bd., S. 127, hält sich wohl bezüglich des Pfannbergers an die Reimchronik — muss sich aber (128) aus Mangel anderweitiger Belege mit der Doppelannahme helfen, dass er „entweder Landeshauptmann" oder „oberster Landesrichter" war und auch in letzterer Hinsicht ist die von ihm angezogene Gösser Urkunde vom 12. October 1254 ein magerer Behelf.

tember d. J. treffen wir den Sohn Wenzel's I. zu Krems, wo er dem apostolischen Sendboten, Cardinalbischofe Guido, die feierliche Zusage gibt, den König Wilhelm zu unterstützen und aus dessen Hand persönlich Oesterreich und Steiermark als Reichslehen entgegenzunehmen. Ueberdies besitzen wir eine Urkunde Ottokar's vom 17. December 1253, zur Zeit, wo sein Vater bereits verstorben (22. September) und er selbst Böhmenkönig geworden war, in welcher er sich offenbar als Landesherr der Steiermark geberdet, da er Witigo, dem Landschreiber der Steiermark und dessen Bruder Ruotger die Erlaubniss ertheilt, das Schloss Haldenrain (Halbenrein) in der Gegend von Radkersburg zu verkaufen (17).

Ottokar führt auch, nachdem die seit Juli 1253 durch den Cardinallegaten Guido im päpstlichen Auftrage versuchte Friedensvermittlung zu einem Waffenstillstande gedieh, den Titel eines Herrn oder Herzogs von Steiermark weiter und wenn auch auf solche Titel wenig Gewicht zu legen ist, so ist es dennoch bemerkenswerth, dass uns keine einzige Urkunde überliefert blieb, welche für die Zeit von 1253 bis 3. April 1254 das landesherrliche Walten der Ungarn in unserem Lande bezeugt. So bleibt uns denn kein anderer Ausweg, als die auch von den damaligen Chroniken unterstützte Annahme, die Ungarn seien bis zum letztern Zeitpunkte nicht als Herren der Steiermark zu betrachten, Ottokar habe dagegen als Inhaber landesfürstlicher Gewalt allhier zu gelten. Denn auch das Ofner Friedensinstrument verräth deutlich, dass in Bezug der Steiermark Ottokar die Abtretung [14]) vornimmt und dafür durch ein seiner österreichischen Herrschaft zu Gute kommendes Gebietsstück entschädigt wird, überdies der Arpádenhof für die Befriedigung der „Herrin von Impirg", d. i. Gertruden's, zu sorgen hat (18). Was letzteren Punkt betrifft, so bleibt der Name „domina de Impirg", worunter man Gertrude verstehen muss, allerdings ein sonderbarer Fund, der sich aber

---

[14]) Daher heisst es auch in den gleichzeitigen Annales Austriæ z. B. Mellic. Cont. Predicat. Vindob. Sancruc. II. Eodem anno Ottokarus Dux Austriæ assignavit Bele regi Ungariæ Styriam.

einfach auf ein Schreibversehen statt: Judenburg zurückführen lässt. So heisst in einer ottokarischen Urkunde vom
Jahre 1261 Friedrich, Gertruden's Sohn, Friedericus filius
dominae G. ducissæ de Judenburch [15]. Durch die Reimchronik erfahren wir auch, dass Gertruden als Leibgeding:
Leoben, Knittelfeld, Judenburg am obern Murboden, Grazlupp
bei Neumarkt und Voitsberg mit Tobl im Kainachgelände
Mittelsteiermarks zugewiesen wurden. [16] — Endlich haben
wir noch ein paar Worte über das in jenem Frieden an
Ottokar überlassene Gebiet zwischen dem Südufer der Donau
und der Wasserscheide des Murflusses zu bemerken. Dass
zunächst der Traungau und die ehemalige Püttner Mark an
Oesterreich fiel, unterliegt keinem Zweifel [17]. Doch auch das
ganze Ennsthal gehörte demzufolge nicht zu dem von den
Arpáden erworbenen Steierlande und müssen wir bei dem
„Schlosse Schwarzenbach" an das heutige Schwarzenbach im
Rottenmanner Bezirke denken, das sich Ungarn als Grenz-
punkt seines Antheiles auf's angelegentlichste sichern wollte.
so griffe die damalige Ländermarke in's Paltenthal hinein.
das allerdings ausserhalb der Wasserscheide der Mur liegt.

II. Die Vertreibung der Ungarn aus der Steiermark und die dauernde Be-
gründung der Herrschaft Ottokar's im Lande. E. 1259—1267 sammt den ein-
leitenden Verhältnissen seit 1254.

Die ungarische Herrschaft in Steiermark hatte mit dem
Ofner Frieden vom Jahre 1254 ihre Feststellung gefeiert,
aber einen bleibenden Schatten geworfen. Bela IV. willigte nämlich

---

[15] Palacky II, 1, S. 187, Note 259.

[16] Reimchronik, 26. Cap.

[17] Ziemlich genau verzeichnen auch die Ann. Mellic. die Begrenzung
durch den Ofner Frieden: s. Monum. Germ. XI. S. 509 — in denen
als Grenzmarken der Berg Semtirich (Semering) und Agmund (Admont) genannt werden und im Victor. a. a. O. S. 288 heisst es:
positisque metis terras distinguentibus, scilicet montibus Semernich

in eine Gebietsabtretung an Ottokar, welche die Steiermärker
übel vermerken mussten, denn sie geschah auf Kosten der
alten Landesgrenzen. Schon die Anfänge der árpádischen
Annexion 1252/1253 hatten nur sehr getheilte Sympathien
unter den Ständen des Landes finden müssen. An einer
Ottokar immerdar befreundeten Partei wird es nicht gefehlt
haben, wenn sie sich auch ruhig verhielt und die ungarische
Herrschaft äusserlich anerkannte. Ueberdies gedachte so Mancher
besserer Tage, als noch Steiermark und Oesterreich in einer
Hand lagen und mochte die Wiedervereinigung der Schwesterlande in der Person Ottokar's, des Gatten der Babenbergerin
Margarethe, herbeiwünschen.

Anderseits befand sich noch eine Babenbergerin im
Lande, Gertrud, welche von ihrem dritten Gatten, einem Köder
ungarischer Politik, getrennt, sich für ihre eigene Person in
dem Stillleben zurechtfinden mochte, — immerhin aber auf
ihren Leibgedingsitzen Gegenstand der Aufmerksamkeit jener
Elemente der adeligen Landschaft blieb, welche in ihr die
Inhaberin eines Erbrechtes gegenüber der politischen Annexion
oder Usurpation des Landes erblickten.

Dass sich ihr Sohn zweiter Ehe, Friedrich, der nach-
malige Schicksalsgenosse des letzten Sprossen vom erlauchten
Hause der Staufen, des Titels „Herzog von Oesterreich und
Steiermark" bediente, gerade wie seine Mutter dies noch
fortan that, dieselbe Frau, welche man in dem Ofner Frie-
densinstrumente vom Jahre 1254 wohl nicht ohne Absicht
mit dem anspruchsloseren Titel Herrin von Impirg (Judenburg) abgefertigt wissen wollte, — war gewiss der ungarischen Herrschaft nicht sonderlich willkommen.

Auch ist es nicht ganz bedeutungslos, dass jener Landschreiber der Steiermark, Witigo, der in seinem Amte so
manchen Wechsel der Zeiten überdauert hatte, der schon um

---

et Haiperch ... Bezeichnend sagt der sog. Anon. Leob. (a. a.
1253) Unde exortum est, ut isti in nova civitate et circum
quaque dicuntur Australes, cum tamen eadem civitas
sita sit in terra Styrie.

1244 unter dem letzten Babenberger auftaucht [16]), 1248 „von Reiches wegen" (sacri imperii per Styriam) bestellt erscheint, in der ersten Epoche der ungarischen Herrschaft, dann unter Ottokar und wieder in den ersten Tagen der neu begründeten Arpádenherrschaft seine wichtige Stelle bekleidete, gerade im Jahre 1255, in welchem er (10. Jänner) von Gertrud als „Herzogin von Oesterreich und Steiermark" (17) sich neuerdings sein Besitzrecht auf das Schloss Halbenrain bestätigen lässt, zum letzten Male als Landschreiber erscheint und dieses Postens ledig, alsdann in Diensten Ottokar's als Landschreiber Oberösterreichs auftaucht, wo er als Opfer der Privatrache 1256 im Kloster S. Florian den Tod findet.

Aber es ist gerathener, den schlüpfrigen Boden der halben Thatsachen und Vermuthungen zu meiden und dem Nächstliegenden nachzuspüren.

Die ungarische Fremdherrschaft, an deren Spitze wir seit der zweiten Hälfte des Jahres urkundlich den Ban („Herzog") von Croatien-Slavonien Stefan, aus dem Geschlechte der Subič (nachmals Zrinyi), zunächst mit dem Sitze auf der Burg zu Graz vorfinden, darf durchaus nicht in so schwarzen gehässigen Farben gedacht werden, wie sie die Reimchronik wählt. Schwieriger erscheint die Beantwortung der Frage, ob die Ungarnherrschaft Losreissungen steiermärkischen Landes, etwa im Süden der Drau zu Gunsten der Vergrösserungen des slavonischen Banates versuchte [17]). Die árpádische Regierung, des Banus Stefan Verwaltung war und musste vor Allem die Herrschaft der gesetzlichen Ordnung werden, sie musste mit den Auswüchsen der gesellschaftlichen Zustände, mit dem rechtsverletzenden Uebermuthe Einzelner und mit der allgemeinen Unsicherheit aufräumen und da sie selbst keinen festen Rechtsboden unter den Füssen fühlte, den Halt dabei in der Gunst eines Standes suchen, der besonders über Verletzungen seiner Besitzrechte zu klagen hatte, nämlich der Clerus, die geistlichen Körperschaften im Lande.

---

[16]) Meiller's Babenb. Regg. 177 (181), 180 (145).
[17]) Vgl. Lorenz a. a. O. I S. 188.

Gleich im ersten Zeitraume begegnen wir einer Urkunde vom Jänner 1255, worin der Landesrichter der Steiermark, Gottfried von Marburg und der Landesmarschall, Friedrich der Jüngere von Pettau, über Auftrag des Königs von Ungarn und seines Statthalters, des Banus Stefan, Güterstrafen über eine Reihe von Edeln verhängen, die sich an dem Besitze der Deutschordenskirche in Graz vergriffen. Weitere Schied- und Urtheilssprüche drehen sich um die Besitzrechte und Schadenansprüche der Kirchen Seckau, St. Lambrecht, Göss [20]), Admont, Rein, Vorau u. s. w., wobei die Edelherren und Ministerialen von Massenberg, Wulfing von Stubenberg, Herrand von Wildon, Wulfing von Treuenstein, Ekkehard von Dobrenge, Heinrich Graf von Pfannberg, Gottschalk von Neuberg u. s. w., also Namen von Ansehen im Lande als sachfällige Vergewaltiger kirchlichen Gutes und Rechtes erscheinen (21.)

Auch das kirchliche Leben litt an inneren Störungen. Am schlimmsten muss es diesfalls im Kloster Admont ausgesehen haben, wenn wir der inhaltschweren Bulle P. Innocenz IV. vom 13. April 1252 gedenken und darin lesen, dass es im Stifte „einige Mönche und Laienbrüder" gab, die gewaltsam Hand an einander legten, sich am Klostereigenthum vergriffen, jeden Gehorsam verweigerten, Parteiung und Aufruhr säeten und trotz des Bannfluches ihres Abtes den geistlichen Verrichtungen oblagen. Der Papst empfiehlt Ottokarn um dieselbe Zeit den Schutz des bedrängten Stiftes und eben solchen Schirmbriefen (14, a, b, 19, 22) begegnen wir 1254 den 8. April und 15. Juli, ohne dass jedoch Admont's Verhältnisse in ein besseres Geleise kamen. Denn es lag in einem Gebiete, das durch den Ofner Frieden ausdrücklich von der Steiermark geschieden war, der Salzburger Territorialhoheit unterordnet erscheint und durch die Salzburger Wirren in ein Wirrsaal von Bedrängnissen gestürzt wurde. Das Ennsthal gleichwie der Lungau erscheinen während der ganzen Epoche

[20]) In der Urk. v. 14. Oct. Graz 1256 (LA.) überantwortet der Landesrichter Gottfried von Marburg der Aebtissin die Güter des Wülfing von Treuenstein und des Ekkehard von Dobrenge.

seit dem Interregnum bis zum Schlusse der ungarischen Herrschaft in der Steiermark als Tummelplatz verheerender Fehden.

Und so müssen wir denn auch des Salzburger Bisthums-
streites [21]) in Kurzem gedenken, da er uns den Einblick in
Verhältnisse erleichtert, welche schliesslich die ungarische
Herrschaft aus den Angeln hoben. Der „Erwählte" Philipp,
den das Decret Papst Alexander's IV. aus dem Gefühle der
Sicherheit aufgeschreckt hatte, war einer der entschiedensten
Widersacher der Arpádenpolitik, seit deren 1252 unter wit-
telsbachischer Firma vorübergehend begründete Herrschaft im
Steierlande die ganzen territorialen Errungenschaften Salzburg's
bedrohte. Philipp „klagte darob sehr" bei Ottokar, erzählt
die Reimchronik, und hielt um so fester die Partei des Pre-
misliden. — Der Ofner Frieden vom April 1254 rettete offenbar
die Occupationen Philipp's und er sowie sein Bruder Ulrich,
der Kärntner Herzog, wurden zweifellos durch Ottokar in
diese Uebereinkunft mit König Bela IV. eingeschlossen.

Der Salzburger Erwählte war den Ungarn ein Dorn im
Auge und wir können dem Ausspruche der gegen ihn 1255
von den bairischen Bischöfen, dem Freisinger, Passauer, Regens-
burger, Chiemseer und Lavanter beim römischen Stuhle eingebrachten Klageschrift beipflichten, wenn es darin heisst, dass
Philipp „vielerlei Fehden des Ungarnköniges mit
den Vornehmen der Steiermark und desselben
Königs mit dem von Böhmen veranlasst habe".
Als nun sein Kampf mit dem Seckauer Ulrich um das Hochstift Salzburg losbrach, stand er mit Ottokar bereits im engen
Bündniss. Die Sponheimer Brüder, Herzog Ulrich und der
genannte Philipp schlossen überdies zu Liechtenwald an der
Save, einem Schlosse des Salzburger Hochstiftes, eine Erb-
theilung und ein festes Bündniss.

---

[21]) Ueber den Salzburger Bisthumsstreit s. Hundt Metrop. Salisb. H a n s i z
Germ. sacra II, Zauner Chronik von Salzburg, O L o r e n z cit. Abh.
Deutsche Gesch., Pichler Landesgesch. v. Salzburg; die wichtigsten
Actenstücke sammelte C h m e l im 108. Bde. der Wiener Jahrbücher
f. Litter.; das Material auch theilweise b. M u c h a r 5. Bd.

Umsomehr konnte sich nun der gewaltthätige Sinn und unbeugsame Trotz des Erwählten von Salzburg wider seinen Rivalen und dessen Anhang kehren, und die salzburgischen Besitzgründe im eigentlichen Hochstiftlande so gut wie im Baierischen, in Kärnten und in der Steiermark nicht minder als in Oesterreich, wurden zum Zankapfel der Parteien und zum lockenden Gewinne räuberischer Selbstsucht.

Dass der Ungarnkönig die Partei des Seckauers nahm, ist um so begreiflicher und gewiss suchte sich Ulrich dieser Gönnerschaft zu versichern, bevor er das gefährliche Wagniss unternahm, dem seine Persönlichkeit eben so wenig gewachsen war als sein materielles Vermögen. In der That sollte die Halleiner Wahl Ulrich's (1256) zum Erzbischofe der Fluch seines Lebens werden und der Mann, der, aus schlichten Lebensverhältnissen hervorgegangen, als Schreiber, dann Notar und Protonotar der herzoglichen Kanzlei es endlich zum Seckauer Bischofe gebracht, hätte sich als guter Theologe und gewissenhafter Seelsorger mit dieser Lebensstellung begnügen sollen, statt mit seinen mittelmässigen Fähigkeiten, seinem schüchternen Wesen und fühlbaren Geldmangel den Kampf gegen den Bruder des Kärntnerherzogs und Verwandten des Böhmenkönigs aufzunehmen. Dem Seckauer war in der That ein dorniger Pfad bitterer Enttäuschungen und Demüthigungen aufgespart und gerade von Seiten der päpstlichen Curie, auf die er die meisten Hoffnungen setzte, traf ihn der herbste Schlag.

Eben zur Zeit, als er in Rom weilte, um seine Angelegenheiten persönlich zu fördern (1258), kam es in Steiermark zu Ereignissen, die wir als Anzeichen bedrohlicher Art für die Ungarnherrschaft in's Auge zu fassen haben und sicher nicht ausser aller Verbindung mit dem schwebenden Salzburger Handel denken dürfen. Die Hauptrolle erscheint dabei dem Mährenberger zugewiesen.

Seifrid von Mährenberg, ein Sohn Albert's und der Gisela, erscheint um das Jahr 1251 neben seiner Mutter als

Stifter des Klosters der Dominikaner-Nonnen zu Mähren-berg [22]).

Wir haben ihn dazumal schon im reifsten Mannesalter zu denken, da in derselben Urkunde sowohl der aus seiner Ehe mit Rikardis entsprossenen Tochter Anna, Gattin Liutold's von Stadeck, als auch der Enkel Hermann und Anna Er-wähnung geschieht.

Seifrid von Mährenberg war einer der angesehensten Adelsherren im Steierlande, allhier und im Kärntnerlande reich begütert, als Dienst- und Lehensmann des Herzogs von Steier, des Kärntner Landesfürsten und — wie uns eine spätere Urkunde lehrt — Ministeriale der Prinzessin Gertrud. Wir begegneten ihm 1252 als Parteigänger der wittelsbachischen Adelsfraction, die sich dann zur Anerkennung der Arpáden-herrschaft bequemte oder bequemen musste.

Dass diese Herrschaft in ihrem Vertreter, Banus Stefan, bei den steiermärkischen Adelsherren durchaus nicht beliebt war, haben wir bereits angedeutet. Dass jedoch auch die Sponheimer und Ottokar vor Allem nicht ruhig zusahen, son-dern vielmehr die Unzufriedenheit zu schüren beflissen waren, unterliegt keinem Zweifel, denn das legte der Parteistand-punkt im Salzburger Handel nahe und gebot die Annexions-politik des Böhmenkönigs, der die Rückerwerbung der Steier-mark fest im Auge behielt.

Wir sind über die Sachlage nur sehr oberflächlich unter-richtet und erfahren nur, dass der ungarische Statthalter den Mährenberger zur Verantwortung nach Graz vorlud, und als der Angeklagte nicht erschien, ihn auf seinem Burgsitze be-lagerte. Da fiel jedoch Hartnid von Pettau mit den aufständischen Adeligen des Drauthales über Stefan und seine Mannschaft her, schlug sie und nöthigte den Statthalter zur schleunigen Flucht nach Ungarn. So schien die Arpádenherrschaft wie mit einem Schlage beseitigt. Doch so leichten Kaufes wollte sie König

---

[22]) Muchar 5, 238. Die Copie derselben Urkunde im Landesarchive der Steiermark.

Bela IV. nicht preisgeben. Er schickte seinen Thronfolger Stefan mit starkem Heere in's Land und dieser belagerte den Pettauer in der gleichnamigen Stadt und Feste salzburgischen Besitzes.

Gerade damals war Erzbischof Ulrich aus Rom zurückgekehrt und in das ungarische Lager vor Pettau geeilt. Hartnid hatte die Aufforderungen zur Uebergabe mit der Erklärung zurückgewiesen, er werde darin nur dem rechtmässigen Erzbischof von Salzburg willfahren. Anderseits erwiderte Prinz Stefan auf die Bitten Ulrich's, man möge der Stadt schonen und abziehen, er müsse Hartnid als Rebellen strafen. Der Erzbischof, dem Alles an einem festen Bündnisse mit der ungarischen Herrschaft wider Philipp gelegen war, fand nun keinen andern Ausweg, als die Verpfändung Pettau's an die Ungarn, gegen ihr Versprechen, Kriegshilfe zu leisten und die Baarzahlung der Pfandsumme von 3000 Mark.

Hartnid übergab nun die Stadt, Prinz Stefan nahm mit seiner Gattin kumanischen Stammes den Sitz zu Pettau und alles schien in's beste Geleise zu kommen. Denn der Kampf um Salzburg lenkte die Blicke nach Aussen ab. Unter der Führung des Liechtensteiner's Ulrich zogen die Kampfgenossen des Seckauers, um guten Sold und noch reichere Beute, die Offenberger, Wulfing von Stubenberg, Hartnid von Ort, Herrand der Wildonier und Andere in den Lungau; auch Hartnid von Pettau fehlte nicht dabei.

Aber die Unternehmung scheiterte kläglich, obgleich ihr die Arpádenpolitik durch einen Angriff auf Kärnten nachhalf; bald lesen wir von der Flucht Ulrich's heimwärts und von seinem trüben Stillleben zu Piber als gebannten Schuldners der Curie. Sein Rivale Philipp gebot über die Streitkräfte seines Bruders und die Kriegshilfe des Böhmenköniges, welcher dreimal reisige Schaaren auf den Kriegsschauplatz sandte. Und noch einmal wagte sich der Seckauer aus seiner Zufluchtsstätte hinaus, allerdings ohne Heer, in Verkleidung. Doch als er in's Ennsthal gekommen, erkannten ihn Admonter Klosterleute; Heinrich von Rotenmann jagte ihm nach und bald fand Ulrich unfreiwillige Musse, auf dem Schlosse Wolkenstein über den Wechsel der Dinge nachzusinnen. Er war Gefangener seines Rivalen geworden, der mächtiger und trotziger sich geberdete als zuvor (E. 1259).

Dieser Ausgang des Handels, insbesondere die Niederlage des steiermärkischen Heergefolges bei Radstadt E. 1258 warf denn auch einen Schatten auf die Ungarnherrschaft, unter deren Auspicien der Feldzug unternommen wurde. Und dieser Schatten verlängerte sich, da ihre eigene Unternehmung wider Kärnten im Frühsommer 1259 keinen Erfolg hatte.

Der Einfall der Ungarn in's Kärntnerland muss in den Juni des Jahres 1259 gestellt werden; wenn nämlich die Heimzahlung dieser Feindseligkeiten seitens der Kärntner und ihrer böhmischen Hilfsschaaren Ende Juni und Anfang Juli sicher steht. Denn Ende Mai noch befand sich der jüngere König von Ungarn, Stefan, als Herzog der Steiermark zu Gräz, in offener Gerichtsversammlung, die in einer gleichzeitigen Urkunde als „erste des Herrn Stephan" bezeichnet wird; umgeben von ungarischen Magnaten und steiermärkischen Edelherren (26). Damals war auch der auf Wolkenstein gefangen gehaltene Erzbischof Ulrich durch Ottokar's kluge Vermittlung längst frei geworden und verwendete sich in jenen Tagen für die Vereinigung des verfallenen Spitals im Cerewalt am Semering mit der Seizer Karthause.

Die Action der Arpáden gegen Kärnten fiel ungünstig aus; Ulrich und Philipp, die Sponheim'schen Herzogsbrüder, deren Ersterer, nebenbei erwähnt, A. Mai 1259, mit dem Heunburger, Weissenecker u. A. im Gefolge, zu Göss im ältesten Kloster der Steiermark, als Gönner desselben urkundlich auftaucht (24), warfen bald die Ungarn zurück und vergalten die Feindseligkeiten mit allem Nachdruck.

Diese Ereignisse mussten für die Ungarnherrschaft im Steierlande verhängnissvoll werden. — Wir haben oben des Unmuthes einer wachsenden Partei gedacht. Diese Partei hatte im Jahre 1258 einen Erfolg gegen das Regiment der Ungarn gewonnen. Sie wurde durch das Erscheinen des Königs-

sohnes mit Heeresmacht etwas eingeschüchtert, aber nicht gebrochen. Die Schlappe Erzbischof's Ulrich v. E. 1259 war
gewissermassen auch eine Schlappe der Arpádenpolitik, die
erfolglose Unternehmung gegen Kärnten geradezu aber eine
Demüthigung der ungarischen Waffen. Das Ansehen der Fremdherrschaft erlitt so Stoss auf Stoss und jetzt gerade im Hochsommer 1259, wurde der beliebtere Königssohn heimberufen
und Banus Stefan, der einst vertriebene und mit dem Thronfolger Bela's IV. wieder auftauchende Statthalter unseres Landes,
in sein früheres Amt eingesetzt. Wir wollen allerdings die
poetischen Uebertreibungen der Reimchronik nicht nachbeten,
wo vom „Martern und Wurgen" der ungarischen Gewalt-
herrschaft die Rede ist. Aber es ist nicht unwahrscheinlich,
dass der „Herzog von Agram" das „doppelte" von dem that,
„was er einst gethan" und mit eiserner Hand eingreifen wollte,
um das mit Schrecken zu festigen, was schon im bedenklichen
Schwanken begriffen war. Und auch an der Ungarn „Hoffarth"
mögen wir gerne glauben.

Diese Massregeln brachten aber gerade den Stein in's
Rollen, sie waren das Signal zur Erhebung der ungarnfeind-
lichen Partei, die wir eben so gut die Ottokarische oder die
Unionspartei nennen können, und diese Partei muss allgemach
die alleinherrschende geworden sein.

Dass Ottokar mit dieser Partei in wachsenden Beziehungen blieb [23]), dass er ihr Aufstreben begünstigte und dass
diese Partei sich vor dem Losschlagen seiner Hilfe als künftigen Landesherrn versichern wollte — das Alles liegt so
nahe, dass wir es der Reimchronik unbedingt glauben mögen.
— Zunächst war jedoch der Aufstand der Steiermärker ein
Act der Selbsthilfe und dass, wie es heisst, im December des
Jahres 1259 binnen eilf Tagen die ungarische Herrschaft
aus dem Lande gejagt wurde und blos noch Pettau festhielt,
spricht für die treffliche Vorbereitung des Aufstandes und

---

[23]) 1255, 24. März, Steier — befand sich in Ottokar's Umgebung Wulfing
von Stubenberg, s. Anh. Regg. Nr. 28.

anderseits für die Sorglosigkeit des Banus-Statthalters, oder doch für eine Ueberschätzung seiner Machtstellung im Lande.

So hatte die Ungarnherrschaft schmählich geendet, aber noch war Pettau in ihrer Hand und die dringende Gefahr in Aussicht, dass die Arpáden alles aufbieten würden, um diese Schmach zu rächen und ihre Herrschaft das dritte Mal mit Gewalt der Waffen zu begründen. Die Steiermärker von der Bewegungspartei hatten nun die Brücken hinter sich abgebrochen und auch für die Andern, welche halb widerwillig mitgezogen wurden, gab es nun keine andere Wahl mehr als die Anerkennung Ottokar's. Darauf hatte der Böhmenkönig gewartet, man musste ihm entgegenkommen und Adel und Städte ihn zur Rettung des Landes vor der Rache der Ungarn einladen [24]).

Als die Ungarn unter Herzog Stefan im Frühjahre 1260 über die rebellische Landschaft wieder herfallen wollten, fanden sie die Grenze wohl verwahrt, den Heerbann der Stände und das von Ottokar gesendete Hilfsheer unter des Hardecker's Führung stark genug, den Angriff abzuwehren. So mussten denn die Würfel der Entscheidung auf einem anderen Kampfplatze endgiltig fallen.

Dass sich Ottokar seit dem Frühjahre 1260 urkundlich als Landesherr der Steiermark geberdet, ist sichergestellt. Man braucht nur seine in Wien am 10. März d. J. für das Kloster Rein (27) ausgefertigte Urkunde in Betracht zu ziehen. Eben so sicher ist es, dass er für die oberste Verwaltung des Landes Sorge trug. Die Reimchronik lässt zunächst den

---

[24]) Daher findet sich in den Ann. Otacariani z. J. 1260 die Stelle (Mon. Germ. XI. 182) „ad instantiam Styriensium nobilium et civitatum, de consilio inclyti comitis Ottonis de Hardek et quo rundam Australium et perpaucorum admodum de Moravia (!) dictus dominus regni Bohemiæ, Styrienses in suam protectionem recepit." Diese Worte liessen darauf schliessen, dass vorzugsweise österr. Ständeführer dafür waren, bei den Mährern dagegen die Sache wenig Anklang fand. Ob Bruno, der wichtigste Rathgeber Ottokar's, sich in dieser Frage mehr passiv als activ verhielt, lässt sich nicht durchblicken.

staatsklugen Bischof von Olmütz, Bruno, als Stellvertreter des
Königs dahin abgehen, bald jedoch wieder das Land verlassen,
da die böhmisch-ungarische Verwicklung seine Anwesenheit
bei der Person König Ottokar's erheischte. Urkundlich ist
dies nicht verbürgt, wohl aber die zweite Thatsache, dass
die Statthalterschaft der Steiermark, H e i n r i c h, aus dem
ö s t e r r e i c h i s c h e n H a u s e d e r L i e c h t e n s t e i n e r,
Ottokar's bekannter Parteigänger und Günstling (seit 1251)
— spätestens seit dem E. Mai des J. 1260 den Posten eines
Landeshauptmannes der Steiermark bekleidete (28).

Die Anwesenheit der hervorragendsten Herren der Steiermark im März 1260 zu Wien, in des Königs Umgebung, des
Stubenbergers, Stadekers, Liechtensteiners, Wildoniers, des
von Ort, Pettau, Ramenstein, Marburg .... lässt zwanglos
darauf schliessen, dass wir es mit der damaligen Vertretung
des Landes bei dem neuen Herrn und mit dem Zeitpunkte zu
thun haben, in welchem die Gefahr des Ungareinbruches in
die Steiermark überstanden sein mochte.

Aber auch in der blutigen Entscheidung vor Kroissen-
brunn (12. Juli 1260) am Marchfelde focht der Heerbann der
Steiermärker und ihr Banner, „grün wie das Gras, darin ein
blanker Panther schwebte, gleichsam als lebte er", führte der
alte Wildonier Ulrich, Herrand's und Hartnid's Vater [25]).

Dafür dankte denn auch Ottokar den Steiermärkern, wie
die Reimchronik erzählt, „fleissiglichen" und gelobte, ihre
Bitten zu erfüllen und ihr Verdienst mit Hulden zu lohnen.
Die Kroissenbrunner Schlacht [26]) zerstörte alle auf Steiermark's
Wiedergewinnung gerichteten Hoffnungen der Arpáden, aber
sie bewirkte noch mehr, sie festigte Ottokar's grosse Machtstellung im Donaugebiete.

Aber der „goldene König", wie ihn eine böhmische Chronik
nennt, konnte mit der Neige des Jahres 1260 auch nicht
säumen, sich in der Landeshauptstadt der Steiermark einzu-

---

[25]) S. Reimchronik S. 75.
[26]) Ihre Beschreibung b. Lorenz deutsche Gesch. I und Dudik G. M. 5,
451 ff. bes. 455—6.

finden und hier die Huldigung entgegenzunehmen, eine Thatsache, die da und dort unkritischer Weise bereits E. 1259
angesetzt erscheint. Eine Reihe von Urkunden verbürgt
diesen Aufenthalt und wieder sind es geistliche Würdenträger
und Körperschaften, welche uns darin als theilhaftig der Huld
und des Schutzes Ottokar's begegnen: Bischof Konrad von
Freising, die Klöster Viktring, S. Paul in ihrem Streite mit
den Pfannbergern, Seckau, S. Lambrecht, Rein (30—37).

Auch der Böhmenkönig hat so gut wie die ungarische
Herrschaft mit der Ordnung der zerrütteten Rechtsverhältnisse
beginnen müssen und die Kirche säumte nicht, ihr Recht und
ihren Vortheil zu wahren. — In zweien dieser Urkunden
(34, 35) für das Stift Seckau und das zu Rein, erscheint
zum erstenmale der Witigone Woko von Rosenberg, böh-
mischer Landesmarschall, vormals Landesrichter ob der Enns,
der Sprössling des mächtigsten Adelsgeschlechtes in Böhmen,
— als Landeshauptmann der Steiermark [27]), — derselbe, dessen
Stoss auf das Kumanenheer in der Kroissenbrunner Schlacht
viel zu deren glücklicher Wendung beitrug. Heinrich von
Liechtenstein muss ihm also den Platz geräumt haben.

Woko von Rosenberg war im Gefolge des Böhmenkönigs
nach Steiermark gekommen, wohin auch Bruno von Olmütz,
der Prager Oberstburggraf Jarosch, Smil von Leuchtenburg,
Zdislaw von Sternberg, Ceč von Budweis und andere Stände-
herren Böhmens und Oesterreichs dem Premysliden das Geleite
gaben.

Die politischen Verhältnisse der Steiermark waren nun
zu einem neuen Abschluss gediehen. Die Ungarn hatten auch
Pettau aufgeben müssen, so war das ganze Land dem Böhmenkönige unterthan und die Worte der Reimchronik: „Da
unterwand sich der wackere König Otaker von Beheim des
Landes Steier, was auch Zorns und Aergers König Bela darum

---

[27]) Vgl. über Wok von Rosenberg Pangerl's fleissige Abhandlung im
9. Jahrg. der Mittheil. des Ver. f. Gesch. der Deutschen in Böhmen,
1., 2. Heft, und seine akademische Publication über die Witigonen
im 51. Bande, 2. Hälfte des Arch. f. K. österr. Gesch.

litt, darum liess er es doch nicht" — mögen die damalige freudige Stimmung der Steiermärker über den Wechsel der Dinge ausdrücken. Legt ja doch dieselbe Quelle dem einen Boten des Landes an Ottokar, zur Zeit des Abfalles von den Ungarn, die Rede in den Mund: ˜

> „Herr, thut nicht, wie es früher geschah, als ir uns den Ungarn gabt; damit habt Ihr uns, Herr, gewaltigen Schaden zugefügt" ²⁸).

Das Werk der Union mit dem Lande Oesterreich war neuerdings gelungen. Aber die Steiermärker sollten auch bald empfinden, dass diese Wiedervereinigung in den Augen des neuen Gebieters wenig galt, dass er das Steierland einfach als Glied eines grössern Staatssystems ansah. Und dieser Eintritt in ein grösseres Staatssystem bedingte auch Leistungen und Opfer, die bald das Unbehagen der Autonomisten weckten.

Steiermark ward eine Provinz des Böhmenreiches und so trat auch ein Böhme an die Spitze der Landesverwaltung und die wenigen Urkunden aus .seiner kurzen Amtszeit beweisen eben nur wieder, dass es der neuen Herrschaft um die Herstellung der zerrütteten Rechtssicherheit im Lande und um die Sympathien der Kirche und des conservativen Elementes in der Landschaft zu thun war.

Inmitten dieser Urkunden begegnet uns auch eine, die beweist, wie lebendig denn doch das Gefühl für die familienrechtlichen Ansprüche der Babenbergerinen Margarethe und Gertrud auf die Länder Oesterreich und Steier war. König Ottokar hatte dem um ihn hoch verdienten Rosenberger die Herrschaft Rabs in Oesterreich geschenkt. Woko liess sich darüber nicht blos von der Herzogin Margarethe, sondern auch von Gertruden einen Bestätigungsbrief ausstellen (39).

Nicht lange waltete Herr Woko seines beschwerlichen Amtes. ²⁹) Schon den 3. Juni 1262 schied er zu Graz aus dem

---

²⁸) Reimchronik S. 67.

²⁹) Die Reimchronik äussert sich über die Dauer der Landeshauptmannschaft Woko's (S. 35): „dem war man dienstes vndertan — durch seinen willen wol ain jar."

Leben und Tags darauf datirt die officielle Ausfertigung seines letzten Willens, worin neben seinen Hausbeamten auch des Pettauer Minoritenpriors, des Grazer Minoritencustos und zweier Dominikanermönche als Zeugen gedacht wird (42).

Der Tod Woko's machte die Kronbeamtenschaft Ottokar's um einen bedeutenden Mann ärmer, aber für das Grosse und Ganze war der Verlust nicht entscheidend, denn die Seele desselben war Bruno, der Bischof von Olmütz, der erste Staatsmann des Böhmenköniges, und dass dieser Persönlichkeit gerade die Landeshauptmannschaft der Steiermark übertragen wurde, beweist am besten, wie wichtig dies Amt und das Land in den Augen Ottokar's blieb.

Es gibt wenig Persönlichkeiten, die sich mit so viel Treue [30]) und Geschick neben einer bedeutend angelegten, eigenwilligen und leidenschaftlichen Herrscherpersönlichkeit als deren erste Rathgeber einflussreich zu behaupten verstehen und mit staatsmännischem Talente das Geschick verbinden, ihren Einfluss dem Regenten nicht lästig zu machen, seine Eifersucht, seinen Verdacht zu vermeiden. Wenige Kirchenfürsten haben einen so weiten Blick für die grossen politischen Fragen bekundet und vermochten es so wie Bruno, ohne das Standesinteresse zu verläugnen, über dem Parteigetriebe unangefochten Stellung zu nehmen. Ein Grundzug der Natur des Bischofs von Olmütz, den das Geschick von der deutschen Nordküste südwärts geleitet [31]), um ihm, dem Grafen von Schaumburg, einen grossen Wirkungskreis zu erschliessen, war praktische Tüchtigkeit in diplomatischen, juridischen und administrativen Geschäften, rastlose Arbeitskraft, Schnelligkeit und imponirende Würde, eine seltene Mischung theologischer und weltmännischer Bildung, welche letztere nie verkennen liess, dass er aus reichsgräflichem Hause stammte. Die Urkunden dieses Zeitraumes zeigen, dass er nie an der Seite

---

[30]) Darum sagt auch die Rheimchronik (S. 68):
„Dem muost er (Ottokar) wol getrawen. Wann er sich nie gen in vergaz, dacz Grecz er mit house saz."
[31]) Vgl. die Vorgeschichte Bruno's in Dudik's Gesch. Mährens 5. 342 fl.

des Königs fehlte, wo es bedeutende Unternehmungen, wichtige
Staatsactionen galt, und doch blieb ihm bei diesen verwickelten
Aufgaben der Politik Musse genug, den Pflichten der Landesverwaltung obzuliegen und für die geistlichen Geschäfte als
Kirchenfürst, für den Rechts- und Culturzustand seines Olmützer Bisthums zu sorgen. Hoch angesehen beim römischen
Stuhle, ein gewandter und geachteter Schiedsmann zwischen
streitenden Herrschern, ward er auch als Statthalter seines
Königs geachtet und verfolgte mit sicherem Blick die rich-
tigsten Wege, um die materiellen und rechtlichen Grundlagen
der Landeshoheit zu festigen. Wohl mögen die steiermärkischen Adelsherren in der Bestellung des Böhmen Woko als
Landeshauptmann eine vorübergehende Massregel Ottokar's
erblickt haben, vielleicht begehrten sie, dass fürder kein
„Gast" des wichtigen Amtes walte, aber gegen Bruno's Bestallung wagten sie keinen Widerspruch und an acht Jahre
bekleidete der Olmützer Bischof unangefochten diese Stelle,
— allerdings oft und auf lange aus dem Lande an Ottokar's
Hoflager abberufen.

Bereits im August des Jahres 1262 erscheint (44) Bruno
als Inhaber der Landeshauptmannschaft. — Wir wollen nur
kurz der Urkunden gedenken, welche — leider spärlich gesäet
— auf seine früheste Thätigkeit hinweisen. Wieder sind es
Gabbriefe an Klöster, Schiedsprüche zu Gunsten bestrittener
Rechte und Nutzungen geistlicher Körperschaften (44—49)
und eine darunter von besonderem Werthe, da sie die städtische
Gründung Bruck's a. d. M. betrifft, wobei die Güterverhältnisse
der arg zerrütteten Abtei Admont in Mitleidenschaft gezogen
erscheinen (46). Man hatte die grosse Wichtigkeit dieser
Stadtgründung an dem Einflusse der Mürz in die Mur in
strategischer und commerzieller Beziehung nicht verkannt.

Ueberhaupt dürfen wir nicht unbeachtet lassen, dass
wir es mit der Regierung eines Herrschers und eines Staatsmannes zu thun haben, die in den Stammlanden premyslidi-
scher Herrschaft das Ansiedlungs- und Städtewesen
nach deutscher Art mit Vorliebe und kluger Erwägung hegte

und pflegte und wie dies namentlich Ottokar's Verhalten Wien gegenüber an den Tag legt, Alles aufbot, um auch in den neu erworbenen Ländern auf die politischen Sympathien des Bürgerstandes rechnen zu können. Wie kärglich auch die urkundlichen Anhaltspunkte für die Steiermark dies begründen, wir besitzen solche aus Ottokar's Zeit nur für Bruck als neue Schöpfung und Judenburg als Metropole des Handels, so beweist eine spätere Aeusserung der Reimchronik die Popularität der Herrschaft des Böhmenkönigs in den Kreisen des Bürgerthums im Steierlande; ihre Beliebtheit bei den Nichtadeligen.

Während des Jahres 1264 blieb der Olmützer Bischof unserem Lande fern, Geschäfte hatten ihn nach Oesterreich, Mähren und Böhmen entführt. — Wir können dies als einen Ruhepunkt betrachten, um als Episode den Ausgang der auch für unser Land wichtigen Salzburger Fehde zu scizziren.

Erzbischof Ulrich war noch im Jahre 1259, der Gefangenschaft entlassen, nach Piber zurückgekehrt. Auf ihm lastete der Bannfluch der Kirche, da er ausser Stande war, die der Curie schuldigen 4000 Mark zu bezahlen und die wälschen Geldmäkler, seine ungeduldigen Gläubiger, zu befriedigen. Da versuchte er nochmals sein Heil mit einer Reise nach Rom und verliess den stillen Ort freiwilliger Verbannung.

Im November 1261 äussert sich die Thätigkeit Ottokar's, dem Alles daran lag, einen Ausgleich zwischen dem Salzburger Domcapitel und seinem Vetter Philipp herbeizuführen. Es kam zu einem solchen, aber das eingeschüchterte Domcapitel suchte sich in einer Klausel ein Hinterpförtchen offen zu halten. Da kehrt Ulrich mit dem päpstlichen Legaten Thomas von Squillace wieder nach Salzburg zurück, sammt Empfehlungsbriefen des Papstes an Ottokar, worin diesem die Schutzvogtei Salzburg's übertragen wird. Dem will nun aber Baiern begegnen, das gern die Wege des Böhmenkönigs kreuzt und um Ottokar's Intervention zu hindern, für Ulrich gegen Philipp entschieden Partei nehmen zu wollen scheint; in der That aber nur die Vogteigewalt ungetheilt anstrebt.

Herzog Heinrich, Otto's jüngerer Sohn, brach in's Salzburgische verwüstend ein, steckte die „kleine Stadt" Salzburg
vor den Augen des Legaten in Brand und wirthschaftete im
Lande wie der Feind. Der Legat sprach nun neuerdings den
Bannfluch über den unglücklichen Ulrich aus und mied das
Land. Philipp kehrt nach dem Abzug der Baiern, in deren
Mitte Ulrich das Erzbisthum verlassen, nach Salzburg zurück
und Ottokar, dem der römische Stuhl abermals die Vogtei
übertragen, schreckt den Baiernherzog das Jahr darauf (1263)
mit einem Heereszuge, so dass Heinrich über Hals und Kopf
das mit Waffenmacht betretene Hochstiftland räumt. Zu
diesem Kriege hatte König Ottokar „die Herren zu Steier
und Oesterreich" aufgeboten[32]). Neuerdings empfahl nun die
Curie, Papst Urban VI., Ottokarn und dem Olmützer Bischofe
die Beschirmung Salzburg's und der Böhmenkönig besetzte
zu eigenstem Vortheile alle diesseits im Steiermärkischen gelegenen Schlösser und Orte der Metropole.

Aber Philipp, den längst die Curie aufgegeben hatte und
wider welchen eine starke bairische Partei im Lande agitirte,
konnte sich doch nicht länger halten. Er muss das Salzburgische meiden und mit Beginn des Jahres 1264 erscheint sein
Rivale Ulrich wieder im Gefolge des Baiernherzogs Heinrich.
Aber auch der vielgetäuschte Ulrich bekommt bald die traurige
Rolle einer Puppe in der Hand der Wittelsbacher satt, ver-
lässt das Land, begibt sich wieder in sein steiermärkisches
Asyl und richtet endlich ein definitives Abdankungsschreiben
an die Curie. Papst Urban IV. war aber soeben gestorben und
da erst 1265, 5. Februar, ein neues Oberhaupt der Kirche, Clemens IV. die Tiare erwarb, verflossen Monde, bevor (1265
1. September) Ulrich's Resignation bestätigt, die Excommunication aufgehoben und die Entscheidung gefällt wurde, dass
Ulrich das Bisthum Seckau und die Pfarre Piber behalten
könne.

Dies war der Ausgang der Salzburger Bisthumsfehde und
in dem letzten Jahre ihrer Entscheidung begegnen wir dem

---

[32]) Reimchronik S. 85.

Böhmenkönige wieder einmal auf dem Boden der Steiermark. Mit dem Beginne des Frühjahres war Ottokar von Prag aufgebrochen und nach Oesterreich gekommen. Von Ende März und Anfang April des J. 1265 datiren Wiener Urkunden, vom 21.—23. April Bestätigungsbriefe und Entscheidungen Ottokar's für das Kloster Garsten, Stift Seckau, Bisthum Freising, zu Graz, in unser's Landes Hauptstadt, ausgefertigt (51—53). Doch nur kurze Zeit weilte da der Böhmenkönig; schon drei Tage nach dem Datum der letzten in Graz ausgestellten Urkunde treffen wir ihn jenseits des Semerings (54) in der einstigen Püttner Mark, zu Neunkirchen, und der Hochsommer zeigt ihn in Böhmen vielbeschäftigt.

Dagegen war Bruno in unserem Lande zurückgeblieben und ergriff wieder mit fester Hand die Zügel der Landesverwaltung. Es gab da Vieles auszugleichen, Rechte zu schützen und Anmassungen zurückzuweisen. — Auch der römische Stuhl liess es an Geboten zu Gunsten gestörter kirchlicher Ordnungen nicht fehlen. Wir lesen Bullen und Breve's, in welchen Papst Clemens IV. die Frevler an Klöstern und Kirchen der Dominikaner mit dem Bannfluche bedroht (56), und den Bischof Bruno mit der Rückverschaffung der entfremdeten Güter des Stiftes Seckau beauftragt (57, 58. 65).

Insbesondere macht sich die Fürsorge des Oberhauptes der Kirche für das arg verfallene Kloster Admont geltend (60—63). Eine der auffälligsten Weisungen des apostolischen Stuhles bleibt das Breve vom 8. Juli 1265, worin Bischof Bruno und der von Gurk mit der feierlichen Bannung des Priesters Ulrich von Hauzenbichl (Haucepuel) beauftragt werden, da dieser an dem Kloster Seckau als Räuber gehandelt habe (64).

Zu den bemerkenswerthesten Streitigkeiten dieser Zeit, die unser Landeshauptmann zu schlichten hatte, zählt auch der Process des vielgeplagten Exmetropoliten Ulrich, Bischofs von Seckau, um die Pfarre Piber mit dem Priester Wernher (67, 68). Bruno's bezügliche Urkunde vom 9. November zeigt diesen aber auch schon fern den Marken unseres Landes, zu Freistadt in Oberösterreich.

Drei Jahre nahezu sollte die Steiermark den bischöflichen Landeshauptmann nicht sehen, aber die Verwaltung und das Rechtswesen bewegte sich innerhalb der von ihm befestigten Schranken, auf den von ihm gebahnten Wegen.

Während dieser Jahre spielte sich der wüste Salzburger Handel zu Ende. Ottokar's Krieg gegen Baiern, wobei ebensowohl das Heer des Königs, als das unter Bruno's Befehle (1266, August) vom Missgeschicke verfolgt war, der von der Curie vermittelte Ausgleich mit dem Wittelsbacher und die Wahl des Prinzen Wladislav von Teschen, Ottokar's Verwandten, zunächst zum Passauer, dann zum Erzbischofe von Salzburg, während sein Lehrer Peter von Breslau auf jenen bischöflichen Stuhl erhoben ward, — diese Ereignisse übten auch ihre Rückwirkungen auf die Steiermark. Vor Allem musste diese Lösung der Salzburger Frage Ottokar's Unmuth über Philipp's Depossedirung dämpfen, denn auf die gute Gesinnung des neuen Erzbischofes durfte er mit Bestimmtheit zählen. Anderseits ersparte Wladislav's friedliebender, rechtlicher Sinn der Steiermark eine Wiederholung der früheren wüsten Fehden.

Während der entsetzte und weiterer Gegenbestrebungen müde Philipp auf seinen Kärntner Gütern ein unfreiwilliges Stillleben führt, ist ein solches auch seinem Rivalen Ulrich in der Steiermark beschieden, bis der Tod (6. Juli 1268) ihn von einem Leben kränkender Enttäuschungen und Demüthigungen befreit.

Aber noch einer Thatsache müssen wir gedenken, einer Friedensthat — von hohem Werthe für ihre Zeit und alle Zeiten, die allein genügen würde, um Bruno's Landeshauptmannschaft zu verewigen; das sprechendste Zeugniss für eine Herrschaft, die nicht angestammt, sondern erworben, strenge Rechnung in ihrem Hause liebt und genau festzustellen bemüht ist, was Eigenthum und Nutzrecht der herzoglichen Gewalt sei. Und es fehlte nicht an Anlässen, die Gaben des Landes in Anspruch zu nehmen. Als Ottokar 1264 im October die prunkvolle Vermälung seiner brandenburgischen Nichte mit

dem árpádischen Prinzen beging, gab er den Auftrag, was sie
an Ess- und Futterbedarf in Oesterreich nicht auftrieben, aus
Steiermark und Mähren zu holen. Und der Reimchronist
gedenkt der fünf Futterhaufen, deren jeder grösser war „als
der Kirchthurm von Salchenau" [33]).

Bischof Bruno übertrug dem Notar Helwig aus Thüringen
die Zusammenstellung aller genau zu erhebenden landesfürstlichen Kammergüter, Kammergefälle und Rechte in einem
sogenannten Hub-, Gefällen-, Rent- oder Raitbuche (Rationarium).

Helbig brachte die Arbeit 1265 fertig und es konnte im
Jänner 1267 bei Anwesenheit des zu Graz weilenden Böhmenköniges Ottokar auf dieser Grundlage durch Bischof Bruno
die Bestallung und möglichst hohe Belastung der herzoglichen
Nutzungsämter (officia) im Lande erfolgen. Das Gesammter-
trägniss der landesfürstlichen Renten erscheint auf 7334 Mark
Pfennige beziffert, von denen nach Abzug bestimmter Ausgaben
beiläufig sechsthalb Tausend Mark erübrigten.

Jene chronologische Angabe bringt uns in einige Verlegenheit, den Grazer Besuch in Ottokar's Itinerar einzureihen.

Denn am 4. December 1266 treffen wir Ottokar noch
in Oberösterreich, den 30. December zu Prag und am
20. Jänner 1267 bei Laa, von Wien aus, wir müssten somit
in die kurze Zwischenzeit des Jahreswechsels die Hin- und
Rückreise Ottokar's in und aus der Steiermark ansetzen [34]).

Das Rationarium Styriæ ist die werthvollste mittelalterliche Topographie der Steiermark und zugleich eine Fundgrube
für die Kenntniss der damaligen Urbarialleistungen in Geld und
Naturalzins, anderseits der Landesculturen und üblichen Maasse.

---

[33]) Reimchr. S. 78. Sollte das ein Wink sein, sprechend für die
Heimat des Reimchronisten?

[34]) Anderseits findet sich eine aus Graz 1266 (ohne nähere Zeitangabe)
datirte Urkunde Ottokar's zu Gunsten des Hochstiftes Freising. die
nicht minder schwierig in das Itinerar Ottokar's eingepasst werden
kann. S. Zahn Cod. dipl. aust. Frising. fontes rer. austr. XXXI. Bd.
S. 283—4.

Die Arbeit fand ihr Seitenstück an dem Rationarium Austriæ, späterer, gleichartiger Abfassung, die wir der habsburgischen Zeit und Herrschaft vindiciren müssen [25]).

III. Die Adelsverschwörung von 1268. Die Kärntner Frage. — Seifried von Mährenberg. — Salzburg. — Rudolf's I. Königswahl. — Der Sturz der böhmischen Herrschaft (1274—1276).

Als König Ottokar und Bruno, fern der Steiermark, im Kreuzzuge wider die Preussen und Letten standen, gaben ihnen auch steiermärkische Edle mit ihren Reisigen das Geleite auf der Heerfahrt, so der junge Liechtensteiner Otto, Ulrich's Sohn, der, wie die Reimchronik erzählt, den „Rotten“ aus der Steiermark als Marschall vorgesetzt wurde.

Es gab da viel Ungemach und den König „gereute es viel hart, dass die Steierer auf der Fahrt die Furt verkosteten, dass das Eis unter ihnen borst, viel Uebles geschah, der Leute und Rosse viel ertrank, dass man von diesem Herzleid noch immer im Böhmerlande Mähren erzält“, lauten die Worte dieser Quelle [26]).

Aber sie berichtet noch bedeutsamere Dinge, die sich 1268 in der Steiermark zugetragen haben sollen und deren bessere Würdigung einiger Vorbemerkungen bedarf.

Die Kroissenbrunner Schlacht und der ihr bald gefolgte Friede mit Ungarn hatten Ottokar's Machtstellung gefestigt. Im Gefühle dieser Machtstellung wagte er den Schritt, die lästige, unfruchtbare Ehe mit Margarethe zu lösen und ein neues Eheband zu knüpfen, das seiner Neigung und den Hoffnungen auf einen legitimen Leibeserben besser entsprach.

---

[25]) Bei Rauch scrr. rer. austr. II. 114—204, findet sich das Ration. Styriæ abgedruckt. Daselbst findet sich auch das Rationarium Austriæ veröffentlicht. das aus habsburgischer Epoche stammt, jedoch an einem Hubbuche aus Ottokar's Tagen (C. 1275) seinen Vorläufer hatte. S. Chmel im Notizenbl. der Akad. d. Wiss. 5. Bd 333 ff. Eine kurze Skizze des Inhaltes des Ration. Stir. b. Muchar III 19—22.

[26]) Reimchronik S. 94.

Die Ehescheidung Ottokar's, wieder ein Beweis, wie fügsam sich die Curie gegen ihren mächtigen Günstling benahm, Margarethen's abgeschiedenes Leben auf ihrem Leibgedinge zu Krems und die prunkvolle Hochzeit des Böhmenköniges mit Bela's IV. Enkelin, Kunigunde — waren jedenfalls Ereignisse von Belang, die in weiten Kreisen Aufsehen machten. Immerhin wäre es übereilt, jene Ehescheidung, Margarethen's Verstossung, als eine Thatsache hinzustellen, welche alsbald den Credit der Herrschaft Ottokar's in Oesterreich oder gar in der Steiermark erschüttert habe. Viel später erst, als bereits die Babenbergerin verstorben war, findet sich in einer einzigen, in dem Zwettler Klosterjahrbuche, die Bemerkung: Margarethen's Tod habe das Land seiner wahren, rechtmässigen Erbin beraubt [37]). Anders aber musste es werden, sobald die Unzufriedenheit mit der Fremdherrschaft in die Gemüther einzog und Alles mit dem scharfen Auge des Grolles aufgegriffen wurde, was die Usurpation Ottokar's in ungünstigem Lichte erscheinen lassen musste.

Die häufigen und kostspieligen Heereszüge Ottokar's nahmen die Geld- und Truppenaufgebote der Oesterreicher und Steiermärker nicht wenig in Anspruch; anderseits zog die Fremdherrschaft die Zügel immer straffer an und im Jahre 1265 hörte man, wie streng und hart Ottokar mit dem Meissauer, einem der angesehensten Edeln Oesterreichs, verfuhr, wie er so manche Burg da und im Böhmerlande gebrochen habe.

So begann denn auch besonders im Gefolge der Salzburger Wirren und der Kämpfe mit Baiern eine schwüle Luft dies- und jenseits des Semerings zu wehen und auch andere Erscheinungen verstärkten das Gewitterhafte der politischen Stimmung.

Die Entsittlichung des kirchlichen Lebens spiegelt sich in den Satzungen der Wiener Synode, welche Cardinallegat

---

[37]) Ann. Zwettl Monum. Germ. XI. a. a. 1266. Obiit domina Margaretha verus heres terrae et sic terra vero herede orbata est.

Guido 1267 [38]) abhielt, sie spiegelt sich in den Weisungen und Massregeln der Curie und der geistlichen Vorsteher (63, 70), sie bietet endlich mit einen Schlüssel zur Erklärung jener eigenthümlichen Schwärmerei des Geissler- oder Flagellantenthums, welche in erster Linie eine chronische Kulturkrankheit, von den Eindrücken elementarer Erscheinungen [39], des Misswaches und namentlich des Erdbebens beeinflusst wird, da der Zorn des Himmels Sühnung zu verlangen schien.

Gab es doch 1267 im Monate Mai in der Steiermark ein solches Erdbeben, dass die Burg Kindberg zusammenstürzte und die Kirchenglocken vor Erschütterung zu läuten begannen [40]).

„Dies Jahr [41]) kam es zur gemeinen Bussfahrt,“ erzählt die gleiche Quelle,“ die in Sicilien begann und die Lombardei, Kärnten, Krain, die Steiermark, Oesterreich, Böhmen und Mähren mit Geisselungen und Bussgesängen durchzog, was für ein gross Wunder gehalten ward. Eine Menge Menschen, Arme, Reiche, Ministerialen, Ritter, Bauern, Greise und Jünglinge gingen über dem Gürtel nackt einher, den Kopf blos mit einem Linnentuch bedeckt; mit Fahnen, brennenden Kerzen und Geisseln in der Hand, mit denen sich einige bis auf's Blut schlugen. Sie sangen demüthige Lieder und zogen von Land zu Land, von Stadt zu Stadt, von Kirche zu Kirche. Viele, die das sahen, wurden erschüttert und weinten, warfen sich auch mit dem ganzen Körper nackt auf die Erde, in den

---

[38]) Vgl. Lorenz, deutsche Gesch I 399 ff. Die Synodalbeschlüsse finden sich auch in der gleichzeitigen Contin. Vindobon. Annal. Mellic. — Monum. Germ. XI. S. 699—703.

[39]) Schottwien ging 1. Aug. 1266 durch einen Wolkenbruch fast ganz zu Grunde. S. Anon. Leob. A. v. Zahn S. 18.

[40]) Anon. Leob. a. a. O. S. 19 – 20.

[41]) Die Jahresangaben schwanken zwischen 1260—1261 — s. Herm. Altah. z. J. 1260 „de Flagellatoribus“; Ann. Mellic. z. J. 1260, Ann. S. Rudberti Salisburg z. J. 1260. Cont. Sancruc. II. z. J. 1261, Contin. Praedicat. Vindob. dsgl. wo sich auch der Eingang des deutschen Bussgesanges findet. Unsere Stelle ist dem Anon. Leob. a. a. O. S. 14 entnommen, z. J. 1261

Schnee so gut wie in den Koth und jeder beharrte in dieser Busse 33 Tage, zweimal des Tages, am Morgen und Abend."

Im Gefolge der keineswegs günstig gearteten Preussen- fahrt tritt im politischen Leben unseres Landes ein Ereigniss zu Tage, dessen Kenntniss wir keiner einzigen Urkunde, son- dern nur dem dramatisch gefärbten Berichte der Reimchronik[42]) verdanken. Immerhin bleibt der historische Kern unanfechtbar und auch von anderer Seite werden uns Andeutungen ge- boten, die an dem Geschichtlichen dieser Vorgänge nicht zweifeln lassen.

Friedrich von Pettau erscheint darin als der Denunciant einer Adelsverschwörung wider die böhmische Herrschaft, als deren Urheber der Pfannberger Graf Bernhard und Hartnid der Wildonier, als Mitwisser und Theilnehmer Ulrich von Liechtenstein und Wülfing von Stubenberg beinzichtigt waren. Die Angeklagten wurden in das Lager vor Breslau beschieden und der Pettauer allhier aufgefordert, seine heimliche Anklage öffentlich vorzubringen. Er wiederholte sie ihnen in's Gesicht, nur den Pfannberger Heinrich, der sich auch hatte einfinden müssen, sprach er der Mitwissenschaft ledig. Die Beschuldigten erklärten den Pettauer für einen Lügner, forderten ihn zum Zweikampfe heraus; König Ottokar aber gestattete dies nicht, sondern nahm Alle in Haft, liess als Gefangene den Grafen Bernhard von Pfannberg auf Burglein, dessen Bruder Heinrich auf die Feste Frain (Fren) in Mähren, den Liechtensteiner Ulrich auf Klingenberg in Gesellschaft des Stubenbergers und den Wil- donier Hartnid nach Eichhorn in Mähren, schaffen. Aber auch der Pettauer Friedrich hatte sich nicht besser gebettet, da auch ihm das Loos der Haft zu Eichhorn beschieden ward.

Die Haft der Herren aus Steierland währte 26 Wochen[43]) in ihrer ganzen Härte. Doch gestattete der König nicht, dass

---

[42]) Reimchronik 56. Cap. S. 96—98. Das Chron. Joann. Victor., das den Reimchronisten Ottokar benützte, hat S. 297 (I. Buch, 9. Cap.) nur wenige Zeilen. Vgl. auch Tangl's Aufs. ü. die Pfannberger 18. Bd. des Arch. f. K. öst. G. 139 ff.

[43]) Bei Lorenz deut. G. I. finden sich zufolge offenbarem Versehens 26 Monate angegeben.

man die Habe der Gefangenen plündere, beliess ihnen je einen Diener und sandte das andere Gefolge heim. Den Pfannberger Heinrich zog er überdies bald an seinen Hof. Die Andern mussten zur Erlangung ihrer Freiheit dem Pettauer Urfehde schwören und eine Reihe ihrer Burgen ausliefern, die dann der König brechen liess. So verloren die Pfannberger: Pfannberg, Peggau, St. Peter, Kaisersberg, Strasseck und Löschenthal, der Liechtensteiner: Murau, Liechtenstein und die Frauenburg, der Stubenberger: Stubenberg, Kapfenberg, Katsch und Wulfingstein, der Wildonier: Premaresburg und Gleichenberg und selbst der Pettauer Wurmberg und Schwanberg. Zum Schlusse — erzählt die Reimchronik — sprach Ottokar zu den von der Haft Erlösten · „Thut Euch gütlich, da ich Euch durch meine Gnade reich machen und den Schaden vergüten will, den ich angerichtet. Wer sich aber von mir mit bösem Gebahren entfernt, der wisse fürder, dass er nicht wieder dessen sich erfreuen wird, was er einbüsste." Der König vertheilte an sie Kleinode, Silber und Gewand, dann entliess er sie heim.

Wir haben in Kürze das Wesentliche der ausführlichen Erzählung des Reimchronisten entnommen. Drei Punkte jedoch bedürfen einer genaueren Prüfung und zwar das chronologische und locale Moment der Erzählung und die Motivirung des Ganzen.

Der Reimchronist lässt die genannten Edelherren aus der Steiermark dreimal durch Boten und Briefe nach B r e s l a u entbieten; er lässt sie 26 W o c h e n in strengem Gewahrsam halten und zu P r a g „an dem Palmtag" (1268, 1. April) der Haft erledigen.

Die Haft müsste also Mitte October 1267 begonnen haben; somit lange vor der Preussenfahrt, welche erst im December 1267 angetreten wurde, wie aus Ottokar's und Bruno's Urkunden ersehen [44]) und schon mit Jänner 1268 beschlossen gewesen sein muss, da wir Ottokar zu Prag bereits 16. Februar d. J. urkundlich vorfinden.

---

[44]) Emler Regg. Nr. 571, 576, 577, 592.

Im April 1268 befand er sich allerdings zu Prag, mindestens vom 24. April an. Dagegen lässt sich aber sein angeb-
licher Aufenthalt zu Breslau für Mitte October 1267 in keinerlei
Weise belegen, denn die vorhandenen Urkunden zeigen blos
Ottokar 19. Sept. 1267 in Prag, 5. Nov. in Brünn und seinen
ersten Minister Bruno 3. Oct. in Mähren [45]). Ueberdies ist
ein Aufenthalt Ottokar's zu Breslau ausser aller Verbindung
mit der Preussenfahrt nicht gut denkbar.

Versuchten wir es nun, diese Begebenheit in das Jahr
1268—1269 zu versetzen [46]), da z. B. die Klosterneuburger
Annalen ihrer z. J. 1269 kurz gedenken [47]) und der Victringer
Abt Johannes in seinem Geschichtswerke die Begebenheit
dem Tode Herzog Ulrich von Kärnten (1269, 27. Oct.) mit
den Worten „in diesem Jahre" anreiht, so kämen wir
mit den Zeit- und Ortsangaben des Reimchronisten noch
schlechter weg und ebensowenig ist eine weitere Verlegung
in ein späteres oder früheres Jahr statthaft. Wir sind somit
genöthigt, wenn wir der Reimchronik folgen wollen, die ganze
Begebenheit in die Zeit vom Jänner bis April 1268 zusam-
menzudrängen und zwar die Vorladung so gut wie die Zeit
der Haft. Schwierig lässt sich da allerdings die Heimreise der
Herren nach der Preussenfahrt und ihre dreimalige Vorladung
nach Breslau chronologisch combiniren. Aber im Gebiete that-
sächlicher Unmöglichkeiten bewegen wir uns immerhin nicht.

Ueber die Motive der That des Pettauers bleiben wir
ganz im Unklaren. Jedenfalls war sein Lohn schlecht. — Der
Schluss der Erzählung, die Handlungsweise des Königs gegenüber den freigelassenen Herren würde besagen, dass Ottokar
seine That als eine Uebereilung gut machen wollte.

---

[45]) Emler Nr. 613, 558, 568—9, 560—1.

[46]) Tangl in seiner fleissigen Abh. ü. die Pfannberger versetzt irrthüm-
lich die ganze Sache in's Jahr 1468—1469 (S. 142 f.), da er den
Kreuzzug viel später ansetzt, als er in der That vor sich ging.

[47]) Contin. Claustroneob. IV. Mon. Germ. XI, S 648. „Comites de Phan-
berg et nobiliores Styriæ a rege Bohemie captivantur et eorum castra
meliora destruuntur, sed destructis castris a captivitate relaxantur."

6

Aber eine Angelegenheit im Ganzen der Erzählung bietet einen praktischen Gesichtspunkt der premyslidischen Politik, und zwar die zwangsweise Beseitigung oder Besetzung jener Burgen der mächtigsten Geschlechter, welche in ihrer wachsenden Zahl als Stützpunkte adeliger Opposition für ein strammes monarchisches Regiment bedrohlich werden mussten. Dass ferner der Pettauer, ohne dass wir seine Denunciantenrolle billigen können, seine Beschuldigungen nicht ganz aus der Luft griff, und dass die genannten Herren nicht gut auf die böhmische Herrschaft zu sprechen waren, liegt gleichfalls nahe.

Der Böhmenkönig griff nun einmal mit eiserner Hand in die steiermärkische Adelschaft, um die Angesehensten hervorzuholen und ihnen das zu entwinden, was er sonst mit grösserem Kraftaufwande hätte erobern müssen.

Nirgends aber in der ganzen Erzählung geschieht des vornehmsten Rathgebers der Krone, des bischöflichen Landeshauptmannes der Steiermark, Bruno's, Erwähnung und doch muss angenommen werden, dass gerade diesem die Sachlage und Stimmung im Lande trotz längerer Entfernung bekannter war, als dem Könige selbst [48]).

Doch scheiden wir von dieser Episode. Alles scheint bald in's alte Geleise zu kommen, vergeben und vergessen zu sein, wie dies urkundliche Zeugnisse schon 1269 nahe legen. An eine thatsächliche Opposition Ulrich's von Liechtenstein mögen wir selbst nicht recht glauben; er scheint deren am wenigsten mit Recht beschuldigt worden zu sein. Ihn, den Stubenberger und Bernhard von Pfannberg finden wir bald wieder in der Umgebung des Königs, auch ausserhalb des Landes [49]) (80).

---

[48]) Lorenz hat die politische Bedeutung dieser Händel (I. 270 f.) richtig gezeichnet. Nur in chronologischer Beziehung unterlief das Versehen einmal, dass er die Verhaftung der Adelsherren mit der Reise Bruno's in die Steiermark (Spätjahr 1268!) combinirt und, obschon er die Haft mit 26 Monaten ansetzt, die Befreiung doch (S. 272) am „Palmtag 1268" geschehen lässt.

[49]) Vgl. auch Tangl's erwähnte Abhandlung S. 148 f.

Bruno's Rückkunft in die Steiermark haben wir erst seit 1. December 1268 urkundlich (72) verbürgt. Doch können wir ihren Zeitpunkt viel früher ansetzen. Neben ihm taucht Herbord von Füllenstein, sein Lehensmann und Truchsess, auf, eine Persönlichkeit von Einfluss, die alsbald 1269 als Landesrichter der Steiermark und als Stellvertreter Bruno's zu gelten hat (73, 78, 79).

Dieser, in unaufhörlicher Bewegung von und zum Hoflager des Premysliden — muss im Frühsommer 1269 die Steiermark wieder verlassen haben; in einer Urkunde (16. April, Gräz) Herbord's von Füllenstein wird seines und des königlichen Mandates, das Seckauer Hochstift betreffend, gedacht (78). Den 13. Juni des gleichen Jahres finden wir ihn und den Premysliden in Gesellschaft des Freisinger, Passauer, Brixner und Seckauer Bischofes [50]).

Fünfzehn Tage später schlichtet er jedoch wieder auf steirischem Boden, im Unterlande, zu Radkersburg, einen Streit des Bischofs von Seckau mit dem Adeligen Ortolf von Stretwich und den 20. August d. J. sehen wir ihn zu Graz in offener Landschranne als Richter in dem Güterhandel des St. Pauler Klosters mit Heinrich von Rohitsch (81, 82 vgl. 71). Das letztemal begegnen wir ihm hier in der Ausübung seines wichtigen Amtes [51]), umgeben von einem stattlichen Kreise steirischer Prälaten und Landherren. — Noch einmal, in Ottokar's Urkunde für S. Lambrecht vom 29. Jänner 1270, geschieht seiner als „damals Landeshauptmann der Steiermark" Erwähnung (88, vgl. 83). Dabei wird aber auch Otto's von Haslau gedacht, „welcher damals für eine Zeit der Hauptmann desselben Landes war," wie wörtlich darin zu lesen. Und dass nach Bruno's Abgange, im Herbste 1269, für wenige Monate der Haslauer die Verwaltung führte, bezeugt eine zweite Urkunde von Ende Jänner, worin des Schiedsspruches Otto's in einer Streitsache

---

[50]) Emler Nr. 653.

[51]) Letztere Urkunde (82) deutet mit ihrer langen Zeugenreihe auf eine Ständeversammlung hin.

Wichard's von Ramenstein mit dem Kloster St. Lambrecht gedacht erscheint (40). Näheres über die Dauer seiner interimistischen Amtsgewalt wissen wir nicht, auch taucht er in keiner steiermärkischen Urkunde als Landeshauptmann oder Verweser auf.

Dagegen wissen wir, dass einer der hervorragendsten Männer im Kreise der Kronbeamten Ottokar's, Burkhard von Klingenberg (74), bereits im Herbste des Jahres den Posten eines Landeshauptmannes der Steiermark angetreten haben muss, da er Anfangs October zu Marburg als solcher einer allgemeinen Gerichtsversammlung, einem Landtaiding, vorsass (94).

Der Grund der Enthebung Bruno's vom Posten eines Landeshauptmannes der Steiermark, den er, wie sein alter Biograph sagt, gestrenge verwaltete [52]), ist sicherlich ebensowenig in dem Misstrauen des Königs als in einem Proteste der Steiermärker gegen die Amtsführung des Olmützer Bischofs zu suchen. Denn bis zum Tode des Premysliden behauptete Bruno, trotz zeitweiliger Gegenströmungen am Hofe, die sich gewiss nicht in Abrede stellen lassen [53]), den ersten Platz im Rathe der Krone und zu einem solchen Proteste fehlte jeder Anlass, er ist einfach undenkbar.

Im Gegentheile, das Gefühl der Machthöhe und Sicherheit veranlasste Ottokar zu einer solchen Verwaltungsmassregel. Der Bischof-Minister war als Landeshauptmann der Steiermark entbehrlich, dagegen bei der wachsenden Fülle verwickelter Staatsgeschäfte in des Regenten nächster Nähe nicht leicht zu missen. Wir können aber diesen Zeitpunkt als kurze Haltstelle benützen, um einen Rückblick auf wichtige Vorgänge zu werfen, die einen bedeutsamen Einfluss auf die Steiermark üben mussten.

---

[52]) Ducatum Stirie rexit et strenue gubernavit. Lorenz, deutsche Gesch. I, 260 Note 1.

[53]) Ist es Zufall oder Beweis für solche Gegenströmungen, dass Bischof Bruno's Name in den königlichen Urkunden dieser Zeit fast gar nicht auftritt, dass z. B. nicht er, sondern der böhmische Kanzler Peter, Propst von Wischegrad, bei dem Abschlusse des wichtigen Podiebrader Erbvertrages (s. w. u.) anwesend war?

Im Spätjahre 1268 treffen wir im Böhmerlande, auf der Kronherrschaft Podiebrad, den Kärntner Herzog Ulrich, Ottokar's Vetter, den kinderlosen Gemahl der Grossnichte des letzten Babenbergers, Gertruden's Tochter. Unter Zeugenschaft des Grafen Albert von Görz-Tirol, des Meisters Peter, Propstes von Wissegrad, Kanzlers des böhmischen Reiches, Ulrich's, des Grafen von Heunburg, Heinrich's Grafen von Hardeck, des Freien von Cauriaco, Ulrich's von Reiffenberg und Anderer erklärt Herzog Ulrich, für den Fall seines kinderlosen Absterbens, Ottokar zu seinem Erben.

Des Bruders Philipp, des abgedankten Gewählten von Salzbnrg, geschieht keine Erwähnung [54]). Man will ihn der Erbschaft ferne halten, doch auch für seine anderweitige Versorgung muss gehandelt werden. Die Handhabe bietet sich in der Erledigung des Patriarchenstuhles von Aquileja.

Ohnedies hatte seit der entschiedenen Besitzergreifung vom Steierlande (1260) der Böhmenkönig als Herr des aquilejischen Lehens Pordenone, seine Hand im Friauler Lande. 1263 nahm Bruno von Olmütz als Stellvertreter Ottokar's das Lehen des Schenkenamtes von Aquileja entgegen. — Im Kampfe der Görzer mit dem Patriarchen Gregor von Montelongo sah der Premyslide nicht müssig zu [55]).

Als nun Patriarch Gregor den 8. September 1269 starb, beeilte sich Ottokar, die Wahl Philipp's zum Patriarchen durchzusetzen und sie fand bereits den 23. September statt, um so leichter, da sein Bruder, der Kärntner Herzog, den 14. d. M. zum „Gemeinen Hauptmann" (capitano generale) oder Landesverweser Friaul's erkoren wurde. Philipp wusste

---

[54]) Die Urkunde vom 21. März 1249 s. Anh. Regg. Nr. 7 ist offenbar unecht. Bei dieser Gelegenheit sei einer Urkunde von 1251, 17. Juni, Neuss, gedacht, in welcher König Wilhelm von Deutschland dem Bischof Ulrich die Freiheiten des Bisthums Seckau bestätigt. (L. A. Nr. 663 Cop.)

[55]) Bianchi Regg. im 22. Bde. des Arch. f. K. öst. Geschichtsquellen. — Vgl. Manzano, Ann. del Friuli III. 1860 S. 45 f. — Tangl, Hdbcb. der Gesch Kärntens IV, 1, S. 3 f.

aber all' dies dem Böhmenkönig zu schlechtem Danke, denn der Beweggrund war ihm klar und sein Blick unverwandt auf das Kärntner Erbe gerichtet [56]).

Als daher den 27. October 1269 Herzog Ulrich zu Cividale starb, säumte keinen Augenblick der Erwählte von Aglei, seinem böhmischen Vetter in Krain und Kärnten zuvorzukommen, der einerseits auch nicht zögerte und den gewandten Probst von Brünn, Conrad, in die genannten Länder sandte. Wenn der Brief Ottokar's an Philipp dem Frühjahre 1270 eingereiht werden darf — und es sprechen gewichtige Gründe dafür — so bemühte sich der Böhmenkönig. dem trotzigen Vetter den Kopf zurecht zu setzen; denn er war ihm sehr unbequem geworden. Rasch hatte Philipp seine Wahl zum Generalcapitän von Friaul durchgesetzt, den Kärntner Herzogtitel angenommen und sich mit „Ottokar's Feinden" verbunden, worunter unschwer die kärntnisch-krainische Partei der Gegner der böhmischen Occupation und wohl auch Ungarns neuer König Stefan, Sohn des Anfangs Mai 1270 verstorbenen Bela IV., zu verstehen ist.

Dagegen hatte der Premyslide einen Bund mit den Friauler Ständen (1. Mai 1270) geschlossen [57]), auch konnte er auf die alten Gegner Philipp's, die Görzer Grafen, und auf die in Krain und Kärnten mächtigen Ortenburger und Sternberger zählen. Unter solchen Umständen konnte er hoffen, seinen Rivalen, den das Aquilejer Capitel als abgesetzt erklärte, zu erdrücken. Bald schob sich der ausbrechende böhmisch-ungarische Krieg dazwischen und auf ihn setzte Philipp als Bundesgenosse Stefan's V., seine besten Hoffnungen. Doch sie wurden getäuscht, Stefan zum Waffenstillstande genöthigt, zu dessen Verhandlung noch im Spätsommer Anstalten getroffen wurden. Philipp wurde in denselben unter der Bedingung aufgenommen, dass er sich ruhig verhalte und bis zum Gallustage (16. October) Bevollmächtigte sende. In der endgiltigen Ueberein-

---

56) Manzano a. a. O. S. 83 f.
57) Manzano a. a. O. 87.

kunft, die der Stillstand vom Gallustage bis 11. November 1272 festsetzte, wird von Philipp ganz abgesehen, da er diese Bedingung nicht eingehalten habe [56]).

Dies war ein harter Schlag für die Aussichten des isolirten Sponheimers, dem es nun wenig half, dass der eigene Vollmachtträger des Böhmenkönigs, Probst Conrad, angelockt von den Versprechungen und Philipp's anfänglichen Erfolgen, Verräther an des Königs Sache wurde und zur Partei des Sponheimers übertrat.

Ottokar honnte nun persönlich mit überlegener Waffenmacht den Rivalen angreifen. Den 28. October 1270 (91) treffen wir ihn noch zu Wien, woselbst er den 2. Februar mit dem Freisinger Bischofe Conrad über die Kärntner Hochstiftslehen einen Investiturvertrag geschlossen hatte, wahrscheinlich auch noch am 1. November. Rasch muss er nun den Heereszug durch Steiermark in's Krainer Land bewerkstelligt haben, denn schon am 24. November [59]) ist seine Anwesenheit beim Klosterorte Sittich verbürgt. Der Marsch muss ihn damals über Windischgraz geführt haben, von welchem Orte zwei Urkunden datiren (97); denn der Annahme, er habe diesen Ort erst am Rückmarsche berührt, steht die Thatsache entgegen, wonach er den Weg aus Kärnten von Villach gegen Obersteier, nach Judenburg, einschlug. In die Zeit vom 24. November bis 6. December fällt der Marsch von Sittich gegen Laibach, wo sich Ulrich von Liechtenstein als Marschall des Steierlandes eingefunden hatte und der Zug durch das „Steingeschirr" des Canalthales zwischen Arnoldstein und Tarvis, das den „Böhmen" so bange gemacht haben soll, in's Kärntner Land. Offenbar musste der König den Weg über Krainburg, Radmannsdorf und Weissenfels und das Gebirge eingeschlagen haben [60]). Für 12 Tage in der That ein schweres Stück

[56]) Emler S. 279—281 Nr. 722—726, Palacky II, 2, 208, Tangl S. 17 ff. Lorenz I, 321 ff.

[59]) Emler Nr. 719, 727, 728.

[60]) Ueber diesen Marsch vgl. die ausführlichen Erörterungen Tangl's a. a. O. S. 28—35.

Arbeit! Denn schon am 6. December finden wir den König
zu Villach und die bezügliche Urkunde für Viktring (95) lässt
uns als Zeugen die steirischen Edelherren von Pfannberg, den
Pettauer, Seifrid von Mährenberg und Ulrich von Liechtenstein erkennen. Es waren dies sämmtlich Persönlichkeiten, die
auch in Kärnten allodial oder lehensmässig begütert waren,
den Liechtensteiner ausgenommen [51]).

Wo jene von der Reimchronik angedeuteten Verhandlungen mit Philipp stattfanden, denen zufolge dieser gezwungen ward, auf Kärnten, Krain und die Mark Verzicht zu
leisten, sich mit den Einkünften des Gerichtes und der Mauth
der niederösterreichischen Stadt Krems begnügen und seinen
ständigen Sitz als Internirter zu Pösenbeug nehmen sollte, ist
unbekannt. Dass sie sich jedoch äusserst schwer diesem Zeitpunkte einpassen lassen, ist eben so sicher als die Thatsache,
dass Philipp noch im Jahre 1271 als Gegner dem Premysliden
gegenübersteht, also keineswegs das Leben eines Internirten
im Oesterreicher Lande führte und factisch nicht führen konnte.
Aber lassen wir diese Angelegenheiten bei Seite, die uns auf
ein anderes Feld der Untersuchungen verlocken könnten, um
uns einer zweiten Thatsache zuzuwenden, welche mit den
innerösterreichischen Verhältnissen im wesentlichen Zusammenhange steht.

Es ist dies Ottokar's Zusammenkunft mit dem neuen
Erzbischofe von Salzburg, Friedrich von Walchen, zu Judenburg, worüber uns die Taidungsurkunde (96) vom 12. December 1270 vorliegt. Ein halbes Jahr zuvor, den 28. April,
war Metropolit Wladislav, Ottokar's Verwandter, der milde,
friedfertige Mann gestorben, aus dessen Thätigkeit in den
steiermärkischen Kirchenverhältnissen wir nur die Reformation
des Seckauer Stiftes hervorheben wollen. Wladislav stand mit
Ottokar auf bestem Fusse und verstand sich auch zu fügen.
In dem neuen Erzbischofe lebte ein energischer selbstustän-
diger Wille, den freilich erst später der König verspüren

---

[51]) Vgl. Tangl a. a. O. S. 36.

sollte, das Gefühl, dass der Augenblick abzuwarten sei, um sich gegen die Uebermacht des Böhmenkönigs in den Alpenländern zu stemmen.

Zunächst musste der Salzburger mit dem Premysliden auf gutem Fusse bleiben. Die bezüglichen drei Urkunden handeln 1. von den Salzburger Lehen der Herzoge Oesterreichs und Steiermarks in den vier Landen, 2. von der Rückverschaffung der dem Salzburger Erzstifte seit Wladislav's Tode entfremdeten Güter und Zehenten, 3. von dem Ausgleiche der strittigen Gegenansprüche, der zu Wien den 1. Mai 1271 stattzufinden habe. — Als Schiedsgerichts-Obmann erscheint Bischof Bernhard von Seckau, gleichfalls eine Persönlichkeit, der wir mit einigen Worten gedenken müssen [62]).

1268, den 6. Juni war der vielgeplagte und getäuschte Exmetropolit von Salzburg, der Seckauer Bischof Ulrich verschieden. An seine Stelle trat Bernhard, Dompropst von Passau, der auch für einige Zeit die Lehrkanzel des kanonischen Rechtes an der Paduaner Hochschule versah; ein scharfer, gewandter, mund- und federtüchtiger Kopf, der seine Erhebung dem Premysliden verdankte und bis zur entscheidenden Krise des Jahres 1275/6 der getreue Schildknappe seiner Politik blieb (72, 77, 78, 81, 85, 94). So war die Occupation des Kärntner und Krainer Landes gelungen und die Verhältnisse zum Salzburger Hochstifte leidlich geschlichtet, als Ottokar die Murstrasse aufwärts zog, um dann den gewohnten Weg durch's Mürzthal über den Semmering einzuschlagen Da kam ihm aber die böse Botschaft zu, der Ungarnkönig habe den kürzlich geschlossenen Waffenstillstand gebrochen, ein gewaltiges Heer nach Oesterreich geworfen und wolle bei Schottwien dem heimziehenden Gegner eine schlimme Falle bereit halten.

Da bahnte sich Ottokar, um den feindlichen Plan zu kreuzen, trotz winterlicher Fährlichkeiten und Beschwerden

---

[62]) Vgl. die Urkundenregesten im Anhange Nr. 77, 78, 81 über die Angelegenheiten des Seckauer Hochstiftes in Bernhard's *Tagen.

den Weg über das Gebirge gegen Lilienfeld, also muthmasslich über Aflenz, Mariazell und Turnitz [*]), und der getäuschte
Ungarnkönig kühlte den Aerger über den misslungenen Plan
durch unmenschliche Verwüstungen des österreichischen Landes.

Ottokar zahlte dies im April des nächsten Jahres (1271)
auf ungarischem Boden durch anfängliche Erfolge blutig heim.
Doch musste er aus Proviantmangel an den Rückzug denken.
Der nun folgende Angriff des Ungarnkönigs war mit dem
neuen kriegerischen Auftreten des Sponheimer's Philipp und
mit dem vereinbarten Einfalle Heinrich's von Niederbaiern in's
oberösterreichische Land combinirt. Allerdings konnte Philipp
an Erfolge zunächst nur im Friaulischen denken, denn in
Krain und Kärnten scheint Ottokar wohl vorgesorgt zu haben.
Dort führte Ulrich von Habsbach (Hausbach), hier Albrecht
von Fren (Frain) die Landeshauptmannschaft. Letzterer brachte
dem Böhmenkönige auch den Kärntner Heerbann zu und fand
in den Kämpfen auf ungarischer Erde den Tod, oder wurde
nach dem ungarisch-böhmischen Kriege seiner Landesverwesung enthoben, denn er taucht nicht wieder in dieser Rolle auf.

Ottokar aber ging aus dem Kampfe mit entschiedenem
Erfolge hervor, denn der Pressburg-Prager Friede vom 3.—13.
Juli 1271 [**]) — ein Werk des Kalocsaer Erzbischofes und
sechs ungarischer Bischöfe, anderseits des Salzburger Erzbischofes und der Bischöfe von Prag, Olmütz, Passau, Freising
und Seckau, darlegt (98).

An den Verzicht auf alle Ansprüche zu Gunsten des
Böhmenkönigs — Kärnten, Krain und die Mark betreffend,
knüpft Stephan V. das Versprechen, sein Bündniss mit Philipp
aufzulösen und ihm seinen Schutz gänzlich zu entziehen. Von
besonderem Interesse erscheint jedoch der Schluss des fünften
Artikels, denn er verbürgt dem Premysliden, dass er die zu
ihm geflüchteten Adeligen, Wilhelm von Scherffenberg und

---

[*]) Vgl. Tangl a. a. O. S. 51.

[**]) Emler Nr. 758. Vgl. Lambacher öst. Interregnum S. 51 Nr. 36
Palacky II, 1, 216 f. Lorenz I, 330. . .

Niklas von Löwenberg (jenen der Krainer, diesen der Kärntner Landschaft angehörig), aus seinem Reiche verweisen werde.

Wir haben es also mit politischen Unzufriedenen, mit Widersachern der böhmischen Herrschaft und offenbar mit Befreundeten Philipp's zu thun, die nun der ungarisch-böhmische Friede preisgab. — Dagegen fochten in den Reihen des böhmischen Herrschers Herren der Steiermark und Heinrich von Pfannberg soll, als der König die Schaaren musterte, ihn gemahnt haben, die seit 1268 von Ottokar be-setzten Burgen zurückzugeben, „damit es sie gelüste, desto mehr um seine Ehre zu kämpfen," worauf der Premyslide ermunternd geantwortet habe: „Nu seid wacker und bieder im Streite, ich sage Euch hier Eure Burgen, Euer Erbe ledig [65]." So hätte denn der ungarische Feldzug die letzten Nachwehen des Jahres 1268 weggetilgt.

In die Zeit zwischen dem Abschlusse dieser wichtigen Taidung und dem Herbste, vom 13. Juli bis 1. September, an welchem Tage wir Ottokar in Prag wieder finden, — und mit mehr Wahrscheinlichkeit als in die vom 1. September und 13. October begrenzte Frist, oder gar in die vom 24. November bis 30. December 1271 laufenden Tage — müssen wir die Heerfahrt des Böhmenkönigs ansetzen, deren Ziel das Kärntner Land war [66].

Es lag auch nahe, dass Ottokar in Folge des Press-burger Friedens die Angelegenheiten eines von Gegenbestre-bungen durchwühlten Landes endgiltig ordne. Dass er 1271 diesen Zug unternahm, ist urkundlich angedeutet und mit dem tragischen Ausgange Seifried's von Mährenberg in einem prag-matischen Zusammenhange, der keine andere chronologische Unterbringung ermöglicht.

Der Zug ging muthmasslich durch Obersteier nach Kärnten, denn das war der gewohnte Heerweg, überdies machte Ottokar die Rückfahrt an der Drau abwärts in's

---

[65]) Reimchronik pg. 107.
[66]) Emler S. 304 Nr. 758; S. 307 Nr. 765; S. 307 Nr. 767.

Steierland und wird daher umsoweniger von Untersteier aus nach Kärnten gezogen sein, da er zweimal den gleichen Weg hätte nehmen müssen. Noch mehr spricht dafür die Besetzung von Friesach [67]), was am Wege lag, der aus dem Oberlande Steiermarks in das innere Kärntens führte.

Als Landeshauptmann Kärntens nach dem Ableben oder zufolge der Enthebung Albrechts von Fren haben wir damals Ulrich, den Grafen von Heunburg, zu denken, ohne Frage ein Führer der Partei in Kärnten, welche dem Podiebrader Erbvermächtniss getreu, für Ottokar's Sache einstand und dafür entlohnt werden musste. Diese Persönlichkeit, reich begütert hier zu Lande so gut wie in der Steiermark, wohl angesehen und geachtet, gewann durch die von König Ottokar wahrscheinlich 1270 schon verfügte Heirat mit der 19jährigen jugendlichen Witwe des Kärntner Herzogs Ulrich, Agnes, Gertruden's Tochter, eine neue Bedeutung. Man hat in dieser Verfügung des Böhmenkönigs nicht mit Unrecht eine politische Massregel gesucht [68]), die darauf hinauslief, die Grossnichte des letzten Babenbergers zur Frau eines reichsmittelbaren Dienst- und Lehensmannes zu machen [69]) und damit einer zweiten Heirat der verwitweten Kärntner Herzogin vorzubeugen, welche unliebsame Länderansprüche eines mächtigen Gemahls hervorrufen könnte.

Diese Anschauung gewinnt an Gewicht, wenn man die spätere urkundliche Erklärung der beiden Eheleute vom Jahre 1279 berücksichtigt [70]), welche überdies einen werthvollen

---

[67]) Ueber Friesach's Besetzung vgl Tangl S. 81.

[68]) Vgl. auch Tangl's Abh. über die Heunburger i Arch. f. K öst. G. 25. Bd. S. 175 ff.

[69]) Die Reimchronik Cap. 28 spricht zunächst nur von der gegenseitigen innigen Liebe des Ehepaares. Später erst findet sich in dem sogenannten Anon. Leob., in dem compil. Chron. austr. die dem Könige in den Mund gelegte Aeusserung, er habe es „in depressionem generis", d. i. des Babenberger Geschlechtes — gethan.

[70]) D. et actum apud Judenburch XI. Kal. Novembris anno D. mill. duc. septuag. nono b. Herrgott Numotheca. II, I pag. 250; Lambacher Anh. Urk. S. 171—176.

Aufschluss über den Stand der Einkünfte Gertruden's gewährt, Denn da heisst es wörtlich: „Was wir nur irgend mit dem Böhmenkönige abmachten oder im Vorhergehenden vereinbarten, das Alles erpresste von uns seine gewaltthätige Unredlichkeit und die uns erregte Furcht" .... Dass aber diese Gewaltacte erst Platz griffen, als Ulrich, dem Könige offenbar missliebiger, die Landeshauptmannschaft an einen Andern abgab — und nicht gleichzeitig mit dem Heiratspacte eintreten konnten, ist selbstverständlich.

Man hat nun von verschiedenen Seiten diese Angelegenheit mit einer gleichzeitigen Verbannung Gertruden's aus der Steiermark in Verbindung gebracht. Jedenfalls erscheint dieser Zeitpunkt, 1270—1, angemessener, als das von anderer Seite hiefür angenommene Jahr 1261, oder die Combination, Ottokar habe Gertruden 1261 das erstemal und um 1271 das zweitemal verbannt. Schon der Umstand, dass die Babenbergerin durch die Ehe ihrer Tochter mit dem Kärntner Herzoge Ulrich († 1269), einem Verwandten Ottokar's, diesem gewisse Rücksichten für die Mutter, der Kärntner Herzogin, auferlegen musste, fällt in's Gewicht. Aber auch die Chronologie urkundlicher Zeugnisse widerspricht dem letzteren. — Abgesehen davon, dass die Reimchronik diese Verdrängung Gertruden's mit der Landeshauptmannschaft Bruno's, des Olmützer Bischofes, in Verbindung setzt, welche erst im Hochsommer 1262 ihren Anfang nahm, finden wir die Babenbergerin urkundlich (39, 46) noch Anfang März 1261 und 5. Jänner 1263 zu Voitsberg sesshaft, überdies wird ihr im Rationarium Styriæ [71]) von 1267 nicht blos der Titel Ducissa, Herzogin, sondern auch ein Einkommen jährlicher 400 Mark aus den landesfürstlichen Renten zuerkannt.

Endlich sagt auch die Reimchronik ausdrücklich, dass Gertrude zu dieser zweiten Ehe ihrer Tochter — freiwillig

---

[71]) Rauch scrr. rer. austr. II. 1743 S. 116: Ex hiis autem tollit domina Ducissa CCCC marcas denariorum (von der Gesammtsumme im Betrage von 7334 Mark Pf.). Das Ducissa passt auf Niemand anderen als Gertrude.

oder gezwungener Weise — ihre Einwilligung gab und wir sie dabei naturgemäss noch im Lande und nicht als Verbannte im Meissner Lande denken dürfen. — So viel steht nur fest, wenn wir auch dem letztern Argumente keine Beweiskraft beilegen wollen, Gertrude sei nicht 1261, sondern erst nach 1267 und zwar um das Jahr 1271 aus der Steiermark entfernt und genöthigt worden, bei ihren Meissner Verwandten ein Asyl zu suchen. Nach dem Berichte der Reimchronik finden wir sie anfänglich nach (W.-) Feistritz verbannt mit „kaum 100 Mark Gült" Einkommen. Aber auch da durfte sie nicht lange weilen und in gewitterschwerer Nacht das Land meiden. Als Scherge des königlichen Willens erscheint der „Probst von Brünn" [72]). Sie lebte noch 1288 im Kloster zu Suselitz [78]). — Ob, wie der Reimchronist erzählt, der herzlose Probst von Brünn, Conrad, des Königs Vollmachtträger, mit dieser Verdrängung Gertruden's zu schaffen hatte, lassen wir unerörtert; wohl aber unterstützt dieser Umstand unsere chronologische Annahme nicht wenig, da Conrad erst 1269—1270 in dieser Rolle auftritt. Ja, wir halten dies Moment mit Rücksicht auf die Erzählung der Reimchronik für die Chronologie des Ereignisses geradezu für entscheidend.

Aber auch das tragische Ende Siegfried's von Mährenberg, zu dessen kritischer Betrachtung wir uns jetzt wenden, steht damit in unläugbarem Zusammenhange, denn der Reimchronist betont vor Allem die Verdächtigung seitens der Gegner des Mährenbergers, er sei ein entschiedener Anhänger der Herzogin.

---

[72]) Reimchronik S. 69.

[73]) Palacky a. a. O. II, 2, 384. Ihr Sohn Friedrich, Conradins des letzten Staufen Schicksalsgenosse, wird 1261, 28. Mai in einer Urkunde Ottokar's d. Pisek als Zeuge angeführt: Fridericus filius dominæ G. ducissæ de Judenburch; bald darauf aber von Ottokar verbannt (licentiatus). P. Clemens IV. sagt von ihm in einem Schreiben vom 2. März 1268 — er nenne sich Herzog von Oesterreich, obschon er nicht einen Fussbreit Landes dort besässe. Palacky a. a. O. 188, Note 259.

Nehmen wir nun den Faden der Erzählung von Ottokar's Kärntner Fahrt wieder auf. Die Occupation Friesach's erscheint thatsächlich als ein Schritt, um die zerrütteten Besitz- und Rechtsverhältnisse des Salzburger Erzstiftes zu ordnen, keineswegs als Act der Feindseligkeit gegen Erzbischof Friedrich, mit welchem damals der Böhmenkönig auf gutem Fusse stand. Aus einer Urkunde des zum Kastellan oder Burggrafen Friesach's bestellten Dietrich von Fulmen (Fulen) entnehmen wir, dass sich im Gefolge des Böhmenkönigs Bruno von Olmütz und Herbord von Füllenstein befanden, mithin der einstige Landeshauptmann und der gewesene Landrichter der Steiermark. Es mag dies auch darauf hindeuten, dass Ottokar sich bei der Ordnung der innerösterreichischen, also auch steiermärkischen Angelegenheiten der Erfahrung zweier bewährter Kenner derselben bedienen wollte. Es wäre dies zugleich die letzte Angabe von der Anwesenheit des Olmützer Bischofes und Staatsmannes in diesen Gegenden (108).

Ueber das sonstige Walten des Böhmenköniges im Kärntner Lande fehlt uns jede genauere Angabe. Lange konnte er hier nicht verweilt haben. Er zog dann die Drau abwärts in die Steiermark. Am Landesgemärke begrüsste ihn ein grosser Theil der Adelschaft. Nur der Mährenberger, an dessen Burg Ottokar vorbeizog, habe gefehlt, denn Krankheit fesselte ihn an das Lager. Der Böhmenkönig nahm dies als Vorwand übel auf. Ueberdies hätte er Klagen vernommen über des Mährenberger's Gewaltthaten und seine Parteinahme für Gertrude. Groll im Herzen zog er weiter. Als er gen Marburg kam, „ward er hochgeehrt von dem Landvolk gemein", ein Geständniss des Reimchronisten, das für die Popularität des Böhmenkönigs bei dem gemeinen Volke ein günstiges Zeugniss ablegt. Und diese Beliebtheit zeigt sich auch in der bürgerlichen Bevölkerung der landesfürstlichen Städte, ein Moment, das beweist, dass sich der Premyslide nicht blos auf den Clerus, sondern auch auf den dritten Stand zu stützen suchte und die Verstimmung gegen seine Herrschaft auf den Adel beschränkt war.

Denn in jeder Stadt, wo er einzog, berichtet die Reimchronik weiter, „da musst er beschauen, all' die Frauen, die
da angesessen waren ... in jeglicher Stadt blieb er an drei
Tage und vertrieb sich die Zeit mit Reigen und Tanzen."
Mit „so getanen Schwanzen (Spässen) kehrt er über (Graz)
den Hartberg, so dass er nicht zur Arbeit, sondern nur zur
Kurzweil Zeit hatte" — ironisirt unsere Quelle weiter.

Ueber Wien nach Prag heimgekehrt, habe Ottokar dem
Dürnholzer entboten, den Mährenberger gefangen zu nehmen.
Ortolf von Windischgrätz lockte diesen im Auftrage des
Dürnholzer's auf sein Schloss, Seifrid wurde beim Mahle über-
fallen, geknebelt und als Gefangener dem Dürnholzer ausge-
liefert, der selbst ihn nach Prag geleitete.

Ulrich von Dürnholz, ein mährischer Hochadeliger aus
dem angesehenen Stamme der Kaunitze, erscheint urkundlich
(102, 106, 107) im gleichen Jahre als H a u p t m a n n   v o n
K ä r n t e n,   K r a i n   u n d   d e r   M a r k   genannt. Ulrich von
Heunburg und der Habsbacher müssen ihm also bald den
Platz geräumt haben. Dies deutet auch auf Misstrauen Ottokar's
gegen den Schwiegersohn Gertruden's, Agnesen's zweiten Gemahl.

Der unglückliche Mährenberger, von Ottokar als Haupt
einer weitverzweigten Verschwörung angesehen — wurde den
äussersten Folterqualen unterzogen, die ihm jedoch kein Geständniss erpressen konnten und nach entsetzlichen Martern,
die das Mitleid Aller erweckten, durch den Kolbenschlag eines
„Zupan's", der bei dem Gequälten Wache stand, zweitägiger
Leiden erlöst.

So lautet der schaudererregende Bericht des Reimchronisten [74]) und wie misstrauisch man auch diese Erzählung einer
dem Böhmenkönige entschieden abgeneigten Quelle aufnehmen
mag, namentlich die Einzelheiten der Prager Tragödie, im Allgemeinen wird sich die Thatsache dieser tyrannisch geschärften
Hinrichtung nicht in Abrede stellen lassen.

---

[74]) Reimchronik 99. Cap. nach ihr Joan. Victor in kurzen Worten a. a.
O. S. 298 (I, c. 10).

Versuchen wir nun die Beweggründe Ottokar's aufzuspüren:

Bis zu diesem Zeitpunkte begegneten wir nie dem Mährenberger als Parteiführer oder Theilnehmer an politischen Complotten gegen die böhmische Herrschaft, so weit uns eben die spärlichen Zeugnisse jener Epoche blicken lassen. Auch im Jahre 1268 spielt er keine Rolle; ja noch kurz vor der Katastrophe, Ende 1270, finden wir ihn ⁻ im Heeresgefolge Ottokar's, als dieser nach Kärnten zog.

Es muss also ein schwerer Verdacht gegen diesen steiermärkischen und auch im Kärntner Lande begüterten Adeligen in der Seele Ottokar's unmittelbar vor dem unseligen Ereigniss wach gerufen worden sein, — wie dies auch die Reimchronik in ihrer drastischen Weise angibt.

Seifrid von Mährenberg stand in erster Reihe des innerösterreichischen Adels, sein namhafter Besitz spiegelt sich in den reichen kirchlichen Stiftungen, durch welche er und seine Frau Richardis in der Klostergeschichte einen hervorragenden Platz einnehmen. Früher hatte er auch die Landesverwesung Kärntens geführt, wie dies uns Herzog Ulrich's Schutzbrief vom Jahre 1263 für das Kloster S. Paul im Lavantthale verbürgt [75]). Aber gerade in dieser Stellung erlaubte er sich Bedrückungen, deren diese Urkunde gedenkt und was wir der Reimchronik an Klagen über seine Gewaltthaten entnehmen, Klagen, die diese Quelle allerdings nur als solche und nicht als gerechtfertigte Beschuldigungen vorbringt, spricht nicht zu seinen Gunsten. Doch dies ist kein Moment von entscheidender Bedeutung, da wir doch so häufig damaligen Ausschreitungen dynastischer Willkür begegnen. Aber er wurde als Parteimann und Kämpe der Sache Gertruden's politischer Umtriebe beschuldigt, die Ottokar mehr als je in Harnisch bringen mussten, politischer Umtriebe, die vielleicht auch im Kärntner

---

[75]) Anh. Regg. Nr. 48. 1264, 27. April verleiht ihm H. Ulrich „considerantes devotionem et servicia, que devotus noster Sifridus de Merenberch nobis fideliter exhibuit et imposterum exhibebit . . .“ Patronatsrechte. Fontes rer. austr. 2. A. I. 59 Nr. 4 VIII.

Lande sich regten. Waren ja doch der Scherfenberger und der von Löwenberg als Malcontente kurz zuvor nach Ungarn entwichen. Und dass Seifrid gefährlich werden konnte, beweist sein Conflict vom Jahre 1258 mit der ungarischen Herrschaft im Steierlande.

Leicht mochte sein Nichterscheinen vor dem Könige als Gefühl schwerer Schuld oder trotzigen Uebermuthes gedeutet werden und die — gewiss fragliche Kränklichkeit — als nichtiger Vorwand erscheinen.

Was Ottokar von Prag aus verfügte, die Gefangennehmung des Mährenbergers — lässt sich aus politischem Gesichtspunkte begreiflich finden, die Folterqual und der martervolle Tod jedoch, welche dort Seifrid ereilten, gestatten keine Rechtfertigung und wir begreifen, dass die Reimchronik diese That Ottokar's am meisten ausbeutet, dass sie den Fall des Böhmenkönigs in der Marchfelderschlacht mit besonderem Nachdruck als Blutrache für den Mährenberger darstellt.

Wir haben nur noch einige Worte über die Chronologie dieser Vorgänge zu sprechen. Ottokar dürfte Ende August 1271 aus Innerösterreich nach Prag zurückgekehrt sein. Den Mährenberger finden wir noch Anfang December 1271 in Freiheit; 1272, 26. Februar, wird seine Gattin Rikardis oder Reikart bereits Witwe genannt (103—105). Seine Gefangennehmung und Hinrichtung fällt somit in die Zeit vom 6. December 1271 bis 26. Februar 1272. Dies schiene allerdings für den herbstlichen Zeitpunkt der innerösterreichischen Heerfahrt des Premysliden zu sprechen, aber dem steht, wie bereits oben angedeutet, Ottokar's Itinerar entgegen, das den König am 16. October bereits in Prag, den 24. November in Breslau [76]) weilen lässt und jenem Zuge in's Alpenland in der Herbstzeit keinen rechten Raum gibt.

Zwei Jahre noch hatte das Geschick dem Böhmenkönige seine Gunst ungeschmälert bewahrt. Unangefochten bleibt seine Herrschaft, die vom Quellenlande der Elbe bis an die

---

[76]) Emler Nr. 761 ff.

Küste Istriens und in das Friauler Land sich dehnt und drei Nationalitäten: Slaven, Deutsche und Wälsche umfasst. Es war ein gewaltiger Griff in den deutschen Reichsboden, welchen Ottokar versucht hatte und das Gefühl, es sei nothwendig, einen Rechtstitel zu erwerben, bestimmte ihn, König Richard's Belehnung mit Oesterreich und Steiermark nachzusuchen (1262), die auch erfolgte. — Mit der Macht wuchs auch das Selbstgefühl, Ottokar schien der Belehnung mit Kärnten und Krain entbehren zu können und als der Schattenkönig englischer Herkunft starb (1272, April), mochte den Böhmenkönig der Gedanke beherrschen, dass er über die Zukunft des deutschen Thrones gebieten dürfe.

Doch kam dies anders und die Wahl des Habsburgers (September 1273) war die erste Mahnung des Geschickes, dass es müde sei, die Fahne des Premysliden emporzuhalten.

Wohl liegen noch drei Jahre zwischen diesem Ereigniss und dem Wiener Novemberfrieden 1276, der Ottokar's Herrschaft in den Alpenländern beseitigt und ihm den Lehenseid als Vasall des neuen Königs aufnöthigt, — aber wie in der Peripetie eines Drama beschleunigt sich von Jahr zu Jahr der Fall der Premyslidenherrschaft in den Alpenländern und die Phasen dieses Vorganges wollen wir an der Hand der magern Zeugnisse jener Epoche prüfen.

Die Verwaltung unseres Landes lag noch im Spätsommer des Jahres 1271 in den Händen des Klingenberger's, doch finden wir schon neben ihm als Landschreiber einen gewissen Conrad genannt (99), der seit 1272 immer mehr in den Vordergrund tritt (109, 110, 117). Schon im April 1272 gebot Ottokar ihm und dem Dürnholzer als Hauptmann von Kärnten, Krain und der Mark, — in dessen Amtskreis auch der Bezirk von Windischgraz gehörte [77]), das Marien-Nonnenkloster zu Mahrenberg, Seifrid's Stiftung, zu beschirmen (125).

---

[77]) Ganz deutlich ergibt sich dies aus einer Urkunde, in welcher Ulrich der Schenk von Habspach als „Hauptmann des Landes Krain, der Mark und von Windischgraz" bezeichnet erscheint; s. Urk. vom 28. Juni 1275.

Im September d. J. 1272 war der Klingenberger zu Wien anwesend; er begegnet uns in einer Urkunde Ottokar's zu Gunsten des Klosters in Studenitz, doch führt er da nur den Titel „Marschall von Böhmen" und nicht mehr den eines Landeshauptmannes der Steiermark (107); später erscheint er in gleicher Eigenschaft in Oberösterreich bestallt (126). Neben dem Landschreiber Conrad, der bis Ende 1274 eine Rolle spielt (117), findet sich in einer Decemberurkunde des Jahres 1273 Bischof Bernhard von Seckau als Schiedsrichter in einem Streite zwischen den Spital am Semmering und den Gebrüdern von Massenberg (110).

Der Seckauer Bischof stand sehr in der Gunst des Böhmenköniges und blieb auch sein zähester Anhänger. Auch der Gurker, Dietrich, war ihm verpflichtet und die Bischöfe Conrad von Freising und Berthold von Bamberg bewarben sich eifrig um die Freundschaft des mächtigen Herrschers, insbesondere der Erstere, der viel Selbstsucht und Wohldienerei an den Tag legte.

Dagegen wartete der Metropolit Friedrich auf den günstigen Augenblick, sich dem Machtbanne des Premysliden entziehen zu können und dieser Augenblick schien mit der Königswahl des Habsburger's vorbereitet zu werden.

Im Spätjahre 1272 mochte E. Friedrich zur Romfahrt um das Pallium sich gerüstet haben. 1273, vom 12. August datirt eine Urkunde, die ihn zu Admont sein lässt und die ausdrückliche Bemerkung enthält: „auf der Rückreise von Rom" [78]). Seine Stellung war dornenvoll und so mancher Adelige hielt angesichts der Sachlage die Hand auf dem Besitze der Salzburger Kirche (138).

Im Besitze des Palliums wurde Friedrich seiner erzbischöflichen Stellung bewusster und als der Habsburger gewählt war, beeilte sich der Metropolit, im Februar 1274 zu Hagenau, am Reichshoftage Rudolfs, zu erscheinen (111), um ihm zu huldigen und den Schutz des Königs anzusuchen, was

---

[78]) Tangl a. a. O S 78.

auch Rudolf in bündigster Form gewährte. (1274, 20. Febr.)
Ueberdies suchte Friedrich durch die ihm anhangenden Bischöfe im bairischen Sprengel auf die loyale Haltung des Adels und der Ministerialen zu wirken (139).

Von Hagenau begab sich Friedrich nach Lyon und wohnte dem Concile bei, woselbst unter Anderem der für Ottokar kränkende Beschluss gefasst wurde, man solle behufs des Reichsfriedens zur Vorbereitung eines allgemeinen Kreuzzuges (140) Alles versuchen, um Ottokar's Unterwerfung unter das neue Reichsoberhaupt auf friedlichem Wege herbeizuführen, sollte dies aber nicht gelingen, sie mit Waffengewalt durchzusetzen trachten.

Denn der Premyslide war nicht gewillt, den Habsburger anzuerkennen, dessen Wahl, ohne dass Ottokar's Kurrecht berücksichtigt wurde, ihm als Schmach und Kränkung erschien.

Für die Lyoner Sommerbeschlüsse wirkte nun der Salzburger mit aller Entschiedenheit auf der Salzburger Provinzialsynode vom October 1274 [79]) und er fehlte nicht am Nürnberger Novemberhoftage, wo der für Ottokar verhängnissvolle Beschluss gefasst wurde, dass alle seit dem Beginne des deutschen Zwischenreiches getroffenen Vergabungen von Reichslehen null und nichtig seien.

Ottokar gewahrte in den Lyoner Beschlüssen und in dem Vorgehen des Metropoliten eine Gefahr, der er begegnen müsse. Daher verbot er im Umkreise seiner Alpenländer auf's strengste die Vollziehung der Concilverordnungen so gut, wie die der Salzburger Synodalmassregeln und sein ganzer Groll blieb dem Salzburger aufgespart.

Die Nürnberger Fürstensatzung war jedoch von nicht minder grosser Tragweite, denn sie liess seinen Besitz Oesterreichs, Steiers, Kärntens und Krains als sachfällige Usurpation erscheinen.

Da hiess es denn die landesfürstliche Autorität in diesen

---

[79]) Hansiz Germ. sacra II. pag. 373—379.

Ländern wahren und die drohenden Anzeichen innerer Gäh-
rung durch Gegenmittel beschwören. — Eine wichtige Stütze
seiner Regentengewalt im Kärntner, Krainer Lande, in der
Mark und im Gebiete von Windischgraz war Ottokar's Verwandter, Ulrich von Dürnholz. Er hatte eine wahrhaft fürstliche Hofhaltung eingerichtet und besass in seinem Schreiber
Rudolf einen Günstling, der wegen seiner Schädigung des
Klosters zu Mahrenberg den 7. März 1273 von Herbord,
dem Bischofe von Lavant [80]), in den Kirchenbann gethan
wurde. Ulrich von Dürnholz mag auch unzweifelhaft einen
wesentlichen Einfluss auf die auffallende Entschliessung
Ottokar's geübt haben, wonach der Böhmenkönig den unbe-
quemen Störefried Herzog Philipp, den Exmetropoliten von
Salzburg und Expatriarchen von Aquileja, an dessen Herrschaft im Friaulischen Friedrich von Pinzano zum Verräther
geworden war, Ende 1272 oder Anfangs 1273 zum Vicar von
Kärnten, allerdings unter der Aufsicht des Dürnholzers, als
eigentlichen Landesverwesers bestellt hatte, um ihn auszu-
söhnen und die eigene Herrschaft im Kärntner Lande be-
liebter zu machen, da an ihrer Spitze nunmehr ein Bruder
des letzten Sponheimer Herzogs figurirte [81]).

Philipp aber fühlte wohl wenig Dank und desto mehr
versteckten Groll im Herzen und er beeilte sich, gegen den
Böhmenkönig zu wühlen und bald an dessen Rivalen, König
Rudolf, eine Stütze zu suchen. Philipp war ja auch nur als
Puppe oder Strohmann in der Kärntner Regierung verwendet
worden und es hatte sich darin nichts geändert, als Ulrich
von Dürnholz in der Ungarnschlacht bei Laa gefallen (1273
Ende Juli oder Anfangs August) war, denn dieser erhielt den
Tiroler, Ulrich von Taufers, zum Nachfolger, während Krain
und die Mark nebst dem Windischgrazer Bezirke dem Habsbacher, Ulrich, verliehen wurde." — Die „beständige Hauptmannschaft" Kärntens, wie sie Philipp 1273—4 urkundlich

---

[80]) Vgl. Tangl S. 113—114.
[81]) Tangl a. a. O. S. 117 ff.

im Titel führt, war daher mehr Schein als Wahrheit und seit Juni 1274 finden wir ihrer nicht weiter gedacht. Wohl aber beweist König Rudolf's Urkunde, datirt zu Nürnberg vom 27. Februar 1275, dass sich Philipp bald um die Gunst des neuen Königs beworben hatte, dass er gegen Ottokar klagbar aufgetreten war und seine Ansprüche auf Kärnten, Krain und die Mark geltend machte; denn der Habsburger belehnt ihn darin von Reiches wegen mit den genannten Ländern aus königlicher Machtvollkommenheit[82]). — Das waren, wenn auch vorläufig papierne Massregeln, dennoch bedenkliche Vorzeichen und auch die Haltung des neuen Patriarchen Raymund von Torre (1274) in der Lehensfrage musste den König bedenklich machen. Da beschloss König Ottokar in der Person des Grafen Heinrich von Pfannberg den Kärntnern einen im Lande begüterten Hauptmann zu geben und dieser nimmt seit 1275 den Platz Ulrich's von Taufer's ein, dem wahrscheinlich Ottokar verübeln mochte, dass er das Entweichen Philipp's aus Kärnten an den königlichen Hof des Habsburger's nicht vereitelt habe. — Aber bald begann im Kärntner Lande Ottokar's Sache zu wanken.

Wenden wir uns der Steiermark zu. Dem Könige schien wohl die Reise dahin hoch an der Zeit, um sich wieder als Landesfürst zu zeigen. Wir begegnen ihm zu Graz im April des Jahres 1274 und es ist das letztemal, dass er den Boden der Steiermark betritt. — Wieder sind es Urkunden zu Gunsten klösterlicher und kirchlicher Rechte, die seine Anwesenheit bezeugen, denn mehr als je lag es dem Premysliden daran, mit der inländischen Kirche auf gutem Fusse zu stehen (112—116, vgl. 90, 92, 101, 106, 107). Es entsteht nun die Frage, wem Ottokar in wachsend schwieriger Zeit die oberste Landesverwaltung übertragen habe.

Die Urkunden belehren uns, dass 1274—1275 Milota von Diedic und Beneschov, Bruder des hingerichteten Benesch, in die Landeshauptmannschaft der Steiermark eingetreten sein

---

[82]) Tangl a. a. O. S. 167—8.

muss. Bis mindestens über den Spätsommer des Jahres 1271 führte das wichtige Amt der Klingenberger, sodann tritt der Landschreiber Conrad in den Vordergrund, neben ihm Bernhard, Bischof von Seckau. Jedenfalls lässt sich die Angabe der Reimchronik [83]), wonach Milota im Sommer 1271 das Land verwaltet habe, urkundlich durchaus nicht rechtfertigen [84]). Von andern Amtsleuten des Böhmenkönigs in der Schlussepoche ottokarischer Herrschaft lernen wir in der Umgebung Milota's urkundlich den Marschall Breweco, den Notar Iring, Ekkehard von Dobrenge, den Burggrafen auf Offenberg und Landrichter, Dietrich von Fulen, und den Landrichter an der San, Hartnid von Cilli, kennen (118, 119, 121, 123, 127).

Wir müssen nun aber, bevor dieser Schlussphase gedacht wird, eine Thatsache erwähnen, die von einer und der andern Seite als Symptom einer politischen Verschwörung gegen Ottokar's Regiment, ja als förmliche Ständeversammlung zur Berathung eines gemeinsamen Vorgehens wider dieselbe aufgefasst wurde. Vom Klosterorte Göss im Oberlande, wo in der That eine grosse Versammlung der Ministerialen des Landes Ende Juli 1274 tagte (117), führt sie den Namen des Gösser Ständetages. Unsere ganze diesfällige Kenntniss beschränkt sich auf eine Urkunde vom 27. Juli 1274, worin der damals noch beamtete Landschreiber Conrad mit der Aebtissin des Nonnenklosters zu Göss, Herburgis und der Dechantin Wentala einen Gütertausch abschliesst. Aus dem langen Zeugenverzeichnisse, worin fast alle bedeutenderen Familien des Landes neben Vertretern anderer Stände uns begegnen, lässt sich aber unschwer der Schluss ziehen, dass wir es wohl mit einem Ständetage zur Berathung der schwierigen Sachlage, aber keineswegs mit einer damaligen Verschwörung zu thun haben können.

An der Spitze der Zeugen erscheint ja Ottokar's ent-

---

[83]) Reimchronik Cap. 91.

[84]) S. Anh. Regg. Nr. 87. — Vgl. dagegen die vom 26. Jänner 1275, Wien, datirte ganz identische Urkunde — Nr. 119.

schiedenster Anhänger, Bischof Bernhard von Seckau, neben
ihm der Pfannberger Heinrich, der wackerste Kämpe im Heere
Ottokar's vom Jahre 1271, als berühmter Fechtkünstler, zu
Salerno und Paris geschult, von Ivan, dem Güssinger Grafen
zum Zweikampfe gefordert [85]), und noch 1275 von Ottokar zum
Landeshauptmanne in Kärnten ausersehen. Der erste unter
den Zeugen des Ritterstandes ist Ekkehard von Dobreng,
1275 unter den böhmischen Landesbeamten genannt, ihm
folgen Alhoch, Hauptmann auf Radkersburg, mehrere landesfürstliche Pfleger und auch Bürger von Wien.

Also von einer Gösser Verschwörung werden wir als
einem Unding absehen müssen [86]), schon mit Rücksicht darauf,
dass der damalige Leiter des ottokarischen Regimentes, Landschreiber Conrad, sich all' der Versammelten als Zeugen
bedient.

Wohl aber mochte schon in manchem Gemüthe der Versammelten die Sehnsucht nach einer Aenderung der Sachlage
Platz greifen, manche Verwünschung gegen das böhmische
Herrschaftswesen laut werden, war ja doch der Stubenberger,
Liechtensteiner, waren vor Allen die Wildonier anwesend, die
gewiss der Schmach vom Jahre 1268 nicht vergessen hatten.
Wir aber haben nicht mit Vermuthungen, sondern mit Thatsachen zu rechnen und die angeführte Urkunde hat eben nur
für uns insoferne Werth, da sie uns eine Ständeversammlung
als wahrscheinlich nahe legt und zum erstenmal darin eine
genaue classenmässige Scheidung der Zeugen Platz greift, der
wir die damalige Gliederung und Rangordnung der Stände
entnehmen können.

Den Reigen eröffnet ein B i s c h o f, ihm folgt ein G r a f,
diesem die H e r r e n, die M i n i s t e r i a l e n, die P f a r r e r,
die R i t t e r, die a d e l i g e n D i e n s t m a n n e n (clientes);

---

[85]) S. darüber die Reimchronik S. 107.

[86]) Tangl i. s. n. Abh. S. 149 sagt daher mit Recht: „Von einer politischen Verhandlung oder gar einer Verschwörung findet sich darin
nicht die geringste Spur.‟

B ü r g e r l i c h e und landesfürstl. A m t s l e u t e oder P f l e g e r (officiales) machen den Schluss [87]).

Wir sagten, wir müssten mit Thatsachen rechnen und in der That war die wirkliche Sachlage einer ständischen Erhebung der Steiermark gegen die ottokarische Herrschaft noch keineswegs günstig. Noch wurzelte sie fest in überlegener Macht, wie die bangen Briefe des entschiedensten Widersachers Ottokar's, des Salzburger Erzbischofes beweisen. In Oesterreich scheinen zunächst entschiedene Regungen zu Gunsten Rudolf's stattgefunden zu haben. Gegen Ende des Jahres 1274 erschien allda Ottokar „mit starker Kriegsmacht, Willens die zu vernichten, — welche bei der königlichen Gnade ihre Zuflucht suchten", heisst es im Briefe des Metropoliten. Noch habe er ihn nicht mit Krieg überzogen und mit keiner Belagerung geängstigt, aber nahezu allen Lebensbedarf abgeschnitten. König Rudolf möge sich beeilen, seinen Getreuen in Oesterreich und Steier Trost zu bringen, sonst könne er überzeugt sein, dass Alles, was der Erzbischof in Kärnten und Steiermark vorbereitet habe, gänzlich zu nichte werde (120). Und im Frühjahre 1275 schreibt der Metropolit an den Habsburger: „Wir müssen Euerer Hoheit mit Klagen und Zähren anzeigen, dass der Böhmenkönig, nachdem er fast alle Gegner besiegt, Uns und unserer Kirche baldigen Untergang und nahes Verderben droht." In der That liessen die Feindseligkeiten nicht lange auf sich warten. Im April oder Anfangs Mai 1275 stürzte sich Herr Milota im Auftrage seines Herrn auf die Besitzungen des Erzstiftes in Steiermark und Kärnten, belagerte Friesach, den Vorort der salzburgischen Herrschaft im letzteren Lande, und verwandelte den tapfer vertheidigten Ort in eine Stätte des Brandes und schonungsloser Plünderung. Auf 40.000 Mark Silber wird der Schaden geschätzt, der damals dem Hochstifte zugefügt wurde [88]).

---

[87]) Vgl m. Quellenm. Vorarb. z. Gesch. des mittelalt. Landtagswesens der Steiermk. 2. Jahrg. der Beitr. z. Kde. stm. G.-Q.

[88]) Reimchronik 120. Cap. Vgl. die Contin. Prædic. Vindob. Mon. Germ. XI. S. 729 z. J. 1275; — vgl. Tangl a. a. O. 172—3.

Der Schrecken sollte einschüchternd wirken und vielleicht hoffte Ottokar, auf diesem Wege den Erzbischof mürbe zu machen. Es begannen nun Verhandlungen Ende Mai 1275, ein Schiedsgericht wird eingesetzt, als dessen Mitglieder auf königlicher Seite unter Andern zwei gewesene Landeshauptleute der Steiermark, Bischof Bruno und Burkhard von Klingenberg erscheinen. Den Vorsitz führte als Obmann der Seckauer Bischof (124).

Und dieser redefertige Parteigänger Ottokar's war es, der Mitte Mai auf dem ersten Augsburger Reichstage des Jahres 1275 statt des vorgeladenen Böhmenköniges als Sendbote erschien und in schwülstiger lateinischer Rede nicht bloss seinen Herrn zu rechtfertigen, sondern auch die anwesenden Fürsten, ja sogar das Reichsoberhaupt zu schmähen sich erkühnte und als man den des Lateinischen Unkundigen seine anmassende beleidigende Rede verdolmetschte, einen solchen Sturm der Entrüstung wachrief, dass schier sein Leben bedroht war.

Auf demselben Reichstage oder in der zweiten Augsburger Reichsversammlung sollen sich österreichische und steiermärkische Edle, übereinstimmend werden der Wolkersdorfer und Hartnid von Wildon, von andern auch Friedrich der Pettauer genannt, — eingefunden haben, um vor dem Reichsoberhaupte über die Willkühr und Härte Ottokar's zu klagen und einen allgemeinen Aufstand in Aussicht zu stellen. Ottokar habe sie auch als Parteigänger des Königs von Deutschland mit Güterverlust und Landesverweisung bestraft.

Ueberhaupt mehren sich die Beschwerden einzelner österreichischer Chroniken über Ottokar's Tyrannei, wenn wir auch mit Recht bezweifeln müssen, dass Anschuldigungen derart, wie sie eine Quelle vorbringt, — Ottokar habe die als Geiseln ihm übergebenen Kinder mit Wurfmaschinen den Eltern vor das Antlitz geschleudert, mehr als abgeschmackte Histörchen seien.

Aber an Massregeln des Terrorismus liess es wohl Ottokar dem aufstandslustigen Adel gegenüber nicht fehlen, während er anderseits um so mehr die Rechte der Kirche zu schützen bestrebt war und mit Gunstbezeugungen nicht kargte. Ja selbst Salzburg gegenüber versuchte er Schritte der Aussöhnung, Friedrich war jedoch ein entschiedener Charakter und hatte längst seine Stellung genommen. Als einer der eigennützigsten und charakterlosesten Bischöfe benahm sich der Freisinger Conrad.

Die meiste Huld war natürlich dem Seckauer Bernhard zugewendet, der auf's entschiedenste dem Salzburger Metropoliten entgegenarbeitete und selbst mit Schmähschriften gegen Rudolf loszog. Erst in der letzten Stunde bewarb er sich um die Verzeihung des Habsburgers und erhielt sie auch (130, 4—5).

Ottokar ist geächtet und der Reichskrieg wider ihn beschlossen; der Salzburger beeilt sich Ottokar's Unterthanen des Eides der Treue zu entbinden. Die Entscheidung naht. Ueberall hin nach Oesterreich schickt der Böhmenkönig seine Boten, desgleichen nach Steier, Kärnten, Krain und in die Mark, um die Stände zum gemeinen Aufgebote zu mahnen, aber er ist nicht mehr Herr der Sachlage. Seine letzte landesfürstliche Urkunde für unser Land datirt vom Jahre 1276 Sept. (136 vgl. 93). Und als man im Steierlande erfährt, dass die Görzer Rudolf's Verbündete, nach Kärnten einbrächen, um es von Ottokar's Herrschaft zu befreien, versammeln sich den 19. September des Jahres 1276 die Edelsten des Landes im Kloster Rein; voran Ottokar's Kärntner Hauptmann, Heinrich Graf von Pfannberg, Graf Ulrich von Heunburg, der Pettauer, Stubenberger, Hartnid von Wildon, Hartnid von Stadeck, Otto von Liechtenstein — sein Vater Ulrich war bereits 1275 verstorben — und viele Andere zum festen Bunde für den deutschen König wider den Böhmen (137).

Rasch sind die Burgen Eppenstein, Neumarkt, Offenburg, Kaisersberg und andere den böhmischen Castellanen entrissen, Heinrich von Pfannberg erobert Judenburg; endlich fällt auch Graz; — mit Mühe und Noth entkommt der Landeshauptmann Milota und bald lesen wir von den Kriegsschaaren, die der Pfannberger, Friedrich von Pettau und Hartnid von

Wildon den Görzern auf ihrem Anmarsche gegen Wien zuführen [89]).

Der Novemberfriede 1276 entscheidet über die Sachlage, die Steiermark und ihre Nachbarlande gehen dem Böhmenkönige unwiderbringlich verloren, sie folgen dem mächtigen Zuge der deutschen Reichsidee. — Und als der Böhmenkönig zwei Jahre später zu den Waffen greift, um würdig seiner Vergangenheit das Schicksal herauszufordern, kämpft auch die Steiermark die Entscheidung mit und steirische Edle kühlen ihren Groll an dem todeswunden, gewaltigen Könige.

Regesten von Urkunden als Belege des Textes.

1. 1247, 1. J u n i, W e r f e n.

Philipp, Erwählter von Salzburg, verheiratet die Tochter seines Ministerialen Conrad von Goldeck, Kunigunde, an den j u n g e n Ulrich von Liechtenstein und weiset ihr 10 Pfd. Pfennige jährlicher Einkünfte aus Hallein zur Aussteuer an.

Wiener Jhb. 108. Bd. (Chmel) Regg. S. 156 n.

2. 1248, 21. F e b r., L e i b n i t z.

Philipp u. s. w. schenkt dem um das Salzburger Hochstift verdienten Seckauer Bischofe mehrere Hörige des erzbischöflichen Dominiums.

Im Landesarchiv d. Stm. Copie des 14. Jahrh. Nr. 622. Zauner Chronik v. Salzburg II. 266. Vgl. Muchar, 5, 210. (20. Febr.); 21. April befand sich Philipp in Rann L.-A. Cop. Nr. 623 *.

3. 1248, 10. A u g. F r i e s a c h.

Derselbe stellt dem Liechtensteiner Ulrich drei Bürgen für die Zahlung der von seinem Vorgänger Erzb. Eberhard schuldiggebliebenen Summe von 270 Mark Pf.

Wiener Jahrb. 108, Regg. S. 156, L.-A.-Copie Nr. 625 c.

---

[89]) Reimchronik 124, 125 Cap. Vgl. die Charakteristik der Sachlage b. Lorenz. Deutsche Gesch. II. 138—140 u. Tangl i. d. erwähnten Abh. S. 150—152.

4. 1248, 20. Sept., Friesach.

Derselbe übergibt dem Seckauer B. Ulrich die Pfarre St. Georg in Stiven, nachdem er ihm schon früher mehrere Lehen überlassen.

> Dipl. Styr. I. 318, 319. Wiener Jahrb. a. a. O. S. 157. Vgl. Muchar 5, 210. Copie des 14. Jhh. im L.-A. Nr. 627.

5. 1248, 24. Sept.

P. Innocenz IV. bestätigt die durch Philipp Erw. v. S. verfügte Einziehung der salzburgischen Lehen, welche durch Herzog Friedrich's Tod in Oesterreich und Steier erledigt worden.

> Hanthaler, fasti Campililienses I. 932—35, Wiener Jhb. a. a. O., Muchar 5, 218.

Hauptstelle: Cum castra, vasalli, possessiones redditus ac alia bona, quæ quondam Dux Austrie et Stirie etc. ab Salzburgensi tenebat in feodum, a d i u s i p s i u s e c c l e s i a e r e d i e r i n t, n u l l o e x e o l e g i t i m e h e r e d e s u p e r s t i t e, q u i s u c c e d e r e i n f e o d u m d e b e a t, r e m a n e n t e, auctoritate præsentium districtius inhibemus, n e i n f e o d a r e v e l a l i e n a r e v e l d i s t r a h e r e q u o q u o m o d o, i r r e q u i s i t o R o m a n o p o n t i f i c e, d e c a e t e r o presumatis« ...

6. 1249, 6. Jänner, Rann.

Erzb. Philipp's Bestätigung einer Schenkung Friedrich's von Pettau an den deutschen Orden.

> Dipl. Styr. II. 211. Cop. i. L.-A. 631ᵃ.

7. 1249, 21. März, bei Neuss.

Angebliche Urkunde K. Wilhelm's, worin in einem eventuellen Lehensbriefe für die Söhne Herzog's Bernhard von Kärnten — Ulrich und Philipp — zu Gunsten des Letzteren die besondere Bestimmung getroffen wird, dass derselbe im Falle des erbenlosen Absterbens seines Bruders Ulrich, die Erbschaft des Herzogthums Kärnten dennoch antreten könne, wenn er auch als Erwählter von Salzburg zum Priester geweiht werden sollte.

> Kleimayern's Juvavia p. 380 (Auszug), wo es aber bemerkt wird, der Ausstellungsort (apud Nussyam) passe

nicht in K. Wilhelm's Itinerar und eher müsse man
die Urkunde 1256 ansetzen. B ö h m e r Kaiserregg.
2. A. S. 12 Nr. 58 hält sie für echt, C h m e l Wiener
Jhb. 108, 159 n. mit Grund für falsch und unter-
schoben.

8. 1249, 25. J u n i, b. R o t e n m a n n.

Pfandschaftsrevers Hartnid's von Pettau für den Erwählten
von Salzburg, Philipp, ausgestellt.

> Orig. im H. St. Arch. z. Wien. Chmel in den Wiener
> Jhb. a. a. O. S. 159/160 L.-A. Cop. Nr. 636 c.
> Unter den Zeugen: B. Ulrich von Seckau, Wulfing von
> Stubenberg, Rudolf von Stadeck.

9. 1249. 21. S e p t., W i e n.

Urkunde Markgrafen Hermann's von Baden „dux Austrie
et S t y r i e" für das Kloster Zwettl.

> Linck Ann. Claravall. I. 335, Lambacher Anh. S. 25
> bis 26, Nr. XIV.

10. 1250, 20. J ä n n e r, G r a z.

Graf Mainhard von Görz bestätigt in offener Gerichtsversammlung eine Schenkungsurkunde für das Klstr. St. Lambrecht
v. J. 1243. (Nos Meinhardus — mandato Friderici Imperatoris
A u s t r i a e e t S t y r i a e c a p i t a n e u s.)

> Zeugen: Ulrich, Bischof von Seckau, Witigo, Landschreiber
> von Steiermark, Ulrich und Leutold von Wildon, Er-
> chenger von Landesere, Wulfing von Stubenberg,
> Ulrich von Liechtenstein. Cop. i. L.-A. 643*. (Muchar
> 5, 229—30).

11. 1250, 10. F e b r., V a n s t o r f.

> Erzb. Philipp's zwei Urkunden für das Bisthum Seckau.
> Wiener Jhb. 108, S. 160, Orig. in L.-A. Nr. 644 und
> Cop. von der andern 645*.

12. 1250, 12. M a i, S a l z b u r g.

Ulrich's von Liechtenstein Dienst- und Lehensvertrag mit
Philipp dem Erwählten von Salzburg, betreffend die Heeres-
folge, die Offenhaltung seiner Schlösser, die Verehelichung seines
Sohnes Ulrich mit der Tochter des salzb. Vasallen Conrad von

Goldeckke und die Verpfändung des Schlosses Murau. Hauptstelle: Er verspricht dem Erzbischofe Philipp und dessen Nachfolgern mit 100 Bewaffneten in Steiermark und Kärnten Heer-
folge zu leisten, und gälte es Friaul, Oesterreich und Baiern,
noch mit mehr Reisigen und zwar wider Jedermann, „eo excepto, qui Imperium de iure regere dinoscitur,
seu quem ecclesia verum Caesarem esse reputat,
excepto etiam vero domino terre Stirie, qui ad
hoc legitime fuerit institutus, et preter cives
de Judenburch, quos promitto domini mei gratia reformare,
exceptis tamen illis ciuibus, qui domino meo dampna specialia
intulerunt, que etiam illi specialiter emendabunt."

> Chmel a. a. O. 160—162; Cop. i. L.-A. 644[d]. (Hier
> findet sich auch unter d. gl. Datum eine Abschrift
> der Urkunde, worin Wulfing von Trewenstein sich
> dem Erwählten von Salzburg gegenüber verpflichtet,
> ihm mit 24 Bewaffneten zu dienen und nach dem
> eventuellen Tode seiner Frau nur eine salzb. Mini-
> sterialin zu heiraten (Nr. 644[e]). Vgl. die Abdrücke
> dieser Verträge in Koch's, Sternfeld's Aufs. in den
> cit. Abh. der bair. Akad. d. Wissensch.

13. 1250, 1. Juni, Vanstorf (Fohnsdorf).

Dienstvertrag der Grafen Bernhard und Heinrich von Pfannberg mit dem Erwählten von Salzburg und dessen Nachfolgern
im Erzbisthum.

1. Gelöbniss der Diensttreue („ad nostre vitæ tempora
fidelibus adherere obsequiis contra omnem hominem, excepto
vero domino terre Styrie, pro nostris viribus
atque posse, nec eidem terre Styrie domino contra
dominum nostrum electum Salzburgensem vel suos
successores aliquod præstabimus auxilium, si ipsum dominum
Electum vel successores ipsius conaretur indebite aggravare").

2. Als Bürgen werden die „Milites" der Grafen: de Chay-
sersperge, Chunradus de Torseule, de castro nostro
Leuben, Heinricus de Vischæren, Heinricus de Padel, Otto
judex de Phannenberch, Ottocharus, Chunradus de Schoeneche,

. . . de Ramenstein, Sifridus de Alpe et Sivridus filius suus de Lossental (Löschenthal), Berhtoldus de Tunowe, de Hemerberch Rudolfus et Fridericus. — Doch hätten sie bei dieser Bürgschaftsleistung „capitales inimiciciæ" nicht zu befahren. Der Geldwerth der Bürgschaft sind 1000 Mark Silber.

3. Quod etiam fratres nostri qui nunc temporis per dominum Popponem de Peckach et dominum Wilfingum de Stubenberch detinentur, cum a uinculis liberati fuerint, se ad premissos articulos teneantur obligare . . . .

Mitsiegler: B. Ulrich von Seckau, Conrad Graf von Plaien, Ulrich von Liechtenstein, Gebhard von Velwen, Wulfing und Hartnid, Brüder von Libenz (Leibnitz) . . Actum in Vanstorf.

> Koch Sternfeld's Btr. III. 83, Chmel i. d. Wiener Jhb. 108. Bd. S. 162/3; Cap. im L.-A. Nr. 644ᶠ. Ueber die angegebenen Pfannberger Vasallen vgl. Tangl's Abh. über die Pfannberger II. Abth. im 18. Bde. des Arch. f. Kde. öst. Gesch. S. 125; desgl. 126.

14. 1252, 13. April, Perugia.

a) P. Innocenz IV. befiehlt dem Abte von Admont den einzuhaltenden Vorgang, betreffend einige Raufbolde und Diebe unter den Mönchen, dann anderer, welche wegen ihres Ungehorsames wider den Abt in Bann gethan, dennoch den geistlichen Verrichtungen nachgehen u. s. w.

> Landsch. Arch. Cop. Pag. 669ᵃ, vgl. Muchar 5, 256—7.

16. April, Perugia.

b) Derselbe empfiehlt Ottokarn, dem Herzoge von Oesterreich u. s. w. den Schutz und Schirm des Klosters Admont.

> Ebenda Cop. Pap. 669ᵇ.

15. 1252, 30. August.

Vertrag Ottokar's mit Dietmar von Steier über die tauschweise Abtretung der Stadt und Burg Steier gegen Losenstein.

> Preuenh. Ann. Styr. pg. 31. Lambacher Interr. Urkk. S. 30—1 Nr. XX, Urkdb. des L. o. d. E. III. 184.

16. 1253, 17. Mai, bei Leoben.

Ottokar · verspricht dem Bischof Ulrich von Seckau die von

den Grafen von Plain um Leubentz (Leibnitz) und Stiuven als
Pfandschaft oder Lehen besessenen Güter abzulösen und der
Seckauer Kirche zu übertragen; das Dorf Revssentz wendet er
ihm als erblichen Besitz zu. Urkunde, welche die Anwesenheit
Ottokar's in der Steiermark bezeugt. Doch findet sich auch eine
Urkunde d. Gräz 1252, leider ohne nähere Datirung, bei Lambacher Anh. S. 31—32 Nr. XXI vor. (S. o. den Text und die
bez. Anmerkung), nach der Indiction war dies nach Sept. Unter
den 12 angeführten Zeugen erscheinen: Witego „scriba Styriæ",
N. v. Habsbach, Wilfing von Stubenberg, Dietmar von Weisseneck, Ulrich von Lichtenstein . . . .

> Dipl. Styr. I. 325—6. Erben Regg. Premysl. a. a. 1253.
> Muchar 5, 253. Vgl. Palacky dejiny I, 2, 113. Cop.
> des 14. Jahrh. im L.-A. Nr. 685.

17. 1253, 17. D e z., P r a g.

K. Ottokar gestattet dem Landschreiber der Steiermark,
Witego und dessen Bruder Ruotger das Schloss Haldenrain zu
verkaufen.

> Fontes rer. austr. II, 1, S. 34 Nr. 29. Emler Regg. Boh.
> et Mor. S. 4 Nr. 6. Landsch. Arch. Cop. 691*.

(1255, 10. Jänner, Voitsberg. Gertrude bestätigt als ducissa
Austriæ et Styriæ dem Brüderpaar diesen veräusserlichen
Besitz.)

> L.-A. Cop. 711* (Chmel Notizbl. z. Arch. f. K. öst. G.
> 1853, 71; Muchar, 5, 258).

18. 1254, 3. A p r i l, b. O f e n.

Friedensschluss zwischen K. Ottokar und K. Bela IV.

Hauptstelle: quod dominus noster rex Hungariæ et sui
heredes ducatum Styriæ cum omnibus attinentûs suis et iuribus
possidebunt iure perpetuo et tenebunt usque ad terminos infra
scriptos, scilicet a summitate montis, qui dicitur Semernyk, secundum quod eodem montana pro diversitate locorum adiacien-
tium, diversis nominibus nuncupata, ab Hungaria in Bavariam
protenduntur et in Bavaria terminantur, cursu aquarum versus
Muram ab eadem summitate montium decurrentium terminos
distinguente, hoc adiecto, quod si castrum Suarchumpach se-

cundum decursum aquæ non cederet in partem ducatus Stiriæ, domino nostro regi præfati nuntii et arbitratores domini P. regni Bohemiæ assumpserunt super se, obtinere cum effectu a domino suo prædicto, quod in partem domini nostri regis transeat cum omnibus suis attinentiis et iuribus et assignetur perpetuo possidendum. Ab eadem autem summitate montium secundum cursum aquarum versus Danubium fluentium illam portionem Stiriæ cum toto ducatu Austriæ prædictus P. (d. i. Premysl Otakar) dominus cum suis heredibus iure perpetuo cum omnibus attinentiis suis et iuribus possidebit etiam et tenebit, ita insuper, quod dominus noster rex de parte illa, quam ipse possidebit, d o m in a e d e I m p i r g satisfaciet, ut contra prædictum P. dominum materiam non habeat conquerendi, nichil propter hoc de ducatu Austriæ retentura . . . .

Unter „der domina de Impirg“ muss Gertrude von Mödling, die Nichte des letzten Babenbergers, verstanden werden.

> Die Urk. in Kurz; Oest. unter Ottokar und Albrecht I.
> II, 171; Boczek Cod. dipl. et epist. Mor. III, 181,
> Urkdb. d. L. o. d. E. III, 204. Emler S. 12—13
> Nr. 24. Cop. i. L.-A. 696*.

19. 1254, 8. April.

„   15. Juli.

P. Innocenz IV. fordert den Erwählten von Salzburg, Philipp, und den Bischof von Chiemsee, Heinrich, auf, alle entrissenen, vorenthaltenen und durch gewaltsam abgedrungene Verträge entfremdeten Güter und Renten des Stiftes Admont wieder in dessen rechtmässigen Besitz zu bringen.

> Muchar V, 257.

20. 1254, 1., Mai, Wien.

Ottokar, K. v. B., „dux Austriæ et S t y r i æ“, Mkgf. v. Mähren, verleiht mit Einwilligung seiner Gattin Margaretha dem Bischof Ulrich von Seckau das Patronatsrecht über die Kirche in Mutensdorf.

> Dipl. Styr. I. 326, Emler 14, Nr. 31, Cop. des 14. Jhh.
> im L.-A. Nr. 697. Vgl. Muchar, 5, 249—50.

8*

21. 1255, 11. Jänner, Graz.

Gottfried v. Marburg, Landesrichter und Friedrich der Jüngere von Pettau, durch königliche Bestallung (regio mandato) Marschall des Steiererlandes, verkündigen auf Befehl des Königs von Ungarn und des Bans (Stephan) als Landeshauptmannes der Steiermark: über Klage der deutschen Ordenskirche in Graz — dem Heinrich von Puchheim, dem Gottschalk von Stange, dem Ludwig von Kapfenstein, dem Ott von Berchtoldstein bei Oberndorf, dem Ulrich von Winkel in der Rabau, dem Bernhard von Haus in der Buchau, dem Gebhard Chuningersdorf, dem Gottschalk von Neutberg (Neuberg) und dem Wulfing von Freystein, dass ihre näher bezeichneten Güter als Schadenersatz der erwähnten Kirche zugewiesen bleiben, bis von ihrer Seite der zugefügte Schaden beglichen sei.

> Dipl. Styr. II, 184, Fejér Cod. Dipl. Hung. IV, 2, 286 bis 287 (vgl. Muchar 5, 260/1). Cop. i. L.-A. 712ᵃ (vgl. da 711ᵇ u. 712).

22. 1255, 24. Februar.

P. Alexander's IV. Schirm- und Schutzbrief für das von allen Seiten hart bedrängte Stift Admont.

> Muchar 5, 259, Cop. i. L.-A. 714ᵃ.

23. 1255, 24. März, Steier.

K. Ottokar bestätigt die Rechte und Freiheiten des Spitals St. Mariens am Fusse des Berges Pyhrn. Unter den Zeugen erscheint auch Wulfing von Stubenberg.

> Lorenz deutsche Gesch. I. 446—448.

24. 1259, 12. Mai, Göss.

Gnadenbrief Herzog Ulrich's von Kärnten für das Gösser Nonnenkloster.

Unter den Zeugen: Ulrich Graf von Heunburg, Dietmar v. Weisseneck, Niklas v. Lebenberg, Conrad v. Helfenberg . . .

> Dipl. Styr. I. 39—40.

25. 1259, 19. April, Judenburg.

Herzog Friedrich (Gertruden's und Hermann's von Baden Sohn) „dux Austriæ et Styriæ", stellt einen Willebrief über die Schenkung des Judenburger Stadtbürgers und Fleischers (carnifex)

an das dortige Minoritenkloster St. Johann in der Wüste aus
und nimmt Haus und Kloster in seinen Schutz und Schirm.

Als Zeugen erscheinen die Ritter: Dietmar, Conrad und
Ortolf von Stretwich, Otto v. Pfaffendorf, Conrad und Ernst von
Lobming und mehrere Judenburger Stadtbürger.

> Plac. Herzog, Cosmogr. Austr. Francisc. pag. 397, Lam-
> bacher 44—46 Nr. XXXI. Im Eingange heisst es: „ad
> quos (int. nos Dux Austriæ et Styriæ) terra utraque
> pertinet hæreditatis iure et successionis, a nostris
> progenitoribus ex antiquo allodiis et aliis iuribus et
> privilegiis nihilominus ab aula imperiali multipliciter
> prædotatis, licet Reges conterminales con-
> finium nostrorum eam in praesentiarum
> detineant per potentiam violentam ....
> Im L.-A. 4 Copien Nr. 772.

26. 1259, 26. Mai, Graz.

Gnadenbrief Stephan's, Herzogs von Steiermark, des jüngeren Königs von Ungarn, für das Kloster Rein.

Unter den Anwesenden: Stephan, Ban von Slavonien,
Vaas, Magister tavernicorum, Dionys, mag. dapiferorum und Graf
v. Szalavar, Hauptmann zu Pettau, Niklas, judex curiæ . .
Wulfing v. Stubenberg, judex provincialis Styriæ, Bernhard und
Heinrich Grafen v. Pfannberg, Ulrich v. Liechtenstein, Wigand
v. Massenberg . . . .

> Dipl. Styr. II, 24, L.-A. 774ª.

27. 1260, 10. März, Wien.

Ottokar, König v. Böhmen, bestätigt dem Kloster Rein alle
Privilegien, besonders aber die Immunität von allem Vogteizwange.

Als Zeugen erscheinen: Ulrich, Domherr von Freising,
Kanzler von Steiermark, Heinrich von Liechtenstein und
die Steiermärker: Wulfing von Stubenberg, Rudolf und Leutold
von Stadeck, Ulrich von Liechtenstein, Herrand von Wildon,
Hartnid von Ort, Friedrich von Pettau, Hartnid von Ramenstein,
Gottfried von Marburg.

> Dipl. Styr. II, 26, Emler 94 Nr. 246. Orig. in Rein —
> Cop. im L.-A. 779ᵇ.

28. 1260, 24. Mai, b. Linz.

Derselbe empfiehlt dem Heinrich von Liechtenstein, Hauptmann der Steiermark, das Kloster Rein und trägt ihm auf, das genannte Kloster im Besitze des Schlosses Helfenstein zu schützen.

Ebenda II, 26, Emler 96 Nr. 255. Cop. im L.-A. nach dem Reiner Orig. Nr. 779ᵈ.

29. 1260, Dec. (4.—20.), Wien.

Derselbe verleiht dem Kloster Rein viele Freiheiten gemäss des diesem Stifte von Stephan, dem jüngeren Ungarnkönige, verliehenen Freiheitsbriefes.

Landsch. Arch. Cop. Pap. Emler 107—8 Nr. 279.

30. 1260, 21. Dec., Graz.

Derselbe bestätigt dem Kloster Viktring die Gnadenurkunde Herzog Friedrich's von Oesterreich und Steiermark (ddo. 1243, Leoben, 1. Sept.).

Testes multi Styrii, Australes et Boemi, darunter auch Woko von Rosenberg.

Landsch. Arch. Cop. Pap. Nr. 782ᵇ.

31. 1260, 23. Dec., b. Graz.

König Ottokar's Privilegium für B. Ch. (Conrad) von Freising, betreffend dessen Recht, sich überall, wo sich auf seinen Besitzungen Gold, Silber oder Salz vorfände, sich desselben regalienmässig unterwinden zu können.

Unter den Zeugen: Bruno, Bischof von Olmütz, Gerus, Woko und Benesch, Bohemi, Meister Arnold, Meister Ulrich „tunc tempore nostrii notarii", Stizlo von Sternberg, Otto v. Meissau, Ch. von Zeckingen, Otto v. Haslau und Andere.

Zahn, Cod. dipl. austr. Fris. Fontes rer. A. II A. XXXI, 210. Emler 108, Nr. 281.

32. 1260, 24. Dec., b. Graz.

König Ottokar entscheidet den zwischen dem Kloster St. Paul und den Grafen Heinrich und Bernhard von Pfannberg herrschenden Streit über die von diesen beanspruchte Vogteigewalt.

Muchar 5, 307. Emler 108 Nr. 282; vgl. Cop. L.-A. 783.

33. 1260, 24. Dec., b. Graz.

Urkunde Bischof's Ulrich von Seckau.

Coram inclyto Boemie Rege domino Austrie et Styrie in generali placito apud Græz constitutis. . . . . .

Actum apud Græz in cimiterio ecclesie parochialis in iudicio publico, — in vigilia nativit. D. n. J. Chr.

Landsch. Arch. Cop. Pap. vgl. m. Beitr. z. G. des Ldtgsw. Beitr. z. K. st. G. II. Urk. Nr. 55. 8.

34. 1260, 25. Dec., Graz.

Derselbe befiehlt dem Hauptmanne der Steiermark, Woko von Rosenberg, die Rechte der Kirche von Seckau auf die Kirche von Gradwein zu schützen.

Landsch. Arch. Cop. des 14. Jhh. Nr. 784. Dipl. Styr. I, 218, Emler 108—9 Nr. 284.

35. 1260, 25. Dec., Graz.

Derselbe bestätigt dem Kloster Rein die ihm von Kaiser Conrad II. gemachten Schenkungen in Stübing und Gaistal, sodann die des Markgrafen Otakar von Steier bezüglich des Allods in Seding und das Legat der Elisabet von Guetenberg, betreffend Alpengründe in Netzthal; desgleichen verleiht er dem Kloster gewisse Einkünfte aus den Salinen zu Aussee . . . .

Unter den Zeugen: Bruno v. Olmütz, Ulrich, Herzog von Kärnten, Woko von Rosenberg, Hauptmann der Steiermark, die Notare Meister Wilhelm und Arnold; Benesch von Mähren, Heinrich von Liechtenstein . . . . unter den Steiermärkern vertreten: Stubenberg, Liechtenstein, Teuffenbach, Saurau, Offenberg, Stadeck, Pettau, Wildon, Marburg, Massenberg.

Cop. i. L.-A. Nr. 784 ª.

36. 1260, 25. Dec., Graz.

Derselbe bestätigt dem Kloster Rein den Gnadenbrief Herzog Friedrich's von 1246, 1. März, Hintperch.

Landsch. Arch. Cop. 784 ª, Emler 109 Nr. 286.

37. 1260, c. 25. Dec., Graz.

König Ottokar verleiht dem Kloster St. Lambrecht, gelegen im erzb. salzburgischen Kirchensprengel, im Friesacher Gaue, im Walde jenseits des Tajawassers, die Erneuerung und Bestätigung des Gnadenbriefes Herzog Heinrich's von Kärnten, Sohnes Markward's (v. Eppenstein), des Klosterstifters.

Unter den Zeugen: B. Bruno, B. Dietrich von Gurk, Dietmar von Weisseneck, Heinrich von Liechtenstein, Wulfing von Stubenberg, Ulrich von Liechtenstein, Rudolf und Liutold von Stadeck, Dietmar von Offenberg, Conrad und Dietmar von Stretwich (Schetwich bei Lorenz), Conrad, Pfleger von Seckau, ganz abgedruckt bei Lorenz a. a. O. 456—460.

> Landsch. Arch. Cop. 785. Emler 108 Nr. 283. Vgl.
> Muchar 5, 286; Ankershofens Regg. Arch. f. K. öst.
> Gesch. 5 Nr. 183. 191. (Vgl. über die von Ottokar
> in Graz ausgestellten Urkk. Muchar 5, 286—287 und
> Böhmer Additam. Regg. II, S. 436.)

38. 1260, o. d. Pettau.

Gerichtstaiding des Landrichters Wulfing von Stubenberg (coram nobis in iudicio provinciali apud Petoviam").

> Cop. im landsch. Arch. 789ᵈ nach e. Orig. im Klst. Rein.

39. 1261, 1. März, Graz (Voitsberg).

Gertrud, Herzogin von Oesterreich und Steier, bestätigt dem Woko von Rosenberg die ihm von Ottokar und dessen Gattin Margaretha gemachte Schenkung der Grafschaft Ratz (Rabs). Geschehen zu Voitsberg, gegeben zu Graz.

> Kurz, Oest. u. Ottok. u. Albr. II, 177; Emler S. 117
> Nr. 314.

40. 1261, 16. und 17. Juli, Marburg.

Gerichtstaiding Woko's von Rosenberg in Angelegenheit des Besitzstreites zwischen dem Kloster Rein und den Grafen von Pfannberg, Bernhard und Heinrich, die Burgherrschaft Helfenstein betreffend und Entscheidung zu Gunsten des Ersteren. Acta sunt hæc . . . . . . coram nobis cæterisque provincialibus apud Marchburch in placito generali XV. und XVI. Kaɫ. Augusti.

Als eidliche Zeugen erschienen Ulrich von Liechtenstein, Gottfried von Marburg und Herrand von Wildon, und als Taidinghelfer; Siegfried von Mährenberg, Cholo von Seldenhofen, Friedrich von Pettau, Heinrich von Scherfenberg, Wigand von Massenberg, Leutold von Stadeck, Wilfing von Ernfels, die von

Pulsgau, Rohatsch (Rohitsch), Lewenberg und Volkmar, Stadtrichter von Graz (iudex græcensis).

> Diplom. St. II, 27—28, Càsar Ann. d. St. II. 532—3,
> Muchar V, 293, Emler 130 Nr. 341 (Orig. zu Rein.)
> Cop. im landsch. Arch. z. 15. Juli 793ᵇ.

41. 1262, 1. Mai, Wien.

König Ottokar's Schenkung Nikolsburg's an Heinrich von
Liechtenstein.

Unter den Zeugen (de Styria): Friedrich von Pettau,
Hartnid von Ort, Wolfgang (Wulfing) von Stubenberg, Bernhard
Graf von Pfannberg und sein Bruder, Ulrich von Wildon und seine
Söhne (Herrand und Hartnid), Rudolf und Liutold von Stadeck,
Erchenger von Landesere, Truchsess; Gundaker, Mundschenk.

> Bocek III, 335, Emler S. 139—40 Nr. 363.

42. 1262, 4. Juni, Graz.

Testament des (3. Juni) gestorbenen Landeshauptmannes
der Steiermark, Woko von Rosenberg; abgefasst vor dem
4. Juni, in Gegenwart seiner Getreuen: Prechtlin von Ried, des
Amtmannes Conrad von Turdelinge, der Kämmerer Kojata und
Grillo und des Notars Rüdiger, sodann des Minoritenpriors von
Pettau, des Custos der Minoriten zu Graz und zweier Dominikanermönche Gottfried und Otto.

> Pangerl Urkdb. v. Hohenfurt in den Fontes rer. austr.
> II. A. 23, 17, Emler S. 143—5 Nr. 371. — Vgl.
> auch Pangerl's Abh. im 9. Jahrg. 1., 2. Heft der Mitth.
> d. V. f. Gesch. d. Deutschen in Böhmen. Sep.-Abdr.
> S. 26 .. Cop. im L.-A. auszugsw. 798ᵃ.

43. 1262, 25. Juli, Wr.-Neustadt.

Ottokar's Urkunde für Seckau.

> Dipl. Styr. I. 219-220, Emler 147 Nr. 178. L.-B. 799 Cop.

44. 1262, August, Marburg.

Bischof Bruno von Olmütz, capitaneus Styrie,
Woko's Nachfolger im Amte, entbietet den Leobnern, vier grosse
oder zehn kleine Lasten Eisens, dem Geiracher Kloster von
weiland Herzog Leopold zur Jahresgabe bestimmt, ohne Maut-
zwang zuführen zu lassen.

Dipl. Styr. II, 141. Emler S. 148—9 Nr. 381. L.-A.
nr. 800, Cop.

45. 1262, 10. D e c., G r a z.

Bruno's Schiedspruch „in generali placito sive iudicio“ zu
Gunsten der Rechte des Seckauer Probstes auf die Gründe im
Erzwalde bei Waldstein.

Eilf Zeugen, darunter die bekannten Namen: Pfannberg,
Stubenberg, Liechtenstein, Stadeck, Pettau, Marburg, Offenberg,
Massenberg, Ernfels, Dietmar, Conrad, Ortolf von Stretwich ...

Dipl. Styr. I, 220, Emler 153 Nr. 397. L.-A. 802 Cop.

46. 1263, 5. J ä n n e r, V o i t s b e r g.

Herzogin Gertrud von Steier ermächtigt den Seifried von
Mährenberg zu beliebigen Vergabungen und Verschenkungen
an Eigen, Lehen und Gütern, welche zum Herzogthume Steier
gehören und die er von ihr aus besässe.

Dipl. Styr. II, 323, Lambacher Urkd. S. 43 Nr. XXX.
Fontes rer. austr. austr. II, A. 1, S. 53 Nr. 52 L.-A.
804 Cop.

(Hauptstelle: Quod nos Gertrudis Ducissa Styriæ fideli
ministeriali nostro Sivrido de Merenberg concedimus per pre-
sentes, quatenus de omnibus proprietatibus et feudis ad ducatum Styriæ pertinentibus, que a nobis possidet, ordinandi,
conferendi, legandi, prout saluti suo ac proximorum viderit ex-
pedire, liberam habeat facultatem . . .)

47. 1263, 7. F e b r u a r, b. G r a z.

Bruno, Bischof von Olmütz, schlichtet den Streit zwischen
Wulfing von Stubenberg und Bischof Conrad von Freising in
Hinsicht der durch ersteren und seine Leute den Hochstifts-
leuten bei Welz und St. Peter (am Kammersberge) zugefügten
Schäden. Acta apud Gretz, in domo domini plebani a. d. MCC,
LXIII. sept. id. Febr. quo anno et die et mense d. nostri Otta-
charii illustris regis Boemie vices in partibus Styriæ gerebamus.

Zahn Cod. dipl. Fris. Fontes II, 31. Bd. 236, Emler
159 Nr. 411. L.-A. 804ᵇ Cop.

48. 1263, 21. M a i, St. V e i t.

Herzog Ulrich's von Kärnten Schirmbrief für das Kloster

St. Paul im Lavantthal zufolge der Beschwerde des Abtes Gerhard über S e i f r i e d v o n M ä h r e n b e r g 's Bedrückungen in der Zeit, als dieser der K ä r n t n e r L a n d e s h a u p t m a n n - s c h a f t vorstand. (Quod cum nobilis vir Sifridus de Mernberch per t e r r a m C a r i n t h i æ v i c e s n o s t r a s g e r e r e t præ- dictum abbatem et conventum ad quorundam instructionem fati- gare incipiens et artare.)

> L.-A. 810, Cop. Muchar 5, 301—2. (Vgl. Fontes rer. a. 2 A. I. S. 56; vgl. auch die Urkunde Seifried's v. M. d. 9. Juni 1251, worin er erklärt, dass er lange widerrechtlich die von seinen Voreltern auf Kloster- eigenthum von St. Paul gewaltthätig erbauten Schlösser Truchsen in Kärnten und M e r e n b e r g in Steier- mark mit Zugehör und den Vogteien vom Berge Remsnich und Wolfsbach besessen, jetzt aber dem Abte Leutold von St. Paul zurückgestellt habe, der sie ihm und seiner Gemalin Richardis als Lehen lebenslänglich verlieh. Fontes rer. austr. 2. A. I. S. 26 Nr. XXII.)

49. 1263, 26. J u l i, b. W r . - N e u s t a d t.

König Ottokar bestätigt die Schenkung der Witwe Richer's von Gutenstein an die Nonnen von Seckau.

> Dipl. Styr. I, 221, Emler 164 Nr. 428. (Muchar 5, 302—25. Juli). L.-A. 813 Cop.

50. 1263, 17. A u g u s t, b. G r a z.

Bruno's, Bischof von Olmütz, Urkunde über die N e u - g r ü n d u n g d e r S t a d t B r u c k a. d. M. (Novella plantacio oppidi de Brucke), mit Bezug auf den Act vom 1. September 1262 (in placito siue iudicio generali . . . personaliter in Græz intrantibus Kalendis Septembris præsedimus.)

Als Zeugen erscheinen die Aebte von St. Paul, St. Lam- brecht, der Probst von Seckau, der von Vorau, der Abt von Rein, — die Pfannberger, der von Stubenberg, Liechtenstein, Stadeck, Offenberg, Wulfing von Leybenz (Leibnitz), Herrand von Wildon, Wulfing, Otto und Gottschalk von Ehrenfels, W. von Massenberg, Wulfing und Ortolf von Treuenstein, Ortolf von

Stretwich, Conrad von Saurau, Hermann und Otto von Krotendorf, Gebolf v. Kindberg und viele Andere.

> Admonter Saalb. Cop. in landsch. Arch. 818. Die Urk.
> deutsch b. Muchar 5, 297—299. *)

51. 1265, 21. April, Graz.

König Ottokar bestätigt die Rechte und Freiheiten des
Klosters Garsten. Zeugen: Bruno, Bischof von Olmütz, Meister
Heinrich, Probst von Friesach, Bernhard und Heinrich Grafen
von Pfannberg, Wulfing von Stubenberg, Friedrich von Pettau,
Ulrich von Liechtenstein, Leutold von Stadeck, Ditmar von
Offenberg, Herrand von Wildon, Ulrich und Gundaker von Habs-
pach, Otto von Haslau, Perchtold von Engelschalkfeld, Wichard
dessen Bruder, Erchenger von Landesere, Wulfing von Ernfels,
Wulfing von Treuenstein, Hartnid von Stadeck und Andere.

Actum et dat. in Gretz per manus Ulrici prothonot. curiæ nostre.

> Kurz, Btr. z. G. d. L. o. d. E. II 560, Urkdb. d. L.
> o. d. E. III, 333, Emler 185, Nr. 480. L.-A. 840 Cop.

52. 1265, 21. April, Graz.

König Ottokar bestätigt dem Kloster St. Maria zu Seckau
die ihm von seinem Vorfahren Herzog Ottokar VI. von Steiermark verliehenen Rechte und Freiheiten (ddo. in foro Grætze
1182, 29. November).

Zeugen: Ulrich, Erzbischof von Salzburg, Bruno, Bischof
von Olmütz, Henko, Marschall von Böhmen, Wilhelm von Phrim-
berg (Primda), Heinrich Supan von Weitra, Marschall von Böhmen,
Heinrich von Liechtenstein und viele Edle der Steiermark.

> Dipl. Styr. I, 227, Notizenbl. 1856, 323, Emler 186
> Nr. 481. L.-A. 830 Orig.

53. 1265, 23. April, Graz.

König Ottokar gebietet den Hauptleuten der Steiermark

---

*) Die Urkunde, welche Muchar 5, 307—308 zum 24. December cit.,
als habe damals Ottokar zu Graz „in cemeterio ecclesiæ parochialis
in judicio publico" einen Streithandel zwischen St. Paul und den
Pfannberger geschlichtet, ist falsch reproducirt, denn sie ist identisch
mit der von demselben S. 307 z. J. 1260 gestellten. (S. o. Nr. 32 u.
m. Btr. z. G. u. Qkde. d. Landtagsw. Beitr. 2, S. 70 Nr. 52 Anm.)

und den anderen Pflegern, dass sie für die Vogtei der Gründe zu Welz und St. Peter blos das einfache Vogtrecht einheben sollen, da er die Leute des Bisthums Freising „ab exactionibus, pernoctationibus, herbergariis vexacionibas" also von allen solchen Belästigungen befreit wissen wolle.

> Zahn Cod. dipl. austr. Fris. a. a. O. 259, Emler 186 Nr. 482.

54. 1265, 26. April, Neunkirchen.

Ottokar, König von Böhmen bestätigt, dem Kloster Garsten alle von weiland Herzog Ottokar verliehenen Rechte und Freiheiten.

Zeugen: Bruno, Bischof von Olmütz, Erkenger von Landesere, Truchsess, Wulfing von Stubenberg, Friedrich von Pettau, Wernhard, genannt Präusslein (Prausselinus), Gundaker von Habspach und Andere.

> Urkdb. d. L. o. d. E. III, 339, Emler 186 Nr. 483.
> L.-A. 841 Cop.

55. 1265, 1. Mai, Judenburg.

Bruno's Gerichtssitzung, betreffend die Ansprüche Admont's in Hinsicht seiner Entschädigung für die zur Bestiftung Bruck's a. d. M. abgegebenen Stiftsgüter.

> Landsch. Arch. Cop. 842. Muchar 5, 308—9.

56. 1265, 9. Mai, Perugia.

Papst Clemens IV. bedroht die Frevler an Klöstern und Kirchen der Dominikaner mit dem Banne.

> Cop. im landsch. Arch. 842 Cop.

57. 1265, 25. Mai, Perugia.

Derselbe beauftragt den Bischof Bruno von Olmütz mit der Rückstellung der dem Kloster Seckau widerrechtlich entfremdeten Güter.

> Cop. im landsch. Arch.
> Zwei gleiche Mandate ebda. in Cop. 843 Cop. Vgl. Fontes rer. austr. II. A. 1. 62.

58. 1265, 13. Juni.

Derselbe an denselben und an den Friesacher Probst zu St. Virgil, mit dem Auftrage, den Güter- und Zehendstreit zwischen dem Kloster Seckau und Wigand von Massenberg zu entscheiden.

Orig. im landsch. Arch. 847.

59. 1265, 23. Juni, Marburg.

Bruno, Bischof von Olmütz, bezeugt „in generali judicio apud Marcburch", dass das Schloss Hörberg im Streite zwischen Heinrich von Schärfenberg und der Frau von Lengburg dem Ersteren zugesprochen wurde.

Fontes rer. austr. II A. I. 64. Emler 188 Nr. 490. landsch. Arch. Cop. 851ᵃ.

60. 1265, 30. Juni, Perugia.

Papst Clemens IV. bestätigt die Rechte und Freiheiten des Klosters Admont.

Cop. im landsch. Arch. 852ᵃ.

61. 1265, 30. Juni, Perugia.

Derselbe betraut den Abt von Reitenhaslach mit dem Schutze des Klosters Admont gegen Frevler an dessen Privilegien.

Cop. im landsch. Arch. 852ᵇ.

62. 1265, 1. Juli, Perugia.

Derselbe an denselben in gleicher Angelegenheit.

Cop. im landsch. Arch. 852ᶜ˙ ᵈ.

63. 1265, 1. Juli, Perugia.

Derselbe gestattet dem Abte von Admont die Lossprechung seiner Mönche und Conversen von bestimmten Vergehen.

Cop. im landsch. Arch. 852ᵉ.

64. 1265, 8. Juli, Perugia.

Derselbe beauftragt den Bischof Bruno von Olmütz und den von Gurk mit der feierlichen Excommunication des an dem Kloster Seckau zum Räuber gewordenen Priesters Ulrich von Hauzenbichl (Haucepuel). (In eadem ecclesia ad ‚preposituram ipsius intrudi temere procuravit dictamque ecclesiam nonnullis privilegiis ornamentis (ecclesiasticis) et rebus aliis ausu sacrilego spolians alias eisdem proposito et capitulo in terris possessionibus et aliis bonis ejusdem ecclesiae dampna gravia per se ac suos complices irrogavit . . .).

. Orig. im landsch. Arch. 853.

65. 1265, 11. Juli, Perugia.

Derselbe empfiehlt dem Schutze des Böhmenkönigs das Kloster Seckau wider die Gewaltthaten des ehemaligen Erzbischofs von Salzburg, Philipp.

Orig. im landsch. Arch. 855.

66. 1265, 14. Oct., Graz.

Herbord von Füllenstein, Truchsess des Bischofs von Olmütz, verbrieft die Rechte von Admont.

Muchar 5, 309, L.-A. Cop. 858.

67. 1265, 5. Nov., Freistadt (in Oesterreich).

Bruno, Bischof von Olmütz, ladet den Erzbischof Ulrich von Salzburg in Sachen seines Streites mit dem Priester Wernher um die Kirche in Pyber auf den 21. Jänner 1266 nach Graz vor. (Vgl. 6. Nov. die bezüglichen Instructionen für den Gurker Propst.)

Cop. im landsch. Arch. 863°.

68. 1266, 21. Jänner, Graz.

Der Gurker Bischof entscheidet den Streit zwischen Erzbischof Ulrich und Priester Wernher um die Pfarre Pyber.

L.-A. Cop. 863ᵃ.

69. 1266, 5. Juni.

Gottschalk von Neidberg und Erkenger von Landesere bestimmen im Auftrage König Ottokar's neuerdings die Grenzen der Besitzungen der Klöster St. Lambrecht und Lilienfeld in der Mariazeller Gegend.

Cop. im ldsch. Arch. 867°. Vgl. Cäsar Ann. St. II. 277.

70. 1266, 8. Sept., Pyber.

Bischof Ulrich von Seckau befiehlt dem Probste von Seckau, das dortige Nonnenkloster fürder nimmer von weltlichen Personen betreten zu lassen.

Orig. im ldsch. Arch. 871. Dipl. Styr. I. 229—230.

71. 1267, 17. Dec., Viterbo.

Papst Clemens IV. empfiehlt dem Böhmenkönige den Schutz des Klosters St. Paul gegen die Anfeindungen der Grafen Heinrich und Bernhard von Pfannberg.

Cop. im landsch. Arch. 882.

72. 1268, 1. Dec., Graz.

Bruno, Bischof von Olmütz, spricht zufolge der Entscheidung „in provinciali placito sabbato post festum Andræ proxime habito" dem neuen Bischofe von Seckau, Bernhard, die von weiland Erzbischof Ulrich widerrechtlich entzogenen Güter des Stiftes Seckau zu und gebietet die Einsetzung des erstgenannten in den Genuss derselben.

Cop. im landsch. Arch. 900. Emler S. 245 Nr. 628.

73. 1268, 2. Dec., Graz.

Bezügliches Schreiben seines Truchsess Herbord von Fallenstein in seiner Eigenschaft als „judex provincialis Styriæ" an Albert von Horneck.

Cop. im landsch. Arch. 901. Emler S. 246 Nr. 629.

74. 1269, 24. Febr., Podiebrad.

König Ottokar's Bestätigung der Klostergründung St. Maria im Thal, bei B.-Brod.

Unter den Zeugen Burkhard, Marschall von Böhmen, ... Ulrich von Dürnholz, Milota, Bruder des Benesch . . . . . Mag. Ulrich, Protonotar von Oesterreich und Steiermark.

Emler S. 248 Nr. 635.

75. 1269, 3. März, Prag.

Ottokar bestätigt Bruno's Urkunde für Seckau (ddo. 1. Dec. 1268, Graz.)

L.-A. 901 Cop.

76. 1269, 5. März, Prag.

Derselbe verbietet den Judenburgern, den Bischof Bernhard von Seckau unter dem nichtigen und unwahren Vorwande, als wenn Kirchen und Prälaten Häuser und Gründe in Städten oder Märkten nach Burgrecht nicht besitzen könnten oder dürften, im Besitze der von seinen Vorgängern innegehabten Häuser und Gründe zu Judenburg auf irgend eine Weise zu stören.

L.-A. 907 Cop.

77. 1269, 11. März, Prag.

Schutzbrief desselben für Bischof Bernhard von Seckau,

weil er sich als Vogt der langeher verfallenen und bedrückten Kirche desselben wirksam annehmen wolle.

Cop. im landsch. Arch. 908, Cop. Vgl. Dipl. Styr. I, 330, Emler 249 Nr. 636 und 638, 250 Nr. 643.

78. 1269, 16. April, Graz.

Herbord, Truchsess von Füllenstein, „judex per Styriam generalis," erklärt zufolge landesgerichtlichem Schiedsspruches und Mandates König Ottokar's und Bischof Bruno's die Giltigkeit des Besitzrechtes Bischof Bernhard's von Seckau auf die einst von Bischof Ulrich widerrechtlich veräusserten Güter, besonders in St. Stephan, Kirchbach, Wolfsberg und Jägersberg, die dem Gundaker von Gleitsau verpfändet waren.

Cop. im landsch. Arch. 913. Emler S. 252 Nr. 646.

79. 1269, 25. April, Leoben.

Herbord von Wellenstein (Füllenstein) spricht dem Kloster Admont die von Heinrich von Trofaiach beanspruchten Gereute und Zehenden zu. (Anwesend Graf Heinrich von Pfannberg.)

Cop. im landsch. Arch. 914, vgl. Muchar 5, 332.

80. 1269, 12. Juni, Znaim.

K. Bestätigung der Freiheiten des Klosters Gleink (vom 6. September 1239). — Unter den Zeugen: Bruno, Bischof von Olmütz und Hauptmann der Steiermark ... Wulfing von Stubenberg, Bernhard Graf von Pfannberg, Ulrich von Liechtenstein.

Kurz, Btr. z. Gesch. d. L. o. d. E. III, 351, Urkdb. d. L. o. d. E. III. 365, Emler 253 Nr. 650.

81. 1269, 28. Juni, Radkersburg.

Bruno, Bischof von Olmütz, schlichtet den Streit zwischen Bernhard, Bischof von Seckau, einerseits und Ortolf von Stretwich anderseits über das Dorf Räusentz. Als Besiegler: Conrad, Probst von Brünn, Ulrich von Liechtenstein und Herbord von Fulnstein. (Testes Styrii nobiles et milites multi.)

Landsch. Arch. Cop. 927. Emler S. 255 Nr. 655.

82. 1269, 20. Aug., Graz.

Derselbe bestätigt „in placito generali, in domo Volkmar judicis Graecensis" dem Kloster St. Paul die Gerechtsame über die Güter zu Lorenzen und legt deshalb dem Heinrich von Rohatsch (Rohitsch) Schweigen auf.

Als Zeugen erscheinen: Bernhard, Bischof von Seckau, Albert, Abt von Admont, Probst Ortolf von Seckau, Conrad, Probst von Brünn, die Grafen Heinrich und Bernhard von Pfannberg, Ulrich von Sternberg, Ulrich von Heunburg, Wulfing von Stubenberg, Friedrich von Pettau, Liutold von Stadeck, Ulrich von Liechtenstein, Siegfried von Mährenberg. Herbord von Füllenstein, Herbord von Traberg (Unterdrauburg), Cholo von Marburg, Cholo von Saldenhofen, Herrand von Wildon, Wigand von Massenberg, Wernher von Haus.

Cop. im landsch. Arch. 925. Muchar V. 333.

83. 1269, 7. Oct., Sazga.

König Ottokar bestätigt den Vergleich zwischen Mathilde, der Hinterlassenen Hadmar's von Schönberg, und deren Söhnen Reimbert und Hadmar auf der einen und dem Capitel von Seckau auf der andern Seite. Dat. in Sazga. Unter den Zeugen: Bruno, Bischof von Olmütz.

Fontes rer. austr. II. A. I. 99. Emler 258 Nr. 665.

L.-A. 929 Orig.

(Vgl. die Entsagungsurkunde Mathilden's vom 15. August 1269. Dipl. Styr. I. 233.)

84. Die Urkunde vom 7. October, datirt in Gräz — Cop. im landsch. Arch. Emler 258 Nr. 666 — ist nur im Auftrage des damals nach Mähren verreisten Bischof Bruno ausgestellt worden und bezieht sich auf den am 20. August gefällten Rechtsspruch (in placito generali Græcii fer. III. infra octauam assumptionis b. Virginis se præsidente celebrato adjudicatum . . .)

85. 1270, 26. Jänner, Wien.

König Ottokar gebietet seinen Amtsleuten, das Seckauer Kloster in keiner Weise zu beirren.

Cop. im landsch. Arch.

86. 1270, 27. Jänner, Wien.

König Ottokar erneuert die der Salzburger Kirche von den österreichischen Herzogen gewährte Mauthfreiheit bezüglich der Zufuhr von Wein und Lebensmitteln.

Horm. Taschenbuch vom Jahre 1840 S. 463. Emler 265
Nr. 682.

87. 1270, 26. Jänner, Wien.

König Ottokar's Befehl an Milota, den Landeshauptmann der Steiermark und andere Amtsleute, sich
keine Eingriffe in die Seckauer Gerichtsbarkeit zwischen den
Flüsschen Lüsing (Levsnich) und Graden (Grada) zu erlauben.

Cop. im landsch. Arch. (Diese Urkunde, identisch mit
der von 1275, 26. Jänner, Wien, Nr. 119, gehört
auch zu letzterem Jahre, da 1270 ebensowenig an
Milota's als an Dietrich's von Fulen Amtsgewalt in
der Steiermark gedacht werden kann. Ueberdies findet
sich auch im Originale der Urkunde kein Jahres-
datum angesetzt. Chmel Fontes rer. austr. I. I. S.
4 XXIII. Nr. VI nimmt mit Recht als wahrschein-
liches Jahr 1275 an. (vgl. w. u. Nr. 119),

88. 1270, 29. Jänner, Wien.

Derselbe bezeugt, dass St. Lambrecht's Convent und Abt
in dem Grazer Taiding erwiesen und zuerkannt erhalten habe
das Gut im Lungau bei St. Martin gelegen, im Tausche für
einen Grund der Stadt und des Schlosses Voitsberg, laut
Uebertragung weiland Herzogs Leopold von Oesterreich, der
diese Stadt gegründet.

Darin erscheint „Bruno venerabilis Olomucensis episcopus
tunc Capitaneus Styrie et Otto de Haslowe,
qui tunc pro tempore eiusdem capitaneus terre
fuit, — sodann als Wahrheitszeugen: Ulricus de Liechtenstein et filius suus, Ditmarus de Streckwitz, Ortolphus et
Ditmarus de Streckwitz (!) . . . . .

Lorenz, deutsche Gesch. im 13. und 14. Jahrh. I, 461,
Emler 265 Nr. 684.

89. 1270, 30. Jänner, Wien.

Derselbe bestätigt die Gerichtsgewalt des Klosters Admont
auf den demselben von B. Bruno von Olmütz zuerkannten Gründen.

Böhmer, Addit. II. ad regg, imp. 444, Emler 265 Nr·
685. Cop. im landsch. Arch.

9*

90. 1270, 30/1. Jänner, Wien.

I. König Ottokar bestätigt den Schiedspruch Otto's von Haslau in der Streitsache zwischen dem Kloster St. Lambrecht und Wicharden von Ramenstein.

Als Zeugen erscheinen: Otto von Haslau, Wichard von Ramenstain, Wulfing von Stubenberg, Ulrich von Liechtenstein, Reinbert von Chranichberg (Lorenz: Chrauchberg), ... (de Styria) Herrand von Wildon, die Grafen Bernhard und Heinrich von Pfannberg, Conrad von Sorowe (Saurau, Lorenz: Sorone), Heinrich von Spigelueld (Spielfeld), Ortolf von Stretwich, Albert von Stein.

> • Abgedr. b. Lorenz (nach einer Abschr. im St.-A.) a. a. O. 462—464. Emler 266 Nr. 687, Cop. im landsch. Arch. 935ᵃ.

II. König Ottokar bestätigt unter gleichem Datum drei Urkunden von Schenkungen, die Herzog Ulrich von Kärnten der Kirche in Spital 1264, 14. October, 1269, 16. 22. Mai ausgestellt hat.

> Lorenz a. a. O. I, 483 (Ausz.), Emler 265 Nr. 686. Cop. im landsch. Arch. 936ᵃ⁻ᵈ.

9I 1270, 2. Februar, Wien.

Ottokar's Lehensvertrag mit Conrad, Bischof von Freising, betreffend die ihm von weiland Herzog Ulrich von Kärnten vererbten Feudalgüter. Unter den Zeugen Bernhard und Heinrich Grafen von Pfannberg und die beiden Liechtensteiner Ulrich und Otto (dessen Sohn), ferner in der zweiten, vom Bischofe ausgestellten Gegenurkunde auch noch Wulfing von Stubenberg.

> Zahn Cod. dipl. austr. Fris. fontes rer. a. XXXI. 309 bis 310. Emler S. 266—7 Nr. 688 und 689, vgl. Fontes rer. austr. II, I. Bd. S. 105.

92. 1270, 3. Februar, Wien.

Derselbe gebietet den Landrichtern in Steiermark, sich der Gerichtsbarkeit über die Gründe und Unterthanen des Hochstiftes Freising zu enthalten.

> Zahn Cod. dipl. austr. Frising. fontes XXXI, 311, Emler 267 Nr. 690 L.-A. 936ᶜ.

93. 1270, 7. Februar, Wien.

Derselbe gebietet, dass die Bürger der Stadt Judenburg bei ihrem Waarenhandel von und nach Wr.-Neustadt ihren Freiheiten entsprechend behandelt und zur Mauthgabe nur in Wr.-Neustadt, Salchenau und Neundorf verhalten werden sollen.

> Fontes rer. austr. I, 106, Emler S. 267 Nr. 691, ldsch. Arch. 937 Orig.

94. 1270, 8. (7.) October, Marburg.

a) Burkhard von Klingenberg, Marschall von Böhmen, Landeshauptmann der Steiermark, weist in öffentlicher Gerichtsversammlung (in generali placito Marburge f. III. ante f. b. Dyonisii celebrato = 7. Oct.) unter Beisitz des Landschreibers Conrad die Klage Hartnid's von Ramenstain gegen das Stift Seckau, Güter im Erzwalde betreffend — zurück, da sie jedes Rechtsgrundes entbehre. (16 Zeugen.)

> Dipl. Styr. I. 234, Fontes rer. austr. II, I. 115 Nr. 101. Emler 278 Nr. 717. landsch. Arch. 937. Orig.

b) (1270, 28. October, Wien.)

Ottokar's Bestätigungsurkunde.

> Emler 279 Nr. 721. Orig. im landsch. Arch. 950.

95. 1270, 6. Dec., Villach.

König Ottokar bestätigt vier Privilegien des Kärntner Stiftes Viktring von 1253—1256 und begabt es mit Mauthfreiheit.

Unter den Zeugen: Heinrich und Friedrich Grafen von Ortenburg, Ulrich Graf von Heunburg, Ulrich Graf von Sternberg, Heinrich und Bernhard Grafen von Pfannberg, Friedrich von Pettau, Seifried von Mährenberg, Heinrich von Scherfenberg, Ulrich von Liechtenstein, Otto von Haslau, Meister Heinrich von Laak (Lonk), Landschreiber Krain's und der Mark.

> S. Marian Fiedler Austria sacra VII. pag. 369, Tangl a. a. O. S. 35—36 exc. nach dem Orig. im Archiv des kärntn. Gesch.-Ver. in Klagenfurt. B. Lorenz I, 484 kurzer Auszug; daraus das Regest b. Emler S. 282 Nr. 729. L.-A. 951 Cop.

96. 1270, 12. Dec., Judenburg.

König Ottokar verspricht die mit Erzbischof Friedrich von Salzburg vereinbarte Zusammenkunft bei Wien zur Begleichung der schwebenden Besitzhändel abhalten zu wollen. Als Zeitpunkt der 1. Mai 1271 angesetzt. Zwei andere gleich datirte Urkunden, deren zweite die Schiedsmänner (als deren eventuellen Vertreter den Bischof Bernhard von Seckau) und die Form der Taidung behandelt.

> Die ersten zwei Urkk. in Ausz. bei Emler S. 282—3
> Nr. 730, 731; die dritte ganz abgedruckt ebenda
> S. 283—5 Nr. 732 nach dem Wortlaut in den Wiener
> Jahrb. der Litt. 108, S. 183. Muchar 5, 340, stellt
> diese Urkunde irrthümlich zum 12. October.

97. 1270, ... Windischgraz.

Zwei Bestätigungsurkunden König Ottokar's für das Kloster Seiz (einmal Siths, das andere Mal Seytz geschrieben).

> Vgl. Muchar 5, 341, neuester Abdr. b. Lorenz a. a. O. S. 469
> bis 471. Ldsch. Arch. Cop. Emler 285 Nr. 734 a. b. Vgl.
> Tangl Hdb. d. Gsch. d. Hz. Kärnten IV. 1. A. S. 29—30.

Als Zeugen erscheinen in beiden Urkunden: Ulrich von Dürnholz (Landeshauptmann für Kärnten), Friedrich von Pettau, Otto von Haslau, Otto von Perchtoldsdorf, Erchanger, Truchsess von Landesere, Gundaker Schenk von Habspach (Hauchspach), Heinrich von Hownfeld, Ulrich von Habspach, Friedrich von Pettau (nochmals), Heinrich von Helfenberg, Friedrich von Graz und dessen Bruder Ortolf, Chrasto, Pfarrer von Graz, Ortolf von Gurkfeld „und viele Andere . . ." (Nach Tangl's ziemlich zutreffender Ansicht gehört die Urkunde in den November des J.)

98. 1271, 3/13. Juli, Prag.

Friedensurkunde zwischen Ottokar und König Stefan V. von Ungarn (böhmisches Instrument).

Exclusit etiam rex Ungariæ supradictus Wilhelmum de Scharfenberch et Nicolaum . de Leumberch (Lewenberg) terrarum nostrorum profugos a suo servitio gratia et favore, promittens in defendendis et detinendis castris ipsorum eos contra nos et nostros homines non juvare.

Insuper dominus Stephanus rex Ungariæ renuntiavit omni juri et actioni, quod et quæ sibi videbantur competere seu etiam competebant in d u c a t i b u s S t y r i æ, Carinthiæ et dominiis Carniolæ, Marchiæ, nullam de cetero suo vel heredum suorum nomine contra nos et heredes nostros super illis moturus materiam questionis . . . . . .)

Emler S. 295—301 Nr. 753. Das ungarische Instrument dat. vom 3. Juli „in castris apud Posonium".

99. 1271, 13. A u g u s t, R e i n.

Volkmar, Bürger von Graz, widmet dem Kloster Rein die Schenkung von zwei Theilen salzburgischer Zehenten in Strassengel, Velgowe und der Neubrüche bei Rein, gemeinhin Loch genannt, damit davon den Conventherren an der Klostertafel wöchentlich einmal Wein nach dem kupfernen Masse (potu, quod dicitur cuprea mensura) gereicht werden könne. (P u r c h a r d u s d e C h l i n g e n b e r c h, tunc capitaneus Styrie, gener suus, dominus . . . de Baruth, dom. D i e t r i c u s d e F u l e n, dom. Herm. de W i n d i s c h g r æ z, Liupoldus dictus Wackerzil, Chunradus Venter (Bauch) Oetschlo, Otto dictus Oechsel, Alhardus de Sancto Petro et al. q.

Cop. im landsch. Arch. Muchar 5, 350 setzt die Urk. irrig z. J. 1272.

100. 1271, 25. A u g. (1. S e p t.) G r a z (St. Thomascapelle.)

Urkunde des Landeshauptmannes, Burkhard von Klingenberg, für d. Kl. Rein.

Cop. im ldsch. A. Emler 303 Nr. 757. Vgl. Muchar 5, 345.

101, 1271, 13. O c t., P r a g.

König Ottokar bestätigt dem Kloster Rein eine vom Grazer Bürger Rüdiger gemachte Schenkung.

Dipl. Styr. II, 28; Emler 305 Nr. 761 Orig. im landsch. Arch. 965 ".

102. 1271, 27. O c t., L a a k.

Ulrich von Dürnholz, Hauptmann von K ä r n t e n, K r a i n u n d d e r M a r k, stellt eine Urkunde zu Gunsten der deutschen Ordenscommende in Laibach aus.

Fontes rer. austr. II, I. S. 128, LXII, Tangl a. a. O.
S. 82, L.-A. 967 Cop.

103. 1271, 11. Nov. . . . . . .

Seifried's von Mährenberg Widmnngsurkunde für das von
ihm gestiftete Mährenberger Frauenkloster.

Orig. im landsch. Arch. 968. (Vgl. Mnchar 5, 346 Urk.
vom 20. Juli 1271). Vgl. Tangl a. a. O. S. 91—92.

104. 1271, 6. Dec., Windeck.

Seifrid von Mährenberg stellt der Bamberger Kirche alle
vom Bischofe Berthold verpfändeten Güter zurück.

Cop. im landsch. Arch. 971. Vgl. Tangl a. a. O. 92.

105. 1272, 26. Febr.

Urkunde der Witwe Seifried's von Mährenberg,
Richardis, für das Nonnenkloster in M. (In deutscher Sprache.)

Fontes II, 1, 132 Nr. 115. Vgl. Tangl 93. L.-A. 977 Orig.

106. 1272, 22. April, Prag.

König Ottokar gebietet dem Ulrich von Dürnholz (capitaneo
Karinthiæ, Karniolæ et Marchiæ) und dem Conrad (scribæ
Styriæ) das Nonnenkloster der heil. Maria in Mährenberg
zu schützen.

Dipl. Styr. II, 325, Emler 311 Nr. 777. Vgl. Mnchar
5, 355 z. J. 1273. L.-A. 980 Orig.

107. 1272, 7. Sept., Wien.

Ottokar's Urkunde zu Gunsten des Klosters Studenitz und
zwar in Bezug seiner Einkäufte in Kärnten und bei Marburg.

Zeugen: Graf Ulrich von Heunburg, Graf Ulrich von
Sternberg, Friedrich Graf von Ortenburg, Graf Heinrich von
Pfannberg, Burkhard von Klingenberg, Marschall des
Reiches Böhmen, Ulrich von Dürnholz, Hauptmann von
Kärnten, Ulrich von Liechtenstein, Friedrich von Pettau, Wulfing von Stubenberg, Herrand von Wildon . . .

Lorenz a. a. O. I, 472, Emler 320 Nr. 799. L.-A. 984 Orig.

108. 1271, (o. O. u. o. Z.) (Friesach?)

Dietrich von Fulmen, Castellan von Friesach, bezeugt, dass
Ulrich von Zeltschach bei Gelegenheit der Besetzung Friesachs durch den König von Böhmen, von dem Bi-

schofe von Olmütz (Bruno) und dem Herrn Herbord, dessen (nämlich Bruno's, nicht wie Tangl meint, des Königs) Truchsess, vor vielen Edeln und dem Probste von Salzburg jene Güter um Althofen erhalten habe, welche früher der Truchsess von Kreig gewaltthätig an sich gerissen hatte, worüber nun ihm, dem Castellane, die Vogtei übertragen worden sei.

Tangl a. a. O. S. 65—66 nach einem Urkundenregest Hermann's im Arch. des hist. Ver. in Klagenfurt.

109. 1272, 1. Juli, Graz.

Der Landschreiber der Steiermark, Conrad, beurkundet die klösterliche Gerichtsbarkeit des Abtes von Rein über das bewegliche Vermögen der Stiftsleute. (Dieser Conrad wird bereits in einer Urkunde vom 13. Juli 1271, also zur Zeit der Landeshauptmannschaft des Klingenberger's „Landschreiber der Steiermark" („tunc scribe Styrie") genannt.

S. Fontes rer. austr. II, 1, S. 126.

110. 3. Dec., Graz.

Bischof Bernhard von Seckau und Meister Conrad, Landschreiber der Steiermark, entscheiden den Streit zwischen dem Spital am Semmering und den Gebrüdern von Massenberg.

Orig. im landsch. Arch. 1000 d.

111. 1274, 20. Febr., Hagenau.

König Rudolf I. nimmt den Erzbischof Friedrich von Salzburg in seinen und seines Reiches besonderen Schutz und verbietet allen Getreuen, den Metropoliten an seinen Besitzungen und Eigenleuten zu schädigen.

Böhmer's Regg., Tangl Handb. d. Gesch. Kärnt. IV, 1, 160.

112. 1274, 13. April, Graz.

König Ottokar's Schutzbrief für das Kloster Viktring gegen die Uebergriffe Friedrich's von Pettau und Meinhard's von Cinzleinsdorff.

Cop. im landsch. Arch. 1003. Vgl. Muchar 5, 359, Emler S. 358 Nr. 868.

113. 1274, 16. April, Graz.

Desselben Schutzbrief für das Obernburger Benedictinerkloster.

Origin. im landsch. Arch. 1004. — Dipl. Styr. II, 294, Emler 358 Nr. 869.

114. 1274, 17. April, Graz.

K. Bestätigungsbrief für Freising.

Zahn Cod. Fris. a. a. O. 328, Emler 358 Nr. 870.

115. 1274, 21. April, Graz.

K. Bestätiguugsbrief einer Schenkung des Grazer Bürgers Volkmar an das Spital im Zerwald.

Cop. im landsch. Arch. 1004, Emler 359 Nr. 871.

116. 1274, 25. April, Graz.

K. Bestätigungsbrief für die Karthause Seiz (1185).

Orig. im landsch. Arch. 1007, Emler 359 Nr. 873.

(Vgl. über den Aufenthalt Ottokar's in Graz Böhmer's addit. II. S. 451.)

117. 1274, 27. Juli, Göss.

Urkunde eines Gütertausches der Nonnenabtei Göss (Aebtissin Herburgis und der Dechantin Wentala) mit dem Landschreiber der Steiermark, Conrad.

Die ungemein zahlreichen Zeugen nach folgenden Kategorien geordnet:

1. Bischof Bernhard von Seckau; 2. Graf Heinrich von Pfannberg; 3. Die Herren Wulfing von Stubenberg und Ulrich von Liechtenstein; 4. Ministerialen: Herrand und Hartnid von Wildon, Otto der Jüngere von Liechtenstein, Hartnid von Stadeck, Wulfing und Ortolf, Gebrüder von Treuenstein, Otto von Perneck, Meinhard von Zemilsdorf (Stemmelsdorf), Otto und Heinrich von Ernfels, Heinrich von Puchheim und dessen Sohn Albero. Die Pfarrer: Iring von Pöllau, Ulrich von Strassgang, Wernher von Rapotenkirchen, Ritter (milites) des Steierlandes und andere vornehme Ritterherren (milites domini): Ekkard von Dobrenge, Wernher von Haus, Alhoch, Hauptmann auf Radkersburg, Henulo von Tuln, Arnold und Otto Gebrüder von Luttenberg, Dietrich und Leupold, Gebrüder von Friedberg, Ortolf und Dietmar, Gebrüder von Stretwich, Hermann, Otto und Herwik, Gebrüder von Krotendorf, Conrad und Walther, Gebrüder von Thal (de Valle), Wolfger von Khegel,

Hugo von Donnerstein, Heinrich von Stübing, Ulrich „dictus monachus („der Mönch"), Niclas von Lengenberg. A d e l i g e D i e n s t m a n n e n (clientes): Otto Graf („comes") von St. Peter, Heinrich, Wigand und Albert, Gebrüder von Massenberg, Gebolf von Kumberg und dessen Sohn Diepolt; Hertel von Leoben, Dietmar von Mur, Otto von Passail (Puzuil), Otto von Kallnberg, Ruger von Linsperg, Ingerich von Tuln, Konrad von Hertensdorf, Heinrich von Judenau (nicht Judemayn, wie bei Muchar 5, 362 zu lesen), Walchun von Strombach. B ü r g e r (cives): „Dominus" Volkmar von Gräz, Dietrich und Martin Rivierarii (nicht d e Riverarii), Ulrich und Leutold Wakall, Konrad „Venter" (Pouch), Sniterinus, Leo von Wenil, der Schreiber Pölzlo, Ludwig Albnär, Ernest, Leobman und Jauslin, Bürger de Winna (Wien ? oder vielleicht Schottwien — Schadwinna?). P f l e g e r (officiales): Hermann, Pfleger zu Göss, Heinrich Bawarus (Baier) von Hafning (nicht Hefnarn), Ulrich von Judendorf, Luitold von Gösse, Friedrich der Kellner und Andere.

Die Urkunde verfasste der Landschreiber Conrad.

Dipl. Styr. I. 90—93. Vgl. Muchar 5, 361—362. L.-A. 1012 Cop.

118. 1274, 10. D e c., K o b e n z.

Dietrich von Fulm (Fulen), Landrichter (judex provincialis) zu Offenberg, gebietet nach rechtlichem Erkenntniss, dass die eisernen Ketten und Verhaue, womit die Söhne Wigand's von Massenberg, Heinrich und dessen Brüder, alle Wege in das Feistritzthal um Prank herum sperrten und dem Seckauer Stifte die Benützung der Wälder daselbst wehrten, wegzuschaffen seien. (Die Gerichtsverhandlung fand vor der Kirche zu K o b e n z im October statt.)

Cop. im landsch. Arch. Vgl. Muchar 5, 360.

119. 1275, 26. J ä n n e r, W i e n.

König Ottokar's Befehl an Milota, Landeshauptmann der Steiermark, er möge dem Burggrafen in Offenberg, Dietrich von Fulm und den andern Burggrafen und Landrichtern gebieten, sich jedes Gerichtszwanges über die Seckauer Unterthanen zwi-

schen den Fl. Levernich und Graden zu enthalten und die verbrieften Gerechtsamen des Stiftes zu achten.

> Dipl. Styr. 236, I. Fontes rer. austr. I, 175, Emler 390
> Nr. 938. Copie und Orig. im steierm. Lds.-Arch.
> Nr. 934*. Statt „Levernich" muss Levsnich ge-
> lesen werden, d. i. Lüsing. Lüsing und Graden schieden
> die Gerichtsgrenze des Seckauer Stiftes von der lan-
> desgerichtlichen (nach von Felicetti's gütiger Mitthei-
> lung). Ueber das Jahresdatum vgl. o. Nr. 87. Ueberdies
> sei hier noch bemerkt, dass Milota's Landeshaupt-
> mannschaft Conrad's Amtswirksamkeit als Landschreiber
> ablöste, denn erst als dieser in den Urkunden ver-
> schwindet, taucht Milota auf.

120. (1274 Dec.—März 1275.)

Schreiben des Erzbischof's Friedrich von Salzburg an König
Rudolf . . . .

Tribulatio et angustia intumescunt adversus illorum fidelem
promptitudinem, qui sub certe spei confidentia se
Vestræ Celsitudini in partibus Styriæ et Austriæ
submiserunt. — Ad partes Austriæ venit rex prædictus
cum multitudine armatorum, volens eos subvertere, qui ad re-
fugii Vestri gratiam diverterunt. Hoc tempore hyemali dictus
rex nec obsidione, nec exercitu publico nos invasit, sed solum
victualia nostra fere omnia occupavit. Consilium nostrum est,
ut devotos vestros in Austria et Styria consolatoriis vestris
affatibus visitetis. Hoc intercipite, alias scistis pro firmo, quod
quidquid concepimus in partibus Karinthiæ et
Styriæ, penitus dissolvetur.

(1275, März.)

Magnificentiæ Vestra exponere cogimur lacrymose vel queru-
lose, quod rex Bohemiæ victis aliis quasi omnibus
sibi adversantibus solum nobis et ecclesiæ
nostræ exterminium in proximo comminatur.

> Bodmann, Cod. epist. Rud. pag. 13—13. Vgl. Palacky
> II, 1, 241 Nr. 311.

121. 1275, 26. Jänner, Wien.

König Ottokar von Böhmen gebietet dem Dietrich von Fulm, Burggrafen zu Offenberg, und der Bürgergemeinde von Chnutelfelde (Knittelfeld), die Gerechtsamen des Klosters Seckau in dem Dorfe Feistritz bei Prank nicht zu stören.

Cop. im landsch. Arch. 1022. Emler 390 Nr. 937.

122. 1275, 6. April, Brünn.

König Ottokar nimmt das Kloster St. Lambrecht und dessen Leute, desgleichen die Kirche zu Hof in seinen Schutz, indem er die Vogtei sich und seinem Landeshauptmanne in der Steiermark vorbehält und dem Burggrafen zu Grazlob (Grazlupp) jedwede Belastung des Klosters verbietet.

Cop. im landsch. Arch. 1025. Emler 397 Nr. 953.

123. 1275, 5. Mai, Wind.-Landsberg.

Hartnid von Cilli, Landrichter an der San, beurkundet die Bedingungen, unter welchen Gundacker von Königsberg aus der Haft des Bischofs Dietrich von Gurk zu entlassen sei.

Landsch. Arch. Cop. 1026*.

124, 1275, 29. Mai, Prag.

König Ottokar verspricht die Austragung seines Streites mit dem Erzbischofe Friedrich von Salzburg einem Schiedsgerichte zu überlassen, dessen Ausspruche er sich in Allem fügen werde.

„ 29. Mai, Prag.

Derselbe verspricht dem Metropoliten von Salzburg, dass er keine Widersacher und Feinde desselben, wess Ranges und Standes sie auch wären, in den Schlössern, Vesten, Städten und Märkten seiner Länder aufnehmen, noch deren Aufnahme dulden werde u. s. w. Ueberdies werde er jede Schädigung der Salzburger Kirche durch seine Leute hintanzuhalten suchen.

Urkk. im Wiener H. H. u. St.-Arch. Tangl a. a. O. 174—5.

125. 1275, 28. Juni.

Ulrich, der Schenk von Habspach, Hauptmann des Landes Krain, der Mark und Windischgraz, bestätigt die Freiheiten des Klosters in Obernburg in Bezug auf Gericht und Vogtei.

Orig. im landsch. Arch. 1027. Marian Austr. sacra VII,
262 Nr. 6.

126. 1275, 15. Aug., Burg Steier.

Burkhard von Klingenberg, Marschall des Königreiches
Böhmen, Hauptmann an der Enns (das ist des Landes
Oesterreich ob der Enns) bestätigt das Patronatsrecht des Klosters
Gleink auf die Kirche zu Hadershofen.

Kurz Beitr. z. Gesch. des L. o. d. E. III, 355, Urkdb.
d. L. o. d. E. III. 431, Emler 408 Nr. 975.

127. 1275, 19. August. (Graz).

Schiedspruch Ekkehard's von Dobrenge, des Notars Iring
und des Marschalls Breweco, im Auftrage des Landeshauptmannes Milota, den Feistritzer Holzungsstreit zwischen dem
Kloster Seckau und den Edeln von Massenberg betreffend.

(Quod cum ... prox. f. sec. post assumpt. B. Virg. apud
Grætz in cemeterio sancti Egidii iudicio præsideremus.)
Dipl. Styr. I. 236—7. L.-A. 1028 Cop.

128. 1275, 30. Aug., Eichhorn.

König Ottokar beauftragt den Landeshauptmann von Steiermark, Milota, dem Abte von Rein, in dessen Besitze die Aus-
seer Saline sich befände, die dafür jährlich entfallenden 50 Mark
zukommen zu lassen.

Cop. im landsch. Arch. 1029, Emler 409 Nr. 978.
Muchar 5, 369.

129. 1275, 24. Nov., Nürnberg.

König Rudolf gebietet allen Unterthanen, der Salzburger
Kirche und deren Suffraganen Beistand bei deren Bedrängnissen
durch die Feinde des Reiches zu leisten.

L.-A. 1032 Cop.

130. (1275—2276).

1. Schreiben des Erzbischofes an König Rudolf, worin er
die traurige Lage aller dem König und dem Reiche Getreuen
in Steiermark, Oesterreich und Kärnten und die Nothlage der
Salzburger Kirche, die Verwüstungen der Salzburger Besitzungen
durch Ottokar's steiermärkischen Landeshauptmann, insbesondere in Kärnten, darstellt und erwähnt, dass man seine Stadt

„que quondam caput Styriæ fuit" bis auf den Grund zerstört habe.

Bodmann Cod. epist. Rud. 136, Gerbert Cod. cp. Rud. 70.

2. König Rudolf vertröstet den Salzburger Erzbischof und durch ihn alle Getreuen, dass ihm durch eine Botschaft hinterbracht wurde, man sei gewillt, sobald die Kriegserklärung gegen den Böhmenkönig erfolgt, entschlossen, ihn von der Kärntner Seite anzugreifen.

Lambacher Urkk. 100 Nr. LXV.

3. Schreiben des Erzbischofes von Salzburg, worin dieser den König Rudolf auffordert, wider den übermüthigen und trotzigen Bischof von Seckau als Verächter des Kaisers und des Papstes einzuschreiten.

Lambacher 106 Nr. LXIX.

4. König Rudolf nimmt die Entschuldigungen des Seckauers in Bezug der diesem zugemutheten Schmähschriften gegen den König gnädig auf.

Ebenda 107 Nr. LXX.

5. Schwülstiges Dankschreiben des Bischofs von Seckau.

Ebenda 108 Nr. LXXI.

131. 1276, 25. Febr., Prag.

König Ottokar von Böhmen bestätigt dem Bischof Dietrich von Gurk den Besitz des Schlosses Anderburg, das Siegfried von Münchendorf sich zugeeignet.

Cop. im landsch. Arch. 1036, Emler 419 Nr. 1001, (Muchar 5, 174 — 24. Febr.)

132, 1276, 1. Mai, Brünn.

König Ottokar entbietet allen Hauptleuten, Richtern und Pflegern in Oesterreich, Steiermark, Kärnten, Krain und in der Mark, dass, nachdem sich der Bischof Konrad von Freising, laut dessen vertraulicher Mittheilungen an den König, wegen gewisser schwieriger Geschäfte nach Baiern zurückgezogen habe und an ihn das Ersuchen stellte, sich seiner Besitzungen anzunehmen, der König seinen Kaplan Heinrich von Lak, Propst von Werdense, zum Verweser derselben bestelle.

Zahn Cod. Fris. 331, Emler 424/5, Nr. 1016.

133. 1276, 3. Mai, Brünn.

König Ottokar bestätigt den Rechtsspruch Ekkehard's von Dobreng (1275, 19. August, s. o.) in dem Seckau-Massenberger Handel.

Cop. im landsch. Arch. 1037, Emler 425 Nr. 1017.

134. 1276, 3. Juni, Znaim.

König Ottokar zuerkennt dem Hochstifte Salzburg das Eigenthumsrecht auf die drei Töchter Ekkehard's von Dobringen (Dobreng), seines Getreuen, der als Dienstmann der Salzburger Kirche eine Frau ehelichte, die dem König hörig war und mit ihr Knaben zeugte, die wieder dem Könige zugehörten.

Hormayr Tschb. 1840, 503. Emler 426 Nr. 1022.

135. 1276, 2. Aug., Prag.

König Ottokar von Böhmen bestätigt die Privilegien des von weiland Leutold von Wildon neu gegründeten St. Kathrein-Klosters in Stainz und erklärt sich als dessen Beschützer.

Cop. im landsch. Arch. 1041. Emler 432 Nr. 1037.

136. 1276, 7. Sept., Prag.

König Ottokar verleiht den Judenburgern die Gnade. dass die dahin Waaren bringenden Lombarden oder Italiener (Latini) dieselben ausschliesslich den Bürgern zu verkaufen schuldig seien.

Hormayr's Arch. 1818, 533; Abschr. im landsch. Arch. 1048. Emler 432 Nr. 1039.

137. 1276, 19. Sept., bei Rein.

Die steirischen Adeligen; Ulrich von Heunburg, Heinrich von Pfannberg (comites), Friedrich von Pettau, Wulfing von Stubenberg, Herrand von Wildon, Heinrich von Stadeck, Otto von Liechtenstein, Gottschalk von Neuberg, Heinrich und Ulrich Schenken von Ramenstein, Otto von Teufenbach, Cholo von Seldenhofen, Wilhelm und Heinrich von Scherfenberg, Gottfried von Truchsen (Trixen), Cholo von Marburg, Hartnid von Leibnitz, Wilhelm und Heinrich von Schärfenberg, „ceterique ministeriales Styriæ et Carinthiæ meliores" erklären, als getreue Vasallen des Reiches, dem König Rudolf „einstimmig eidlichen Gehorsam gelobt zu haben", auf alle Gefahr hin. Jeder Verletzer dieses Bündnisses sei für meineidig, rechtlos und verflucht zu halten.

Gerbert Cod. epist. Rudolphi Dipl. 199. Rauch öst. Gesch.
560, Böhmer Reichssachen 123; Regesten von 1254
bis 1313 S. 360. Muchar 5, 376—7. L.-A. 1043ᵃ Cop.

Ergänzungen z. J. 1274:

138. 1274, 11. Juli, Lyon.

Papst Gregor X. beauftragt den St. Pauler Abt mit der
Untersuchung und Entscheidung der Klage des Salzburger Erz-
bischofes Friedrich wider folgende Adelige: Graf Heinrich von
Pfannberg, Albert von Prukperch, Friedrich von Pettau,
Conrad von Schrankpaum, Albert genannt Zeysel, Ortlieb von
Walde, Grimold von Prisingen, Heinrich von Taufkirch, Alblo,
Wigand und Heinrich von Messenberch (Massenberg), welche
einige Häuser, Grundstücke, Besitzungen und andere Gegenstände
im Pfande halten, obschon sie davon übergrossen Gewinn zogen.

L.-A. 1010ᵃ Cop.

139. 1274, 4. Aug., Hagenau.

König Rudolf beauftragt die Bischöfe von Salzburg, Passau
und Regensburg in ihren Kirchensprengeln Vorkehrungen mit
dem Adel und den Ministerialen zu Gunsten der Wiederherstellung des Reichsansehens zu treffen.

Monum. Germ. Leges II. 398.

140. 1274, 17. Sept., Lyon.

Papst Gregor's X. ausführliche Weisungen an den Salzburger Metropoliten in Hinsicht des projectirten Kreuzzuges;
unter Andern bezüglich des Wucherzinses, der Juden und des
Hundertsten der geistlichen Einkünfte.

L.-A. 1013ᵇ Cop.

Excurs

über die chronologischen Schwierigkeiten in der Erzählung der Reimchronik von der angeblichen Verschwörung der steiermärkischen Herren und König Ottokar's bezüglichen Massregeln.

(Vgl. den III. Abschnitt des Textes.)

Der Böhmenkönig trat die zweite Preussenfahrt im December
1267 an, vermittelte zu Kulm am 3. Jänner 1268 den Friedens-
ausgleich zwischen dem Pommernherzoge und dem deutschen Orden

und muss, laut einer Urkunde vom. 16 Februar 1268, um diese Zeit nach Prag bereits heimgekehrt gedacht werden. (Vgl. Lorenz D. G. I. 265—6). Während er bei der ersten Preussenfahrt (1255) nur fünf Wochen etwa gebraucht haben soll, um bis Königsberg vorzudringen, diesen Ort zu erobern und den Rückzug abzuthun, brauchte er jetzt an sechs Wochen (3. Jänner bis 16. Februar), um die Hälfte des Weges im Verhältniss zu dem damaligen Marsche zurückzulegen.

Diese längere Frist käme also den von der Reimchronik berichteten Ereignissen, dem Lager bei Breslau, der Vorladung jener steiermärkischen Herren und ihrer Verhaftung — zu Gute. Es lässt sich nun zweierlei annehmen: Entweder hatten die Beschuldigten den Kreuzzug nicht mitgemacht und wurden im Wege dreimaliger Vorladung aus der Steiermark entboten — oder hatten sie ihn mitgemacht und wurden auf der Heimfahrt durch Eilboten vor den König gefordert. Für das Letztere spricht die Wahrscheinlichkeit und die Logik der Thatsachen. Denn die Reimchronik spricht nicht gegen diese Annahme; sie selbst sagt (pag. 94) zu dem Kreuzzuge „warn auch die Herrn chomen von Steyr vnd von Oesterreich" und da kann man denn doch nicht leicht die Vordersten der steiermärkischen Adelsschaft, die Pfannberger, den Stubenberg, Wildonier und Ulrich von Liechtenstein abwesend denken. Ebensowenig gilt als ein Beweis dagegen die Angabe der gleichen Quelle, Ulrich's Sohn, Otto von Liechtenstein, sei bei der Preussenfahrt „Marschall der steiermärkischen Rotten" gewesen. Das Zurückbleiben des Pettauers in der Umgebung des Königes, seine Denunciation, die Vorladung der heimreisenden Adelsgenossen durch Eilboten in das Lager u. s. w., lässt sich dann chronologisch ganz anders begreifen, als wenn man von der erstern Ansicht ausginge, wonach der König im Lager vor Breslau so lange hätte liegen müssen, bis (in der Winterszeit!) die dreimalige (!) Vorladung in die Steiermark erging und die Vorgeladenen aus diesem Lande nach Breslau kamen. Ein Verlegen des Ereignisses in die Zeit von 1268—9 würde dagegen alle Ortsangaben der gut unterrichteten Reimchronik über den Haufen werfen.

Verbesserungen.

S. 48, Z. 2 v. u. statt: Rheimchronik l. Reimchronik; S. 80, Z. 3 v. u. statt: ersehen l. zu ersehen.

C.

Kleinere Aufsätze

und

Mittheilungen.

Steiermärker auf auswärtigen Hochschulen.

„Studiren jetzt viel Deutsche von Adel zu Bologna?" lässt Goethe im Götz „von Berlichingen" den Bischof von Bamberg fragen; und Olearius erwidert ihm: „Vom Adel- und Bürgerstande. Und ohne Ruhm zu melden, tragen sie das grösste Lob davon. Man pflegt im Sprichwort auf der Akademie zu sagen: So fleissig wie ein Deutscher von Adel. Denn indem die Bürgerlichen einen rühmlichen Fleiss anwenden, durch Talente den Mangel der Geburt zu ersetzen, so bestreben sich jene, mit rühmlicher Wetteiferung, ihre angeborne Würde durch die glänzendsten Verdienste zu erhöhen;" und fährt dann fort: „Ja, sie sind die Bewunderung der ganzen Akademie. Es werden ehestens einige von den Aeltesten und Geschicktesten als Doctores zurückkommen. Der Kaiser wird glücklich sein, die ersten Stellen damit besetzen zu können." — So war es auch in der That, wie es Goethe schildert. Die Zahl der Deutschen, welche namentlich im 16. Jahrhundert italienische Hochschulen besuchten, war eine grosse. Mehrere Forscher, wie Savigny, Stobbe, Stintzing, Tholuck u. a. haben bereits gelegentlich mehrfach auf dieses Vorkommniss hingewiesen; neuerdings handelt Adolf Stölzel in seinem rechtsgeschichtlichen Werke: „Die Entwicklung des gelehrten Richterthums in deutschen Territorien" (2 Bände, Stuttgart 1872) im § 2: „Beziehungen Deutschlands zu ausländischen Hochschulen", von der Verbreitung deutscher Studirender auf auswärtigen, besonders italienischen und französischen Universitäten und führt eine grosse Zahl solcher aus den verschiedensten Städten und Ländern Deutschlands vom 13. bis zum 17. Jahrhunderte an.

Aus diesen werthvollen quellenmässigen Nachweisungen mögen hier diejenigen Angaben hervorgehoben werden, welche Steiermark betreffen.

„Die ersten Deutschen," sagt Stölzel (I. 44), welche nachweisbar italienische Rechtsschulen bezogen (um 1230 bis 1270), sind Theologen, die zur Stütze ihrer Kenntniss des canonischen Rechtes mit dem römischen Rechte an der Quelle sich vertraut machen oder die auch lediglich in ihrem Specialfache, in der Theologie, sich vervollkommnen wollten. In diese Kategorie gehört . . . . . . der Abt von Admont (in Steiermark), welcher um 1270 neun Jahre lang in Padua Logik, Philosophie und Theologie hörte." — Dieser Abt von Admont ist Engelbert, zugenannt „Pötsch", welcher im achten Jahrzehnt des 13. Jahrhunderts zu Prag und später zu Padua bei dem berühmten Lehrer Wilhelm zu Brescia philosophischen und theologischen Studien oblag und es zu hoher wissenschaftlicher Bildung brachte. Nach dem Tode des vielgenannten Abtes Heinrich, Landeshauptmanns und Landschreibers in Steiermark unter Herzog Albrecht I., wurde im Juni 1297 Engelbert durch einstimmige Wahl der Stiftspriester zum Abte von Admont erhoben; er zeichnete sich sowohl durch seine Gelehrsamkeit und seine zahlreichen Werke geistlichen und weltlichen Inhalts, als durch seinen sittenreinen Lebenswandel und durch die treffliche Verwaltung des Stiftes aus, an dessen Spitze er sich bis zu seinem am 10. April 1327 erfolgten Tode befand [1]).

Besonders lebhaft wurde dieser geistige Verkehr zwischen Deutschland und Italien im 15. Jahrhunderte und steigerte sich bis gegen das Ende des 16. Jahrhunderts. „Wenn in der ersten Hälfte des 15. Jahrhunderts die Verbindung deutscher Rechtslehrer mit Italien begann, so wird doch erst in der zweiten Hälfte des 16. Jahrhunderts der Besuch italienischer Hochschulen, namentlich Padua's, seitens deutscher Juristen ein allgemeinerer. Damals stellte sich mehr und mehr die Sitte fest, statt einen langjährigen Aufenthalt auf den fremden Universitäten zu nehmen, dieselben zu bereisen [2]). Die Zahl der Monate, welche man an einzelnen Universitäten Italiens oder Frankreichs verweilt, erreicht am Ende des 16. Jahrhunderts kaum die Zahl der Jahre, welche ein Säculum früher die Deutschen an diesen Orten ihren Studien widmeten."

Besonders gross war die Zahl der deutschen Studirenden auf den Hochschulen zu Padua, Pavia und Perugia, wie die dortigen Matrikeln nachweisen. In Padua sammelte sich zu juristischen Studien der Adel aus den damals protestantischen Ländern Steiermark und Kärnten, sowie das Patriciat des protestantischen Nürnberg, während zu gleichem Zwecke in dem von Alters her gut päpstlichen Perugia der Adel aus dem katholischen Tirol mit dem katholischen Patriciat von Augsburg zusammentraf.

„Ueber die Verbreitung der deutschen Studirenden auf fremden Hochschulen, sowie über die Zeit ihres Aufenthaltes auf denselben geben die in Deutschland noch mannigfach vorhandenen Stammbücher solcher Studirenden interessanten Aufschluss, ja den besten, der beim Mangel der Matrikeln wohl zu erlangen ist." Stölzel benützt zu diesem Zwecke sieben solcher Stammbücher; eines von diesen und zwar das zweitälteste und bei weitem reichhaltigste (es umfasst die Jahre 1578—1582 und befindet sich auf der Bibliothek zu Kassel) ist das des Steiermärkers Gregor Amman.

[1]) Muchar, Geschichte der Steiermark VI. 118 und 243. — Fuchs: Kurzgefasste Geschichte des Benedictinerstiftes Admont. (Graz 1858) S. 21, und Fuchs: „Abt Engelbert von Admont" in diesen Mittheilungen XI. 90—130.

[2]) „Ihren Höhenpunkt erreicht diese Sitte im 17. Jahrhundert, in welchem die „peregrinatio academica" als ordnungsmässiger Abschluss erforderlich wurde. Tholuck: das akademische Leben des 17. Jahrhunderts. Halle 1853—54. I. 305 ff."

Die Familie Amman[3]) stammt aus Regensburg; Gregor's Vater, Caspar, trat um das Jahr 1550 zur evangelischen Lehre über, diente die ganze Zeit seines Lebens dem Hause Oesterreich und wurde vom Kaiser Ferdinand I. mit dem Prädicate „von Ammanseck" in den Adelstand erhoben. Zwei Söhne Caspar Amman's, Mathias und Gregor, treten in Steiermark auf; sie sind in der Zips in Ungarn geboren und wanderten um 1563 in Steiermark ein. Mathias Amman, seit 1575 Obersecretär der steiermärkischen Landschaft in Graz[4]), wurde 1578 auf dem allgemeinen Landtage der drei Länder Steiermark, Kärnten und Krain zu Bruck a. d. M. in die steiermärkische Landmannschaft aufgenommen. Gregor Amman ist, wie er in seinem Gesuche um Erlangung der Landmannschaft sagt, in Graz „bey einer ersamen Landschafft Schuelen alhie in guetten Sitten und Sprachen erlernet und erzogen worden". Er hat „hernach in Deutschlandt, wie auch in Italia und Franckhreich in die 15 Jhar bey ehrlichen unnd gelerten Leutten etwas zu erlernen und zu erfaren" zugebracht; auf seinen Reisen traf er mehrfach mit Steiermärkern zusammen („wie dann etlichen Herrn unnd Landtleuthen, welche auch damals deren enden gewesen, mein thuen unnd leben bekannt ist") Von August 1578 bis dahin 1579 war er in Padua, den Winter von 1579 auf 1580 benützte er zu einer Reise durch Italien, auf welcher er sich in Bologna einige Tage, in Perugia einige Wochen und in Siena etwa drei Monate aufhielt. Vom März 1580 bis Februar 1582 blieb er wieder in Padua, von da bis Ende 1582 aber hielt er sich in Bourges auf. Das erste Viertel des folgenden Jahres (1583) verbrachte er in Paris, von da besuchte er auf einige Wochen London; im Mai 1583 reiste er über Paris nach Bourges zurück und trat Ende October die Heimkehr über Lyon, Genf, Basel und Strassburg an Der Aufenthalt an letzteren vier Orten umfasste zwei Monate[5]). Bald nach seiner Rückkehr erlangte er (am 19. März 1585) über sein Ansuchen die steiermärkische Landmannschaft[6]) und wurde Beisitzer des Landes- und Hofrechtes (Hofgerichtes) einer ehrsamen Landschaft in Steyer. Als solcher wohnte er von 1586 an in Graz[7]). Am 26. Mai 1596

---

[3]) Stölzel I. 64—65. Sodann Acten des steiermärkischen Landesarchivs, namentlich das Gesuch Gregors um Erlangung der Landmannschaft von 1585, Matrikelbuch der Herren und Landleute in Steyer, die Gültenaufsandungsbücher, die Steuerbücher und Stadl's Ehrenspiegel.

[4]) Schon 1563 war er auf „Versuch" Sekretär der steierm. Landschaft, 1575 wurde er Obersekretär, 1584 trat er aus. Im Jahre 1601 starb er, nachdem er am 1. Jänner desselben Jahres zu Graz testirt hatte. In zweiter(?) Ehe besass er seit 1. August 1598 die Dorothea Hirsch, welche später den N. Venediger ehelichte und in diesem Verhältnisse ddo. Graz, 30. October 1613 mit ihren Ansprüchen abgefertigt wurde.

[5]) Die Zeitangaben beruhen auf den im Stammbuch ersichtlichen Daten.

[6]) Matriculbuch deren Herren und Landleuten in Steyer ab anno 1568 ff. sub voce Amman.

[7]) Auf Folio 281/a des Stammbuches nennt ihn ein damals in Graz verweilender Belgier: patronus clientis infelicis Belgii civis. — Fol. 18, Fol. 283/b u. a. a. O. desselben wird er magister artium, juris et officii peritissimus genannt.

vermählte er sich zu Judenburg mit Apollonia Goldtschanin, Tochter des Hanns Goldtschan zu Klaffenau und der Frau Apollonia von Dietrichstein [8]). — In der Zeit von 1580 bis 1600 hatte sich, wie sich aus den betreffenden Gültenaufsandungsbüchern und aus den Steuerbüchern ergibt, der Grundbesitz der Familie Amman in Steiermark namhaft vergrössert; sie besass Grottenhofen, wo Mathias Amman eine evangelische Kirche erbaut hatte, welche 1600 bei der Gegenreformation zerstört wurde, sodann Saldenhofen, Wiederdriess, Gülten bei Hornegg und Wildon und die Herrschaft Puchenstein an der Drau.

Durch die Gegenreformation wurden die Amman's, wie so viele andere adelige und bürgerliche Familien, zum Verkaufe ihrer Güter und zur Auswanderung genöthigt. So verkaufte Gregor Amman im Jahre 1607 alle seine Gülten um Wildon an Herrn Stübich zu Spielfeld [9]). Von da an verschwindet die Familie Amman aus den steirischen Archivalien; sie scheint also kurze Zeit nachher ausgewandert zu sein; denn in einem Verzeichniss österreichischer Exulanten [10]) vom Jahre 1629 findet sich die Familie Amman mit neun Personen verzeichnet, Gregor ist jedoch nicht darunter.

Ueber die in die oben erwähnten Stammbücher eingetragenen Namen sagt Stölzel (I. 69): „Die grosse Mehrzahl der in diese sämmtlichen Stammbücher (also auch in das Amman's) Inscribirten sind Deutsche und Juristen. Letzteres ist theils desshalb anzunehmen, weil die Besitzer der Bücher Juristen waren, theils ergibt es sich aus einzelnen den Namen beigefügten Zusätzen oder aus den gewählten Denksprüchen. Neben den Studirenden haben sich auch Lehrer eingeschrieben, so in Amman's Stammbuch drei Peruginer Jurisconsulti: Bernhardin Alphanus „trinepos Bartoli", Johann Paul Lanzelott und Rainaldus Rudolfinus; sodann Cujacius 1582 in Bourges, Menochius, wahrscheinlich in Pavia, Muretus 1579 in Rom, Joseph Scaliger 1582 im Hause des Cujaz zu Bourges, Johannes Hotomann 1583 in London (am Hofe der Königin von England) und dessen Vater Franz Hotomann, Ende desselben Jahres zu Basel, Johann Pacius 1582 und Johann Jacob Grynäus 1583 ebendort u. a. m. Die Zahl der sämmtlichen Inscriptionen beträgt bei Amman etwa 180." — Auf Padua entfallen bei ihm 69 Deutsche, von diesen gehört fast die Hälfte dem Adel an und zwar bei weitem der grösste Theil dem österreichischen (z. B. die Namen Windischgrätz [11]), Polheim, Jörger, Dietrichstein), meh-

---

[8]) Stadl Ehrenspiegel II. 418.

[9]) Gültenaufsandungsbuch Band 8, Folio 25, 26.

[10]) Anzeiger für Kunde der deutschen Vorzeit 1862, Sp. 356.

[11]) Stölzel führt I. 70 unter dem österreichischen Adel auch die Tautenburg an; die Familie Schenck von Tautenburg und Varila oder Vargula ist aber thüringischen Ursprungs und hatte den Namen von den Schlössern Tautenburg bei Weimar und Vargula bei Erfurt; Georg Schenck von Tautenburg war Statthalter von Friesland, wesshalb sein Sohn Friedrich (Stölzel II. 23) ein Friese genannt wird. Gauhe: Adels-Lexicon. Leipzig 1719, Sp. 1437—1440.

rere auch dem bairischen (Staufenburg, Rotenhan), dem preussischen Schulenburg, Dohna, Canitz, dem sächsischen (Herda, Nostiz, Liebenstein), einer dem mecklenburgischen (Schliefen). Unter den 89 Namen aus bürgerlichen Geschlechtern sind nur acht Oesterreicher. Aus Amman's Stammbuch und aus den übrigen lässt sich leicht entnehmen, dass in Padua Mittel- und Norddeutschland schwächer, Baiern und Oesterreich stärker vertreten war, dass aber namentlich die bürgerlichen Elemente aus allen Theilen Deutschlands sich dort zusammenfanden, während der Adel meist aus den nahe gelegenen österreichischen Landestheilen herbeizog. Bologna scheint für den Besuch von Deutschen, namentlich von Protestanten ganz unbedeutend gewesen zu sein; Amman hielt sich nur einen Tag dort auf und hat nur zwei dort studirende Nürnberger in seinem Stammbuch verzeichnet. In Perugia fand er 3, in Siena 6, in Paris 7 und in Bourges 21 Deutsche.

Im zweiten Bande seines Werkes (S. 9—38) führt Stölzel alle Namen von Deutschen an, welche er in den sieben von ihm durchforschten Stammbüchern und in der Matrikel der Universität Perugia von 1511 bis 1656 verzeichnet gefunden; in vier dieser Stammbücher, nämlich in denen des Steiermärkers Gregor Amman, des Hessen Heinrich Hartmann, des aus Leipzig gebürtigen Georg Schelhamer und des Hannoveraners Otto Weck, sowie in der Peruginer Matrikel finden sich Männer, welche der Steiermark durch Abstammung, Besitz, Wohnort oder dgl. angehören; die Namen dieser mögen nun in alphabetischer Ordnung folgen:

1. Phil. Fridericus Breiner. Padua, 8/9. 1581.
2. Sigefridus Christoph Breiner. Padua, 8 9. 1581.
3. Joannes Breiner. Padua, 8/9. 1581.
4. Fredericus Cattia, Styrus Graecensis. Perugia, die 20. Decembris 1642.
5. Ditrichstein, Carl von, Freiherr in Hollenburg und Finkenstein, Erbschenk von Kärnten. Padua, 18/5. 1581.
6. Donnersperg Daniel. Leobii, 27,9. 1581.
7. Dornsperger Michael. Leoben, 24,9. 1581.
8. Joh. Josephus Carolus ⟩ Barones in Egk und Hungerspach, Fratres.
9. Innoc. Gg. Adam. ⟨ Padua, 1608.
10. Ferdinando Fleishaier, Styrus Græcensis. Perugia, die 23. Decembris Anno 1642.
11. Severinus Amand Gabelhover, Styrogræcensis. Padua, 1605.
12. Johannes Franciscus de Havn, Styrus. Perugia, 9. Novembris Ao. 1610.
13. Hofmann, Joh. Adam, Freiherr in Grunpach und Straha (Grünbichl und Strechau). Padua, 22,3. 1579
14. Idungspeus[12] David ab, Styrus. Padua, August 1579.
15. Idungspeus[13] Wolfgang, Styrus. Padua, August 1579.
16. Jörger Joh., in Tolleth u. Gozelstorf, Freih. in Creuspach, Padua 1579.

---

[12] und [13]) soll heissen Idungspeug.

17. Jörger Joh. Christoph, in Reuth und Ottensheim, Freiherr in Creuspach. Padua, 1579.
18. Joannes Ernfridus Jörger, Liber Baro de Creussbach. Orleans 1601.
19. Joannes Maximilian Jerger, Liber Baro de Creussbach. Orleans 1601.
20. Joannes Ernricus Jerger, Liber Baro de Creussbach. Orleans 1601.
21. Ortnerus Wolfg., Stirensis. Padua, März 1579.
22. Leopoldo Paniquar, Styrus Graecensis. Perugia, die 10. Novembris 1628.
23. Polhaim. Gg. Rupertus, Freiherr in; Padua, 9/10. 1578.
24. Polhaim Andr. Wolfg., Freiherr in; Padua, 12/10. 1578.
25. Gg. Achatius Liber Baro de Polheim. Paris 1606.
26. Georg Eerenreich Freiherr von Stadt [14]) auf Rieckersburg. Paris 1601.
27. Stahrenberg Georg Achatz, Herr von. Venedig, 21/9. 1578.
28. Stubenberg Rudolf, Freiherr von. Padua, 1/6. 1581.
29. Stubenberg Caspar, Freiherr von. Padua, 1581.
30. Thamhausen [15]) Georg, Freiherr von. Padua, 18/5. 1581.
31. Thamhausen [15]) Christoph, Freiherr von. Padua, 18 5. 1581.
32. F. Thomas Elenis (?), in Superiori Stiria (ohne Orts- und Zeitangabe).
33. Adam Herr v. Trautmannstorf auf Gleichenberg, Nega und Purgau. Lyon, 1601.
34. Weissuegg [16]) Joh., Styrus. Padua, August 1579.
35. Welzer Mauritius, in Halleg und Lemberg. Padua, 18/5. 1581.
36. Welzer Christoph, Vitus. Padua, 18/5. 1581.
37. Sixtus Wernerus, Vogt de Altensum .... au a Prasberg [17]). Perugia, die 4. Junii Anno 1599.
38. Windischgrätz Andreas, von Padua, 12/11. 1580.
39. Windischgrätz Wilh. von, Freiherr in Valle und Waltstein. Padua 6 9. 1578.

Von diesen Namen befinden sich im Stammbuche Schelhamers die unter Nr. 1, 2, 8, 32, in dem Amman's die unter Nr. 5, 6, 7, 13, 14, 15, 16, 17, 21, 23, 24, 27, 28, 29, 30, 31, 34, 35, 36, 38, 39, in dem Weck's die unter Nr. 8, 9, 25, in dem Hartmann's die unter Nr. 11, 18, 19, 20, 26, 33 und in der Peruginer Matrikel die unter Nr. 4, 10, 12, 22, 37 verzeichneten.

In Amman's Stammbuch findet sich der Name „Gugel, Cchph. Adr., Noricus. Padua, 23 2. 1581" und bei Schelhamer: „Georg Graff Noricus, 3 4. 1582 Florenz" und „Jacobus Furer N. (= Noricus)

---

[14]) Soll heissen Stadl.
[15]) Thannhausen.
[16]) Weisseneck?
[17]) Prasberg im Sannthale in Untersteiermark.

comes per Galliam"; Lyon, 7/5. 1582; ob sich die Abstammung Noricus auf Steiermark, vom römischen Provinznamen Noricum, oder auf Nürnberg (lateinisch Norimberga) bezieht, wage ich nicht zu entscheiden; Gugel und Graff sind bürgerliche Namen, welche jetzt noch ziemlich häufig in Steiermark vorkommen; ein reichsritterliches Geschlecht „Führer" [15]), seit 1621 „von Führenberg", blühte vom 16. bis zum 18. Jahrhunderte in Steiermark.

Dr. Franz Ilwof.

Zur
Biografie des Rottenmanner Notars Ulrich Klenneker.

In den Beiträgen zur Kunde steir. Gesch. V, 83, werden über den Notar Ulrich Klenneker von Rottenmann, den Verfasser eines in der königl. Bibliothek zu Dresden handschriftlich vorhandenen Formelbuches, biografische Notizen geliefert, welche in Regestenform die Zeit von 1452 bis 1475 umfassen. Diese Daten besagen, dass Klenneker Bürger zu Rottenmann und daselbst wohnhaft gewesen sei. Ich bin so glücklich, nachstehend die Regesten von vier noch vorhandenen Admonter Archivsurkunden zu verzeichnen, welche über die Lebens- und Familienverhältnisse unseres denkwürdigen Rottenmanners einiges Licht zu verbreiten geeignet sind. Aus diesen geht auch hervor, dass Klenneker im Mai 1482 nicht mehr unter den Lebenden war.

1482. 15. Mai (an dem h. Auffart abnt). Anna, Ulrich's Klennegker, Bürger zu „Rottnmon" ehliche Hausfrau und „gelassne Witib", und Susanna, Beider ehliche Tochter, verkaufen dem „Meister Walthasar Pader, Bürger „zum Rottenmon" ihr freies Burgrecht, Haus, Hofstatt und einen Theil ihres Gartens zu R., anrainend an die Gmayngassn so man hinauf zum Purgtor get und undn an unser Hofstat und obn auch an unser garttn ... bis an die Statmawr und vor gegn des Klosters Paumgarttn." Orig.-Pg. Siegler: Paul Schertz, Stadtrichter in R.

1490. 28. Juli (Freytag vor Sandt Jacobstag des h. Zwelifpoten). Susanna, Ulreich Klennegker's sel. Bürgers zu Rottenmann ehliche Tochter, verkauft dem Walthasar Pader, Bürger daselbst, Stadl, Hofstatt und zwei „pengartn" gegen dem, dass ihr und ihren Nachkommen davon vier Pfund Pfen. ewiger Gült gereicht werden sollen. Orig. Pg. Siegler: Lienhard Stauntzinger, Stadtrichter zu R. Lazarus Khewtzl von Gastein.

---

[15]) Schmutz: Historisch-topographisches Lexicon von Steiermark. (Grätz 1822) I. 489.

1491. 7. Mai. (Samstag nach Sannd Florianstag) Jacob Storch „zum Rottenmann·‘ und dessen Hausfrau Susanna, Ulreich Klenegkers sel. Tochter, verkaufen dem Friedrich Hoffmann zu Varmach, Landpfleger im Ennsthale und Mautner in Rottenmann, vier Pfd. Pfen. jährlicher Gült von dem Burgrecht, Hofstatt, „Padhaws“, Stadel und Baumgarten bei dem Burgthore zu R., welche Stücke schon früher (1482, 1490) an Balthasar den Bader veräussert worden waren. Orig. Pg Siegler: Lienhard Stäntzinger, Stadtrichter, und Conrad Lederpegkch, Ratsgeschworner zu R.

1498. 8. Februar. (Phintztag vor Sand Appoloniatag). Walthasar Pader zu Rottenmanu verkauft dem Friedrich Hoffmann zu Grünpüchl Badhaus und Hofstatt und ein Häusel „undtn dran gegen den Bropsthof“ zu R., dann einen Baumgarten und Stadel nebst der Gerechtigkeit der „Wasserfuerung in das Padbaws“, welche Stücke er von Anna Klennegkerin und deren Tochter Susanna erkauft hatte. Orig. Pg. Das Siegel gebrochen. Siegler: Conrad Lederpegkch, Stadtrichter zu R.

P. Florian Kinnast.

Literatur.

Geschichte Krain's von der ältesten Zeit bis auf das J. 1813,

von August Dimitz. Laibach, Kleinmayer und Bamberg. 1874, 1. bis 3. Lieferung (VII und 336 S.)

Der Herr Verfasser, bis zum Jahre 1868 als Redacteur der seither leider, wie es scheint eingegangenen Mittheilungen des historischen Vereines für Krain thätig, und durch seine fleissigen Arbeiten zur Reformationsgeschichte seines Heimatslandes vortheilhaft bekannt, bietet uns in den vorliegenden Heften den Anfang eines Unternehmens, welches mit Freuden zu begrüssen ist. So wichtig uud interessant die Geschichte des kleinen Herzogthums Krain ist, so gebrach es doch vollständig an einer brauchbaren Bearbeitung derselben seit den Tagen Valvasors. Trdina's Zgodovina slovenskega národa, obgleich von der Laibacher Matica slovenska als Erstlingsgabe herausgegeben (1866), zählt nicht, Linhart's Versuch einer Geschichte Krain's umfasst leider nur die Urgeschichte bis zu den Karolingern, Vodnik's Geschichte des Herzogthums Krain, des Gebietes von Triest und der Grafschaft Görz (1809) ist ein verschollenes Schulbuch, Klun's Archiv für die Landesgeschichte Krain's durchaus ungenügend u. s. w. — Desto dankbarer ist es anzuerkennen, dass der Herr Verfasser vor den Schwierigkeiten nicht zurückschreckte, trotzdem die Zerstreutheit des Quellenmaterials sehr empfindlich ist. Mit Vorbehalt einer eingehenden Besprechung, welche nach Erscheinen des ganzen Werkes erfolgen soll, sei heute nur darauf hingewiesen, dass hier, entgegen den einschlägigen Theilen der Handbücher für die Geschichte Steiermarks und Kärntens, in der Behandlung der Urgeschichte und des Mittelalters eine wohlthätige Oekonomie des Raumes vorherrscht, indem beispielsweise die dritte Lieferung mit der Regierungszeit Kaiser Friedrich III. abschliesst. Wir wünschen dem nett ausgestatteten Werke, dessen erster Band hiemit vollendet ist, auch in den Nachbarlanden die Theilnahme, die es beanspruchen kann und sind überzeugt, dass sich dieselbe mit jeder neuen Lieferung steigern wird, zumal es dem Verfasser möglich war, für die Zeit seit dem 16. Jahrhunderte neue und bisher unberührte Quellen zu benützen.

L.

Die Köflach-Wieser Bahn in Steiermark. Histor. topographische Beschreibung mit Andeutung der Nebenwege. 32 ff.

Die Raaber Bahn (ungarische Westbahn) im Bereiche der Steiermark. Ein Vademecum für Touristen auf derselben. 21 ff. Beide von Josef Carl Hofrichter, k. k. Notar in Windischgraz.

Beide Schriftchen des durch seine touristischen Publicationen bekannten Verfassers seien darum hier empfohlen, weil in ihnen nicht nur die landschaftlichen Vorzüge, sondern auch die geschichtlichen Merkwürdigkeiten der von diesen Schienensträngen durchzogenen Gebiete in populärer Weise Beachtung finden.

L. B W.

Die Gründung der Benedictinerabtei Admont vor 800 Jahren, von Dr. Gregor Fuchs. Leoben 1874, 73 S. (Im 8. Jahresbericht des landschaftlichen Realgymnasiums zu Leoben.)

Geschichte des Benedictinerstiftes Admont von den ältesten Zeiten bis zum Jahre 1177. Von P. Jacob Wichner. Graz. 1874. Selbstverlag des Verfassers. (VIII und 343 S.)

Das ehrwürdige Fest der achten Jahrhunderts-Feier, welches die Abtei Admont am 29. September d. J. beging, hat zwei seiner Mitglieder zur Abfassung von Gelegenheitsschriften bestimmt. Dieselben sind, wie ihrem Umfange nach, so auch durch den Zweck unterschieden, von welchem sich die Verfasser, neben der beiden gemeinsamen äusseren Veranlassung haben leiten lassen. Dr. Fuchs, der in einer bereits früher erschienenen Geschichte des Benedictinerstiftes Admont eine recht übersichtliche Darstellung der Geschicke seines Mutterhauses geliefert hatte und auch durch seine monographischen Arbeiten über einzelne Aebte bekannt ist, bezeichnet seine in Frage stehende Arbeit selbst als blosse historische Reminiscenz. In anspruchsloser Weise schlägt er darin den Ton eines freundlichen Erzählers an, der zwar in den Quellen wohl bewandert ist, eine kritische Abwägung derselben jedoch vermeiden will, um nicht so manche liebgewonnene Sage der historischen Wahrheit opfern zu müssen.

Anderer Art ist P. Wichner's Unternehmen, das sich in der Vorrede als den Anfang einer umfassend angelegten Geschichte der Abtei bezeichnet, einen erschöpfenden Quellenapparat mit grossem Fleisse beibringt und eine raisonnirende Verarbeitung desselben versucht. Da wir für heuer mit Rücksicht auf den Umstand, dass uns das vierthalbhundert Seiten starke Werk erst knapp vor Abschluss dieses Vereinsheftes zukam, auf eine eingehende Besprechung desselben verzichten müssen, so beschränken wir uns auf einige Bemerkungen, die sich uns bei Durchsicht desselben ergeben haben. Die Anlage der Arbeit ist offenbar zu breit ausgefallen. Würde in gleicher Art fortgefahren, so könnte die Geschichte der Abtei nicht gut unter ein paar tausend Seiten bis zur Gegenwart gelangen. Dies kann vermieden werden, wenn die Scheidung zwischen Quellenbeleg und erzählendem Texte schärfer eingehalten wäre, und neben dem rein chronologischen Momente auch noch andere für die Gliederung des Stoffes aufgesucht und verwendet würden. So sehr wir es billigen, dass, zumal für die ältere Zeit, ein vollständiger Abdruck des nach dem Brande von 1865 noch vorhandenen Quellenstoffes beigegeben wird, so wenig will uns die Nothwendigkeit einleuchten, dass eine jede der zahlreichen Traditionen und Urkunden bei dem betreffenden Jahre angemerkt und oft sogar mit Namensnennung wiederholt werden müsse.

Aus diesem Mangel der ursprünglichen Anlage erwuchs von selbst jene Unübersichtlichkeit des Buches, welche nicht einmal durch das umfangreiche Register behoben werden konnte. Ohne irgend einen Abschnitt läuft nämlich der Text vom Anfange bis zu Ende, und wer sich z. B. über den bedeutenden Einfluss belehren will, den das Benedictinerstift auf die Cultur der Steiermark genommen hat, wird sich den Stoff dazu aus einem Dutzend von Schlagworten: Bibliothek, Bilder des heil. Thiemo, St. Gallen, Werke der Aebte Gottfried und Irimbert u. dgl. m. mühsam zusammensetzen müssen. Was endlich das Register anbelangt, so wäre dessen Ausdehnung auf die Urkundenbeilagen erwünscht und hinsichtlich der Anlage zu empfehlen, dass die Angehörigen eines Klosters oder Bisthums im engeren Sinne, nicht nur unter ihrem Tauf- oder Zunamen, sondern, was hier wichtiger ist, auch bei der betreffenden Abtei u. s. w. aufgeführt erscheinen.

Wir empfehlen das hübsch ausgestattete Werk allen Freunden der Landesgeschichte auf's Beste, da es durch den Abdruck von 66 Urkunden aus den Jahren 860—1171 und die meist in die Noten verwiesenen Klostertraditionen ein wichtiges, zum guten Theile noch nicht gedrucktes historisches Material beibringt, und wünschen dem Verfasser, dessen Ver-

dienste um die Bergung des noch erübrigten Admonterarchives hoch
anzuschlagen sind, die Musse, um sein schönes Vorhaben zum gedeih-
lichen Ende zu bringen.

Luschin.

Vorschläge und Erfordernisse für eine Geschichte der Preise in Oesterreich, von Dr. Arnold Luschin, a. ö. Professor an der k. k. Universität zu Graz. (Wien. Druck und Verlag von Carl Gerold's Sohn. 1874. — 93 Seiten Grossoctav.)

Der Verfasser, nicht nur als Numismatiker, als welchen er sich selbst
einführt, sondern auch auf anderen wissenschaftlichen Gebieten als eifriger Forscher und gediegener Schriftsteller rühmlichst bekannt, entwickelt
in der vorliegenden Schrift die leitenden Grundsätze, die bei Anlage einer
Münz-, Mass- oder Preisgeschichte im Allgemeinen zu befolgen wären.
Die Lösung dieser schwierigen Aufgabe ist demselben vollkommen gelungen und verdient eine um so höhere Anerkennung, weil es bisher an
einem Leitfaden zur Abfassung einer solchen Geschichte gebrach. Von
dem ausgezeichneten Berufe des Verfassers, hier als Bahnbrecher aufzutreten, zeugt das vorliegende Buch auf jeder Seite ebenso in dem beigebrachten historischen Material, als in der logischen Bearbeitung desselben.
Seine Deductionen müssen Jedermann zu der Ansicht bringen: „eine richtige
Preisgeschichte ist erst dann denkbar, wenn ihr eine gediegene Geschichte
des Geldes und der Maasse vorangegangen ist. Beide sind unbedingt
nothwendig, beide können für das Gesammtreich erst in Jahren geschrieben werden."

Die Principien für Ausarbeitung der Geschichte des Geldes werden
im zweiten, für die Massgeschichte im dritten Abschnitte inductiv vorbereitet, in präciser Weise formulirt und mit vortrefflichen tabellarischen
Uebersichten beleuchtet. Hiebei wurde insbesondere auf dem bisher ganz
brach gelegenen Gebiete der Massgeschichte sehr werthvolles Material
vorgeführt und in Betreff der steierischen Hauptmaasse eine mustergiltige
Vorarbeit geliefert. Mit Bezug auf diese durchgeführte Partie zeigt der
vierte Abschnitt beispielsweise, zu welchen Resultaten die Preisgeschichte
gelangt, wenn man die aufgeführten Grundsätze in Anwendung bringt und
sind hiedurch die Principien begründet, die für Ausarbeitung einer Preisgeschichte massgebend werden sollen.

Im fünften Abschnitt wird nach einer summarischen Anführung der
vorhandenen Vorarbeiten und Hilfsmittel für eine Münz- und Maasge-
schichte Andeutung gegeben, wo überhaupt das Material für diese und
eine Preisgeschichte zu suchen und wie es zunächst zu verwerthen ist.

Der Schluss der ganzen Abhandlung adressirt sich unverholen an
die vom k. k. Handelsministerium berufene Commission, welche in Bezug
auf Ausarbeitung einer Statistik und Geschichte der Preise massgebend
werden soll, betont die Warnung, die Beschaffung des preisgeschichtlichen

Materiales nicht der privaten Thätigkeit der Gelehrten zu überlassen und gibt sichere Fingerzeige, durch welche Mittel diese Aufgabe in exacter Weise gelöst werden könne.

Schon aus dieser kurzen Anzeige dürfte es klar werden, dass, wer immer sich mit einschlägigen Fragen beschäftigen will, diese höchst interessante Schrift durchaus nicht bei Seite lassen darf, wenn er sich nicht selbst um wesentliche Förderung und werthvollen Vortheil zu bringen beabsichtigt.

Dr. R. P.

Register.

Die Buchstaben B und P, C Ch und K, D und T, F und V, I und J, wurden sowohl als Anfangsbuchstaben als auch in der Mitte des Wortes als gleichwerthig behandelt, die Dehnungszeichen sowie die Umlaute ä ö ü, als für die Reihenfolge unmassgeblich betrachtet. Die Abkürzung Stmk. bedeutet Steiermark, dass einer Zahl vorgesetztes A, dass der Artikel in den Administrativberichten nachzuschlagen ist.

MITTHEILUNGEN

DES

HISTORISCHEN VEREINES

FÜR

STEIERMARK.

Herausgegeben
von dessen Ausschusse.

XXIII. HEFT.

Graz, 1875.

Im Selbstverlage.

In Commission der k. k. Universitäts-Buchhandlung
Leuschner & Lubensky.

MITTHEILUNGEN

DES

HISTORISCHEN VEREINES

FÜR

STEIERMARK.

Herausgegeben
von dessen Ausschusse.

XXIII. HEFT.

Graz, 1875.
Im Selbstverlage.

In Commission der k. k. Universitäts-Buchhandlung
Leuschner & Lubensky.

Inhalt.

A. Vereins-Angelegenheiten.

Geschäfts-Uebersicht. — Chronik des Vereines.

B. Abhandlungen.

A*

C. Gedenkbuch.

Register.

Die Buchstaben B und P, C, Ch. und K, D und T, F und V, I, J und Y werden sowohl als Anfangsbuchstaben als auch in der Mitte des Wortes als gleichwerthig behandelt, die Dehnungszeichen, sowie die Umlaute ä, ö, ü als für die Reihenfolge unmassgeblich betrachtet. Das einer Zahl vorgesetzte A bedeutet, dass der Artikel in den Administrativberichten nachzuschlagen ist.

A.

Abgaben an den Grundherrn 114.
Adel, steiermärk. — im 16. Jahrhunderte 3 ff.
Althofen, Kärnten, Markt 124.
— Schloss 125.
Amman Gregor — 27.
Aquileia, Gubernator des Patriarchats: Angelus, Bischof von Feltre 121.
Archiv der Grafen von Khünburg A. 26 ff.
„arme Leute" 110.
Auersperg, Familie der Grafen v. — 22, 27.
— Andrä Trojan, Graf v. —, Ahnenprobe A. 26.
— Hans v. —, Landeshauptmann in Krain 129, 133.
— Wolfgang Engelbrecht v. —, Herr zu Schönberg, Schwager Wolfgang's v. Stubenberg 10, 35, 60.
Ausstattung der adel. Fräuleins 42.
Auswanderung des Adels 12.

B. P.

Padua, Universität 27, 28.
Baiern, Herzog Albrecht (IV.) von München 52, 54.
Palmulis, Butius v. —, aquileiischer Generalvicar 122.
Panowitsch, Hans —, Hauptmann zu Ivanitsch 12.
Paris, Universität 27.
Bauernaufstand in Pongau, Pinzgau und Brixenthal 117.
Bauernaufstand in Kärnten 120.
— in Krain 122, 129 ff.
— in Steiermark 125 ff.
Bauernkrieg in Ungarn (1514) 116.
— im Jahre 1515, 122.
Bauernübermuth in Nieder-Oesterreich 107.
Bauernunruhen in Strmk. 107 ff.
— in Krain (1475) 120, 121.
Bauernversammlung bei Knittelfeld (1469) 119.
Baumkircher (Pambkhircher) A. 4, 51, 53.
Baumkircher-Fehde 109.
Beck, Marx — von Leopoldsdorf, österreichischer Kanzler 10.
Beck-Widmanstetter, L. v. — Oberlieutenant, A. 6.
Bergwerke, Ausbeute der — 111.
Pernegk, die Herren von — 111. — Bartholomäus von — 112.
Pichler, Professor Dr. Friedrich — A. 4.
Pögl, Familie der von — 9.
Polhaim, die Herren von — 11. — Erhart von — im Land Steir 60.
— Ypollita, seine Tochter, Gemalin des Caspar v. Stubenberg 60.
Pranker, Familie der — 12.
Braunwart, Erasmus —, Vicedom in Krain.
Preissteigerung der Güter 111.
Pressburg, Friede von — 69.
Brunnsee, Schloss in Steiermark, A. 80.
Büchsenmeister, die ersten — in Steiermark. A. 4.

A.

Vereins-Angelegenheiten.

Geschäfts-Uebersicht.

Chronik des Vereines.

Am 29. Jänner beschliesst der Ausschuss, der nächsten Jahresversammlung den Antrag vorzulegen, es sei, da die angehoffte baldige Publication des ersten Bandes der steierm. Geschichtsquellen durch unvermuthete Hindernisse unwahrscheinlich geworden ist, gleichzeitig das Landrecht zum Drucke zu bringen.

Am 30. Jänner wird die 26. Jahresversammlung abgehalten, über die Verhandlungen in derselben siehe die „Mittheilungen", 22. Heft, S. 21—28.

In der Ausschuss-Sitzung vom 9. März gibt der Vereins-Vorstand Kenntniss, dass der Herr Landesarchivar Professor Zahn seine Functionen als Vorstand, Schriftführer und Redacteur des Comité's steierm. Gesch.-Quellen niedergelegt habe und zugleich auch aus dem Comité geschieden sei; in Folge dieses bedauerlichen Austrittes wird die Neuconstituirung des Comité's beschlossen.

In der Ausschuss-Sitzung vom 13. März werden die vom alten Comité für steierm. Gesch.-Quellen noch übrigen Herren Professoren Dr. Ferd. Bischoff und Fr. Krones und vom Ausschusse Prof. Dr. Arn. v. Luschin beauftragt, Vorschläge über die Neubildung und Organisirung dieses Comité's zu erstatten, zugleich dasselbe durch geeignete Persönlichkeiten zu verstärken, namentlich Herrn Prof. Zahn zum Wiedereintritt einzuladen.

Am 28. April 1874 findet die 14. Vierteljahresversammlung des Vereines statt; Notar Hofrichter stellt den Antrag, die vorhandenen Duplikate von Druckschriften an die Landschulen zu vertheilen, erhält diesfalls die Aufklärung, dass dies ohnehin bereits geschehen sei.

Von den beiden Vorträgen wurde der des Prof. Dr. v. Z w i e-d i n e c k unter dem Titel: Innerösterreichische Religions-Grava-mina aus dem XVII. Jahrhunderte" im 22. Hefte der „Mitthl.", S. 27—40 abgedruckt. Prof. Dr. Friedr. P i c h l e r hielt einen mit zahlreichen Daten und Quellenangaben belegten Vortrag über die erste Schiesspulver- und Feuergewehrzeit in Steiermark, hauptsächlich aber über die Anwendung von Feuerwaffen im XV. Jahrhundert. Eingangs berichtigte der Vortragende die landläufige Meinung, B. Schwarz sei der erste und einzige Erfinder des Pulvers gewesen, wies auf viel frühere Ver-wendung des Pulvers (wenigstens als Sprengmittel) hin, ge-dachte der Araber, welchen schon um 690 diese Mischung und ihre Kraft nicht unbekannt gewesen, an die Benützung des Sprengpulvers in Sevilla um 1247, ja er erinnerte auch daran, dass man sogar in den Pfahlbauten eine pulverähnliche, meist in Kugeln geformte Masse gefunden haben will. Die Schlacht von Crecy (1346) gilt als die erste, in welcher Feuergeschütze angewendet worden. Kunde von Geschützen hat man aus Amberg 1301, und Florenz hatte 1324 Bronze-geschütze. Bleikugeln soll zuerst Georg von Braunschweig 1365 angewendet haben.

Herr Dr. P i c h l e r hat aus dem landschaftl. Zeughause mehrere Exemplare alter Schiesswaffen zur Erklärung seines Vortrages entlehnt, darunter einen Bogen, zwei Armbrüste mit Spannzeug, zwei Balestren, endlich einige alte eiserne Hakenbüchsen. Der einfache Bogen hielt sich bis weit in die Armbrustzeit hinein, da er ein schnelleres Schiessen ermög-lichte, sowie überhaupt Bogenwaffen noch lange neben den Feuerwaffen sich erhielten; 1532 hatte Judenburg noch seine Armbrustschützen, ja sogar 1814 im Kriege gegen Frank-reich brachte Russland noch berittene Baschkiren als Bogen-schützen in's Gefecht. Die häufigen Türkeneinfälle, die Ver-trautheit der Cillier Grafen mit den Feuergewehren u. s. w. förderten die Ausbreitung dieser neuen Waffe in Steiermark.

Redner gedenkt betreffs der Pulvererzeugung des Mürz-zuschlager Edictes von 1441 und erwähnt, dass gekörntes Schiesspulver erst 1452 bekannt wurde. Baumkircher lernte in Wiener-Neustadt die Wirkung der Feuergeschütze kennen, und die steierische Landschaft verschrieb sich um 1461 den ersten Büchsenmeister aus Augsburg, der einen Jahressold von 40 Pfd. Pfennigen erhielt.

Das im Lande reichlich vorhandene Eisen gab das Materiale zu den ersten Geschützen, während England zuerst Bronzerohre erzeugte. Um das Jahr 1460 wurden in den

Eisenwerken von Thörl nächst Aflenz durch Peter Pögl die ersten Hakenbüchsen über landesfürstlichen Auftrag erzeugt und 1537 lieferten auch die Werke bei Leoben, dann in Fröschnitz bei Spital Feuerschlünde. Das um 1480 gemalte (in neuester Zeit von Professor Schwach restaurirte) Bild an der Südseite unserer Domkirche, zeigt die Bedrängniss der Steiermark durch die Türken, und auf diesem Gemälde finden sich neben Bogen- und Armbrustschützen auch schon Feuerwaffen abgebildet. Graz hatte 1530 eine Rothgiesserei, in welcher unbrauchbar gewordene Bronzerohre umgegossen wurden; das grosse Feuergeschütz (Feldgeschütz, Kanonen) tritt in Steiermark erst um 1533 auf.

So führte Herr Dr. Pichler seinen Vortrag von der ersten Anwendung des Schiesspulvers in Steiermark unter Friedrich dem Friedfertigen bis zur zweiten Hälfte des 16. Jahrhunderts durch.

Die 15. Vierteljahresversammlung wird am 7. Juli 1874 im Landtagssaale abgehalten. Der dabei gehaltene Vortrag des Herrn Prof. Dr. Franz Krones: „Vor 600 Jahren, ein geschichtlicher Rückblick (die Herrschaft Ottokar's II. in der Steiermark, ihr Bestand und Sturz)", wurde vom Verfasser erweitert und mit urkundlichen Beilagen versehen, so im 22. Hefte „Mittheilungen" S. 41—109 abgedruckt.

In der Ausschuss-Sitzung vom 24. October wird der Schriftentausch mit dem Vereine für Geschichte und Topografie Dresdens, der Gesellschaft für ligurische Geschichte in Genua, der Akademie der Wissenschaften zu Metz und der kais. Gesellschaft der Naturforscher in Moskau eröffnet erklärt.

In der Ausschuss-Sitzung vom 31. October werden die vom Herrn Professor Dr. Ferd. Bischoff vorgelegten Punktationen für die Drucklegung des zweiten Bandes der steierm. Gesch.-Quellen (das Landrecht) genehmigt.

Die 16. Vierteljahresversammlung tagt am 12. November und hält hiebei Prof. Dr. A. R. v. Luschin einen Vortrag über die Erziehung des steiermärkischen Adels im 16. Jahrhunderte, welcher im 23. Hefte der „Mittheilungen" von S. 3—50 mit weiteren Zusätzen versehen abgedruckt ist.

In der Ausschuss-Sitzung vom 5. December wird der Schriftentausch eingeleitet mit dem Ossolinski'schen National-

Institute in Lemberg und dem archäologischen Institute in Steinamanger. Dem h. steierm. Landes-Ausschusse wird für die Erhaltung des landschaftl. Zeughauses in seiner bisherigen Verfassung der Dank votirt.

Am 14. December gewährt die steierm. Sparkasse dem Vereine eine Unterstützung von 500 fl.

Am 20. December bewilligte Se. Excellenz der Herr Minister für Cultus und Unterricht, Dr. Carl v. S t r e m a y r. dem Vereine zur Förderung seiner wissenschaftlichen Zwecke, namentlich zur Fortsetzung des Urkundenwerkes und der Quellenpublicationen, eine Staatssubvention von 500 fl. vorläufig auf drei Jahre.

Am 31. December überreicht das mit der Ausarbeitung eines Statuts und mit Vorschlägen bezüglich der Neuorganisation des Comité's für Herausgabe steierm. Geschichtsquellen betraute provisorische Comité das betreffende Elaborat, welches vom Ausschusse genehmigt wurde.

Die 27. allgemeine Jahresversammlung des Vereines wurde am 600sten Todesgedenktage des steirischen Minnesängers und Ritters U l r i c h v. L i e c h t e n s t e i n, d. i. am 28. Jänner, in Gegenwart des Herrn Vereinspräsidenten Landeshauptmannes Dr. Moriz v. K a i s e r f e l d und unter dem Vorsitze des Vorstand-Stellvertreters Prof. Dr. Ferdinand B i s c h o f f abgehalten. Hiebei berichtete der Schriftführer Oberlieutenant L. v. B e c k h - W i d m a n s t e t t e r Folgendes Namens des Ausschusses:

*

„Den Thätigkeitsbericht für das Jahr 1874 leitet der Ausschuss durch die Mittheilung ein, dass auch auf Rechnung des Vorjahres je ein Heft der „Mittheilungen", das 22., und ein Jahrgang der „Beiträge zur Kunde steir. Geschichts-Quellen", der 12., zur Ausgabe kamen. Weiters ist der 9. oder Registerband zu Muchar's Geschichte der Steiermark, das vollständige Orts-, Personen- und Sachen-Register dieses einheimischen Quellenwerkes enthaltend, erschienen; ausserdem ist nicht nur der 1., sondern auch zugleich der 2. Band der steir. Geschichts-Quellen im Drucke.

Die mit den genannten Publicationen verbundenen Auslagen fanden neben den Jahresbeiträgen der Mitglieder ihre Deckung in der jährlichen Subvention des Landes pr. 525 fl, dann in der vom h. steierm. Landtage speciell für die Herausgabe des Muchar'schen Registers gewährten Unterstützung per 1000 fl. öst. W. Ebenso haben dem Vereine zur Förderung seiner wissenschaftlichen Zwecke die löbliche steierm. Sparkasse neuerdings einen Beitrag von 500 fl., endlich Se. Excellenz der Herr Minister für Cultus und Unterricht Dr. Carl v. S t r e m a y r mit dem Erlasse vom 20. December 1874, Z. 17445, eine Staatssubvention jährlicher 500 fl. vorläufig auf drei Jahre bewilligt. Es bleibt der heute tagenden Versammlung vorbehalten, für diese sehr erfreulichen Widmungen noch besonders den Dank zu votiren.

Mit Rücksicht auf die bedeutenden Druckkosten des Muchar'schen Registerbandes (1651 fl. 79 kr.) wäre ein fliessender Verschleiss dieses dem Forscher unentbehrlichen Bandes dem Vereine sehr erwünscht.

Das seit dem Jahre 1863 bestehende „Comité zur Herausgabe steierm. Geschichts-Quellen" befand sich seit Jahren unter der bewährten Leitung des Herrn Landesarchivars Prof. J. Z a h n, welcher auch die Redaction der ersten zehn Jahrgänge der „Beiträge z. Kunde steierm. Gesch.-Quellen" besorgte. Bereits zu Beginn des J. 1874 ist zum grössten Leidwesen des Ausschusses Herr Prof. Z a h n aus diesem Comité geschieden, welches nun verstärkt und nach einem, das Verhältniss zwischen dem Vereinsausschusse und dem Comité genau kennzeichnenden Statute neu constituirt wurde, worüber der Versammlung noch besonders Bericht erstattet werden wird.

Berichte über geschichtlich interessante Objecte gaben die Bezirkscorrespondenten, Herren: A u s t in Gaal, K r a i n z in Oberwölz, M e i x n e r in St. Veit am Vogau und W i c h n e r in Admont, dann auch noch die Herren: Theodor H o f f m a n n, Postcontrolor in Marburg, Victor R i e b e n v. R i e b e n f e l d, k. k. Bezirksgerichtsadjunct in Voitsberg, und Johann R i g l e r, Pfarrprovisor in Frauenburg, welch' letzterer in den Ruinen der Burg neuerdings ein mittlerweile dem Antikencabinet am Joanneum eingeliefertes Bruchstück einer Ara entdeckte.

Unter den Geschenken ist die Abgabe des vom † vormaligen steierm. Verordneten Wilhelm Grafen v. K h u e n b u r g hinterlassenen Familienarchives durch dessen Witwe, das Vereinsmitglied Frau Theresia Gräfin v. K h u e n b u r g, geb. Gräfin G o ë s s, Sternkreuzordensdame in Graz, besonders hervorzuheben. Die übrigen meist der Bibliothek zugehörigen Geschenke sind betreffenden Ortes unter den Erwerbungen nachgewiesen.

Der Personalstand des Vereines hat sich durch den Eintritt von 33 Mitgliedern neuerdings erhöht und beträgt gegenwärtig: 374 ordentliche, 28 Ehren-, 17 corresp. Mitglieder. dann 27 Bezirkscorrespondenten. Die Zahl der durch Schriftentausch verbundenen Vereine ist auf 178 gestiegen.

Die Führung von Ortschroniken haben neuerdings für ihre Wohnorte übernommen die Herren: Ignaz J o c h e r l, Kaplan in Deutsch-Landsberg, Johann K r a u t g a s s e r, Med.-Dr. in Mureck, Franz R ö s c h, Oberlehrer in Scheifling, Johann R ö s c h, Kaplan in Köflach, Franz S c h ö p f e r, Lehrer in St. Ruprecht a. d. Raab, und Franz W e s w a l d y, Bürger in Gleisdorf; dadurch stellt sich die Zahl der Chronisten dermal auf 31.

Unter den acht im Jahre 1874 verstorbenen Vereinsmitgliedern sind besonders hervorzuheben: Se. Excellenz Graf Leopold v. W e l s e r s h e i m b, k. k. geheimer Rath und jubil. Gubernialvicepräsident in Illyrien; der greise Nestor der antiken Epigraphik, Dr. Richard K n a b l, kais. Rath und Stadtpfarrer in Graz [1]); der strebsame hoffnungsvolle Dr. Nathan K o h n, Adjunct am Münzen- und Antikencabinete hier, im jugendlichen Alter von 28 Jahren, und der Admonter Benedictiner und Gymnasialprofessor P. Thassilo W e i m a y r.

Der um den Verein vielverdiente Geschichtsforscher Prof. Dr. Franz K r o n e s wurde zum correspond. Mitgliede der kais. Akademie der Wissenschaften ernannt, der Mitgründer des Vereines, unser einheimischer Dichter Carl Gottfried Ritter v. L e i t n e r mit dem Orden der eisernen Krone decorirt und dem Schriftführer Leopold v. B e c k h - W i d m a n s t e t t e r die Uebertragung des seinem Wahlvater und Oheim eigenen alten Adelstandes bewilligt."

* * *

Hierauf trug der Cassier die im Anhange abgedruckte Uebersicht der Einnahmen und Ausgaben im J. 1874, ebenso den Voranschlag pro 1875 vor; weiters wird der Dank der Versammlung votirt: dem h. k. k. Ministerium für Cultus und Unterricht für die dem Vereine vorläufig auf drei Jahre gewährte Jahressubvention von 500 fl., der löbl. steierm. Sparkasse für eine neuerliche Unterstützung von 500 fl., dem Landesarchivar Professor Josef Z a h n für seine mannigfachen und grossen Verdienste um den Verein, anlässlich seines Austrittes aus dem seinerzeit durch ihn gegründeten Comité für Herausgabe steierm. Gesch.-Quellen. Das in Folge dieser Personalverän-

---

[1]) Siehe den Necrolog im „Gedenkbuche des Vereines".

derung aufgestellte Statut des neu reformirten Comité's wird verlesen und von der Versammlung zur Wissenschaft genommen.

Weiters wird der begründete Antrag des Ausschusses, durch eine Erweiterung des § 8 die bedingte Wiederwählbarkeit auch des Vorstandes oder Vorstand-Stellvertreters zu ermöglichen, angenommen, wornach der § 8, Absatz 3, demgemäss folgend zu lauten hat [*]): „Die Wahlen in die Vereinsleitung geschehen durch Stimmzettel und ist für den Ausschlag die absolute Stimmenmehrheit erforderlich. Alle Ausschussmitglieder werden i n d e r R e g e l auf zwei Jahre gewählt; eine Wiederwahl für die nächste Wahlperiode ist nur bei dem Schriftführer und Kassier, bei den übrigen Ausschussmitgliedern erst nach Ablauf eines Vereinsjahres zulässig. S o l l t e j e d o c h d i e R e i h e d e s A u s s c h e i d e n s d e n V o r s t a n d u n d d e s s e n S t e l l v e r t r e t e r z u g l e i c h e r Z e i t t r e f f e n, s o i s t d i e W i e d e r w a h l e i n e s v o n B e i d e n i n e i n e o d e r d i e a n d e r e F u n c t i o n a u s n a h m s w e i s e z u l ä s s i g.“ In Folge der Annahme dieser Statutenänderungen werden die am Programme stehenden Vorstands- und Ausschusswahlen bis zur Bescheinigung der Statutenänderung durch die h. k. k. Statthalterei vertagt und beschlossen, die nächste April-Vierteljahres-Versammlung als ausserordentliche Jahresversammlung einzuberufen [*]); nur der in jedem Falle wiederwählbare Kassier Ernst F ü r s t wird mittelst Acclamation in seinem Amte bestätigt, der nach Frankfurt a. Main übersiedelte bisherige Bezirkscorrespondent, Pfarrer und verdiente Geschichtsforscher Dr. Bernhard C z e r w e n k a zum correspondir. Mitgliede, der Pfarrprovisor Johann R i g l e r zu Frauenburg bei Unzmarkt zum Bezirkscorrespondenten ernannt. Hierauf wünscht Prof. Dr. I l w o f, der Verein

---

[*]) Jene Stellen, in welchen sich die angetragene Erweiterung ausdrückt, sind durchschossen.

[*]) Diese Versammlung wurde am 30. April abgehalten, hiebei (nachdem die h. k. k. Statthalterei die Statutenänderung mit dem Erlasse vom 6. Februar 1875, Z. 1800, genehmigte) die Wahlen vorgenommen, nach deren Ergebnisse der Ausschuss nun in folgender Zusammensetzung fungirt. Vorstand: Josef Z a h n, k. k. Professor und Landesarchivar; Vorstand-Stellvertreter: Dr. Ferdinand B i s c h o f f, k. k. Universitäts-Professor; Schriftführer: Leopold v. B e c k h - W i d m a n s t e t t e r, k. k. Oberlieutenant und Lehrer an der Grazer Cadetenschule; Kassier Ernst F ü r s t, diplom. Apotheker und Hausbesitzer; Ausschüsse ohne besondere Function: Moriz F e l i c e t t i v. L i e b e n f e l s, k. k. Hauptmann im R., Dr. Carl G r o s s, k. k. Universitätsprofessor, Dr. Franz I l w o f, st. l. Professor und Gemeinderath und Johann R e i c h e r, k. k. Oberlandesgerichtsrath.

möge den Gemeinderath interessiren, die durch den Zukunfts-
plan von Graz der successiven Entfernung verfallenden historischen Objecte durch Gedenktafeln an der betreffenden Stelle
in Erinnerung zu behalten; der Vorsitzende verspricht, diesen
beherzigenswerthen Wunsch in Verhandlung zu nehmen.

Somit waren die geschäftlichen Angelegenheiten abge-
wickelt und es beginnt der Schriftführer Oberlieutenant Leopold v. Beckh-Widmanstetter seinen angekündigten
Vortrag über den Ausgang des Hauses Liechtenstein-
Murau.

Nach kurzen einleitenden Worten, welche die Wahl des
Thema's durch den an diesem Tage zu begehenden 600sten
Todesgedenktag des Minnesängers Ulrich von Liehten-
stein rechtfertigten, gibt der Sprecher eine Betrachtung
über die Dauer des physischen Lebens in den Familien überhaupt, dann deren geistiges Aufblühen, Stillstand auf der Höhe
und schliesslich allmäliges Zurücksinken; er stützt sich hiebei
auf die in Freitags Bildern der deutschen Vergangenheit[4]) vor-
findige Betrachtung über den Bestand der Familienkraft.

Unter diesem Gesichtskreise betrachtet der Vortragende
dann das ein halbes Jahrtausend umfassende Leben des steirischen Hauses Liechtenstein-Murau. Der Minnesänger Ulrich
befand sich noch im Anstiege, sein Sohn Otto, der kraftvolle
steirische Landeshauptmann, welchen die Zeitgenossen als den
klügsten Mann im Lande priesen, stand auf der Zinne, von
da ab bewegte sich das Geschlecht wieder in absteigender
Richtung, verfiel auch in wirthschaftlicher Beziehung, so dass
aus der vorletzten Generation von sieben verehelichten Brüdern,
fünf ihren stolzen Dynastennamen nach dem Eherechte reichen
neugeadelten Bürgerstöchtern zu Eigen gaben.

Aus ihnen ist die interessanteste Erscheinung die wegen
ihres in jener Zeit epochemachenden Reichthumes, sowie auch
ihrer sechsmaligen Verehelichung durchwegs mit vornehmen
Cavalieren, bekannte Villacher Patrizierstochter Anna Neuman
von Wasserleonburg, geb. 1535, gest. 88 Jahre alt, 1623.
Sie übernahm auch die Liechtenstein'sche völlig verschuldete
Stammherrschaft Murau und vererbte dieselbe an ihren letzten,
ihr 1617 angetrauten Gemal, den Diplomaten und ersten Ritter
des goldenen Vliesses aus seinem Hause, Georg Ludwig Grafen
zu Schwarzenberg, durch welchen sein nun fürstliches
Haus noch heute im Besitze jener Güter steht.

---

[4]) 15. und 16. Jahrh., 4. Aufl., S. 232 ff.

Die letztere Zeit der Liechtensteiner wird, soweit dies die spärlich vorhandenen Quellen zulassen, ausführlicher behandelt, dabei der Stammbaum, wie ihn J. Falke in seinem Werke über die Liechtensteiner aufstellte, in einigen Punkten vervollständigt und berichtigt, endlich das Ableben des letzten männlichen Liechtenstein-Murau, Otto VIII. im Jahre 1619, jenes der letzten weiblichen Sprossin dieses Geschlechtes, Amaley, vermälten Herrin von Stubenberg als Exulantin zu Nürnberg am 30. November 1665, ermittelt.

Ueber-
der Einnahmen und Ausgaben

Einnahmen	Einzeln fl.	Einzeln kr.	Zu- sammen fl.	Zu- sammen kr.
Kassarest mit Schluss 1873	—	—	1959	71
Interessen von den angelegten Capitalien . .	—	—	100	62
Beiträge:				
Die ordentlichen Mitglieder haben eingezahlt .	1297	15		
Aussergewöhnliche Spenden	6	50	1303	65
Subventionen:				
Die jährliche der h. steiermärk. Landschaft . .	525	—		
Aussergewöhnliche der h. steiermärk. Landschaft für das Register zu Muchar's Geschichte der Steiermark	1000	—	1525	—
Für verkaufte Verlagsartikel	—	—	200	50
Taxen für ausgestellte Diplome	—	—	36	—
Zusammen . . .			5125	48
Werden die jenseits nachgewiesenen Ausgaben abgezogen mit			4277	85
bleibt Uebertrag für das Jahr 1875			847	63

von welchen 615 fl. 50 kr. in der steierm. Sparkasse angelegt sind.

sicht

für das Kalenderjahr 1874.

Ausgaben	Einzeln		Zu-sammen	
	fl.	kr.	fl.	kr.
Gehalte:				
Honorar für den Hilfsbeamten	180	—		
Entlohnung für den Vereinsdiener	96	—		
Remunerationen an die Vereinsbediensteten	32	—	308	—
Kanzleierfordernisse:				
Papier, Stempel, Buchbinder u. s. w.	72	11		
Portoauslagen	63	93		
Versendung der Vereinsschriften durch die Buchhandlungen	46	16		
Mitgliederdiplome, 100 Stücke neu aufgelegt	35	—		
Mitgliederdiplome, 31 Stücke kaligrafisch ausgefertigt	21	70	238	90
Oeffentliche Vereinsversammlungen:				
Kosten der Inserate und Einladungen u. s. w., dabei ein Rückstand aus dem Jahre 1871	—	—	79	16
Beiträge:				
An das germanische National-Museum in Nürnberg	5			
An den Gesammtverein der deutschen histor. Vereine in Darmstadt, 5 Thlr.	8	35	13	35
Ankäufe von Büchern	8	70		
„ von Anticaglien	20	—	28	70
Publicationen:				
„Mittheilungen", 21. Heft 1873	701	10		
„Beiträge zur Kunde steierm. Gesch.-Quellen", 7. Jahrgang nachträglich	253	—		
„ 11. Jahrgang 1874	503	85		
Muchar's Geschichte der Steiermark, IX. Band (Register) 1874	1651	79		
Urkundenbuch I. Band, à conto Zahlung an die Buchdruckerei Leykam-Josefsthal	500	—	3609	74
Zusammen			4277	85

Veränderungen

im

Personalstande des Vereines 1874.

Neu aufgenommene ordentliche Mitglieder.

Die P. T. Herren: A c h a t z Anselm, Capitular der Benedictinerabtei St. Paul in Kärnten und Gymnasial-Lehramts-Candidat in Wien. — A r b e s s e r v. R a s t b u r g Carl, k. k. Kreiscommissär a. D. und Gutsbesitzer zu Schloss Spielberg bei Knittelfeld. — A t t e m s Ignaz Graf von, Dr. der Rechte, Erblandkämmerer im Herzogthume Steiermark, Güterbesitzer zu Graz. — B a c h m a y e r Eberhard, Kaplan in Wildalpen. — B e r g e r Othmar, f. b. geistl. Rath, Volksschuldirector und Bezirksschulinspector in Admont. — B e r k a Carl, suppl. Professor an der Oberrealschule am Schottenfeld in Wien. — C i l l i, der Lehrerverein. - E y l l e r Johann, Director der Actiengesellschaft für Papier- und Druckindustrie „Leykam-Josefsthal" in Graz. — F e l s Julius, Chemiker der Fabrik chemischer Producte in Hrastnigg. — G r o s s Johann, Stadtpfarrcaplan in Oberwölz. — G r u b e r Franz, Bürger und Realitätenbesitzer in Oberwölz. — H o m a n n Moriz, Dr. Medicinæ in Leoben. — H ö r m a n n Ludwig von, Dr. und Scriptor an der Universitätsbibliothek in Graz. — H u m m e l Ferdinand, Buchdruckereibesitzer und Redacteur des Wiener Weltblattes in Wien. — J o c h e r l Ignaz Heinrich, Kaplan in Deutsch-Landsberg. — K o v a ć Ludwig, Lehrer in Cilli. — K r a p p e k Heinrich, Photograf in Marburg. — M a r e c k Bernhard, k. k. Oberingenieur und Bürgermeister in Leoben. — M a r x Friedrich, k. k. Hauptmann i. R. in Graz. — M a t z n e r v. H e i l s w e r t h Leopold Ritter, Dr. und Schriftsteller in Graz. — M a y e r h o f e r Wenzel, Gutsbesitzer zu Schloss Rottenfels bei Oberwölz. — M i k u s c h Alois, Volksschullehrer in Stiwoll bei Gratwein. — P o i s s l Ludwig Freiherr von, Redacteur der Wiener Gemeindezeitung in Wien. — P ö l t l Urban, Kaplan an der Stiftspfarrkirche und Professor der Kirchengeschichte zu Admont. — P r o s c h k o Cornelius, Professor an der Oberrealschule am Schottenfeld in Wien. — R e i c h e l Rudolf, Professor am II. Staatsgymnasium in Graz. — R e s c h e g g Heinrich, Novizenmeister und Director der Cleriker, Professor des Bibelstudiums in Admont. — S c h ö n b a c h Anton, Dr., k. k. a. o. Professor an der Universität in Graz. — — S c h m u t z Johann, Volksschullehrer zu St. Stefan ob Leoben. — S c h r e i n e r Moriz Ritter von, Dr. der Rechte, Hof- und Gerichtsadvocat, Mitglied des steierm. Landesausschusses in Graz. — S c h w a r z e l Lorenz, Leiter der Volksschule in Ranten, Bezirk Murau. — S c h w a r z e n b e r g Johann Carl, Studirender an der Universität in Graz. — Das Fräulein: P i c h l und G a m s e n f e l s Anna Edle von, Gutsbesitzerstochter zu Eggenwald bei Radkersburg.

Ausgetretene ordentliche Mitglieder.

Die P. T. Herren: B e r g Gustav Freiherr v., k. k. Oberstlieutenant a. D. und Gutsbesitzer in Graz. — F e l i c e t t i v. L i e b e n f e l s Moriz, k. k. Statthalterei-Concepts-Adjunct und Reserveofficier in Feldbach. — M a n k e r Rudolf, Lederfabriksbesitzer in Graz. — S p i e g e l f e l d Franz Freiherr von und zu, k. k. Kämmerer, geh. Rath und Statthalter i. R. in Linz. — W a l t e r s k i r c h e n Carl Wilhelm Freiherr von, Attaché der k. k. Botschaft bei Sr. Heiligkeit dem Papste in Rom. — W i m p f f e n Franz Freiherr v., k. k. Kämmerer, geh. Rath und Obersthofmeister beim Herrn Erzherzog Ludwig Victor in Salzburg.

Gestorben die P. T. Herren:

C o s t a - R o s s e t t i Edler v. R o s s a n e g g Bernhard, k. k. Statthaltereisecretär, zu Graz am 9. Nov. 1874, 40 Jahre alt.

F e r r o Raimund Ritter von, k. k. Notar in Feldbach, am 23. August 1874, 48 Jahre alt.

K n a b l Richard, Dr. der Philos., kais. und geistl. Rath, Jubelpriester, Vorstadtpfarrer zu St. Andrä in Graz, Ehren- und ordentliches, auch langjähriges Ausschuss-Mitglied, zu Graz am 19. Juni 1874, 85 Jahre alt. ·

K o h n Nathan, Dr., Adjunct am Münz- und Antikencabinete des st. l. Joanneums in Graz, am 9. Mai 1874, 28 Jahre alt.

L u t z Anton, Bürgermeister und Hausbesitzer in Leoben, am 6. Februar 1874.

M o h r Vincenz Fererius, f. b. geistl. Rath, Dechant und Pfarrer
zu St. Ruprecht a. d. Raab, am 11. Jänner 1874, 60 Jahre alt.

S a n t n e r Anton, bischöfl. geistl. Rath, pens. Hauptpfarrer
und Dechant von Waltersdorf, zu Graz, am 25. April 1874,
88 Jahre alt.

S p i e g e l f e l d Franz Moriz Freiherr von, k. k. Landesgerichts-
Adjunct a. D., zu Schloss Spiegelfeld, am 19. April 1874,
72 Jahre alt.

W e i m a y r Thassilo, Capitular des Benedictinerstiftes Admont,
emer. k. k. Gymnasialprofessor, zu Admont am 21. Juli
1874, 50 Jahre alt.

W e l s e r s h a i m b Leopold Graf von, k. k. wirklicher geh. Rath,
Kämmerer und jub. Gouverneur von Illyrien, Ehren- und
ordentliches Mitglied, zu Graz am 8. Juli 1874, 82 Jahre alt.

Z e l l Carl, Dr. der Philos., grossh. badischer geheimer Hofrath
und Professor an der Universität Freiburg i. B., corresp.
Mitglied, zu Freiburg am 24. Jänner 1873, im 80. Lebensjahre.

Den Sammlungen des Vereines

sind im Jahre 1874 zugekommen:

A. Für die Bibliothek.

I. Durch Schenkung.

3568. Von den Bisthümern Seckau, Lavant und Gurk die Personalverzeichnisse pro 1874.

3569. Aust Anton, Bezirkscorrespondent zu Gaal bei Knittelfeld: mehrere alte Landkarten.

3570. Danko Josef, Dr. der Theologie, infulirter Abt und Domherr zu Gran in Ungarn, seine Schriften:
a) Die Erzabtei Martinsberg (Sabaria), der Geburtsort des heil. Martinus Turonensis, 1868, Wien; — b) Die Feier des Osterfestes nach der alten römischen Liturgie, 1872, Wien.

3571. Destouches, Ernst v., Secretär in München:
a) Geschichte des königl. bair. St. Elisabeth-Ordens und — b) Festzeitung des II. deutschen Sänger-Bundesfestes in München 1874.

3572. Dimitz August, k. k. Finanzrath und Secretär des hist. Vereines für Krain: Geschichte Krain's, 1.—3. Lief. 1874.

3573. Dümmler Ferdinand, Verlagsbuchhandlung in Berlin: Inhaltsverzeichniss der Abhandlungen der Akademie der Wissenschaften zu Berlin in den Jahren 1822—72.

3574. Friess Gottfried Edmund, Professor am k. k. Obergymnasium im Benedictinerstifte Seitenstetten, sein Werk: Die Herren von Kuenring, Wien, 1874.

3575. Griendl, Ritter v., in Graz: a) drei Homan'sche Atlanten; — b) Ignaz Heymann's Postkarte von Deutschland in vier Blättern und c) einen Plan der Stadt Rom von 1773.

3576. Helfert Josef Alexander Freiherr v., Dr., k. k. geheimer Rath in Wien, sein Werk: „Der Rastädter Gesandtenmord", Wien, 1874.

3577. Hofrichter J. C., Notar in Windischgraz, seine Schriften: Die Köflach-Wieser Bahn in Steiermark; — Die Raaber Bahn (ungar. Westbahn) im Bereiche der Steiermark, Graz, 1874.

3578. Ilwof, Dr. Franz, st. l. Professor in Graz, seine Schrift: Ueber Haus- und Hofmarken, insbesondere in den österreichischen Apenländern, 1874.

3579. Karner, Josef, Pfarrer in Pension zu Graz: Der Kalsdorfer Sauerbrunnen zu Grosssulz in Steiermark, Wien, 1873.

3580. Krones, Dr. Franz, k. k. Universitätsprofessor in Graz, seine Abhandlungen:

a) Graf Hermann II. von Cilli, 1873; — b) Das mittelalterliche Graz, 1873; — c) Erzählungen aus der Geschichte der Steiermark, 1874; — d) die Herrschaft König Ottokar's von Böhmen in Steiermark 1252 bis 1276, gedr. 1874; — e) Quellenmässige Beiträge zur Geschichte der Steiermark in den Jahren 1462—1471, gedr. 1874.

3581. Macher Mathias, Dr. der Medicin in Graz, seine Schriften:

a) Uebersicht der Heilwässer u. Naturmerkwürdigkeiten des Herzogthumes Steiermark; Wien 1858; — b) Wegweiser zu Ausflügen auf der Graz-Köflacher Eisenbahn, Graz, 1863; — c) Lebensbild Dr. Lorenz Ch. Edlen von Vest, Graz, 1867; — d) Warmbäder des Herzogthumes Steiermark; — e) Die Curanstalt Einöd nächst Neumarkt in Obersteier, Graz, 1868; — f) Die Kaltwasser-Heilanstalt zu St. Radegund, Wien, 1868; — g) Der Führer auf das Schöckelgebirge und die 3. Auflage des Schöckelpanorama's, Graz, 1873; — h) Gleichenberg in Steiermark als Curort, Graz, 1873, in deutscher, französischer, englischer, italienischer und ungarischer Sprache; — i) das Anna-Kinderspital und der Kinderspitals-Verein in Graz, 1873. Ausserdem einige andere Druckschriften.

3582. Maschek Ludwig, kais. Rath und Hilfsämterdirector der Statthalterei in Zara, sein Werk: Manuale del regno di Dalmazia, IV. 1874.

3583. Ofterdinger Ludwig Felix, Dr., in Ulm: Rede zur Feier des 300jährigen Geburtsfestes Kepler's, gehalten am 27. December 1871 in Ulm, 1872.

3584. Pichler, Dr. Friedrich, Professor in Graz, seine Abhandlung: Die römische Villa zu Reznei in Steiermark.

3585. Platzer, Dr., k. k. Regimentsarzt: a) Fagnani L., Gisolfo primo duca Longobardo in Friuli (568—612). Cenni sulla recente scoperta della tomba còn notizie ed episodi storici. 1874. Civiale; — b) Scoperta della tomba del duca Longobardo Gisulfo fatta in Cividale del Friuli li 28. Maggio 1874. 1874, Cividale; — c) Arboit Angelo, la tomba di Gisolfo e il Dr. P. A. de Bizzaro, note critici-archeologiche, 1874, Udine.

3586. Wichner, P. Jacob, Archivar des Stiftes Admont, sein Werk: Die Benedictinerabtei Admont von den ältesten Zeiten bis zum Jahre 1177. Festgabe zur Jubelfeier 1874.

2. Im Schriftentausch.

3587. Aarau, historische Gesellschaft des Cantons Aargau: Argovia, 8. Band, 1874.

3588. Agram, südslavische Akademie der Wissenschaften. a) Rad jugoslavenske Akademije znanosti i umjetnosti, Heft 23 bis inclus. 28, 1873—1874; — b) Monumenta, Band 4; — c) Listine, Heft 4, 1874.

3589. Altenburg in Sachsen, die geschichts- und alterthums-forschende Gesellschaft des Osterlandes: Mittheilungen, Band 7, Heft 4, 1874.

3590. Amsterdam, kön. Akademie der Wissenschaften: a) Jaar-bock van de koninklyde Akademie van Wetenschappen, 1872; — b) Verslagen en Mededeelingen—Afdeeling Let-terkunde, Tweede Reeks, 3. Deel, 1873; — c) Gaudia Domestica von Petri Esseiva, 1873; — d) Programm pro 1874.

3591. Arolsen, historischer Verein der Fürstenthümer Waldeck und Pyrmont: Beiträge, 4. Bd., 1. Heft, 1874.

3592. Augsburg, histor. Verein im Regierungsbezirke Schwaben und Neuburg: a) 36. Jahresbericht, 1871/72; — b) Zeit-schrift, 1. Jahrgang 1874, Heft 1, 2 und 3.

3593. Bamberg, histor. Verein für Oberfranken: 35. Bericht über sein Wirken, 1872.

3594. Basel, die Gesellschaft für vaterländische Alterthümer: Moriz Heyne, über die mittelalterliche Sammlung zu Basel, 1874.

3595. Berlin, königl. preussische Akademie der Wissenschaften: a) Monatsberichte vom Jänner bis Ende December 1874; — b) Abhandlungen (phil.-histor. Classe), Jahrgang 1873; — c) Inhaltsverzeichniss der Abhandlungen aus den Jahren 1822—1872, gedr. 1873; — d) Verzeichniss der Bibliothek. 1874; — e) Register der Monatsberichte vom Jahre 1859—1873.

3596. Berlin, Verein deutscher Herold: Monatsschrift, 4. Jahrg., 1873.
3597. — Verein für die Geschichte Berlin's: a) Schriften, Heft 9 und 10, 1873—1874; — b) Urkunden-buch Jahrgang 1874.
3598. Bern, allgemeine geschichtsforschende Gesellschaft der Schweiz: Archiv, 16.—17. Band, 1868, 1871.
3599. Bistritz, evangel. Obergymnasium: Programm des Stu-dienjahres 1873/74.
3600. Breslau, schlesische Gesellschaft vaterländischer Cultur: a) 50, 51. Jahresbericht, 1872/73; — b) Abhandlungen der Naturwissenschaften und Medicin 1872/73; — c) Ab-handlungen der philosophisch-historischen Abtheilung, 1872 und 1873.
3601. Brünn, mährisches Landesarchiv: Codex diplomaticus et epistolaris Moraviae, 8. Band, 1874.
3602 Brüssel, die königl. belgische Akademie: Bulletins, 2. Serie, 35., 36. und 37. Bd., dann Annuaire 1874.
3603. Chambery, société savoisienne d'histoire et d'archéologie: Memoires et documents, 14. Bd., 1873/74.
3604. Christiania, Verein zur Erhaltung und Aufbewahrung nor-discher Vorzeitdenkmäler: Foreningen, Jhg. 1872—1873.
3605. Chur, die histor. antiquarische Gesellschaft Graubündens: „die Ræteis" von Simon Lemnius. Schweizerisch-deutscher Krieg von 1499. Epos in 9 Gesängen, 1874.
3606. Darmstadt, histor. Verein für das Grossherzogthum Hessen: a) Archiv für hessische Geschichte und Alter-thumskunde, 13. Bd., 2. Heft, dann Register zu den 12 ersten Bänden; — b) die vormal. geistl. Stifte im G.-H. Hessen, 1. Bd., 1873 (von Georg Wagner).
3607. Dorpat, gelehrte estnische Gesellschaft: Sitzungsberichte des Jahres 1873 und Verhandlungen, 8. Bd., 1. Heft, 1874.
3608. Dresden, königl. sächsischer Alterthumsverein: Mitthei-lungen, 24. Heft, 1874.
3609. — der Verein für Geschichte und Topografie Dresdens und Umgebung: Dresdener Chronik vom 1. Juli bis Ende December 1869.
3610. Emden, Gesellschaft für bildende Kunst und vaterländ. Alterthümer: Jahrbuch, 2. Heft 1873, 3. Heft 1874.
3611. Frankfurt a. M., Verein für Geschichte und Alterthums-kunde: Mittheilungen, 4. Bd. vom December 1869 bis Ende Juli 1873 und Neujahrsblatt 1873 und 1874.
3612. Frauenfeld, histor. Verein des Cantons Thurgau: Thur-gauische Beiträge zur vaterl. Geschichte, 14. Heft, 1874.

3613. Genova, la Società Ligure di storia patria: Il Coléra in Genova negli anni 1835, 36, 37, 54, 55, 66, 67 e 1873, gedruckt 1874.

3614. Glarus, histor. Verein des Cantons Glarus: Jahrbuch, 10. Heft 1874, 11. Heft 1875.

3615. Görlitz, Oberlausitzische Gesellschaft der Wissenschaften: Neues Lausitzisches Magazin, 50. Bd., 2. Heft, 1873.

3616. Göttingen, königl. Gesellschaft der Wissenschaften und der Universität: Nachrichten, 1873.

3617. Graz, Carl-Franzens-Universität; Personalstand im Sommersemester 1874.

3618. — technische Hochschule Joanneum: a) 8. Jahresbericht 1872/73; — b) Programm für das Studienjahr 1874/75.

3619. — I. Staatsgymnasium: a) Jahresbericht 1873, 1874; — b) Real- und Personalstatistik des Gymnasiums von 1774—1872. (Herausgegeben vom k. k. Schulrath Dr. R. Peinlich zur Weltausstellung 1873); — c) Festprogramm zur Jubelfeier des 300jährigen Bestandes am 30. Juni 1874.

3620. — II. Staatsgymnasium: Jahresbericht 1874.

3621. — Staatsoberrealschule: Jahresbericht 1874.

3622. — Verein der Aerzte in Steiermark: Sitzungsberichte, 11. Vereinsjahr 1873/74.

3623. — christlicher Kunstverein der Diöcese Seckau: Kirchenschmuck, Jahrg. 1874.

3624. — akademischer Leseverein an der Universität und technischen Hochschule: 7. Jahresbericht, 1874.

3625. Greifswalde, Gesellschaft für Pommer'sche Geschichte und Alterthumskunde: Pommer'sche Geschichtsdenkmäler, 4. Bd., zugleich 37. Jahresbericht, 1874.

3626. Hamburg, Verein für hamburgische Geschichte: Zeitschrift, N. F. 3. Bd., 3. Heft, 1874.

3627. Hannover, histor. Verein für Niedersachsen: Zeitschrift, Jahrg. 1872 und 35. Nachricht.

3628. Helsingfors, die finnländische Gesellschaft der Wissenschaften: a) Öfversigt af Finska Vetenskaps Societetens Förhandlingar, Bd. 14, 15 und 16, 1872—1874; — b) Bidrag till kännedom af Finnlands natur och folk, Bd. 18, 19, 21, 22 und 23; — c) Observations magnetique et meteorologique, Bd. 5.

3629. Hermanstadt, Verein für siebenbürgische Landeskunde: a) Archiv, N. F. 11. Bd., 1. und 2. Heft, 1873; — b) Jahresbericht 1872/73; — c) Martin v. Hochmeister (Lebens-

bild und Zeitskizzen aus dem 18. und 19. Jahrh.) 1873;
— d) Carl Werner (die Mediascher Kirche) 1872; —
e) kurzer Bericht über die von den Herren Pfarrern
A. B. in Siebenbürgen über kirchliche Alterthümer gemachten Mittheilungen; — f) Programm des Gymnasiums
zu Hermannstadt 1872/73.

3630. Innsbruck, Ferdinandeum: Zeitschrift, 3. F., 18. Bd., 1874.

3631. Klagenfurt, Staatsgymnasium: Programme von 1868 bis
1874.

3632. Königsberg, königl. preussische Universitätsbibliothek:
altpreussische Monatshefte als 4. Folge der neuen
preussischen Provinzialblätter, 11. Bd., 1874.

3633. Kopenhagen, königl. dänische Gesellschaft für nordische
Alterthumskunde: Aarboger for nordisk oldkyndigbed
og historie, 1873, 2., 3. und 4. Heft.

3634. Krakau, königl. Akademie der Wissenschaften: a) Dwa
Pierwsze publiczne Posiedzenia Akademii umiejetnośći
w Krakowie, 1873; — b) Rocznik Zarzadu, 1873
(Almanach); — c) Pamietnik wydzialy (Denkschrift der
philolog. und histor.-philosof. Classe, Bd. 1); — d) Rozprawy i Sprawozdania z. Posiedzen, Bd. 1, 1874; —
e) Scriptores rerum polonikarum, Bd. 2, 1874; —
f) Starodawne Prawa Polskiego Pomniki, Bd. 3, 1874
(Taszycki Statut).

3635. Laibach, Obergymnasium: Jahresbericht, 1874.

3636. Lausanne, la Società d'histoire de la Suisse romande:
Memoires et documents, 26. Bd., 1870.

3637. Leipzig, königl. sächsische Gesellschaft der Wissenschaften: a) Berichte der philos.-histor. Classe,
24. Bd., 1872; — b) der Homerische Gebrauch
der Partikel Ei, von Ludwig Lange, 1873; —
c) die Melanischen Sprachen, von H. C. von
der Gabelentz, 2. Abhandlung, 1873,

3638. — deutsch-morgenländische Gesellschaft: Zeitschrift, 27. Bd., 4. Heft, 1873, 28. Bd., 1., 2.
3. Heft, 1874.

3639. Leisnig, Geschichts- und Alterthumsverein: Mittheilungen,
3. Heft, 1874.

3640. Leoben, Realgymnasium: 8. Jahresbericht, 1874.

3641. Leeuwarden, Gesellschaft für friesische Geschichte, Alterthums- und Sprachenkunde: a) De Vrije Fries, Mengelingen, twaalfde Deel, Nieuwe reecks zesde deel, vierte
Stuk, 1873; — b) Verslag der Handelingen, 1872/73; —
c) Enige Aenteekeningen (1616—1620) von Jr. Friedrich

van Vervou, 1874; — d) Briefe des Aggaeus de Albada an Rembertus Ackema und Andere, 1579—1584. Herausgegeben von Dr. Érnst Friedländer, 1874.

3642. Leyden, Maatschappi der nederlandsche Letterkunde: a) Handelingen en Mededeelingen, 1872 und 1873; — b) Levensberichten der afgestorvene Medeleden, 1872 und 1873.

3643. Linz, Museum Francisco-Carolinum: 32. Bericht nebst der 27. Lieferung der Beiträge zur Landeskunde von Oesterreich ob der Enns, 1874.

3644. Lüttich, Institut archéologique: Bulletin, 11. Bd., 2., 3. und 4. Heft, 1873; 12. Bd., 1. Heft, 1874.

3645. Luzern, histor. Verein der fünf Orte Luzern, Uri, Schwyz, Unterwalden und Zug: Geschichtsfreund, 29. Bd., 1874.

3646. Marburg, Staatsgymnasium: Programm, 1874.

3647. Metz, die Akademie der Wissenschaften: Memoires, 3. Serie, 1. Jahrg. 1873.

3648. Mitau, die kurländische Gesellschaft für Literatur und Kunst: Sitzungsberichte aus dem Jahre 1873.

3649. Montbéliard, La Société d'emulation: Memoires, 2. Serie, 5. Bd., 1873.

3650. München, königl. baierische Akademie der Wissenschaften: a) Abhandlungen phil.-hist. Classe, 12. Bd., 1. Abth. 1873/74 (in der Reihe der Denkschriften der 43. Bd.); — b) Sitzungsberichte, 1873 Heft 4, 5 und 6, 1874 Heft 1, 2, 3, 4; — c) Dr. Johann Friedrich, über die Geschichtsschreibung unter dem Kurfürsten Maximilian I., 1872. — d) J. von Döllinger, Gedächtnissrede auf König Johann von Sachsen, 1874.

3651. — der histor. Verein von und für Oberbaiern: Oberbairisches Archiv, Bd. 32, Heft 2 und 3; Bd. 33, Heft 1.

3652. — der Alterthumsverein: die Wartburg, Zeitschrift für Kunst und Kunstgewerbe, 1. Jahrg. 1873/74 complett, 2. Jahrg. 1874 75.

3653. Münster, literarischer Handweiser: 13. Jahrg., 1874.

3654. Neisse, die Gesellschaft „Pilomathie": 18. Jahresbericht vom April 1872 bis zum Mai 1874.

3655. Neuburg, historischer Filialverein: Collectaneenblatt für die Geschichte Baierns, 37. Jahrg., 1873.

3656. Nürnberg, germanisches Museum: Anzeiger für Kunde der deutschen Vorzeit, N. F., 20. Bd., 1873.

C

3657. Paderborn, Verein für Geschichte und Alterthumskunde Westphalens: Zeitschrift, 28., 29. und 30. Bd. 1869, 1871 und 1872.

3658. Paris, histor. Institut für Frankreich: L'investigateur, 40. Jahrg., 1874.

3659. Petersburg, kaiserl. archéologische Commission: Rapport, Jahrg. 1869, dann 1870 und 71.

3660. Poitieres, Gesellschaft der Alterthumsforscher des westl. Frankreichs: Bulletin, 13. Serie, 4. Quartal 1873, dann Jahrg. 1874.

3661. Porrentrui, la Société jurassienne d'emulation: 44. Session ihrer „Actes".

3662. Prag, königl. böhmische Gesellschaft der Wissenschaften: a) Sitzungsberichte vom Juli bis December 1872, 1874, Nr. 1—6; — b) Abhandlungen, 1873, 6. Folge, 6. Bd.; — c) Regesten von Dr. Josef Emler, 2. Bd., 1—5, gedr. 1872, 1873 und 1874.

3663. — Museum des Königreiches Böhmen: a) Památky archaeologiské a mistopisné. Del. 8, 1868—70; — b) Památky, Listy pro archaeologii a historii. Nové rady roč, 1871—1873; — c) Vorträge des Geschäftsleiters in der Generalversammlung der Gesellschaft des Museums, Jahrg. 1869—1874; — d) Verzeichniss der Mitglieder vom 31. October 1873.

3664. — Verein für Geschichte der Deutschen in Böhmen: a) Mittheilungen, 7. Jahrg., 3., 4. Heft, 8. Jahrg., 1—2. Heft, 12. Jahrg., 3.—6. Heft, 13. Jahrg. Nr. 1 (1. und 2. Heft.) Dann 12. Jahresbericht. 1873/74.

3665. — Lese- und Redehalle der deutschen Studenten: Jahresbericht 1873/74.

3666. Regensburg, histor. Verein von Oberpfalz und Regensburg: Verhandlungen, 29. Bd. (21. d. N. F.) 1874.

3667. Reval, die ehstländisch-literarische Gesellschaft: Beiträge zur Kunde Ehst-, Liv- und Kurlands, Bd. 2, Hft. 1, 1874.

3668. Riga, Gesellschaft für Geschichte und Alterthumskunde der Ostseeprovinzen: Sitzungsberichte, 1873.

3669. Salzburg, Gesellschaft für Salzburger Landeskunde: Mittheilungen, 13. Vereinsjahr, 1873.

3670. Schaffhausen, histor.-antiquarischer Verein: Beiträge, 3. Heft, 1874.

3671. Schwerin, Verein für mecklenburgische Geschichte und Alterthumskunde: Jahrbuch, 38. Jahrg., 1873.

3672. Sigmaringen, Verein für Geschichte und Alterthumskunde in Hohenzollern: a) Mittheilungen, 7. Jahrg., 1873/74; — b) der heilige Meinrad in der Ahnenreihe des erlauchten Hauses Hohenzollern, 1874. (Eine kritisch-historische Untersuchung von Dr. L. Schmidt.)

3673. Speier, der histor. Verein der Pfalz: Mittheilungen, 4. Heft, 1874.

3674. Steinamanger, histor.-archäologischer Verein: A vasmegyei régészeti-egylet évi Jelentése, 1873 und 1874.

3675. Stettin, die Gesellschaft für Pommer'sche Geschichte und Alterthumskunde: a) Baltische Studien, 25. Jahrg., 1. Heft, 1874; — b) Otto v. Bamberg (von Georg Haag), Festschrift der Gesellschaft an ihrem 50jährig. Jubiläum, 15. Juni 1874.

3676. Stuttgart, königl. statistisch-topograph. Bureau: Würtembergisches Jahrbuch für Statistik und Landeskunde, 1872, gedruckt 1874.

3677. Tettnang, Verein für Geschichte des Bodensee's und seiner Umgebung: Schriften, 5. Heft, 1874.

3678. Ulm, Verein für Kunst und Alterthum in Ulm und Oberschwaben: a) Verhandlungen, der neuen Reihe 6. Heft, 1874; — b) Ulmisches Urkundenbuch von 854 bis 1314, 1. Bd., 1873.

3679. Venedig, Istituto Veneto di scienze, lettere et arti: Atti, 4. Serie 1. bis incl. 3. Bd. 1871—1874.

3680. Washington, Smithsonian Institution: Annual report of the board of regents of the Smithsonian Institution for 1871—1872.

3681. Wernigerode, Harzverein für Geschichte und Alterthumskunde: Zeitschrift, 6. und 7. Jahrgang, 1873 und 1874.

3682. Wien, kais. Akademie der Wissenschaften: a) Sitzungsberichte, 72. Bd., Heft 2 und 3, 74. Bd., Heft 1 bis 3, Jahrg. 1872—1873; — b) Archiv, 50. Bd., 2. Hälfte, 51. Bd., 1. Hälfte, 1873; — c) Denkschriften (philos.-histor. Classe) 22. Bd., 1873.

3683. — k. k. Central-Commission zur Erforschung und Erhaltung der Baudenkmale: Mittheilungen, Supplementband, 1874.

3684. — k. k. statistische Central-Commission: Mittheilungen aus dem Gebiete der Statistik, Heft 2, 1873; Heft 3—6, 1874.

C*

3685. Wien, die k. k. geografische Gesellschaft: **Mittheilungen**, 16. Bd. (der N. F. 6.) 1874.
3686. — Verein für Landeskunde in Niederösterreich: a) Vereinsblätter, N. F. 7. Jahrg., 1873; — b) Topographie von Niederösterreich (Schilderung von Land, Bewohner und Orten), 5.—7. Heft, 1873 und 1874;
3687. — österreichischer Alpenverein: Jahrbuch, 9. Bd., 1873.
3688. — der Tourist, 6. Jahrg., 1874.
3689. Würzburg, histor. Verein für Unterfranken und **Aschaffenburg**: Archiv, 22. Bd., 2. und 3. Heft, 1874.
3690. Zürich, antiquarische Gesellschaft: Mittheilungen, 18. Bd., Heft 3—4, 1873—1874.

3. Durch Ankauf.

3691. Darmstadt, vom Gesammtverein der deutschen Geschichts- und Alterthumsvereine: Correspondenzblatt pro 1874.
3692. Linz, vom Museum Francisco-Carolinum: 6. Bd. des Urkundenbuches vom Lande Oesterreich ob der Enns, 1872.
3693. Mainz, vom römisch-germanischen Central-Museum: die Alterthümer unserer heidnischen Vorzeit, 3. Bd., 4. Heft, 1874.

B. Für das Archiv.

I. Urkunden und Acten.

Die Frau Gräfin Therese v. K h u e n b u r g, geb. Gräfin v. G o ë s s, Sternkreuzordensdame in Graz, übergab das Familienarchiv ihres am 18. April 1870 verstorbenen Gemals, des k. k. Kämmerers, ehemal. st. st. Verordneten und Güterbesitzers Grafen Wilhelm v. K h u e n b u r g, unter dem Vorbehalte des Entleihungsrechtes der das Khuenburg'sche Geschlecht betreffenden Stücke für die Familienglieder.

Die Uebergabe betraf:

I. A h n e n p r o b e n f ü r:

A u e r s p e r g Andrä Trojan Graf, 8 Ahnen, Pergament, mit gemalten Wappen ohne Jahrz.

Dienersperg Franz Cajetan Freiherr v., 16 Ahnen, Papier, mit gemalten Wappen ohne Jahrz.

Kottulinski Franz Carl Graf, 16 Ahnen, Papier, mit gemalten Wappen, von c. 1720.

Khuenburg Policarp Wilhelm Graf, 16 Ahnen, ddo. 6. November 1667.

"   Ferdinand Graf, 8 Ahnen, vom Jahre 1670.

"   Max Josef Graf, 8 " ddo. 16. Nov. 1701.

"   Carl Josef Graf, 8 " " 12. Aug. 1706.

"   Gandolf Ernst Gf. 8 " " 23. Oct. 1765.

"   Franz Josef Gf., 8 " " 17. August 1786.
. Letztere sechs sämmtlich in vidimirten Copien des Staatsarchives ddo. 17. November 1836, ohne Wappen.

"   Franz Ludwig Graf, Gemal der Gräfin Maria Theresia Herberstein, 16 Ahnen, mit gemalten Wappen auf Pergament, ohne Jahrz.

"   Johann Nep. Graf, Sohn der ebengenannten, 16 Ahnen, auf Pergament mit gemalten Wappen ohne Jahrz.

"   Franziska Xaveria, geb. Freiin v. Dienersperg, auf 16 Ahnen ddo. 25. Februar 1838, auf 8 Ahnen ddo. 7. Juli 1830, beide Papier mit gemalten Wappen.

II. Genealogische Sammlungen.

Stammbaumentwürfe des Geschlechtes Khuenburg und mehrerer Familien, welche mit den Khuenburgern verschwägert gewesen, nebst genealogischen und familiengeschichtlichen Notizen, Excerpten aus Druckwerken und Manuscripten, einfachen Abschriften von Ahnentafeln, vielfach von der Hand des Grafen Wilhelm Khuenburg.

III. Urkunden.

Mehr als 200 Stück in Pergament und Papier, die Familie Khuenburg und ihre Besitzungen betreffend, die älteste datirt vom 11. October 1252, nach Jahrhunderten vertheilt gehören 5 Stück dem 13., 47 dem 14., 30 dem 15., 65 dem 16., die übrigen dem 17. und 18. Jahrhunderte an.

Unter ihnen befinden sich:

1523. 1252, 11. October, Udine. — Notariatsact, womit Cuono von Murucio von Arcano dem Conrad von . . . . . . (?) eine Hube zu Ripulic um 14 Mark Aquil. Münze verkauft. Orig.

1524. 1342, 14. September. Hermagor im Gailthale — Bernhart v. Chyenburch belehnt den Peter von Weizprjach mit 4 Aeckern. Orig. (Im Wappenschilde des S. eine fünfblätterige Rose.)

1525. 1395, 9. Juni, Burg Cormons. — Notariatsact, womit Friedrich v. Ungrispach sein Testament errichtet. Orig.

1526. 1395, 17. November oder December. Burg Cormons. — Notariatsact, womit Herrand Heus v. Ungrispach sein Testament errichtet. Orig.

1527. 1399, 23. Juli, o. O. — Bischof Albrecht v. Bamberg belehnt den Friedrich v. Kinburg mit den stiftischen Lehen des Hensel, Hewssens Sohn, bis zur Vogtbarkeit des Knaben. Orig.

1528. 1401, 24. Juli, o. O. — Hensl der Hewz von Chienburg belehnt den Ulreich, Otten's Sohn von Obervelach mit dem 10. Theile einer Hube daselbst. Orig.

1529. 1403, 8. März. — Gerichtsbrief des Hauptmannes zu Görz, Hanns von Rabat, mittelst welchem er der Witwe des Erhart Haewzz, Frau Margret und ihrem Sohne Hensel benannte Güter zuspricht. Orig.

1530. 1409, 25. Jänner, o. O. — Ottel nnd Wölfl Patutschnik reversiren ihrem Lehensherrn Hans dem Hewzzen von Chinburg wegen mehrerer Lehengüter im Gailthale. Orig.

1531. 1438, 1. Mai, o. O. — Die Niklasbruderschaft in Görz verkauft dem edeln Michel v. Vngerspach eine Hube zu Vngerspach in der Görzer Herrschaft. Orig.

1532. 1444, 18. Mai, o. O. — Jacob Wippacher versetzt in seiner grossen Noth für 50 Mark Ag. Pfennige dem edl vesten Michel dem Hewzz von Vngerspach den Saz an einer Hube zu Ober-Czerau. Orig.

1533. 1444, 22. September, Burg Cormons. — Notariatsact, womit die Processparteien, Priester Anton v. P. von Basilica pincta und Dominicus von Blesano, welche das Urtheil des Johann Heuss von Belgrado ansprachen, gerichtlich beschieden werden. Or.

1534. 1459, 16. August, Görz. — Johann Mainhard, Pfalzgraf zu Kärnten, Graf zu Görz und Tirol, belehnt den Michael Hewss von Vngerspach zur Belohnung seiner treuen Dienste mit dem „Stokett in der vestenn zu Vngerspach gelegenn, der vnser gewesen ist." Or.

1535. 1481, 19. August, o. O: — Gandolf v. Kyenwerg, Pfleger zu Vedrawn (Federaun), reversirt dem edel vesten Michel Heyss v. Hungerspach hinsichtlich einer Verschreibung bambergischer Lehengüter. Orig.

1536. 1489, 17. Juni, o. O. — Heinrich, Bischof von Bamberg belehnt den Friedrich Hewss mit benannten von seinen Vorfahren, zunächst seinem Vater Michael Hewss ererbten bambergischen Lehengütern im Gailthale. Orig.

Spätere Lehenbriefe über dieselben Güter aus den Jahren 1502, 1511, 1516 und 1542 im Orig. und 1575 in Abschrift.

1537. 1497, 16. März, Innsbruck. — König Maximilian vergleicht die Streitigkeiten zwischen dem Grafen Lienhart von Görz einer-, dann der von dem letzteren gefangen gehaltenen Magdalena, Gattin des Jacob von Orson, dem Stefan Hofer und Jobst unter der Vesten andererseits. Orig.

1538. 1502, 4. Februar, Görz. — Andreas de la Turre testirt, Notariatsact. Orig.

1539. 1502, 5. März, o. O. — Cunrat v. Hollnnegkh verkauft dem steirischen Landesverweser Caspar v. Khyennburg benannte Güter und Gülten zu Dietersdorf. Orig.

1540. 1506, 5. December, Salzburg. — König Maximilian belehnt den Christof Khuenburger den Aeltern für sich, seine Brüder und Vettern mit jenen im Gailthale in Kärnten gelegenen Lehenschaften des Herzogthums Kärnten, der Grafschaft Görz und der Grafschaft Ortenburg, welche die Khuenburger schon vom Kaiser Friedrich zu Lehen erhalten haben. Orig.

1541. 1511, 16. August, o. O. — Caspar v. Khiennburg, Verweser der Hauptmannschaft in Steyer testirt. Orig.

1542. 1515, 16. Mai, Görz. — Pertusius v. Cormons testirt, Notariatsact. Orig.

1543. 1525, 7. September, o. O. — Ferdinand, Infant von Spanien, Erzherzog von Oesterreich, Graf zu Görz, belehnt den Jörg Hewss von Hungerspach mit dem Thurme, Stocke und der Veste zu Hungerspach und weiters benannten Gütern. Or.

Spätere Lehensbriefe über dieselben Güter vom Jahre 1565 und 1571, beide ausgestellt vom Erzh. Carl. Orig.

1544. 1529, 9. Februar, Lienz. — Margaretha geb. Heussin v. Vngerspach, Gemalin des edlen Wilhelm Staudacher, quittirt ihrem Bruder Georg Heuss v. Vngerspach den Empfang ihrer väterlichen und mütterlichen Erbschaft. Orig.

1545. 1529, 7. April, Gradiska. — Der Görzer Edle Stefan Hofer testirt, Notariatsact. Orig.

1546. 1544, 16. Juli, o. O. — Georg Heys v. Kuenburg zu Hungerspach belehnt den Sigmund Wachter mit benannten Lehengütern in der Umgebung von St. Hermagor im Gailthale. Entwurf.

1547. 1555, 10. September, Salzburg. — Michael (v. Khienburg), Erzbischof von Salzburg, belehnt den Walthasar v. Khienburg mit mehreren dem Hochstifte lebenpflichtigen Gütern im Salzburgischen. Orig.

1548. 1558, 11. Jänner, Radstat. — Christof v. Khuenburg zu Khienegkh, salzburgischer Rath und Pfleger zu Mossheim, beurkundet seine Verehelichung mit Barbara, Tochter des Christof Graf zu Schermperg und Goldeckh. Orig.

1549. 1560, 16. October, Salzburg. — Erbeinigung zwischen den Söhnen des verstorbenen Christof von Khienburg zu Khienegg, Erasam, Christof und Michael, letzterer Erzbischof von Salzburg. Zugleich Begründung eines Familien-Fideicommisses durch Widmung des adeligen Sitzes Neukhirchen. Einf. Pap.-Abschr. des 17. Jahrh.

1550. 1568, 29. Mai, Salzburg. — Philipp v. Kienburg zu Trabuskhen verkauft seinen vierten Theil am Schlosse Brunnsee seinem Bruder Caspar v. Kienburg, Vicedom zu Leibnitz. Orig.

1551. 1573, 4. Jänner, Wippach. — Friedrich Heyss von Kumberg zu Vngerspach beurkundet seine Verehelichung mit Jungfrau Juliana Barbo zum Wachsenstein. Orig.

1552. 1574, 7. November, Salzburg. — Christof v. Khuenburg der Jüngere beurkundet seine Verehelichung mit Jungfrau Anna Schurff zu Schönwarth. Orig.

1553. 1575, 19. November, Graz. — Erzherzog Carl von Oesterreich-Steiermark belehnt die Khuenburger mit jenen kärntnischen, görzischen und Ortenburg'schen Lehengütern, welche schon ddo. 5. December 1506 Christof Khuenburger vom römischen Könige Maximilian empfangen hatte. Orig.

1554. 1581, 11. Juli, o. O. — Johann Ciriackh Freiherr zu Polhaimb belehnt den jüngern Christof v. Khuenburg, salzburgischen Pfleger zu Mosshaimb, mit zwei Zehenthäusern im Felde unter St. Mertten im Lungau. Orig.

1555. 1585, 13. December, Gmünd. — Hans Christof Pfluegel zum Goldenstein, salzburgischer Pfleger zu Rauchenkhätz und am Dornpach, verkauft dem Wilhelm Humbss, Rathsbürger und Handelsmann in Villach, benannte Güter um Vellach für 9000 Pfd. Pfenn. Orig.

1556. 1586, 31. October, Wolfsberg. — Bischof Ernst von

Bamberg belehnt die Frau Elisabet von Neuhaus, geb. v. Künburg, mit einem Hofe zu Tosshaw. Orig.

1557. 1589, 14. November, Graz. — Erzherzog Carl von Oesterreich-Steiermark belehnt den Wolf von Khuenburg als Lehensträger seines Sohnes Wilhelm mit benannten Lehensgütern, welche den Khünburgern nach Abführung eines Processes mit Mathias Hofer, Rathes und Hauptmannes zu Tybein, vermöge Abschiedes der innerösterreich. Regierung in Graz ddo. 5. August 1589 zugesprochen wurden. Vier abgesonderte Urkunden für die einzelnen Objecte. Orig. Ebenso vier Lehensurkunden an den Wilhelm Heiss von Khuenburg, gegeben vom Erzherzoge Ferdinand ddo. 9. November 1595. Orig.

1558. 1594, 22. Juni. o. O. — Adam und Ursula, beide eheliche Kinder des Georg Gasser, Bürgers und Schusters zu Vellach. verkaufen ihre ererbte Behausung im Markte Vellach, dem edl gestrengen Herrn Hanns Jacob v. Khienburg zu Prunnsee und Trabuschkhen. Orig.

1559. 1595, 3. Februar, Salzburg. — Wolf Dietrich (v. Raitenau), Erzbischof zu Salzburg, hat vermöge Kaufbriefes von demselben Tage seinem Rathe Hanns Jacob v. Khienburg die Herrschaft und das Schloss Landsberg sammt dem Markte daselbst, sammt allen Hoheiten etc., weiters eine Reihe näher benannter Huben im Sulm- und Lassnitzthale, das salzburgische Freihaus in Graz, ¼ Hof zu Bruck und den Gejaidhof zu St. Martin, gegen den Vorbehalt der Lehenschaft verkauft. Nachdem Hanns Jacob durch den Hanns Caspar v. Khienburg die Lehenspflicht geleistet hat, so belehnt der Erzbischof ihn mit den genannten Gütern. Orig.

1560. 1595, 12. April, o. O. — Hanns Jacob v. Khuenburg, fürstlicher Rath und Hofmeister in Salzburg. beurkundet seiner Gemalin Frau Maria Sabina geb. Pöll von Constein, zur Bezahlung der von ihm erkauften Herrschaft Oberlandsberg in Steiermark unter der Hypothek dieser Herrschaft 3000 Pfd. Pfenn. schuldig geworden zu sein. Orig., durchschnitten.

1561. 1598, 20. August, Gratz. — Erzherzog Ferdinand von Oesterreich-Steiermark bestätigt über die Bitte der Witwe Argula Pöllin, Oberhofmeister, den von ihrem Ayden Hanns Jacob v. Kienburg mit dem Erzbischofe Wolf Dietrich von Salzburg unterm 3. Februar 1595 um die Herrschaft Landsberg sammt Zugehör abgeschlossenen (wörtlich inserirten) Kaufvertrag. Orig.

1562. 1601, 27. December, Villach. — Wilhelm Humbs, Bürger und Handelsmann zu Villach, verkauft dem Hans Jacob v. Khienburg, erzherzogl. Rath und Kämmerer, dann Vicepräsidenten der innerösterreichischen Kammer, benannte Gülten und Güter um Vellach, wie ersterer sie (1585, 13. December, Gmünd) vom Hans Christof Pfluegel erkauft hatte, nun wieder um 9000 Pfd. Pfenn. Orig.

1563. 1602, 15. März, Rom. — Papst Clemens benachrichtigt den Patriarchen von Aquileja, dass der ehelichen Verbindung zwischen Wilhelm von Chunberg und Rachaela v. Postcastro unter Nachsicht der drittgradigen Verwandtschaftsverhältnisse, nichts im Wege stehe. Orig.

1564. 1602, 18. April, Graz. — Erzherzog Ferdinand von Oesterreich-Steiermark befreit das in der Judengasse zu Graz gelegene Haus seines innerösterreichischen Cammer-Vicepräsidenten, Rathes, Kämmerers und Hofmarschalls Hanns Jacob v. Khienburg von allen bürg. Lasten. Orig.

1565. 1602, 1. Juni, Graz. — Erzherzog Ferdinand von Oesterreich-Steiermark erhebt seinen innerösterreichischen Kammer-Vicepräsidenten und obersten Hofmarschall Hans Jacob v. Khüenburg und sein ganzes Geschlecht in den Freiherrenstand mit dem Titel „Freiherren v. Khüenburg auf Landtsperg." Orig.

1566. 1602, 16. Juli, Graz. — Hans Jacob v. Khienburg etc. verkauft sein vom Erzbischofe von Salzburg erkauftes Haus in der Herrengasse zu Graz dem Rathsbürger und Handelsmann Dietrich Maius daselbst. Orig.

1567. 1605, 12. December, Graz. — Erzherzog Ferdinand von Oesterreich-Steiermark belehnt die Khüenburger mit jenen kärntnischen, görzischen und Ortenburg'schen Lehengütern, welche schon vorhin (1506, 5. December und 1575, 19. November) ihre Vorfahren zu Lehen empfangen haben. Orig.

1568. 1607, 24. September, Graz. — Freiherr Hans Jacob v. Khüenburg auf Lan(d)sberg etc. errichtet in der durch ihn im Schlosse Landsberg erbauten St. Ruprechtscapelle eine Kaplanei. Orig.

1569. 1610, 11. März, Salzburg. — Wolf Dietrich (v. Raitenau), Erzbischof von Salzburg, belehnt seinen Rath und Kämmerer Hans Caspar v. Khienburg als Lehensträger der Kinder seines verstorbenen Bruders Hanns Jacob v. Khienburg mit mehreren Unterthanen und dem Drittel Getreide-Zehent im ganzen Burgfrieden von Landsberg.

1570. 1613, 1. Juli, **Klagenfurt** im Hoftaiding. — **Alban v. Mossheim** zu **Preblau**, Rath und Landesverweser in Kärnten, verkündet, dass der kärntnische Landschrannen-procurator Gabriel Dietrich als Gewaltsträger des Wilhelm Heuss von Khüenburg zu Rentschach und Ungerspach am nächstkommenden Martinstage (11. November) im Markte St. Machor (Hermagor) die den Heussen von Khienburg vom Stifte Bamberg geliehenen Afterlehen weiter verleihen werde. Orig.

1571. 1613, 1. August, **Graz.** — Erzherzog Ferdinand von Oesterreich-Steiermark erhebt benannte Glieder des Geschlechtes Khienburg aus allen bestehenden Linien zu Brunnsee, Neukirchen, Kottingbrunn und Ungersbach in den Freiherrenstand. Orig.

1572. 1618, 8. August, **Graz.** — König Ferdinand von Ungarn und Böhmen belehnt den Franz Heyss Freiherrn v. Khünburg als Gerhab des vom Wilhelm Heyss Freiherrn v. Khünburg hinterlassenen einzigen Sohnes Veit, mit benannten einst Hoferischen Lehen zu Görz. Orig.

1573. 1626, 14. September, **Graz.** — Kaiser Ferdinand II. belehnt (wie 1618, 8. August). Orig. Zwei Urkunden, verschiedene Objecte betreffend.

1574. 1628, 12. October, **Wien.** — Kaiser Ferdinand II. beurkundet den Verkauf zweier Zehente zu Hungerspach und Prabätsch in der Grafschaft Görz an Veit Heiss Freiherrn v. Khüenburg, nachdem dieser und vor ihm seine Eltern diese Zehende seit 14. Mai 1578 um einen Satz von 5000 fl. innehatten. Orig.

1575. 1629, 11. Juli, **Graz.** — Kaiser Ferdinand II. belehnt den Freiherrn Hans Ferdinand v. Khüenburg als Lehensträger seiner Gemalin Barbara Constantia mit einem Fischereirechte in der kleinen Lassnitz. Orig.

1576. 1630, 26. März, **Graz.** — Bischof Jacob v. Seggau belehnt die Freifrau Barbara Constantia v. Khuenburg, geb. Scheitt mit 18 Viertl Marchfutter zu Nassau, Pfarre St. Florian. Orig.

1577. 1630, 8. April, **o. O.** — Johann Rudolf v. Gemmingen, Deutschordens-Comthur zu Gross-Sontag und am Leech, schirmt der Freifrau Barbara Constantia v. Khiennburg geb. Scheitt einen nach Gross-Sonntag unterthänigen Weingarten zu Hermanitz, welchen sie nach ihrem Vater Freiherrn Policarp Scheitt ererbte. Orig.

1578. 1630, 15. April, **Regensburg.** — Gall Freih. v. Rackhnitz, kais. Kämmerer, verkauft sein Haus in der Herrengasse in Graz an den Freih. Hans Ferdinand v. Khienburg. Orig.

1579. 1631. 21. December, Schloss Peggau. — Georg Amblreich Freiherr v. Eybiswald etc. belehnt die Freifrau Barbara Constantia v. Khuenburg, geb. Scheitt, mit dem Dorfe Ober-Rosseckh und vier Hofstätten danächst. Orig.

1580. 1633, 21. April, Salzburg. — Der Salzburger Erzbischof Paris Graf v. Lodron belehnt seinen Kämmerer Freih. Hans Ferdinand v. Khüenburg als Lehensträger seiner Gemalin Barbara Constantia, mit 7 Huben und 1 Weingarten zu Lachendorf. Orig.

1581. 1637, 1. Februar, Graz. — Hans Wilhelm Galler Freih. zu Schwanberg, kais. Oberst und Oberhauptmann zu Creutz, verkauft seinen Hof im Nestlgraben bei St. Leonhard in Kärnten dem steirischen Landesverweser Freih. Hans Ferdinand v. Khüenburg. Orig.

1582. 1638, 10. Juni, Ranten. — Hans Ferdinand Freih. v. Khüenburg und Hans Jacob Egartner v. Ranten verwechseln gegenseitig benannte Unterthanen. Orig. mit Petsch. des Egartner.

1583. 1638, 1. December, Graz. — Die Witwe Elisabeth Gaglin verkauft ihren Tallingerhof vor der Stadt Radkersburg dem Freih. Hans Ferdinand v. Khienburg. Orig.

1584. 1645, 14. August, Salzburg. — Der salzburgische Statthalter Franz Virgil, Bischof von Chiemsee, beurkundet einen Vergleich der Erben nach dem 1605 verstorbenen Freih. Christof v. Khienburg, verbunden mit einem Arrangement der durch den Freih. Carl v. Khienburg eingegangenen Verbindlichkeiten. Orig.

1585. 1657, 13. September, Graz. — Heiratsvertrag des Freih. Sigmund Ludwig v. Khienburg mit Anna Maria Freiin v. Eybeswald. Orig.

1586. 1665, 2. September, Wien. — Kaiser Leopold I. erhebt näher benannte Angehörige des Geschlechtes der Freiherren v. Khuenburg in den Grafenstand des Reiches und der Erblande mit dem Titel „Hoch- und Wohlgeboren." Orig. Pgmt in rothem Sammt gebunden.

1587. 1669, 4. Februar, Wien. — Kaiser Leopold I. gedenkt gnädig der Verdienste des uralten Geschlechtes der Freiherren v. Khienburg auf Khienegg, benennt von den eben lebenden Sprossen besonders den Maximiliar Gandolf als regierenden Fürsterzbischof von Salzburg und erhebt das ganze Geschlecht der Freiherren v. Khienburg in allen zur Zeit lebenden männlichen

Sprossen, in den Grafenstand des deutschen Reiches und der Erblande mit dem Prädicate „Hoch- und Wohlgeboren", unter Bestätigung ihres von uralten Zeiten geführten adeligen Wappens, welches jedoch gemalt in der Urkunde nicht vorkommt. Orig. Pgmt., buchförmig in rothem Sammt gebunden in zwei Exemplaren, deren eines an goldener Schnur eine goldene Bulle trägt. Das zweite Exemplar hatte das gewöhnliche grosse kais. Insiegel anhängen, welches abgeschnitten wurde.

1588. 1675, 24. April, Pfarrhof Guttaring. — Martin Primus von Stang, kais. Rath und Comes Palatinus, widmet dem durch Feuersbrunst ruinirten St. Bartholomäus-Collegiatstifte zu Friesach in Kärnten 3000 fl. und gründet damit zugleich ein Beneficium, dessen Patronat er auf das gräfliche Haus Khüenburg überträgt. Das Consistorium zu Salzburg approbirt diese Stiftung ddo. Salzburg, 9. September 1675. Orig. des Stiftbriefes, 2 Abschriften mit Orig.-Approbationen.

1589. 1678, 27. April, Wien. — Kaiser Leopold I. verleiht über die Bitte des Salzburger Erzbischofes Max Gandolf Grafen v. Khüenburg den nächsten Anverwandten desselben, Christof Sigmund, Franz Wilhelm und Johann Jacob, alle drei Grafen v. Khüenburg etc., das Incolat im Königreiche Böhmen. Orig. in drei nahezu gleichlautenden abgesonderten Urkunden.

1590. 1682, 10. Jänner, Graz. — Kaiser Leopold I. belehnt seinen Kämmerer Johann Maximilian Grafen v. Khienburg mit mehreren Stücken und Gülten zu Loschendorf. Orig.

1591. 1714, 30. September, Graz. — Kaiser Carl VI. gibt den Erben nach dem verstorbenen geh. Rathe und steierm. Landesvicedome Johann Max Grafen v. Khienburg, über die auf die Zeit vom 26. September 1706 bis 11. September 1711 gelegte Amtsrechnung, den Reitbrief. Orig.

1592. 1735, 28. Mai, o. O. — Eleonora Amalia Reichsfürstin zu Schwarzenberg als Vormünderin ihres Sohnes, Erbprinzen Josef Adam Fürsten zu Schwarzenberg, belehnt den Grafen Maximilian Sigmund v. Khienburg, salzburgischen Grenadierhauptmann zu Freiburg im Breisgau, mit dem Zehent zu Althofen im Lungau als einem Beutellehen der Herrschaft Murau. Orig.

1593. 1745, 16. November, Salzburg. — Erzbischof Jacob Ernst v. Salzburg belehnt den salzburgischen Landobersten Maximilian Sigmund Grafen v. Kuenburg mit benannten Gütern im Lungau. Orig.

1594. 1748, 8. Juli, Salzburg. — Der Salzburger Domprobst Johann Reichard Graf v. Gallenberg belehnt während der Sedisvacanz nach dem Erzbischofe Andrä Jacob, den Grafen Maximilian Sigmund v. Khuenburg mit benannten Huben im Lungau. Orig.

1595. 1758, 18. Mai, Trient. — Johann Bapt. Freih. Gentilott zu Engelsbrunn belehnt den Grafen Maximilian Sigmund v. Khienburg, salzburgischen Hofkriegsraths-Director, Landobersten und Commandanten der Festung Salzburg, mit mehreren Beutellehen im Lungau. Orig.

1596. 1764, 25. Juni, Klagenfurt. — Ehevertrag zwischen Johann Nep. Grafen v. Khünburg, k. k. Kämmerer, Hofcameral-Repräsentanten und Oberstbergmeister in Kärnten, und Maria Anna Gräfin von Lodron-Laterano. Orig.

1597. 1779, 18. October, Wien. — Kaiserin Maria Theresia gestattet dem Freih. Franz Xaver v. Hingenau in dem zu seiner Herrschaft Ottersbach in Steiermark gehörigen Dorfe Grossklein jährlich zwei Viehmärkte, am 25. April, dann am Montage nach Jacob und Anna abhalten zu lassen. Orig.

1598. 1798, 31. December, Graz. — Vergleich zwischen dem Grafen Caspar Wilhelm v. Khuenburg einer-, dem Grafen Carl v. Attems als Curator des m. Grafen Alois v. Khuenburg andererseits, die Erbschaft nach der Gemalin des Erstgenannten, zugleich Mutter des Grafen Alois, weiters den Nachlass des verstorbenen Lavanter Bischofes Grafen Gandolf Ernst v. Khuenburg und die Uebernahme der Herrschaften Burg Schleinitz und Frauheim in Untersteier durch den Grafen Caspar Wilhelm betreffend. Bestätigungsclausel des steierm. Landrechtes als Vormundschaftsbehörde ddo. Graz, 29. März 1799, dann Vormerk der Eintragung in die Landtafel vom 25. September 1799. Orig.

Fernere schenkten die Herren:

Johann K r a i n z, Volksschullehrer und Bezirkscorrespondent in Oberwölz:

1599. 1421, 6. April, o. O. — Thomas Gressing in der Polan bescheinigt den Empfang von 20 Pfd. Wiener Pfenn. als des Erbtheiles seiner Ehefrau nach ihrem verstorbenen Vater Rueplein an der Huben und entsagt weiteren Ansprüchen. Sigler der erbar veste Hanns von St. Peter, derzeit Amtmann zu Welz. Orig. Pgmt., Siegel fehlt.

1600. 1561, Sonntag Lätare, o. O. — Die Zechmeister der Pfarre St. Martin in Oberwölz, Dionis Mabilla, Bürger zu Oberwölz, und Veit Mayr im Lercha, urkunden über die Besitzrechte des der Pfarrkirche in Oberwölz unterthänigen Cristan Zechner zu Winklern. Orig. Pgmt., 2 hgde. Petsch. der Aussteller.

1601. 1708, 25. April, Freising. — Bischof Johann Franz zu Freising belehnt den nunmehrigen Abt Anselm zu Admont mit dem sogenannten Langenangerischen Burgfried nächst Oberwölz. Orig. Pgmt. 1 hgd. Sigel des Ausstellers.

1602. 1735, 24. Jänner, Freising. — Bischof Johann Theodor von Freising und Regensburg belehnt den Johann Josef Aichtinger mit einer Alpe, die Eden Kheserin genannt, welche Aichtinger sammt dem Schlosse Feistritz vom Priester Johann Josef Morell erkauft hatte. Orig. Pgmt., das Siegel ist abgeschnitten.

1603. 1766, 17. December, Freising. — Clemens Wenzel, Bischof zu Freising und Regensburg, belehnt den Abt Berthold zu St. Lambrecht mit einem Hofe, zwei Huben und anderen vom Stifte zu Lehen rührenden Gütern zu Feistritz (bei St. Peter am Kammersberg). Orig. Pgmt., 1 aufgedr. Siegel.

Dann noch 16 andere Urkunden u. dgl. auf Pgmt. und Papier vom 17. Jahrhunderte herwärts, verschiedenen geringfügigen Inhaltes. Ebenso Regesten von im Marktarchive zu St. Peter am Kammersberge hinterliegenden, dann derlei von verschiedenen auf die Freising'sche Herrschaft Rotenfels bezughabenden Urkunden, endlich mehrere Abschriften von Documenten dieser Archive.

Georg Spielberger, k. k. Steuereinnehmer in Gröbming:

1604. 1633, 14. März, Pichelhof. — Vergleich zweier Pichelhofer Unterthanen nach einem gehabten Besitzstreite. Siegler der Grundherr Thoman Frayd. Vidim. Abschrift vom Jahre 1719.

Wenzel Wiskotschil, Bürger in Oberwölz:

1605. 18. und 19. Jahrhundert. — Fünf Fascikel-Acten, die Müller- und Bäckerzunft in Oberwölz betreffend.

II. Handschriften:

Sämmtlich Geschenke, u. z. von den Herren: Anton Aust, praktischer Arzt und Bezirkscorrespondent in Gaal:

499. 1598—1641. Kirchenrechnung des Gotteshauses Maria Burg bei Judenburg.
500. 1718, 1. Mai bis 1719, letzten April. Amtsrechnung der Herrschaft Wasserberg.

Carl de Buigne, Ingenieur in Feldbach:

501. Zwei Aufsätze: a) Zur Erklärung einiger slavischer Ortsnamen in Steiermark. b) Nordische Sprach- und Völkerreste von der Raab bis zur Mur.

Carl Arbesser von Rastburg, Güterbesitzer zu Schloss Spielberg in Obersteier:

502. 2 Pergamentblätter und 10 Papierblätter von Buchdeckeln abgelöst, mit griechischen Handschriften aus dem 12. und 13. Jahrhunderte, religiösen Inhaltes ohne Belang. Die beiden Pergamentblätter bieten Bruchstücke aus einer 1. und 2. Homilie, wahrscheinlich des Origenes.

C. Für die Kunst- und Alterthums-Sammlung.

1127. 40 Stück verschiedene Römermünzen. Geschenk des Herrn Anton Meixner, Caplans in St. Veit am Vogau.
1128. Zwei Stück Römermünzen. Geschenk des Herrn Anton Sohler in Pettau.
1129. Ein altes Aquarellbild, darstellend die Leiche des Kaisers Maximilian I. mit der Papsthaube. Ueberschrift: „MAXIMILIAN· REMISCHER KAISER· | GEPORN· 1459· AM· 22· TAG· MARCI· | VERSCHIDEN· 1519· AM· 12· TAG· JANVARI· VND | DARNACH — CONTERFET· WORDEN.“ Vermächtniss des kais. Rathes Pfarrers Dr. Richard Knabl.
1130. a) Photographie einer mittelalterlichen Steinsculptur, Christus am Kreuze vorstellend; b) Photographie eines Kreuzpartikels in reichverzierter Einfassung, beide nach den im Benedictinerstifte St. Paul im Lavantthale befindlichen Originalien. Geschenk des Herrn k. k. Notars u. Bezirkscorresp. J. C. Hofrichter in Windischgraz.
1131. Ein türkisches Druckblatt, aus einer Moschee in Konstantinopel, Geschenk des Herrn Kastner, vermittelt durch Herrn Gymnasialdirector Dr. G. Fuchs in Leoben.

— ❦ —

GEDENKBUCH

DES

HISTORISCHEN VEREINES FÜR STEIERMARK.

(Zufolge Beschlusses des historischen Vereines für Steiermark in der XV. allgemeinen Jahres-Versammlung am 5. Dezember 1864 für verstorbene verdiente Vereins-Mitglieder angelegt.)

Richard Knabl.

Dr. Friedrich Pichler.

Die römische Alterthumsforschung in den östreichischen
Ländern, angeregt durch die fahrenden Italiker des 15. Jahrhunderts, ist in ihrem vollen Zusammenhange aus der Renaissance des Reformations-Zeitalters zu verstehen. Die Fülle der
Leistungen, die wir unter den Namen eines Antiquus Austriacus
und dessen Nachgänger Peutinger, Choler, eines Boissardus
(c. 1506), Augustinus Tyffernus (1507), Apianus (1534), Aven-
tinus, Lazius (1551), des Codex Dati, weiterhin eines A. Ma-
nutius, P. Lambecius (1665) begreifen, führten im vorigen
Jahrhunderte zu den Forschungen eines Jordan (1745), Erasm.
Frölich (beziehungsweise Muratori, bis 1758), Milles-Pococke
(1752), um zuerst mit Jos. Hil. Eckhel (1737—98) zugleich
mit der Absicht auf ein allgemein östreichisches Inschrift-
sammelwerk in weitere Kreise zu dringen. Nach Marini's vati-
canischen Scheden sind zunächst Hormayr's Archiv (1807,
Fortführung Riedler bis 1833), des einflussreichen A. Stein-
büchel Publicationen (besonders in den Wiener Jahrbüchern
seit 1829), Ad. Schmidl's „Oesterreichische Blätter" (1844—48),
J. Arneth's Musealbücher (1845, vollständig durch Sacken-
Kenner 1866), J. G. Seidl's Einzelaufnahmen und Zusammen-
tragungen (namentlich in der „Chronik archäologischer Funde"
seit 1840, fortgesetzt von Kenner 1860), endlich zuletzt die
Schriften der k. k. Akademie der Wissenschaften in Wien seit
1848, die „Oesterreichischen Blätter für Literatur und Kunst"
1853 und die Schriften der k. k. Central-Commission seit

C*

1856 die Fundgrube für inscriptionelle Sammlungsbestrebungen geworden, welche, nach einem unzeitgemässen Wassertriebe in Steiners Codex inscriptionum romanarum Danubii et Rheni (1862—64), in dem von der k. preussischen Akademie der Wissenschaften herausgebenen Corpus inscriptionum latinarum 1863 (speciel vol. III 1873 p. 1, 2) einen canonartigen Ausdruck gewonnen haben.

Zweigen wir auf das Sondergebiet der Steiermark ab, so sehen wir Joh. Macher (Græcium 1700), Aq. Jul. Cäsar (1768), K. Mayer auf unsicheren Fährten Lazius, Gruter und Schrott folgen (1782), J. K. Kindermann (1790) noch die alte meist kritiklose Schule vertreten, bis das Zurückgehen auf die Originale in den Zeitschriften „Aufmerksamer" 1812—42, 1856—57 „Stiria" 1843—48, „Steiermärkische Zeitschrift" 1821—34, in den Compilationen von K. Schmutz 1822 zu den neuen, die Wahrheit und Vollständigkeit wenigstens beabsichtigenden Versuchen von Albert Muchar führt. Was der genannte unermüdliche Historiker seit 1823 in seiner „Geschichte des römischen Noricum" und seit 1844 in seiner „Geschichte des Herzogthums Steyermark" speciel für das Inschriftwesen des römischen Alterthums geleistet, drängte an zahlreichen Orten zu Sicherstellungen der Schriftzüge, der Zeilenreihen, der Auslegungen, der Literaturquellen, so dass frühzeitige Vorsicht gegen den Gebrauch der Inschriftdenkmäler (wie sie in G. I 345, II 338, III 396 angereiht sind, viele in gutem Vertrauen auf Freundeshand gegeben) uns mancherlei verschleppte Irrthümer erspart hätte. Sehen wir nun in die Zeiten nach Kindermann, in die Bestrebungen, mit eigenen Augen zu schauen und mit dem Volke durch zeitschriftliche Belehrung Contact zu erhalten, den Mann eintreten, dessen Andenken diese Zeilen zu erhalten beabsichtigen.

Richard Thaddäus Knabl, Sohn des Bürgermeisters, dann Magistratsrathes Dr. iur. Ambros Knabl (Knäbl) und der Maria Anna, geb. Huemann, wurde zu Grätz geboren den 24. October 1789, wenige Tage vor Eintreffen der Eroberungsbotschaft aus Belgrad, wenige Wochen vor der Geburt des Historikers

J. A. Kumar. Knabl's Vaterhaus stand in der Färbergasse, damaliger Zählung 85, neben der „goldenen Krone", welche 1785 J. G. Fischer, 1798 G. Panzer besass und scheint dieses Heim noch über des Vaters Tod (um 1799) hinaus im Besitze der Familie geblieben zu sein, als der Sohn schon die ersten kirchlichen Aemter auf dem Lande bekleidete. Im Sinne des verbesserten Volksunterrichtes in der, nur sechs Häusernummern entfernten k. k. Normalschule vorbereitet, bezog R. Knabl das Gymnasium und Lyceum der Vaterstadt um 1799 (bis 1807) und absolvierte die theologischen Studien 1808 bis Sommer 1811. An diesen Anstalten lehrten damals u. a. Kruschnig, A. Pacher, J. Welisch, Kirchstätter, Gottweis, Vogtner, Rainer, Weinreiter, Endres, Dr. Wolf, U. Speckmoser, Dr. Neumann, Dr. Jüstl und Wartinger (1806, 1808). Die Zeiten waren kriegerisch und machten die Standesentschlüsse rascher reifen. Der mütterliche Einfluss scheint in den Jahren grossen Wirrsals und ökonomischen Schwankens den Ausschlag gegeben zu haben. So feierte denn der mit Auszeichnung studierende Alumnus, der, unter Kriegserzälungen aufgewachsen, manchen seiner Gefährten hatte dem Waffendienste zueilen und endlich den Kriegsschreck in seine Vaterstadt getragen sehen, — (der zwanzigjährige Mann beobachtete mit einer Art Erfolg die Gefechte bei Leonhard, 26. Juni 1809, vom vierstöckigen Gymnasialgebäude der Hofgasse, genannt Taubenkobel, vgl. Mitth. XV. 54 und Peinlich's Gymnasialprogramm 1874 S. 103, 121, 132) — dem Welttreiben abgewandt, seine Primiz im Jahre der Joanneumsstiftung, am 29. December 1811 in St. Andreä zu Witschein bei Ehrenhausen. Im folgenden Jahre seit 6. Februar als Kaplan zu St. Andreä in Neudau angestellt, dem Geburtsorte des Schriftstellers Max Schimek, sollte er durch Vermittelung des Landesgouverneurs Grafen F. Bissingen-Nippenburg eine Erzieherstelle in Innsbruck übernehmen; aber solange ihm die Mutter lebte, gedachte er von seiner lieben Murstadt sich nicht allzuweit zu entfernen. Die sechs Jahre grätzer Aufenthaltes seit 1814 (er war mit 13. Mai als Kaplan zur Stadtpfarre gekommen) brachten mancherlei Wendungen. Nach

Kumar's einsamem Tod zu Wien, nach der feierlichen Einführung
der Landwirthschafts-Gesellschaft durch Erzherzog Johann (1819),
welche den Kaplan der Stadtpropstei nur mittelbar berührten,
begab er sich nach der Pfarre St. Donat in Altenmarkt bei
Fürstenfeld, der Malteser-Commende gehörig (1820), alsdann
nach aber sechs Jahren finden wir Knabln zu St. Georgen in
Klöch bei Halbenrain. Hier verblieb er als Pfarrer durch
10 Jahre, namentlich in eifriger landwirthschaftlicher Thätigkeit
sich hervorthuend, so dass er des Erzherzogs Johann Aufmerksamkeit auf sich lenkte. Jetzt, als ein Mann von 49 Jahren,
in seiner Gesundheit nicht unversehrt, strebte er der Vaterstadt zu, um hier in seiner Stellung als Vorstadtpfarrer in der
Karlau (1838) erst als Fachmann sich vorzubereiten und
öffentlich aufzutreten.

Bisher waren Knabln die alten Sprachen lediglich vom
kirchlichen Standpunkte aus wichtig gewesen und man weiss,
dass Oestreich auch für diesen engen Standpunkt keine
mustergiltige Schule gezogen hat. Aus solchen ziellosen Zuständen rettete höchstens die Autodidaktik, aber in neun Fällen
unter zehn führte sie zu einem grundschwanken und aufge-
blasenen Dilettantismus, der auf Zeit und Ort verblüffend
wirken konnte. Man kann es R. Knabln nicht nachsagen, dass
er mit Uebereilung und etwa verführt durch einflussreicher
Kreise patriotische Anreizungen an die antiquarische Er-
schliessung seines Heimatlandes geschritten sei. Noch liess er sich
erst durch J. Wartinger, den 16 Jahre älteren Archivar des
Joanneums, in den Räumen dieser Anstalt in die Epigraphik
einführen und ergriff auch die griechische und römische Numismatik; er trug in jedem Sinne noch die Bausteine. Aber der
Complex römischer Schrift- und Reliefdenkmäler, welcher
1827—35 aus den seckauer Schlossbauten gewonnen und durch
Caspar Harb als eine Art offenen Museums aufgestellt worden
war, sowie die übrigen Reste des leibnitzer Feldes lenkten
den achtsamen Forscher alsbald zur concreten Frage, welchem
stadtartigen Römerorte diese Reste angehören. Und er wies
die bisherigen unsicheren Angaben, welche auf dem leibnitzer Felde

des Ptolemäus Muroela, auf dem Zollfelde des Plinius Solva
suchten, entscheidend ab, nicht ohne Wartingers Einspruch,
zunächst ohne damit in politisch hochgehenden Zeiten besondere Beachtung zu erwerben. Aber wie er auch die Gelehrten
überzeugte, darunter Hammer-Purgstall, ebenso wenig rottete
er die, wohl auf dem Buchwege eingepfropfte Volkssage aus,
die heute noch Muroela hüben, Sala drüben kennt. Indem
wir die Reihe seiner Schriften, welche mit der Abhandlung
beginnen: „Wo stand das Flavium Solvense des Plinius?"
(abgeschlossen den 31. März 1847, erschienen in den „Schriften
des hist. Vereines für Innerösterreich", I. 1848, 1 Karte, 258
Abbildungen) später vollständig aufweisen, holen wir nach, dass
Knabl bisher seit 1840 an der Gründung des Dreiländer-
Vereines für Geschichte (historischer Verein für Innerösterreich,
d. i. Steiermark, Kärnten und Krain) lebhaften Antheil genommen und bei demselben als Provinzialdirections-Mitglied
bis zur Neuconstituierung vom 21. Juni 1849 ausgeharrt hatte.
In das Jahr 1845 war die Untersuchung der römischen Alterthümer zu Altendorf, Pfarre St. Johann im Draufelde, gefallen,
worüber Knabl's Nachrichten erst jüngst ans Licht gebracht
worden sind. (Mitth. XXI, 3—14.) Zur Zeit seiner solvenser
Schrift war Knabl Mitglied des Central-Ausschusses der k. k.
steierm. Landwirthschafts-Gesellschaft, des Gartenbau-Vereines,
Mitglied des geognostisch-montanistischen, des Industrie- und
Gewerbe-Vereines in Inneröstreich und seit der Neubildung
des speciel steiermärkischen Geschichts-Vereines, zwei Wochen
nach A. Muchars Tode, mit wenigen Unterbrechungen Mitglied
des Vereins-Ausschusses. Der erste Band der Publicationen
dieser Gesellschaft (1850) brachte an erster Stelle eine Knabl'sche
Abhandlung und von den 21 Bänden bis 1874 sind nur 3
(X, XI, 1861—62, XIX 1871) ohne Knabl'sche Beiträge, dafür
manche mit mehreren. Nachdem er als Stadtpfarrkaplan 1848
das poetische Buch „Gesinnungen und Gefühle", Gratz 4⁰, und
als Pfarrer in der Karlau im Jahre 1851 eine „Sammlung
kurzer Homilien über die sonntäglichen Perikopen des katholischen Kirchenjahres" herausgegeben, auch die Ausschussge-

schäfte für Leitung der Pastoralconferenzen übernommen hatte,
bezog er 1852, in welchem Jahre er auch die Ehrenmitgliedschaft des krainischen Geschichts-Vereines erhielt (30. Juli),
die Vorstadtpfarre St. Andreä, welcher er bis zum Lebensende
durch 22 Jahre vorstand. Das k. k. Ministerium bestellte den
würdigen Mann zum Commissär für theoretische Staatsprüfungen
aus der Geschichte (1855), das fürstbischöfliche seckauer Ordinariat zum Prüfungs-Commissär in der Religionslehre an der
st. st. Oberrealschule und ernannte ihn (1857, 22. März) zum
geistlichen Rathe sowie im gleichen Jahre zum Stellvertreter,
des Conferenzleiters der dazumaligen Lehrerversammlungen.
Im Jahre 1862 war sein wissenschaftliches Ansehen so bekannt,
dass gelegentlich seines 50jährigen Priesterjubiläums, gefeiert
am 1. Jänner, die philosophische Facultät der Universität Grätz
sich mit ihrem Doctorsdiplome einfand (ddo. 31. October 1861),
welche Auszeichnung Dr. Knabl zeitlebens so hoch zu schätzen
gewusst hat, dass er der Hochschule seine Sammlung antiker
Münzen (816 St., 2 Gold, 283 Silber, 531 Bronze, davon 85
Griechen, 151 römische Republik, 580 römische Kaiser) für
den archäologischen Unterricht schon im Jahre 1867 abtrat
und dieselbe auch zur Erbin seiner Bibliothek (1456 Bände
und Hefte, betreffend Theologie, kirchliche Kunst, Profan-
geschichte, Geographie, Epigraphik, Numismatik, Archäologie,
Biographik, Classiker, Heraldik, Linguistik, Mathematik, Recht,
Poesie, Philosophie, Politik, Landwirthschaft etc.) einsetzte.
Der Kaiser verlieh im Mai dem Jubilar das goldene Verdienstkreuz
mit der Krone. Im Jahre 1864, 7. (19.) März folgte die grosse
goldene Medaille für Kunst und Wissenschaft, 1868 27.
April die taxfreie Verleihung des Titels eines kaiserlichen
Rathes, endlich 1869 zum Achtzigjahrfest eine Reihe von
Beglückwünschungen seitens des k. k. Münzen- und Antiken-
Cabinetes in Wien, der Universität in Grätz, der Geschicht-
Vereine von Steiermark, Kärnten und Krain. Noch nahm der
Greis lebhaften Antheil an allen Lebensentwickelungen, er gab
der Kirche was der Kirche ist, pflegte seiner Landwirthschaft
im Unterlande (bei Gams; im Weingarten eingemauert der

Grabstein C. i. l. Nr. 5315, nuper quaesivit G. Wilmanns nec reperit), vervollständigte seine Handschriften, beschaute sich hinwieder Land und Leute und trat ab und zu als Redner in den Versammlungen des Geschicht-Vereines auf. Als solcher durch eine kräftige, freie, autoritative Redeweise volksthümlich einwirkend, hatte er bisher behandelt: Die abrudbanyer Tabulae ceratae des ungerischen Nationalmuseums, welche er auf der laibach-pester Reise von 1851 kennen gelernt, geläufig aus Massmanns Werke 1836 (Versammlung 1852, 21. April); die Instruction über Ausgrabungsweise für die Vereinsmitglieder und Correspondenten (1853, 9. April); die Frage über die Buchstabenschrift der Kelten und deren Münzimitationen, die Bronzewaffen von Kindberg (1855, 22. März); die Latuvici- und Ravis-Münzen mit Bezug auf den Münzfund von Lemberg bei Cili 1829, 1830 (1856 12. März); den wahren Zug der römischen Strasse von Cili-Pettau, von drei angeblichen Richtungen die kürzeste auf Grund von Substructionen wählend (1857, 1. April); den wahren Zug der Römerstrasse von Virunum nach Ovilaba, statt zweier Richtungen die eine festsetzend (1858, 24. April); die cilier Schriftsteinfunde, an Wichtigkeit ähnlich dem Dutzend von 1853 (1859, 16. April); Zeit und Dauer der Theilung Noricums, in's Jahr 311 gesetzt (1860, 21. März); die Bronzestatuette der Celeia (1862, 25. Juni); die Lage des Mons Cetius als Grenze von Noricum und Pannonia; Knabl's Erlebnisse zeitens der Franzoseninvasionen 1797, 1805, 1809 (1865, 5. December, vgl. Mitth. XV, S. 27, 54); Tangl als Epigraphiker und Kenner antiker Kunst, mit Rücksicht auf dessen Schrift über Römerdenkmäler bei Warasdin (1867, 5. Dec.); den Fund von 553 keltischen Münzen in Doberna-Retje (1868, 8. Dec., Knabl Vorsitzender). Vom Jahre 1870 ab sprach er noch öffentlich über die römische Zweigstrasse von Celeia nach Virunum und einen jüngst gefundenen Römerstein zu Pettau (Versammlung vom 30. Juni), betheiligte sich im Jahre 1871, in welchen ihm wie K. G. R. v. Leitner und Dr. Goeth die Ehrenmitgliedschaft des Geschicht-Vereines übertragen und die Absicht verfolgt wurde, seine solvenser

Schrift in Neubearbeitung auszugeben (vgl. Mitth. XVIII 32, 35 und XXI, S. LXXV), an der Tagfahrt zum hochinteressanten Palimpsest des Egronier- und Liechtenstein-Denkmales zu Frauenburg (vgl. corp. inscr. lat. III. 2 p. 1047 Nr. 6516, dagegen Mitth. XIX. 204); sprach 1872, 29. April über die Bauschriften von Lambesa in Afrika mit Bezug auf den Celeianer T. V. Clemens (vgl. Wilmans Exempl. inscr. lat. Berol 1873, Nr. 785, 1260, Gerhard eph. archäol. n. s. 1870, Annuaire de Constantine 1868, 479), um endlich, nachdem er im Sommer 1873 die Stelle der Villa-Aushebungen bei Ehrenhausen besehen, im Herbste die erste Wanderversammlung des Geschicht-Vereines zu Leoben mitgemacht und Mayer-Melnhof's Toast auf den 84jährigen Nestor 12 Tage vor seinem Geburtsfeste rüstig entgegengenommen, ein letztes Mal als gelehrter Redner über die Ausgrabung der römischen Villa zu Reznei aufzutreten am 30. Jänner 1874. (Mitth. XXII, S. XXVII) Die Darstellung war sprunghaft, nicht erschöpfend, alte Lesefrüchte auf das Object nicht wohl anpassend, die Kraft trotz energischer Anläufe intermittierend. Mit dem Frühlinge verfiel die ausdauerreiche Natur des Greises, welchem vor Jahren ein derber Fall zu Bad Rohitsch ausser einer Stirnschramme kaum merkliche Folgen hinterlassen hatte. Ein kurz verlaufendes Kranksein endete das Leben des Ehrwürdigen am Freitage den 19. Juni Nachmittags 3 Uhr. Das Beileid, insbesondere seines Pfarrvolkes, war aussergewöhnlich. Sonntag den 21. Juni um 3½ Uhr Nachmittags wurde der Pfarrherr aus seinem Hause getragen und durch eine grosse Schaar von Verehrern zu seiner Ruhestätte auf dem Friedhofe von Steinfeld begleitet.

Viele seiner Zeit- und Fachgenossen sind ihm vorangegangen, zuerst Muchar (1849, *1786), Pratobevera (1857, *1811), darauf der Erzherzog, sein Gönner und Verehrer (1859, *1782), Abt Ludwig von Reun (1861, *1792), Wartinger (1861, *1773), Tangl (1866, *1799), Schreiner (1872, *1793) und Goeth (1873). An Lebensdauer nur von Wartinger übertroffen, schien der Greis, klein von Statur aber starken gedrungenen Baues, die Stirne breit und hoch, die lebhaften Augen kräftig überwölbt, die Mundhaltung strenge, der Gesichtsteint frisch gebräunt, die Stimme tönend und selten ohne Pathos und Salbung, noch auf ein Jahrzehend für das Leben bestimmt. Er war jederzeit aufgeweckt, unternehmungsbereit, voll von Entwürfen, dabei ausharrend, gewissenhaft, unverdrossen auf der Landwanderung wie in der Stubenarbeit, im Leben mässig, einfach, wohlwollend, im Umgange etwas Hofmann, den Armen liebreich, den Anstalten ein selbstloser Förderer, den Gegnern scharf und herb ohne Hehl und Umkehr, in Allem der wirklichen Welt realistisch zugekehrt oder sie sokratisch belächelnd.

Knabl's Forschungsgebiet war, wie schon aus seinen Vorträgen erhellte, vornehmlich die römische Topographie von Noricum und Pannonien, mit besonderer Rücksicht auf Steiermark, so zwar, dass in erster Linie die römischen Schriftsteine des Landes, dann die Münzen, die Strassenzüge, die Baureste zum Betracht herangezogen werden. Das Reliefwesen gieng mehr als wünschenswerth nur neben her und die Keltologie, zu welcher das Steinschrift-Namenwesen und die münzlichen Funde einluden, ward auf dem bedenklichen Standpunkte betrieben, der ohne vergleichs-philologische Vorschulung und ohne den weiten Völkerblick erreicht werden kann. Innerhalb der gezogenen Grenzen war Knabl's Auge scharf sehend, der alten Autorität misstrauend, mit Glück unterscheidend, der Fleiss im Zusammentragen der Parallelen ein höchst unverdrossener, hierauf die Auslegung eine zuversichtliche, wenngleich vorwiegend populär-breit gehaltene, wie sie in persönlicher Rede auf's Ziel wirkt. Knabl's schriftlicher Darstellung ist daher, so sehr sein Stoff abzuliegen scheint, sehr leicht zu folgen, er räumt die Schwierigkeiten rechts und links aus dem Wege, so dass seine Leistung schliesslich leichter scheint, als man sie schätzen sollte. Aus diesem Grunde hatte er auch Gegner in jenen Richtungen, welche mit gleichfalls rastlosem Eifer die Denkmale der Pergamentschrift-Zeit und des christlich-kirchlichen Bauwesens verfolgen und an's Licht stellen. Aber er war fern von der Missschätzung des verwandten Historienfaches und hielt sich streng innerhalb des Gebietes, das er die längste Zeit allein im Lande mit Beruf pflegte. Sein Kampf galt ab und zu den schlechten Lesern, den unkritischen Sammlern, den Nachbetern der Traditionen und ein paarmal der slavischen Archäologie mit ihren nationalen Fehlschlüssen. Im Uebrigen ist Knabl positiv, geneigt sich zu berichtigen und das grosse Ganze zu fördern; daher giebt er schon 1859 seine kleinen Irrthümer preis, setzt das anerkannte Bessere an deren Stelle, hält aber wieder fest, was ihm nicht abgerungen werden kann (vgl. Mitth. IX, 114 Schriften 1848—58). Die Hingebung an das Ganze hat seinem Rufe keineswegs genützt, als 1862 Steiner's Codex inscriptionum Danubii et Rheni Theil IV, Inscriptiones Raetiae primae, secundae, Norici, Pannoniæ, primae erschien, Knabl's Beiträge bis zum Jahre 1861 (Schriften vor Mitth. XIII, 1864) ausnützend und von S. 267—506 in den Nummern 2820—3293 über 473 Stein- und Thonschriften der Steiermark bietend *). Zwölf Jahre später brachte ihm ein ehrenvolles Werk selbst grössere Ehren, wie wir zum Schlusse sehen werden.

Die Reihenfolge seiner Schriften ist folgende:
1) Wo stand das Flavium solvense des Plinius. Schriften des historischen Vereines für Innerösterreich, 1848.
2) Antiquarische Reise in's obere Murthal, Mitth. I, 24.
3) Neuere Funde des Leibnitzer Feldes in den Jahren 1848 bis 1850. I. 90.
4) Die Peutingersche Tafel verglichen mit dem Treibacher und Neumarkter Meilensteine. I. 137.
5) Inschriftliche Funde aus neuerer und neuester Zeit in und an den Grenzen des Kronlandes Steiermark. II. 43.
6) Fund römischer Münzen zu Cirkowic im Pettauerfelde II. 173.

---

*) Pessimum et incredibiliter confusum librum — sagt Mommsen in der Einleitung zu Pannonia superior seines Inschriftwerkes III. 1 p. 481 — ego ut fieri debuit sprevi eaque citavi solummodo quae propria habet; nisi quod omnes attuli Carinthiacas eius et Carniolanas, cum quod in his a Knablio adiutus solito plu a affert non ex libris editis compilata, tum ut aliquo exemplo appareat quot titulos omiserit. Errores autem huiusmodi hominis exagitare ne in his quidem sustinui.

7) Münzenfund zu Hohenmauthen und Mahrenberg. II. 182.

8) Epigraphische Excurse. II. 151, III. 95, IV. 187, V. 153, VI. 125, VII. 111, VIII. 71, IX 85, XIII 187, XVII. 56.

9) Das Murthal von Strass abwärts in antiquarischer Beziehung III., 118.

10) Funde römischer Münzen am Grazer Schlossberge. III. 159.

11) Der angebliche Deus Chartus auf einer römischen Inschrift zu Videm. IV. 35.

12) Der angebliche Götterdualismus an den Votivsteinen zu Videm und Aquileia, Grätz 1858.

13) Die Treffener Altarsteine in Unterkrain. Krainische Mitth. VI, 74.

14) Die Procuratores Augusti an den jüngst entdeckten Cillier Votivsteinen. V. 203.

15) Unedirte Römerinschriften aus Steiermark. Notizbl. d. Akd. d. W. 1856, 21, 22; 1857, 11, 23, 24; 1859, 1.

16) Neuester Fund römischer Inschriften in Cilli. IX 164.

17) Der wahre Zug der Römerstrasse von Cilli nach Pettau. Archiv f. K. ö. Gq. 1861, Bd. 26.

18) Fund einer antiken weiblichen Bronzegestalt in sitzender Stellung aus Cilli. XII. 41.

19) Die ältesten Copien römischer Inschriften des Herzogthums Krain. Krainische Mitth. 1864, März, April.

20) Nekrolog Kaspar Harbs. Mitth. XIII. 147.

21) Der Cetius als Grenze zwischen Noricum und Pannonien XIV. 72.

22) Römische Inschriften nach der Zeitfolge ihres Auffindens, Fortsetzung der epigraphischen Excurse. XIV. 182.

23) Die Franzosen in Gratz. Wien, Mechitaristendruckerei 1805 (mit Bezug auf das Buch „Heer von Innerösterreich", Leipzig-Altenburg 1817).

24) Unedirte Römerinschrift. Trifail XVI. 183.

25) Standort der Wechselstation ad Medias nach dem hierosolymitanischen Reisebuche XVII. 70.

26) Neuester Fund keltischer Münzen zu Trifail. Mitth. d. k. k. Central-Commission XIV. 1869, S. XII.

27) Der wahre Zug der Römerstrasse vom Zollfelde nach Wels. XVIII. 114.

28) Das bestrittene und das wirkliche Zeitalter des T. V. Clemens. XX. 3.

29) Die römischen Altendorfer Antiquitäten. XXI. 3.

Das Hauptwerk Knabl's, nämlich eine Sammlung sämmtlicher in Steiermark gefundenen antiken Inschriften in Stein, Metall, Thon, durch seines Lebens dreissig Jahre sich ziehend, ist Manuscript geblieben. Dieses Corpus incriptionum Styriae, oder wie es auch überschrieben gewesen: Codex ducatus Styriae epigraphicus romanae vetustatis authore R. Knabl — der Titel ist gut fortgefallen — bot bis zum Jahre 1862, nachdem Knabl selbst 283 Steinschriften revidiert und an 194 unbekannte gelesen, eine Anzahl von 587 Römerinschriften aus Steiermark. Ueber die Zeit der Steiner'schen Sammlung und das Erscheinen des Mommsen'schen Canons hinaus hat Knabl fortwährend mit grösster Beflissenheit Stein zu Stein gelegt und so hinterliess er uns das Foliowerk: „Epigraphischer Codex sämmtlicher Römerinschriften des Herzogthums Steiermark, zusammengestellt und erklärt von Dr. Richard Knabl, kais. und fürstbischöfl. Rathe, decorirt mit dem goldenen Verdienstkreuze mit der Krone und der goldenen Medaille für Kunst und Wissenschaft. Mit alterthümlichen Abbildungen der Colonialstadt Poetovium". Auf 728 Seiten bietet der Gelehrte nach einer Vorrede über den Ursprung, die Absicht seines Werkes, in deutscher Sprache für den Laien berechnet, nach der Richtung des Eroberungsganges von Süd nach Nord die Reihenfolge der römischen (wir müssen auch hinzusetzen der etruskischen) Schriften der gegenwärtigen Steiermark in ihrer unteren, mittleren, oberen Partie derart, dass der Urschrift die Uebersetzung, Auslegung, Fundnotiz und Literatur nachfolgt, im Ganzen an 600 Inschriften (mindestens 4 falsche) von etwa 183 Orten (vgl. Mommsen's c. 686, alle kleinsten Thonschriften, von 201 Fundorten), dazu zwölferlei Indices. Was Knabl schon 1859 (Mitth. IX. 138) auf eine Forderung der bonner Jahrbücher des Vereines von Alterthumsfreunden im Rheinlande (XIII,

Heft 26, S. 178) in Aussicht gestellt, ist, wiewol die aussersystematische Publicierung 1867 (Mitth. XV. 182) wieder Platz greifen musste, im Nachlasswerke geboten. Vom Standpunkte des grossen preussischen Inscriptionswerkes mag das des östreichischen Provinzforschers überflüssig scheinen. Aber wenn man erwägen will, dass des Akademiewerkes Vollständigkeit und Richtigkeit eben für das kleinere Unternehmen ausgenützt, dass dieses letztere für den belehrungbedürftigen Laien in deutscher Sprache und mit weitläufiger Literaturangabe abgefasst ist, endlich dass es in der Zeit weiter herabreicht als Mommsen's Bücher, die mit März 1869 in der Hauptanlage, mit März 1872 in den Nachträgen schliessen (Erstreckung von Nr. 3921 bis 6526), — so möchte der Absicht des Verfassers, mit den Früchten seines Lebenswerkes den weitesten vaterländischen Kreisen zu dienen, ein glücklicher Vollzug wohl redlich gewünscht werden.

Dann wird die echte und rechte Erschätzung seiner geistigen Thaten auch in der Heimat in dem Masse durchgreifen, wie sie von der Ferne ihm schon in Lebzeiten gezollt worden ist. Ihm haben Männer wie Arneth, Bergmann, Seidl, Ankershofen, Kenner, Morlot, Prof. Dr. Becker an der Selectenschule zu Frankfurt, Rómer zu Pest alle Anerkennung zu Theil werden lassen; auswärtige Organe, wie die „Bonner Jahrbücher für Freunde des Alterthums im Rheinlande", die „Gelehrten Anzeigen der k. bair. Akademie der Wissenschaften", das „Leipziger Centralblatt der Literatur in Deutschland", das „Correspondenzblatt des Gesammtvereines" untersuchten und würdigten seine Forschungen. Wie endlich Meister Mommsen mit Knabl'n seit zwanzig Jahren im Verkehr, über dessen vollen Werth urtheilt, das mögen die Schlusszeilen unserer Gedenkschrift ausdrücken. (Noricum, de nor. inscr. auctoribus 1873, vol. III. p. II. p. 588.)

Richardus Knabl parochus Graetzensis per multos annos in Stiriae titulis et emendandis et augendis elaboravit commentariis compluribus qui prodierunt fere in actis societatis historicae Graetzensis (1848, 1850—1868). Usurpavi praeterea non solum schediasmata eius varia, sed etiam syllogen scriptam titulorum Stiriensium omnium (praefatio scripta est Graecii K. Jul. 1862) numero DLX. Quantopere Knablius Stiriae inscriptiones, ante eum male neglectas et corruptas fere vel latentes et correxerit et auxerit, nemo peritorum ignorat optandumque est magis quam sperandum, ut talem titulorum suorum sospitatorem reliquae quoque provinciae Austriacae aliquando nanciscantur, qualem Stiriae se praebuit per hos viginti annos senex ille probus et gnavus; interdum tamen diligentia nimia titulis ea obtrudit, quae certo non habent et a simplici lectione plus iusto recedit.

B.
Abhandlungen.

S t u d i e n

zur

Geschichte des steirischen Adels im XVI. Jahrhunderte.

Von Professor Dr. Arnold Luschin-Ebengreuth.

> „Es ist dem Adel nit genug von adelichen und
> tugentlichen Voreltern geborn (zu) sein, sondern ein jeg-
> licher soll sich selb durch sein Wolthuen mit Tugenden
> edel machen. Dann wer seiner Voreltern Guetthaten
> erzält und ruempt, der sagt anderer Tugent und nicht
> die seinen.“
>
> Sigmund v. Herberstein in seinem Familienbuche.

I.

Folgenschwerer als eines der früheren oder späteren Jahrhunderte ist das Sechzehnte für die Geschicke des Adels der
Steiermark. Roh und ungebildet finden wir ihn zu Beginn
desselben. Noch war die Herkunft von „guten Eltern“ wesentliches Erforderniss für Jenen, der als adelig gelten wollte, noch
ist der Grundbesitz, welcher das Geschlecht seit Jahrhunderten
mit dem Wohl und Wehe des Landes verknüpft hatte, der
Quell seines Ansehens und seiner Macht, noch nahm und
sprach der Adelige Recht, ohne viel auf gelehrte Doctores zu
geben. Zähe hielt er an den Vorrechten seines Standes und
eifrig nahm er sich seiner Genossen an, wenn er in der ihnen
zugefügten Verletzung eine Gefährdung seiner Stellung erblickte. Bischof Mathias S c h e i t von Seckau hat dies zu seinem Schaden erfahren, als er mit den Trautmannsdorfern wegen

einer Schuld seines Vorgängers im Hader stand. Mit Land-
tagsfchluss wird der Process wegen des drohenden Præju-
diciums auf die Landschaft übernommen und von dieser Jahre
lang in der nachdrücklichsten Weise fortgeführt.

Allein trotz allem Beharren bei jenem, was „gute Gewohnheit und von Alter herkommen" war, trotz aller Sorgfalt,
mit der man eifersüchtig jede Verletzung der Rechte und
Freiheiten hindannzuhalten suchte, als deren Inbegriff die vom
Landesfürsten besiegelte Landhandfeste galt, lassen sich dennoch schon zu dieser Zeit die Keime späterer Umgestaltung
nicht verkennen: Der Herrendienst steigt im Werthe, seit
Maximilian durch die tief einschneidende Umänderung in der
Verwaltung den Beamtenstand begründete. Kluge Berufungen
fähiger und angesehener Adeliger auf höhere Beamtenposten
gewannen der Regierung einen — freilich nur langsam —
steigenden Einfluss auf die corporativen Versammlungen des
Adels. Selbst das am höchsten geachtete Kleinod der Steuer-
freiheit erscheint schon in seinen Grundlagen arg bedroht.
Theoretisch liess man es freilich unangetastet, jeder Schadlos-
brief versicherte von neuem, dass die Steuersumme freiwillig
und den alten Rechten unabträglich bewilligt worden sei und
mancher Steuerpflichtige mochte davon in seinem Innern
noch überzeugt sein, praktisch aber stand die Sache ganz
anders. Da hatte gar bald die Anschauung durchgegriffen, dass
die Stände geben müssten, wenn der Staat ihrer Beihilfe be-
dürfe und dass nur über die Nothwendigkeit oder die Höhe
der zu bedeckenden Ausgaben ein „Disputiren" zulässig sei.
Instructionen und Zuschriften aus der zweiten Hälfte des
16. Jahrhunderts gewähren einen Einblick, wie geschickt die
Regierung schon vor Zusammentritt der Landtage für ihre
Absichten zu wirken verstand.

Bald war der Satz: „Der Adel grossen Herren dienen
soll", eine Lehre geworden, welche erfahrene Väter ihren
Söhnen als Vermächtniss hinterliessen und bald wogen die
Beweise landesfürstlicher Huld so viel, als vordem die Vorzüge der Geburt.

„Also ist der Adl khumben her
Mit Dienst, Gnaden und Gaben mehr.
Dann mit kheynerlay andern Dingen
Thuet ihr das, euch wird gelingen
Was zu Ehren gehört [1]).

So war denn allmälig ein Umschwung, dessen Wirkungen nicht lange ausblieben, in den Ansichten über das Wesen und den Zweck des Adels innerhalb dieses Standes selbst, vor sich gegangen. Vor Allem stand fest, dass durch landesfürstliche Huld und Gnade an beliebige Personen der Adel verliehen werden könne, nachdem es ja ohnehin ausser Zweifel sei, dass auch die Vorfahren der blühenden Adelsgeschlechter „nit von ewig in dem Adel und Stand gewest, aber daher durch ihr Tugent und Thaten kommen seien", wie sich Herberstein in seinem Familienbuche ausdrückte. So widerhaarig die alten Familien gegen dergleichen neue Eindringlinge auch sein mochten, die Adelsqualität selbst wagten sie ihnen nicht zu bestreiten, und so sehr man über den Briefadel spottete, so musste man doch den gleichen Weg einschlagen, wenn man sich über diesen erheben wollte.

Es ist dies die Rückwirkung einer gesellschaftlichen Umwälzung, welche unter den Reichsständen Deutschlands begonnen hatte und bald auch in die landesfürstlichen Territorien eindrang, in den österreichischen Landen aber um so stärkere Wellen schlug, als hier der Landesherr mit dem Reichsoberhaupte entweder der Person nach zusammenfiel oder doch zu ihm in den nächsten verwandtschaftlichen Beziehungen stand. Schon Kaiser Maximilian I. zeigte eine bedeutende Hinneigung, seine Titulaturen aufzubauschen und noch mehr nahm dieser Gebrauch überhand, seitdem mit Karl V. der spanische Hofton einriss. Die alten Münzen waren im Curs gefallen, man musste neue prägen, um hohe Werthe auszudrücken [2]). Vor Zeiten hatte allein den Kurfürsten die Anrede „durch-

---

[1]) Vermächtniss des Freiherrn Josef v. Lamberg an seine Kinder vom Jahre 1551 bei Valvasor Ehre des Herz. Krain, Buch IX, S. 48.

[2]) Riehl, Culturstudien aus drei Jahrhunderten: Aus alten Briefstellern.

lauchtig" gebührt, nun nahmen sie schon alle Fürsten für sich in Anspruch und vermerkten es sehr ungnädig, wenn man diesen Titel „überhüpfte". Ebenso ging es im Stande der Reichsfreien zu. Diese hatten sich zumeist den Grafentitel beigelegt, weil der Freiherrenstand im 16. Jahrhunderte in eine grosse Verkleinerung gerathen war, „seitmals auch Kaufleut und ganz geringe Leut ihres Herkommens von den römischen Kaisern gefreit und zu Freiherrn sein gewürdigt worden. Titl und Prædicata steigen mit der Pracht, bis es letzt ufs allerhöchst kommen wurt und brechen muss," klagt deshalb der ehrliche Verfasser der Zimmerischen Chronik [3]. So gut der eine dieser Vorwürfe gegen die Fugger und Ihresgleichen sich kehrt, so gewiss trifft der andere den landsässigen — oder im Vergleiche zum reichsſtändischen — den niedern Adel, d. i. jene zumeist aus dem Dienstmannenstand erwachsenen Adelsfamilien, welche als einem bestimmten Territorium zugehörig betrachtet wurden.

Solchen, und zwar nur solchen Adel, gab es in der Steiermark [4]. Doch war dessen Grundstock zu Anfang des 16. Jahrhunderts aus edlen Geschlechtern zusammengesetzt, welche durch vielhundertjährige Geschichte und durch weitausgedehnten lehenmässigen und allodialen Güterbesitz auf's innigste mit den Schicksalen des Landes verbunden waren. Kein Wunder, dass dieser Uradel, der seine Standesvorzüge auf sein Herkommen und nicht auf einen Wappenbrief von gestern stützte, sich für besser hielt, als die Doctores und Aulici die etwa von Gevatter Schuster und Schneider herstammten, dass er nach einem äusseren Abzeichen suchte, um diesen Unterschied bemerkbar zu machen. Die landesfürstliche Huld kam seinen Wünschen gerne entgegen, und selbst unbefangen urtheilende Männer,

---

[3] Bibliothek des literar. Vereines zu Stuttgart, Band 93, S. 145 und 281.

[4] Um die Mitte des 16 Jahrhunderts erscheinen von weltlichen Reichsständen nur die Grafen v. Montfort aus der Pfannberger Erbschaft her mit grösserem Besitz im Lande; unter den geistlichen waren Salzburg und Freising stark, andere wie Bamberg, nur wenig mehr begütert.

welche gar wohl wussten, dass man sich „Tittel und Stand's nit benugen lassen" dürfe, denn die geben nichts gen Kuchel und Keller, konnten der Versuchung nicht widerstehen. „Meinem Namen zu Ern und guetem hab ich Pesserung unser Wappen und Mehrung unseres Stands und Titels; auch als ge drunge ner den Freiherrenstand erworben," bemerkt Herberstein, und in gleicher Lage wie er waren viele Andere. So sehen wir denn mit einem Male die Mitglieder des Uradels wetteifernd mit dem Briefadel um Diplome sich bewerben. Der Freiherrenstand war es, nach dem das Trachten zunächst ging, und je schwerer es noch hielt, denselben zu erlangen [5]), desto grösser war die Ehre, Und doch war, was man erwarb, im Grunde nur der Titel, denn eine Gleichstellung mit den alten reichsfreien Geschlechtern war von der Regierung, wenn sie Gliedern des österreichischen landsässigen Adels diese Gnade gewährte, keineswegs beabsichtigt. Mochte immerhin im offenen Briefe, im Diplome es heissen, dass die betreffende Familie all' und jeglich Gnad und Freiheit, Ehre, Würde, Vortheil und Gerechtigkeit in geistlichen und weltlichen Sachen wie andere des h. Römischen Reichs und der österreichischen Erblande Freiherren anzusprechen habe, so war doch schon die Erwähnung des Territorialbesitzes keine unverfängliche. Blickt man aber gar auf die Gegenbriefe, welche die neuen „Reichsfreiherren" gleichzeitig dem Landesfürsten ausstellen mussten, dann begreift man umsomehr, warum der hohe Adel vor solcher Genossenschaft zurückschreckte. Für sich und ihre Nachkommen mussten sie darin u. A. feierlich verbriefen, sie würden sich von solcher Gnaden und Freiheit wegen mit jenen Leibern und Gütern, die sie unter dem löblichen Haus Oesterreich besässen, in keiner Weise, weder den übrigen Unterthanen, noch gegenüber desselben Haus Oesterreich Frei-

---

[5]) In dem 1567 veröffentlichten Wappenbuche der Steiermark des Formenschneiders Zacharias Bartsch finden sich unter 120 adeligen Familien des Landes sieben, welche den Herrentitel schon von früher her, und zehn, welche den neu verliebenen Freiherrentitel führen. Dem Grafenstande gehörten blos die Montforter an.

heiten und Privilegien, auf ihre reichsfreie Stellung berufen, sondern sich allermassen wie ander dergleichen Landleut und Unterthanen des Haus Oesterreich gänzlich und gehorsamlich halten *).

So war denn das Wesen des althergebrachten Adels der Steiermark in seinem Innersten angegriffen worden, wohlklingende Titel gewannen an Werth. Noch hatte das „Wohlgeboren" seinen guten Sinn, es bedeutete soviel als von guten d. i. adeligen Eltern geboren, aber bald sank es, losgelöst von seiner ursprünglichen Bedeutung, zum Prädicate herab, welches Jedermann durch die Gunst des Landesherrn zugänglich werden und umgekehrt altadeligen Geschlechtern abgesprochen werden konnte. Der Bezeichnung nach hatte schliesslich Jedermann im Titel gewonnen, während die wechselseitige Beziehung, welche ja den Rang bestimmt, fast unverändert geblieben war, „denn wenn alle gleichmässig vorrücken, so bleibt jeder in der Kette des Ganzen doch eigentlich wieder auf demselben Fleck."

Für den alten Geburtsadel hatte diese Neuerung die be-

---

*) Einen klaren Einblick in das Wesen der Erhebung österreichischer landsässiger Adeliger in den Reichsfreiherrenstand bieten der Gnadenbrief für die Herbersteine vom 18. November 1531 und der unter gleichem Datum von Sigmund v. H. im Namen der ganzen Familie ausgestellte Revers, betreffs der Gewährung des Titels der Freyen mit den Rechten der Reichsfreiherren, ferner das Diplom vom 24. Jänner 1537 mit der ausdrücklichen Verleihung des Freiherrentitels. Sie finden sich abgedruckt in H's. Selbstbiographie Fontes Rer. Austr. I, 1. S. 295 f. und 319, und H's Familienbuch (Archiv für öst. Gesch. S. 303, Anm. 3). Höchst bemerkenswerth sind ferner die Diplome der Familie von Stadl, welche Erzh. Ferdinand unterm 26. April 1597 „in die Ehr, Schaar, Gesellschaft und Gemainschaft anderer vnser und vnsers löblichen Haus Oesterreichs Freyherren und Freynnen erhoben hatte, worauf 1609 (1. August Prag) Kaiser Rudolf diesen Act nicht allein als einen Ausfluss der Privilegien des Hauses Oesterreich anerkennt, sondern noch überdies ein Mitglied der Familie (Hans von Stadl auf Riegersburg) mit dem Reichsfreiherrenstande begnadet. Steierm. Landesarchiv Abthlg. A. M s. 332a, S. 290 und 294.

denklichsten Folgen. Während sich seine Zahl durch das Ausfterben, Auswandern oder Verarmen alter Geschlechter beständig verminderte und die Ergänzungen aus den Nachbarlanden nicht einmal die Lücken füllten, erhielt der Briefadel ungemessenen Zuwachs, den vorzüglich der Bürgerstand lieferte. Hier hatten sich durch Sparsamkeit und Fleiss allmälig ansehnliche Vermögen gebildet, während viele Adelige durch Misswirthschaft nnd die veränderte Zeitlage arg herunter gekommen waren. Der ewige Landfrieden bestand zu Recht, so oft er auch noch übertreten wurde, und das Geld war Macht geworden, ohne Rücksicht darauf, in wessen Händen es sich befand. Dies alles kam dem Streben ehrgeiziger Bürgersföhne, die sich über den Stand ihrer Väter erheben wollten, trefflich gelegen. Wer bereits über ein ansehnliches Geldcapital verfügte, dem bot der Grosshandel leichte Gelegenheit, an das gewünschte Ziel zu gelangen. Gross war an sich der Geldgewinn, welchen die wegen ihrer wucherischen Praktik und Finanzerei verhassten Kaufmannsgesellschaften abwarfen [1]), aber noch bedeutender war der Vortheil, welcher den Theilnehmern aus ihrem unmittelbaren Verkehre mit der stets geldbedürftigen Regierung erwuchs. Darleihen gegen Verpfändung der werthvollsten Liegenschaften oder Einnahmsquellen des Staates, Pachtung von Gefällen und Steuern, daneben Bergwerksbetrieb oder die Einführung neuer Zweige des Grossgewerbes wurden eben so sehr Quellen der Bereicherung, als Ursache von Staatsbelohnungen. Den Fuggern, Widmann u. dgl. im Reiche stellen sich die Eggenberg, Khisel, Rottal, Pögl, Stürgkh u. s. w. bei uns zur Seite. Wer jedoch diesen Weg nicht einschlagen

---

[1]) Vgl. J. Falke's Aufsatz die volkswirthschaftliche Anschauung in der Reformationszeit in der Zeitschr. f. deutsche Culturgeschichte, Jahrg. 1874, S. 167 ff. — Die Beschwerden der österreichischen Erblande gegen die answärtigen Kaufmannsgesellschaften können nicht blos aus den im Bd. XIV. des Archivs f. Kde. österr. Geschichtsquellen, S. 259 ff. abgedruckten Verhandlungen der Wiener Bürgerschaft mit der Regieruug (1512—1515), sondern auch aus dem in die Landhandfesten übergegangenen Innsbrucker Libell (1518) als sehr fühlbar nachgewiesen werden.

konnte oder wollte, der vermochte mindestens seinen fähigen
Kindern den Aufstieg zu hohen Ehren zu eröffnen: er liess
sie studiren. Hatten seine Vorfahren ihre Söhne zum Hand-
werke gebildet oder höchstens den einen oder andern zum
geistlichen Stande gewidmet, so schickte er die seinigen auf
die hohe Schule, wohl erkennend, dass die Nachfrage nach
juristisch gebildeten Köpfen an den Höfen im Steigen sei.
War er dann einmal in den Hofdienst gebracht, so war auch
sein weiteres Fortkommen gesichert. In der Mitte oder am
Schlusse einer zufriedenstellenden Dienstzeit stand regelmässig
der Wappenbrief, und auch für ein standesgemässes Aus-
kommen des neuen Adeligen wurde in ebenso billiger als ori-
gineller Weise gesorgt, sei es dass eine reiche Bürgerstochter
ihm von Regierungswegen als Braut zugetheilt wurde, sei es,
dass man ihm Exspectanzen auf heimfällig werdende Lehen
oder Erbschaften ertheilte. Der Bürgersfohn aus Mengen und
spätere österreichische Kanzler Marx Beck von Leopoldsdorf
und der Innsbrucker Plattnersfohn Marx Treytz-Saurwein von
Ehrentreiz sind sprechende Beispiele [6]).

Gar bald erstarkte dieser neue Adel. Der unerträgliche
Steuerdruck, über den man während des 16. Jahrhunderts
die angesehensten Geschlechter der Steiermark klagen hört [7]),
die verheerenden Türkenzüge, die Nachwirkungen der Bauernaufstände, Missjahre u. dgl. m. zwangen den verarmenden Uradel zu immer häufigeren Veräusserungen seiner dem landschaftlichen Gültenbuche einverleibten Besitzungen. Geadelte
reichgewordene Bürger waren willige Käufer, beanspruchten

---

[6]) Vgl. die Familienchronik der Beck v. Leopoldsdorf im Bd. VIII des
Arch. f. Kde. öst Geschichtsquellen, S. 209 ff., ferner ebendort Bd.
XLVIII, S. 355 ff. Schönherr's Aufsatz über Marx Treytz-Saurwein.
[7]) So bietet z. B. Wolf Engelbrecht von Auersperg seinem Schwager
Wolfgang von Stubenberg unterm 1. Jänner 1554 seine in Steiermark
gelegenen Güter zum Kaufe an, „dann ich mir die nit getraw zu erhalten aus vilen beweglichen Vrsachen, nemblich dass ich von beiden
Heusern (Stattenberg und Wildhaus) gar kainen Genuss hab, sondern bey zwaien Jarn her jerlich in die 1000 fl. einpuessen mues,
sonderlich von wegen der überschwenglichen grossen Steuern, welches

aber dann auch Theilnahme an der Berathung und Verwaltung der Landesangelegenheiten. So sah sich der alte erbgesessene Adel, dessen politische Stellung sich ohnedies durch die Ausbildung des landesfürstlichen Beamtenthums wesentlich verschlimmert hatte, mit einem Male auch im Lande selbst, man möchte sagen, in seinen innersten Angelegenheiten bedroht. Gegenmassregeln, das fühlte man, mussten ergriffen werden, sollte man nicht von den Neulingen aus der Thüre gedrängt werden. Dies ist der Ursprung der Landmannschafts-Matrikel, welche zufolge Landtagsschlusses vom 15. Februar 1563, die Theilnahme an einem Landtage oder Hofhaiding von dem Vorhandensein in dieser Matrikel abhängig machte [10]), so entstanden die Landmannschafts-Reverse, um die Aufnahme in dieselbe zu erschweren u. dgl. mehr. — Aber im Allgemeinen waren all' diese Mittelchen ungeeignet, den Zerfall, der schon einmal begonnen hatte, aufzuhalten. Mochte man sich auch noch so sehr dagegen sträuben, die Zahl derjenigen, welche der Regierung, und — was nun in der zweiten Hälfte des 16. Jahrhunderts gleichbedeutend geworden war — welche der katholischen Kirche unbedingt ergeben waren, durch neue „Admissionen" zu verstärken, so war doch der Einfluss, den man von oben her durch kaiserliche oder landesfürstliche Fürschriften, Versprechungen u. dgl. übte, weitaus mächtiger. Nun geschah auch noch der letzte Schritt, und Erzherzog Carl nahm nach einem 1569/70 geführten Geplänkel im Jahre 1584

---

in die Leng kainen Bestand haben kann, sambt dem dass der Pfleger aigener Nutz und Vnfleiss oberhand genommen . . . Ebenso wurde im gleichen Jahre bei einem Familienrathe, welcher hinsichtlich des etwas leichtsinnigen Walthasar von Stubenberg abgehalten wurde, hervorgehoben, dass dieser, falls nicht Vorsorge getroffen werde, „pey den grossen Stewern, Rystung halten und ander Ausgaben so nid vmgangen bern mögen" in Kürze seine Erbgüter veräussern müsste. Steir. Landes-Arch., Abthlg. A. Stubenberger Acten.

[10]) Die näheren Umstände, unter welchen dieser Beschluss zu Stande kam s. Mittheil. d. histor. Vereins für Steiermark, Bd. XIX, S. 185. Anm. 5.

geradezu das Verleihungsrecht der Landmannschaft für sich in Anspruch [11]).

Unter diesen Kämpfen war das Ende des 16. Jahrhunderts herangekommen, Wie sehr hatten sich nicht bis dahin die Bestandtheile des Adels in der Steiermark verändert. Schon steht der neue Briefadel erstarkt neben den alten Geschlechtern und ringt mit ihnen um die leitende Stellung im Lande. Schon sind die ersten Schritte der Gegenreformation geschehen, nur noch ein paar Jahrzehende, so ist diese durchgeführt und mit ihr der charaktervolle Kern des trutzigen Adels zur Auswanderung genöthigt. Fünfunddreissig Angehörige der Familie Windischgrätz, 30 Welzer, 29 Dietrichsteine, 14 Galler, je 13 Herbersteine und Herritsch, 12 Racknitzer, 11 Pranker, 9 Eibiswalder, je 8 Saurauer und Teufenbacher, 5 Stubenberge und viele andere Mitglieder des Herrenstandes verliessen damals das grüne Heimatland. Ein einziges der gleichzeitigen Verzeichnisse [12]) zählt 150 adelige Familien mit nahezu 800 Gliedern auf, die aus diesem Anlasse aus Innerösterreich ausgewandert seien. Fast durchweg neue Elemente sind es, die fortan den Adel der Steiermark bilden.

[11]) Steier. Landes-Archiv, Abthlg. B, Landmannschaftsacten. 1556 empfiehlt Kg. Ferdinand seinen Rath und ungarischen Stallmeister Franz Tahy zur Aufnahme in die steirische Landmannschaft; 1566 ff. empfiehlt Max II. die Familie Nadasdy und den Bischof von Raab, welche letztere zwei Ansuchen abgelehnt wurden. 1569—71 entspinnt sich ein gereizter Schriftenwechsel zwischen den Verordneten und dem Erzherzoge, weil die Landschaft den erzherz. Hofrath und Stahlmeister Hans Victor Stamp, obgleich er im Lande noch unbegütert war, die Landmannschaft verliehen hatte, ohne den Erzherzog zuvor um Erlaubniss zu fragen. 1585 intimirt der Erzherzog der Landschaft einfach, dass er seinen Hauptleuten zu Fürstenfeld und Jvanitsch, Caspar Kepinsky und Hans Panowitsch die steirische Landmannschaft bereits verliehen habe . . . . . „ime zw ainem Landtmann und Mitglied des geliebten Vatterlands an und aufgenomben, doch haben wir solches euch hiemit auch andeuten und communicieren wollen" . . .

[12]) Catalogus exulum Styrorum u. s. w. im Anzeiger f. Kde. d. deutschen Vorzeit 1862, Nr. 9—12. Ein vollständigeres Verzeichniss bei Czerwenka: Khevenhüller S. 629 ff.

II.

Es ist nicht zu leugnen, dass diese Veränderungen, welche der Stand des Adels in der Steiermark während des 16. Jahrhunderts durchmachte, nicht ohne tiefgehenden und vielfach günstigen Einfluss auf die Erziehung und geistige Ausbildung des jungen Nachwuchses waren. Wer sich einen Begriff von dem verwilderten Zustande machen will, in dem sich der steirische Adel noch zu Anfang jenes Jahrhunderts befand, der blicke auf die Satzungen der S. Christoph-Bruderschaft, welche der staatskluge Hauptmann des Landes, Sigmund von Dietrichstein 1517 in's Leben gerufen hatte. „Dieweil wir sehen, dass das Fluchen und Schelten gleich als dem menschlichen Geschlechte angeboren bei Geistlichen wenig anderst dann bei Weltlichen, und bei den Jungen oder Kindlein mit den ersten Worten erscheinet," so sei diese Gesellschaft wider beide grausame Laster des Fluchens und Zuetrinkens, so gar sehr überhand genommen, gestiftet worden. Kein Mitglied solle hinfür „bei Gottes Leichnam, Marter, Blut noch seinem heiligen Leiden schwören, dann es hat einer sonst viel ander böser Flüch genug" für seinen Bedarf übrig, wird erläuternd bemerkt, keiner solle ü b e r seinen Durst Bescheid thun u. s. w. An 80 Edle der drei innerösterreichischen Lande hatten sich durch Unterschrift und Siegel zur Einhaltung der Ordenssatzungen verpflichtet, und dennoch ging das ganze Unternehmen schon nach wenig Jahren sang- und klanglos und ohne jeglichen Erfolg unter [13]). In vollster Blüthe stand noch

---

[13]) Wieder abgedruckt in Megiser's Annales Carinthiæ S. 1294, auch bei Valvasor B. IX, S. 23. — Vgl. dazu die Classification der Trunkenheit, welche L. Fronsperger in einem Gedichte (Kriegsbuch, Ausgabe von 1573, Buch III, f. 362) gibt:

Zwölf sind Geschlechter, glaube mir,
Der Trunkenheit, das sag ich dir,
Das erste für all ist kein witzig,
Der ander ist fromm doch stützig,
Der Dritte frisst ohn Unterlass,
Der vierte spielt, flucht und greint fürbass

. . . .

die Selbsthilfe. Auf frischer That die zugefügte Unbill zu
rächen, stand Jedermann frei, selbst in dem Jahre 1519,
wo man sich der kritischen Zeitlage wegen von Seite der
ganzen Landschaft dafür verwendete, dass alle hässlichen und
uneinigen Sachen zwischen den Herren und Landleuten und
den übrigen Inwohnern mindestens die Zeit bis zum Eintreffen
des neuen Landesherrn anstehen sollten. So eingewurzelt war
diese Unsitte, dass noch um die Mitte jenes Jahrhunderts
Männer, welche seit Jahren in die Beamtenlaufbahn eingelenkt
hatten, die Fehde ihren Kindern nicht unbedingt zu wider-
rathen wagten, sondern im eingeschränkten Umfange ver-
statteten [14]).

Wie die Alten sungen, so zwitscherten die Jungen, das
mag eine Vorstellung von der Erziehung gewähren, welche
damals dem grössten Theile des heranwachsenden steirischen
Adels zu Theil wurde. Auf die Ausbildung der körperlichen
Kräfte und Fertigkeiten wurde das Hauptgewicht gelegt und
höchstens eine nothdürftige Kenntniss des Lesens und Schreibens hinzu erworben. Sobald der Knabe sein 12. bis 14. Jahr
erreicht hatte, trachtete man ihn „bubenweis" bei irgend Jemanden in Herrendienst zu bringen. Der Knabe musste nun
seinem Gebieter zu Diensten stehen, soweit diese der adeligen
Ehre nicht abträglich waren und namentlich bei Aufzügen oder
im Felde die Lanze, den Spiess seinem Herrn nachtragen [15]).

---

[14]) Vgl. die schon citirten Ermahnungen Josef's von Lamberg an seine
 Kinder vom J. 1561, Valvasor III, B. IX, S. 48.

 Darum solt ihr ohn' Noth nicht vechten,
 Allen Irrthumb tragt aus mit Rechten.
 Ich verbeut nit sich Unrechtes zu wehrn
 Wo ainem das Recht nit wil ernern .
 Oder dass ainer ist in der Noth u. s. w.

[15]) Die Beischrift eines alten Kupfers, welches den Spiessjungen zu
 Pferde darstellt, erläutert dessen Stellung mit folgenden Versen:

 Ich wart der Ross und dien zu tisch
 Meim Junkern thue ich aufblasen,
 Zu aller Schalckheit bin ich frisch
 Das mir oft blut Maul und Nasen.

War dann der Junge grösser und gewandter geworden, so suchte man ihn bei Hofe, sei es beim Kaiser, sei es bei irgend einer fürstlichen Persönlichkeit, unterzubringen. Ein solcher angehender Hofdiener erhielt gewöhnlich von Haus aus nur ein Pferd, mit welchem er, ohne einen Knecht zum Begleiter zu haben, „einspännig" (die noch jetzt im Hofceremoniel vorkommenden Einspanier) diente. „Die hat man hin und wieder mit Mandaten und königlichen Befehlen und Briefen geschickt zu Fürsten, Grafen, Städten u. s. w., damit haben sie sich der Leute gewöhnt und das Land kennen gelernt," meldet Sigmund von Herberstein, aus dessen Geschlechte viele eine dergleichen Lebensbahn durchgemacht haben. Ein derart ausgerüsteter Sohn galt schon für halb versorgt, da die Kosten seines anständigen Unterhalts nun auf den Herrn fielen. Doch mögen es nicht viele dem Ruprecht von Herberstein nachgemacht haben, der die 20 Gulden Zehrpfennig unangetastet aus Burgund heimbrachte, mit welchen ihn sein Vater vor Jahren als Edelknaben an den Hof des Prinzen von Simai entfertigt hatte [16]). War endlich der Jüngling zum Manne herangereift, so fand er nicht selten Gelegenheit, in der Fremde an der Seite dieses oder jenes Feldherrn sich Glück und Ruhm zu erkämpfen. Aber auch wenn er in die Heimat zurückkehrte, öffnete sich ihm ein weites Feld zur Befriedigung seines kriegerischen Gemüthes: der Grenzdienst gegen die Türken an den „windischen und crabatischen Grenzen", welcher allmälig in die Obsorge der drei innerösterreichischen Landschaften übergegangen war. Es galt derselbe als ebenso lehrreiche als beschwerliche Sache, und der junge Adelige konnte an demselben Theil nehmen, sei es, dass er persönlich in den Rüstungsanschlag seines Geschlechtes eintrat, sei

Es schadt mir nichts, ich pfeif im dran
Zuweil wird mir das Reiten sawr,
Gut Kost und Kleid davon ich han,
Doch hab ich's besser, dann ein Bawr. Schmeller (2) II, Sp. 689.

[16]) Herberstein Familienbuch S. 316, und Kumar, Geschichte der Burg und Familie Herberstein, Wien 1817, III, 56.

es, dass er dieser Pflicht für andere gegen Sold und Entschädigung Genüge leisten wollte. „Und nachdem ein hohe
Notdurft wäre," heisst es 1555 in einem Landtagsrathschlage,
„dass die jungen Adelspersonen den Feind und die Grenzen
kennen lernten und zu dem Kriegswesen desto geschickter
und geübter wurden, ist derhalben für guet angesehen
worden, wenn man zu Berathschlagung und Austheilung des
Kriegswesens greift, dass auch ein Anzahl ring (leicht) gerüster
teutschen Pferdt von jungen Adelspersonen an den Grenzen
gehalten werden." Tüchtige Krieger sind aus dieser Schule hervorgegangen, es genügt, auf die Familie Herberstein hinzuweisen.

Neben dieser Erziehung, welche um das Jahr 1500 für
den steirischen Adel noch die vorherrschende war und die
jungen Leute „mit dem Spiess ihre Nahrung gewinnen" liess,
gab es aber auch schon damals Eltern, welche den Werth einer
grösseren geistigen Durchbildung gar wohl erkannten. Freilich
waren sie noch ziemlich vereinzelt, und ihre für „die Feder"
geschulten Söhne mussten das Mehrwissen reichlich durch den
Spott entgelten, den sie von Seite der übrigen Standesgenossen
einzustecken hatten. Schüler, Schreiber, Doctor, Baccalaureus
wurden sie gehöhnt, woferne sie nicht durch schlagfertige
Antwort es verstanden, die Lacher auf ihre Seite zu bringen.

Der Lebenslauf Sigmund's von Herberstein bietet uns
für das Letztgesagte ein schönes Beispiel. Zu Wippach um
den Bartholomeustag des Jahres 1486 geboren, wurde er nach
seinem Alter „zu Schuel gelassen", sowohl im Deutschen als
im „Windischen" unterrichtet und beider Sprachen mächtig.
Etwa achtjährig kömmt er zum Gurker Domprobste Wilhelm
Welzer nach Kärnten, der als Erzieher des jungen Adels einen
besonderen Ruf genoss, und bleibt dort ungefähr ein Jahr. Hier
wird er im Lesen und Schreiben treulichen unterwiesen, muss aber
auch zu Tische dienen, damit er beides, „die Lernung und die
Hofzucht bekommen hat". Die verheerende Seuche des Jahres
1495 treibt ihn von seinem Lehrer, dem er das schönste Andenken bewahrte, in die Heimat. Zwei Jahre später, 1497,
finden wir den eilfjährigen Knaben in Begleitung seines älteren

Bruders Georg auf der Reise nach Wien, wo er nach Anordnung des Vaters die Studien fortsetzen soll. Schon 1499
wurde er in das Album der Universität eingeschrieben, 1502
wird er Baccalaureus. Mit dem Lernen scheint er es trotzdem
nicht sehr genau genommen zu haben. „Bin alsdann,“ schreibt
er, „mehr dann zwei Jahr in den Namen der Lernung zu
Wien belieben und aus meiner Meister Zucht und Gewalt
kommen.“ Herberstein hat eben keine Ausnahme von dem
lockeren Leben und Treiben gemacht, welches man wie früher,
so auch dazumal den Wiener Studenten mit Recht verübelte.
„Ueber das, so gebent die Studenten dem Wollust gross
Acht und Fleiss, sind des Weins und der Speise begierig.
Wenig komment da für gelehrt, werdent auch nit in Straf
gehalten, laufen hin und herwider und thun den Bürgern viel
Widerwärtigkeit an, darzu thut sie das Gespräch der Frauen
bringen,“ übersetzt Albert von Bonstätten [*]) die einschneidende Schilderung der Wiener Universitätsverhältnisse des
Aeneas Sylvius, und gerade so war es auch zu Anfang des
16. Jahrhunderts. Herberstein selbst beklagte diese seine
Jugendstreiche später ernstlich. „Wollt Gott,“ ruft er aus,
„dass ich nit so frey gelassen wär worden, ich hätte viel mehreres gelernt. Der Allmächtig wolle mit Gnaden meinem lieben
Vatern, auch meinen Zucht und Schuelmeistern ihrer Treue
die sy an mir gethan haben reichlichen begaben. Sie haben
je treulichen an mir gethan,“ und an anderer Stelle fügt er
bei, „worin ich nit guet oder gelehrt worden bin, ist mein
Schuld und sunst Niemands.“

Kaum zwanzigjährig, trägt aber auch er den Harnisch und
nun vergeht sein Leben zwischen Kriegszügen und Fahrten
nach des Kaisers Hof, woselbst er etliche Angelegenheiten
seines Bruders Georg betreiben und das Hofwesen erlernen

---

[*]) Vgl. das Bruchstück in Gassler's Beiträgen zur deutschen Sitten-
geschichte des Mittelalters, Wien 1790, S. 5, und das Statut der
Universität über die Disciplin und das Studium der Schüler der
Artisten-Facultät vom J. 1509 bei Kink, Geschichte der Universität
zu Wien II, S 315 ff. Nr. 47.

soll. 1514 wird Herberstein zum Ritter geschlagen und zum Hofdiener angenommen und kurz darauf berief ihn Kaiser Maximilian, der die hervorragenden Fähigkeiten des 28jährigen Mannes gar wohl erkannt hatte, in den Hofrath.

Die weiteren Lebensfchicksale dieses bedeutenden Mannes kann ich hier übergehen, umsomehr, als sie bereits von fachkundiger Hand in unseren Mittheilungen geschildert worden sind [18]. Wohl aber verdient betont zu werden, dass nicht die durch Reichthum und Besitz hervorragenden Herrengeschlechter, sondern die weniger begüterten ritterlichen Familien, also Familien, die noch ihr Glück machen mussten, es sind, welche zuerst den Nutzen der Studien für ihre Kinder erkennen. Nicht mit einem einzigen Worte gedenkt z. B. der alte Wolf v. Stubenberg in den Ermahnungen, welche er um 1500 für seine Söhne niedergeschrieben hatte [19], der Nothwendigkeit oder Nützlichkeit grösserer geistiger Ausbildung. Pochet nicht zu viel auf euer Erbe, ruft er ihnen zu, besser mit vier oder sechs Rossen geritten, dann über vier oder sechs Jahr zu Fuess gegangen. Was ihr handelt, thuet es mit Wissen, das rathe ich euch. Dient treulich Gott, so werdet ihr nicht verlassen. Hütet euch vor bösen Leuten, habt fromme Leute schön, das bitt ich euch, lauten seine Worte, denen auch eindringliche Warnungen vor Liebeshändeln, Frass und Völlerei, der Bedrückung der Unterthanen u. s. w. beigefügt sind. Der Zwischenfall, den Herberstein in seiner Selbstbiographie erzählt, dass ihm einmal (1514) Wolf's Sohn, Herr Hans von Stubenberg, in einem Wirthshause vorgeworfen hätte, er, Herberstein, würde sich nicht schämen, einen Schreiber abzugeben, erhält dadurch erst seine richtige Beleuchtung.

Mochte dem übrigens sein, wie es wollte, so brach sich doch bald darauf auch in diesen Kreisen die Ueberzeugung Bahn, dass man den Anforderungen der Zeit entsprechend eine grössere Sorgfalt auf das Studium verwenden müsse, wollte

---

[18] Mittheilungen XIX, S. 3 ff. Krones, Sigmund v. Herberstein, ein Lebensbild.

[19] Abgedruckt in Beilage I des Anhanges.

man nicht von den aufgeweckten und geschulten Köpfen der ritterlichen Geschlechter und der geadelten sowie unadeligen Beamten überflügelt werden, und so allen Einfluss verlieren. Auch ging Kaiser Max selbst mit dem besten Beispiele voran: unter seinem Einflusse versammelte sich zu Wien ein Kreis hervorragender Humanisten, Konrad Celtes an der Spitze, die gelehrte Donaugesellschaft. Welchen Werth der Kaiser ausserdem auf die studirende Jugend lege, das hatte er eben damals, als 1513/14 der sogenannte lateinische Krieg an der Wiener Hochschule zwischen Studenten und Handwerkern ausgebrochen war, in überraschender Weise dargelegt [20]). Die kaiserlichen Behörden bedurften stylgewandter und gebildeter Beamten, und schon beginnt sich im landschaftlichen Dienste das gleiche Erforderniss bemerklich zu machen. Die Schriftlichkeit nimmt überhand, die „geschriebenen kaiserlichen Rechten" finden trotz der fremden Sprache immer weitere Anwendung. Selbst im Kriege entscheidet das rohe D'reinschlagen nicht mehr, und ist alle Ritterschaft, wie köstlich sie immer pranget, gar nichtig und ein lauter frauenzimmerisch Spiegelfechten, wie Fronsperger sagt, woferne sie nicht durch stäte Uebungen geschult ist [21]). Nun steigt das Wissen an Werth. In Kunst, Weisheit und Ehrbarkeit solle man die Kinder erziehen.

„Und sie haben die Kunst
So haben sie der Menschen Gunst,
Sie haben auch die Zehrung im Peitl
Und werden ihres Lebens nit eitl.
Der Vater hat schon umb sie versorgt
So er ihnen die Lehr und Kunst geben hat."

Und unter Kunst versteht Lamberg, dessen Worte hier wiedergegeben sind, nicht allein geistliches und weltliches Recht, sondern überhaupt Tugend und Ehrbarkeit, Frömmigkeit und

---

[20]) Kaltenbäck in der österr. Zeitschr. f Geschichte und Staatskunde. 1835. Nr. 95, dazu Kink a. a. O. S. 318 und in der Sylvestergabe vom Jahre 1852.

[21]) Linhart Fronsperger fünf Bücher vom Kriegsregiment und Ordnung. Frankfurt 1555, f CXVIII.

Vorsicht, daneben auch „guet Sprachen" und ein ehrliches Leben. Habe man die, dann möge man nicht wegen seines Fortkommens zagen:

> Dann Hab und Guet mag zerrinnen,
> Wer Kunst hat, mag (sie) leicht gewinnen

Unter den Sprachen aber, welche der steirische Adel seit den Tagen Ferdinand I. lernte, findet sich oft die böhmische [20]), während bezeichnender Weise mir kein Fall bekannt ist, wo man das Ungarische gewählt hätte.

Wenige Jahrzehende hatten hingereicht, die Ansichten des alten steirischen Adels über den Werth der geistigen Ausbildung gänzlich umzustimmen und den Besuch der Schulen, früher eine Ausnahme, in den Kreis der gewöhnlichen Erziehung einzuführen. Da war es aber ein schwerwiegender und folgenreicher Umstand, dass gerade zu dieser Zeit, wo das Studium seitens des steirischen Adels ernstlicher in Angriff genommen wurde, die Wiener Universität in einem sichtlichen Verfalle sich befand [21]). Ein schwerer Schlag für dieselbe war der Tod des Kaiser Maximilian's, welcher ihr besonderer Gönner war und „mit wahrhaft Mediceischer, in Deutschland selten zur Geltung gekommener Huld weiter keinen andern Gegendienst von ihr verlangte als den, dass sie blühe und gedeihe." Ein weiteres Missgeschick waren die Zerwürfnisse zwischen dem alten und neuen Regiment, während die neuen Herrscher noch in der Ferne weilten, dann 1521 der Ausbruch der Pest, welche die Stadt Wien entvölkerte und den Schulbesuch verhinderte. Noch schädlicher aber wirkten die Zerwürfnisse innerhalb der Faculträten, welche an Luther's Auftreten in Wittenberg anknüpften.

---

[20]) So schickte z. B. Wolf v. Stubenberg d. ä. seinen gleichnamigen Sohn 1548 in eine Knabenschule nach Bunzlau und erkundigte sich dann: ob er nun den Donat oder anders verteitschen lernt und ob er nun schier Pehamisch mit den andern knaben wirt khinen reden, Steier. Landes-Archiv, Abthlg A., Stubenberger Acten. Vgl. auch Anm. 28. Schon dazumal kaufte sich der innerösterreichische Adel in Böhmen an und wir finden die Kreig, Dietrichstein, Stubenberg, Hofmann etc. bereits im 16. Jahrh daselbst sesshaft.

[21]) Kink Geschichte der Universität Wien I, 281 ff.

Schon im Jahre 1522 hatten die Religionsneuerungen einen grossen Ausfall in den Studirenden bewirkt, auch nahm unter jenen, welche geblieben waren, die Zuchtlosigkeit erschreckend überhand. Im Jahre 1525 mussten die Disputationen wegen Mangel an Studirenden eingestellt werden, 1527 und 1528 betrug der Zuwachs bei allen Facultäten und Nationen zwischen 20—30, und seit dem Jahre 1530 sank sogar die Gesammtzahl auf das unglaubliche Minimum von 30 Studirenden herab. Die theologische Facultät war fast ganz, die juridische vollkommen aufgelöst, die Bursen wurden als Absteigequartiere für Handwerksburschen benützt und statt der Studien wurden rohe Landsknechtspiele darin getrieben.

Solche Zustände zwangen die besorgten Eltern, ihre Söhne nach andern Universitäten zu senden. Tübingen, Leipzig, Wittenberg, selbst Rostock und andere Hochschulen Deutschlands, wo damals die „studia humaniora" florirten, wurden mit Vorliebe von jenen Familien namentlich aufgesucht, welche der neuen Lehre entweder schon freundlich geneigt waren, oder ihr doch unentschieden gegenüber standen. Nach Italien wandten sich jene, welche mit Eifer an dem alten Glauben festhielten. Vergeblich untersagte Kaiser Ferdinand, um den inländischen Hochschulen zu Wien und Freiburg aufzuhelfen, im Jahre 1548 all' seinen Unterthanen den Besuch auswärtiger Universitäten, mit Ausnahme von Ingolstadt, vergeblich strebte er durch eine Aufbesserung der materiellen Bezüge der Professoren, zu welcher die Geistlichkeit und namentlich auch die steierischen Klöster eine jährliche Beisteuer leisten sollten, tüchtige Kräfte zu gewinnen. Schon wenige Jahre später erwirkte der „unkatholische Theil der Landleute" die Zurücknahme jenes Verbots und die Erlaubniss, ihre Söhne an zulässigen Orten studiren zu lassen. Vornehmlich war Wittenberg, wo 1557 David Ungnad sogar die Rectorsstelle bekleidete, von grösster Anziehung für den steirischen Adel. Wir finden daselbst 1540 Christoph Stürgkh, 1542 die Freiherren von Jörger, 1546 Teufenbacher, 1555 Mitglieder der Familien Windischgrätz und Ungnad, Lamberg, Klaindienst, Holleneck, Galler,

Auersperg u. s. w. vertreten. Späterhin, nachdem Hans von Ungnad die Druckerei für seine slavischen Bibelübersetzungen in Wirtemberg eingerichtet hatte, trat man zu Tübingen in nähere Beziehungen, welche sich nicht bloss im Besuche der dortigen Hochschule und der Berufung von Lehrkräften an die landschaftlichen Anstalten, sondern auch in Ehrengeschenken u. dgl. offenbarten [24]), und gegen das Ende des 16. Jahrhunderts scheint auch Strassburg von der Steiermark aus ziemlich stark beschickt worden zu sein.

Diese Bildung des Adels an deutschen Universitäten beeinflusste nun sehr erheblich die religiösen Verhältnisse in der Steiermark. Mit offenem Herzen lauschte die Jugend zu Füssen der Reformatoren ihren Ansichten und Lehren, mit wahrem Feuereifer wirkte sie, in die Heimat zurückgekehrt, für deren Verbreitung. Oft begleiteten sie vertraute Schüler ihrer Meister, beredte Prädicanten auf der Heimreise, die dann in den adeligen Häusern bald als Hauscapläne, bald als Lehrer weitere Verwendung fanden. Aber auch die Dienerschaft, welche der Herrschaft von Haus aus für die Fremde war beigegeben worden, war von den neuen Lehren nicht unberührt geblieben. Wirkte der Adel, sowie er zu öffentlichen Stellungen gelangte von obenher, so bahnten diese der Neuerung von unten hinauf die Wege. Des Zündstoffes war genug im Lande, denn auch in Steiermark gab es alle jene bekannten Umstände, welche der Reformation dazumal durch ganz Mitteleuropa einen günstigen Boden bereitet hatten. Bald war die Mehrzahl des steirischen Adels der neuen Lehre gewonnen. Ein eigener Landschafts-Prädicant wurde im Landhause angestellt, und da in jener Zeit Kirche und Schule im engsten Verbande standen, so sorgte die Landschaft auch bald für den angemessenen Unterricht der

---

[24]) Ausgabebuch der steierm. Landschaft vom J. 1582, f. 101 : 14. Sept.: Zu Machung eines Pfennings, welcher Doctori Jacobo Andreæ der Vniversität Tübingen Cancellario vnd Propst daselbs aus beweglichen Vrsachen zu verehren bewilligt worden, hat der Einnehmer dargeben 20 Tucaten, thuet 37 f. 4 β.

adeligen Kinder nach den Principien des neuen Glaubens ²⁵). Den religiösen Unterricht überliess man mit der Christenlehre den Predigern, die Beibringung der Elementarlehren eigenen „teutschen Schulhaltern", bis man im Jahre 1541 zu der in einem Landtagsbeschlusse enthaltenen Erkenntniss kam, dass „die alten Herren und Landleut so in einer Ehrsamen Landschafts-Sachen erfahren gewest" in grosser Anzahl durch den Tod dahingerafft worden seien, ohne dass man dafür gesorgt hätte, „die jungen vom Adl widerumb in Pflanzung der Tugent, Sitten und sonderlich was zu der Seel Seligkeit dient, die lernen und studiern zu lassen." Es sollte darum eine eigene Landschaftsfchule mit Præceptoren und Gehilfen in einer gelegensamen Behausung zu Graz eingerichtet werden, doch verstrichen immerhin drei Jahre, bis dies Vorhaben zur Ausführung kam. Unterricht in der lateinischen Sprache, Katechismus Lutheri und Arithmetik sollten die Hauptgegenstände sein.

Bald genügte sie dem Bedürfnisse nicht mehr, zumal als die Reformation unter der Grazer Bürgerschaft derart überhand genommen hatte, dass man auf circa 12—15.000 Einwohner einschliesslich des erzherzoglichen Hofes kaum 200 Katholiken zählen konnte. Man entschloss sich nun um so eher zur „Anrichtung" einer höheren Schule, als es doch zweckmässiger erschien, „die Khinder der Mitglieder und Befreundten der Herrn und Landleute (Landstände) viel lieber mit geringen Unkosten allhie zu unterweisen und zu lernen, als dass sie es mit verdoppelten grossen Gelt in frembde Lande schickhen und dennoch wann sie gleich ein guete Zeit ausgewesen, wenig oder gar nichts erlernet haben." Die Unterhandlungen mit Seifrid von Eggenberg wegen der sogenannten

---

²⁵. Das über die landschaftliche Schule Gesagte wurde, soweit nicht andere Quellen namhaft gemacht werden, fast durchweg der in den Programmen des I. kais. Staatsgymnasiums zu Graz, Jahrg. 1866, 1869 veröffentlichten Geschichte dieser Schulanstalt entnommen, deren Verfasser, Herr Schulrath Dr. Richard Peinlich mich noch überdies durch Mittheilung neuer Notizen sehr verpflichtet hat.

Eggenberger Stift (das heutige Paradeis) führten trotz der Einsprache der erzherzoglichen Regierung noch im Jahre 1568 zum Ziele und der erforderliche Umbau wurde sofort in Angriff genommen. 1574 war alles soweit vollendet. dass die Schule im Juni d. J. eröffnet werden konnte. Niemand geringerer als der berühmte Schulmann Dr. David Chytraeus, der Rostocker Professor, hatte die Einrichtung des Schulwesens übernommen und die von ihm gegebene Instruction blieb für die Stiftsschule so lange sie bestand, mit wenig Abweichungen in Kraft.

Hieher strömte nun die wissbegierige Jugend. Von protestantischer Seite alsbald und reichlich gespendete Legate ermöglichten den unentgeltlichen Unterhalt der Stipendiaten. deren Anzahl von Seite der Landschaft auf 32 festgestellt worden war, d. i. solcher talentirter Jünglinge, aus welchen man den geeigneten Nachwuchs für den landschaftlichen Schul- und Kirchendienst zu erzielen hoffte. Neben diesen drängte sich aber auch noch eine grosse Zahl adeliger und bürgerlicher Kostzöglinge in den Räumen der Stifts chule, für welche nach einer im Jahre 1575 ergangenen Vorschrift ein dreifacher Tisch geführt werden sollte. und zwar je einer für den jungen Adel mit dem Conrector, für die theologischen Stipendiaten und Pädagogen und für die armen Studenten. Wie gross der Schulbesuch im Ganzen gewesen, darüber fehlen die Aufzeichnungen, sicherlich war er, obgleich schwankend, doch nicht unbeträchtlich, da beispielsweise schon 1575 in der schola puerilis über 100 Schüler waren und noch im Herbste 1584 und ebenso 1585 nicht weniger als 120 silberne Ehrpfennige im Gesammtgewicht von 25 ½ Thalern „denen edlen und andern Knaben so promovirt worden sein,“ gereicht wurden, ja für das Jahr 1597 sogar 250 Stück (60 grosse, 80 mittlere und 110 kleine) in Rechnung gestellt wurden [26]).

Ihrer Aufgabe nach zerfiel die Stifts chule in zwei Hauptabtheilungen, von welchen die Knabenschule mit drei Dekurien

---

[26]) Steir. Landes-Archiv, Abth B, Ein- und Ausgabebuch de 1584, Fol. 79 und gefällige Mittheilung des Herrn Dr. Peinlich.

eine Art Vorbereitungs chule für die vier höheren Classen bildete. Die höchste von diesen, auch publica classis genannt, hatte den besonderen Zweck, den Uebertritt zu den Facultäts tudien zu erleichtern, wesshalb hier einzelne Fächer der Theologie, Rechtswissenschaft und Philosophie von Lehrern mit dem Professorentitel vorgetragen wurden. Die jungen Adeligen mit ihren Erziehern füllten zumeist die juridische Abtheilung, die darum geradezu als schola procerum bezeichnet wurde, weil juridische Bildung es war, die den Weg zu Staats- und Ehrenstellen bahnte — doch gab es auch Väter, in denen der alte deutsche Hass gegen die gelehrten Juristen und Leutebetrüger noch ungeschwächt fortlebte, und die darum ihren Söhnen eine andere Studienordnung ausdrücklich vorschrieben ²⁷). Für die weit überwiegende Mehrzahl aber, welche in dem Punkte anderer Meinung war, bildete die publica lectio institutionum imperialium D. Justiniani, die neben Geschichte das Hauptfach der quarta classis war, eine treffliche Vorbereitung für die Universität und verwirklichte dadurch eine wesentliche Absicht der Gründer dieser Anstalt. Denn war gleich die Stifts chule für die „blühende Jugend“ der Steiermark überhaupt errichtet, so wurde doch von Anbeginn als deren Hauptaufgabe betrachtet, dass sie geborne Landleute derart vorbereiten und auferziehen solle, „auf dass sie in des Vaterlands Regierung zu den vornehmsten Aemtern, darin man lehren, rathen, rechtsprechen, reden oder schreiben muess, gelehrt und geschickt und für andere Ausländer können gebraucht werden“.

Allein wie eifrig auch die Landschaft das Wohlergehen der Stifts chule überwachte, wie sehr ihr guter Ruf als Uebergangs chule zu Universitäts tudien den Adel aus ganz Oesterreich und ab und zu selbst aus Deutschland zum Besuche anlockte ²⁸), so war ihr doch schon gleichzeitig der gefähr-

---

²⁷) Z. B. Georg von Stadl, 1549, dessen Testament in Beil. II auszüglich mitgetheilt wird. (Vgl. Absatz 6.)

²⁸) Peinlich a a. O 1866, S. 32. — Auch in der Anm. 8 genannter Familienchronik des Beck von Leopoldsdorf (S 227) heisst es zum

lichste Nebenbuhler in nächster Nähe erwachsen. Die Bemühungen
Erzherzog Karl's hatten 1573 eine katholische Schule zu Graz
in's Leben gerufen, welche unter der gewandten Leitung des
Jesuitenordens so rasche Fortschritte machte, dass die Landschaft mehr als einmal um den Bestand ihrer Stiftsſchule
bangte und den Verlust angesehener Schüler zu beklagen
hatte. Die Gefahr steigerte sich, als am 14. April 1586 die
gleichfalls den Jesuiten übergebene neue Universität zu Graz
eröffnet wurde und zehn Jahre darauf der zu Ingolstadt gebildete Erzherzog Ferdinand die Zügel der Regierung selbst
übernahm. Schon zwei Jahre später wurde die Gegenreformation in's Werk gesetzt und als ihr erstes Opfer fiel die
Stiftsſchule. Am 28. September 1598 zogen sämmtliche Prediger und Lehrer aus dem Stifte und dem zur Erweiterung
angekauften Rauberhofe hinaus aus Graz, begleitet von dem
Schmerze und Grolle ihrer Glaubensgenossen, aber auch von
der Hoffnung einer baldigen Wiederkunft.

Dem Besuche deutscher Universitäten durch junge steirische Adelige wurde erst durch die Massregeln der Gegenreformation ein Ende gemacht, jener der italienischen dauerte
aber noch lange fort, wie die Peruginer Matrikel ausweist [20]).
Sicher ist, dass während des 16. Jahrhunderts der steirische
Adel ein vieljähriges Studentenleben an den deutschen, französischen und italienischen Universitäten führte und dies als
etwas Rühmliches betrachtete. „Bin bei einer ersamen Landschaft Schuelen allhie in gueten Sitten und Sprachen erlernet,
und erzogen worden, wie (ich) auch in Italia und Frankreich

J. 1571: Den 2. Tag Aprilis habe ich meinen Sun Christoffen so
ziemlet ein Weil lang zu Wien und auch zu Gratz neben weyl.
Herrn Erasems von Gora (Gera?) Sunen in die Schuel gangen mit
herrn Franzen von Gora gen Prag geschickt und ist der Röm.
Kayserin .... überantwurt vnd zu einem Edlknaben angenommen
worden.

[20]) Vgl. Stölzel, Entwickelung des gelehrten Richterthums II, 9 – 21 und
den daraus bezüglich der Steiermark gemachten Auszug in den Mittheilungen XXII. 153.

in die 15 Jhar bey ehrlichen und gelerten Leuten etwas zu erlernen und zu erfaren hab zuegebracht," schreibt 1585 Gregor Amman in seinem Gesuche um Verleihung der steirischen Landmannschaft. Aehnliches erschliesst das Stammbuch eines Freiherrn Jacob von Teufenbach mit Eintragungen aus den Universitätstädten Padua, Siena, Paris, Orleans, Löwen und Strassburg während der Jahre 1567 – 1572, das im hiesigen Landesarchive verwahrt wird und von der Familie Stubenberg steht es fest, dass Mitglieder derselben in den Jahren 1538 bis 1590 mit geringen Unterbrechungen fast unausgesetzt zu Padua zu treffen waren [30]).

Den Studien auf den Hochschulen folgten Reisen, welche wo möglich den Aufenthalt an einem oder dem andern kleinen Fürstenhofe einschlossen, dabei aber eben so gut bis an die Südspitze Italiens, nach Malta und der gegenüber liegenden Berberei ausgedehnt wurden, als auch Spanien, Frankreich und England berührten. Damit war der Kreis der Erziehung durchlaufen, der junge Mann nun eine „feine Person" geworden, kehrte in sein Heimatland zurück, sei es auf seine Güter, sei es, um in den Staats- oder landschaftlichen Dienst zu treten. Hatte er sich aber vordem etwas stark „zehrlich und verthulich" erwiesen, dann suchten seine Verwandten so gut wie heutzutage ihr letztes Auskunftsmittel in einer passenden — Heirat. Es trat ein Familienrath zusammen, erwog die Vermögensverhältnisse des leichten Patrons und hielt dann Umschau unter den reichen heiratsmässigen Mädchen. „Ist von den Herrn dahin berathschlagt worden," lautet z. B. ein 1554 von den Familien Auersperg, Dietrichstein und Stubenberg hinsichtlich des zwanzigjährigen Balthasar von Stubenberg gefasster Beschluss, „nachdem der Herr Walthauser etwas zehrlich sein wirdt und auch aus vielen andern nothwendigen Ursachen, dass gemelten Herrn Walthausern ein Hausfrau von Nöthen sein wird, die ihm etwas zubring und

---

[30]) Diese und die folgenden die Familie Stubenberg betreffenden Nachrichten sind dem steir. Landesarchive entnommen.

sich bei der selbigen Verwandtschaft einer mehreren Hilf und
Rath zu vertrösten sei, ist derwegen im Rat befunden worden, dass man umb ein Fuggerin durch den Graf Jacoben (von
Montfort) trachtet, wo dieselbe nicht für sich ging, umb des
Herr Bernhard Schindl säligen Töchter eine, die auch ein
ansehnliches Heiratsgut haben." Vorsichtige Väter aber sorg-
ten noch überdiess durch testamentarische Verfügungen dafür,
dass dergleichen Söhne auf den Fruchtgenuss des Vermögens
beschränkt blieben, und zu keiner Verfügung über dessen
Substanz gelangen konnten.

Die Kosten des Studiums auf auswärtigen Universitäten
waren für den Beutel der Eltern sehr empfindlich. „Der Herr
wirdet sowol als ich an dem auferlaufenen Unkosten er-
schrecken", schreibt einmal (1585) Hans Khisl von Kalten-
brunn, dessen Söhne mit den Herren Friedrich und Georg
Hartmann von Stubenberg zu Padua studirten, an deren Vetter
und Vormund Wolf von Stubenberg, „aber wann ich das
Particular ansieche, befinde ich endlich, dass darinnen nichts
sonders einzustellen zu versparen wäre. Muss gleich also lassen
guet sein, die Herrn könibt es leichter an als mich und meines
Gleichen, aber da es nur wohl angelegt, vergunn ich ihnen
lieber, dass sie etwas darinnen lernen, als wann ich ihnen so
viel Gelts als sie verzehren in der Truhen lasse."

In der That sind die Summen, welche in den vier Jahren
1584—88 für den Aufenthalt dieser beiden Stubenberger zu
Padua bezahlt wurden, selbst für moderne Begriffe und trotzdem wir an Theuerung gewöhnt sind, ziemlich stark. Sie betragen zusammen 5902 fl. 27½ kr., oder auf Ducaten, die
dazumal den Curs von 110 kr. hatten reducirt, 3220 Ducaten,
ein Goldquantum, dessen absoluter Werth nach dem heutigen
Course über 16.900 fl. österr. Währ. Papier ausmacht. Lässt
man selbst die höhere Kaufkraft ganz unberücksicht, welche
verglichen mit der Gegenwart dem Gelde dazumal zukam, so
kostete doch ein Jahr Studium jeden dieser Stubenberge, den
Metallwerth nach heutiger Papierwährung veranschlagt, bei
2112 fl. österr. Währung.

Um diese Summen zu verstehen, muss man allerdings den kostspieligen Apparat kennen, welcher in Bewegung gesetzt wurde, wenn eine solche Studienreise geschehen sollte. Da musste zunächst ein Præceptor mit völlig freier Station und einem angemessenen Jahresgehalte aufgenommen werden. Dieser hatte vor allem die ihm anvertrauten Discipeln in der Gottesfurcht mit allem Fleiss, Ernst und Emsigkeit anzuhalten (dieweil initium sapientiæ sit timor domini). Er musste darum den Gottesdienst an Sonn- und Feiertagen überwachen und sollte ihnen alle Tage etwas Geistliches vorhalten, damit sie beim väterlichen Glauben blieben. — Weiters sollte er, dem Alter seiner Zöglinge angemessen, sie zum Lernen all' desjenigen, was ihnen besonders erforderlich sei, anhalten. Hieher zählte man u. a. auch den Sprachunterricht, Laiische Historik als den Livius u. dgl., Arithmetica, Musik und selbst Tanzunterricht. Dieser Unterricht wurde theils an der Universität genossen, theils durch an Ort und Stelle aufgenommene Hauslehrer gegen Monatsold ertheilt.

Kaum weniger wichtig als der Præceptor war diejenige Person, welcher die Oberaufsicht des Haushaltes und die Führung der Rechnungen befohlen war: der Haushofmeister oder Coadjuvant, in der Regel irgend ein älterer erprobter Diener des Hauses und oft adeliger Herkunft. Dieser hatte am Bestimmungsorte, z. B. in Padua, wo vorzugsweise Oesterreicher studirten, das Hauswesen einzurichten, was nicht wenig sagen will, da man in der Regel ein kahles Haus miethete, um es dann mit theils gekauften, theils ausgeliehenen Möbeln von den Wandtapeten bis zu den Thürschlössern und von den Betten bis zur Sand- oder Schlaguhr, vom Küchen- und Tafelgeschirr bis zum Schuhzieher u. s. w. herab auszustatten. An ihn gelangten die Geldsendungen, er nimmt die Köchin, die Wäscherin, den Wassermann, den Einkäufer auf, er handelt das Brennholz aus und erkauft den Tischwein, verzeichnet Tag für Tag den Bedarf der Küche, besorgt aber auch die Einkäufe an Sammt und Seide, Tuch und Rosshaar, Borten und Nesteln für die jungen Herren, falls diese ein Wamms oder ein paar „galiotische“ Hosen bedürfen, kauft ihnen Barrete und Schuhe — Handschuhe trug man dazumal nur gegen die Kälte –– oder lässt ihnen ihre Nachtpelze und Strümpfe ausbessern u. dgl. Rechnet man hinzu, dass in der Regel jeder Junker noch einen Knaben zu seiner Bedienung und Verfügung hatte, so ergibt sich ein ganz stattlicher Haushalt, der da im fremden Lande geführt wurde. Verminderten sich diese Auslagen auf der einen Seite dadurch, dass in der Regel mehrere Familien ihre Angehörigen in einer derartigen Wirthschaft vereinigten und so an den Kosten für Præceptor, Coadjuvant, Köchin, Hausmiethe u. dgl. sparten, so vergrösserten sie sich nicht unbedeutend durch die Hin- und Herreise. — Selten, dass selbe der Præceptor oder Coadjuvant, falls sie nicht schon gereiste Männer waren, allein leiteten. Gewöhnlich wandte man sich an irgend eine besonders vertrauenswürdige Person von niederem Adel, die mit Land und Leuten in Friaul und Welschland schon bekannt war. Diese führte dann den im Mittel mit drei Pferden und drei bis vier Personen auf einen adeligen Studenten zu veranschlagenden Zug und zwar entweder durch's obere Murthal, St. Veit, Villach, Pontafel und das sogenannte Canalthal, oder über Cilli, Laibach, Görz, durch's Friaulische bis nach Treviso. Gemeiniglich wurden nun die von Haus mitgebrachten Pferde zurückgeschickt, ein Abstecher nach Venedig gemacht und die Weiterreise zu Schiff den Po aufwärts angetreten. Erst in Padua oder der sonst gewählten Universitätsstadt endete das Amt des Begleiters, der hier die Ankömmlinge noch in die Gewohnheiten der fremden Stadt einführte, ihnen bei der Auswahl der Wohnung, dem Abschlusse der Contracte und der Beschaffung der ersten Einrichtung behilflich war, heimgekehrt, aber auch, von der Reisevergütung abgesehen, auf eine ganz ansehnliche Verehrung Anspruch hatte.

III.

Weit dürftiger sind die Nachrichten, die uns über die Erziehung der adeligen Fräulein erhalten sind. Es erklärt sich dies gar leicht aus der Beschaffenheit der Quellen, welche dem Historiker für die Geschichte der Steiermark während des 16. Jahrhunderts zu Gebote stehen. Weitläufig sind der Actenreihen der Regierungsbehörden, der Landtage und der Grenzvertheidigung, umfassend die Protokolle der landschaftlichen Aemter, die Schriften über Religions-, Gülten- und Steuerwesen, zahlreich die erhaltenen Processacten u. dgl., mangelhaft dagegen solche Archivalien, aus denen man das Hauswesen des Einzelnen erkennen kann. Briefe und Aufschreibungen, welche den Haushalt und das Leben und Treiben des Tages mit allen vorfallenden Einzelnheiten schildern würden, fehlen grösstentheils, da man insgemein sie als überflüssig verwarf und nur die für praktische Zwecke wichtigeren Schriften aufhob. Und selbst die wenigen, die sich erhalten haben, werden gewöhnlich als höchst vertraute Acten des Hauses betrachtet und darum der Benützung entzogen. Die gleiche Bewandtniss hat es mit Familienchroniken steirischer Geschlechter, von denen bisher nur sehr wenige bekannt und zugänglich geworden sind. Zu alledem ist endlich auch noch der Umstand zu berücksichtigen, dass die sich überstürzenden Ereignisse des 16. Jahrhunderts an sich einer beschaulichen Betrachtung des Familienlebens ungünstig waren. Die neuerweckte humanistische Richtung wies auf die Beispiele der classischen Geschichtschreibung, vornehmlich auf Livius hin, und in einer Zeit, wo die Reformationsbewegung noch hohe Wellen schlug, wo die Bauernaufstände sich wiederholten und der unbezwungene Türke lauernd an den Grenzen stand, konnte man wohl auf den Gedanken kommen, dass die Vorgänge innerhalb der vier Pfähle von keinerlei Bedeutung für die Weltgeschichte, daher auch überhaupt einer Schilderung unwürdig seien. In sehr bezeichnender Weise beschränken sich darum die gleichzeitigen Druckwerke aus welchen wir vereinzelte

Nachrichten über das Leben der adeligen Fräulein schöpfen
können, auf fliegende Blätter und Beschreibungen von Hoch-
zeitsgepprängen oder ritterlichen Rennen. Da gab es doch etwas
Aussergewöhnliches zu schauen und zu beschreiben, und selbst
hier interessiren den Poeten die phantastischen Aufzüge der
Götter, Römer und Mohrenkrieger, die Schiffe und Schauge-
rüste weitaus mehr als die Frauen, deren er kurzweg als des
obligaten verschönernden Kranzes gedenkt. Höchstens dass
deren Kleidung — auch damals hörten die Frauen gerne von
fremden Toiletten — mit einigen Worten hervorgehoben wird.

Diese letztangedeutete Anschauung von der Aufgabe der
Geschichte erklärt nicht allein den Inhalt der überlieferten
Schilderungen, sondern erschliesst uns auch die Stellung,
welche die Frauen in der Gesellschaft des 16. Jahrhunderts
einnahmen. Sie ist keine hervorragende, denn ihr stilles Wirken
im Hause konnte ja gar nicht zur Würdigung gelangen, so
lange der Schutz vor dem Christenfeinde, den doch nur der
Mannesarm gewähren konnte, die wichtigste Lebensfrage war.
Die Bevorzugung des männlichen Geschlechtes auf Kosten des
weiblichen erschien daher als etwas Selbstverständliches und
Billiges. Dies zeigte sich in Vermögensfragen, aber auch in
der Erziehung. Naturgemäss war diese vorzüglich der Mutter
überlassen [31]). Weibliche Handarbeiten, wie nähen, spinnen,
sticken und weben, das Kochen, dann genaue Kenntniss von
der Wirthschaftsführung, welche auch die Aufsicht über die
Wiesen und Felder nebst dem Vieh einschloss, dazu die Kunde

---

[31]) Lamberg bei Valvasor B. IX, 49.: „Euer Muetter Ebenbild nembt
war, den sy euch hat getragen vor, die sye noch ist in Leben, würt
euch jungen guette Lehr geben. Derselben Will thuet allezeit, damit
ihr wie sy auch seit, so habt ihr gelernt wohl . . . Seit keusch und
rein nit im thuen allein . . gottesfürchtig, . . zuviel reden will nit
taugen, nit werft um euere Augen, zuviel Lachen ist ein Tadl . .
Einer Jungfrau steht wol an, wann sie schöne Arbeit khan . . Seit
fleissig in allen Sachen, euch gueten Lob zu machen, denn ein Jungfrau hat allzeit früh vnd spat, Frag und Nachschauen vil, nit allein
wer heirathen will. u. s. w.

von Hausmitteln und der Krankenpflege waren die Hauptgegenstände. Lesen, Schreiben und Rechnen wurde ebenfalls in
einigem Umfange betrieben, sei es, dass der Unterricht von
dem Præceptor der „jungen Herrn" oder vom Pfarrer ertheilt
wurde, sei es, dass er aus den Klöstern stammte, in welche man
die jungen Fräulein zur Ausbildung schickte [32]). Zur vollendeten
weltlichen Bildung gehörten dann noch einige Fertigkeiten
wie das Tanzen, Singen und Lautenspiel, die Kenntniss der
höfischen Formen und etwa noch das Radebrechen einer
fremden Sprache, Dinge, die zum Theile dadurch erreicht
wurden, dass man die Fräulein in dem Gefolge einer angesehenen Frau — im „Frauenzimmer" — unterbrachte. Von
hier aus führte sie ihr Glück oder Unglück gemeiniglich
früher oder später in den Ehestand.

Die Tugend die Namen ewigt.
Frau Margret von Herberstein geborne von Rottal zu Thalberg hier liegt,
Ihres Manns Gebrüder und gleicher Tracht
Als sie ihren Kindern hat gemacht.
Sy behielt den Namen in Einigkeit,
Regiert im Haus mit Nutzparkait
Darumb sich ihr Mann darft unterstan
Namb die Oberstfeldhauptmannschaft an.
Solches ist von Frauen erhört nit vil.
Sie war weis, gehorsam und stil
Unschämige Wort sy meiden
Thät, auch im Haus kain Übel leiden
Fürwar sie hat das Lob ohn alles Neiden,
Des xiiij. Kindes sy genas
Dieselb Nacht sy ihre Täg besloss
Sy hat das End von vilen zwar erlebt
Klag und starb leyder doch hochgeehrt,
Got helf ihr in der Engel Schaar
Im 1518ten Jahr.

Diese schlichten Worte, welche Jörg von Herberstein in
der Klosterkirche zu Lankowitz seiner treuen Lebensgefährtin

---

[32]) Die Priorin des Grazer Frauenklosters begegnete 1556 der von K. Ferdinand I. beantragten Abtretung ihres Klosters an die Dominikaner
mit einer Vorstellung, in welcher sie u. A. hervorhebt: „Ist dieses
Stift nicht gegründet auf einen Gotzdienst so durch männlich Per-

auf den Grabstein setzte [33]), rufen das Bild einer zärtlichen
und umsichtigen Gattin, einer guten Mutter und verträglichen
Schwägerin, kurz das Bild einer braven deutschen Hausfrau
des 16. Jahrhunderts vor unser geistiges Auge.

Natürlich erfuhr der hier im Allgemeinen angedeutete
Lebenslauf mancherlei Abänderungen je nach den Vorgängen
im elterlichen Hause. War die Mutter früh gestorben, so
konnte es der Vater zur dritten Ehe gebracht haben, ehe die
Kinder erwachsen waren. Bisweilen scheint das Verhältniss
der Kinder früherer Ehen zu den Stiefeltern ein ganz leid-
liches gewesen zu sein, öfters aber gab es Reibungen. Dann
bot eines der sogenannten adeligen Frauenklöster wie Göss
Graz, Studenitz, Mahrenberg, einen bequemen Ausweg aus
dergleichen Verdriesslichkeiten. Dies wurde selbst von dem
protestantischen Theile der Landschaft gewürdigt. Als 1534
der Ruf nach Reformation der Frauenklöster war erhoben
worden, weil diese „mit vnbförmblichen Wesen vmbgeen", beantragte der Landtag die Aufhebung aller bis auf eines oder
zwei Stifte, welche dann, unter obrigkeitlicher Ueberwachung
stehend, versperrt und in der Ordnung wie zu Göss ein ehr-
sames Leben führen müssten. Die adeligen Töchter sollten
darin erzogen werden, „und welche von diesen heraus heiraten
wollte, wäre Statt zu geben" [34]).

Wiewohl König Ferdinand auf die Reduction der Klöster

---

sonen Predigerordens, sunder allein Closterfrauen oder Schwestern
von edlen Geschlecht auss den Landleuten geborn verricht und auch
die edln der Herrn und Landleut Töchterlein und gesippte Freund-
lein mit Lernung der Eer Gottes, Schreibens, Lesenns, Näens und
dergleichen weyblichen Arbeit vnderwisen werden sollen." — Nach
gefälliger Mittheilung des Herrn Schulrathes Dr. Peinlich.

[33]) Herzog, Cosmographia Austriaca Franciscana S. 451. Kumar, Geschichte der Burg und Familie Herberstein III 50 bietet dieselbe
Grabschrift durch sinnstörende Fehler entstellt, obschon seine Wort-
formen dem Originale offenbar näher kommen.

[34]) Nach gefälliger Mittheilung des Herrn Schulrathes Dr. Peinlich. Die
landesfürstliche Erledigung vom 24. Mai 1534 (so richtig) bei
Muchar VIII, 405.

nicht einging, so sehen wir doch, dass mindestens der katholische Theil des steirischen Adels während des 16. Jahrhunderts die Frauenklöster fortdauernd als wichtige Bildungsstätten für seine Töchter behandelte. Die Mädchen kamen nach wie vor mit einem schmalen Taschengelde als Kostzöglinge dahin, erhielten von den Nonnen, unter welchen sich meistens Verwandte oder Bekannte des Hauses befanden, ihre Ausbildung und verweilten dann im Stifte, bis sich ein Platz für sie in irgend einem Frauenzimmer eröffnete, oder Gelegenheit zur Heirat gekommen war. Wo aber keines von beiden eintrat, oder wo innerer Beruf oder Machtgebot der Eltern es wollten, da endete auch wohl ihr Leben in stiller Zelle.

Aehnlich stand es um verwaiste Mädchen, namentlich wenn sie die Vormünder im eigenen Hause nicht unterbringen konnten oder mochten. Doch versuchte man es auch mit Erzieherinen, d. h. man gab sie zu irgend einer älteren adeligen Frau, etwa der Pflegersfrau auf einem Stammschlosse, welche dann ihren Zögling in der Hauswirthschaft und höfischen Sitte so gut es anging unterrichtete. Die jungen Mädchen führten also theils auf dem Lande, theils innerhalb der Klostermauern ein ziemlich einförmiges und unbedeutendes Leben und es ist darum sehr begreiflich, dass sie — vor allem wenn sie Waisen waren — nach einer baldigen Verheiratung trachteten, weil sie darin das einzige Mittel erblickten, um zu einiger Selbstständigkeit zu kommen. Zögerten ihnen die Gerhaben zu lange, so konnten diese leicht bedenkliche Dinge erfahren. Ferner kann ich euch nicht verhalten, schreibt einmal (27. Februar 1547) Wolf Engelbrecht von Auersperg an seinen Mitvormund Wolf von Stubenberg, dass die Pflegerin von Halbenrein diesen Fasching bei mir gewesen ist und meinem Weibe berichtet hat, „dass sich die Jungfrau Warbl von Stumberg yetzo gegen jer und der Pottendorferin hören lassen, es wären Leut gnueg, die bey vns Gerhaben vmb si wurben, aber wir wären des Willens nit sie zu verheiraten, damit wir die 1000 fl. nit torfften ausgeben. Aber si wel ein Mann nemen, er sey Burger oder Edlmann der jer nur gefall, alsdann well sie wol sehen, wie sie jers muetterlichen Guets einkhum. Trag derhalben Fursorg," setzte der bedenklich gewordene Vormund hinzu, „si werd sich etwo verkhnipfen, das dem ganzen Namen von Stubenberg spötlich wirdt, darum secht der Sach zeitlich für." — Da musste denn freilich zugesehen werden, damit das angedrohte Unglück nicht eintrete. Man beschloss es mit Güte zu versuchen. Jungfrau Barbara und deren Muhme Balbina von Stubenberg, die sich beide in der gleichen Lage befanden, wurden über die Absichten der Vormünder beruhigt und sollten als Pensionärinen· in dem Kloster Göss bis zu ihrer Verheiratung, der man gar nicht widerstreben wolle, sobald sich eine passende Partie ergebe, untergebracht werden. Noch hat sich der Entwurf jener Verschreibung erhalten, welche von den Mädchen zur Deckung der Gerhaben ausgestellt werden sollte: Das jährliche Taschengeld, mit dessen Auszahlung es nicht zu genau genommen wurde, da sich beispielsweise Jungfrau Barbara im Jahre 1546 beklagte, dass ihr auf die von den Vormündern bewilligten 28 Pfund Pf. bisher erst acht Pfund entrichtet worden wären, wurde für Fräulein Balbina auf 40 Pfunde festgestellt, wogegen sich diese verpflichten sollte, keine Heirat ohne Vorwissen ihrer Gerhaben und ihres Vetters Balthasar abzuschliessen, und ebensowenig ohne deren Erlaubniss den Aufenthalt bei irgend einer dritten verheirateten Person zu nehmen (s. Beil. III). Wie die Sache für Fräulein Barbara ablief, ist aus den Acten nicht zu ersehen, für Fräulein Balbina aber stellte sich kein Bräutigam zur rechten Zeit ein, sie nahm den Schleier und starb als Nonne im Kloster.

Aber auch die Heirat, welche den jungen Mädchen in ihrem Drange nach Selbstständigkeit als der einzige Ausweg erschien, erheischte von ihrer Seite grössere Opfer, als man heute zugestehen würde. Jenes naturwidrige Bild, welches Aeneas Sylvius und nach ihm Bonnstetten von den Heiraten des Wiener Patriziats entwerfen [35]), passte im 16. Jahrhun-

---

[35]) Aeneas Sylvius Historia Friderici III. imperatoris (Schilter Scriptores R. Germ. 1702, S. 4 und die Uebersetzung Bonnstätten's in dem Anm. 17 genannten Werke.

derte noch mit manchen Einzelnheiten auch auf die Ehen des
steirischen Adels. Fälle, wo junge Mädchen als zweite oder
dritte Gemalin alternden Witwern angetraut wurden und umgekehrt solche, wo bejahrte Witwen fast knabenhafte Gatten
erwarben, waren keine Seltenheit. Auch vierte Ehen waren
nichts Aussergewöhnliches und die 1535 geborne Kärntnerin
Anna Neumannin von Wasserleonburg brachte es in ihrem
82. Jahr sogar zum sechsten Gemale, dem 31jährigen Grafen
Georg Ludwig von Schwarzenberg, dessen Reichthum in Steiermark dadurch begründet wurde. Junge Leute von Adel kamen
darum in erster Ehe nicht gar so häufig zusammen — zumal
manche Väter ihren Söhnen das frühe Heiraten geradezu
widerriethen, weil einem sonst die Kinder „gar früh unter
die Augen wachsen" [36]). Noch seltener waren Heiraten in Folge
gegenseitiger Neigung. Meistens wurden die Familienverbindungen
unter den betreffenden Häuptern vorher abgemacht und dann
erst ihren Kindern mitgetheilt, bei welchen sie insgemein auf
keinen Widerstand stiessen, und es soll nicht geleugnet werden, dass oft nicht bloss conventionell gute Ehen, sondern
auch herzlichere Verhältnisse daraus erwuchsen. Derartige
Verabredungen, welche der Hochzeit oft lange vorhergingen —
auch Verlobungen von Kindern kommen vor — waren in mehr
als einer Richtung für das Los der jungen Frau entscheidend, denn sie bestimmten den Grad der wirthschaftlichen
Unabhängigkeit, mit der sie in die Ehe eintrat. Da wurden
mit weitgehender Casuistik die Vermögensfragen behandelt:
die Aus teuer und das Heiratsgut der Braut, welche aus
dem Vermögen ihrer Eltern beizustellen waren und nach
welcher sich Widerlage und Morgengabe richteten, für welche
der Bräutigam zu sorgen hatte, da wurden bindende Abma-
chungen über die eheliche Errungenschaft, über den Witwensitz,
die Vormundschaft über unvogtbare Kinder u. dgl. getroffen.
Wohl erhielt so die junge Frau ein eigenes Vermögen, doch
blieb die Verwaltung desselben gegen Sicherstellung in den

---

[36]) Siehe Beilage 1, Absatz 13.

Händen des Gatten und nur ein geringer Theil stand ihr zur unumschränkten Verfügung zu, während hinsichtlich des übrigen verschiedene Rechts- oder Vertragsbeschränkungen Platz griffen. Weit drückender als dies war jedoch die Rechtsgewohnheit, die dem adeligen Fräulein mit dem Heiratsbrief auch eine Verzichturkunde zu Gunsten des Mannsſtammes abdrang.

Es würde nun einen ganz interessanten Beitrag zur Geschichte der Interpretation geben, welche die Landesprivilegien im Laufe der Jahrhunderte erfahren haben, wenn man den Ursprung dieser unserem Rechtsgefühle widerstreitenden Uebung darlegen wollte. Mit Ueberraschung würde man dabei finden, dass diese Verzichtbriefe späterhin durch Deutelei aus einer Bestimmung gerechtfertigt wurden, welche anfänglich sogar zum Vortheile der Töchter eingeführt worden war [37]). Thatsächlich aber wurzelte diese Sitte in dem aus dem Mittelalter übernommenen Bestreben, das Vermögen möglichst vollständig dem Stamme zu erhalten, als dessen Träger nur Männer erscheinen konnten. Dass dies in seiner richtigen Folge auf eine Zurück-

---

[37]) Die Georgenberger Urkunde von 1186 gestattet den Ministerialen des steirischen Herzogs „qui filios non habuerint, filiabus beneficium dimittere non prohibeantur,“ was die Bestätigung K. Friedrich II. von 1237 und die mit derselben hier gleichlautende Handfeste Kg. Rudolf's von 1277 in schwülstiger Weise umschreiben: Ex innata quoque clementiæ nostræ gratia præsentis privilegii authoritate sancimus, ut filiæ in bonis patrum succedant eis herede carentibus masculino, per quas patrum memoria in filiis propagatur. Da man in der Folge die von Kg. Friedrich IV. 1443 unter Anhängung der Goldbulle bestätigten (daher guldin Bull) Handfesten Kg. Rudolf und Hz. Albrecht I. als Ausgangspunkt der Rechtsentwicklung nahm, so übersah man die ursprüngliche Bedeutung des Privilegiums, welche die landesfürstlichen Lehen betraf, vollständig und bezog die bona patrum auf das bewegliche und unbewegliche Allodialvermögen. Das musste aber nothwendig zu einer Verkürzung der Töchter führen, weil nun die Ansicht entstand, die Töchter hätten von Anbeginn gar keinen wie immer gearteten Anspruch auf das Vermögen des Vaters zu stellen gehabt und der König habe sie durch Einräumung des Erbrechtes nach dem Abgange männlicher Namensträger begnadet.

setzung des weiblichen Geschlechtes hinauslaufen musste, ist klar, und dass dies dann wieder auf die gesellschaftliche Stellung der Frauen zurückwirken musste, ist ebenso einleuchtend. Man glaube aber ja nicht, dass etwa die unverheirateten Töchter im Punkte des Erbrechtes besser daran waren als ihre verehelichten Schwestern, d. h. mit andern Worten, dass ein Mädchen durch Beharren im ledigen Stande sich ihren angemessenen Theil an dem väterlichen Vermögen hätte erhalten können. Im Gegentheil, diese waren noch unvergleichlich schlechter gestellt, da sie geradezu auf das Gnadenbrot ihrer Brüder angewiesen wurden. Was will's doch sagen, wenn der alte Wolf von Stubenberg seinen Söhnen ihre Schwester Kunigunde gar hoch anempfiehlt, „wann si mich gar schön hat gehabt und ist gar frumb". Mit 32 Pfund Pfennig jährlich, einer ehrbaren Pfründe und ehrbarer Kleidung für sich und zwei Mägde war sie bei alledem zu einer sehr untergeordneten Rolle verurtheilt. Trotz des Verzichtes stand also die verheiratete Tochter besser, da ihr die Abfertigung einen grösseren Betrag zubrachte, und sie noch überdies vom Vater letztwillig gewöhnlich, mit einer freiwilligen Schenkung wie man vorsichtig sagte, bedacht wurde. Dies alles mag unserem Gefühle hart erscheinen, der Adel jedoch wusste nur zu gut, wie nothwendig das Beharren bei dieser Gepflogenheit für die Erhaltung seiner wirthschaftlichen Stellung war, auf welcher sein Einfluss zum guten Theile noch beruhte, und in wenig Punkten ist den eindringenden Grundsätzen des römischen Rechtes ein zäherer Widerstand entgegengestellt worden, als gerade hier. Erst Kaiser Josef II. brach 1786 durch seine neue Erbfolgeordnung und die damit im Zusammenhange stehenden Verfügungen vom 23. October und 27. December d. J. dieses Vorrecht des steiermärkischen Adels. Blieb gleich jedes Ansuchen um Herstellung der früheren Landesfreiheit, das man von Seite der Landschaft an Kaiser Leopold II. richtete, erfolglos, so beweisen doch die damals gewechselten Actenstücke durch die dringliche Sprache, in der sie abgefasst sind, die Wichtigkeit, die man dem Gegenstande beilegte. Mit allen Mitteln wird hier die

Rechtsbeständigkeit der alten Uebung vertheidigt. Die Bestimmung des Pflichttheils wird als „eine bloss römische Erfindung, die nur insoweit gelten kann, als sie angenohmen worden ist", angegriffen und verworfen, ja man versteigt sich sogar zu dem Beweise, dass eine derartige Bevorzugung der Söhne vor den Töchtern gar nicht so unbillig sei. Wären doch die Eltern „nach dem Rechte der Natur nur gehalten, für die Erhaltung und Erziehung ihrer Kinder während ihrer Unmündigkeit und insolang, als sie sich nicht selbsten ernähren können, zu sorgen, und verdienen doch die Söhne, da nur sie, nicht aber die Töchter dem Staate selbst Dienste leisten können und öfters Staatsämter begleiten (!), die mit grösserem Aufwand verbunden sind, grössere Begünstigung und somit ein ungetheiltes Vermögen" [38]).

Die Verzichtleistung auf das väterliche Erbe lautete in der Regel auf den Fall, so lange noch irgend welche männliche Erben des gleichen Namens — also auch in den Seitenlinien — vorhanden wären und die Abfertigungssumme selbst stand zu dem Vermögen ausser allem Verhältniss. Während des 16. Jahrhunderts war deren Grösse vielfach schwankend und ihre Festsetzung vom Willen des Vaters abhängig. Wir finden sie z. B. bei dem begüterten Rittergeschlechte der Stadl durch das Testament des Georg Stadl zu Liechtenegg von 1549 auf 300 fl. Rh. gestellt, während die dem Herrenstande angehörigen Stubenbergischen Töchter angeblich seit einem Familienvertrage vom Jahre 1296 auf 1000 fl. Rh. Anspruch hatten [39]). Späterhin, im 17. Jahrhunderte, bildete sich gewohnheitsmässig die portio statutaria aus, welche für

---

[38]) Eingabe der steirischen Landschaft an K. Leopold II. um Wiederherstellung der früheren ständischen Freiheit. Steier. Landes-Archiv, Abthlg. B, Landtagsacten A. I, 1782 1791.

[39]) Kumar, Herberstein I, 43. Der betreffende Vertrag ist im steir Landesarchive, welches fast alle Reste der Stubenbergischen Archive vereinigt weder zum J. 1296 noch, wenn ein Druckfehler in der Jahreszahl vorliegt, wie wahrscheinlich, zum J. 1396 erhalten. Dieser letztern Zeit dürfte er angehört haben, da der Betrag von 1000 Pfd. dl.

die Töchter des höheren Landesadels (Grafen und Freiherren) 2000, für jene aus dem Ritterstande 1000 fl. betrug, Summen, welche im Hinblick darauf, „dass die Bedürfnisse gegenwärtiger Zeiten jene der vorigen so sehr übersteigen," nach dem ständischen Antrage von 1790 auf das Doppelte erhöht werden sollten, um „die Gelegenheit zu einer billigen Beschwerde zu entfernen".

Einigermassen, aber wohl nur einigermassen wurde die Härte dieses Gebrauchs für die Einzelnen durch die Allgemeinheit gemildert, in der er herrschte, ausserdem hätte man wohl denken sollen, dass durch denselben zum mindesten das Stammvermögen der jungen heiratsfähigen Männer derart vermehrt wurde, dass sie weniger auf das Vermögen der künftigen Frau angewiesen waren. In der That aber waren reiche Bräute damals gerade so gesucht wie heute und manch jugendliches Gesichtchen aus altadeligem reichen Hause musste neben einer verwelkenden Witwe zurückstehen, weil, wie der ehrliche Beckmann sagt, die Heiratscandidaten den (all)gemeinen Reim im Herzen und Sinne trugen:

> Amor vincit omnia,
> Das läugst du, spricht Pecunia,
> Denn wo ich Pecunia nicht bin
> Da kommst du Amor selten hin,

und meinten, man könne von der Schönheit der Weiber nichts essen, wo kein Geld darbey sei. — Da waren die Bürgerstöchter denn doch viel besser daran, als ihre adeligen Schwestern, denn da die „Bürger-Standespersonen regulariter nicht so viel auf die Conservation ihrer geringen Familien sehen als auf die gleiche Liebe aller ihrer Kinder und darum dem Grundsatze huldigten, „es sind alle meine Kinder, derer

---

ungefähr seit dem Jahre 1385 als Aussteuer der Töchter aus dem Herrenstande erscheint und schon 1402 die Aussteuer einer bereits verstorbenen Stubenbergerin auf 1000 Pfd. veranschlagt wird. Allein noch im Jahre 1378 musste Anna, die Tochter weil. Friedrich's von Stubenberg, sich mit 600 Pfd. dl. begnügen. Notizenblatt d kais. Akad. d. Wissensch. 1859, S. 201, 219, 231, 265, Nr. 218, 249, 283, 309.

das eine Kind nicht mehr mein Kind ist als das ander," so erbten sie mit ihren Brüdern zu gleichen Theilen [40]).

Die Ausstattung, die ein adeliges Fräulein ausser ihrem Heiratsgute zu beanspruchen hatte, war nicht übermässig reich, zumal darum, weil ihr Prachtkleider in Abzug gebracht werden konnten, welche sie im ledigen Stande auf Abschlag empfangen hatte. Das schon genannte Stadl'sche Testament von 1549 verordnet an Schmuck eine goldene Kette im Werthe von 50 Kronen, die gleichzeitig als Nothpfennig diente, einen Vermählungsring im Werthe von 10 Gulden, 18 Loth Silber-„Geflinder", d. i. kleine Silberwaaren, deren man sich zum Benähen der Kleider bediente und eine beschlagene Borte im Werthe von 10 fl. zu einem Gürtel, an Kleidung ein schwarzes Sammtkleid, dreierlei Seidenröcke zum Theile mit Sammt verbrämt aus Atlas, Damast und Taffent, ein paar eben solche Joppen, zwei Sammtbarrette, ein mit Fuchspelz gefüttertes Ueberkleid und anderthalb Stück „Spinnet", d. i. wohl selbst gesponnener und gefertigter Leinwand [41]). Von neu bereiteter feiner Leib- und Hauswäsche, welche jetzt der grösste Stolz der jungen Hausfrauen ist, und ebenso von Möbeln ist keine Rede. Dennoch klagte man schon damals über die mit dem zunehmenden Luxus sich steigernden Ansprüche der Mädchen. „Von meinen Eltern," erzählt Sigismund von Herberstein mit schalkhafter Laune, „hab ich vernomen, gleichwohl haben auch sie nur vom Hörensagen geredet, dass da zu Herberstein sieben Ritter zu einer Zeit gewohnt haben sollen, darunter nur einer Hosen getragen, gleichermassen auch vernommen, dass neun Herbersteinerinnen aus einem Mantel verheiratet

---

[40]) Beckmann Idea juris statutarii et consuetudinarii Stiriaci et Austriaci Graz 1688, S. 156, 328

[41]) Spinnet = ein gewisses Quantum des Gesponnenen. Schmeller, 2. Aufl. II. 675. — Die Ausstattung eines österreichischen Fräuleins (Katharina, Tochter Gregors von Starhemberg), welches 1520 mit reichem Brautschatze aus dem Nachlasse ihrer Mutter nach Steiermark an Wolfgang von Schärfenberg vermält wurde, s in (Kaltenbæck's) österr. Zeitschrift für Geschichts- und Staatskunde 1837, Nr. 7, S. 28.

seien. Das setze ich auch für keine Gewissheit an, wenn es aber eben so wahr als möglich ist, so findet man daraus, wie sich das weltliche Wesen mit der Zeit verändert. Jetzt will keiner ohne sieben Paar Hosen, auch keine ohne neun Mäntel zufrieden oder benügt sein" [42]).

Endlich hatten die Mädchen auch noch den Anspruch auf eine standesgemässe („ziembliche") Hochzeit. Hier wurde nun allerdings grösserer Prunk entfaltet. Wer es konnte, verlegte die Bankette, zu deren Verherrlichung ein eigener landschaftlicher Koch mitwirkte, in die Räume des Landhauses zu Graz und so störend wurde mitunter der Lärm der fröhlichen Gäste, dass dadurch nicht allein der Unterricht in der landschaftlichen Knabenschule, sondern auch manche ernste Gerichtssitzung unterbrochen wurde [43]). Doch gehörten derart prächtige Feierlichkeiten mit Tafeln, Aufzügen, Rennen und Reihentänzen, wie solche zwischen dem 24. bis 27. November 1591 zu Graz bei der Vermälung des Freiherrn Carl von Harrach mit der Tochter des Landeshauptmannes, Fräulein Maria von Schrattenbach, auf Kosten der Erzherzogin-Witwe abgehalten wurden, zu den Seltenheiten im Lande [44]).

Wie an einen schönen Traum mögen die jungen Frauen noch oft an ihren glänzenden Ehrentag zurückgedacht haben, da sie die erste Rolle spielten und Alles ihnen huldigend nahte. Bald aber wurden ihre Gedanken von dem neuen Wirkungskreise, von Rechten und Pflichten in Anspruch ge-

---

[42]) Vgl. Mittheilungen XIX, 55.

[43]) Die neureformirte Schrannenordnung von Krain 1571 verordnet im Art. von Verhören und Rathschlägen (22): Im wehrenden Hofftayding sollen Commissionen, Rathschläg und Verhör, auch Hochzeiten und Bankhet nicht eingemengt oder gehalten werden u. s. w. Es ist dies eine der wenigen Stellen, wo eine Abänderung der früheren Landschrannenordnung von 1564 geboten erschien.

[44]) Einen Auszug aus der von Sigmund Bonstingl aus Tirol in Versen verfertigten und 1592 bei Hans Schmidt zu Graz gedruckten eilf Bogen langen Beschreibung dieser Feierlichkeiten liefert Kindermann: Beiträge zur Vaterlandskunde für Innerösterreichs Einwohner 1790, I, 68 ff.

nommen, in den sie getreten waren. Die Pflege und Erziehung
der Kinder, mit welchen die Ehen gewöhnlich in einem für
uns überreichlichen Masse gesegnet wurden, ward ihnen zur
Quelle grosser Freuden, aber auch vielen Schmerzes. Denn
gross, viel bedeutender als jetzt war die Sterblichkeit unter
den kleinen Wesen, so dass die Zahl der erwachsenden Sprös-
linge selten die Hälfte der Geborenen erreichte, wiewohl man
es an Hilfe nicht fehlen liess, an Hilfe, welche freilich fast
nie den Kreis von Hausmitteln überschritt. Aber auch das
Leben des Gatten, der sie erkoren, bedrohte so manche
Gefahr. Gar oft verheerten gefährliche Seuchen das Land und
die krummen Türkensäbel haben mehr als eine jugendliche
Witwe zurückgelassen. Mit dem Tode des Gemals aber erlosch
der Glanz der Stellung, welchen die Frau bisher an seiner
Seite genossen hatte. Verwandte des Hauses, die sich vielleicht
Zeitlebens des Mannes grollend entfernt gehalten hatten, gewannen nun als Gerhaben der Kinder einen Einfluss, den die
Witwe oft nur schwer ertragen konnte. Noch übler war es,
wenn die Ehe nur mit Mädchen gesegnet worden oder gar
kinderlos geblieben war, weil nun das Vermögen des Verstorbenen gemeiniglich an den Stamm zurückfiel. Die Lage
der Witwe war darum oft eine sehr bedrängte. Andererseits
fehlte es den Verwitweten, wenn sie noch jung waren oder
den Abgang der Wohlgestalt durch ein gemehrtes Vermögen
ausgleichen konnten, selten an Freiern und es kann darum
nicht Wunder nehmen, wenn sie in den meisten Fällen trotz
gewisser Vortheile, welche ihnen vertragsmässig oder testa-
mentarisch eingeräumt wurden, um die Lust zur Wiederver-
heiratung zu ersticken, dennoch lieber auf dieselben verzichteten und den Witwenstuhl zum zweiten und dritten Male
verkehrten, wie solches ein Blick auf die Geschlechtergeschichte
des 16. Jahrhunderts darthut.

IV.

Wir sind an das Ende unserer Darstellung gelangt. Mancher Zug in derselben dürfte überrascht, mancher selbst abgeschreckt haben, doch darf nicht übersehen werden, dass jene Zeit, der sie galt, in allen Stücken roher und gewaltsamer war als die Gegenwart, dass die Leute, um mit Riehl zu reden, noch Blut sehen konnten, ohne kölnisches Wasser zu Hilfe nehmen zu müssen. Das scharfe Gestech, bei welchen die Frauen so gut Zuseherinen waren als beim Ringelrennen, konnte den Rittern gar wohl an den Kragen gehen und die Theilnahme an einer Hetzjagd hätte Niemand einer Dame verübelt. „Wir haben vorgestern (in) den Schachen gejaidt," schreibt einmal, wie öfter die Erzherzogin Marie, „ist ein guedter Hirsch, ein 14 und ein 10 (Ender) darinnen gewest, hat gar ein gueten Luest gemacht, hab euch dreulich zu mir gewünscht" [45]). Wie die Männer, so hatte auch das weibliche Geschlecht stärkere Nerven. Als beispielsweise der am Tag vorher geborne Sohn des Erzherzogs Ferdinand, Johann Carl am 2. November 1605 in der Domkirche getauft werden sollte, da gratulirten die Hoftrompeter „am Purkhplatz, doch drinnen im Hoff Jerer Durchlaucht mit einem gar schön blasunden Joseph, summa es war aller Orten Freude und Jubilieren," schreibt Andreas Ochs von Sonnau in seinem Tagebuch. Weder er noch sonst Jemand scheinen in einer derart lärmenden Freudenbezeugung etwas Unpassendes für die fürstliche Wöchnerin gesehen zu haben [46]).

---

[45]) Brief an Wolf v. Stubenberg ddo. 6. September 1596. — Die Erzherzogin Marie machte übrigens ihre erste Hetzjagd in Steiermark, die einen Theil der Empfangsfeierlichkeiten bildete, schon als Neuvermälte mit. „Den 15. September (1571)," berichtet Sponrib in seiner Gelegenheitsschrift, „hielten J. F. Durchl. in Gegenwart baider hochgedachter Herzogen in Bayern und Ihrer F. D. etc. geliebtesten Gemahel im Schachen zu nägst bei der Stadt Grätz so allenthalben mit Plachen umbzogen war mit englischen Hunden und Winden ein L u s thetz und hatten mit Fellung etlicher Stück Wilt sondere Freud."

[46]) Oesterr. Zeitschr. f. Gesch. u. Staatskde. 1837, S. 104.

Was uns damals im Gegensatze zur Jetztzeit besonders
auffällt, das ist die durchaus viel grössere Entschiedenheit des
Individuums. Als Mitglied eines Standes, dessen früh errungene
Verbriefungen allmälig zu Landesprivilegien geworden waren,
fühlte sich der steirische Adelige nur durch die Landhandfeste und die darauf fussenden „guten Gewohnheiten"
beschränkt. Allem Uebrigen glaubte er eben mit Berufung
auf diese seine Rechte und Freiheiten entgegentreten zu
dürfen. Da ist es nun sehr bemerkenswerth, in welcher Art
er den im 16. Jahrhunderte thätigen umstaltenden Gewalten,
namentlich dem römischen Rechte und der durch dasselbe
wirkenden Regierung begegnete. Er fühlte es gar wohl, wie
alles der Allgewalt des Staates zutrieb und wie das Beam-
tenthum mit geschickter Benützung der Sätze des fremden
Rechtes den Wirkungskreis des Staates auf Gebiete vorschob,
auf denen er bisher, sei es als Einzelner, sei es als Körperschaft (Landschaft) unbestritten geherrscht hatte. Aber das
fremde Recht war schon zu tief in das gesammte Leben ein-
gedrungen, um durch einfaches Verneinen beseitigt werden
zu können, der Feind musste mit seinen eigenen Waffen be-
kämpft, Interpretation der Interpretation gegenüber gestellt
werden. Und in diesem Punkte erwiesen sich die Vertheidiger
der ständischen Rechte, die wir theils im Kreise des juristisch
gebildeten Nachwuchses der Adeligen, theils unter den landschaftlichen Beamten zu suchen haben, ihren gelehrten Gegnern
völlig ebenbürtig, das heisst sie nahmen so wenig Anstand
als diese, ihre Behauptungen durch die ungereimtesten Auslegungen zu stützen, nur dass sie dieselben aus der Rüst-
kammer der „gulden Bull und Freiheiten", die Romanisten
aus dem Corpus juris hervorholten. Ja sie verschmähten es
nicht einmal, die aus der Landhandveste hergeleiteten Sätze
auch noch durch Aussprüche des römischen Rechtes zu unterstützen, wie beispielsweise bei der Rechtfertigung der Erb-
verzichte der Töchter nicht bloss auf den missverstandenen
Satz der Fridericianischen Handfeste von 1237: sancimus ut
filiæ in bonis patrum succedant, eis hærede carentibus mas-

culino, per quas patrum memoria in filiis propagatur, sondern
auch auf den Ausſpruch Ulpians: mulier autem familiæ suæ
et caput et finis est (L. 195, § 5 ff. de V. S.) hingewiesen
wurde. Mehrten sich dergleichen gekünstelte Ausdeutungen
seit dem 17. Jahrhunderte, bis sie sich schliesslich über den
ganzen Umfang der Landesfreiheiten verbreitet hatten, so fällt
doch ihr Beginn unzweifelhaft in die vorhergehende Zeit, wie
aus einer seit dem Jahre 1583 in den Drucken der Landhandfeste erscheinenden Randnote klärlich hervorgeht [47]).

Wo aber weder die Landesſtatute dem Adeligen eine
Beschränkung auferlegten, noch auch das römische Recht zur
allgemeinen Geltung durchgedrungen war, da schalteten die
steirischen Herren und Landleute wie geborne Herrscher und
nur langsam ist hier dem Staate die Eindämmung ihrer weit-
gehenden Ansprüche gelungen. Dies gilt zumal für das Gebiet
des Familienrechts, wo sich der Adel der Steiermark während
des 16. Jahrhunderts noch in dem unbestrittenen Besitze
von Rechten befand, wie solche jetzt nur noch regierenden
oder mediatisirten Familien zuzustehen pflegen. Die Erbver-
zichte seiner Töchter stimmen mit den bei Verheiratung von Prin-
zessinnen gebräuchlichen Reversen nicht bloss in der Grund-
absicht, sondern auch in manchen Einzelnheiten überein. Die
Beschränkung der ledigen Töchter auf den standesgemässen
Unterhalt war im Belieben des Testators und es gibt selbst
Fälle, in welchen der Erblasser die Volljährigkeitsgrenze für
seine Kinder nach eigenem Ermessen festsetzte [48]). Es kann
uns darum nicht wundern, wenn die Testamente und Erbver-
brüderungen des steirischen Adels oft förmliche Familien-
statuten bilden und Fideicommiss-Stiftungen aus eigener Macht-

---

[47]) Vgl. darüber Beiträge z. Kde. steierm Geschichtsquell. IX, S. 15-.
[48]) Testament des Hans v. Stadl auf Riegersburg von 1579 (?) . . .
Die Vogtbarkeit fürs 4. will ich hiemit beiden meinen lieben Söhnen
auf völlig 22 Jahr ihres jeden Alters bestimmt und gesetzt haben . . .
Steier. Landes-Archiv, Abtheilg. A, Ms. 382* p. 321 und damit zu-
sammengehalten Art. 3 des in Beilage II mitgetheilten Testaments
des Georg Stadler.

vollkommenheit getroffen wurden. So kräftig war noch das Familienband, dass ein Zuwiderhandeln gegen dergleichen Satzungen der Vorfahren selbst dort nicht wahrscheinlich war, wo jener innige Zusammenhalt fehlte, den man einzelnen Geschlechtern vorwarf. „Traut den Landleuten, so weit ihr seht," ermahnt Wolf von Stubenberg seine Söhne zu Anfang des 16. Jahrhunderts, „sie haben mir nie Gutes gethan, denn sie sind alle Freund und Schwager untereinander" [49]). Zwei Generationen später waren die Herbersteine sogar in das Gerücht gekommen, sie hätten zur Behauptung und Erweiterung ihrer hervorragenden Stellung verbotene Ligation, Partialitäten und Bündnussen" im Lande aufgerichtet, welche durch den Beitritt aller, die ihrem „Namen befreundt und beschwägert" seien, verstärkt werden sollten. Ergab gleich die 1564 von der Regierung über Einschreiten des beschuldigten Geschlechts eingeleitete Untersuchung keinerlei strafbaren Thatbestand, so ist doch der geschilderte Vorfall für mehr als Eines bezeichnend [50]).

Nicht spurlos war das 16. Jahrhundert an unserm schönen Lande und seinen Bewohnern vorübergegangen und auch darüber kann kein Zweifel obwalten, dass die Umwandelung einen grossen Fortschritt einschloss. Zu Beginn des Jahrhunderts, welche Rohheit und Unwissenheit in diesen Kreisen! Streitsüchtig und fehdelustig hatte der Adel kaum ein Menschenalter vorher in den Baumkircherfehden das Land verheert, und der Einbruch corvinischer Schaaren kurz darauf hatte

---

[49]) Beilage I, Absatz 5.

[50]) Die Enderledigung lautete: lr F. D. vnser gn. Herr haben nottürftige Inquisition gehalten, aber nichts von einiger Bündtnuss, so die Freyherrn von Herberstain etwo gemacht befunden, vnd da es geschehen, auch die Bündtnuss dermassen geschaffen, so khündten Ihr F. D. selbs nit unterlassen, aus tragendem landesfürstlichem Amt, notwendigs gebürlichs Einsehen zu haben. Decretum per Archiducem 20. Sept. Anno (15)64. Hans Kowentzl von Prossegkh. S. die Erledigung und die Actenstücke in Sigmund's v. Herberstein „Weitere und beständige B. schützung der vnrecht Beschuldigten."

diese Wildheit nur vermehrt. Trunkenheit und Völlerei, wüstes Spiel und Liederlichkeit waren erschrecklich eingerissen. Desto staunenswerther ist der Fortschritt in den nächsten Geschlechtern. Wissenschaft und Kunst gewinnen an Werth und Verbreitung in Kreisen, welche sie vordem mit Geringschätzung dem Clerus zugeschoben hatten. Die Söhne von Männern, deren ganzes Wissen an römischer Historie sich auf die Fabeleien von Gregor Hagèn und Genossen beschränkt hatte, lesen die überlieferten Quellen der alten Geschichte in der Ursprache, ihre Enkel wirken bereits — wohl ein Schritt darüber hinaus, aber kein Fortschritt — bei feierlichen Aufzügen und Schulcomödien in Rollen des classischen Alterthums mit. Dass Wissen Macht gebe, war im Bewusstsein der oberen Schichten der Gesellschaft durchgedrungen und wetteifernd füllen darum Adel und Patriziat die Räume der höheren Schulen. Dabei hatte die religiöse Anschauung an wohlthätiger Wärme und Innigkeit zugenommen. In Briefen eingestreute Bemerkungen, Beischriften, die sich in Acten und Protokollen finden u. dgl. m. verrathen das wahrhaft gläubige Gemüth, das inmitten aller Zeitbedrängnisse, der dräuenden Türkengefahr, der verheerenden Seuchen und der beginnenden „Verfolgung der evangelischen Lehre" sein Vertrauen auf die göttliche Hilfe nicht verlor. „Bleib bei uns Herr Jesu Christ, dann überall jetzt Abend ist," schliesst in banger Vorahnung 1596 das Concept der Erbhuldigungsacten. Aber auch die Sittlichkeit hatte sich im Allgemeinen gehoben. Zwar gab es noch immer Ausschreitungen, welche an dem Adel der Steiermark (so gut vom katholischen Clerus als von der protestantischen Geistlichkeit) hart getadelt wurden, spätere Vorfälle jedoch, wie jenes dreiwöchentliche Bacchanal des Grafen Ursenbeck auf der Riegersburg, das eine Fensterinschrift kurz und treffend verewigt: „Anno 1635 den 6. April hat szich dasz Szauffn angehebt, vnd ale Tag ein Ravsch geben bisz auff den 26. detto," sind bereits auf Rechnung des 30jährigen Kriegs zu schreiben, der zunehmende Roheit und Verwilderung auch unsern Gegenden brachte. Da war man im 16. Jahrh. denn

4

doch um Manches besser daran, da trotz aller Zerwürfnisse zwischen dem katholischen Landesfürsten und der protestantischen Landschaft, ein reges Pflichtgefühl bestand. Von jeher hatte die Steiermark treuer zu dem Herrscherhause gehalten, als ihre nördlichen Nachbarländer. Auf dem Brucker Landtage von 1519 vertrat sie mit Kärnten und Krain die gemässigte Partei, welche sich bei aller Hochschätzung der Landesprivilegien wohl hütete, die von den Oesterreichern dazumal betretene Bahn einzuschlagen. So bewährte sie sich auch, als mit dem Ende des 16. Jahrhunderts eine viel ernstere Prüfung über das Land hereinbrach. Man hat sich oft gewundert, wie es möglich gewesen, dass eine Massregel, wie die Gegenreformation in der Steiermark ohne blutigen Aufstand durchgeführt werden konnte, das Rechtsbewusstsein war es, welches dies verhinderte. Die Regierung war, als sie diesen politischen Fehler beging, daran lässt sich nicht deuteln, formell im Rechte, und der protestantische Landesadel dachte loyal genug, um 1609 die verlockendsten Anerbietungen des Erzherzogs Mathias uneröffnet zurückzusenden. Welch' ein Verlust an Intelligenz und Charakter für das Land, als dieser Adel, dem ebenso die tüchtigsten Elemente des Bürger- und Bauernstandes vorangegangen waren, schliesslich mit schwerem Herzen sein schönes Heimatland und seine daselbst in Gott ruhenden Angehörigen verliess, um sein Wissen und seine Thatkraft an fremdem Orte, im fremden Dienste zu verwerthen. Damals hat Deutschland einen reichen Strom des edelsten deutsch-österreichischen Blutes in sich aufgenommen, während wir die Blutleere durch Heranziehung slavischer und wälscher Elemente bannen mussten, die bei aller Tüchtigkeit Einzelner, im Ganzen denn doch ein sehr zweifelhafter Gewinn waren. Das hat man im Lande selbst sehr gut gefühlt. Nichts ist wohl sprechender, als dass schon wenige Jahre nach Durchführung jener Regierungsmassregeln (1612) der wirthschaftliche Verfall so offenkundig geworden war, dass die katholische Bürgerschaft selbst in Eingaben die Gegenreformation dafür verantwortlich zu machen wagte.

Beilage I.

Um 1500. Ermahnungen des Wolf von Stubenberg an seine Söhne.

1. Lieben sun, obs also lang lebet, das herr Andre abgieng von Stubenberg so bitt ich enck, es wolt euch in khain erbschaft des Schlanings halben nit geben, dann er mit raub, prandt vnd morderei paut ist worden, vnd ist der Pambkhircher vnd sein sun schandtlich dauon gestorben. Herr Andre von Stubenberg hat hiezue geheirat, ist erckhrumbt vnd hat von der stund nie khein glück gehabt.

2. Lieben sun, wan's encker erb besitzt, bochts nit vil, bösser mit vier oder 8 rossen gerritten, dann vber vier oder 6 jar zu fuessen gangen.

3. Huets enk vor hindtergeng, dan ich bin in gross schaden dardurch khumen.

4. Was's handlet, thuet's mit wissen, das rat ich enk treulich, dient's gott so wert's nit verlassen, hiet's enk vor bösen leuten, habts frumbe leut schön, das bitt ich euch.

5. Lieben sun, ob ich heut morgen stirb, so hiets euch vor enckern Pairischen (?) freundten. Last's vber encker brief nit, oder es seit warlich verdorbn. Nembts frumb landleut vnd thuet den so vmb jer dienst, was nach euern vermugen, die raten enk vnd dienen enkh treulich, aber vor allen dingen dients enkern fuersten, vnd seit im gehorsam vnd thuet wider in nicht, bei enkern leben. Dann si (d. i. die landleut) sindt mir allweg feindt gewösen vnd hetten mich alweg gern vmb mein guett bracht. Seit wol mit in vnd traut in als verr ier seht, dan si haben mir nihe khain guet than die landtleut, denn si sind all freund vnd Schwager vntereinander.

6. Es hat herr Ott von Stubenberg vnd sein brueder ein gueten brief gehabt, das si niemandt ins landrecht hatt laden mugen der ist mit dem todt des khaiser auch todt, ich hab des-

selben brief abschrift in der truhen (zu) Gratz, aber ich wais nicht, wo ich in hin gelegt hab.

7. Ob ich abgieng mit tod ehe es vogpar werd inzuhaben enker erbguet, so bits meinen gnedigen herrn, herzog Albrechten von Munichen vnd mein gnadige frau sein gmahel, auch mein gnadige frau, das si enke gerhaben sein vnd enk etwem befelchen, der enker vormund in landsrechten sei, wenn es mit enkern erbfreundten gar nicht versehen seit, wan ich vil brief hab die da lauten gegen enkern erbfreundten. Khumen sie darüber so seits warlich verdorben, darumb nembt enk weil, vnd vbersehts enker brief gar wol, da bitt ich enk vmb, vnd enke schwester die Khundl wais sie all, die last enk befolhen sein vnd die andern all. Ich hab enker muetter ein brief geben, ob ich ehe stürb wan si, so soll si enk in haben nach laut des briefs vnd hab darauf ein bestatigung von kaiserlicher majestat, nu ists mit in todt alles gefallen.

8. Ob mein schwager her Friedrich von Stubenberg sagt, er hiet mir viel zu dienst sein tag than, mag ich sprechen, dass ehr mir nie vertraut hatt sein sachen anders, denn wahn ehr bedürft hat ein 1 pfund dl. oder mehr vnd imer zu zeiten, so hab ich ims gelihen, vnd hat mir nie khain pfund wider geben, vmb was ich nit brief von in hab.

9. Lieben sun, biets enk das nit vil vnkheisch mit den weibern. Enker vettern Fridrich vnd Andre von Stubenberg haben schöne weib gehabt vnd haben sich daran gef(allen) das si bed erkhrumbt sein. Huets enk, ich habs auch than, aber mich hatt Gott behuet. Si habendt auch den ganzen tag gefüllt mit essen vnd trinken, das hat auch gleich darzue geholfen, das si erkrumbt sein.

10. Lieben sun, last enk die Ku(n)dl enke schwester befolhen sein, da pitt ich enk vmb, wan si mich gahr schon hat gehabt vnd ist ganz frumb. Ich hab ir auch ein brief geben, das es ier solt järlich geben xxxij pfund dl. dieweil sie nit verhairat ist, vnd solt ier geben ier erbers gewant auf si selb dritt vnd ier erber pfruendt.

11. Es hat der kaiser ein geltbrief von mein brueder herrn Assem von Stubenberg vmb 2000 fl. der ist von Kaiser gelost aber ehr hat in uns nit heraus wöllen göben, aber ein tödtbrief hat er göben, der ist in euer gewalt, des huets schon das es in nit verliest, als lieb enk enker guet ist.

12. Lieben sun, seit frumb vnd zichtig vnd halts enk zu frumen leuten, zu herren, ritter vnd knechten vnd farauss zu enken landsfursten.

13. Lieben sun nit nembs frue weiber, wen die khinder aim gar frue vndter die augen waxen, aber wan enk weiber wurden, die enk etwass zuebringen, damit es enk desto bass halten mocht, vnd thuets mit rath frumer leut, da bitt ich enk vmb.

14. Schauts, wan enk iemand in landtrechten wolt bekhlagen, so denckts ahn die berueffung, die ich hab, dan sind in beruefung (!) aufgesetzt vnd wo die junger sind denn die khlag, so schadt enk die khlag nit, vnd bringts vur gericht.

15. Lieben sun, habts enke arm leut schon. da bitt ich enk vmb vnd was si enk schuldig sein, des nembts vnd huets ier vor steier, vnd nembts nit sterboxen da bit ich enk vmb.

16. Lieben sun thuets wider enken landtsfürsten nit in khain weg, gedenkts wie geschehen ist dem Pamkhircher, Grafneker vnd ander vil die bosn todt haben genomen vnd ier khind arm worden sind, vnd ob ich sturb ehe es vogtbar würdt, so nembt es khain andern vormundt als unsern herrn khönig, wenn da ich gerhab hab wollen sein mein vettern, da hat mich Ott von Stubenberg nit wöllen haben, vnd hat sein mueter zu gerhab genomen, das das war ist, seh mahn sein beruefung ahn in landsrechten.

17. Lieben sun huets enker brief vnd sigl, lasts niembt daruber es traut im dann so wol, als enk selber; ich hab oft ain ein brief vnd sigl lassen sehen, es ist mier zu grossen schaden khumen.

18. Lieben sun, gebts gehrn vmb gotts will, wans gesterbts, wists nit wer vier enk geyt gleich so wol, als ir.

19. Werdts nit purg fier ander leut, vnd verschreibts enk nit fier ander leut, da bitt ich enk umb.

20. Hiets enk vor spil vnd liegen vnd trunckenheit vnd heimb-
lichen huren, dan si geben ain die lieb vnd wierdt oft gross
laid daraus, das ainer oft vnsinnig wirdt, oder ain pesen
siechtumb gewindt.

: 1. Huets enk vor posser gesellschaft, halts enk zu frumben
leuten.

22. Huets enk vor hindergengen wen mahn gehrn spricht plabsam,
so spricht man ain, das ehr sich bei'n ohren jugkt, da bitt
ich enk vmb, huets enk.

23. Hab(t) priester, frauen vnd junkhfrauen schon, ret nit vbl
von inen, last sein, wie sie sein.

24. Ob khrieg im land aufstuendt huets enk, damit es die . . .
das ir nit nembt, noch ein last, es gehet die ewig verdamnus
darnach.

25. Schauts das enker heuser alweg gespeist sein vnd from
phleger wachter vnd torbartl habt.

26. Huets enk vor den junkfraun die nit wol mayd sind vnd
gebts in nit ring, wan si bald vnnedl damit anfachen das
ainer aine nemen muess, vnd haben bald leut, die in sein
helfer, es ist mir mit mein ersten weib widerfaren.

27. Huets enk, das nit junkfraun vmb ier ehr bringt, wen es
gahr ein grosse sind ist.

Steierm. Landes-Archiv, Stubenberger Acten. Ist die flüchtige
und spätere Abschrift (17. Jahrhundert) der Aufzeichnungen Wolfgang's von Stubenberg, welche zu Anfang des 16. Jahrhunderts
(1493—1508) abgefasst wurden, da sowohl des Königs Maximilian als auch Herzog Albrecht IV. von Baiern († 1508) darin
gedacht wird. Wolfgang von Stubenberg selbst lebte noch 1509
und war Mitte 1511 schon todt. Vgl. Zeitschrift. f. Rechtsgeschichte
XII, S. 76. Das dunkle „plabsam" in Absatz 22 wird wohl so
viel wie verdeckt, heuchlerisch heissen. Vgl. Lexer, Mittelhoch-
deutsches Handwörterbuch I, 294, „blâbisen".

Beilage II.

Auszug aus dem Testamente des Herrn Georg Stadler zu Liechtenegg, Ritters, ddo. 1. Juli 1549.

(Montag nach Petri und Pauli.)

1. *Verfügungen zu Gunsten der Seele, der Bestattung in der Pfarrkirche S. Jacob zu Krieglach, Vorschriften über die Abhaltung des Ersten, Siebenten und Dreissigsten.*

2. Nachdem mir Gott der Allmächtig ein Sohn gegeben vnd mir sein gottlich Gnad darnach mir gebe, die ich nach mein Ableiben in Leben lasse, so ordne ich ihnen all mein Gut, fahrund vnd liegund nichts ausgenommen, *doch sollen sie die Vorschriften des Testaments genau einhalten.*

3. Wo ich mer Sohn als ein hinter mir liesse vnd ich in meinen Leben ihnen ihr Theilung meiner verlassen Gueter ich selbst nit macht, sollte solich Theilung durch meinen ältesten Sohn und meine verordenten Testamentarien, meine erbetenen Herren vnd Freund die Theilung nachzutheilen als viel ich Söhne hinter mir liess, vnd wen solche Theilung vnd Theilregister gemacht werden, sollen alsdann Loszettlen gemacht werden eines jeglichen Theilregisters vnd in einen Huet gelegt vnd darnach allweg dem jungsten den ersten Griff lassen vmb das Glück zu greifen*), darnach zu sein vogtbaren jaren jeglichen die anliegenden Güter nach Laut des Urbars antwurten. Ich will auch das man meiner Söhne keinem sein Gut einantwort vor 24 Jahren seines Alters. Auch ist mein endlicher willen, dass meiner Söhn keiner noch

---

*) In der Steiermark landesüblich. Darum bestimmt z. B. das Testament des Hans v. Stadl auf Riegersburg von c. 1579 (?): Nachdem soll mit Rath seiner (des ältern Sohnes) Frau Mutter und der Testamentarien der Verlass getheilt und dem jüngern Brueder dem Landsgebrauch nach der Aufgriff gelassen werden u. s. w. Steier. Landes-Archiv, Abthlg. A., Ms. 332ª S. 320.

ihr Erben Macht haben sollen, das Gschloss Liechtenegg oder
ander Sitz vnd Hæuser zu verkaufen noch zu verkumern so
ich hinter mir lasse, sonder die bey den Manns Stammen
der Stadler als lang der von Gott stehet, bleiben. Ich will
auch, wo ich einen Sohn hinter mir liesse oder mehr der
verduelich ware vnd das sein nit behalten wollte, solle
man ime sein Guet mit nicht(en) einantworten, sondern järlich
allein sein Einkommen zu sein Handen raichen, auch die
nächsten Freund vnd Brüder des Mannsstammen der Stadler
davon mit Lieb weisen, vnd wollt er sich je nit bessern,
sollte man ihme seines gefallenes Guet wie das Namen hat
nit mehr als ain halben Theil erfolgen lassen, doch dergestalt
das ihme von andern meinen Söhn die das Ihre behalten
(*in deren Abgang vom Mannsstamm der Stadler*) abgelöst und bezahlt werden das Pfundt Gelts freiss Aigen zu
20 Pfund dl ... *Sollte er mehrere Söhne hinterlassen, so
sei sein Wille*, die zu ihren vogtbaren Jahren komen und
sich beheurathen, dass kainer bei den andern hause, vnd wo
mir Gott mehr als zwen Söhn gebe vnd in Leben bleiben
vnd ihr zwen auf Liechtenegg getheilt wurden, sollen sie
solch Geschloss *sammt Zugehör* jeglicher 4 Jahr nachein-
ander innhaben vnd der Eltist den Anfang machen der Jahr.

4. *Sollte er keine Söhne hinterlassen, oder die von ihm ab-
stammende männliche Descendenz erlöschen, so hätten
das Schloss Liechtenegg und das „Haus" am Freyberg
sammt aller Zugehörung an den Mannsstamm seines
Bruders, das übrige Vermögen auf seine Töchter zu fallen,
doch in der Art, dass obiger Mannsstamm das Recht
haben solle, alles unbewegliche Gut an sich zu lösen und
zwar freies Aigen zu 24, Lehen zu 20 fl. Rheinisch für
das Pfund Geld, bei den Weingärten sollte eine Schätzung
durch „gute Leute" Platz greifen.*

5. Weiter folgt hernach, wie vnd was mass es mit meinen vn-
verheirathen Töchtern gehalten werden sollte, so ich hinter
mir liesse, verordne ich ihr jedlicher, an die Notdurft zu
gewarten, das ainer jedlichen werd jerlich 10 Pfund dl. ge-

reicht zu ihrer teglichen gegeben Gewanttung zu der Besserung bis sie zu Heirath kommen vnd folgt auch hernach, was meiner Tochter einer erfolgen sollte. Wenn sie ehelich mit Vorwissen der Freundschaft vnd Geswistret derselben Rath sich verheirath, sollten ihr mein Sohn oder derselben mein Testamentarien ein ziemblich Hochzeit halten, vnd einer zu Heirathguet für ihr vaterlich Guet geben werden 300 fl. Rh. ain zu raithen zu 15 Patzen oder zu 60 Kreuzer, vnd zu der Ferdigung solle man ainer jeden geben ain gulden Ketten mit 50 Kronen vnd einen Machelring 10 Pfund dl. werth, dritthalb Pfund gelds zum Hauben vnd Kragen vnd Pram daraus zu machen vnd Krauz vnd ein halb Pfund Silber 2 Loth Geflinder, zwei saubere samente Peredlein so bede 10 fl. Rh. werth seindt, 1 ½ Stuckh Spinadt (! Spinnet), 1 schwarzen samaten Jankharockh vnd ein rothen kremansin Atlas zu ein engen Rokh von obgemelten geld das Pram darzue zu nehmen, darnach ein Damaschat (!) auch zu ein engen Rokh, der soll mit Samet oben herumb die Brust verprambt sein, darnach ein engen taffenten Rokh auch oben umb mit Samet verprambt um die Brust, darnach ein samaten vnd ein damaschetes Jepl vnd ein harassen Schauben mit Fuchswammen vnderfietert vnd ein beschlahen Borden zu einer Gürtel auch 10 Pfund dl. werth. Vnd wo meiner Tochter eine oder mehr an diesen obvermelten engen Rögkhen ain oder zwen begehrten dieweil sie in Jungfraustand vnd gewachsen seynd, sollen ihnen mein Sohn oder derselben Gerhaben erfolgen lassen, doch das ihnen den Töchtern an ihrer gehalten Hochzeit vnd Freud abging und abzogen werden vnd nit schuldig zu geben.

6. Drüber ermahn ich Sie auch bei iren kindlichen Treuen als christglaubig alle meine Kinder sie ich hinter mir lasse, dass sie wöllen rueblich vnd ainig mit einander leben, darumb ich sie mit höchstem bitt, vnd mein vnd vnsers ganzen Geschlecht vnd sie selber verschonen. Es ist auch mein Bitt vnd Begehren an meine Testamentarien, das sie mein Söhnen wollen studiren lassen vnd nichts auf die Juristen oder Bescheisserey, sonder auf das klar lauter Wort Gottes vnsers

Heyland, darumb ich mein Sohn auch derhalben treulichen will ermahnt haben, dass sie da auf das Wort Gottes studieren vnd sich darnach halten als fromm Christen.

7. Es ist auch gleichmässig mein Ermahnen an mein Testamentarien auch an mein herzenlieben Gemahlen, dass sie wöllen die Töchter ihnen lassen befohlhen sein mit schöner Lehr vnd Zucht aufs Wort Gottes vnd will sie auch als mein Töchter hiemit ermahnt haben als ihr Vater, dass sie sollen Gott vor Augen haben vnd sein heiliges Wort vnd sich fruedlich vnd ehrlich halten.

8. *Seiner (3.) Gemalin* Maria, *des* Christoph Hager zu Mitterndorf *in Kärnten Tochter, weist er seinen „Sitz"* in Freyberg, *den* Murgenberger *Hof, gewisse Fischereirechte in der Raab, und jährlich 1 Startin „Haussperger" zum Witwenunterhalte an, dann die 900 Pfund dl., welche ihr laut Heiratbrief verschrieben waren.* „Ich will auch, wen es sich durch Unfried oder Sterb zutrueg oder in ander Weg, dass sie wolte auf Liechtenegg reisen, dass man sie einlasse vnd ein Zimmer ein geb, dasselbe in meinem Teil des Hauses zu Graz, vnd ist auch mein Willen, ob mein Töchter so ich zuvor hab vnd bey ihr erzog, bey ihr sein wollten oder sy gerne hätte, dass sie ihr gelassen werden vnd mit ihr auf ein leichtliche Unterhaltung abbrich, so lange si den Witwenstand hält, aber alsbald sie den Witwenstand verkehrt, soll alles tod vnd ab sein vnd mein Erben alles heimfallen, vnd sie mein lieber Gemachel nach laut ihrer Heirathbrief zufriedengestellt werden . . . wo sie aber ihre Töchter so ich bey ihr meiner lieben Gemachel erzeugt hab behält, soll man ihr die lassen, doch das sie ohne Vorwissen der Freundschaft keine verheirath.

9. Ich will auch, dass nach mein Ableben, dass mein Testament vnd letzter Willen nach meinem gehaltenen Dreissigsten in aller Stadler Verwahrung gelegt vnd behalten werde vnd mein Kinder jedem welche es begehrt Abschrift gegeben werden, gleichmässig mein Brueder vnd derselben Erben Mansstammen. — Ich bitt auch hiemit mein Testamentarien vnd

alle mein vnd meiner Kinder vnd Hausfrauen Freund ihnen allen mein Weib vnd Kinder befolchen lassen zu sein.

10. Es ist auch mein Bitt an euch, mein Söhn dahin zu weisen, damit sie ihr arm Leut schön halten in der Furcht Gottes vnd sie nicht beschweren.

11. Es ist auch mein Will das man all mein Diener und Dienerinn ihr Geld sollte schön zustellen vnd jeden um etwas mehr als man ihnen schuldig ist.

12. *Als Testamentarien „werden des Erblassers Brüder* Andre Stadler zu Stadlen vnd Erassam Stadler im Krottenhof, *ferner* Jerg Niderspurger (!) zu Hardt mein freundlicher lieber Sohn vnd Eidem *bestellt. Siegler, der Erblasser und dessen Schwäger:* H. Ulrich Herr zu Scherffenberg auf Hohenwang vnd Hans Schrott auf Oberkindberg.

Ich Georg Stadler zu Liechtenegg bekenn mit diser meiner eigen Handschrift, dass dies mein endlicher letzter Willen vnd Meinung ist.

Steir. Landes-Archiv, Athlg. A, Ms. 332ᵃ, S. 176—188. Der Erblasser war dreimal vermält und starb am 2. April 1557 mit Hinterlassung eines Sohnes, welcher 1563 ohne Erben starb. Die Töchter Georg's verzichteten hierauf gegen eine Abfindungsfumme von 19.700 fl. zu 60 kr. auf ihre Ansprüche zu Gunsten des Mannsftammes am 6. Juni 1564, worauf endlich am 11. August 1564 die Auseinandersetzung zwischen den verschiedenen Linien durch Vergleich erfolgte.

Beilage III (zu Seite 36).

Gegenverschreibung des Fräuleins Balbina von Stubenberg.

Ich Balbina des wolgeboren Herrn Herrn Caspar von Stubmberg obristen Erbschenken in Steyr vnd der wolgebornen Frauen, Frauen Ypollita Herrn Erbarten von Polhamb im Land Steir allen saligen Tochter, bekhen fur mich . . . . . als ich mich mit Gunst Willen und Wissen Herrn Wolfgang Ennglbrecht von Aursperg Herrn zu Schönberg etc. meins lieben Herrn vnd Schwagern als meins Gerhaben und . . Wolfgangen Herrn von Stubmberg . . meins lieben Herrn vnd Vettern als Mitwisser vorgemelter Gerhabschaft gen Goss in das Closter zu den andern weltlichen Junkhfrauen gethan hab, darauf mir dan die vorgemelten zwen Herren im Namen vnd von wegen meins Vettern Herrn Walthauser von Stubenberg als ers Pflegsun jarlich zu n. tag 40 Pfd. Pf. gegen mein Quittung raichen vnd geben sollen, wie dann vorhin etlich Jar auch beschehen ist. Darauf zuesag vnd versprich ich vorgemelte Palbina fur mich vnd all mein Erben mit disem Brief, das ich mich on vorgemelter Herrn Gerhab Mitwissen vnd meins Vettern Herrn Walthauser von Stubmberg vnd all jerer Erben Erlaubnus Vorwissen vnd Willen nit beheiraten, noch anderort wohin, als auf jer begern vnd erfardern zu jer ainen der beheiratt ist, thuen soll, vnd bei jer ain beleiben will, wie mir dan soliches zu thuen auch geburt. Des zu warer Urkhundt . . . . doch in vnd sein erben an Schaden, mit wellicher meiner Handgeschrift vnd Insigl ich mich bei dem Schadenbundt im land Steyr (verbind) als ob derselb von Wort zu Wort hierin begriffen war, alles das war vnd stat zu halten, so in disen Brief geschriben stett. Der geben ist an . . . . Tag in xlvij Jar.

Unausgefertigter Entwurf im steier. Landes-Archiv, Abth. A, Stubenberger Acten.

Eine obersteirische Pfarre

zur Zeit der französischen Invasionen.

Von

P. Jacob Wichner,
Archivar des Stiftes Admont.

Es gibt Oertlichkeiten, welche die Natur selbst zu dem Zwecke geschaffen zu haben scheint, vordringende feindliche Truppen einige Zeit aufzuhalten und der Vertheidigung festen Stützpunkt zu gewähren. Eine solche ist das zwischen Leoben und Kraubat hart am Einflusse der Liesing in die Mur liegende Pfarrdorf St. Michael mit der gleichnamigen schon in Urkunden des 12. Jahrhunderts vorkommenden Kirche. Westlich vom Orte ist die Gemeinde Brunn mit der Filialkirche St. Waldburg, gegen Norden das Dorf Madstein. Diese Gegend — ein gegen die Mur abfallendes Höhenplateau — ist, rechtzeitig besetzt, ganz geeignet, einem auf der alten Italienerstrasse von Kraubat heranrückendsn Feinde die Stirne zu bieten und als Knotenpunkt mehrerer durch schmale Flussthäler führender Wege von strategischer Wichtigkeit. Hier in St. Michael kreuzen sich die Strassen, welche von Bruck über Liezen nach Schladming und Aussee und von Judenburg nach Bruck führen, während in einer Entfernung von 1½ Stunden westlich bei Traboch eine Strasse nach Trofaiach einbiegt. St. Michael war daher von Alters her der Schauplatz massenhafter Durchzüge. Hier auf der Strasse von Virunum nach Ovilaba[1]) zogen schon die Legionen Rom's; hier hat in den Zeiten der grossen Völkerwanderung so manche Schaar germanischer oder sla-

---

[1]) Knabl, „Mitth. des histor. Ver. f. Stmk.," XVIII. 123, verlegt die Stationen Tartusanae (Kraubat) und Surontium (Kammern) in die nächste Gegend.

vischer Race sich den Durchzug nach dem verlockenden Süden erzwungen; durch diese Gegenden führte 1291 [2]) die vereinigten Salzburger und Baiern ihr siegreicher Marsch von Rotenmann nach Leoben. Aber auch der grausame Moslim fand hieher seinen Weg und in den Augusttagen des Jahres 1480 erglühten die Bergwände von rothen Feuersgluthen, denen die alte Kirche des hl. Michael zum Opfer fiel [3]). Uebergehen wir die weiteren Schicksale, wie solche die Lage St. Michaels an der alten Heerstrasse mit sich brachte und wenden wir uns nur den letzten kriegerischen Ereignissen zu, welche sich daselbst in der Franzosenzeit zutrugen. Nicht weniger als viermal, d. i. in den Jahren 1797, 1801, 1805 und 1809 durchzogen französische Colonnen das stille Pfarrdorf, dem selbst die Schrecken eines bedeutenden Gefechtes nicht erspart blieben. Ueber die Begebnisse jener Tage hat uns der damalige Pfarrer, der Admonter Stiftspriester P. Leonhard Lachmayr [4]). welcher ob seines ehrenhaften Charakters allgemein geachtet und von seiner Gemeinde innig geliebt wurde, einige Aufschreibungen hinterlassen. So lückenhaft uns dieselben auch überliefert wurden [5]), so verdienen sie doch als Berichte eines gleichzeitigen und glaubwürdigen Zeugen die Verbreitung in weiterem Kreise, und wir hoffen den Freunden des Vaterlandes und seiner Geschichte einen nicht unwillkommenen Dienst zu leisten, wenn wir aus jenen Papieren in der schmucklosen Weise ihres Autors einige Mittheilungen machen.

Nach Mantua's Falle am 2. Februar 1797 drang die französiche Armee unter Bonaparte durch Kärnten in Steiermark ein. Die Gefechte bei Einöd am 2., bei Unzmarkt am

---

[2]) Muchar, Gesch. d. Stmk. VI. 82.
[3]) „Die Einfälle der Osmanen in Steiermark" von F. Ilwof, Mitth. des hist. Ver. f. Stmk. X. 255—256.
[4]) Geboren zu Admont 18. Sept. 1748, legte 1. Nov. 1768 die Profess ab, war 1776—80 Kaplan zu St. Michael, 1780—82 in Wildalpen, 1782—88 Pfarrer zu Admont, dann zu Michael, wo er 18. Dec. 1811 gestorben ist.
[5]) Sie werden nun im Admonter Stiftsarchive aufbewahrt.

3. und bei Judenburg am 4. April konnten den Siegeslauf der Frankogallen nicht mehr hemmen und schon am 7. April besetzte der Feind St. Michael und Leoben [*]). Obwohl am 17. April ein Präliminarfriede im Eggenwald'schen Garten zu Leoben geschlossen wurde, dauerte doch die Occupation von St. Michael bis .zum 28. April. Auf zwei grossen Feldern hatten die Feinde Lager geschlagen (wesshalb dem Pfarrer deren Zehent für dieses Jahr entfiel) und noch ausserdem in die meisten Häuser Militär gelegt. Binnen drei Wochen, vom 7. bis 28. April wurden im Pfarrhofe 250 feindliche Officiere abwechselnd verpflegt, von den gemeinen Soldaten zu geschweigen, „welche schwarmweis hergefallen sind und gesoffen haben". Wie dabei gehaust wurde, das ergibt am besten nachstehendes vom Pfarrer Leonard ddo. 6. Juli 1797 bei dem Stifte Admont eingereichte Verzeichniss des durch „Verwüstung, Raub, Erpressung und Lieferung" ihm in seinem Pfarrhofe zugefügten Schadens, in welchem, wie er versichert, nur ortsübliche Preise angesetzt wurden.

Eine verwüstete Hausthür	12 fl.	30 kr.
Eine zu Grunde gerichtete Kellerthür . . .	4 „	30 „
(Diese beiden Posten lassen auf gewaltigen Einbruch schliessen.)		
An barem Gelde	30 „	54 „
An geraubten Gegenständen:		
Eine silberne Sackuhr	26 „	— „
„ Bettdecke	9 „	— „
2 silberne Löfel, 1 detto Messer und Gabel .	15 „	— „
6 Tischtücher	12 „	— „
30 Servieten	15 „	— „
15 Handtücher	11 „	15 „
Ein Paar Stiefel	4 „	— „
2 Pferdegeschirre	32 „	— „
7 zinnerne Teller	4 „	12 „
30 Pfund Schmalz	10 „	— „
Fürtrag .	186 fl.	21 kr.

---

[*]) Graf „Nachrichten über Leoben" 154.

Uebertrag . 186 fl. 21 kr.

Durch Lieferung und Erpressung:

P. 63 15 Pfund Stockfische	5 „	30 „
6 Pfund Hausen	2 „	24 „
8 „ geräuchertes Schweinefleisch	6 „	— „
6 „ Reis	1 „	12 „
8 Mass Gries	1 „	20 „
3 Massl Mehl	1 „	30 „
300 Eier	5 „	— „
24 Mass Milchrahm	3 „	12 „
14 Pfund Butter	3 „	30 „
65 „ Schmalz	21 „	40 „
40 „ Zucker	56 „	— „
14 „ Kaffee	21 „	— „
30 Paar Citronen	3 „	— „
¹/₂ Metzen Bohnen	1 „	6 „
An weissem Brote 24 Laib	7 „	12 „
„ schwarzem „ 35 „	7 „	— „
10 Flaschen Rosoglio	10 „	— „
1200 Mass Wein	300 „	— „
20 Pfund Kerzen	4 „	40 „
20 Metzen Hafer	30 „	— „
8 Schober Kornstroh	4 „	48 „
3 einspännige Fuder Heu	24 „	— „
8 Klafter hartes Holz	12 „	— „
5 Kälber	25 „	— „
1 detto	6 „	— „
6 Lämmer	5 „	12 „
1 Spanferkl	1 „	28 „
7 Kapaunen	7 „	— „
An zerschlagenen Fenstern	6 „	— „
An zerbrochenem Küchengeschirr	4 „	— „
An zerbrochenen Gläsern	18 „	— „

Summe . 791 fl. 5 kr.

Wenn man annimmt, dass in obiger Summe die auf Titel der Einquartierung aufgelaufenen Kosten gar nicht in

Rechnung gebracht wurden, so kann der dem Pfarrer er-
wachsene Schade gewiss gross genannt werden. Dass auch die
einzelnen Besitzer in der Gemeinde an ihrem Eigenthume
Einbusse erlitten, liegt in der Natur des Krieges. Noch genauere Auskunft gewährt uns ein Tagebuch des Pfarrers, aus
welchem wir folgende Stellen ausheben:

„5. April (1797). Am frühen Morgen kommt ein Oberst,
und verlangt die Zimmer zu sehen, da Erzherzog Karl hier
einlogiren werde. Hier wurde ich munter und mein Gemüth
erheiterte sich ganz und gar. Kaum ist eine halbe Stunde
verflossen, rückt die Dienerschaft des Prinzen ein (13 Personen). Während ich die Messe verrichtete, langte der Prinz
an. Ich und der Pater Rainer ersuchten um eine Audienz.
Wir wurden vorgelassen. Im Verlaufe des Gespräches fragte
P. Rainer, ob wir vor den Franzosen fliehen sollen? Der
Prinz sagte: Nein, bleiben Sie ruhig im Pfarrhofe.

Die Kriegskanzlei wurde im Schulhause etablirt. Im
Pfarrhofe waren einquartirt: die Generäle Belegarde, Fürst
Reuss, Mercandin, Kolowrat, Lindenau, Lattermann, der Major
de la Motte und der Hauptmann Köss. Im Dorfe hatten ihre
Wohnung genommen: die Generäle Prinz Oranien, Fürst
Schwarzenberg und Brady; der englische Oberst Graham und
der Landeshauptmann von Kärnten. — Um 1½ Uhr war
Tafel mit 38 Gedecken, während welcher die Nachricht vom
Einrücken des Feindes in Knittelfeld anlangte. Nach dem
Speisen hörte ich die Meinung äussern, dass der Feind nicht
weiter marschieren werde. Ich wagte es, dem Prinzen von
Oranien meine Befürchtung auszusprechen, dass die Franzosen
das kaiserliche Lager umgehen könnten. Allsogleich bemerkte
ich eine grosse Thätigkeit in der Kriegskanzlei. Ein Husar
erscheint mit einem gefangenen feindlichen Reiter, und erhält
6 Dukaten und das Pferd ... Um 9 Uhr begab sich der
Prinz zur Ruhe.

Um 10 Uhr treffen zwei Courire ein; der eine, Graf
Merveld, von Wien, der andere von Tirol. Der Prinz wird
geweckt und hält eine drei Stunden lange Unterredung mit

den zusammengerufenen Stabsofficieren. Merveld hat auf der Friedensschluss zielende Weisungen mitgebracht; Belegarde und der Prinz von Oranien werden beauftragt, bei Bonaparte einen Waffenstillstand anzusuchen. Man beschloss am folgenden Tag sammt den Truppen nach Vordernberg aufzubrechen.

6. April. Um 3 Uhr Früh reisen Bellegarde und Oranien nach Judenburg ab; um 4 Uhr brach die Dienerschaft nach Vordernberg auf. Später füllte sich der Pfarrhof mit Offizieren. Um 10½ Uhr entfernte sich der Erzherzog, und sagte zu uns: „Meine Herren Geistliche, betet fleissig." .... Im Pfarrhofe blieben die Generäle Lindenau und Fürst Reuss.

7. April. Um 1 Uhr Mittags kommt eine Ordonanz mit der Nachricht, dass der Feind schon in der Nähe sei, worauf die noch in Michael befindlichen Oesterreicher sich entfernten. Eine Stunde später ging ich in das Dorf hinab, in der Absicht den Dorfrichter zu bestimmen, dass er im Pfarrhofe der grösseren Sicherheit wegen einen höheren Officier einlegen möchte. Im Dorfe kam mir ein reitender Officier entgegen, welchen ich anfangs für einen kaiserlichen Husaren hielt. Dieser rief mir zu: Nihil timeas! habes stabulum, vinum et panem? Da ich seine Frage beantwortete, sagte er: Vade nobiscum, et iterato nihil timeas. Dies war meine erste Begegnung mit den Franzosen. Es waren vier Offiziere. Ich führte sie in den Pfarrhof, wo ich schon einen andern Franzosen fand, der sich an den Tafelüberresten gütlich that. Während ich meine Gäste bewirthete, fiel ein Schwarm von Soldaten in das Haus, wurde aber von einem der Offiziere hinweggewiesen. Endlich entfernten sich die Letzteren und riethen mir, das Thor zu schliessen. Bald kam wieder eine Schaar Franzosen und wollte mit Gewalt in das Haus; ja einer war schon im Begriffe bei einem Fenster einzusteigen. Da ging ich hinunter in den Hof um sie von weiterer Gewaltthat abzuhalten. Sie forderten Wein, der ihnen auch gegeben wurde. Allein Alles war ihnen zu schlecht; einige zogen den Säbel gegen mich und den Kaplan. Wir wollten in das Dorf eilen, um einen Offizier um Hilfe anzusprechen, wurden aber in das Haus zurückgetrieben. Nunc

incipit tragoedia! Man folgt mir auf mein Zimmer. Es war 8 Uhr Abends. Nun löscht einer das Licht aus, ich fühle mich bei der Kehle ergriffen und dachte schon, mein Ende sei gekommen. Meine Kleider wurden durchsucht und mir 30 fl. und die Sackuhr geraubt. P. Rainer wollte mir beispringen. allein nur seinem schnellen Ausweichen hatte er es zu verdanken, dass er nicht einen Säbelhieb erhielt. Darauf eilten die Räuber fort. Wir dachten an kein Abendmahl, sondern in der Furcht, noch Aergeres zu erfahren, versperrten wir uns in der Sakristei, doch die Kälte trieb uns um 11 Uhr wieder in das Haus. Um 12¼ Uhr hörte ich einen Trompeter in der Richtung von Leoben durch das französische Lager gegen Kraubat Signale geben, doch blieb Alles ruhig. Erst um 2¼ Uhr legte ich mich zur Ruhe.

8. April. Um 6½ Uhr Morgens pocht ein Offizier bei der Hausthüre und kündet in deutscher Sprache den General Magne an und sagt, dass um 7 Uhr der Waffenstillstand unterschrieben werde. Bald kam der General selbst, bedauerte die Vorgänge des gestrigen Tages. (Hier gibt Pfarrer Lachmayr ein Gespräch mit dem General über politische Vorfälle, welches wir füglich übergehen können.) „Wir sollten nur dem Gebrauche nach den Gottesdienst halten und keine Störung befürchten," sagte er auf meine diesbezügliche Anfrage.

9. April. Um 9 Uhr Vormittag kommt eine Ordinanz mit der Nachricht, dass die Kaiserlichen nur 2 Stunden entfernt seien. Auf dieses hin bricht General Magne auf, drückt mir eine Denkmünze in die Hand und lässt einen Scharfschützen als Wache zurück. Der Schulmeister, welcher den Ausmarsch der Soldaten sehen wollte, verrieth, als er gefragt wurde, den Franzosen, dass im Pfarrhofe Wein sei. Alsogleich drang eine Menge derselben in unser Haus, sprengte die Kellerthür, trank und verschüttete ein ziemliches Quantum Wein und entwendete 30 Pfund Schmalz. Der Scharfschütze musste der Uebermacht weichen. Erst um 11 Uhr —- es war Palmsonntag — konnte ich den Gottesdienst halten.

10. April. Gegen Mittag kommen 2 Husaren, roth montirt,

5*

die im Schlosse Spielberg bei Bonaparte die Wache hatten, nebst 36 Schützen, und wurden bewirthet." (Wird Einiges über einen Hauptmann und dessen Erlebnisse erzählt.)

Das Tagebuch bricht leider am 12. April ab. An diesem Tage kam Bernadote mit einer grossen Suite von Offizieren in den Pfarrhof und alle Räumlichkeiten wurden belegt. Der gute Pater Leonard musste im Keller stehen, um dem allgemeinen Verlangen nach Wein gerecht werden zu können. Unter seinen Papieren liegt auch ein Zettel, welcher die Namen der Brigadegeneräle und der Generaladjutanten der Division Bernadote enthält.

Nach der Schlacht von Hohenlinden (3. Dec. 1800) marschirte die Division Montrichard, der Armee des französischen Generals Lecourbe gehörig, von Salzburg gegen Leoben. Am 29. Dec. wurde diese Stadt und auch St. Michael besetzt. Von diesem Tage bis zum 18. März 1801 war — mit Ausnahme einer Woche — der Pfarrhof immer von französischen Offizieren, deren Bedienten und Pferden belegt. Der Chef des rothen Husarenregimentes brachte 10, der Oberst der reitenden Artillerie 12 Pferde mit. Selbst während jener Woche, in welcher keine Einquartierung war, sprachen Ordonnanzen im Pfarrhause ein und mussten mit Imbiss versorgt werden. Der Pfarrer benöthigte 50 Metzen Hafer, 2 zweispännige Fuhren Heu, 16 Schober Stroh. Mit dem Wein ging der Feind diesmal glimpflich um, indem nur 2 Startin aufgingen. Entwendet wurden die Ueberzüge mehrerer Sessel, eine Couvertdecke, ein Federkissen und ein Pferdezaum. Nach einem von dem Pfarrer, dem Dorfrichter Labuker und dem Werbbezirks-Commissär Waltner gezeichneten Ausweise ddo. 24. Juni 1801 beziffert sich der Schade, welchen der Pfarrer damals erlitten hatte, auf 612 fl. Obwohl der Friede von Luneville schon am 9. Februar geschlossen worden war, verliess doch erst am 18. März der letzte Franzose den Pfarrhof.

Die dritte Invasion fällt in das Jahr 1805. Am 9. November d. J. war Leoben durch die von Mariazell und Eisenerz kommenden Truppen des Marschalls Marmont besetzt worden,

Tags darauf erschienen die ersten Feinde in St. Michael. Wieder sind wir in der Lage, ein Bruchstück aus des Pfarrers Tagebuch geben zu können.

„Am 10. November Nachmittags 2 Uhr kommen von Leoben 40 Husaren in grüner Uniform mit einem Offizier. Dieser ging allsogleich in den Pfarrhof, wo er schon einen Husaren antraf, welcher von mir 4 Kronenthaler erpressen wollte. Der Husar wurde abgewiesen; der Offizier eröffnete jedoch dem ihn begleitenden Dorfrichter, dass die Gemeinde in einer Viertelstunde 6 Pferde (Hengste) herbeischaffen, oder 600 fl. zahlen sollte. Die ersteren waren aber nicht aufzutreiben und nach längerem Debatiren stellte sich der Offizier mit 400 fl. zufrieden, welche aber erst gesammelt werden mussten. Indessen zogen die Husaren von Haus zu Haus und forderten Geld. Auch ich fiel einigen in die Hände, welche mir mit Gewalt 7 Kronenthaler und ein silbernes Reliquiar abnahmen. P. Rainer [1]) erhielt einige Hiebe mit der flachen Klinge.

11. Nov. hatte ich vier Offiziere im Pfarrhofe. Beim Mittagsmahle begehrte einer aus ihnen Landkarten. Ich gab ihm einen Atlas, den er durchblätterte und riss endlich die Karten von Niederösterreich, Steiermark, Kärnten und Krain heraus. Ein anderer frug mich „wie weit Maidstein entfernt sei, und wo die Kaiserlichen ständen". Die erste Frage beantwortete ich ihnen; auf die andere konnte und wollte ich nichts erwiedern . . . . Abends wird der Dorfrichter vorgefordert und ihm bedeutet, vier Pferde zu stellen oder 400 fl. zu erlegen, widrigenfalls man ihn gebunden nach Leoben führen werde. Was war nun zu thun? Ich trat in Berathung mit dem Richter und den Kirchenpröbsten . . . ."

Auch hier fehlt die Fortsetzung des Tagebuches; aber es lässt sich denken, dass der Feind, seiner gefürchteten Erpressungstaktik getreu, die Gemeinde St. Michael nach Möglichkeit gebrandschatzt habe [*]). Der Friede von Pressburg, 26. Dec.

---

[1]) P. Rainer war ein Kapuziner.
[*]) Graf „Nachrichten über Leoben" S. 161 erzählt, dass Oberst P. . . . in einer Stunde dort 180 Ducaten requirirt habe.

1805, befreite Steiermark von seinen Drängern, und am 15. Jänner 1806 zogen endlich die Franzmänner ab.

War St. Michael bisher nur durch die starke Einquartirung, durch Contributionen und Plünderungen von Seite der Franzosen hart gedrückt worden, so sollte es 1809 Augenzeuge eines in der nächsten Nähe tosenden Kampfes werden. Oesterreich hatte am 9. April den Krieg erklärt und der Korse nahm den Handschuh auf. Die unglücklichen Schlachten von Pfaffenhofen, Abensberg, Landshut, Eckmühl und Regensburg, sowie der Rückzug des Erzherzogs Johann aus Italien bahnten dem Feinde den Weg in das Herz der österreichischen Monarchie. Der linke Flügel der französischen Armee von Italien unter dem Vicekönig Eugen drang durch Kärnten nach Steiermark vor. Der österreichische General Jellačič sollte in Eilmärschen durch das Ens- und untere Murthal nach Graz marschieren, um sich mit dem Erzherzog Johann zu vereinigen [9]. Die feindliche Avantgarde [10]) war am 25. April um 6 1/2 Uhr Morgens auf der Judenburger Strasse bis in die Nähe des Dörfchens Maidstein gelangt, als sie auf die Oesterreicher stiess. Der Feind zog sich zurück. Der rechte Flügel verfolgte ihn bis zur Kirche St. Walburg, während um 8 Uhr der linke längst der Mur hinaufrückte und den Feind bis Kaisersberg zurückwarf. Zwei beim Hause des vulgo Rainmüller postirte Geschütze fügten den Franzosen viel Schaden zu und brachten zwei auf der Anhöhe bei St. Walburg aufgefahrene Kanonen zum Schweigen.

Um 9 Uhr passirten bei 300 gefangene Franzosen durch Michael nach Leoben. Auch verwundete Oesterreicher langten nach und nach im Dorfe an und wurden vom Pfarrer und dessen Haushälterin gelabt und verbunden. Die Einwohner

---

[9]) Am 21. Mai war Jellačič in Schladming, am 22. in Steinach, am 23. in Rotenmann und am 24. in Mautern. „Das Heer von Innerösterreich unter den Befehlen des Erzh. Johann im Kriege von 1809." Von einem österr. Stabsofficier. Leipzig 1817, Seite 849.

[10]) Diese stand unter Serras, während die kaiserlichen Vortruppen von Ettingshausen befehligt wurden. A. a. O. 151.

hatten sich grösstentheils in die Wälder und auf die Berge geflüchtet und sahen von dort das Wüthen des Kampfes. Der französische General Tourit (so nennt denselben unsere Quelle) unternahm von Kaisersberg aus einen Angriff auf die Linie der Oesterreicher, wurde aber nach hartnäckigem Kampfe zurückgedrängt. Eine Abtheilung der Feinde wollte sich im Gestrüppe des Helfenberges festsetzen, wurde aber von den Regimentern Deveaux und Eszterhazy mit dem Bajonette aus dieser Stellung vertrieben. Die Augenzeugen konnten die Bravour der Oesterreicher nicht genug preisen, welche, durch einige Nachschübe verstärkt, die gewonnene Stellung durch einige Stunden behaupteten. Die Franzosen zogen aber aus dem hinter ihrer Fronte heranrückenden Heere des Vicekönigs stets neue Truppenmassen an sich, so dass sie Nachmittags 4 $^{1}/_{2}$ Uhr an Stärke den Kaiserlichen schon weit überlegen waren. Feindliche Abtheilungen, welche über den Fresenberg gegen Traboch und am rechten Murufer über St. Stefan gegen die Lainsach sich bewegten, drohten den Kaiserlichen in den Rücken und in die Flanke zu fallen, daher Jellačič den Rückzug gegen Leoben befahl. Der Feind verfolgte mit Heftigkeit die sich zurückziehenden Oesterreicher, welche bei dieser Gelegenheit bei 4000 Mann einbüssten. In der Michaelerau explodirte ein kaiserlicher Munitionskarren, wodurch viele Franzosen getödtet wurden. Nach des Pfarrers Berichte hatten die Franzosen 496 Verwundete, die Kaiserlichen bei 200; 70 Todte wurden auf dem Schlachtfelde beerdigt und Viele in die Mur geworfen [11]). General Tourit, am Fusse verwundet, fand im Pfarrhause Pflege und Wartung. P. Leonard, ein barmherziger Samaritan im vollsten Sinne des Wortes, widmete durch zwei Tage 96 feindlichen und 45 kaiserlichen Verwundeten die völlige Wartung und Verpflegung, er war also Priester, Wirth,

---

[11]) In dem schon citirten Werke: „Das Heer von Innerösterreich . . .“ S. 151 werden die Verluste der Oesterreicher angegeben wie folgt: Todte 426 (darunter 5 Officiere), Verwundete 1187 (23 Officiere), Gefangene 4963 (72 Officiere), Vermisste 50; also im Ganzen 6576 Mann.

Arzt und Krankenwärter. Merkwürdig bleibt es auch, dass in Folge des weitausgedehnten Gefechtes wohl Gebäude beschädigt wurden, aber keines in Flammen aufging. Die Kirchenthüre zu St. Walburg zeigt noch jetzt die Spur einer durchgeschlagenen Geschützkugel. Kein einziger Einwohner der Gegend wurde getödtet. Einer komischen Scene, welche während des Kampfes sich abspielte, gedenkt die Tradition. Aus dem Stalle des vulgo Walburgmayr hatte sich eine Kuh in das freie Feld verlaufen; die Viehmagd läuft nach und treibt das durch das Knattern der Gewehre scheu gemachte Thier unbekümmert um die ringsum sausenden und pfeifenden Geschosse wieder in den Stall zurück.

Unser Pfarrer war in der Lage, über den ungünstigen Ausgang des Treffens mehrfache Urtheile zu vernehmen. Man warf dem General Jellačić vor, dass er drei Tage durch einen durch nichts gerechtfertigten Aufenthalt zu Radstadt verloren habe, sonst hätte er geraume Zeit vor dem Anlangen des Feindes die Strasse nach Graz gewinnen können. Ja man erzählte sich, er sei am Schlachttage um 8 Uhr Morgens noch im Bett gewesen und habe auch später keinen oder nur geringen Antheil an der Leitung des Gefechtes genommen. Von der Kavallerie sei kein hinreichender Gebrauch gemacht worden. Auch wäre es richtiger gewesen, nachdem der Feind zurückgewiesen worden war, schnell nach Leoben zu rücken und nicht zu warten, bis das französische Hauptcorps eingetroffen war. Ein kaiserlicher Officier liess auch die Aeusserung fallen: „Localkenntniss geht uns ab."

Am 30. Mai kam der Oberst Cavedon mit italienischen Truppen, welche die in und nach der Schlacht gefangenen Oesterreicher escortirten, in St. Michael an, um die österreichische Landwehr, welche in Rotenmann capitulirt hatte, zu erwarten. Da diese nicht so bald eintraf, schickte er die Gefangenen nach Judenburg; er aber blieb mit einer Abtheilung seiner Truppen. Der Oberst und viele seiner Officiere (Ferretti, Varesi, Testoni, Contri, Gardinara, Spineta) gehörten dem römischen Adel an und waren gute Katholiken. Daher geschah es auch, wie P.

Leonard weitläufig berichtet, dass an der Feier des Frohn-
leichnamsfestes (1. Juni) sämmtliche feindliche Truppen auf
das Erbaulichste sich betheiligten und en parade ausrückten.

Wie lange dieses Mal die Invasion dauerte, lässt sich
aus des Pfarrers Papieren nicht entnehmen [12]), von Leoben
zogen erst in den ersten Tagen des August die letzten Franzosen ab. Als Erinnerung an jene denkwürdigen Tage behält
die Gemeinde von St. Michael mit Zustimmung der Militär-
behörde eine kaiserliche Fahne, welche auf dem Schlachtfelde
war gefunden worden [13]).

Fand Pfarrer Leonard schon den schönsten Lohn im
Bewusstsein, in den Tagen der Gefahr und Noth seine Pflicht
als Priester und Mensch im vollsten Masse erfüllt zu haben,
so wurde seine Freude noch dadurch erhöht, dass ihm die

---

[12]) Unter den Papieren Lachmayr's findet sich auch ein französisches
Originalplakat, welches noch die Spuren der Affigirung zeigt. Es
lautet: „C'est ici la maison curiale. Le curé est malade, et après
cela il y a des raisons les plus pressantes de ne laisser personne d'y
entrer, s'il n'a pas un témoignage constaté de Msr. Tascher, aide
des camp de son A. J. On observera strictement cet avis, évitant
toute infraction ou violence." Da hier der Vicekönig von Italien gemeint ist, so datirt dieser Anschlag aus dem Jahre 1809.

[13]) Das bezügliche Actenstück lautet:

An Herrn Oberlieutenant Schnell des Baron de Vaux'schen
Infanterieregimentes Nr. 45 zu Leoben.

Vermög hoher Generalcommando-Verordnung ddo. Wien den
3. Hornung ist der Gemeinde St. Michael die in der Schlacht vom
25. May 1809 verlorne und alldort im Wasser gefundene Fahne
des Regimentes zur Aufbewahrung in der Kirche überlassen
worden und wird durch den mit einem Transport dahin abgehenden Herrn Lieutenant Sablatnig derselben übermacht werden . . . . .

W.-Neustadt den 6. Februar 1810.

Reissenfels m. p.
Oberst.

Diese Fahne wurde in der Pfarrkirche an der Mauer neben der
Kanzel befestigt; sie ward dann 1848 von der Michaeler National-
garde bei deren Uebungen gebraucht und soll sich jetzt in der
Kirche zu St. Walburg befinden. Jedenfalls verdient sie es, als ehrwürdige Reliquie jener Schlacht mit Pietät bewahrt zu werden.

grosse goldene Civilehrenmedaille in Gegenwart seiner Pfarr-
kinder von dem Judenburger Kreishauptmanne an die Brust
geheftet wurde.

Die Gemeinde errichtete ihrem geliebten Seelenhirten auf
dem Kirchhofe ein schönes Denkmal mit der von seinem
Freunde P. Benedict Stadelhofer verfassten Inschrift:

„Est l e o cum n a r d o Leonardi nomine clausus.
N a r d u s, ubi sanat, sed l e o cum remanet.
Quippe manere loco parochum c o n s t a n t i a jussit,
Discit opem a n a r d o dextra ferre manu.“

Ueber die

Grazer Handschrift des lateinisch-deutschen Freidank.

Von

Prof. Dr. Anton Schönbach.

Um die Mitte des XIV. Jahrhunderts wurde von der unter dem Namen „Freidanks Bescheidenheit" gehenden Spruchsammlung eine lateinische Uebersetzung in gereimten Hexametern angefertigt. Die zahlreichen Handschriften, in welchen dieselbe erhalten ist, hat Wilhelm Grimm in der zweiten Ausgabe des Freidank S. X ff. der Vorrede angeführt. Auch ein Kachelofen'scher Druck existirt, der wahrscheinlich noch dem XV. Jahrhundert angehört, und aus der Meusebach'schen Bibliothek stammend, jetzt in Berlin sich befindet.

Zwei Handschriften dieser Uebersetzung haben in jüngster Zeit Abdrücke erfahren. Die Stettiner Handschrift ist von Hugo Lemcke (Stettin 1868) sehr sorgfältig herausgegeben worden, eine Edition der Görlitzer hat Dr. Robert Joachim, Görlitz 1874 (Separatabdruck aus dem 50. Bande des „Neuen Lausitzischen Magazin") besorgt.

Auf die Handschrift, welche die Grazer Universitätsbibliothek besitzt, hat zuerst M. Haupt (HZ XV, 259) hingewiesen; Jänicke brachte diese Notiz in Zachers Zeitschrift für deutsche Philologie IV, 106 wieder in Erinnerung. Ich gebe auf den folgenden Blättern die Resultate einer Untersuchung dieser Handschrift, deren eingehende Benützung mir durch die bewährte Freundlichkeit des Bibliothekars Herrn Dr. Ignaz Tomaschek möglich geworden ist.

Die Handschrift (Sign. 38/3 4°) in Quart, auf Papier, besteht aus verschiedenen Stücken, die alle in den ersten Jahrzehnten des XV. Jahrhunderts geschrieben und vereinigt worden sind. Sie enthält 355 Blätter, der Schluss fehlt. 1ª trägt am obern Rande die Bemerkung: *Frater Clemens de Vblpach obtinuit me**). Der Codex gehörte also einmal diesem überaus eifrigen Sammler, aus dessen Besitz eine grosse Anzahl von Handschriften in der hiesigen Universitätsbibliothek sich vorfindet. Der Inhalt vertheilt sich in folgender Weise:

1. 1ª—7ᵇ Compendium poetriae novae cum glossa.

2. 8ª—10ᵇ Salutationes, narrationes, petitiones, exordia epistolarum etc.

3. 11ª—53ª Johannes de Garlandia Summa poenitentiae cum glossa et registro 1425.

53ᵇ—54ᵇ leer.

4. 55ª—60ᵇ Meteorologica quaedam.

61ª—72ᵇ leer.

5. 73ª—92ᵇ Hymnus: Conditor alme syderum — et alii cum commentario.

92ᵇ—93ᵇ leer.

6. 94ª—100ᵇ Grammaticalia quaedam metrica cum commentario.

101ª—104ᵇ leer.

7. 105ª—121ª Versus superscripti: Concordancie utriusque testamenti; Versus de summo, de morte; Versus, quos composuit magister Henricus de Hassia in infirmitate sua (qui obiit anno 1397 die solis undecima mensis Februari).

8. 121ᵇ—163ᵇ Proverbia latina cum versione vernacula interlineari.

9. 164ª—169ᵇ Vita Ade et Eve.

10. 170ª—172ª Versus Henrici de Hassia.

11. 172ᵇ—173ᵇ Versus varii.

------

*) Der Zuname des Frater Clemens war *Hewraus*, wie aus einer Notiz auf Blatt 11ª des Codex 36,26 Fol. hervorgeht.

12. 174ᵃ—181ᵃ Exhortationes pro infirmo, orationes, expositio in Pater noster.

13. 181ᵃ—182ᵇ Effectus decem aquae benedictae ex dictis sanctorum.

183ᵃ—185ᵇ leer.

14. 186ᵃ—193ᵇ Vita S. Hemmae.

194ᵃ—195ᵇ leer.

15. 196ᵃ—253ᵇ Gerardus monachus de Rivo S. Mariae, Ord. Cist. Defensorium juris.

16. 254ᵃ—266ᵇ Decretum, metricum seu Versus summantes decretum.

266ᵃ Amen. is steyge eyn blinder uff eyn lamen.

267ᵃᵇ leer.

17. 268ᵃ—297ᵇ Memorabilia urbis Roma.

18. 298ᵃ—321ᵃ De septem philosophis.

321ᵇ leer.

19. 322ᵃ—347ᵃ Fratris Egidii socii beati Francisci collectiones.

347ᵇ leer.

20. 348ᵃ—355ᵇ Tractatus editus in alma universitate Wyennensi contra neutralitatem Electorum sacri Romani Imperii. Fine caret. Von diesen Stücken sind 1—8 von einer Hand geschrieben*), je einen Schreiber haben 9, 10—13, 14, 15, 16, 17, 18, 19, 20; 19 und 20 könnten wohl auch von demselben Schreiber stammen, wofern man annähme, er habe sich angewöhnt, wesentlich kleiner zu schreiben; 20 ist spät hinzugeheftet, beschnitten und von kleinerem Format.

Nr. 8, die Freidankübersetzung ist mit kräftigen, wenn auch mitunter nicht ganz deutlichen Zügen aufgezeichnet. Meistens stehen 20, selten 19 oder 18 Zeilen auf einer Seite; es ist also in dieser Beziehung unsere Handschrift ähnlich der Stettiner, welche gleichfalls meist 20, selten 21 oder 19 Verse

---

*) Auch die Wiener Handschrift enthält unmittelbar vor Fridangi discrecio einen Tractat des Meister Heinrich von Hessen. Vgl. Hoffmann, Verzeichniss der altdeutschen Handschriften, Nr. LXIII.

auf einer Seite unterbringt. In sehr vielen Fällen werden die beiden Verse des deutschen Spruches in e i n e Zeile zusammengeschrieben.

Ich halte dafür, dass die Grazer Handschrift der Görlitzer und Stettiner weitaus vorzuziehen ist und zwar aus folgenden Gründen:

1. Ist sie die einzige Handschrift, welche die ursprüngliche Anordnung erhalten hat, insoferne in ihr noch die deutschen Sprüche den lateinischen Hexametern vorangehen. Die letzteren wahren damit den Charakter der Uebersetzung.

2. Ist sie in ihren erhaltenen Theilen die vollständigste, wie dies aus der tabellarischen Vergleichung, die ich weiter unten gebe, unwidersprechlich erhellt.

3. Liefert sie den besten Text unter den bisher bekannten Handschriften der Uebersetzung.

Die Grazer Handschrift ist nicht vollständig erhalten *). Es ergibt sich dies daraus, dass sie mit einem deutschen Spruche abbricht, somit jedenfalls mindestens ein Paar lateinische Verse fehlen, wahrscheinlich aber, wie ich noch zeigen werde, mehrere Sprüche. Wenn ich nicht irre, so lässt sich mit Hilfe des Grazer Codex einiges aus der Geschichte der Freidankübersetzung erkennen. Zunächst muss angenommen werden, dass die Vorlage, welche dem Schreiber der Grazer Handschrift zu Gebote stand, übel erhalten war. Es fehlten Blätter im Anfange, der Schreiber unseres Codex hat den sichtbaren Mangel durch eine von ihm selbst veranstaltete Sprichwörtersammlung, die ich noch eingehend besprechen werde, zu ergänzen gesucht. Es beginnt daher die regelmässige Uebersetzung erst bei Vers 290 auf Bl. 128ᵃ, entsprechend Vers 576 der Görlitzer und 208ᵇ9 der Stettiner Handschrift. Die Differenzen, welche in der Anordnung der Sprüche zwischen den drei Handschriften herrschen, sind am besten aus einer Uebersichtstabelle zu

---

*) Der Mangel muss frühzeitig vorhanden gewesen sein, lange bevor die Handschrift in unsern Codex gebunden wurde, weil die letzte Seite der Freidanübersetzung starke Spuren des Gebrauches trägt.

ersehen, die ich im folgenden zusammenstelle. Von der Grazer Handschrift wird ausgegangen, — deutet an, dass der Spruch in der bezeichneten anderen Handschrift fehlt. Nähere Aufschlüsse wird das Verzeichniss der Varianten geben. Die Verweisungen auf den alten Freidank selbst kann ich sparen, da sowohl Lemcke als Joachim solche ihren Ausgaben beigefügt haben.

Graz	Stettin	Görlitz	Graz	Stettin	Görlitz
290	208ᵇ 9	576	432	212ᵃ 1	1644
294	13	580	436	5	1648
298	17	584	440	9	1652
302	209ᵃ 1	—	444	13	1656
306	5	588	448	—	1660
309	8	596	452	17	1664
313	12	602	456	212ᵇ 1	1668
317	16	606	461	5	1672
321	209ᵇ 1	610	465	—	—
325	5	614	469	—	1676
329	9	618	473	8	1680
333	13	622	477	12	1684
337	—	626	481	—	1688
341	—	630	485	16	1692
345	17	634	489	213ᵃ 1	1696
349	210ᵃ 1	638	493	—	1700
353	5	642	497	—	1704
357	9	646	501	5	1708
365	17	650	505	—	1712
369	210ᵇ 1	654	509	9	1716
377	9	—	513	13	1720
381	13	—	517	17	1724
385	17	662	521	213ᵇ 1	1728
389	211ᵃ 1	666	525	5	1732
393	5	670	531	—	1740
397	9	1608	535	9	1744
404	17	1616	539	13	1747
408	211ᵇ 1	1620	546	214ᵃ 1	1751
412	5	1624	550	—	1755
416	9	1628	554	5	1759
420	13	1632	558	9	1763
424	—	1636	562	13	1767
428	17	1640	566	—	1771

Graz	Stettin	Görlitz	Graz	Stettin	Görlitz
570	17	1775	740	9	1953
576	214ᵇ 1	1779	744	13	1957
580	5	1791	748	17	1961
584	9	1787	752	—	1965
588	13	1783	756	206ᵃ 1	1969
592	17	1795	760	5	1973
596	215ᵃ 1	1799	764	9	1977
600	—	1803	768	13	1981
604	6	1808	773	17	1986
608	9	1812	777	206ᵇ 1	1990
612	18	1816	781	5	1994
616	17	1820	785	9	1998
620	215ᵇ 1	1824	789	13	1295
624	5	1828	793	17	1299
628	9	1832	797	217ᵃ 9	1303
632	—	1836	801	13	1307
636	13	1840	805	17	1311
640	17	1844	809	217ᵇ 1	1315
644	216ᵃ 1	1848	813	5	1319
648	5	1852	817	9	1323
652	9	1856	821	13	1331
656	13	1860	825	17	—
661	17	1865	829	218ᵃ 1	1339
665	216ᵇ 1	1869	833	5	1335
669	5	1873	837	9	—
673	—	1877	841	13	—
677	9	1881	845	17	1343
681	13	1885	849	218ᵇ 1	1347
685	17	1889	853	5	1351
688	—	1897	856	8	1354
692	—	1901	860	12	1357
696	217ᵃ 5	1905	864	16	1361
700	—	1909	868	219ᵃ 1	1365
704	204ᵇ 9	1913	872	—	1369
708	13	1917	876	5	1373
712	17	1921	880	9	1377
716	205ᵃ 1	1925	884	13	1381
720	5	1988	888	17	1384
724	9	1937	892	219ᵇ 5	1388
728	13	1941	896	9	1392
732	205ᵇ 1	1945	900	—	1396
736	5	1949	904	13	1400

Graz	Stettin	Görlitz	Graz	Stettin	Görlitz
908	17	1404	1077	—	1569
912	220ᵃ 1	1408	1081	(228ᵇ 1)	1573
916	5	1412	1085	—	1580
920	9	1416	1092	223ᵇ 5	1584
925	18	1420	1096	9	1588
929	17	1424	1100	18	1592
933	220ᵇ 1	1428	1104	—	1596
937	5	1432	1108	—	1600
941	9	1436	1112	17	1604
945	18	1440	1116	224ᵃ 1	—
949	17	1444	1120	5	—
953	221ᵃ 1	1448	1124	—	—
957	5	1452	1128	—	—
961	9	1456	1132	9	—
965	18	1460	1136	13	—
969	17	1464	1140	—	—
973	221ᵇ 1	1468	1144	—	—
977	5	1472	1148	17	—
981	--	1476	1152	224ᵇ 1	—
985	9	1480	1156	5	—
989	--	1484	1160	9	—
993	222ᵃ 13	1488	1164	13	—
997	17	1492	1168	17	—
1001	222ᵇ 1	1496	1172	—	—
1005	5	1500	1176	—	—
1009	—	—	1180	225ᵃ 1	—
1013	9	1504	1184	—	—
1017	—	1509	1188	4	—
1021	—	1513	1192	8	—
1025	221ᵇ 13	1517	1200	12	—
1029	17	1521	1204	16	—
1033	222ᵃ 1	1525	1208	225ᵇ 1	—
1037	5	1529	1212	5	—
1041	9	1533	1216	9	—
1045	222ᵇ 13	1537	1220	13	—
1049	17	1541	1224	17	—
1053	223ᵃ 1	1545	1228	226ᵃ 1	—
1057	5	1549	1232	5	—
1061	--	1553	1236	9	—
1065	9	1557	1240	—	—
1069	13	1561	1244	—	—
1073	17	1565	1248	13	—

Graz	Stettin	Görlitz	Graz	Stettin	Görlitz
1252	17	—	1425	13	763ᶜ
1256	226ᵇ 1	—	1429	17	766
1260	—	—	1433	—	770
1264	—	—	1437	280ᵃ 1	774
1268	—	—	1441	5	778
1272	5	—	1445	9	782
1276	9	—	1449	13	786
1280	13	—	1453	17	790
1284	17	—	1457	280ᵇ 1	794
1288	227ᵃ 1	—	1461	5	798
1292	—	—	1465	—	802
1298	5	—	1469	9	806
1304	9	—	1473	13	810
1308	13	—	1477	17	814
1312	17	—	1481	231ᵃ 1	818
1316	—	—	1485	5	822
1320	227ᵇ 1	—	1489	9	826
1324	5	674	1493	13	830
1328	9	678	1497	17	834
1333	—	682	1501	231ᵇ 1	838
1337	—	686	1505	5	842
1341	13	690	1509	9	850
1345	—	694	1513	13	846
1349	17	698	1517	—	854
1353	228ᵃ 1	702	1521	17	858
1357	5	706	1525	232ᵃ 1	862
1361	9	710	1531	5	866
1365	13	714	1538	12	—
1369	17	718	1542	16	874
1373	228ᵇ 1	722	1548	282ᵇ 1	882
1377	5	726	1552	5	886
1381	9	730	1556	9	888
1385	13	—	1560	13	892
1389	17	734	1564	17	896
1393	229ᵃ 1	738	1568	283ᵃ 1	900
1397	5	742	1572	5	904
1401	9	746	1576	9	908
1405	13	750	1580	13	912
1409	17	754	1584	17	916
1413	229ᵇ 1	758	1588	233ᵇ 1	920
1417	5	762	1592	5	924
1421	9	—	1596	9	928

Graz	Stettin	Görlitz	Graz	Stettin	Görlitz
1600	13	932	1768	17	1088
1604	17	—	1772	238ᵃ 1	1092
1608	234ᵃ 1	936	1776	5	1096
1612	5	940	1780	9	1100
1616	9	944	1784	13	1104
1620	13	948	1788	17	—
1624	17	—	1792	—	1108
1628	234ᵇ 1	—	1796	—	1112
1632	5	952	1800	—	1116
1636	9	956	1804	239ᵇ 1	1120
1640	13	960	1808	5	1124
1644	17	964	1812	-	1128
1648	285ᵃ 1	968	1818	9	1132
1652	5	972	1822	13	1136
1656	13	976	1826	—	1140
1660	17	980	1830	17	1144
1664	235ᵇ 1	984	1834	—	1148
1668	5	988	1837	—	1152
1672	9	992	1841	289ᵃ 1	1155
1676	13	996	1845	5	1159
1680	17	1000	1849	9	1163
1684	286ᵃ 1	1004	1853	13	1167
1688	5	1008	1857	17	1171
1692	9	1012	1861	289ᵇ 1	1175
1696	13	1016	1865	5	1179
1700	17	1020	1869	9	1183
1704	—	1024	1873	—	1187
1708	236ᵇ 1	1028	1877	(13)	1191
1712	5	1032	1885	240ᵃ 1	1199
1716	9	1036	1889	5	1203
1720	13	1040	1893	9	1207
1724	17	1044	1897	13	1211
1728	287ᵃ 1	1048	1901	17	1215
1732	5	1052	1905	240ᵇ 1	1219
1736	9	1056	1909	5	1223
1740	13	1060	1913	9	1227
1744	17	1064	1917	13	1231
1748	287ᵇ 1	1068	1921	17	1235
1752	5	1072	1925	241ᵃ 1	1239
1756	—	1076	1929	5	1243
1760	9	1080	1933	—	1247
1764	13	1084	1937	9	1251

6*

Graz	Stettin	Görlitz		Graz	Stettin	Görlitz
1941	13	1255		1969	17	1283
1945	17	1259		1973	242ᵃ 1	1287
1949	241ᵇ 1	1263		1977	5	1291
1953	5	1267		1981	243ᵇ 3	—
1957	9	1271		1985	11	—
1961	—	1275		1989	7	—
1965	13	1279				

Auch wenn man die vorgelegte Tabelle nur oberflächlich überblickt, ist es deutlich warnehmbar, dass in den Handschriften Verschiebungen von grossen Spruchgruppen müssen stattgefunden haben. Die Differenzen, welche die Handschriften des a l t e n Freidank in Bezug auf die Anordnung der Sprüche aufweisen, suchte man mit Recht aus einem absichtlichen Umsetzen und Zusammenstellen nach gewissen Gesichtspunkten zu erklären. Die Beschaffenheit der Handschriften der Freidanküberosetzung gestattet eine solche Annahme nicht; es scheint mir, als ob die Entstehung ihrer Differenzen nur auf mechanischem Wege begreiflich wäre. Die Vorlage einer oder der anderen Handschrift war in Unordnung gerathen, Blätter fehlten, wurden verschoben — das würde zur Erklärung genügen.

Unerachtet des Umstandes, dass die Vorlage der Grazer Handschrift e i n e n unzweifelhaften Beweis ihrer Mangelhaftigkeit in dem Fehlen der ersten Blätter hinterlassen hat, glaube ich nicht, dass wir die Grazer Handschrift als die in Unordnung gerathene ansehen dürfen. Ich werde in diesem Glauben dadurch unterstützt, dass die Stettiner Handschrift im Ganzen und Grossen mit der Grazer geht. Ferner durch folgende Betrachtungen :

1. Der Görlitzer Handschrift fehlt nach dem Verse 1607 eine grössere Anzahl von Sprüchen, die in dem Grazer Codex vollständig, im Stettiner mit den für ihn charakteristischen zahlreichen Auslassungen erhalten sind. Sämmtliche nur in der Grazer Handschrift erhaltene Sprüche lassen sich, wie das Variantenverzeichniss erweisen wird, im alten Freidank belegen — bis auf zwei.

1172. *Swie haimleich man den weiben sei.*
 da ist doch ein posseu veder pey,
  Qui servire bonis velit actibus atque pudori,
  Non sit continuus mulieribus immo sorori.

1176. *Der diep ist pozzer nachtpawr.*
 Verzeihen ist den lotern schawr.
  Fur nocet in villa cum villanis habitando.
  Esse solet loteris dampnosa repulsio grando.

1172 ist eine schlechte Umgestaltung von Freid. 120, 21:
 ich wæne daz iht bettes si
 da'n si ein bœsiu veder bi,

welcher Spruch 1268 der Grazer Handschrift sich wirklich vorfindet.

1176 ist zusammengesetzt aus Freid. 47, 10:
 der diep ist bœse nähe bi,
 sin nâchgebûr wirt selten vri

und 86, 14:
 dem milten tuot versagen (verzihen ABJKLMNOh) wê,
 doch schamet sich der bitende ê

deren erster in der Freidankübersetzung nicht vorkommt, der zweite steht nur im Grazer Codex 1316—1319. Ausser diesen zwei Sprüchen, welche ich für einen eigenmächtigen Zusatz des Schreibers der Grazer Handschrift halte, vermuthe ich einen solchen noch in den Zeilen 1292 ff., die im Stettiner Codex fehlen. Sie lauten:

 Von recht des mannes er stat
 als er sich selber hat.
  Diuicie quibus haud iuste conceditur uti
1295. *non adscribende sunt laudi sive saluti.*
  Qualibus indiciis se quisquis homo manifestat,
  vivendi modus hinc laudis moderamine prestat.

Nur 1296.7 geben die Uebersetzung des deutschen Spruches, 1294.5 gehören gar nicht dazu, sondern bearbeiten nochmals den vorhergegangenen Spruch

 Der reichthum ist von sälden nicht,
 davon nyemen güt geschicht

mit seiner Uebersetzung:

Non sunt illa bone fortune prospera dona,
que sic seruantur, ut eis nulli pociantur,

die den üblichen Reim nicht besitzt.

Mit 1116 der Grazer Handschrift beginnt das der Görlitzer fehlende Stück und reicht bis 1323, umfasst also 208 Verse. Ziehen wir die 10 interpolierten Verse ab, so müssen in der Vorlage des Grazer und der des Görlitzer Codex für dieses Stück der Sammlung 198 Verse (Zeilen) gestanden haben.

2. In der Grazer Handschrift befindet sich unmittelbar vor diesem Stücke, welches in der Görlitzer fehlt, eines, dem die Verse 1295—1604 der Görlitzer entsprechen. Es umfasst in unserem Codex die Verse 789—1115 incl. also 327 Verse. Den Spruch 920.[1]

Arm und reich
suechent ir geleich

übersetzen im Grazer, Stettiner und Görlitzer Codex die lateinischen Zeilen:

Querit inops inopis fedus, locuples locupletis.
Si contra fiet, non addunt congrua metis.

Die Grazer Handschrift allein fügt noch bei:

Est et semper erit: similis similem sibi querit,

ganz deutlich ein Zusatz, welcher nicht in der Vorlage sich befunden hatte.

Der Spruch 853/4:

Des mannes sin
ist sein gewin

war von dem Uebersetzer als *ein* Vers aufgefasst worden. Nicht nur ist dies im alten Freidank 56, 5 der Fall, es entspricht ihm auch in der lateinischen Uebersetzung nur ein Vers:

Prudentis cura parit ipsi commoda plura.

Dem Vers 845 unserer Handschrift: *Swem dikch laid geschicht* — fehlt die Ergänzung. Ich glaube, dass sie schon in der Vorlage mangelte. Der Stettiner Codex ergänzt 218ᵃ 20

dem schadet truren nicht

der Görlitzer 1346:

dem wirt von keinem traweren nicht,

also verschiedenartig. Die Ursache liegt in dem alten Freidankverse selbst, welcher lautet:

dem enwirret trûren niht.

enwirret wurde später nicht mehr verstanden.

Wenn die drei besprochenen Verse wegfallen, so erübrigen noch 324 für diese Partie.

3. Gehen wir noch weiter zurück, so reicht die nächste grössere Partie von 397—788 incl. unseres Codex, umfasst also hier 392 Verse, welche den Versen 1608—2001 der Görlitzer Handschrift entsprechen. Im Grazer Codex ist ein Vers zugesetzt. Es findet sich nämlich nach dem Spruche 456 ff.:

In zorn spricht manig man
daz pozzist daz er dan chan
  Multi sunt, ira quando sua corda gravantur,
  quod mox conantur, ut pessima queque loquantur

in unserer Handschrift noch der Vers:

  Verba fecit dira, cum cor fervescit in ira,

der allen übrigen Handschriften fehlt und als Zusatz leicht erkennbar ist. Dagegen mangeln unserem Codex einmal fünf Verse. Die Gruppe 685 ff. unserer Handschrift lautet nämlich:

Freud vnd herczenlait
nymant mit einander trait.
  Leticia cum tristicia pariter quis habebit.

Natürlich fehlt zunächst ein lateinischer Vers, der sich in den andern Handschriften findet:

  Aut certe letis aut tristibus ipse carebit

Aber auch die ganze nächste Gruppe ist in unserm Codex ausgefallen. Sie heisst:

Vil selten ieman missegat,
wer seiniu dink an got lat.
  Qui defendendo domino credit sua seque,
  Auxiliante deo sibi succedunt bene queque.

In diesem Ausfall liegt der schlagendste Beweis für die von mir oben aufgestellte Behauptung, dass die Ordnung, nach welcher die deutschen Originalverse der lateinischen Ueber-

setzung vorangehen, die ältere und richtigere sei. Denn nur
wenn schon die Vorlage des Grazer Codex diese Einrichtung
besass, lässt sich aus dem Umstande, dass die Schlussverse
beider Gruppen mit *Au*- beginnen, Uebersehen und Verwirrung
erklären *).

Einen Vers hat die Grazer Handschrift zu viel, fünf zu
wenig, somit besass die Vorlage 396 Verse in dieser Partie.

Noch eine Bemerkung. Nach 703 springt, wie die Tabelle
lehrt, der Stettiner Codex von 217ᵃ auf 204ᵇ. Das setzt
Verwirrung in der Vorlage voraus. Alles in allem gerechnet,
muss dieselbe für die Stettiner Handschrift bis an diese Stelle
306 Verse der bezeichneten Partie gehabt haben. Von 206ᵇ
springt dann die Ordnung nach der Grazer Handschrift auf
217ᵃ der Stettiner zurück. In diesem kleinen Theile hatte die
Vorlage des Stettiner Codex 90 Verse. — Es zeigt sich schon
hier, dass die Vorlage des Stettiner Codex der des Grazer
ausserordentlich nahe stand, aber nicht mit ihr identisch war.

4. Nach dem unter 1. besprochenen Stücke der Grazer
Handschrift, welchem in der Görlitzer eine Lücke entsprach,
beginnt eine grosse Partie mit 1324 der Grazer Handschrift,
daselbst bis zum Ende, also bis 1990 reichend. Sie umfasst
somit 607 Verse. Vers 1332 ist wieder Zusatz. Er lautet:

Si tu vis scire, vicinos sepe require,

ist der lateinischen Bearbeitung des übel verstandenen Spruches
Freid. 62, 16 entnommen und der Gruppe:

Der mich fragt, wer er sey,
da sind nicht güt sinn pey.

1330. *Quis sit, quid sapiat, a me qui scire laborat,*
ille suos sensus nulla racione coronat

ganz unnütz angefügt. Es erübrigen also 666 Verse.

Ausser der erwähnten, im Anfang befindlichen, vom Freidank unabhängigen Sprichwörtersammlung, wäre nur ein kleines

---

*) Evident bestätigt wird dies durch den Ausfall der Gruppen 33 und
341 im Stettiner Codex. Es beginnt nämlich jeder der beiden
lateinischen Verse 336 und 344 mit: *Ille*.

Stück zu erörtern: Vers 290—396. Aber wozu überhaupt die bisher angeführten Bemerkungen?

Die Zeilenzahlen, welche in den vier Punkten für die verschobenen Partien sich ergaben, enthalten alle Vielfache von 18. $198 = 12 \times 18$; $324 = 18 \times 18$; $396 = 22 \times 18$; $666 = 37 \times 18$. Diese Zahlenverhältnisse können nicht zufällig sein; sie weisen unzweifelhaft darauf, dass sowohl die Vorlage des Grazer als die mangelhafte und verdorbene des Görlitzer Codex je 18 Zeilen auf einer Seite geschrieben enthielten. Für die Vorlage der Stettiner Handschrift ist dasselbe Verhältniss durch die zu Punkt 3 gemachte Bemerkung sichergestellt.

Auch die noch nicht besprochene kleine Partie 290—396 scheint sich in eine Zahl, die ein Vielfaches von 18 ist, zu fügen. Sie enthält 107 Verse. Wenn die Lücke von vier Versen zwischen 310 und 311 schon in der Vorlage gestanden hat und wir annehmen dürfen, dass in der Grazer Handschrift ein Vers — wahrscheinlich nach 308 — ausgefallen ist, dann erhalten wir $108 = 6 \times 18$ Zeilen. Doch ist die Ursache der Verderbniss nicht sicher.

Also Handschriften mit 18 Zeilen auf jeder Seite sind als Vorlagen der erhaltenen Codices, mithin auch des Druckes der Freidankübersetzung anzunehmen. Bevor ich aber daran gehe, mittelst dieser Thatsache die Geschichte der bezüglichen Handschriften überhaupt, die Geschichte der Unordnung im Görlitzer Codex insbesondere zu beleuchten, fordert ein wichtiger Punkt Aufklärung.

Wie schon erwähnt wurde, reicht von Vers 1—289 der Grazer Handschrift eine Sprichwörtersammlung, welche Ersatz bieten soll für die $576 = 32 \times 18$ Verse der Freidankübersetzung, die in der Vorlage des Grazer Schreibers bereits fehlten. Zwischen dieser Sprichwörtersammlung und einem Stück des Stettiner Codex besteht ein merkwürdiger Zusammenhang. Der Stettiner Codex geht, wie die Tabelle nachweist, von $217^a 9 =$ Graz 797 ganz parallel bis $242^a 8 =$ Graz 1980. $242^a 9$—$243^b 2$ enthalten jedoch Sprichwörter, die zwischen

1980 und 1981 der Grazer Handschrift fehlen. Von 1981 der letzteren ab hat der Stettiner Codex mit ihr wieder drei Sprüche gemein und dieses Verhältniss würde sich wohl noch bis zum Ende fortgesetzt zeigen, wäre uns die Grazer Handschrift vollständig erhalten. Die Sprichwörter, welche 242ᵃ 9 bis 243ᵇ 2 des Stettiner Codex enthalten, finden sich nun — die Anmerkungen zu dem nachfolgenden Abdruck der Grazer Sammlung werden es beweisen — fast alle in den ersten 289 Versen der Grazer Handschrift wieder. Wie ist nun dieses eigenthümliche Verhältniss zu erklären?

Ich denke folgendermassen: Die unter 4 besprochene, durch 18 theilbare Zahl 666 für die letzte Partie des Grazer Codex stellt fest, dass die Sprichwörtersammlung der Stettiner Handschrift an unrechtem Platze sich befindet, eingeschoben ist. Aber auch die Grazer Sammlung, welche mit der Stettiner zusammenhängt, ist nicht am richtigen Orte verzeichnet; sie ist, wie wir wissen, Ersatz für die am Anfange der Vorlage fehlenden Blätter. Dass die Stettiner und Grazer Sprichwörter-Sammlungen trotz ihres verschiedenen Umfanges eine gemeinsame Grundlage haben, ist sicher.

Diese gemeinsame Grundlage war eine Sammlung von Sprichwörtern mit lateinischer Uebersetzung, welche dem vollendeten Werke des Freidankübersetzers — vielleicht von ihm selbst — noch im Archetypus angehängt worden war. Mit diesem Anhange wurde verschiedenartig von den Abschreibern verfahren. Derjenige, von welchem die Vorlage des Stettiner Codex herrührt, schob die angehängte Sammlung, da er glaubte, sie gehöre noch in die Freidankübersetzung, vor das letzte Blatt derselben ein. Er oder der Schreiber des Stettiner Codex erweiterten die Collection um wenige Verse.

Anders der Schreiber der Grazer Handschrift. Er sah, dass der Anfang seiner Vorlage (32 × 18 = 16 Blätter) fehlte. Er fand am Schlusse die Sprichwörtersammlung. Er stattete diesen, ausserhalb der Freidankübersetzung stehenden Anhang derselben mit reichlichen Erweiterungen aus und stellte ihn an den Platz, welchen die mangelnden Blätter seiner Vorlage hätten einnehmen sollen.

Das Exemplar der Freidanktübersetzung, welches der Schreiber des Görlitzer Codex vor sich hatte, war in sehr üblem Zustande. Es war nicht nur verstümmelt, die erhaltenen Blätter waren verschoben oder verbunden. Wenn wir die einzelnen Blättergruppen (nach der richtigen Ordnung in der Grazer und Stettiner Handschrift) mit Buchstaben bezeichnen, so waren a (—396), b (—788), c (—1115), d (—1323), e (—1990) in der Vorlage des Görlitzer Schreibers so in Unordnung gerathen, dass sie in der Reihe a e c d b aufeinander folgten; e war unvollständig, es fehlten die Sprichwörtersammlung und die Schlusssprüche der Freidanktübersetzung.

Es wird somit die Geschichte der Handschriften dieser Uebersetzung durch folgendes Diagramm, dem ich noch ein Paar Bemerkungen beifüge, dargestellt werden können:

Archetypus.

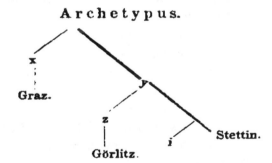

Der Archetypus besass bereits die Sprichwörtersammlung als Anhang. — In y war dieser Anhang schon vor das letzte Blatt eingeschoben worden. — Der Varianten des Görlitzer Codex wegen darf nicht angenommen werden, dass dem Schreiber desselben noch y in schlechtem Zustande vorlag, es ist noch mindestens *eine* Zwischenstufe anzusetzen; i ist der Kachelofen'sche Druck. Seine Stelle im Diagramm zu bestimmen, ist durch die Angaben Joachims möglich geworden. — Der Archetypus hatte 127 Seiten, also 63 $\frac{1}{2}$ Blätter.

Ich gebe nun einen corrigierten Abdruck der von dem Schreiber der Grazer Handschrift an die Spitze seiner Arbeit gestellten Sprichwörtersammlung. Die Anmerkungen führen Belege für das Vorkommen der Sprichwörter an. Wo die Denkmäler von Müllenhoff und Scherer (MSD·) angezogen werden konnten, erschienen wegen des dort beigebrachten Reichthums an Nachweisungen weitere Citate überflüssig.

121^b   *Arm man schol nicht trâg sein.*
        Ad sua quisque piger bona non debet fore pauper.
        Armeu hoffart ist mit dem teufl pehafft.
        Jure dyabolicus est pauper quisque superbus.

5. *Swer ungewarnnet rennet der ungwarnet uellet.*
        Vidi per casum cursorem frangere nasum.
        Dŷ vil gespann trug ÿ luczl an.
        Nudam se tenet hec que mulier net.
        Swer behalt so er hat, der nimt so er wil.

10.   *Qui quod habet servat, capit hic dum vult quod*
            aceruat.
        Do arm man weib nam, do wolts nicht nacht (. . . . . ?)
        Junxit formose dum pauper connubio se,
            est longata dies nec sibi nocte quies.
    Schon arm weib
15. *ist dy erst vnseld ir leib.*
        Prima lues inopis solet esse decor mulieris.
    Arm leut tragent arm chreucz.
        Dico quod crucifer parue crucis est homo pauper.
    Der selb icht hat
20. *der pittet nimant an dhainer stat.*
        Qui quid habet de se non vult orator adesse.

_ . _ . . _. . ____ . . . .

3 Freid. 29, 6. *armiu höch;art ist ein spot.* Simrock, die deutschen Sprichwörter, Frankfurt 1846 (S.) 503—505. 5 MSD ⁴ XXVII. 82. *Incaute cecidit, temere quicunque cucurrit.* Zingerle, die deutschen Sprichwörter im Mittelalter, Wien 1864 (Z.) S. 86 **14 Z.** s. 190.

So ý gâher

122ᵃ *So ý unnâher.*

Qui facit absque mora quid erit sibi tardior hora.

25. *Der sich selber saumet hat selber den schaden.*

Qui se neglectat in se sua dampna reflectat.

Geist du mir chlain,

so dankch ich dir sain.

Qui minimum michi das tarde tua premia portas.

30. *In necessitate probatur amicus.*

Tempus egestatis dat amicum noscere.

Ve terre cuius rex puer est.

Ve cuius patrie nescit rex dona sophye.

Qui nimis emungit, se sanguine sepe perungit;

35. *sic tibi prelate, qui corripis immoderate.*

Qui nimis emungit, solet extorquere cruorem;

sic violenta facit torrentem deteriorem.

Qui male agit odit lucem.

Is, qui turpe gerit, tenebras non lumina querit.

40. *Unusquisque in sensu suo habundat.*

Quisque suam propriam multam putat esse sophyam.

In sensu vere se credit quisque valere.

Greinet der freunt, so peizzet er doch nicht.

122ᵇ *Seviat iratus, quamvis non mordet amicus.*

45. *Vbi amor, ibi oculus; ubi dolor ibi manus.*

Ad loca sanguinis manus est et ocellus amoris.

Trinkch und gib mir:

das ist ein trew an dir.

---

22 Von W. Grimm Freid. S. 115 als Citat aus Wilhelm von Orlens (Kassel. Handschrift 9179. 80) erwähnt:

êst wâr, sô ie gaher,

sô ie gar unnæher.

30 ff. enthält eine Zusammenstellung von meist ganz geläufigen Sprichwörtern, nur einige sind selten. 32 Bartsch Germ. XVIII S. 310 bis 353 (B.) Nr. 968, Freid. 72, 1. Z. 198 Tunnicius, herausgegeben von Hoffmann v. Fallersleben, Berlin 1870 (T.) 1043 *Wê dem lande dâr de hêr is ein kint.* 34. 36 T. 1060 S. 9154.5 45. 6 MSD. S. 356 47 Stett. Cod. 242ᵇ 10 ff.

Esse fidem dico potum michi qui dat amico.

50.   *Cuius rina bibo laudes et carmina libo.*

Nŷ kchunig so eben sazz,

im würr doch ettwas.

Non rex regnavit quia nulla molestia stravit.

Regnavit nunquam rex qui non plangeret unquam.

55. *Ee graz kchumt so ist dy chue tod.*

Quam seges exoritur citius michi vacca moritur.

Swer füchs mit füchsn vahenn wil,

der selb pedarff wiczenn vil.

Artibus indigeas qui volpem volpe kathenas.

60. *Der da geit der ist lib.*

Munera cum michi das, tibi me vehementer amicas.

Dum quid habes dico „salve" sicut amico.

Wol ymm der freunt hat; we ymm der ir wedarf.

Gaudeo sincere quod amicos dicor habere ;

123ᵃ 65.   *quum quid his egeo, tunc michi ve doleo.*

Swas der tor ŷ golds vant,

das was des weissenn so zehant.

Aurum quod repperit stultus, sapiens sibi querit.

Gedwrungner dinst ward nŷ gut.

70.   *Semper erit fractus servus servire coactus.*

Gedwungne lib und gmachteu schon wernt nicht lang.

Tortus amor norma breuis est et adnetera forma.

Feur und stro sind nicht wol pei einander.

Est . . . . ardentis, dum sunt prope stramen et ignis.

---

51 Freid. 73, 22 Stett. Cod. 242ᵃ 12 55 B 18 *Ante novam moriens procumbit cornipes herbam.* T 34 *Als das gras wesset, so ist dat pert vake döt* S. 7847. 8. 57 Freid. 139, 3 Stett. Cod. 242ᵇ 1. 60 Stett. Cod. 242ᵇ 7 Z. 45. Der Stett. Cod. hat das zu 62 gehörige Verspaar: *Wenne du bist reich, ich gruez dich minnecleich.* 63 Freid. 95, 20. *Wol im der vil friunde hât: wâ im des trost an in stêt.* S. 2734. 2772. 66. Freid. 81, 9. in der Grazer Handschrift selbst 977. Z. 146. 69 Freid. 107, 16. 71 Freid. 101, 13. Z. 25 T 180. 194. 73 Freid. 121, 2 Z. 143 Zarncke, Commentar zum Narrenschiff 13, 1. 6; 92, 1.

75. *Guteu red pricht das haupt nicht.*
    Tempora non frangit, dum vox aurem bona tangit.
    Von smalem aign kchumt chlainer tail.
      Non patitur multas partes sibi parua facultas.
      Qui non laboret non manducet.
80.   *Nolo cibum capias oneris socius nisi fias.*
    Durum est · contra stimulum calcitrare.
    En stimulum fellis patitur vir sepe rebellis.
  Swen dỹ chacz aus kchumt, so reichsent dỹ maüs.
  Catto cedente vult mus regnare repente.

123ᵇ 85. *Swimmer, ertrinkcher;*
    Steiger, vallår.
      Sepe natans mergit, se scansor ad infima vergit.
    Pezzer ist etwas dann nichts nicht.
      Quam nichil est melius aliquid; quod sepe videmus.
90. *Widerslag ward nỹ verpotten.*
    Lex que plagauit nullo plagare uetauit.
  Swen der kchoppff (ler?), so ist er mir unmer.
    Quum manet vacua, tunc est michi cyppus molesta
  Muzzig hent machent råudigenn ars.
95   *Otia dant manuum sane plenum tibi culum.*
  Pezzer ist ein schådl dann ein schade.
    Semper sunt dampna magnis leuiora minuta.
  Swer ze vil müt, dem wirt oft ze wennkch.
    Sepe minus portas, qui plenas vis tibi portas.
100. *Dem säligenn hilft ein leichtes lüpp.*
    Plene saluamen felicibus est medicamen.
  Swas man in dürcheln peutl leit,
  das wirt oft alles gestreut.
    Perdidit inposita michi singula cista forata.

---

77. S. 10250ᵃ *Viel Teile, schmal Eigen.* 79 ff. vgl. zu 30 ff. 84 B. 35.
85 MSD ² 359. Z. 31.142 T. 306 Anm. Dieselbe Verbindung S. 5758.
88 Z. 145 T. 172 Anm. **90** Freid. 127, 16. *ich weiz wol das nie-*
men mac verbieten wol den widerslac. T. 65. **96** Stett. Cod. 243ᵃ
10. Z. 128. S. 8790. **102.** Z. 126. Zarncke Comm. z. Narrensch.
6, 65.

124ᵃ 105. *Williges ros schol man nicht vberreittn.*
    Dum nimium cupido non insidias palefrido.
    Non adibe cupido nimium calcar palefrido.
Dikch prŏt warms
machet haus arms.

110.   *Sepe nouans panem facit edem pistor inauem.*
Das alter kchumt mit manigenn geprestenn.
    Affert defectus multos tibi curva senectus.
Später gast, laidiger gast.
    Hospes me mestum serus facit atque molestum.

115.   *Exstitit ingratus hospes michi sero moratus.*
Der dem andern grebt dÿ grub, der vellet dikch dar in
    Sepius in foream cadit, michi qui parat illam.
Ess ist pozz härpfen in der mül.
    Si mola volvatur, lire non arte fruatur.

120. *Kchaczn chind lernt wol maüsenn.*
    Filia murilegi scit muribus insidiari.
So dÿ kchacz aus kchumt, so reichsent dy maüs.
    Catto cedente vult mus regnare repente.

124ᵇ   *So dÿ maus sat ist, so ist ir das mel pitter.*

125.   *Dum plenus mus est, tunc tota farinula acerba.*
So man den wolf nennet,
so er zŭ drenget.
    Stat lupus ut veniat, eius dum mencio fiat.
Den mändtl schol man nach dem wind kchern.

130.   *Vtor mantello, ventos quia per te repello.*
Der im selb dorrt, den slecht der schaur nicht.

---

105. S. 7862. 1193. Zarncke Comm. z. Narrensch. 59, 10. **111** Z. 13
S. 238. 246. **113** S. 9663. **116** Am Rande der Handschrift ist eine
Hand gemalt, deren vorgestreckter Zeigefinger auf diesen Vers weist.
Ebenso bei **149** und **153.** Im Stett. Cod. 243ᵃ 14. **118** Freid. 126.
25. Z. 63 f. **120** MSD⁻ XXVII. 106. *Muricipis proles cito discit
prendere mures.* S. 359. T. 274 Anm. **122** Z. 79. T. 388. Anm.
83 f. **124** S. 6908 *b enn die Maus satt ist, schmeckt das Mehl
bitter.* **126** B. 10, Z. 177. **129** Z. 97 f. T. 707 Anm. S. 6820.
131 MSD⁻ S. 355.

Nolo ledat grando segetem, mihimet tono quando.
„*Gåch schricht wurd nŷ gut*"
sprach der floch, (do) sprung er in das feur ungemut.

135.   *Pulex precipiti saltu se trux dedit igni;*
  „*sic mala multa parit impetus omnis*" *ait.*
Gåher man schol ezzel reitn.
Devitans bellum sedeat vehemens in asellum.
Ezz ist nichts, ez sei für ettwe gut.

140.   *Est sine virtute nichil in mundo ve salute.*
Gut sit volget hail nach.
  Sepe bonos mores sequitur salus es et honores
Grozz visch vach in grozzme wazzer.
  Magnos in magnis pisces queo prendere stagnis·
. 125 ª 145. *Milter hant nŷ guts zerann.*
  Larga manus nescit defectus, es sibi crescit.
Aller leut wille, aller leut wulle.
  Nausea sis vere, si queris cuique placere.
Gut man, kchöt man.

150.   *Sepe luto similis, reor, es bone vir quoque vilis*
Stillezz wazzer stad izzet.
  Comminuendo fodit aqua stans et littora rodit.
Der paz mag, der scheubt den andern in den sakch
  Quis mihi prevalet, is intrudit me bene sacco.

155. *So man das kchöt ŷ mer rürt, so es vaster stinkchet*
  Quo mage fex teritur, in fetorem magis itur.
Pozzeu rede hat nicht antwürt.
  Nemo malis verbis responsa ferat vel acerbis.
  Mollis responsio frangit iram.

160.   *Mitigat irata responsio pectora grata.*
  In multiloquo peccatum non deerit.
  Multiloquus vere nescit peccata cauere.

---

137 B. 290. Freid. 116, 25 T. 572.   139 T. 804   143 MSD³ S. 356.
145 S. 7024.5.   147 T. 100. *Aller lude vrunt is mann iger lude gek*
151 MSD³ S. 361 B. 28.   153 Z. 126. Zarncke Comm. z. Narrensch.
69, 7. S. 863 7. 9817.   155 MSD² S. 361. B. 112, Z. 26. T. 1147
Anm. 157 Stett. Cod. 243ª 17 Z. 21 T. 647.   159. 160 S. 371
wie zu 80 ff.   161. 2. S. 8251. 3.

Ellem dinkch mänsleich,
diu sind vnschämleich.

165. *Res mensurate mihi sunt sine crimine grate.*
·125ᵇ   *Torn spil schol weit habenn.*

Lata, ferunt multi, ludus querit loca stulti.
Swer seinen veint spart,
der sich selb übl wewart.

170. *Hosti si fueris lenis digne pacieris.*
Pezzer ist zwir gemezzen
denn ainsten vergezzen.

Bis mensurare plus quam semel aunichilare.
Ain schad recht den andern.

175. *Semper in amplum venit, heu, michi flebile dampnum.*
Der da chlagt den peizzt sein schad.

Qui lesus queritur dampnum mucrone feritur.
Man fund wol ratkebn, fund man volgär.
Consilii lator satis est sed non imitator.

180. *Guter poten und guter prater vind man selten.*
Rarus legatus bonus assatorque probatus.
Gwaltiger pitter ist ewiger rauber.

Qui petit assiduus, hic raptor erit violentus.
Vbel gewunnen, vbel zerunnen.

185. *Lucramur male quod male perdimus; hoc satis eque.*
Miet zeucht genn hell.

Dona trahunt multos ad tartara crimina stultos.
126ᵃ   *Gut dinst wardenn nÿ verlorenn.*
Nunquam mercedis vacuus stat verna fidelis.

190. *Quot capita tot sentencie.*
Quanti sunt homines tot varii sunt sibi mores.

---

163 Es ist hier wohl gemeint menschleich? Wenn das richtig wäre,
so würde es vielleicht darauf hinweisen, dass der Schreiber unserer
Sammlung eine schriftliche Collection deutscher Sprichwörter ohne
lateinische Uebersetzung vor sich gehabt hatte, die er in diesem Falle
falsch verstand. 168 B. 103. 171 Freid. 131, 23 Z. 102. 174 Z. 127
T. 1221 Anm. 178 Zarncke Comm. z. Narrensch. 8, B. 182 S. 1109.
184 Z. 157 T. 654. S. 10575. 190 wie zu 30 ff.

Da scham da ere.
Sunt sibi connata pudor ac honor consociata.
Aller ordenn der ist gut,
195. *swer dar in recht tut.*
Ordo bonus quivis in eo bene vivere si vis.
Der sich verschampt hat,
im selb gut gemach gat.
Dat michi commoda sat, alienus si pudor exstat.
200. *Dezz gutn ward nŷ ze vil.*
Gracia nulla satis michi gratuite pietatis.
So der phfab sich in dŷ höch swinget,
so er uns den regen kchündet.
Si loca summa petas, imbres michi, pavo, prophetas.
205. *Slecht geslagenn ist schir gesliffenn.*
Es cito lapsaui quod planum confabricaui.
Der den seinen ŷ verchos
der ward dikch siglos.
Victum se strauit, quicunque suum reprobavit.
210. *In schimph vnd in ernst*
hört man den man aller gernst.
Fers michi probra libens per seria aut ioca ridens.
126ᵇ *Der nicht wais, wer er sei,*
der frag seiner nachpauer drei;
215. *es sei im lib oder laid,*
so wird is im doch gesait.
Consule vicinos, tibimet non cognite, ternos;
hii dicent verum, velis et nolis, tibi merum.
Phfaffenn knecht izzt daz er swiczt und arbait
daz in freust.

---

192 Freid. 53, 5. 16. Dann vergleiche man den unechten Zusatz zu 53,
12 in M und die Varianten zu 53, 16. Z. 129, 130 S. 8870. 200
S. 4113. 4 205 Z. 133. 213 Freid. 62, 16: *swer niht wizze wer er*
si, der schelte siner gebüre drî; wellent es die zwêne vertragen
der dritte kan ez wol gesagen. Das in unserem Texte vorliegende
Missverständniss findet sich schon in der Freidankhandschrift H.
Stett. Cod. 201ᵇ 17. 219 S. 773 *Pfaffenknechte essen im Schweiss*
von Arbeit werden sie nicht heiss.

220. *Clerici quum vocat famulus sudore laborat,*
 et riget algore dum se gravet ipse labore.
  Minnen vnd tancz habent den rum,
  daz isleichez went daz pest tun.
   Quisque corisator habet has leges et amator
225. *pre cunctis vere quod credit in arte placere.*
  Pezzer aus der staudn dann aus dem stokch.
   Extra rubum melius quam de trunco veniemus.
   Si tibi femina sit nouacula sit, bona spata,
   non michi commenda, quia forsan erit michi grata.
230. *Pezzer ist champff denn hals ab.*
   Quam cedem colli melius puto lucta duelli.
  Ain abent ist chiinr dan zwenn margenn.
   Vnica nox plane magis audax quam duo mane.
  Er und gemach
235. *ich nÿ bei einander sach.*
   Vt plures fantur, non una sede morantur
   commoda, magnus honor — et ego sic dicere cogor.
127ᵃ *Der vil lusent der oft sein laid hört.*
   Aurem qui prestat aliis, se sepe molestat.
240. *Der vil sagt der nicht erenn jagt.*
   Dicitur ingratus vir multa referre paratus.
  So es get an das gelten,
  so get es an das schelten.
   Soluere tum debes michi, quid tunc iurgia prebes!
245. *Besargstu dÿ hut,*
  so ist der frid gut.
   Si bene cautus eris custos, tunc pace frueris.
  Nach dem aÿ ein trunch
  oder dem arczt ain phunt.
250. *Post ouum potes medico uel munera dotes.*
  Gebalt geht für recht.
   Jura manent stulta qua parte potencia multa.

---

222 Freid. 99, 3 **230** Z. 79 S. 5394. **232** Z. 106 **224** Z. 49. 198.
238 Freid. 118, 25. **242** Freid. 63, 2. **245** Z. 76 T. 257 S. 5150.
248 S. 10501. **251** Z. 53

Sanft gesezzenn ist halbs ezzenn.

Est medium cene cuique sedere bene.

255. Gut gehaizz freut den torenn.

Letificor stultum si sibi promisceor multum.

Swer dŷ chind wil fragenn,

der lernt seu missagenn.

Sepe rogans puerum docet illum spernere verum

260. Der ŷ hocher steiget, der ŷ hocher vellet.

127ᵇ   *Alto quo mage sto, casus gravior michi in esto.*

Swer nicht gewagenn kchan,

derselb auch nŷ gewan.

Sorti non audens dare se non fert lucra gaudens.

265. Daz kchind chlagt den slag;

warumb, es wol versweigenn mag.

Eu puer queritur de verbere, causa tacetur.

Da man das gut hait, da wäscht es.

Hoc tene pro nota: crescit pecunia fota.

270. Unser herre ist der torenn vogt.

Est dominus ipse bonus stultorum sepe patronus.

Cheler maus verdirbt nicht.

Non mus ille perit, bona que cellaria querit.

Wein und weib freut mannes leib.

275. *Ista virum bina letum dant: femina, vina.*

Dhain hut ist so gut,

als dŷ ain weib selber tut.

Nemo defendet melius quam femina semet.

Pezzer ist in daz chöt getretten dan dar in geuallen.

280. *Est calcare pede melius in stercus, michi crede,*

quam te per casum totum demergere nasum.

Chindl vnd vårl verwent man leicht.

Plene consuescit homo porcum dum invenescit.

---

253. S. 9554. 160 B. 136. 197 Z. 31. 69. 196 T. 304. 441 Anm. 262 Z. 121 T. 131 265 T. 968 S. 5596. 268 S. 4146 270 S. 3947. 272 Stett. Cod. 242ᵇ 20 274 Stett. Cod. 243ᵃ 1. 276 Freid. 101,7. 279 Stett. Cod. 243ᵃ 4

128ᵃ   *Quamvis quis peccet occulte sit sibi secure*
285.   *quod fecit luere mortis terrore future.*
      Swaz hŷ an trew ist,
      daz wert dhain frist.
      Raro quid in mundo tam caute mens meditatur,
289.   *non durat si non contritu multa sequatur.*

Variantenverzeichniss.

Um an dieser Stelle alles anzuführen was in der Grazer Handschrift der Freidankübersetzung von Interesse sein könnte, stelle ich im Folgenden diejenigen Abweichungen unseres Codex vom Görlitzer oder Stettiner zusammen, welche die Kritik des Textes erleichtern mögen. An allen Stellen, wo wesentliche Differenzen zwischen der Görlitzer und Stettiner Handschrift statthaben, stimmt der Grazer Codex mit dem Stettiner, wenn in meinem Verzeichnisse nichts bemerkt ist.

293 *crebro fiunt*, 294 *lug*, 297 *studia decorata.* Nach 310 fehlt das Paar lateinischer Verse, welches 309.10 übersetzen soll und das Paar deutscher Verse, deren Uebersetzung in 311.2 erhalten ist. 328 *glaub ich doch was.* 331 *virtutum*, 332 *conpertis rebus.* 334 Von diesen Vers ist nur *der schol* erhalten. 338 *Er wel.* 344 *turpi.* 350 *der sel und des leibes slag.* 352 *corpus animamque studet.* 357 Hier sind, wie auch sonst oft in unserer Handschrift, zwei Sprüche in einen zusammengezogen. Der zweite fehlt dem Görlitzer Codex, im Stettiner sind beide vorhanden, aber getrennt. Das zweite Paar lateinischer Verse lautet bei uns: *Sed si porrecta fuerit correctio*

---

286 steht im Görlitzer Codex als letzter Spruch. Vielleicht ist diese Stellung noch eine Spur von der Existenz des selbständigen Anhanges am Archetypus. — Wenn man einmal zwei Verse als einen schreiben darf, was insbesondere bei 126.7 sehr nahe liegt, dann erhält man 288 = 16 × 18 Verse, gerade die Hälfte von 576, der Anzahl fehlender Verse.

stulto, doctorem spretum dehonestat crimine multo. 369 zwei Sprüche zusammengezogen. 389 *Dew wicz ie nach frewdn strebt,* ·*mit sorgen wicz vnd alter lebt.* 397 zwei Sprüche zusammengezogen. 408 *Vnmåssichait, wat, vergebenew speise.* „ *Vnmåssichait"* ist durch Missverständniss aus *„milezec"* Freid. 49, 9 entstanden. Die Lesarten des Stettiner und Görlitzer Codex setzen die unserer Handschrift voraus. 442 *Euenit hinc sepe.* 449 *veint vertragen.* 460 Siehe oben 463.4 stimmen mit Görl. 465 ff. fehlen in beiden andern Handschriften. Sie lauten: *Nŷman mag sich liig erwern noch vor schelten wol ernern. A falsis verbis poterit sibi nemo cauere, verbis probrosis poteritque nemo carere.* Freid. 63, 8. 469 *rait.* 470 *mit dem sein tŭt.* 476 *sepe probatum.* 482 *missetat* fehlt. 486 *allzeit vor got.* 489 *Swer den biderln und den bôsenn hat.* 499 *gewerra* wie im Görl. Von Joachim in *querella* geändert.

508 *Indecepta tamen sapiencia.* 522 *da enschein dannoch.* 526 *dŷ grözzist.* 551 *wŷ er der dîf laugn schol.* 553 *quo verbo.* 563 *für sein missetat.* 507 *sa czehant.* 574.5 fehlen im Görlitzer und Stettiner Codex. Der Kachlofen'sche Druck hat sie, ihm fehlen aber die beiden vorhergehenden. Sie lauten: *Qui verbis falsis se vel sua facta colorat, raro diu durat color, hic male namque decorat.* 579 *firme protestor* 610 *soli domino reserata* 615 *soleas si nullas* 624 *Ein igleich chint* 649 *des pesten chain war* 701 *da leicht ein mag den andern lat* 727 *in se corriperet* 735 *delectarer gloriari* 762 *Qui contra probra verborum convicia fundit* 796 *semper cupimusque negata.*

Nach 820 hat Görl. einen Spruch (Freid. 85, 23), welcher uns, dem Stettiner Codex und dem Druck fehlt. 834 *mail er dannen fŭret* 861 *gerawnnenn* 864 am Rande: *de laude propria* 878 *Si quis dolosis hominum secreta rimatur* 881 *das gŭtn weiben missestat.* Nach 891 hat Stett. einen Spruch (Freid. 147, 9), der uns und Görl. fehlt. 919 *quomodo pauperiem tegat et pellat vir honestus* 934 *velschet weisen mŭt* 937 *dief tŭt* 947 *sumus* 948 *simus quasi fumus* 965 *seinen arden* 982 *Ein tôr in nicht gestreittenn chann* 1009—1012 fehlen in den beiden andern Handschriften. Sie lauten: *Swer forschet nach dem schaden mein, ich frag auch leicht nach dem sein. Insidiando mea qui rimatur malefacta, huius rimabor forsan nolit licet acta.* Freid. 122, 1. 1025 *Phfenig und silber wnnder tůt* 1046 *michel lait* 1103 *cum non tueatur ius* 1104 *wiczig an gůt.* 1109 *vnz izz* 1123 *Econtra stultos plus anxietate carentes* 1124—1131 fehlen auch dem Stett. Codex. Sie lauten: *Minne und geittikait, dŷ sind zu enphahen bereit. Turpis avaricia nullo venus ordine comqta, hec ad sumendum semper sunt crimina prompta* (Freid. 99, 15.) *Der fürst mag wol genesen, wil er rechter maister wesen. Subiectos seque princeps si rexerit eque, salus erit licet hic sibi crescant prospera queque.* (Freid. 72, 19.) 1133 *der hat in seiner speis gar entwert* 1135 *Credo quod lle cibos ab eo dulces removeret* 1136 *ein not* 1139 *gemebunda* 1140—1147 nur in unserem Codex erhalten. Sie heissen: *Izz sait vil leicht ein nachpawr von dem andern, sein trinken sei sawr. Sepe sit, ut caupo dicat sua pocula clara vinaque vicini, quamvis bona, dicat amara.* (Freid. 121, 20.) *Ich muzz horen und sehen vnd wil doch nymants schaden jehen. Auribus audire cogor visuque videre, sensibus ast istis cuiquam non quero nocere.* 1161 *sy mein* 1163 *surdus cuiuslibet* 1168 *So alleu chrumpe werdent slecht.* Die beiden Sprüche 1172—1179, welche dem Stett. Codex mangeln, wurden schon oben S. 85 citiert. 1182.3: *Invidia ductus nunquam pravos probus odit, neque vero probos livoris crimine rodit.* Der Spruch 1184—7 nur bei uns: *Mir ist zu manigen dingen gach, das mich gerewt dar nach. Me quosdam gestus inconsulte faciente penitet illico, me sic hoc gessisse repente.* (Freid. 116, 19.) 1190 *Qui convivendo* 1191 *sic fit quandoque* 1193 *gewann ich grozzen neit* Die Verse 1194 5. 8. 9 fehlen im Stett. Codex. Sie heissen: *Dar umb můs ich dick clagen; man mag der warhait ze vil sagen. Ergo lingua mea cogitur sepe tacere; dicere nam vera, credo, sepe nocere* (Freid. 74, 25.) 1208 *daz dưncht gut* 1209 *dŷ weil man izz den lewten teur tůt.* 1211 *Sed vilet magis utenti si copia detur.* Die beiden Sprüche 1220. 1224 sind im Stettiner Codex zusammengezogen. 1232.3 *Swenn ein tôr ein preinn hat, so enrucht er swŷ das reich stat* 1237 *den wer endankch* 1240 bis 1247 fehlen im Stettiner Codex. Sie lauten: *Der man ist under freunden ein gast, dem da haim nŷ liebes geprast. Hospes apud socios et amicos creditur esse, cura dolorque domi cui semper suevit abesse.* (Freid. 97, 12.) *Dem säld ist beschert, der ist da haime wo er vert. A quo sunt nunquam fortune dona remota, dicitur esse domus ipsius patria tota.* (Freid. 97, 19.) 1248 *sein gewant* 1251 *illuc plus vestem* 1254 *laude levetur* 1256 *volchomen.* Die drei Sprüche 1260. 1264. 1268 fehlen dem Stettiner Codex. Sie lauten: *Swa ŷ chain weib durch minne messetet, daz chom von der manne pet. Illicito quocies mulier peccavit amore, capta viri precibus vel mendaci fuit ore.* (Freid. 100, 12.) *Ein man auch missetåt, der in so lang påt. Vir quoque peccaret iugi temptacione victus, quamvis ius pocior sibi sit sensusque relictus.* (Freid. 100, 14.) *Ich wån, daz icht pet sei, da sei ein pozzeu veder bei. Quamvis formetur blando sermone precatus, et tamen interdum viciosa fraude novatus.* (Freid. 120, 21.) 1274 *quo queque solet fera pasci* 1278 *furtire* 1283 *hic ubi cuncta fides* 1292 ff. schon oben S. 85 besprochen. Im Stett. Codex fehlen 1301.2. *Trautt ein man ein weib, sich enzuntet leicht sein leib.* Vgl. Freid. 106,8. 1311 *gratuitate* 1312 *Schande schimph ist dik laid.* Dem Stett. Codex mangelt der Spruch 1316: *Dem milten tůt verzeihen we, doch schampt sich der bittundee. Largior (largitorem?) plus invita repulsio ledit, omnis vero petens non absque pudore recedit.* (Freid. 86, 14.) 1332 siehe oben S. 88. 1340 *si tamen oblata crebro* 1353 in diesem Spruche stimmt unser Codex mit dem Görlitzer. 1361 *säld trait.* 1387.8 *Qui licet iratus noverit retinere pudorem. hic virtus vicium fallit, mens tanta furorem.* 1413 *dem argen herczen — arg* immer für *karg* 1421.2 *Vil selten an rew icht ergat als unerchanteu heirrat.* Vgl. Freid. 75,6. 1433 *Swer sich chraczet* 1434 *vil dikh* 1467 *verno tempore* 1474 *Geleit er hocher mynne pey* 1490 *pey den langen oren* 1515 *me cogit reddere dicta* 1518 *in seinen varst gat* 1522 *des sichtůms půzz.* 1525 ff. im Stettiner Codex in umgekehrter Ordnung. 1527.8 fehlen im Görl. 1531—7 sind im Görlitzer Codex getrennt auch steht dort ein lateinischer Vers mehr. 1561 *so daz in*

nicht mer magk 1592 *gemunicht* 1607 *desere servicia citoque,
nescis valitura.* 1649 *wol geuallen* 1673 *wil zelln, der schol
vil müzzig sein.* 1720 *Swaz hungrig ist vnd wat blozz* 1728
sât man in starche bramen 1758 *Credo vel spero* 1759 *con-
sultores per eorum* 1797 *da gen deu lember ab dem weg*
1801 *wan er ze füzzen nach der speis gat* 1816/7 fehlen den
beiden andern Handschriften. Sie lauten: *Servus, ut alliciat
domini precordia, nequam, non ut proficiat, aliquam sibi rem
gerit equam.* 1826 *Sein hercz dick traurich stat* 1834—1840
sind im Görl. Codex zusammengezogen. 1858 *heent selten*
1861 *Swa der pokh den wolf bestat* 1877—1889 in Görl.
getrennt. 1890 *da ist nicht wan verlorneu arbait* 1910 *si
bezzert* 1922 *Der mit stummen rawnt* 1936 *quo sensu* 1960
laude notare vales omnis qua digna sit ales 1966 *gedinge*
1970 *gût und uollen geben* 1983 *Quid iudee stupes super hac
signi novitate* 1986 *plumen vnd nüz* 1987 *fructus nucis* 1989
durch ganczes glas

Ostern 1875.

Die ersten Bauernunruhen

in

Steiermark und den angrenzenden Ländern, ihre Ursachen und ihr Verlauf.

Ein Vortrag von **Franz Mayer**.

I. Die Ursachen der Bauernunruhen.

Um die Mitte des 13. Jahrhunderts lebte in dem Nachbarlande der Steiermark, in Niederösterreich, die Landbevölkerung in sehr günstigen Verhältnissen. Wir urtheilen darüber
zunächst aus allerlei gleichzeitigen poetischen Erzeugnissen,
die uns einen ziemlich genauen Einblick in die Zustände unter
der Bauernbevölkerung bieten.

Die Gegend zwischen Wien und Enns, zumal das reiche
Tulner Feld ist der Schauplatz alles dessen, was uns N i t -
h a r t von R e u e n t h a l in seinen Liedern zu erzählen weiss.
Hier lebten wohlhabende, unabhängige bäuerliche Gutsbesitzer,
die den Neid des allmählich herabkommenden Ritterstandes
erregten. Nithart spricht von dem Uebermuthe der Bauern,
der so gross gewesen, dass diese nur mit dem Schwerte zum
Tanze gingen, dass ihre Weiber und Töchter in Sitte und
Tracht gerne die Ritterfrauen nachahmten: an den Kleidern
trügen sie lange Schleppen, die Haare hätten sie mit Seiden-
borten umwunden, mit Blumenkränzen geschmückt, am Halse
trügen sie kleine Spiegel.

Muss man auch annehmen, dass Manches in diesen Schilderungen übertrieben ist, das Meiste wird man doch als wahr
bezeichnen müssen; denn auch jene Gedichte, welche bis vor
Kurzem einem österreichischen Ritter, Seifried H e l b l i n g,
zugeschrieben wurden, haben einen ähnlichen Inhalt. Auch

hier wird über das Herabkommen des Ritterstandes und das Aufstreben des Bauernstandes geklagt. Mancher Bauer, heisst es da, dünkt sich so vornehm, dass er als Werber um ein Ritterfräulein auftreten kann und mancher Ritter lebt in so kümmerlichen Verhältnissen, dass er gerne einen wohlhabenden Bauern zum Schwiegersohn annimmt. Die Söhne solcher Ehen wollten dann freilich vom Bauernstande nichts mehr wissen: sie suchten als Einschildritter ihr Fortkommen.

Dieses Streben eines reichen Bauernstandes über seinen Stand hinaus ist wohl am anschaulichsten in Meier Helmbrecht von Wernher dem Gärtner geschildert. Der Schauplatz dieses Gedichtes, gewiss eines der interessantesten unserer älteren Literatur, ist das damals baierische, heute österreichische Innviertel, der Dichter ein Pater Gärtner, wie sie vom Kloster Ranshofen seit alter Zeit ausgesendet wurden, die Bauern seines Gebietes in Obstbaumzucht und Gärtnerei zu unterrichten. Das Gedicht erzählt, wie ein junger Bauer, unzufrieden mit seinem Stande, als Knappe bei einem Raubritter dient und seine Schwester beredet, dem Leben einer Bäuerin zu entsagen und die Gattin eines seiner Raubgenossen zu werden. Das Glück ist ihnen nicht hold: die meisten erleiden den Tod am Galgen, Helmbrecht wird verstümmelt und später von den Bauern aufgehängt.

Noch ein weiteres Gedicht gewährt uns einen Einblick in die socialen Zustände Niederösterreichs im 13. Jahrhunderte: Stricker's Märe von den Gäuhühnern. Unter Gäuhühner werden die Bauern verstanden und das Gäu ist das flache Land im Gegensatze zum Gebirge und zur Stadt. Mancher Ritter baute sich im flachen Lande eine Burg, in der Hoffnung, von ihr aus die Bauern vergewaltigen zu können. Wer heuer ein Huhn gebe, so schlossen sie, der werde über's Jahr gerne zwei oder drei ablassen. Aber so viele dies auch schon versucht haben, keinem ist es noch gelungen. Die Bauern bitten entweder den Landesfürsten um Hilfe oder sie greifen selbst zu den Waffen, sich ihrer Bedränger zu erwehren: sie überfallen die Burgen und zerstören sie.

Aehnliche Schilderungen der Zustände der bäuerlichen Bevölkerung in Steiermark besitzen wir nicht, aber vielleicht dürfte der Schluss gestattet sein, dass wenigstens in dem deutschen Theile der Steiermark, wenn auch nicht die gleichen Zustände wie in Oesterreich, so doch ähnliche geherrscht haben.

Aber so blieb es nicht; es kamen unruhige Zeiten über die genannten Länder, in denen der Adel, zumal seit der Theilung der Habsburger in mehrere Linien, ungemein erstarkte. Besonders das 15. Jahrhundert ist mit einer solchen Menge von Fehden und Kriegen ausgefüllt, dass ein ruhiges, behagliches Leben · im Bauernstande, wie es in der Babenberger Zeit Platz gegriffen, nicht wieder aufkommen konnte.

Von allen diesen Fehden hat wohl keine ein solches Elend über das Land gebracht, als die mit dem Baumkircher und seinem Anhang. Die böhmischen und polnischen Söldner Baumkircher's wütheten allenthalben mit Raub und Brand und die kaiserlichen Mannschaften thaten desgleichen. Es geschah, sagt Unrest, solcher Schade im ·Lande, dass er aller Beschreibung spottet[1]. Aber auch nachdem Baumkircher gefallen war, trat keine Ruhe ein: die Einfälle der Türken wurden jetzt häufiger und verderblicher. Sie erschienen 1471, 1473, 1475, 1476; Krain hatte zwar immer am meisten zu leiden, aber auch Steiermark und Kärnten empfanden die Macht des furchtbaren Gegners; im Jahre 1476 waren alle drei Länder von den räuberischen Horden durchstreift worden, ohne irgendwo einen ernstlichen Widerstand zu finden. Bei den Bauern setzte sich damals der Glaube fest, die Herren stünden mit den Feinden der Christenheit im Bunde[2]. Als dann im Jahre 1477 der Krieg des Kaisers mit König Mathias von Ungarn

---

[1] Unrest, Chronicon Austriacum bei Hahn, Collectio monumentorum I. Braunschweig, 1724; p. 559 ff. Muchar, Gesch. d. Steiermark, VIII. 52 ff. Krones Zeugenverhör über Baumkircher's Thatenleben. Zeitschr. für die österr. Gymnasien, Bd. 22.

[2] Fr. Ilwof, die Einfälle der Osmanen in die Steiermark. Mitth. des histor. Vereins für Steiermark X. Ueber die Lage berichtet auch der

begann, wurde die Lage noch schlimmer, denn jetzt wurden die östlichen Alpenländer von den Türken, den Ungarn und den kaiserlichen Söldnern um die Wette ausgeplündert. Die Zustände dauerten nun während der ganzen folgenden Regierungszeit Friedrich's IV. fort; unter Kaiser Maximilian trat insoferne einige Besserung ein, als die Länder vor den Türken verschont blieben und auch mit Ungarn der Friede gewahrt blieb; dagegen lastete jetzt lange Zeit der venetianische Krieg auf den Ländern.

Bei solchen Zuständen ist es erklärlich, dass der Kaiser mit den Ständen wiederholt allgemeine Steuern ausschrieb; die zur Vertheidigung gegen die Türken verwendete Steuer nannte man das Wochengeld. Da aber zahlreiche Huben und Hofstätten verödet waren, so hatten die besetzten Huben eine weitaus grössere Last zu tragen als früher. Unter Maximilian wurden diese allgemeinen Steuern, welche vorher durch die Noth gebotene und zeitweilige waren, zu regelmässig wiederkehrenden, fast alljährlichen, die Ueberbürdung der „armen Leute", wie man die Bauern im Mittelalter allenthalben nannte, war eine unausbleibliche.

Die schweren Zeiten nahmen die Bauern auch noch in anderer Weise in Anspruch: da sie trotz der Steuern wenig Hilfe von dem Landesherrn und den Ständen erhielten, legten sie selbst Befestigungen, Täber, an; oder sie befestigten die Kirchen und schufen sie zu förmlichen Kirchencastellen um. Auch wurden die Bauern bei Befestigungen der Städte und Märkte zu Roboten angehalten. Im Jahre 1478 beschwerten sich desswegen die Stände, die ja durch diese ihren Unterthanen aufgebürdete Last gleichfalls getroffen waren. Aber der Kaiser erwiederte, es sei besser, dass die Bauern jetzt ihm und dem Lande zu Nutzen roboten, als dass sie später, wenn das Land vom Feinde in Besitz genommen, diesem roboten müssen, wie es bei Marburg, Hartberg und Fürstenfeld der Fall gewesen.

---

sehr interessante, oft in schwungvoller Sprache sich ergehende „Maueranschlag" Graetz am Freitag vor Martini a. 1478; gedruckt in Z a h n, Jahresbericht des st. Landesarchivs zu Graz, 1870.

Die Städte in Steiermark hatten eben in den Kriegszeiten viel gelitten; die Wiederherstellung der Mauern, die stärkere Befestigung und die unumgänglich nothwendig gewordene Anschaffung der neuen Geschütze (Eysennpuchsen) hatten den Bürgern grosse Opfer auferlegt. Um sie einigermassen dafür zu entschädigen und ihnen aufzuhelfen, verbot Kaiser Friedrich am 30. November 1490 von Linz aus den Landbewohnern in Steiermark Handel und Gewerbe zu treiben, und am 9. Juli 1492 verbot er den unbefugten Handel der Bauern in Obersteiermark mit Wein, Salz u. dgl., wodurch den Städten und Märkten Nachtheil gebracht werde. Diese Begünstigung der Stadtbewohner geschah also auf Kosten der Bauern, die es auch ungerne sahen, wenn an Städte und Märkte Mauthprivilegien verliehen wurden.

Der Anbruch einer neuen Zeit machte sich damals auch bemerkbar in einer auffallenden Verrückung des Verhältnisses zwischen Waare und Preis. Die Vermehrung des Metallvorrathes bewirkt, wenn nicht gleichzeitig eine Vermehrung der Güterproduction eintritt, eine Steigerung der Güterpreise. Gerade in der zweiten Hälfte des 15. und im Anfange des 16. Jahrhunderts war die Ausbeute der Bergwerke in Tirol, Kärnten, Krain und Ungarn am grössten. Die Gegenden an der Etsch galten als die ergiebigsten in Europa, die Erzadern von Schwaz in Tirol schienen unerschöpflich: die Fugger in Augsburg verdankten ihnen sowie ihren Bergwerken in anderen österreichischen Ländern einen grossen Theil ihres Reichthums. Wenn früher in Steiermark Grundherrschaften statt der Naturalien gerne Geld nahmen und theils eigenmächtig, theils im Einverständnisse mit den Unterthanen Zinse in Geld reluirten, so fingen sie jetzt, da das Geld, das sie bekamen, nicht mehr dem Werthe der Naturalien entsprach, wieder an, diese selbst zu fordern, da aus ihrem Verkauf ein grösserer Gewinn zu erzielen war.

Ein Fall dieser Art kam bei der Stadt Radkersburg vor. Um das Jahr 1450 hatten die Bürger dieser Stadt, welche den Herren von Pernegk und Polhaim, sowie der Stadtpfarre, einen Weinzehent zu leisten hatten, mit diesen einen Vertrag geschlossen, wonach sie statt des Weinzehents jährlich Geld zu zahlen sich verpflichteten. Der Vertrag wurde beiderseits eingehalten, bis auf einmal die Zehentbesitzer statt des Geldes wieder Wein verlangten. Die Bürger brachten die Sache vor das Gericht und erhielten Recht, worauf Bartholomäus von Pernegk einem Bürger mit Gewalt ein Fass Most wegnehmen liess. Sie wandten sich nun an den Kaiser, konnten aber nichts erreichen: sie wurden verhalten, statt des Geldes wieder den Zehent abzuführen. Da wo die Reluirung zu Recht bestand, erschien die jetzige Forderung der Herrschaften als drückendes Unrecht und diesem gegenüber verlangte der Bauer, als er sich erhob, das alte Recht, die stara pravda zurück.

Das ganze Mittelalter hindurch haben die Juden tief in das Güterleben und die Geldwirthschaft in unserem Lande eingegriffen. Waren es früher meist Adelige, die ihnen verschuldet waren, so finden wir, dass im 15. Jahrhundert auch der Bürger- und Bauernstand sehr stark in die Abhängigkeit der Juden gerathen war. Die Interessen waren sehr hoch: von einem Pfunde oder 240 Pfennigen forderte man wöchentlich 2 bis 4 Pfennige. Die Juden waren die einzigen Geldleiher und oft genug die letzte Geldquelle der Landesfürsten. Sie wurden misshandelt, verfolgt und vertrieben und dennoch bildeten sie einen überaus wichtigen Factor im mittelalterlichen Leben: Gewerbe und Handel konnten ihres Geldes nicht entbehren.

Den Grundherren konnte es natürlich nicht gleichgiltig sein, dass ihre Unterthanen mit ihren Gründen den Juden verfallen waren. Im Kloster Rain legte man im 15. Jahrhundert das Judenpuech an, in das alle Klosterbauern eingetragen wurden, die auf ihre Gründe bei den Juden Schulden gemacht und ebenso auch die Vergleiche, durch welche sich das Stift die Gründe und deren Renten erhielt. Der Abt Christian von Rain wandte sich im Jahre 1477 oder 1478 an den Kaiser um Abhilfe: viele Gründe, Huben und Hofstätten des Stiftes seien durch die Juden entfremdet und verödet. Der Kaiser befahl nun am 9. Februar 1478 den Juden, alle den Unterthanen des Stiftes geliehenen Gelder innerhalb einer bestimmten Zeit beim Abte anzumelden und sich dann von der fahrenden Habe der Schuldner bezahlen zu lassen. Auf diese Weise sollte verhindert werden, dass die Zinsen anwachsen und endlich dem Werthe des liegenden Grundes gleichkämen [3]).

Schon früher hatte man übrigens Vorsorge gegen den schädlichen nationalökonomischen Einfluss, den die Juden ausübten, getroffen. Im Privileg vom Jahre 1444 wurde für Kärnten bestimmt, dass kein Bauer ohne seines Herrn Wissen und Willen Schulden bei den Juden machen dürfe. Und ähnliche Bestimmungen enthalten die Artikel 246—252 des steierischen Landrechts [4]). Auch auf den Landtagen wurde über diese Angelegenheit verhandelt. Auf dem Landtage vom Jahre 1478 wurden verschiedene Massregeln festgesetzt: die Juden sollen „keinen furslag auf khainerlay geltschuld mer tun", d. h. sie sollten keine Zinseszinsen nehmen; die Siegelung der Schuldbriefe solle vom Bürgermeister oder Stadtrichter und dem Judenrichter zugleich vorgenommen werden. Jeder Jude soll trachten, die einem Bauern geliehene Summe innerhalb dreier Jahre einzubringen; thut er dies nicht, so ist seine Schuld verfallen. Jeder Jude soll seine Geldschulden in der Landschranne anmelden und einen Meldbrief nehmen. Ist der Schuldner in einer Stadt ansässig, wo ein Judenrichter sich befindet, so darf er nur vor diesem geklagt werden; ein Bauer aber muss vor dem nächsten Judenrichter geklagt und darf nicht vor einen weiter entfernten gezogen werden. Durch diese Massregeln sollte der Schaden, den die „vil trieg vnd valsch" der Juden anrichteten, hintangehalten werden, was freilich nicht geschah. Denn am 8. Juni 1492 befahl der Kaiser von Linz aus den Juden, ihre Geldforderungen in ein Buch tragen zu lassen, vom ungarischen Gulden nur zwei Pfennige Zins zu nehmen und nicht Zinseszinsen zu fordern.

---

[3]) Z a h n, über eine jüdische Urkunde des 15. Jahrhdts. Mittheil. des histor. Vereines für Steierm. XI, 196, Anm.

[4]) B i s c h o f f, steierm. Landrecht, Graz, 1875; die Artikel 246—252.

Die Leistungen der Unterthanen an die Herrschaften sind in den Urbaren verzeichnet. Diese Urbare, Urbarien, Zinsbücher, Mueth-Register, in Steiermark Stockurbare genannt, bilden demnach die Basis der grundherrlichen Rechte. Es ist in denselben wiederholt bemerkt, dass dem einen oder dem anderen Bauern Nachlässe gewährt worden seien; aber nicht alle Grundherren wollten oder konnten mit Güte vorgehen, denn auch an sie hatten die Kriege und die Nothwendigkeit, ihre Schlösser vor den nun schon häufiger gebrauchten Schusswaffen besser zu schützen und sich mit diesen kostspieligen neuen Waffen zu versehen, grössere Anforderungen gestellt als vorher. Gewiss ist es, dass viele Grundherren schonungslos alle Zehente und Abgaben, den Weizen, den Hafer, das Korn, die Mad-, Schreiber-, Kost-, Garten-, Stift-, Schwein-, Steuer-, Siedlingpfennige, die Eier, Kapaune, Kälbermägen und Lämmerbäuche, die Madhühner, Faschingshennen und Osterlämmer, die Frischlinge und Kitzen, die Haarzechlinge, die Mässlein Gries und die Weinstecken eingetrieben, dass sie Hand- und Spannroboten unnachsichtlich gefordert, die Sterbochsen stets richtig in Empfang genommen, dass sie in's Unglück gekommene Bauern, wenn sie nicht zahlen konnten, abstifteten und die Gründe an andere verliehen. Aber nicht immer war die Herrschaft Schuld an der Unzufriedenheit der Unterthanen; auch die Beamten, die Pfleger sind oft genug eigenmächtig vorgegangen zum Nachtheile der Bevölkerung.

Die rechtswidrigen Bedrückungen sind natürlich bei weitem nicht alle zur Kenntniss des Kaisers gekommen; wenn es aber geschah, so suchte er so viel als möglich, denselben Einhalt zu thun. So etwa, indem der Kaiser Friedrich am 24. Juni 1482 von Wien aus dem Stifte Göss befiehlt, es solle die eigenen Besitzungen in Kärnten nicht so stark durch Abforderung des Vogtrechtes drücken, da sie durch Türkeneinfälle viel gelitten; oder wenn Kaiser Maximilian an den Hauptmann in Krain, Caspar Rauber, 1493 den Befehl erlassen musste, den armen Leuten in der Reifnitz, die sich über ihre Armuth beklagt, Getreide zukommen zu lassen, damit sie säen könnten. Ein Grundholde des Herrn Conrad Ferber, Jörg Kreuzer, beklagte sich beim Kaiser über die Unbarmherzigkeit seines Herrn. Er, der Holde, hätte wegen Hagelschlag von seinen zwei Huben den Zins nicht entrichten können, hätte zwar Aufschub erlangt, sei aber wegen Krankheit auch später nicht im Stande gewesen, seine Schuldigkeit zu entrichten. Nur zehn Gulden sei ihm zu zahlen möglich gewesen, sein Herr verlange aber 24, habe ihn daher abgestiftet und wolle ihn auf eine öde Hube setzen. Desshalb sei er flüchtig geworden; der Grundherr wolle aber auch seinen, des Holden, Sohn Ruprecht auf eine andere öde Hube setzen, diese „aufzuzimmern". Er bitte daher den Kaiser, dem Ferber zu befehlen, dass dieser den Sohn beim Vater bleiben lasse, denn er sei alt und krank und ausser Stande zu arbeiten.

Ein Unterthan des landesfürstlichen Schlosses Hollenburg in Kärnten wurde von dem Pfleger Gandolf von Khienburg seiner Hube (eines gerewts, das mein vaterlich erb ist) entsetzt, worauf der Pfleger die Hube einem anderen verkaufte. Der Vertriebene wanderte zum Kaiser, der ihm ein Schreiben an den Landesverweser mitgab. Aber dieser erklärte, in der Sache nichts thun zu können, da der Pfleger einstweilen gestorben sei. Nun wandte sich der Abgestiftete neuerdings an den Kaiser mit der Bitte, er möge dem neuen Pfleger Leyminger befehlen, dass er ihm und dem neuen Besitzer seiner Hube einen Rechtstag setze, wo die Angelegenheit zur Verhandlung käme.

Solche Beispiele ungerechten Vorgehens von Seite der Grundherren liessen sich noch mehrere anführen. Einsichtsvolle Männer erkannten auch, wie die Dinge lagen. Die Ermahnung, welche im Jahre 1499 der alte Hans Stubenberg seinen Söhnen zu Theil werden liess, ist recht bezeichnend. Lieben sun, schreibt er, habts enke arm leut schon, da bitt ich enk vmb, vnd was si enk schuldig sein, des nembts vnd huets ier vor steier vnd nembts nit sterbochsen, da bit ich enk vmb [5]). Die Verpflichtung, welche denen auferlegt wurde,

---

[5]) Luschin, im 23. Hefte der Mitth. des hist. Ver. f. Steierm., S. 53.

die kaiserlichen Herrschaften in Pflege oder Pfandbesitz bekamen, dass sie nämlich die Unterthanen und Holden „wider
die gewonndlichen zynnss, dienst Robot" nicht beschweren
sollten, war damals noch keine leere Formel.

Man darf bei der Betrachtung der Ursachen der Bauern-
bewegungen nicht ausser Acht lassen, dass die Landbevölkerung
das conservativste Element der Bevölkerung ist, so dass also
die wirthschaftliche Nothlage, die wir als die einzige Ursache
der Unruhen erkannt haben, schon einen hohen Grad erreicht
haben musste, als der Bauer es im Jahre 1515 unternahm,
seine der friedlichen Arbeit gewidmeten Werkzeuge mit dem
Blute seiner Grundherren zu röthen. Erwähnen wird man noch
können, dass die Bauern in den vielen Kriegen mit der
Führung der Waffen vertraut geworden waren, wie denn auch
Herr Niklas v. Liechtenstein im Jahre 1480 gegen die nach Ober-
Steiermark hereinbrechenden Schweizer Söldner des Erzbischofs
Bernhard von Salzburg einen förmlichen Landsturm organisirte⁶).
Und endlich darf man nicht verschweigen, dass dem Bauern-
aufstande vom Jahre 1515 auch die Anregung von Aussen
nicht gefehlt hat: denn in Deutschland zeigten sich in verschiedenen Jahren Unruhen, die den grossen Bauernkrieg vom
Jahre 1525 vorbereiteten und gerade im Jahre 1514 entstand
in Württemberg der Aufstand des „armen Conrad"⁷), worauf
auch in Tirol der Unwille laut wurde⁸). Aber auch in Ungarn
wurde im Jahre 1514 ein höchst blutiger Bauernkrieg aus-
gekämpft, der von den Herren nur mit Mühe unterdrückt

---

⁶) Unrest, 658 ff. Auch das Chronicon Salisb. bei Pez, Script. II. 435
erwähnt davon.

⁷) Als Beschwerde wird auch angegeben, dass sich überall Doctoren der
Rechte eindrängen, denen man viel zahlen müsse. Würde dem kein
Ziel gesetzt, so würde man bald in jedem Dorfe einen oder zwei Doc-
toren haben. Bucholtz, Geschichte Ferdinand's I.; I. 203 Anm.
Vgl. auch Zimmermann, Geschichte des grossen Bauernkrieges,
2 Bde., 2. Aufl. Stuttgart 1856.

⁸) Georg Kirchmair's Denkwürdigkeiten seiner Zeit in den Fontes
rer. Aust. 1. Abth. I. 435.

wnrde und die Bauern in eine noch schlimmere Lage brachte
als vorher.

Die Nothlage, in der sich die bäuerliche Bevölkerung
befand, war die Ursache der Bauernbewegung vom Jahre 1515.
Die einzelnen Momente aber, durch deren Zusammenwirken
sich diese Nothlage entwickelte, bewirkten in der zweiten
Hälfte des 15. Jahrhunderts in verschiedenen Gegenden der
östlichen Alpenländer kleinere locale Bewegungen. Sie waren
Zeichen einer in den unteren Volksschichten vorhandenen,
stets wachsenden Spannung, sie waren die schwächeren Aus-
brüche eines inneren Brandes, dem unterirdischen Grollen
vulkanischer Kräfte vergleichbar, das dem verheerenden Aus-
bruche vorherzugehen pflegt. Im Getümmel der Waffen, welches das scheidende Jahrhundert und die ersten Jahre des
neuen Jahrhunderts erfüllte, achtete man ihrer nicht oder
unterschätzte sie.

Diese Regungen sollen nun übersichtlich der Bewegung
von 1515 vorausgeschickt werden.

II. Die ersten Bauernbewegungen.

Im Salzburger Erzstift, welches im Jahre 1525 einen so
hervorragenden Antheil an dem grossen Bauernkriege nahm,
zeigten sich die ersten Regungen des gedrückten Bauernstandes. Der 41. Erzbischof, Burchard, aus dem Geschlechte
der Weissbriach, der 1461 zur erzbischöflichen Würde gelangte, legte bald nach seinem Regierungsantritte auf seine
Unterthanen eine schwere Steuer, weichstewr genannt. Dies
war eine Steuer, welche den Erzbischof für die vielen Ausgaben bei Wahl und Einweihung in sein Amt entschädigen
sollte. Dies erzeugte einen Aufstand im Pongau, Pinzgau und
Brixenthal: Märkte und Schlösser wurden von den Aufständischen eingenommen, die erzbischöflichen Beamten gefangen oder
verjagt, Strassen, Brücken, Pässe besetzt, das Gebirge allenthalben
bewacht. Etwa 14000 Bauern standen in Waffen und zwar
in zwei Haufen: vor der Festung Werfen und im Luegpasse.

Da die Lage drohend war, so gab der Erzbischof nach. Er schickte einige Räthe an die Bauern ab und es wurde auf den 24. August ein „guetlicher tag" nach Salzburg verabredet, zu dem die Bauern eine Anzahl ihrer Genossen — für 100 stellt der Kirchenfürst einen Geleitsbrief aus — schicken sollten. Hier nun versprach Burchard die neue Steuer wieder abzuschaffen und sich mit den von seinen Vorgängern erhobenen Steuern zu begnügen; ferner einen Landtag auszuschreiben und zu demselben alle seine Pfleger, Richter und Amtleute im Gebirge einzuladen. Die Bauern würden ihre Beschwerden vorbringen, welche dann verhandelt werden sollten.

Zur vollständigen Aussöhnung wurde vom Erzbischof wie von den Bauern der Herzog Ludwig von Baiern-Landshut angegangen, die Sache zu untersuchen und einen Schiedspruch zu thun. Ludwig kam nach Salzburg, und fällte am 8. October das Urtheil. Diese Urkunde, aus der man am besten die Beschwerden des Landvolkes, also die Ursachen des Aufstandes kennen lernt, enthält folgende Hauptpunkte: Es soll zwischen dem Erzbischof und seinen Unterthanen wieder Einigkeit herrschen; der erstere darf sich des Aufstandes wegen nicht rächen, die letzteren versprechen neuerdings Gehorsam. Die Weihsteuer wird abgeschafft. Der Erzbischof hat das Recht, auf seinen Gütern Pfleger, Richter, Pröpste, Anwälte und Amtleute einzusetzen, denen die Bauern gehorchen müssen; doch soll er von jetzt an nur solche Beamte aufstellen, welche das Volk nicht bedrücken. Bündnisse dürfen ohne Willen des Erzbischofs nicht mehr geschlossen werden; wer Bauernversammlungen beruft, soll an Leib und Leben bestraft werden. Vogthafer und Landesfutter soll nach dem Landmasse genommen und bei Todesfällen und Anlaiten soll es gehalten werden, wie es altes Herkommen ist. Der Erzbischof soll dahin wirken, dass die Bauern nicht vom Wilde zu stark geschädigt werden; die Märkte im Gebirge sollen bei ihren Freiheiten erhalten bleiben. Die Klagen der Bauern über die Tafernen in den Pfarrhöfen soll der Erzbischof untersuchen und darüber nach Gerechtigkeit entscheiden. Die Leute von Lofer und Radstadt u. a., welche sich beklagen, dass sie von den Beamten in ihren Freiheiten geschädigt würden, „es berurt anlait oder toduäll, heirat, eribtailung, stifftung, selkawf, kasstenmass, kauffenn vnd verkauffenn oder annders," sollen ihre Klagen dem Erzbischof schriftlich anzeigen, der sie untersuchen wird. Würde der Kirchenfürst auf ihre Klagen eingehen, so erböten sie sich ihm so viel zu zahlen, als Herzog Ludwig ihnen bestimmen werde.

Dieser bestimmte denn auch, dass die Bauern dem Erzbischofe 2000 ung. und 50 rhein. Gulden zahlen sollten.

Diese Bewegung hatte ein Nachspiel in Kärnten, das aber nicht viel Schaden anrichtete. Bei Windisch-Matrei wurden die Aufständischen von den Salzburger Söldnern zerstreut.

Im Jahre 1469 hören wir zum ersten Male von einer Bauernversammlung in Steiermark, deren Ursache die Unthätigkeit des Kaisers und der Stände den Türkeneinfällen gegenüber war. Die armen Leute in Obersteiermark versammelten sich bei Knittelfeld, betrübt über das Unglück des Volkes, das ohne Schuld von den Türken so schrecklich heimgesucht werde und weder bei dem Landesherrn noch bei den Ständen Schutz finden könne. Die Bauern forderten die Stände zum Widerstand gegen den Feind auf, widrigenfalls sie sich selbst widersetzen würden[*]).

Fand auch diese Versammlung nicht in den Ständen feindseliger Absicht statt, so erscheint sie doch als eine durchaus selbstständige Regung der unteren Volksklassen. Zwei Jahre später sollten in Obersteier neue Bauernversammlungen stattfinden.

Im Jahre 1470 hatte zu Völkermarkt in Kärnten ein Landtag für die drei Länder Kärnten, Krain und Steiermark stattgefunden, zu dem sich auch Kaiser Friedrich einfand. Der Türkeneinfälle und des Ausgleichs mit dem aufständischen Baumkircher wegen wurde eine ausserordentlich hohe Steuer ausgeschrieben: Alle Stände, Bischof und Abt, Prior und Pfarrer, Ritter und Bürger, Kaufmann und Handwerker, Amt-

---

[*]) Die einzige Quelle ist der schon erwähnte „Maueranschlag". Die Diction ist hier besonders schwungvoll.

mann und Bauer, das „abgespente" Kind wie der Dienstbote, Bruderschaften und Juden, ja Bettler und Bettlerin, alle wurden zur Steuerleistung herangezogen.

Diese musste natürlich der verarmten Landbevölkerung ausserordentlich drückend erscheinen. Und in der That hören wir, dass in Obersteiermark auf Gütern, welche dem Dompropst von Seckau gehörten, die Bauern Versammlungen veranstalteten, um zu berathen wie sie von der neuen Steuer verschont bleiben könnten. Da aus solchen Versammlungen, schrieb damals der Kaiser dem Dompropst, „stets nur vnrat vnd schad lannden vnd lewten aufersteet," so ergehe an den Dompropst der Befehl, diese Versammlungen zu verhindern. Der Kaiser hatte übrigens selbst seine Massregeln getroffen; es ist dann nicht weiter von Unruhen die Rede [10]).

Dafür tauchte bald nachher wieder in Kärnten eine Bauernbewegung auf. Als Ursache wird von Unrest die Münzverschlechterung angegeben. Im Handel wurden die Aglajerpfennige für 2 ½ gemeine Pfennige angenommen, wesshalb auch die Gutsherren ihre Gülten darnach berechneten. Die Bauern wollten jedoch für einen Aglajerpfennig nur 3 Halblinge geben und rüsteten sich zu bewaffnetem Widerstande. Der Verlauf dieser Unruhen ist von Unrest mit grosser Ausführlichkeit geschildert und seine Schilderung von Hermann in seiner Geschichte Kärntens benützt worden, so dass es genügt, hier darauf verwiesen zu haben [11]).

Die fortwährenden Türkeneinfälle, die Plünderungen der Ungarn und die Einforderung des „Wochenpfennigs", der der Rüstungen wider die Türken wegen ausgeschriebenen Steuer, bewirkten, dass selbst in den so gut verwalteten Freisingischen Besitzungen in Oesterreich der Geist der Auflehnung sich zeigte. Schon im J. 1475 verweigerten die Bewohner des Dorfes Lengenfeld bei Veldes die Zahlung der neuen Steuer und der Bischof Sixtus von Freising musste den Supan der Gemeinde ermahnen,

---

[10]) Unrest 566 ff. Krones, Vorarbeiten zur Quellenkunde und Geschichte des mittelalterlichen Landtagswesens der Steierm. In den Beiträgen zur K. st. G. II. 97; VI, 68.

[11]) Unrest 631 ff. Hermann, Handbuch d. Geschichte Kärntens, 197.

den Wochenpfennig ernstlich einzufordern. Später, im J. 1487 weigerten sich die Freisingischen Zinsleute zu Innichen in Tirol dem Bischof die gewöhnlichen Zehenten zu entrichten und dieser muss sie, um sie zur Zahlung zu bewegen, an ihren Eid sowie daran erinnern, dass er sie niemals über Gebühr beschwert, ja dass er nicht einmal die Weihsteuer von ihnen gefordert, die doch allen seinen Vorgängern gezahlt werden musste. Andere seiner Herrschaften, fügt er hinzu, die in den kaiserlichen Erblanden liegen, seien in den Kriegszeiten durch Brand sehr herabgekommen, sie hätten 20 bis 30mal dem Feinde huldigen (Brandschatzung zahlen) müssen, und dennoch hätten sie sich nicht geweigert die Zinse zu entrichten, ausser es hätte Einer sein ganzes Hab und Gut verloren.

Um das Jahr 1490 beklagten sich die Lacker und die Einwohner von Eisnern und Selzach beim Bischofe über die unerschwinglichen Steuern und es kam theilweise auch zu Unruhen. Der Bischof Sixtus schickte damals seine Räthe nach Lack. Niemals, schrieb er ihnen, habe ihn während seiner an Unfällen reichen Regierungszeit etwas mehr geschmerzt, als der Aufruhr seiner Unterthanen in Krain. Er that auch alles was in seinen Kräften stand, den Aufruhr zu beschwichtigen. Sein Pfleger zu Lack, Jacob Lamberger, erhielt den Auftrag zu veranlassen, dass die Bauern der einzelnen Aemter einige Genossen wählen, welche die Steuer selbst vertheilen sollten. Der Pfleger solle die Leute so viel als möglich schonen. Den Unterthanen selbst schrieb er beschwichtigend. Niemals, versichert er, habe er von der Steuer etwas für sich behalten, sie sei stets dem Kaiser oder den Feinden abgeliefert worden, habe also nur dazu gedient, Land und Leuten den Frieden zu erhalten.

Dass Verweigerungen von Zinsen und Robot wiederholt vorgekommen sind, lässt sich aus vielen Beispielen nachweisen. So musste 1475 Bischof Angelus von Feltre, Gubernator des Patriarchats von Aquileja, den Pfarrer Peter von Gurkfeld auffordern, dem Vicare Georg zu s. Ruprecht zu den ihm verweigerten Zehenten zu verhelfen. Butius von Palmulis, aquilejischer Generalvicar, richtete 1477 an alle Zehentleute der Pfarre Feistritz die Aufforderung, dem Pfarrer Peter Eglasperger daselbst die schuldigen Giebigkeiten nicht vorzuenthalten. Und im Jahre 1495 befahl Papst Alexander VI. über Beschwerde des Bischofs Christof von Laibach dem Propste und Dechante zu Oberburg, die widerspenstigen Bewohner des Oberburger Gebietes vorzurufen und nöthigenfalls unter Anwendung geistlicher Strafen zum Gehorsam gegen den Bischof zu bringen.

III. Der Bauernkrieg vom Jahre 1515.

Der Aufstand des Jahres 1515 begann zu gleicher Zeit in Krain, wo nach Valvasor auch in den zwei unmittelbar vorhergehenden Jahren Unruhen vorgekommen waren, Kärnten und Steiermark. Der Ruf nach der stara pravda, der alten Gerechtigkeit, das heisst nach Abstellung aller in den Urbaren nicht begründeten, über die in denselben festgesetzten Zinsungen hinausgehenden Forderungen der Grundherren an die Unterthanen, wurde damals in allen drei Landen gehört. In allen Thälern, in allen Aemtern erhoben sich die Bauern, doch scheint es zu einer gemeinsamen Klageschrift nicht gekommen zu sein. Wohl aber ist ein Verzeichniss der Beschwerden vorhanden, welches die „gemain in wachay" in Krain im März 1515 verfasste und das dem Bischof von Brixen am 29. März vorgelegt wurde.

Die Bürger von Radmansdorf, erzählen die Bauern, haben das Gebot erlassen, dass Niemand in den Dörfern Handel treiben dürfe; nur in ihrer Stadt sollte Handel stattfinden dürfen. Die Radmansdorfer gaben diesem Gebote sogar mit bewaffneter Hand Nachdruck. Dies bewog die Bauern im ganzen Gerichte Radmansdorf einen Bund zu machen, an welche sich auch die Gerichte Krainburg, Stein, Veldes und viele andere anschlossen, im Ganzen 20.000 Mann. Sie wollten, dass alles bei der alten Gerechtigkeit bleiben solle, wie sie zu Zeiten Kaiser Friedrichs IV. gegolten. Die Bauern von Kerschdorf wurden von der Herrschaft Veldes gezwungen, von jedem

Acker einen Staar Weizen mehr zu entrichten. Eine Wiese, welche der Bauernschaft gehörte, hätte die Herrschaft in Anspruch genommen und die Bauern würden gezwungen, zu mähen, einzuführen, ja selbst eine Scheuer hätten sie dazu bauen müssen. Bei Verkäufen würde der Verkäufer zur Ablieferung des zehnten Theiles des Werthes an die Herrschaft gezwungen. Die Mühlen wie die Käsebereitung würden neu besteuert. Der Fischfang, der vormals in der Feistritz, in der Save und anderen Gewässern gestattet war, sei jetzt verboten und die Bauern würden gezwungen, den herrschaftlichen Fischern die Netze und Schaffe zum Flusse und wieder zurück zu bringen. Zum venetianischen Krieg endlich müsste jede Hube 12 Gulden beisteuern. Fast bei jedem dieser Punkte steht der Zusatz: was vor nit gewesen ist. Es sind dies eben die neuen „Fündlein", von denen Valvasor spricht.

Ein späterer Schriftsteller, Birken, in seinem Spiegel der Ehren des Erzhauses Oesterreich[12]), der den Bauernkrieg zum Jahre 1517 erzählt, erwähnt, dass die Bauern eine Gesandtschaft an den Kaiser schickten, der sich damals in Augsburg aufhielt. Sie brachte ihre Klagen vor, worauf der Kaiser zur Niederlegung der Waffen aufforderte: er werde seinen Amtleuten befehlen, die Unterthanen bei ihren alten Rechten zu belassen. Diese Nachricht bewirkte eine grosse Freude, aber die Bauern wollten doch die kaiserliche Gnade nicht abwarten, sondern überfielen Schlösser und Klöster und begingen arge Frevel.

So erstürmten sie am 17. Mai das kaiserliche Schloss Meichau, das damals die Brüder Mynndorffer pfandweise inne hatten. Die Schlossherren wurden geköpft, ihre Leichname und die mehrerer anderer Edelleute, die sich im Schlosse aufhielten, über die Mauer geworfen; die Schlossherrin wurde gezwungen, ihr Gewand mit Bauernkleidern zu vertauschen: sie solle kosten, was Bauernleben sei. Aehnlich ging es in anderen Schlössern zu.

---

[12]) Nürnberg 1668. Vgl. Ranke, deutsche Gesch. im Zeitalter d. Reformation I, Beilage.

Die Noth der Stände war allenthalben gross. In Kärnten hielten auch die Städte, Völkermarkt und Villach ausgenommen, zu den Aufständischen. Die Kärntner Stände wandten sich gleich Anfangs an den Kaiser, der zunächst eine Commission schickte, die Sachlage zu prüfen. Diese erliess am 11. Juni von Klagenfurt aus an die Bauern einen Aufruf: sie sollten vom Aufstande ablassen und ihre Beschwerden der Commission vorlegen.

Die zwei Stände des Adels und der Prälaten kamen in Völkermarkt zusammen; die Truppenmacht, über die sie verfügten war sehr gering: etwa vierthalbhundert Mann, und die Fusstruppen weigerten sich gegen die Bauern zu Felde zu ziehen. Das kleine ständische Heer zog zunächst nach St. Veit, wo sich der Landesverweser Veit Melzer befand. Aber die Bürger dieser Stadt wollten das ständische Volk nicht aufnehmen, die Glocken erschollen, die ganze Stadt kam in Aufruhr. In den Fragmenten einer Chronik der Stadt Klagenfurt heisst es darüber:

Sie kommen mit Volkh zur Stadt St. Veit
Dasselbe zu Hörberig einzustellen.
Die St. Veiter sich desselben verwundern wöllen,
Haben die Statthoer verspert vnd verhardt,
Dass verdruss Ein Ersam Landtschaft hardt.

Endlich gaben die Bürger nach und öffneten die Thore. Dann wandte sich das Heer der Stände nach Villach, wo sich, vom Kaiser gesendet, Sigmund von Dietrichstein einfand, der den Ständen das Versprechen kaiserlicher Hilfe überbrachte. Das Heer zog nun, commandirt von Dietrichstein und Veit Melzer, von Villach aus in das Rosenthal, wo einige Dörfer in Brand gesteckt und einige Bauern erstochen wurden, worauf Ruhe eintrat.

Einstweilen war es auch im nordöstlichen Theil Kärntens, in der Gegend von Hüttenberg und Eberstein lebendig geworden. Bauern und Bergknappen hatten sich gesammelt und zogen auf den Markt Altenhofen zu, den sie sammt dem Schlosse besetzten. Ebendamals kamen 300 kaiserliche Fussknechte unter dem Befehle des Hans Hann und Hans von Greisseneck angerückt; mit dem ständischen Heere vereinigt zogen sie gegen Altenhofen, zwangen die Bauern zum Frieden und wandten sich dann in das Lavantthal, wo die Bauern die Kirche von Rojach besetzt hielten. Bald wurden diese gezwungen dem Bunde zu entsagen.

Auch ins Jaunthal erstreckte sich die Bewegung. Die Bauern drangen bis gegen Völkermarkt vor und besetzten die Brücke daselbst. Auch sie vermochten nicht Stand zu halten: in kurzer Zeit waren sie bezwungen. Ueberall war man mit grosser Strenge gegen die Aufrührer vorgegangen: gefangene Anführer wurden sofort gehängt.

Damals wird es gewesen sein, dass sich die steirischen Stände um Hilfe an die Kärntner wandten.

In Steiermark hatte der Aufstand im Gebiete von G o n o - b i t z begonnen, bald erstreckte er sich bis in die Gegend von Graz. In Krain soll er in Gottscheerlande seinen Anfang genommen haben.

Wie nach Kärnten, so schickte der Kaiser auch nach Steiermark Commissäre, welche eine Art Waffenstillstand mit den Bauern zu Wege brachten; der Kaiser wollte eben die Ordnung ohne Blutvergiesen wieder hergestellt wissen. Dieses gütige Vorgehen des Kaisers war nicht nach dem Sinne des Adels, der ja unmittelbar bedroht war. Die Stände aller drei Länder wählten daher, es wird nicht gesagt wo, den G e o r g v o n H e r b e r s t e i n zu ihrem Feldhauptmanne.

Dieser Mann wurde der Hauptheld des Bauernkrieges, die Stütze der Stände, der Schrecken der Aufständischen. Er war ein Bruder jenes Sigmund von Herberstein, der sich um das Haus Habsburg als Staatsmann, um die geographische und historische Wissenschaft durch seine zahlreichen Schriften so grosse Verdienste erworben hat. Georg war 1469 geboren, am 13. August 1497 hatte er sich mit Margareta, der gefeierten Tochter des Christof von Rottal, vermählt. Im Jahre 1502 nahm er am bairischen Kriege theil und wurde vom Kaiser Maximilian zum Ritter geschlagen; 1507 wurde er

Hauptmann des Vorauer Viertels, später ward er des Kaisers Kriegsrath und 1514 wurde er gegen Krapina und Sagor geschickt. Jetzt, im Jahre 1515, ward er oberster Feldherr gegen die Bauern und er rechtfertigte das Vertrauen, das man in ihn gesetzt.

Während Obersteiermark ruhig blieb, sammelten sich in Untersteiermark allenthalben Bauernhaufen, welche die Sitze der Schlossherren überfielen und plünderten. Georg v. Herberstein befand sich damals auf Schloss Herberstein bei Pischelsdorf, von wo er sich nach Wildon begab. Hinter ihm in der Gegend von G l e i s d o r f versammelte sich ein Bauernhaufen; wiewohl der Feldhauptmann nur wenig Truppen hatte, so wandte er sich doch gegen Gleisdorf und trieb die Bauern auseinander. Auch zu S a l d e n h o f e n an der Drau fand eine starke Ansammlung unzufriedener Bauern statt. Herberstein wandte sich jetzt gegen diesen Ort und zersprengte auch dort die Aufrührer. Eine dritte Bauernabtheilung hatte das Schloss zu C i l l i besetzt. Gegen sie wandte sich jetzt der energische Feldhauptmann. Bereits war Hilfe aus Kärnten eingetroffen. Nun wagte Herberstein Ende Juni oder Anfangs Juli die Schlacht und gewann sie: 700 Bauern sollen gefallen sein [15]).

Jetzt versammelten sich die Stände zu M a r b u r g, um über die Lage zu berathen. Die kaiserlichen Commissäre Lienhard von Ernau und Jobst Oberweymar theilten mit, dass der Kaiser selbst nach Steiermark und Krain zu kommen die Absicht habe, des Bauernaufstandes und des Krieges mit Venedig wegen. Er verlange, dass die Stände die Unterhaltung von 1000 böhmischen Fussknechten übernähmen. Darauf gingen aber die Stände nicht ein: 8000 rheinische Gulden wollten sie gerne zur Ausrüstung der genannten Knechte beisteuern.

In der Instruction, welche sie ihren an den Kaiser geschickten Gesandten, Wilhelm Schrott und Lienhart v. Harrach, ertheilten, beklagten sie sich, dass die „verdampten" Bauern

---

[15]) Meist nach dem Familienbuche Sigmund's v. Herberstein, herausgeg. von Z a h n im Archiv f. öst. G. XXXIX.

keinen Waffenstillstand eingehen, den Adel gänzlich vertreiben wollten und überall mit der grössten Grausamkeit vorgingen. Am 12. Juli hätten sie die kais. Schlösser K ö n i g s b e r g und H ö r b e r g, sowie das Gurker Gut W i s e l l eingenommen. Die Stadt R a n n hätten sie geplündert und verbrannt. Der Kaiser möge den König von Ungarn ersuchen, einige hundert Husaren zu schicken. Sie selbst wandten sich auch an die Tiroler Stände um Unterstützung.

Mit der vorhin erwähnten Verbrennung der Stadt Rann hat es folgendes Bewandtniss: Bei dieser Stadt sammelte sich ein sehr grosser Bauernhaufe — ein späterer Geschichtsschreiber gibt die Zahl 80.000 Mann an. In der Stadt commandirte der kaiserliche Hauptmann Markus von Clis (Kiss Marko), der die Stadt in Asche legte und sich in das Schloss zurückzog. Als die Bauern die drei Mauern desselben durchbrochen hatten, wollte sich der Hauptmann mit sechs Reitern durchschlagen; da aber die Pfeiler der hölzernen Brücke durchsägt waren, stürzte er in den Graben und wurde von den Bauern todtgeschlagen. Noch andere „Edelleute aus Croatien" wurden damals getödtet, deren Köpfe die Bauern an Spiessen herumtrugen, während sie die Leichname unbeerdigt liegen liessen.

Einstweilen war der Landeshauptmann von Steiermark, Sigmund v. D i e t r i c h s t e i n gegen sie herangezogen und bald schlug er sie gänzlich, eben bei Rann. Dutzendweise, heisst es, wurden die gefangenen Bauern gehängt [14]). An den im Juli zu Marburg versammelten Landtag wandte sich am 7. Juli von Cilli aus der Besitzer des Schlosses L a n d s b e r g, Achaz Schrott, mit der Bitte, ihm Genugthuung von Seite der Bauern zu verschaffen, die ihm grossen Schaden gethan. Er schildert in seinem Briefe lebhaft das Vorgehen der Bauern: sie nahmen ihm alle Barschaft, das Silbergeschirr, die Kleinodien, überhaupt alles, was er ererbt, erheiratet und sich verdient. Der Pfleger des Schlosses war erschossen, ein Diener er-

---

[14]) B i r k e n's Ehrenspiegel, V a l v a s o r IV, 417; K r o n e s in den Beiträgen z. Kde. st. G. VI, 88.

schlagen, ein Priester, die Hausfrau und ein Kind waren hart verwundet worden. Dies Alles, erzählt er, sei ihm geschehen. obwohl die Bauern schriftlich erklärten, er hätte ihnen keinen Grund zur Klage gegeben.

Trotzdem die Bauern da, wo sie die Uebermacht hatten, in schonungsloser Weise vorgingen, weil sie wirklich oder vermeintlich erlittenes Unrecht rächen wollten, so verfuhr doch Georg v. Herberstein im Ganzen mit Milde und Schonung. Dem Kaiser, der früher den Aufstand gerne ohne Blutvergiessen gedämpft hätte, lag jetzt des Krieges mit Venedig wegen daran, dass die Länder wieder zur Ruhe kämen. Er befahl daher dem Feldhauptmann am 14. Juli 1515, recht energisch vorzugehen, da sich in Kärnten gezeigt habe, dass sich die Bauern durch Strafen leicht zur Ruhe bringen liessen. Ueberall solle er die Bauern schwören lassen, dem Bunde zu entsagen, ihre Beschwerden dem Kaiser vorzulegen, dessen Entscheidung abzuwarten und sich der Strafe, die er ihnen auferlegen werde, „die aber zimblich vnd leidlich sein wirdet," gutwillig zu fügen.

Die vorsorgliche Gesinnung des Kaisers tritt am besten aus einer anderen Stelle desselben Briefes hervor. Er wolle, schreibt er, in Steiermark, Kärnten und Krain Landtage berufen, auf denen die den Bauern aufzuerlegenden Strafen bestimmt werden sollen. Auch würden diese Landtage die Aufgabe haben, die Beschwerden der Bauern zu untersuchen und das Verhältniss zwischen Herrschaft und Unterthan derart zu ordnen, dass künftig solche Unruhen vermieden blieben. Die Herren und Edlen sollen zwar in ihren Rechten nicht gekränkt, die Bauern aber auch nach Billigkeit behandelt werden.

Einen Brief ähnlichen Inhalts schrieb der Kaiser dem Feldhauptmann am 31. Juli: Er habe gehört, dass die Bauern ihre Zusagen nicht immer hielten, wesshalb er ihm befehle, im Kriege fortzufahren, bis die Ruhe vollständig hergestellt sei. Doch möge er stets im Einverständnisse mit seinen Commissären handeln. Besonders solle er die „Rädlfüerer, anfennger vnnd ursacher" in seine Gewalt zu bekommen trachten und sie nach Massgabe des Ergebnisses einer Untersuchung bestrafen.

Die Commissäre, welche der Kaiser früher nach Kärnten geschickt hatte, waren später nach Krain gezogen: jetzt befanden sie sich in Laibach. Aber ihre Bemühungen, die Ruhe wieder herzustellen, waren erfolglos. Der Landeshauptmann von Krain, Hans v. Auersperg, empfahl sich damals dem Schutze Georg's v. Herberstein, denn, schreibt er, wir sind viel zu schwach den Bauern gegenüber, erhalten von keiner Seite Hilfe und die Bemühungen der kaiserlichen Commissäre bleiben resultatlos. Auch bekam Herberstein damals den Auftrag, 200 Reiter auf Kosten der Krainer Landschaft zu werben.

Wiederholt liess Auersperg den Feldhauptmann fragen, welchen Weg er nach Krain einschlagen wolle, damit das Heer der Krainer Stände zu ihm stossen könnte. Er beschwor ihn, die Bauern „mit prandt vnd gwalt" dazu zu bringen, dass sie ihm sein Erbschloss Neudeck, dass sie ihm abgedrungen, wieder einräumen. Doch möge er seine Unterthanen, die nur gezwungen dem Bauernbunde beitraten, verschonen. Die Hauptleute und Rädelführer, fügt er hinzu, lasst spiessen, hängen und brennen, wie euch gefällt.

Herberstein hatte einen andern Weg eingeschlagen, als man in Krain erwartete; er war bei Reichenburg über die Save gegangen und meldete dies sofort den Krainern. Der Landeshauptmann konnte ihm nun antworten, es finde jetzt keine Bauernansammlung mehr statt, so habe die Nachricht von seiner Ankunft gewirkt. „Ihr habt uns aus der Hölle erlöst," schreibt er. Trotzdem durchzog der Feldhauptmann das Krainer Land und brachte es vollends zur Unterwerfung.

Damit hatte die Bewegung ein Ende; nur kurze Zeit also hatte sie gedauert, etwa vom März bis zum August 1515 [15]).

---

[15]) Man kann also nicht sagen, dass sich den ganzen Sommer 1515 die zügellose Rache der Bauern über die Lande unaufhaltsam ergossen habe, wie Zimmermann I, schreibt. Auch kann nicht davon die

Nach der Niederwerfung des Aufstandes erfolgte die Bestrafung: in Kärnten wurden die Unterthanen verhalten, jährlich acht Pfennige, Bundpfennige genannt, zu zahlen, und in Krain wurde jedes Haus mit einem Gulden Steuer belegt. In Steiermark ist eine directe Nachricht über eine derartige Strafe nicht bekannt, aber es kommt in dem ständischen Steuerbuche vom Jahre 1516 neben den Worten „Rüsstgelt wider die aufrüerigen pawern" häufig der Ausdruck vor: „Mer peenfall von wegen der pauern." Verstehe ich den Ausdruck recht, so ist damit das Strafgeld gemeint, das die Bauern an die Herrschaften zahlen mussten, die es wieder an die Landschaft abführten.

Denn den Ständen hatte die Unterdrückung des Aufstandes bedeutende Geldopfer auferlegt. Auf jeder Seite des genannten Steuerbuches ist vom „Rüsstgellt wider die pawern" oder von „darlehen in der pawern aufruer" die Rede; auch sind noch Quittungen über geleistete Zahlungen vorhanden. Von verbrannten Gütern ist darin mehrfach die Rede.

Die erfolglosen Bemühungen der Bauern, die Schnelligkeit mit der die Herren die Bauernhaufen zerstreuten, erregten damals weniger die Theilnahme und das Mitleid, als den Spott und die Schadenfreude. Es existirt aus dieser Zeit ein Volkslied, das die Kriegsunternehmungen der Bauern und das Schlagwort, das entstanden war — stara pravda, das alte Recht, dem Gespötte preisgab. Es lautet [16]):

Rede sein, dass der Kaiser erst 1516 eingegriffen und dass Siegmund v. Dietrichstein den Bauern „bei Rain in Kärnten im Villacher Kreis um Michaelis" eine blutige Niederlage beibrachte. Daselbst.

[16]) L. U h l a n d, der dieses Gedicht in seine „Alte hoch- und niederdeutsche Volkslieder" 2 Bde. 1844 f. I. 511 aufnahm, reihte es in die Zeit des ersten grossen deutschen Bauernkrieges (1525) ein; C h m e l liess es im Notizenblatt I. 112, L i l i e n k r o n in den historischen Volksliedern der Deutschen, III. Bd., Leipzig, 1867, S. 188, abdrucken. Der Refrain Leukhup, woga gmaina heisst nach C h m e l: Nur zusammen, tapfere Schaar! nach Lilienkron (Le ukhup, wogang, gmaina): Nur zusammen, in's Feuer, Gemeinde! Woga g. soll aber „arme Gemeinde" heissen.

Ain newes lied von den kraynnerischen bauren.

1. Hœrt wunder zu,
   der baurn unrue
   thet sich so ser aus praitten.
   In kurtzer zeit
   zu krieg und streit
   kham maniger her von weitten.
   Aus irer gemain,
   theten sy schreien:
   Stara prauda,
   ain yeder wolt sich rechen,
   seines herrn gut nun schwechen.
   Leukhup leukhup leukhup leukhup woga gmaina!
   mit gmainem rat sy khamen dar
   für gschlœsser, marckt, das ist war.

2. Der adel guet,
   auss freyem muet,
   thet sich gar starck auff schwingen,
   er macht das pœst,
   war nit der letzst,
   mit vechten vnd mit ringen,
   der baurn schar
   was rueffen dar
   Stara prauda,
   die lantzknecht theten prangen
   mit spiessen und mit stangen.
   Leukhup l. l. l. woga gmaina,
   der bauren pundt was zertrent,
   ir khainer west umb das endt.

3. Der baurn list,
   man nit vergist
   zu singen und zu schreiben,
   in irem můt
   das edel pluet,
   erdachten sy zuuertreiben,
   sy schrayen ser,
   ye lenger ye mer,
   stara prauda,
   den geistlichen nit schencken,
   ir nůcz und gwin zu bedencken.
   Leukhup l. l. l. woga gmaina
   ir khainer sol ab wenden,
   er můst den Krieg vor enden.

4. Der bauren rat,
   gar offt und drat,
   gen C i l i her thet schicken,
   begert do vil,
   ain seltzam spil,
   die stat thet sich erquicken,
   mit püchsen güt,
   sy schrecken thut.
   Stara prauda
   ain yeder schwür bey seinem ayd,
   es solt der stat werden layd.
   Leukhup. l. l. l. woga gmaina
   wir wellens frischlich vahen an,
   khainen darin leben lan.

5. Ains tags nit weyt
   nach vesper zeit,
   die bauren thetten herdringen,
   wol zu der stat,
   in jamerss not,
   vermainten die zu bezwingen,
   mit irer macht;
   ir hertz das lacht,
   Stara prauda.
   pald was in entgegen gan,
   man gsach sy auff der walstat stan.
   Leukhup l. l. l. woga gmaina.
   ir püchssen worden krachen,
   Das spil wil sich machen.

6. Gar pald darnach
   ein spil da gschach,
   gar maniger ward erstochen
   auff der bauren seyt,
   in klainer zeit,
   es het ain endt ir püchen.
   etlich aus In
   hetten klain gewin,
   Stara prauda.
   Sy haben die schantz verloren,
   man hat in trucken geschoren.
   Leukhup l. l. l. woga gmaina,
   durch Ir falsch sinn vnd arglist,
   erhangen vnd auch gespist.

Die Stände wie der Kaiser waren mit den Diensten des Grafen Herberstein ausserordentlich zufrieden. Die steirischen Stände gewährten ihm am 24. Februar 1516 ein Ehrengeschenk von 600 Pfund Pfennigen. Der Kaiser ersuchte den Bischof von Gurk, Mathäus Lang, dem Feldhauptmann „ain zimbliche ergeczlichkait" zu gewähren und zwar von dem fridtgelt (12. September 1515). Der im Juli 1516 zu Laibach versammelte Landtag gewährte ihm auf eine Entlohnung von 300 rheinischen Gulden. Ich bemerke hier nebenbei, dass die letztere „Ergötzlichkeit" lange Zeit blos auf dem Papiere stand; denn noch im Jahre 1519 war sie nicht ausgezahlt und fand sich Georg Herberstein damals veranlasst, über die Saumseligkeit der krainischen Stände sich bitter zu beschweren. Im October 1515 versicherte der Kaiser dem Feldhauptmann, dass er niemals Leuten, die ihn verleumden wollen, sein Ohr leihen werde, und am 26. December ernannte er ihn zum Feldhauptmann gegen Venedig. Und Kaiser Carl V. anerkannte noch im Jahre 1522 bei Gelegenheit, als er den Herbersteinern eine Aenderung ihres Wappens gestattete, die Verdienste Georg's, der „gemainer Paurschafft Emperung durch sein schüglichkait vnd Redlichait getempfft".

Nachklänge des Bauernkrieges vernahm man auch in den folgenden Jahren, besonders in Krain. Der Bischof Christoph von Laibach beschwerte sich über die Bauern zu Tuchein bei dem Kaiser, der am 15. September 1516 die Beschwerdeschrift dem Landeshauptmann Hans v. Auersperg und dem Vitzthum Erasmus Braunwart übersandte, mit dem Befehl, einen friedlichen Ausgleich zu versuchen, widrigenfalls dafür zu sorgen, dass dem Bischof nichts entzogen werde. Nach und nach verhallten die Klagen vollends, der Kaiser befahl, ohne seine Erlaubniss keinen Bauern mehr zu strafen; in den Pflegreversen erscheint wieder die Versicherung, der Bestandnehmer wolle die Unterthanen wider Billigkeit und altes Herkommen oder über die gewöhnlichen Zinsen und Roboten nicht bedrängen und Steiermark, Kärnten und Krain wurden so ruhig, dass, als im Jahre 1525 der deutsche Bauernkrieg, der nach Tirol und Salzburg herübergriff und Obersteiermark in Aufruhr brachte, in den genannten Ländern die Ruhe nicht merklich gestört wurde.

Die Darstellung dieses Aufstandes in Obersteiermark wäre natürlich zunächst im Zusammenhange mit dem von Salzburg eine sehr dankenswerthe Aufgabe; die Ursachen liegen klarer zu Tage, die reformatorische Bewegung tritt da zu anderen Veranlassungen; die Quellen fliessen reichlicher, Wünsche und Ziele der handelnden Personen sind deutlicher erkennbar, diese leitenden Persönlichkeiten treten plastischer hervor. Beide Aufstände, der von 1515 und der von 1525, waren leicht verständliche Mahnungen an den Landesherrn und die Landherren [17]).

---

[17]) Eine Rechtfertigung dieser Darstellung soll nebst den Briefen und Acten, auf denen sie beruht, in den Beiträgen zur Kunde steiermärkischer Geschichtsquellen gegeben werden.

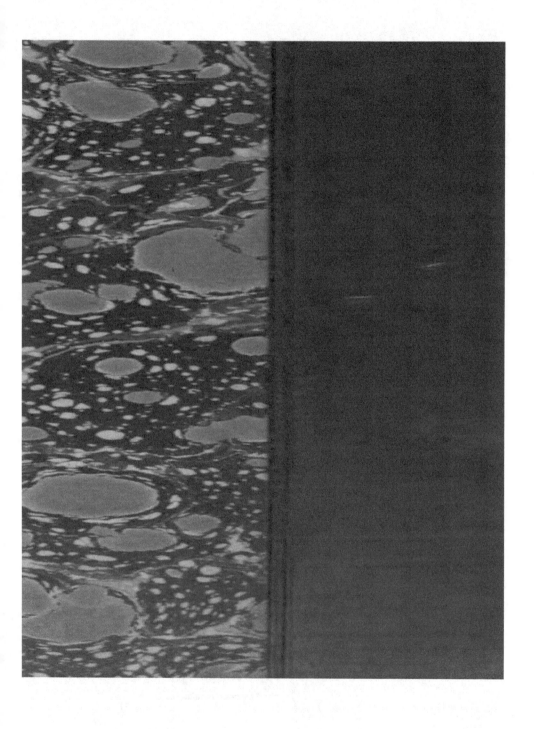

Im The Story
personalised classic books

"Beautiful gift., lovely finish.
My Niece loves it, so precious!"

Helen R Brumfieldon

★★★★★

UNIQUE GIFT

FOR KIDS, PARTNERS
AND FRIENDS

Timeless books such as:

Kids

Alice in Wonderland • The Jungle Book • The Wonderful Wizard of Oz
Peter and Wendy • Robin Hood • The Prince and The Pauper
The Railway Children • Treasure Island • A Christmas Carol

Adults

Romeo and Juliet • Dracula

Highly Customizable

Change Books Title

Replace Character names with yours

Upload Photo into inside page!

Add Inscriptions

Visit
Im The Story .com
and order yours today!